DIZIO
DEI SINONIMI
E DEI CONTRARI

di Elisabetta Perini

Ideazione, progetto e realizzazione:
Elisabetta Perini

Revisione redazionale:
Paola Agostini e Maria Rosa Brizzi

Progetto grafico della copertina:
Lorenzo Pacini

Progetto grafico del testo:
Giovanni Bartoli

www.giunti.it

Via Bolognese 165 - 50139 Firenze - Italia
Via Dante 4 - 20121 Milano - Italia

Prima edizione: maggio 2006

Ristampa	Anno
7 6 5 4 3 2	2013 2012 2011 2010 2009

Stampato presso Giunti Industrie Grafiche S.p.A.
Stabilimento di Prato

ISTRUZIONI PER L'USO
Qualche informazione per accompagnarvi alla consultazione del dizionario

L'efficacia del nostro parlare e del nostro scrivere dipende non soltanto dalla nostra lucidità mentale, ma anche dalla quantità e dalla qualità delle parole che costituiscono il nostro lessico. Per comunicare, per esprimerci dobbiamo saper scegliere le parole giuste, quelle che si avvicinano il più possibile al nostro pensiero e al nostro sentire.

Le parole le impariamo nel corso della nostra vita, vivendo, guardandoci intorno, ascoltando, sperimentando e soprattutto leggendo molto, perché i libri sono una fonte inesauribile di termini e di usi stilistici. Sapere usare le parole giuste nei contesti appropriati ci dà la possibilità di poterci esprimere in modo chiaro, efficace e preciso in tutte le situazioni.

Nella ricerca delle parole ci sono di grandissimo aiuto i dizionari: qui esse vengono ordinate, studiate, spiegate nei minimi dettagli, ammesse o escluse. Tra di essi il dizionario dei sinonimi e dei contrari rappresenta uno strumento insostituibile per la conoscenza e la sperimentazione pratica delle parole e dei loro diversi significati.

Come tutti gli strumenti, anche un dizionario ha bisogno delle sue "istruzioni per l'uso" dove si spiegano i concetti base della semantica ai quali il lessicografo (ovvero il compilatore del dizionario) si è ispirato per la sua realizzazione. La semantica (dal greco *semantikós*, derivato di *semaínein*, "significare") è quel settore della linguistica che si occupa delle parole e che studia i significati e le relazioni di significato che intercorrono tra le parole di un lessico. Da sempre filosofi e linguisti si interrogano e cercano di dare una sistemazione logica al linguaggio che è un universo vivo e in costante movimento. Queste poche pagine non possono illustrare il pensiero delle diverse scuole di questa scienza affascinante, ma possono offrirvi qualche informazione pratica che vi aiuti a muovervi agilmente in mezzo ai concetti base della semantica, come la sinonimia, l'antonimia, l'iperonimia e l'iponimia.

Il lessico

Il lessico è l'insieme delle diverse parole di una lingua che ciascuno di noi potenzialmente possiede per comunicare: un tesoro che portiamo nel nostro cervello – e nel nostro cuore – e al quale attingiamo per esprimerci. Non dobbiamo immaginarlo come un ammasso informe di migliaia di parole custodite disordinatamente nella nostra mente e neppure come un enorme dizionario dove le parole sono ordinate in lunghe e monotone file che vanno dalla A alla Z. Pensiamo piuttosto a un luogo bene organizzato, come un archivio o un magazzino in cui le parole sono collegate tra di loro in un fitto intreccio di rapporti di significato. Quando vogliamo esprimere un concetto, andiamo a ricercare e a recuperare i termini che ci servono proprio in questo grande archivio. Ogni parola che incontriamo porterà con sé anche le parole alle quali è legata da rapporti che sono molto simili ai nostri rapporti di... amicizia, simpatia, antipatia, parentela o semplice conoscenza. Questa rete di idee, di concetti e di parole è strutturata secondo precisi criteri e rappresenta una fonte inesauribile di materiale che possiamo sfruttare al meglio per le nostre necessità comunicative. La ricchezza e la vivacità di questo "archivio", l'ampiezza e l'elasticità di questa rete sono fortemente legate alle nostre conoscenze, alle nostre esperienze, alla nostra capacità intellettuale e alla nostra sensibilità.

Le relazioni di significato

I rapporti che legano le parole tra di loro sono chiamati **relazioni di significato** o **relazioni semantiche**. Tra le molteplici relazioni che intercorrono tra le parole possiamo distinguerne tre principali:

- il rapporto di somiglianza o **sinonimìa**: collega le parole che hanno lo stesso significato (o quasi), i **sinonimi**;
- il rapporto di opposizione o **antonimìa**: collega le parole che hanno significato opposti, i **contrari** o **antònimi**;
- il rapporto di inclusione o **iperonimìa** e **iponimìa**: collega parole il cui significato più ampio (**iperònimi**) include quello di altre parole di significato più ristretto (**ipònimi**).

Sinonimi

Sinonimo vuol dire "parola dallo stesso significato", dal greco *sýn*, "insieme", e quindi "uguale, identico", e *ónoma*, "nome". In realtà soltanto in rari casi possiamo parlare di parole identiche: in generale, infatti, il rapporto di sinonimia è un rapporto di **somiglianza** e non di identità fra le parole.

La **sinonimia** è **totale** (o assoluta) quando due parole sono identiche nel significato e possono sostituirsi l'una all'altra in qualsiasi contesto, sono cioè **interscambiabili**.

Non ho sentito *niente*. – Non ho sentito *nulla*.
Niente è stato lasciato al caso. – *Nulla* è stato lasciato al caso.
Ci vediamo *tra* un'ora. – Ci vediamo *fra* un'ora.

Questo tipo di sinonimia è molto rara. La lingua infatti tende a essere molto attenta a ogni "spreco" linguistico: quando esistono due parole con lo stesso significato, una delle due tende a sparire o a specializzarsi con un altro significato.

Normalmente le parole sono legate da rapporti di sinonimia **parziale** (o approssimativa), cioè hanno significati vicini, ma non identici e possono sostituirsi una all'altra solo in determinati contesti. Per questo motivo sentirete spesso parlare di (**quasi**) **sinonimi**. Ad esempio, *pace* e *tranquillità* o *crollo* e *caduta* sono sinonimi parziali perché non sono interscambiabili fra di loro in tutte le frasi:

Ho bisogno di *pace*. – Ho bisogno di *tranquillità*.
Amo la *pace* di questo luogo. – Amo la *tranquillità* di questo luogo.
Lasciami in *pace*! (non in *tranquillità*).
I movimenti in difesa della *pace* (non in difesa della *tranquillità*).

Abbiamo registrato un *crollo* dei prezzi. – Abbiamo registrato una *caduta* dei prezzi.
Il *crollo* di un regime dittatoriale. – La *caduta* di un regime dittatoriale.
Si è verificato il *crollo* di un edificio (non la *caduta* di un edificio).
Ha avuto un *crollo* psicologico (non una *caduta* psicologica).

Quando scegliamo un sinonimo rispetto a un altro, sia in un testo scritto sia nella lingua parlata, operiamo una scelta basata su molteplici motivazioni – emotive, stilistiche, culturali – legate al contesto linguistico, situazionale e culturale in cui vogliamo usare quella data parola. Il **contesto linguistico** ci permette di chiarire il significato di una parola inserendola nel contesto più vasto di cui fa parte. Il **contesto situazionale** è quella particolare situazione spazio-temporale in cui una parola o una frase si collocano e che include le persone che stanno comunicando e le azioni che persone stanno compiendo in quel preciso momento. Il **contesto culturale** permette di chiarire il significato di una parola inserendolo in un complesso di elementi culturali, sociali, storici, politici. Nella scelta di una parola rispetto a un'altra il contesto ci fornisce le informazioni necessarie per trovare il sinonimo più appropriato e ci indica le situazioni in cui i sinonimi possono essere interscambiabili oppure no.

Vediamo insieme quali sono i casi che ci impediscono di sostituire un sinonimo con un altro.

- Alcuni sinonimi condividono uno stesso "nucleo" semantico, ma si distinguono l'uno dall'altro per particolari **sfumature di significato**. Così alla parola *amore* troveremo, tra i sinonimi, *affetto*, *amicizia*, *tenerezza*, *passione*, termini che certo condividono il significato generico del sentimento chiamato "amore", ma si differenziano l'uno dall'altro, in quanto caratterizzano diverse sfumature di intensità di quel sentimento, dal più debole al più intenso. *Stretto* e *angusto*, ad esempio, sono sinonimi di *piccolo* e sono interscambiabili tra di loro in gran parte dei casi. *Stretto*, però, ha anche il significato di "aderente, attillato" che *angusto* non ha e, quindi, non può essere sostituito in frasi come: "questo vestito mi sta troppo *stretto*"; non si dice infatti: "questo vestito mi sta troppo *angusto*".

- A volte due parole pur essendo sinonimi non sono interscambiabili fra di loro perché una possiede un significato **denotativo** e l'altra invece un significato **connotativo**. Il significato **denotativo** identifica e definisce un oggetto o un'azione per quello che è, secondo parametri condivisi da tutti i parlanti: un gatto è un gatto, una casa è una casa. Il significato **connotativo**, invece, aggiunge una serie di elementi supplementari al significato di base di una parola. Si tratta di informazioni emotive che trasmettono al significato di una parola sensazioni soggettive e personali. Ad esempio, *micio* e *gatto* sono sinonimi, ma *micio* ha una connotazione di tipo emotivo che non ci permette di usarlo al posto di *gatto* in contesti linguistici piuttosto privi di affettuosità e tenerezza, come un testo di zoologia o un libro sugli animali domestici. Vi immaginate un professore di anatomia veterinaria che parla ai suoi studenti delle patologie del... micio? Lo stesso discorso vale per *mamma* e *madre*, per *papà* e *padre* ecc.

- Spesso alcune parole hanno lo stesso significato, ma non sono completamente interscambiabili fra di loro perché appartengono a **registri linguistici** diversi. Una parola come *rompiscatole*, che appartiene al registro **colloquiale** (o informale) della nostra lingua, non potrà essere usata in una situazione formale, a meno di non voler risultare maleducati o impertinenti. Si preferiranno i sinonimi *noioso* o *seccatore* che appartengono al registro **medio** della lingua. Allo stesso modo cercheremo di usare i sinonimi *disordine* e *casino* nei contesti di loro competenza, preferendo il termini colloquiale *casino* solo nelle situazioni che gli competono. *Lettera* e *missiva* sono sinonimi, ma *missiva* è una parola che appartiene al registro **elevato** (o formale) della lingua e quindi è usata soltanto in particolari situazioni e non tutti i giorni quando andiamo alla posta a imbucare le nostre *lettere*.

- Alcuni sinonimi appartengono ai cosiddetti **linguaggi settoriali** di una determinata professione o scienza. Così, ad esempio, i termini del linguaggio medico sono parole specialistiche che vengono usate in contesti linguistici limitati. Mentre infatti diremo: «Mi sono preso un bel *raffreddore*», e non: «Mi sono preso una bella *rinite*», il nostro medico di famiglia ci informerà che purtroppo soffriamo di una "*rinite* allergica". Allo stesso modo se affitto un appartamento divento un *inquilino*, ma secondo il contratto d'affitto sarò chiamato *conduttore*, che è il termine usato nel diritto per designare l'inquilino.

- Esiste un altro tipo di sinonimi che appartengono ad altri linguaggi di tipo specialistico, i **gerghi**, lingue speciali che vengono usate all'interno di gruppi ristretti e che tendono a sottolineare il senso di appartenenza a un gruppo. Il **gergo della malavita** è molto antico e ad esso appartengono parole come *cantare* sinonimo di "confessare", *gattabuia* sinonimo di "prigione". Anche il **gergo militare** ha arricchito il nostro lessico con parole come *naia*, per "leva", *sbobba* per "minestra". Il **gergo giovanile** è caratterizzato invece da una grande vivacità, ma anche da una rapida decadenza. Alcune parole però come *cotta* (per "innamoramento"), *filarino* (per "relazione amorosa"), *forte* (per "bello", "interessante") sono entrate a fare parte del nostro lessico colloquiale quotidiano. È chiaro che anche le parole di tipo gergale vanno usate nei contesti appropriati oppure possono servire a dare un certo "colore" stilistico a un testo.

- Ci sono poi sinonimi che non possono essere usati negli stessi contesti perché appartengono a periodi diversi della storia della nostra lingua. Alcune parole "invecchiano" e, pur avendo lo stesso significato di altre, finiscono per non essere più utilizzate o vengono usate in contesti poetici o particolarmente solenni. Così non diremo più: «Ho colpito il bersaglio con il mio *dardo*», ma diremo: «Ho colpito il bersaglio con la mia *freccia*», e non ci rallegreremo per l'*aura* che ci rinfresca nelle serate estive, ma piuttosto per la *brezza* o il *venticello*. Parole che usiamo oggi, forse fra dieci anni saranno diventate vecchie, degli **arcaismi** appunto, come *dardo* e *aura*. Gli arcaismi vengono talvolta usati come sinonimi scherzosi, come *pargolo* per "bambino", *donzella* per "ragazza" e *avo* per "antenato".

- Esistono dei sinonimi che hanno lo stesso significato, ma sono diffusi in diverse zone d'Italia: sono i cosiddetti **geosinonimi** che caratterizzano spesso la parlata di ciascuno di noi e che ci dicono se proveniamo dall'Italia settentrionale, centrale o meridionale. Nell'italiano settentrionale il frutto estivo rosso con la buccia verde è chiamato *anguria* e corrisponde al *cocomero* toscano, mentre nell'Italia meridionale è detto *melone d'acqua*. Così negli armadi dell'Italia settentrionale per appendere gli abiti si usano gli *ometti* o gli *appendiabiti*, in Toscana le *grucce* e al centro-sud le *stampelle* o le *croci*.

- I **sinonimi eufemistici** vengono usati per sostituire parole che sono considerate troppo "forti" o troppo dolorose: è il caso, ad esempio, di *spirare*, *venire meno*, *passare a miglior vita*, usati al posto di "morire" oppure di *sopprimere*, *eliminare*, per "uccidere". L'eufemismo (dal greco *èu*, "bene" e *phemí*, "dire", "parlare") è una figura retorica che permette di attenuare la durezza di un'espressione, usando parole più dolci e meno marcate dal punto di vista del significato.

- Una categoria a parte sono le parole di **origine straniera**, entrate a fare parte della nostra lingua e diventate sinonimi a tutti gli effetti di parole italiane. È il caso di *week-end* per "fine settimana", *relax* per "riposo", "rilassamento", *shock* per "trauma", "colpo", *exploit* per "successo, trionfo", *hacker* per "pirata informatico", *e-mail* per "posta elettronica".

Contrari o antonimi

Un importante rapporto di significato tra le parole è il rapporto di **opposizione**. Parole come *largo/stretto*, *bello/brutto*, *nascere/morire* hanno significato opposto e sono chiamati **contrari** o **antonimi** (dal greco *antí*, "contro", e *ónoma*, "nome").

Anche le relazioni di opposizione, come quelle di somiglianza, si distinguono tra di loro in vari tipi.

- La prima relazione di opposizione è quella esistente fra coppie di parole come *vivo/morto*, *parlare/tacere*, *pari/dispari*. Queste parole sono legate da un rapporto di **complementarità (opposizione complementare)**, in quanto l'una è la negazione dell'altra e viceversa. Se una persona è viva significa che non è morta, se parlo vuol dire che non taccio, se un numero è pari vuol dire che non è dispari e viceversa. Sono rapporti di opposizione tra due parole.

- Parole come *caldo/freddo*, *giovane/vecchio*, pur esprimendo concetti incompatibili fra di loro, sono legate invece da un rapporto di **opposizione graduale**. Se l'acqua è fredda non è detto che non sia calda. Tra *freddo* e *caldo* ci sono diverse gradazioni di significato, come *fresco* e *tiepido*. Analogamente, tra *giovane* e *vecchio* troviamo *maturo*, *attempato*, *anziano*. Una parola quindi si opporrà a più contrari e non a uno solo.

gelido — ***freddo*** — *fresco* — *tiepido* — ***caldo*** — *bollente*

Ricordiamoci però che la classificazione degli opposti, come in genere tutte le classificazioni dei rapporti di senso, non è così rigida e netta perché è legata strettamente alla sfera culturale di ciascuna lingua alla quale la parola fa riferimento. Così ad esempio *celibe*, che potrebbe sembrare opposto complementare di *sposato*, nella nostra società si oppone anche a *separato* e *divorziato*, mentre in una società che non prevede il divorzio e la separazione legale queste due parole si escluderebbero vicendevolmente.

- Un discorso a parte va fatto invece per i termini cosiddetti **inversi**. La relazione che lega la coppia di parole è certamente una relazione di opposizione, che però contrappone due termini visti da due prospettive diverse. È il caso di *vendere* e *comprare*, *padre* e *figlio*, *medico* e *paziente* dove l'una non esclude l'altra, ma è l'inverso dell'altra. Sono parole il cui significato è legato all'esistenza dei loro inversi: non c'è *vendita* senza *acquisto*, *madre* senza *figlia/o* e così via.

Molti antonimi si formano con prefissi come a-, an-, de-, dis-, in-, ne-, s-: *tipico/atipico; alcolico/analcolico, colorare/decolorare, onesto/disonesto, felice/infelice, fiducia/ sfiducia.*

Iponimi e iperonimi

Un altro rapporto che collega fra di loro le parole è il rapporto di **inclusione**, che costituisce la base dell'organizzazione del lessico in tutte le lingue. Viene chiamata inclusione perché, ad esempio, si può dire che il significato di *rosa* è incluso nel significato di *fiore*, il significato di *cavallo* nel significato di *animale*.

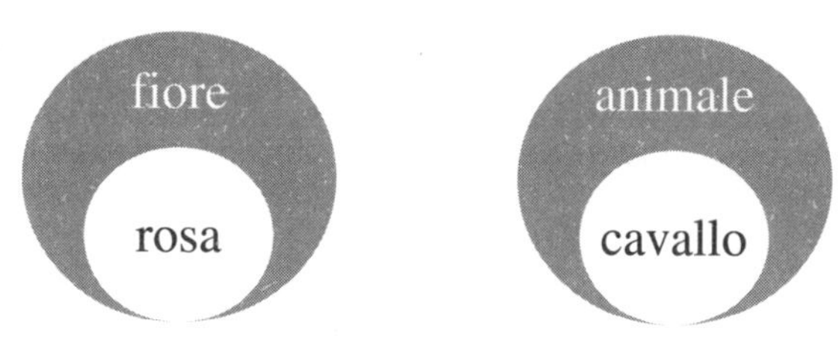

rapporto di inclusione

In queste coppie di parole una, *fiore*, ha un significato più ampio e più generico, mentre la parola *rosa*, inclusa nell'insieme *fiore*, esprime un significato più ristretto e specifico. Il termine specifico *rosa* è detto **ipònimo** (dal greco *hypó*, "sotto", e *ónoma*, "nome": "parola che sta sotto"), il termine generico *fiore* è detto **iperònimo** (dal greco *hypér*, "sopra", e *ónoma*, "nome": "parola che sta sopra"). L'iperonimo *fiore* include diversi iponimi come *rosa*, *narciso*, *dalia* che vengono chiamati **coipònimi**. A sua volta un iperonimo può essere iponimo di un termine di significato più generale che a sua volta è iponimo di uno più generico, formando così una **serie iponimica**:

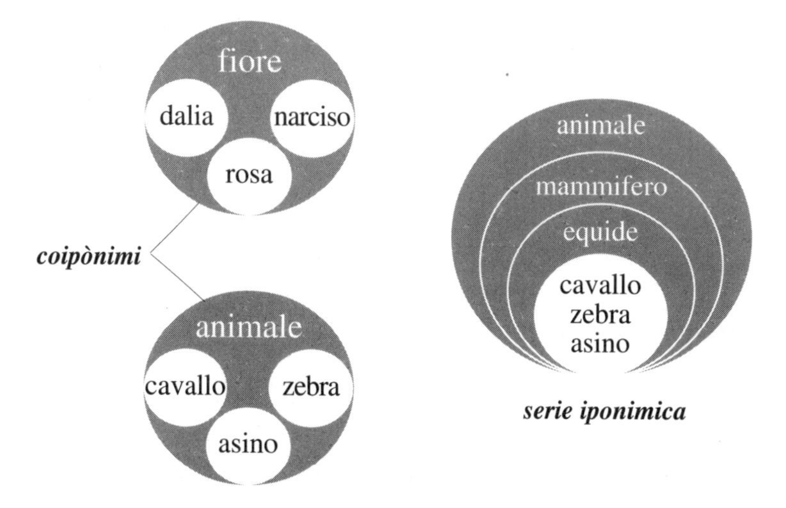

serie iponimica

Le parole vengono in questo modo organizzate gerarchicamente, da quella più generica a quella più specifica in strutture a forma di albero come questa:

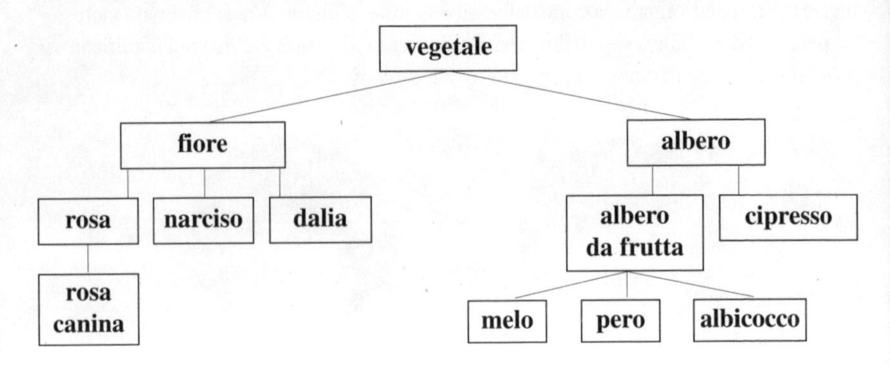

Gli **iponimi** ci forniscono **informazioni più precise e dettagliate** riguardo a un oggetto, un'azione o un concetto. Gli **iperonimi** invece permettono di **generalizzare** un concetto e ne danno **una descrizione più ampia**. I rapporti di inclusione ci aiutano a esprimere con più esattezza i nostri pensieri e contribuiscono a rendere il nostro vocabolario più ricco di informazioni e di dettagli interessanti per la comunicazione. Se noi impariamo a muoverci con agilità dai termini di significato più generico a quelli di significato più ristretto e viceversa, renderemo più chiara e più vivace l'espressione dei concetti presenti nella nostra mente.

Il passaggio da un iperonimo a un iponimo ci consente infatti di descrivere con più precisione un concetto.

Dall'***iperonimo*** all'*iponimo*:

Lo ***strumento*** che mi piace di più è il *violoncello*.

Si sentiva il ***rumore*** della pioggia, un *ticchettio* insistente alternato a improvvisi *boati* mescolati al *fragore* dei tuoni.

Invece il passaggio da una parola di significato più ristretto a una di significato più generale non solo permette di spiegarsi meglio, ma soprattutto ci aiuta a evitare inutili ripetizioni.

Dall'*iponimo* all' ***iperonimo*** :

L'assassino teneva la *pistola* rivolta contro di me. Vedevo l' ***arma*** brillare nella luce della luna.

Guardavo con apprensione il *cavallo* che mi era stato destinato. L' ***animale*** si muoveva nervosamente dentro il recinto e non prometteva niente di buono.

Parole e significati

Molto spesso le parole hanno diversi significati o sfumature di significato. Queste parole si chiamano polisemiche (dal greco *polý*, "molto", e *séma*, "segno"). Generalmente per ogni significato c'è il suo sinonimo o sinonimi cui corrispondono i contrari. Ad esempio, l'aggettivo *lieve* ha quattro significati con i relativi sinonimi e quattro contrari:

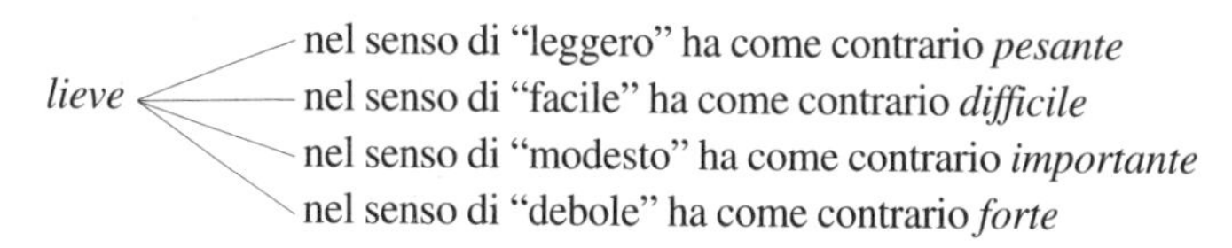

In questi casi solo il contesto ci può aiutare a capire quale sinonimo e quale contrario scegliere per la costruzione della nostra frase. Il dizionario ci aiuta fornendoci, sinteticamente, tutte le informazioni relative al contesto d'uso delle diverse accezioni che sono necessarie per fare la scelta più corretta:

> **liève** *agg.* **1** leggero © pesante, grave **2** (*di compito, di lavoro ecc.*) facile, leggero, comodo © difficile, duro, complesso, faticoso, pesante **3** ♧ (*di difetto, di differenza ecc.*) leggero, modesto, piccolo, impercettibile © importante, serio, grave **4** ♧ (*di rumore e sim.*) debole, sottile, tenue, impercettibile © forte, alto, squillante.

* * *

Ora sapete muovervi con più facilità tra parole che prima forse non vi erano molto chiare, come sinonimi, antonimi, iperonimi, e così via. A questo punto, mi auguro che questo dizionario (come tutti i dizionari!) si trasformi per voi da un insieme di segni e di parole noiosamente elencati, in uno strumento di lavoro che vi accompagni come un amico fidato e pieno di sorprese. Vorrei che le pagine si consumassero e si stropicciassero per l'uso e soprattutto per la CURIOSITÀ. Perché proprio la curiosità vi può spingere a "rovistare" tra le parole, a conoscerle meglio o a scoprirle per la prima volta, facendovi venire il GUSTO dell'esplorazione e della sperimentazione. Il dizionario dei sinonimi e contrari non serve soltanto per evitare la famigerata ripetizione, può anche offrirvi uno spunto di riflessione e uno stimolo creativo. Quando le idee fanno fatica a farsi spazio nella vostra mente... provate a sfogliarlo, cercate la parola "chiave" del vostro pensiero e ricordatevi: ogni parola si porta dietro una serie di parole, di significati e di nuove idee.

Conoscere la lingua e soprattutto le "regole del gioco" di una lingua ci rende liberi, liberi di esprimerci e di comunicare nel modo che più ci corriponde. Usare le parole e i significati, conoscere i rapporti che le collegano, muoversi tra i vari registri espressivi della lingua darà al vostro modo di parlare o scrivere vivacità, brio, lucidità, acutezza e precisione.

Buon lavoro ma soprattutto buon divertimento!

AVVERTENZE PER LA CONSULTAZIONE

Lemma Il lemma (o entrata) è la parola stampata in neretto che introduce ciascuna voce del dizionario ed è ordinata alfabeticamente. Sul lemma viene segnato l'accento tonico. Sulla *e* e sulla *o* l'accento acuto o grave indicano rispettivamente la pronuncia chiusa o aperta della vocale. Gli **omografi**, parole scritte nello stesso modo ma che hanno etimologia e significato diversi, sono contrassegnati da un numero in apice. A volte gli omografi presentano una differenziazione semantica tanto forte che, pur avendo la stessa etimologia, sono stati distinti in due lemmi. Le **varianti** di un lemma sono seguite da un rimando al lemma di uso più frequente o principale (es. **angustiàre** *v.tr.* vedi **angosciàre**). Le forme pronominali dei verbi costituiscono lemmi secondari stampati in caratteri più piccoli e preceduti dalla losanga nera. Anche i verbi procomplementari (ad es. *cavarsela, infischiarsene* ecc.) sono stati considerati lemmi secondari stampati in caratteri più piccoli e sempre preceduti dalla losanga nera. Il lemma è seguito dalla **qualifica grammaticale** abbreviata (*agg.*, *s.m.*, *s.f.*, *v.intr.*, *v.tr.* ecc.). I sostantivi che sono sia maschili che femminili o hanno la stessa forma per il maschile e il femminile sono seguiti dalla qualifica *s.m.f.* I verbi sia transitivi sia intransitivi hanno in intestazione le due qualifiche grammaticali *v.intr. e tr.* o *v.tr. e intr.* a seconda dell'ordine delle accezioni.

Accezioni e sottoaccezioni Al lemma segue la sezione dedicata ai sinonimi che può essere articolata in più accezioni, cioè significati particolari di quella parola. In questo caso, le diverse accezioni sono distinte con numeri arabi in neretto. Nel caso in cui non appaia necessaria una separazione così netta (ad esempio le accezioni hanno alcuni aspetti semantici affini oppure differiscono soltanto per il registo d'uso ecc.), le diverse articolazioni di un'accezione sono separate da un punto e virgola. Le accezioni sono state ordinate, generalmente, secondo un criterio cronologico, a partire da quella più antica. In alcuni casi, quando l'accezione più antica è meno comune dell'accezione più recente, il criterio della successione cronologica delle accezioni è stato abbandonato a favore di un ordinamento che privilegia le accezioni più frequenti nell'uso.

Sinonimi Sono ordinati dal più vicino al più lontano per significato e, in caso di significato equivalente, dal più frequente al meno frequente.

Contrari Sono preceduti dal simbolo © e sono ordinati secondo gli stessi criteri dei sinonimi.

Iperonimi, iponimi, inversi Sono preceduti dalle sigle IPERON., IPON., INVER.

Cambi di tipo grammaticale Se un lemma presenta più forme grammaticali, ad esempio aggettivo e sostantivo, esse vengono trattate singolarmente e introdotte da una losanga nera.

Indicazioni di registro Quando necessario sono state segnalate, sia per il lemma, sia per i sinonimi e contrari, le indicazioni del registro linguistico d'uso: *colloq.*, per "colloquiale", *elev.*, per "elevato", *volg.*, per "volgare" e così via.

Indicazioni di linguaggi settoriali Per le parole tecniche o specialistiche legate a un preciso ambito di lavoro, il tipo di linguaggio specializzato viene specificato in forma abbreviata tra parentesi, per esempio (*med.*) per medicina, (*arch.*) per architettura e così via.

Discriminatori di significato Si tratta di spiegazioni sintetiche scritte in corsivo tra parentesi che aiutano a capire qual è il contesto linguistico in cui viene usata la parola.

GUIDA GRAFICA ALLA CONSULTAZIONE

In neretto il lemma con indicazione dell'accento

abbagliànte *agg.* **1** accecante, abbacinante; sfolgorante, sfavillante **2** ♧ (*di sorriso e sim.*) fulgido, smagliante, sfolgorante ♦ *s.m.* faro alto © anabbagliante, faro basso.

I numeri introducono le diverse accezioni

Qualifica grammaticale

règgere *v.tr.* **1** prendere, tenere, sorreggere © lasciare, mollare **2** sostenere, sopportare; resistere © cedere **3** guidare, condurre, amministrare; dirigere, governare ♦ *v.intr.* **1** resistere, sopportare, tollerare © mollare, arrendersi **2** durare, continuare ♦ **reggersi** *v.pr.* **1** sostenersi, tenersi © cadere, abbandonarsi, crollare; barcollare, vacillare **2** (*a qlco.*) aggrapparsi, afferrarsi, sorreggersi **3** ♧ (*di discorso e sim.*) basarsi, fondarsi, poggiare **4** ♧ (*di persona*) dominarsi, trattenersi.

La losanga nera introduce il cambio grammaticale

Lemma secondario

Discriminatori di significato: spiegano l'ambito di utilizzo delle parole

Variante di lemma

fólla, fòlla *s.f.* **1** calca, marea, massa, moltitudine, schiera, stuolo **2** ♧ (*di pensieri e sim.*) accozzaglia, ridda, turbine, vortice.

Introduce l'uso figurato

Numeri che identificano gli omografi

fattóre[1] *s.m.* agricoltore, contadino, coltivatore.
fattóre[2] *s.m.* elemento, causa.

cavaturàccioli *s.m.* vedi **cavatàppi**.
angustiàre *v.tr.* vedi **angosciàre**.

Rinvio al lemma più frequente o principale

Indicazioni di registro espressivo

fesserìa *s.f.* **1** idiozia, sciocchezza, stupidaggine, cavolata (*colloq.*), cazzata (*volg.*), corbelleria (*elev.*) **2** (*cosa di nessuna importanza*) sciocchezza, bagattella, inezia, quisquilia (*elev.*).

Sezione sinonimi

relazióne *s.f.* **1** rapporto, legame, nesso, attinenza, correlazione, connessione **2** (*tra persone*) rapporto, legame, unione, vincolo; (*d'amore*) amore, storia (*colloq.*), love-story (*ingl.*); avventura, flirt (*ingl.*); (*al pl.*) amicizie, conoscenze **3** (*orale o scritta*) rapporto, resoconto, esposizione, trattazione; verbale.

Il punto e virgola introduce le sottoaccezioni

Il simbolo © introduce i contrari

entusiàsta *agg.* appassionato, ardente, caloroso; contento, soddisfatto © freddo, indifferente; insoddisfatto, scontento ♦ *s.m.f.* ottimista © pessimista.

palinsèsto *s.m.* **1** (*filol.*) codice, manoscritto **2** (*di una rete radiotelevisiva*) programmazione, scaletta.

Indicazione di linguaggio settoriale

ABBREVIAZIONI

agg.	aggettivo
agr.	agricoltura
amm.	amministrazione
anat.	anatomia
antropol.	antropologia
ar.	arabo
arch.	architettura
archeol.	archeologia
ass.	assoluto
astr.	astronomia
astrol.	astrologia
autom.	automobilismo
avv.	avverbio
banc.	bancario
bibl.	biblioteconomia
biol.	biologia
bot.	botanica
bras.	brasiliano
burocr.	burocrazia
chim.	chimica
cinem.	cinematografia
colloq.	colloquiale
dir.	diritto
ebr.	ebraico
ecc.	eccetera
eccl.	termine ecclesiastico
edil.	edilizia
edit.	editoria
elettr.	elettrotecnica
elev.	elevato
equit.	equitazione
etnol.	etnologia
eufem.	eufemistico
f.	femminile
farm.	farmacia
filol.	filologia
filos.	filosofia
fin.	finanza
fis.	fisica
fisiol.	fisiologia
fotogr.	fotografia
fr.	francese
gastr.	gastronomia
geogr.	geografia
geol.	geologia
geom.	geometria
gerg.	gergale
giorn.	giornalismo
gramm.	grammatica
impers.	impersonale
impropr.	improprio
indef.	indefinito
infant.	infantile
inform.	informatica
inter.	interiezione
intr.	intransitivo
invar.	invariabile
INVER.	inverso
IPERON.	iperonimo
IPON.	iponimo
iperb.	iperbole
iron.	ironico
lat.	latino
ling.	linguistica
loc.	locuzione
loc.agg.	locuzione aggettivale
loc.sost.	locuzione sostantivale
loc.s.f.	locuzione sostantivale femminile
loc.s.m.	locuzione sostantivale maschile
m.	maschile
mar.	marinaresco
mat.	matematica
mecc.	meccanica
med.	medicina
mil.	militare
min.	mineralogia
mitol.	mitologia
mus.	musica
non com.	non comune
ol.	olandese
paleogr.	paleografia
per anton.	per antonomasia
poet.	poetico
polit.	politica
portogh.	portoghese
psic.	psicologia, psichiatria
psicoan.	psicoanalisi
qlcu.	qualcuno
qlco.	qualcosa
rec.	reciproco
region.	regionale
relig.	religione
s.f.	sostantivo femminile
s.m.	sostantivo maschile
s.m.f.	sostantivo maschile e femminile
s.m.f.invar.	sostantivo maschile e femminile invariabile
scherz.	scherzoso
scient.	scientifico
semiol.	semiologia
sim.	simile
sociol.	sociologia
sp.	spagnolo
spec.	specialmente
spec. al pl.	specialmente al plurale
spreg.	spregiativo
stor.	storia
teatr.	teatro
tecn.	tecnica, tecnologia
ted.	tedesco
telecom.	telecomunicazioni
telev.	televisione
teol.	teologia
tibet.	tibetano
tip.	tipografia
v.intr.	verbo intransitivo
v.pr.	verbo pronominale
v.procompl.	verbo procomplementare
v.tr.	verbo transitivo
vet.	veterinaria
volg.	volgare
zool.	zoologia
zootecn.	zootecnia

SIMBOLI GRAFICI

©	introduce i contrari
1 2 3	distingue le diverse accezioni della parola
♧	segnala l'uso figurato
♦	distingue le diverse categorie grammaticali della parola e introduce i lemmi secondari

a, A

abàte *s.m.* priore, superiore.

abbacchiàto *agg.* abbattuto, avvilito, triste, demoralizzato, sfiduciato, depresso, mogio, giù di corda, giù di morale © allegro, contento, sollevato, confortato.

abbacinàre *v.tr.* **1** abbagliare, accecare **2** ♧ illudere, ingannare, confondere, stordire.

abbagliànte *agg.* **1** accecante, abbacinante; sfolgorante, sfavillante **2** ♧ (*di sorriso e sim.*) fulgido, smagliante, sfolgorante ♦ *s.m.* faro alto © anabbagliante, faro basso.

abbagliàre *v.tr.* **1** accecare, abbacinare **2** brillare, splendere **3** ♧ affascinare, incantare, stordire; illudere, ingannare, sedurre.

abbàglio *s.m.* svista, sbaglio, errore, malinteso; (*colloq.*) granchio, cantonata.

abbaiàre *v.intr.* **1** (*di cane*) **IPON.** guaire, latrare, mugolare, ringhiare, uggiolare **2** ♧ (*di persona*) urlare, sbraitare, inveire, ringhiare.

abbandonàre *v.tr.* **1** (*un luogo*) lasciare **IPON.** andarsene, evacuare, sloggiare, sgombrare, emigrare, trasferirsi © restare, rimanere, fermarsi, trattenersi **2** (*una persona*) lasciare; (*colloq.*) mollare, piantare, piantare in asso © restare, rimanere **3** (*qlco. o qlcu.*) trascurare, fregarsene (*colloq.*), infischiarsene (*colloq.*), tralasciare © accudire, curare, dedicarsi, occuparsi, prendersi cura **4** (*un progetto, una responsabilità ecc.*) desistere, smettere, rinunciare, ritirarsi, arrendersi, cedere, demordere; (*colloq.*) mollare, piantare © continuare, proseguire, insistere, perseverare **5** (*qlco. che si tiene o si regge*) lasciare, mollare (*colloq.*) © tenere, reggere, stringere **6** (*il corpo o una parte*) distendere, rilassare, rilasciare; inclinare, piegare © tendere, contrarre; alzare, sollevare ♦ **abbandonarsi** *v.pr.* **1** (*su un letto e sim.*) adagiarsi, distendersi, sprofondarsi, spaparanzarsi (*colloq.*); rilassarsi; accasciarsi, crollare © alzarsi, sollevarsi **2** ♧ cedere, arrendersi, lasciarsi andare; (*ai sogni, alle illusioni ecc.*) cullarsi; (*al dolore, alla disperazione ecc.*) piombare, sprofondare © resistere, reagire, combattere **3** ♧ (*al sonno, alla lettura ecc.*) immergersi, sprofondare **4** ♧ (*a Dio e sim.*) affidarsi, mettersi nelle mani.

abbandóno *s.m.* **1** allontanamento, distacco; (*di un luogo*) evacuazione, sgombero **2** (*di un'attività, di un progetto ecc.*) ritiro, rinuncia; (*di un'idea, di una fede ecc.*) rinnegamento, ripudio, abiura **3** (*come condizione di un luogo*) incuria, trascuratezza; squallore, desolazione **4** (*delle membra*) rilassamento, distensione **5** ♧ abbattimento, avvilimento, sconforto, scoramento, sfiducia, prostrazione © animo, coraggio.

abbassaménto *s.m.* **1** calo, diminuzione, riduzione, ribasso, declino, flessione; (*improvviso*) caduta, crollo © aumento, innalzamento, incremento, sollevamento **2** (*del terreno*) avvallamento, infossamento, cedimento © sollevamento **3** ♧ peggioramento, scadimento © miglioramento, innalzamento.

abbassàre *v.tr.* **1** calare, tirare giù; (*una bandiera e sim.*) ammainare © alzare, sollevare; issare **2** (*una parte del corpo*) chinare, piegare, flettere, reclinare © alzare, sollevare, drizzare **3** (*un suono, una luce*) attenuare, attutire, smorzare © alzare, aumentare, accrescere **4** (*un prezzo e sim.*) diminuire, ridurre, ribassare, scontare © aumentare, accrescere, rialzare, rincarare **5** ♧ offendere, umiliare, mortificare, degradare © esaltare, lodare ♦ **abbassarsi** *v.pr.* **1** calare, diminuire, scendere, ridursi, attenuarsi © alzarsi, salire, sollevarsi **2** chinarsi, piegarsi © alzarsi **3** ♧ umiliarsi, degradarsi, piegarsi.

abbàttere *v.tr.* **1** buttare giù, demolire, distruggere, smantellare, radere al suolo © costruire, edificare, erigere, innalzare, tirare su **2** (*una dittatura e sim.*) rovesciare, sovvertire **3** ammazzare, uccidere, assassinare, eliminare (*gerg.*), sopprimere **4** ♧ indebolire, stremare, debilitare, buttare giù © rafforzare, rinvigorire **5** ♧ avvilire, demoralizzare, deprimere, scoraggiare © sollevare, incoraggiare, rallegrare ♦ **abbattersi** *v.pr.* **1** cadere, piombare, precipitare, schiantarsi © alzarsi, sollevarsi **2** ♧ (*di sfortuna e sim.*) capitare, succedere, piombare **3** ♧ avvilirsi, buttarsi giù, deprimersi, demoralizzarsi, scoraggiarsi © consolarsi, farsi coraggio, rasserenarsi, tirarsi su.

abbattiménto *s.m.* **1** atterramento, demolizione, smantellamento © costruzione, edificazione, erezione, innalzamento **2** (*di una dittatura e sim.*) rovesciamento, sovvertimento **3** uccisione, eliminazione, soppressione **4** ♧ prostrazione, avvilimento, scoraggiamento, demoralizzazione, sconforto.

abbazìa *s.f.* monastero, convento, badia.

abbellìre *v.tr.* imbellire; ornare, adornare, decorare, guarnire, impreziosire, arricchire; acconciare, agghindare; (*un discorso*) infiorettare.

abbeveràre *v.tr.* (*spec. il bestiame*) dissetare.

abbiccì *s.m.invar.* **1** alfabeto **2** ♧ basi, principi, fondamenti, nozioni, rudimenti, alfabeto.

abbiènte *agg.* benestante, agiato, ricco, facoltoso, danaroso © povero, bisognoso, disagiato, indigente, nullatenente.

abbigliaménto *s.m.* **1** vestiario, indumenti, vestiti, abiti **2** (*modo di vestire*) tenuta, mise (*fr.*) toilette (*fr.*).

abbinaménto *s.m.* accoppiamento, appaiamento; (*di colori e sim.*) accostamento.

abbinàre *v.tr.* accoppiare, appaiare; accostare, accompagnare, combinare, armonizzare, intonare.

abbindolàre *v.tr.* imbrogliare, ingannare, raggirare, fregare (*colloq.*), bidonare (*gerg.*), prendere in giro, prendere per il culo (*volg.*), truffare, accalappiare, prendere all'amo, turlupinare.

abbisognàre *v.intr.* **1** aver bisogno, necessitare **2** occorrere, essere necessario, servire.

abboccaménto *s.m.* appuntamento, incontro; colloquio.

abbonàre[1] *v.tr.* associare, iscrivere ♦ **abbonarsi** *v.pr.* associarsi, iscriversi.

abbonàre[2] *v.tr.* **1** annullare, cancellare, stralciare, detrarre, defalcare, dedurre **2** ♧ perdonare, scusare **3** approvare, accettare © respingere, rifiutare.

abbondànte *agg.* ricco, copioso, dovizioso; (*di abito*) largo, ampio © scarso, insufficiente, carente, esiguo, limitato; (*di abito*) stretto, aderente, attillato.

abbondànza *s.f.* ricchezza, profusione, dovizia (*elev.*), larghezza, copia (*elev.*); eccesso, eccedenza, esuberanza © carenza, insufficienza, penuria, scarsezza, esiguità.

abbondàre *v.intr.* **1** (*di qlco.*) sovrabbondare, traboccare, straripare, rigurgitare © scarseggiare, mancare, difettare **2** (*in qlco.*) esagerare, eccedere, largheggiare © lesinare, limitarsi.

abbordàre *v.tr.* **1** (*un'imbarcazione*) accostare, arrembare; assalire, aggredire; urtare, investire **2** (*qlcu.*) avvicinare, agganciare (*colloq.*), approcciare, attaccare bottone (*colloq.*) **3** ♧ (*un argomento e sim.*) affrontare, trattare, toccare © evitare, scansare, schivare.

abbottonàre *v.tr.* allacciare, chiudere © sbottonare, slacciare, aprire.

abbozzàre *v.tr.* **1** (*un'opera e sim.*) delineare, tratteggiare, buttare giù, tracciare, schizzare, sbozzare, modellare; avviare, incominciare, impostare © definire, rifinire, perfezionare; completare, ultimare **2** (*un saluto, un sorriso e sim.*) accennare.

abbòzzo *s.m.* **1** (*di un'opera e sim.*) traccia, schizzo, bozzetto, bozza, canovaccio, scaletta, modello **2** (*di un gesto, di un sorriso ecc.*) accenno, cenno, tentativo, inizio.

abbracciàre *v.tr.* **1** stringere, cingere, buttare le braccia al collo; allacciare, avvinghiare **2** ♧ comprendere, contenere, includere, toccare © escludere, omettere, trascurare **3** ♧ (*una fede, una professione ecc.*) seguire, accettare, aderire, sposare © rifiutare, rigettare.

abbràccio *s.m.* stretta; amplesso (*elev.*).

abbreviàre *v.tr.* accorciare, ridurre, restringere, tagliare, scorciare; (*un testo*) riassumere, sintetizzare, condensare © allungare, ampliare, prolungare.

abbreviazióne *s.f.* **1** accorciamento, riduzione © allungamento, estensione, prolungamento **2** (*di una parola e sim.*) contrazione; sigla.

abbrìvio *s.m.* slancio, spinta, avvio.

abbronzatùra *s.f.* tintarella (*colloq.*).

abbrustolìre *v.tr.* arrostire, tostare; rosolare, scottare; bruciacchiare ♦ **abbrustolirsi** *v.pr.* (*scherz.*) abbronzarsi, rosolarsi, scottarsi.

abbrutiménto *s.m.* abiezione, corruzione, degradamento, degradazione, imbarbarimento © affinamento, dirozzamento.

abbuffàrsi *v.pr.* ingozzarsi, riempirsi, rimpinzarsi, mangiare a crepapelle, strafogarsi (*colloq.*).

abbuffàta *s.f.* scorpacciata, mangiata, ingozzata.

abbuonàre *v.tr.* vedi **abbonàre**[2].

abbuòno *s.m.* **1** sconto, ribasso, riduzione, detrazione © aumento, rincaro **2** (*di pena e sim.*) condono, amnistia, cancellazione; grazia, perdono.

abdicàre *v.intr.* **1** deporre la corona **2** (*a cariche e sim.*) dimettersi © assumere **3** rinunciare, rifiutare, abbandonare, lasciare © accettare, mantenere, prendere.

aberrànte *agg.* **1** anormale, anomalo, deviante; (*di comportamento e sim.*) degenere, degenerato, snaturato © normale, regolare **2** (*di crimine e sim.*) disumano, mostruoso, orrendo, perverso, efferato, spaventoso.

aberrazióne *s.f.* **1** (*fisica*) anormalità, anomalia, irregolarità; deformità, mostruosità © regolarità, normalità **2** (*morale*) deviazione, devianza, degenerazione, perversione, depravazione, mostruosità.

abiètto *agg.* ignobile, infame, indegno, spregevole, vile, abominevole, turpe, immondo, miserabile © degno, nobile, elevato, sublime, ammirevole, encomiabile.

abiezióne *s.f.* bassezza, infamia, spregevolezza, viltà, degradazione, abbrutimento, meschinità, turpitudine © nobiltà, dignità, elevatezza.

àbile *agg.* **1** (*per svolgere una funzione, un compito*) adatto, atto, capace, idoneo © inabile, inadatto, incapace, inetto **2** capace, bravo, competente, esperto, in gamba, valido, provetto, pratico, valente © incapace, incompetente, inesperto, inetto, negato **3** astuto, furbo, scaltro, accorto; (*di mossa e sim.*) ingegnoso, brillante, intelligente.

abilità *s.f.* **1** (*per svolgere una funzione, un compito*) idoneità, attitudine © inabilità, inidoneità **2** capacità, bravura, competenza, attitudine, inclinazione, talento, perizia, destrezza, maestria © incapacità, inettitudine, incompetenza, imperizia **3** astuzia, furbizia, scaltrezza, accortezza, finezza, ingegnosità, sagacia © stupidità, ingenuità, ottusità.

abilitàto *agg.* idoneo, ammesso, patentato.

abilitazióne *s.f.* idoneità, autorizzazione, licenza.

abissàle *agg.* **1** profondo, insondabile **2** ♧ enorme, immenso, smisurato, sconfinato, spropositato © limitato, modesto, scarso.

abìsso *s.m.* **1** baratro, burrone, precipizio, voragine **2** ♧ rovina, perdizione, baratro, gorgo, vortice **3** ♧ (*tra una cosa e un'altra*) divario, differenza **3** ♧ (*enorme quantità*) mare, oceano, subisso.

abitàbile *agg.* agibile, vivibile © inabitabile, inagibile, invivibile.

abitànte *s.m.f.* **1** residente, domiciliato, cittadino **2** (*al pl.*) popolazione, cittadinanza.

abitàre *v.tr.* occupare, popolare ♦ *v.intr.* risiedere, vivere, alloggiare, stare, dimorare.

abitàto *agg.* popolato, popoloso, frequentato © disabitato, deserto, abbandonato ♦ *s.m.* agglomerato urbano, insediamento, centro abitato; città; borgo, villaggio, paese.

abitazióne *s.f.* casa, appartamento, dimora, alloggio, domicilio, residenza.

àbito *s.m.* **1** vestito, veste; abbigliamento, mise (*fr.*) **2** ♧ (*elev.*) abitudine, disposizione, inclinazione, tendenza; aria, atteggiamento.

abituàle *agg.* **1** comune, consueto, solito, usuale, corrente, ordinario, quotidiano © inconsueto, insolito, inusuale, infrequente, raro, straordinario, eccezionale, anormale **2** (*di cliente e sim.*) assiduo, fedele © occasionale, saltuario.

abituàre *v.tr.* assuefare, educare, avvezzare; allenare, esercitare, addestrare; (*a fatiche, disagi*) temprare © disabituare, divezzare ♦ **abituarsi** *v.pr.* adattarsi, avvezzarsi, fare l'abitudine, fare il callo; allenarsi, esercitarsi, addestrarsi; acclimatarsi, ambientarsi © disabituarsi, disavvezzarsi, svezzarsi.

abituàto *agg.* assuefatto, avvezzo, uso (*elev.*); allenato, esercitato; ambientato, acclimatato.

abitudinàrio *agg., s.m.* consuetudinario, metodico, costante, assiduo © incostante, sregolato, volubile.

abitùdine *s.f.* uso, consuetudine, costume, usanza, tradizione, pratica, moda, andazzo (*colloq.*), routine (*fr.*); (*in senso negativo*) vizio, mania; (*a droghe e sim.*) assuefazione, dipendenza.

abiùra *s.f.* **1** (*di religione*) rinnegamento, apostasia © conversione **2** (*di pensiero, di ideologia ecc.*) rinuncia, abbandono, rinnegamento, ripudio, sconfessione.

abiuràre *v.tr.* abbandonare, rinunciare, rinnegare, ripudiare, ritrattare, sconfessare, tradire © convertirsi, abbracciare.

abnegazióne *s.f.* sacrificio, rinuncia, disinteresse, altruismo, dedizione, generosità © egoismo, egocentrismo.

abnòrme *agg.* **1** irregolare, sproporzionato, anormale, aberrante; inconsueto, insolito **2** mostruoso, esagerato, assurdo, inconcepibile, spropositato © normale, regolare, proporzionato.

abolìre *v.tr.* **1** cancellare, annullare, sopprimere, togliere, cassare, abrogare (*dir.*), revocare (*dir.*) © stabilire, instaurare, istituire, promulgare (*dir.*), restaurare, reintegrare, ripristinare, ristabilire, sancire (*dir.*) **2** levare, togliere, escludere © introdurre, includere.

abolizióne *s.f.* annullamento, cancellazione, eliminazione, soppressione; (*dir.*) abrogazione, revoca, cassazione © approvazione, istituzione, introduzione, promulgazione (*dir.*), ripristino, restaurazione.

abominévole *agg.* ripugnante, odioso, indegno, infame, esecrabile, spregevole, turpe; orrendo, orribile, mostruoso © ammirevole, apprezzabile, lodevole.

aborìgeno *agg., s.m.* **1** autoctono, indigeno, nativo © straniero, forestiero, allogeno **2** ♧ selvaggio, primitivo © civile, evoluto.

aborrìre *v.tr.* detestare, odiare, disprezzare, respingere, rifiutare © adorare, amare, ammirare; bramare, anelare, agognare ♦ *v.intr.* fuggire, rifuggire.

abortìre *v.intr.* **1** interrompere la gravidanza **2** ♣ (*di progetto e sim.*) fallire, andare a monte, naufragare, sfumare © riuscire, realizzarsi.

abòrto *s.m.* **1** interruzione della gravidanza; (*volontario*) interruzione di gravidanza, IVG (*med.*) **2** ♣ (*di un progetto e sim.*) fallimento, insuccesso, fiasco **3** ♣ (*di persona*) mostro, mostruosità, cesso (*colloq.*).

abrasióne *s.f.* **1** cancellatura, raschiatura **2** (*med.*) escoriazione, lesione; (*colloq.*) sbucciatura, spellatura **3** (*geogr.*) erosione, corrosione.

abrogàre *v.tr.* (*dir.*) cancellare, annullare, abolire, cassare, invalidare, revocare © emanare, istituire, introdurre, promulgare, ratificare, ripristinare, ristabilire.

abrogazióne *s.f.* cancellazione, annullamento, abolizione, revoca, cassazione, soppressione © approvazione, introduzione, promulgazione, ratifica, ripristino, varo.

abulìa *s.f.* apatia, inerzia, indolenza, pigrizia, svogliatezza; (*elev.*) ignavia, accidia © attività, operosità, solerzia, sollecitudine; energia, determinazione.

abùlico *agg., s.m.* apatico, inerte, indolente, svogliato, pigro; (*elev.*) ignavo, accidioso © attivo, operoso, alacre, solerte, sollecito; dinamico, energico, determinato, risoluto.

abusàre *v.intr.* **1** eccedere, esagerare © controllarsi, limitarsi, moderarsi, contenersi **2** approfittare, sfruttare **3** (*eufem.*) violentare, stuprare.

abusìvo *agg.* irregolare, illegale, illecito, non autorizzato © regolare, lecito, autorizzato.

abùso *s.m.* **1** eccesso, esagerazione, vizio, smodatezza © moderazione, misura **2** irregolarità, illegalità, illecito (*dir.*) © legalità **3** prepotenza, prevaricazione, violenza.

accadèmico *agg.* **1** universitario **2** convenzionale, tradizionale © antiaccademico **3** astratto, teorico, dottorale, inconcludente, ozioso; retorico, virtuosistico © concreto, realistico ♦ *s.m.* professore universitario, cattedratico.

accadére *v.intr.* succedere, capitare, avvenire, sopraggiungere, sopravvenire, presentarsi, compiersi, verificarsi, occorrere, avere luogo, intervenire; darsi il caso.

accadùto *agg.* avvenuto, intervenuto ♦ *s.m.* avvenimento, evento, fatto, episodio, caso.

accalappiàre *v.tr.* **1** prendere, catturare, acchiappare, acciuffare © liberare, lasciare **2** ♣ ingannare, circuire, abbindolare, adescare, irretire, raggirare.

accalcàrsi *v.pr.* affollarsi, ammassarsi, ammucchiarsi, pigiarsi, stiparsi © diradarsi, disperdersi, sparpagliarsi.

accaldàrsi *v.pr.* **1** riscaldarsi, sudare © raffreddarsi, rinfrescarsi, infreddolirsi **2** ♣ accalorarsi, infervorarsi, scalmanarsi © trattenersi, frenarsi, calmarsi.

accaldàto *agg.* **1** caldo, accalorato, sudato © raffreddato, infreddolito, intirizzito **2** ♣ accalorato, infervorato, animato, scalmanato © impassibile, imperturbabile, freddo, indifferente.

accaloràrsi *v.pr.* **1** (*raro*) riscaldarsi **2** accendersi, animarsi, eccitarsi, infervorarsi, appassionarsi, esaltarsi, riscaldarsi, scaldarsi © calmarsi, placarsi, acquietarsi, raffreddarsi; controllarsi.

accaloràto *agg.* **1** accaldato, sudato © raffreddato, infreddolito, intirizzito **2** ♣ infervorato, accaldato, animato, entusiasmato © impassibile, imperturbabile, freddo, indifferente.

accampaménto *s.m.* campo, bivacco, attendamento, baraccamento, tendopoli, baraccopoli; (*mil.*) acquartieramento, alloggiamento.

accampàre *v.tr.* **1** (*spec. soldati*) alloggiare, accantonare, acquartierare **2** ♣ (*diritti, pretesti ecc.*) avanzare, addurre, presentare, mettere in campo ♦ **accamparsi** *v.pr.* **1** piantare il campo, piantare le tende, alloggiarsi, bivaccare © levare le tende, togliere il campo **2** ♣ (*colloq.*) piazzarsi, piantarsi (*colloq.*) © andarsene, levare le tende (*colloq.*).

accaniménto *s.m.* **1** (*verso avversari, nemici ecc.*) odio, furia, rabbia, furore © benevolenza, indulgenza, tolleranza, clemenza **2** (*nel lavoro e sim.*) ostinazione, caparbietà, insistenza, pervicacia, tenacia, costanza, impegno, zelo © negligenza, svogliatezza, incostanza, discontinuità, volubilità.

accanìrsi *v.pr.* **1** (*contro qlcu.*) infierire, infuriarsi, sfogarsi **2** ostinarsi, insistere, incaponirsi, perseverare © abbandonare, cedere, rinunciare, desistere.

accanìto *agg.* **1** (*di lotta e sim.*) furioso, furibondo, feroce, spietato, inesorabile © calmo, arrendevole, mite, docile **2** ostinato, tenace, insistente, caparbio; (*di fumatore*) incallito, incorreggibile, irriducibile © incostante, svogliato, volubile.

accantonaménto *s.m.* **1** (*di denaro*) risparmio, accumulo © spreco, sperpero, spesa **2** ♣ (*di un progetto, di una pratica ecc.*) rinvio, sospensione, abbandono, archiviazione; affossamento © ripresa, prosecuzione **3** (*di soldati*) acquartieramento, accampamento, alloggiamento.

accantonàre *v.tr.* **1** (*denaro e sim.*) risparmiare, mettere da parte, mettere via; destinare, assegnare © spendere, dissipare, sperperare **2** (*un progetto, una pratica ecc.*) rinviare, sospendere, mettere da parte, archiviare, abbandonare; affossare, insabbiare © riprendere, portare avanti, proseguire.

accaparraménto *s.m.* incetta, accumulo; (*di biglietti per spettacoli e sim.*) bagarinaggio.

accaparràre *v.tr.* fare incetta, accumulare, requisire, monopolizzare ♦ **accaparrarsi** *v.pr.* assicurarsi, ottenere, garantirsi, procacciarsi.

accaparratóre *s.m.* incettatore, monopolizzatore; (*di biglietti per spettacoli e sim.*) bagarino.

accapigliàrsi *v.pr.* azzuffarsi, acciuffarsi, venire alle mani, picchiarsi, pestarsi, scazzottarsi (*colloq.*); litigare, discutere, bisticciare © riconciliarsi, rappacificarsi.

accapponàre *v.tr.* (*un gallo*) castrare ♦ **accapponarsi** *v.pr.* rabbrividire, inorridire, avere la pelle d'oca.

accarezzàre *v.tr.* **1** carezzare **2** (*di cosa*) sfiorare, lambire IPERON. toccare **3** ♧ (*una persona*) adulare, blandire, lusingare, lisciare **4** ♧ (*un'idea, un progetto ecc.*) sognare, vagheggiare, sperare, bramare, coltivare.

accartocciàre *v.tr.* **1** avvolgere, incartare avvoltolare, incartocciare © scartare, scartocciare **2** appallottolare, raggrinzire © lisciare, stendere ♦ **accartocciarsi** *v.pr.* **1** ripiegarsi, arricciarsi, avvolgersi **2** spiegazzarsi, sgualcirsi, stropicciarsi.

accasàre *v.tr.* sposare, ammogliare, maritare; sistemare, allogare, collocare ♦ **accasarsi** *v.pr.* mettere su casa, sistemarsi, sposarsi © separarsi, dividersi, divorziare.

accasciàre *v.tr.* avvilire, abbattere, demoralizzare, prostrare, indebolire, fiaccare © rianimare, rafforzare, sollevare, incoraggiare ♦ **accasciarsi** *v.pr.* **1** cadere, crollare, afflosciarsi, svenire © rialzarsi, alzarsi, sollevarsi; riaversi, riprendere i sensi **2** ♧ avvilirsi, abbattersi, buttarsi giù, demoralizzarsi, scoraggiarsi, perdersi d'animo, deprimersi © sollevarsi, risollevarsi, rianimarsi, farsi coraggio, farsi animo.

accasciàto *agg.* **1** sfinito, spossato, svenuto **2** ♧ avvilito, abbattuto, demoralizzato, scoraggiato, depresso, prostrato © sollevato, risollevato, riconfortato, rianimato.

accatastàre *v.tr.* impilare, affastellare, ammucchiare, ammassare, ammonticchiare, accumulare © sparpagliare.

accattàre *v.tr.* **1** mendicare, elemosinare, questuare **2** (*region.*) acquistare, comprare.

accattivànte *agg.* attraente, affascinante, invitante, seducente, suadente; simpatico, piacente © ributtante, odioso, antipatico, insulso, indisponente.

accattivàrsi *v.pr.* attrarre, attirarsi; conquistarsi, guadagnarsi, ingraziarsi, propiziarsi © perdere, alienarsi.

accàtto *s.m.* elemosina, questua, accattonaggio.

accattonàggio *s.m.* mendicità; elemosina, questua, accatto.

accattóne *s.m.* **1** mendicante, questuante, mendico **2** pezzente, pitocco, barbone, miserabile, clochard (*fr.*).

accavallaménto *s.m.* sovrapposizione, incrocio; accumulo.

accavallàre *v.tr.* sovrapporre; incrociare ♦ **accavallarsi** *v.pr.* sovrapporsi, incrociarsi; ammucchiarsi, mescolarsi, ammassarsi.

accecaménto *s.m.* **1** abbagliamento, abbacinamento **2** ♧ (*della mente e sim.*) annebbiamento, appannamento, offuscamento, ottenebramento, oscuramento, obnubilamento (*elev.*) © rischiaramento.

accecànte *agg.* abbacinante, abbagliante © debole, fioco.

accecàre *v.tr.* **1** abbacinare, abbagliare, abbarbagliare (*elev.*) **2** ♧ (*della mente e sim.*) annebbiare, appannare, offuscare, ottenebrare, oscurare, obnubilare (*elev.*) © rischiarare, illuminare **3** (*una tubatura, uno spiraglio e sim.*) chiudere, tappare, otturare, ostruire © aprire, sturare, liberare.

accèdere *v.intr.* **1** avvicinarsi, arrivare; entrare, passare **2** (*a una carica e sim.*) raggiungere, arrivare, pervenire.

acceleraménto *s.m.* accelerazione, sveltimento © rallentamento, decelerazione.

acceleràre *v.tr.* **1** affrettare, sveltire, velocizzare © rallentare, decelerare **2** (*una pratica e sim.*) sbloccare, sollecitare, incalzare © ritardare, rallentare, trattenere, insabbiare ♦ *v.intr.* **1** (*autom.*) dare gas © decelerare, rallentare, frenare **2** sbrigarsi, affrettarsi, muoversi, spicciarsi (*colloq.*) © attardarsi, indugiare, temporeggiare.

accelerazióne *s.f.* (*di un'automobile e sim.*) ripresa, spunto (*mecc.*) © decelerazione, rallentamento.

accèndere *v.tr.* **1** incendiare, appiccare il fuoco, dare fuoco, infiammare, ardere © spegnere, domare, soffocare **2** ♧ (*passioni e sim.*) provocare, suscitare, destare, incendiare, eccitare, infiammare, infuocare, stimolare; aizzare, istigare, fomentare, sobillare © frenare, calmare, placare, raffreddare, smorzare, acquietare, sopire **3** (*un'apparecchiatura, un dispositivo ecc.*) attivare, avviare, mettere in moto, aprire (*colloq.*) © spegnere, chiudere, disattivare, fermare **4** (*un mutuo, un'ipoteca e sim.*) fare, contrarre © spegnere, estinguere ♦ **accendersi** *v.pr.* **1** prendere fuoco, incendiarsi, infiammarsi © spegnersi, estinguersi, smorzarsi; (*in volto*) arrossire, infiammarsi **2** (*di una luce, di cielo e sim.*) illuminarsi, brillare, splendere © oscurarsi, spegnersi **3** ♧ (*di sentimenti*) infiammarsi, incendiarsi, eccitarsi, accalorarsi, infervorarsi, entusiasmarsi; (*di polemica*) divampare, animarsi, infuocarsi © calmarsi, placarsi, quietarsi, tranquillizzarsi, smorzarsi **4** (*di apparecchiatura, di dispositivo e sim.*) avviarsi, mettersi in moto, entrare in funzione © spegnersi, arrestarsi.

accendìno *s.m.* accendisigaro, fuoco (*colloq.*), macchinetta (*colloq.*).

accennàre *v.tr., v.intr.* **1** indicare, mostrare, segnalare, additare **2** (*un movimento, un sorriso ecc.*) abbozzare **3** (*un argomento e sim.*) alludere, sfiorare, toccare, menzionare, buttare là (*colloq.*) **4** (*una melodia*) intonare, canticchiare; (*un disegno*) abbozzare, tratteggiare, schizzare, delineare.

accénno *s.m.* **1** cenno, allusione, richiamo, riferimento **2** indizio, traccia, avvisaglia, barlume **3** inizio, abbozzo.

accensióne *s.f.* **1** (*di un'apparecchiatura, di un dispositivo e sim.*) avvio, messa in moto, partenza, avviamento (*mecc.*) © spegnimento **2** (*di un mutuo e sim.*) costituzione, contrazione © estinzione **3** (*di un conto, di una pratica ecc.*) apertura © chiusura, estinzione **4** (*chim.*) combustione.

accènto *s.f.* **1** pronuncia, cadenza, inflessione **2** intonazione, modulazione **3** (*poet.*) voce, parola.

accentraménto *s.m.* **1** concentramento, concentrazione, ammassamento, addensamento; unificazione, riunione © dispersione, divisione, frammentazione, suddivisione, sparpagliamento **2** (*burocr.*) centralizzazione © decentramento, decentralizzazione.

accentràre *v.tr.* **1** concentrare, raccogliere, radunare, ammassare, unificare, riunire © disperdere, dividere, frammentare, suddividere, sparpagliare, separare, frazionare **2** (*burocr.*) centralizzare © decentrare, decentralizzare **3** (*di attenzione e sim.*) attirare, attrarre, catalizzare, calamitare, polarizzare, monopolizzare.

accentuàre *v.tr.* **1** evidenziare, sottolineare, marcare; rafforzare, enfatizzare, calcare, valorizzare, drammatizzare (*in negativo*) © minimizzare, attenuare, mitigare, smorzare, addolcire **2** accrescere, aumentare, acutizzare, esasperare, inasprire, esagerare, ingigantire, amplificare © attenuare, diminuire, smorzare, calmare, moderare, sminuire ♦ **accentuarsi** *v.pr.* aumentare, acutizzarsi, aggravarsi, inasprirsi © attenuarsi, diminuire, mitigarsi, indebolirsi.

accentuàto *agg.* **1** forte, spiccato, marcato, evidenziato, rafforzato © debole, lieve, leggero, velato **2** aggravato, esasperato, esagerato © ridotto, indebolito, smorzato.

accentuazióne *s.f.* **1** risalto, rilievo, evidenza, sottolineatura, rafforzamento, rimarcatura, enfasi © attenuazione **2** aumento, accrescimento, aggravamento, inasprimento, esagerazione © diminuzione, attenuazione, riduzione, addolcimento.

accerchiaménto *s.m.* aggiramento, assedio.

accerchiàre *v.tr.* **1** circondare, attorniare, cingere; chiudere **2** assediare, cingere d'assedio.

accertaménto *s.m.* **1** controllo, ispezione, indagine, verifica, riscontro, constatazione **2** prova, test, collaudo, esame.

accertàre *v.tr.* controllare, verificare, riscontrare, constatare, confermare, assodare, appurare, chiarire, stabilire; provare, collaudare ♦ **accertarsi** *v.pr.* assicurarsi, sincerarsi, convincersi; controllare, verificare, appurare.

accéso *agg.* **1** infiammato, ardente, incendiato © spento, freddo **2** (*di apparecchiatura, di dispositivo e sim.*) attivato, in funzione, azionato, collegato © spento, fermo, staccato, disattivato **3** (*di discussione e sim.*) appassionato, accalorato, infiammato, infuocato, rovente, infervorato, veemente © pacato, misurato, tranquillo, calmo, spento **4** (*di colore*) vivo, forte, intenso, vivace, vivido; sgargiante © spento, pallido, tenue, slavato, sbiadito **5** (*di mutuo e sim.*) contratto, avviato © estinto, spento.

accessìbile *agg.* **1** (*di luogo*) agibile, raggiungibile, praticabile © inaccessibile, irraggiungibile, impraticabile **2** ♧ (*di persona*) disponibile, affabile, alla mano, alla buona, abbordabile, aperto, cordiale, socievole © inaccessibile, inavvicinabile, inafferrabile, irraggiungibile; scorbutico, scostante, scontroso, chiuso, superbo, sostenuto **3** (*di discorso, di testo ecc.*) comprensibile, facile, semplice, chiaro © inaccessibile, difficile, incomprensibile, complesso, astruso **4** (*di prezzi e sim.*) economico, basso, modesto, modico, abbordabile © inaccessibile, caro, alto, eccessivo.

accessibilità *s.f.* **1** (*di luogo*) agibilità, praticabilità © inaccessibilità, inagibilità, impraticabilità **2** (*di persona*) disponibilità, affabilità, cordialità, apertura © inaccessibilità, chiusura, scontrosità **3** (*di discorso, di testo ecc.*) comprensibilità, semplicità, chiarezza, intelligibilità © inaccessibilità, complessità, difficoltà.

accèsso *s.m.* **1** ingresso, entrata, passaggio, adito (*elev.*), porta © uscita **2** ♧ ammissione, accettazione, accoglimento © esclusione **3** (*med.*) crisi, attacco **4** (*di rabbia, di follia, di riso ecc.*) esplosione, scoppio, impeto, assalto, impulso.

accessòrio *agg.* secondario, superfluo, complementare, accidentale, addizionale, facoltativo, opzionale, marginale, ausiliario © fondamentale, necessario, essenziale, capitale, prioritario, primario, nodale, sostanziale ♦ *s.m.* complemento, aggiunta, optional (*ingl.*), extra, appendice, ammennicolo.

accétta *s.f.* scure, ascia, mannaia.

accettàbile *agg.* **1** ammissibile, tollerabile, sopportabile © inaccettabile, inammissibile, intollerabile, insopportabile **2** (*di lavoro e sim.*) decente, passabile, discreto, soddisfacente, presentabile, decoroso © impresentabile, improponibile, indecente, indecoroso **3** (*di pensiero, di affermazione ecc.*) credibile, plausibile.

accettabilità *s.f.* ammissibilità, tollerabilità, sopportabilità © inaccettabilità, inammissibilità, insopportabilità.

accettàre *v.tr.* **1** accogliere, ricevere, gradire © rifiutare, respingere, rimandare, ricusare **2** (*una persona*) accogliere, ammettere, prendere © escludere, allontanare, respingere, cacciare **3** (*una proposta, un'idea ecc.*) accogliere, approvare, ammettere, adottare, aderire, seguire, abbracciare © bocciare, respingere, rifiutare, ricusare, disapprovare, contestare, contrastare, opporsi **4** (*un sacrificio, il destino ecc.*) sopportare, tollerare, rassegnarsi, adattarsi © opporsi, reagire, combattere, contrastare.

accettazióne *s.f.* **1** accoglienza, ammissione, approvazione, gradimento, consenso © rifiuto, ricusazione **2** (*di ospedale, di albergo ecc.*) ricevimento, reception (*ingl.*) **3** (*di una proposta, di un'idea ecc.*) accoglimento, approvazione, adozione © rifiuto, disapprovazione, ricusazione, contestazione, opposizione **4** sopportazione, tolleranza, rassegnazione, adattamento © ribellione, rifiuto, opposizione, protesta.

accezióne *s.f.* senso, significato, valore.

acchiappàre *v.tr.* **1** afferrare, agguantare, acciuffare, catturare, prendere © lasciare, mollare (*colloq.*) **2** (*colloq.*; *un raffreddore e sim.*) prendere, buscarsi **3** (*colloq.*) sorprendere, beccare (*colloq.*), pescare (*colloq.*), scoprire.

acciaccàre *v.tr.* **1** schiacciare, ammaccare, sgualcire © distendere, stirare **2** ♧ abbattere indebolire, infiacchire, debilitare.

acciàcco *s.m.* disturbo, malanno, malessere, magagna IPERON. malattia.

accidentàle *agg.* **1** casuale, fortuito, imprevisto, occasionale, episodico © intenzionale, voluto, consueto, solito, predeterminato **2** accessorio, secondario, marginale, superfluo © necessario, sostanziale, essenziale, fondamentale, primario.

accidentàto *agg.* **1** (*di terreno, di strada ecc.*) irregolare, sconnesso, ineguale, ondulato, movimentato © regolare, piano, liscio; comodo, agevole **2** ♧ (*di viaggio, di vita ecc.*) difficile, movimentato.

accidènte *s.m.* **1** evento, caso, coincidenza, evenienza, casualità, contingenza, imprevisto, episodio **2** disgrazia, incidente, sciagura, fatalità **3** (*colloq.*) malore, malanno, colpo, infarto, colpo apoplettico **4** (*colloq.*; *di persona, di bambino fastidioso*) tormento, peste, diavolo **5** (*colloq.*) niente, nulla, tubo (*colloq.*), acca (*colloq.*), cavolo (*colloq.*).

accìdia *s.f.* inerzia, pigrizia, apatia, abulia, svogliatezza, indolenza; (*elev.*) ignavia, neghittosità © alacrità, attività, operosità, solerzia, zelo.

accidióso *agg.* **1** (*di persona*) pigro, indolente, apatico, abulico, ozioso, svogliato; (*elev.*) ignavo, neghittoso © zelante, attivo, operoso, alacre, sollecito, solerte **2** (*di cosa*) noioso, tetro, triste, uggioso, tedioso © vivace, divertente.

accigliàrsi *v.pr.* corrucciarsi, aggrondarsi, rabbuiarsi, incupirsi, rattristarsi © rasserenarsi, sorridere.

accigliàto *agg.* corrucciato, aggrondato, serio, scuro, imbronciato, immusonito, seccato © sereno, tranquillo, sorridente, allegro.

accìngersi *v.pr.* apprestarsi, prepararsi, disporsi, predisporsi; cominciare, iniziare, intraprendere © cessare, smettere, interrompere, desistere.

acciottolàto *s.m.* selciato, lastricato, pavimentato.

acciuffàre *v.tr.* prendere, acchiappare, agguantare, afferrare, beccare (*colloq.*), accalappiare, pescare (*colloq.*); arrestare, catturare © mollare, lasciare.

acciùga *s.f.* **1** alice **2** ♧ (*persona magra*) stecco, stecchino, chiodo, grissino, stuzzicadenti © balena, baule, bidone, ciccione, grassone.

acclamàre *v.tr.* e *intr.* applaudire, approvare, celebrare, esaltare, plaudere (*elev.*) © contestare, criticare, disapprovare, denigrare ♦ *v.tr.* (*una* *persona*) eleggere, proclamare, nominare, insignire, conclamare (*elev.*).

acclamazióne *s.f.* **1** applauso, ovazione, plauso © critica, biasimo, disapprovazione, contestazione **2** elezione, proclamazione, nomina.

acclimatàre *v.tr.* ambientare, abituare, adattare ♦ **acclimatàrsi** *v.pr.* ambientarsi, abituarsi, adattarsi, assuefarsi.

acclimatazióne *s.f.* ambientamento, adattamento, abitudine, assuefazione, ambientazione.

acclùdere *v.tr.* allegare, includere, unire, annettere © escludere, togliere, levare.

acclùso *agg.* allegato, annesso, incluso, unito, aggiunto © separato, escluso, tolto.

accoccolàrsi *v.pr.* accucciarsi, accosciarsi, rannicchiarsi, raggomitolarsi, acciambellarsi, appollaiarsi.

accodàrsi *v.pr.* **1** mettersi in fila, unirsi, aggregarsi, seguire © staccarsi, separarsi, allontanarsi **2** ♧ adeguarsi, approvare, uniformarsi, associarsi © dissentire, dissociarsi.

acccogliènte *agg.* **1** (*di luogo*) ospitale, comodo, confortevole, piacevole © inospitale, scomodo **2** (*di persona*) ospitale, cordiale © inospitale, ostile, scortese.

accogliènza *s.f.* benvenuto, ricevimento, trattamento, ricezione; asilo, ricovero, ospitalità; approvazione, consenso, gradimento.

accògliere *v.tr.* **1** (*una persona*) ricevere, ospitare, sistemare, alloggiare, ricoverare, albergare © congedare, allontanare, scacciare, sloggiare, esiliare **2** (*una proposta, una richiesta e sim.*) accettare, acconsentire, approvare, esaudire, adottare, gradire © respingere, rifiutare, bocciare **3** (*di locale, di piazza ecc.*) contenere, ospitare **4** ammettere, includere, inserire © escludere, eliminare, estromettere.

accòlito *s.m.* seguace, adepto, fedele, affiliato, associato, partigiano, scagnozzo (*spreg.*), tirapiedi (*spreg.*).

accollàre *v.tr.* (*un impegno, un lavoro e sim.*) addossare, caricare, gravare, incaricare; (*colloq.*) affibbiare, appioppare, rifilare © levare, togliere, liberare, sgravare ♦ **accollàrsi** *v.pr.* (*un impegno, un lavoro e sim.*) assumersi, addossarsi, sobbarcarsi © liberarsi.

accollàto *agg.* (*di abito, di scarpe*) chiuso, accollacciato © scollato, scollacciato, aperto, décolleté (*fr.*).

accòlta *s.f.* raduno, riunione, adunata, consesso, circolo, cenacolo.

accomiatàre *v.tr.* congedare, salutare; licenziare, mandare via, allontanare © accogliere, ricevere ♦ **accomiatarsi** *v.pr.* congedarsi, salutare; allontanarsi, andarsene © arrivare, presentarsi.

accomodaménto *s.m.* **1** (*di una cosa*) riparazione, aggiustamento, rabberciamento **2** (*tra persone*) accordo, compromesso, conciliazione, soluzione, transazione; pacificazione © contrasto, disaccordo, dissidio, lite, rottura.

accomodànte *agg.* accondiscendente, compiacente, conciliante; docile, arrendevole; flessibile, elastico, indulgente © inflessibile, rigido, intransigente; ostinato, cocciuto, caparbio.

accomodàre *v.tr.* **1** aggiustare, raccomodare, riparare, sistemare; rabberciare, rattoppare, rappezzare; restaurare, riattare **2** sistemare, riordinare, riassettare, assettare, disporre; (*i capelli*) acconciare © scompigliare, disordinare, sparpagliare, confondere **3** (*una lite e sim.*) risolvere, conciliare, sistemare, comporre, appianare ♦ **accomodarsi** *v.pr.* **1** sistemarsi, sedere, entrare © uscire, andarsene **2** adattarsi, sistemarsi, adeguarsi **3** (*i capelli, l'abito ecc.*) sistemarsi, aggiustarsi **4** accordarsi, aggiustarsi, intendersi, patteggiare.

accompagnaménto *s.m.* **1** seguito, compagnia, corteo, scorta, codazzo (*colloq.*) **2** ♧ (*scherz.*) contorno, condimento.

accompagnàre *v.tr.* **1** (*una persona*) seguire, condurre, guidare, portare, scortare **2** (*una cosa*) combinare, abbinare, accoppiare, unire, associare, congiungere; (*documenti e sim.*) corredare, allegare © dividere, separare, staccare, disgiungere ♦ **accompagnarsi** *v.pr.* **1** (*di persona*) frequentare, familiarizzare, legarsi, associarsi, aggregarsi, circondarsi, attorniarsi © dividersi, separarsi, allontanarsi **2** (*di cosa*) abbinarsi, accostarsi, armonizzarsi, adattarsi, combinarsi, sposarsi © contrastare, fare a pugni (*colloq.*).

accompagnatóre *s.m.* compagno, guida, scorta, assistente; corteggiatore, cavaliere; (*di gruppi turistici*) cicerone, tour leader (*ingl.*), hostess (*ingl.*).

accomunàre *v.tr.* **1** combinare, unire, raggruppare, associare, legare, fondere © separare, dividere, disgiungere, scindere **2** accostare, avvicinare, assimilare, uguagliare, affratellare © differenziare, distinguere, separare, allontanare.

acconciàre *v.tr.* abbigliare, vestire, agghindare, adornare; (*i capelli*) pettinare, sistemare, aggiustare, adornare, abbellire © spettinare, arruffare, disordinare, scarmigliare ♦ **acconciarsi** *v.pr.* **1** abbigliarsi, agghindarsi, prepararsi, vestirsi **2** (*i capelli*) pettinarsi, ravviarsi © spettinarsi, scompigliarsi.

acconciatùra *s.f.* **1** (*di capelli*) pettinatura,

taglio, messa in piega, permanente **2** (*di vestiti*) abbigliamento, mise (*fr.*), abito, vestito, toilette (*fr.*) **3** (*non com.*) accomodamento, sistemazione, preparazione, allestimento.

accóncio *agg.* idoneo, opportuno, adatto, atto, adeguato, confacente, congruo, calzante, appropriato, corretto © inadatto, inopportuno, inadeguato, scorretto, sconveniente.

accondiscendènte *agg.* accomodante, arrendevole, cedevole, compiacente, disponibile, indulgente, malleabile, consenziente, acquiescente © rigido, irremovibile, inflessibile, intransigente, risoluto, ostinato, caparbio, testardo.

accondiscendènza *s.f.* vedi **condiscendènza**.

accondiscéndere *v.intr.* condiscendere, acconsentire, consentire, assentire, aderire, permettere, concedere, esaudire © rifiutare, negare, contrastare, opporsi.

acconsentìre *v.intr.* annuire, dire di sì, accondiscendere, assentire; consentire, permettere, approvare, accettare, accogliere, assecondare © dissentire, negare, rifiutare, proibire, vietare, opporsi, contrastare, ricusare.

accontentàre *v.tr.* soddisfare, contentare, appagare, esaudire © scontentare, deludere, contrariare ♦ **accontentarsi** *v.pr.* contentarsi, essere soddisfatto, appagarsi; adattarsi, adeguarsi © lagnarsi, lamentarsi, protestare, reclamare.

accónto *s.m.* anticipo, caparra © saldo

accoppàre *v.tr.* (*gerg.*) ammazzare, uccidere, assassinare, eliminare, fare fuori (*colloq.*), sopprimere.

accoppiaménto *s.m.* **1** abbinamento, accostamento, appaiamento; congiungimento, collegamento, unione **2** (*atto sessuale*) amplesso, coito, copula (*elev.*); (*di animali*) monta.

accoppiàre *v.tr.* **1** abbinare, appaiare, combinare, accostare; congiungere, collegare, connettere, legare, associare © dividere, separare, disgiungere, spaiare, scindere ♦ **accoppiarsi** *v.pr.* **1** appaiarsi, abbinarsi **2** mettersi in coppia, accompagnarsi; congiungersi, unirsi, collegarsi, legarsi © dividersi, separarsi, disgiungersi **3** (*sessualmente*) fare l'amore, copulare (*elev.*); (*volg.*) chiavare, fottere, scopare **4** sposarsi, coniugarsi, maritarsi, ammogliarsi.

accoppiàta *s.f.* coppia, paio, binomio, abbinata (*nell'ippica*).

accoraménto *s.m.* tristezza, afflizione, amarezza, dolore, abbattimento, prostrazione © contentezza, felicità, gioia, serenità.

accoràre *v.tr.* rattristare, affliggere, addolorare, amareggiare, abbattere, prostrare, intristire, incupire © rallegrare, allietare, divertire.

accoràto *agg.* triste, afflitto, mesto, addolorato, angosciato, abbattuto, tormentato, amareggiato, prostrato © lieto, allegro, gioioso, felice, contento.

accorciaménto *s.m.* abbreviazione, abbreviamento, accorciatura, contrazione, riduzione; (*di discorso, di testo ecc.*) riassunto, sintesi, compendio © allungamento, ampliamento, estensione, prolungamento, aggiunta.

accorciàre *v.tr.* abbreviare, tagliare, scorciare, ridurre, restringere; (*un discorso, un testo ecc.*) riassumere, condensare, sintetizzare, compendiare, stringere, tagliare © ampliare, allungare, protrarre, estendere, allargare, sviluppare.

accordàre *v.tr.* **1** (*di persone*) conciliare, pacificare, ravvicinare; affiatare, combinare, legare © contrapporre, dividere, inimicare **2** (*una cosa*) concedere, dare, assegnare; consentire, autorizzare, permettere, approvare © negare, rifiutare, ricusare **3** (*mus.*) intonare **4** (*colori, abiti e sim.*) combinare, accostare, armonizzare, sposare ♦ **accordarsi** *v.pr.* **1** mettersi d'accordo, aggiustarsi, arrangiarsi, intendersi, capirsi, conciliarsi © litigare, bisticciare, questionare **2** abbinarsi, combinarsi, armonizzarsi, accostarsi © contrastare, stonare, stridere.

accordàto *agg.* **1** concesso, permesso, dato © rifiutato, negato **2** (*mus.*) intonato © scordato, stonato.

accòrdo *s.m.* **1** (*di persone*) concordia, armonia, intesa, sintonia, affiatamento, concordanza, coesione, unione, assonanza (*mus.*) © contrasto, dissenso, attrito, disaccordo, discordia, disarmonia, divergenza, frizione, ostilità **2** consenso, autorizzazione, permesso, benestare © veto, divieto, proibizione, rifiuto **3** patto, concordato, contratto, alleanza, convenzione, compromesso, conciliazione, transazione (*dir.*); accomodamento, soluzione, arrangiamento, sistemazione.

accòrgersi *v.pr.* rendersi conto, capire, avvertire, avvedersi, realizzare, prendere coscienza; notare, vedere, scorgere; percepire, intuire, sentire, indovinare, subodorare, annusare, presentire, presagire, mangiare la foglia (*colloq.*).

accorgiménto *s.m.* **1** accortezza, astuzia, avvertenza, avvedutezza, sagacia, oculatezza, scaltrezza, cautela, prudenza © avventatezza, imprudenza, ingenuità, stoltezza **2** trucco, idea, astuzia, trovata, invenzione, artificio, espediente, stratagemma, escamotage (*fr.*).

accorpaménto *s.m.* incorporamento, fusione,

unione, unificazione © scorporo, frazionamento, divisione, smembramento.
accorpàre *v.tr.* riunire, unire, fondere, unificare, incorporare © dividere, scorporare, frazionare, smembrare.
accórrere *v.intr.* correre, affrettarsi, precipitarsi, affluire, riversarsi, dirigersi © allontanarsi, sfollare, andarsene, disperdersi, defluire.
accortézza *s.f.* avvedutezza, abilità, accorgimento, attenzione, avvertenza, giudizio, assennatezza, cautela, prudenza, oculatezza, riguardo © avventatezza, imprudenza, sventatezza, ingenuità, sciocchezza.
accòrto *agg.* prudente, attento, avveduto, cauto, assennato, giudizioso, oculato; intelligente, sveglio, abile, perspicace, scaltro, astuto, sagace © imprudente, disattento, avventato, incauto, sconsiderato; ingenuo, sciocco, sprovveduto, ottuso.
accostaménto *s.m.* avvicinamento, giustapposizione; (*di colori e sim.*) abbinamento, combinazione © allontanamento, scostamento.
accostàre *v.tr.* **1** avvicinare, ravvicinare, raccostare (*raro*); (*una porta, una persiana*) socchiudere; (*a un muro e sim.*) appoggiare, addossare © allontanare, scostare, discostare; aprire, spalancare **2** abbinare, accoppiare, associare, accomunare, unire; confrontare, paragonare © dividere, separare, disgiungere, disunire; differenziare ♦ *v.intr.* (*mar.*) approdare, abbordare ♦ **accostarsi** *v.pr.* **1** avvicinarsi, approssimarsi, ravvicinarsi, appropinquarsi, appressarsi; (*a un muro e sim.*) addossarsi © allontanarsi, scostarsi, discostarsi **2** ♧ (*a un'idea e sim.*) avvicinarsi, aderire, abbracciare, seguire, sposare © allontanarsi, rigettare, rifiutare, avversare, opporsi **3** assomigliare, avvicinarsi, tendere; rasentare, sfiorare © discostarsi, differire.
accovacciàrsi *v.pr.* accucciarsi, accoccolarsi, acciambellarsi, accosciarsi, rannicchiarsi, acquattarsi, appollaiarsi © stendersi, distendersi; alzarsi, ergersi, drizzarsi.
accozzàglia *s.f.* **1** (*di cose*) ammasso, massa, cumulo, miscuglio, confusione, accumulo, affastellamento, coacervo, congerie, guazzabuglio, mescolanza, accozzame (*raro*), casino (*colloq.*) **2** (*di persone*) folla, torma, orda; (*spreg.*) branco, masnada, manica, massa.
accozzàre *v.tr.* ammassare, ammucchiare, affastellare, radunare, riunire, mescolare © dividere, separare, disunire, sparpagliare.
accòzzo *s.m.* ammasso, mucchio, miscuglio, accozzaglia, accozzamento.
accreditàre *v.tr.* **1** avvalorare, confermare, convalidare, corroborare, suffragare © screditare, negare, smentire, invalidare, inficiare **2** (*banc.*) © addebitare.
accreditàto *agg.* **1** autorevole, stimato, qualificato © screditato, esautorato **2** (*banc.*) girato, trasferito.
accréscere *v.tr.* aumentare, ingrandire, ampliare, allargare, ingrossare, espandere, estendere, dilatare; aggravare, accentuare, approfondire, acuire, acutizzare, intensificare; alimentare, rafforzare; (*prezzi, spese ecc.*) gonfiare, maggiorare, rincarare, rialzare © ridurre, calare, abbassare, diminuire, togliere; attenuare, mitigare, alleviare; smorzare.
accresciménto *s.m.* aumento, crescita, ingrandimento, incremento; ampliamento, dilatazione; sviluppo, avanzamento, progressione, estensione © calo, diminuzione, sottrazione, riduzione.
accucciàrsi *v.pr.* (*di animale*) accovacciarsi; (*di persona*) accoccolarsi, accovacciarsi, accosciarsi, rannicchiarsi, acciambellarsi © sollevarsi, alzarsi.
accudìre *v.intr.* (*di cosa*) dedicarsi, occuparsi, attendere © trascurare, infischiarsene ♦ *v.tr.* (*una persona*) assistere, curare, badare, seguire, aiutare, guardare (*colloq.*); (*animali*) governare © trascurare, abbandonare.
accumulàre *v.tr.* ammassare, ammucchiare, raccogliere, radunare, agglomerare, affastellare, accatastare © disperdere, sparpagliare, spandere **2** (*denaro e sim.*) risparmiare, mettere da parte, accantonare, capitalizzare © spendere, sperperare, dissipare, sprecare ♦ **accumularsi** *v.pr.* (*di cose*) ammucchiarsi, ammassarsi, affastellarsi; (*di problemi, impegni e sim.*) sovrapporsi, aggiungersi.
accumulatóre *s.m.* **1** (*di persona*) risparmiatore; avaro, tirchio © dissipatore, dilapidatore, spendaccione **2** (*dell'automobile e sim.*) batteria.
accumulàzione *s.f.* accumulo, ammucchiamento, affastellamento © dispersione, dissipazione.
accùmulo *s.m.* ammassamento, ammasso, ammucchiamento, mucchio, catasta, affastellamento, cumulo; accavallamento © dispersione, dissipazione.
accuratézza *s.f.* cura, attenzione, esattezza, precisione, meticolosità, scrupolosità © trascuratezza, sciatteria, imprecisione, approssimazione.
accuràto *agg.* **1** (*di cosa*) curato, esatto, preciso, meticoloso, minuzioso, puntuale, scrupolo-

so © impreciso, affrettato, approssimativo, superficiale, sciatto, trascurato **2** (*di persona*) diligente, esatto, preciso, meticoloso, scrupoloso, pignolo, zelante © approssimativo, negligente, superficiale, sciatto, trascurato.
accùsa *s.f.* **1** addebito, imputazione; critica, rimprovero, biasimo; (*falsa*) calunnia, diffamazione, maldicenza © difesa, discolpa, giustificazione, scusa **2** (*dir.*) imputazione, addebito, incriminazione **3** (*dir.*) accusatore, pubblico ministero © difensore, difesa.
accusàre *v.tr.* **1** incolpare, imputare, biasimare, rimproverare; calunniare, diffamare, denigrare © discolpare, difendere, scagionare **2** (*dir.*) incriminare, imputare © difendere, patrocinare **3** (*un malessere e sim.*) mostrare, manifestare, palesare, esprimere, denunciare, sentire.
acèrbo *agg.* **1** (*di frutto*) immaturo, verde; acido, asprigno, aspro, agro © maturo; dolce **2** ♧ immaturo, giovanile, infantile, adolescenziale © maturo, adulto **3** ♧ aspro, brusco, duro, pungente, severo, tagliente © dolce, mite, gentile **4** ♧ (*di lite e sim.*) feroce, violento.
acèrrimo *agg.* accanito, implacabile, irriducibile; (*di nemico*) giurato, mortale.
acidità *s.f.* **1** asprezza, acerbità, acredine © dolcezza **2** ♧ acredine, asprezza, acrimonia, crudezza, severità; ruvidezza, scontrosità © bonarietà, mitezza, dolcezza; affabilità, gentilezza.
àcido *agg.* **1** (*di sapore*) aspro, acre, agro, brusco, pungente © dolce, dolciastro **2** ♧ (*di persona, di tono ecc.*) pungente, aspro, maligno, mordace, astioso, caustico, sarcastico, scontroso © dolce, amabile, cordiale, mite, bonario **3** (*chim.*) © alcalino ♦ *s.m.* (*gerg.*) LSD, trip (*ingl.*) IPERON. droga.
acìdulo *agg.* asprigno, aspro, agro © dolce, dolciastro.
àcino *s.m.* (*spec. di uva*) chicco.
àcme *s.f.* apice, culmine, colmo, massimo, sommità, apogeo, top (*ingl.*), vertice © minimo.
àcne *s.f.* (*med.*) brufoli, foruncoli.
àcqua *s.f.* **1** pioggia **2** (*colloq.*) pipì, urina **3** (*spec. al pl.*) acque termali, terme **4** (*colloq.*; *al pl.*) liquido amniotico **5** (*min.*) purezza, trasparenza, limpidezza.
acquàio *s.m.* lavandino, lavello.
acquasantièra *s.f.* pila.
acquàtico *agg.* (*di animale*) © terrestre.
acquattàrsi *v.pr.* accucciarsi, accovacciarsi, rannicchiarsi, appiattirsi, nascondersi, rintanarsi © drizzarsi, alzarsi, saltar fuori.
acquavìte *s.f.* grappa.
acquazzóne *s.m.* temporale, rovescio, acquata, piovasco, nubifragio © acquerugiola, pioggerellina.
acquiescènte *agg.* accomodante, accondiscendente, conciliante, arrendevole, remissivo, docile © ostinato, restio, intransigente.
acquiescènza *s.f.* remissività, condiscendenza, docilità, sottomissione © ostinazione, testardaggine, caparbietà, cocciutaggine.
acquietàre *v.tr.* calmare, placare, tranquillizzare, rabbonire, sedare, rasserenare © aizzare, eccitare, agitare, inasprire, esasperare ♦ **acquietarsi** *v.pr.* calmarsi, placarsi, tranquillizzarsi, rabbonirsi, sedarsi, rasserenarsi © eccitarsi, agitarsi, inasprirsi, esasperarsi.
acquirènte *s.m.* cliente, compratore INVER. venditore, rivenditore.
acquisìre *v.tr.* **1** acquistare © perdere, cedere **2** ♧ (*conoscenze, informazioni e sim.*) apprendere, fare proprio, imparare, recepire, impadronirsi © perdere, disimparare.
acquisìto *agg.* **1** acquistato © perso **2** imparato, appreso © innato, naturale, istintivo **3** (*med.*) © congenito, ereditario.
acquisizióne *s.f.* acquisto, conseguimento © perdita, vendita.
acquistàre *v.tr.* **1** comprare, acquisire, prendere, rilevare INVER. vendere, cedere **2** (*di un atleta e sim.*) ingaggiare **3** ♧ ottenere, conquistare, conseguire, procurarsi © perdere ♦ *v.intr.* ♧ migliorare, avanzare, progredire, aumentare © perdere, peggiorare, diminuire.
acquìsto *s.m.* **1** compera INVER. vendita **2** (*di un atleta e sim.*) ingaggio **3** ♧ conquista, acquisizione, conseguimento, vantaggio, ottenimento © perdita.
acquitrìno *s.m.* stagno, palude, pantano.
acquóso *agg.* **1** acqueo; piovoso **2** (*di terreno*) paludoso, acquitrinoso, fangoso, melmoso © secco, arido, asciutto **3** (*di occhi*) lacrimoso, slavato.
àcre *agg.* **1** (*di sapore, di odore*) aspro, acido, pungente, forte, penetrante, brusco, piccante © dolce, gradevole **2** ♧ (*di persona, di parole ecc.*) mordace, acido, astioso, velenoso, maligno, malevolo, caustico, tagliente, sarcastico © dolce, bonario, gentile, affettuoso.
acrèdine *s.f.* **1** asprezza, acidità © dolcezza **2** ♧ astio, acrimonia, malevolenza, livore, rancore © dolcezza, gentilezza, benevolenza, affettuosità, affabilità.
acrìlico *agg.* sintetico.
acrimònia *s.f.* (*elev.*) vedi **acrèdine**.
acrìtico *agg.* dogmatico; superficiale © critico.

acròbata *s.m.f.* funambolo, trapezista, equilibrista, ginnasta.

acrobàtico *agg.* **1** funambolesco, ginnico **2** ♧ spettacolare; pericoloso, rischioso.

acrobazìa *s.f.* **1** acrobatismo; funambolismo, equilibrismo **2** ♧ equilibrismo, opportunismo; astuzia, ingegnosità.

acrònimo *s.m.* sigla.

acuìre *v.tr.* **1** acuminare, aguzzare, appuntire; affilare © smussare, arrotondare, spuntare **2** ♧ acutizzare, aggravare, inasprire, accrescere, approfondire, esacerbare; (*una differenza e sim.*) esaltare, evidenziare, sottolineare © smorzare, attenuare, ridurre, calmare ♦ **acuirsi** *v.pr.* aggravarsi, accrescersi, intensificarsi, acutizzarsi © attenuarsi, smorzarsi, calmarsi.

acùleo *s.m.* **1** (*zool.*) pungiglione, spina **2** (*bot.*) spina.

acùme *s.m.* perspicacia, acutezza, intelligenza, ingegno, arguzia; (*colloq.*) fiuto, naso, occhio © ottusità, rozzezza, idiozia, stupidità.

acuminàto *agg.* appuntito, aguzzo, acuto, puntuto © spuntato, smussato, tondeggiante.

acùstica *s.f.* (*di una sala*) sonorità.

acùstico *agg.* **1** sonoro; uditivo **2** (*di strumento musicale*) © elettrico, elettronico.

acutézza *s.f.* **1** intensità, forza **2** perspicacia, acume, ingegno, intelligenza © ottusità, stupidità, grossolanità, rozzezza **3** (*mus.*) altezza.

acutizzàre *v.tr.* acuire, accrescere, aggravare, rafforzare, aumentare, esacerbare, inasprire © smorzare, placare, attenuare, diminuire, ridurre, addolcire, mitigare ♦ **acutizzarsi** *v.pr.* aumentare, aggravarsi, acuirsi, accentuarsi, inasprirsi, intensificarsi © diminuire, attenuarsi, mitigarsi, calmarsi, smorzarsi.

acùto *agg.* **1** aguzzo, acuminato, appuntito © smussato, tondeggiante, spuntato **2** ♧ (*di persona*) perspicace, pronto, sveglio, arguto, intelligente © ottuso, stupido, limitato, lento **3** ♧ (*di ragionamento e sim.*) intelligente, sottile, profondo, arguto, brillante © stupido, banale, mediocre **4** (*di sentimento, di dolore e sim.*) intenso, penetrante, lancinante, profondo, violento © debole, fiacco **5** (*di malattia*) grave, serio, pericoloso, critico © lieve **6** (*ling.*) © grave **7** (*mus.*) alto © basso, grave.

adagiàre *v.tr.* deporre, posare, coricare, stendere, sdraiare © alzare, sollevare, raddrizzare ♦ **adagiarsi** *v.pr.* **1** distendersi, sdraiarsi, coricarsi © alzarsi, sollevarsi **2** ♧ abbandonarsi, cedere, lasciarsi andare © reagire, opporsi, scuotersi.

adàgio *s.m.* proverbio, sentenza, massima, detto, aforisma.

adattàbile *agg.* **1** (*di persona*) duttile, elastico, flessibile, alla mano © difficile, rigido **2** (*di cosa*) compatibile, adeguabile.

adattaménto *s.m.* **1** adeguamento, trasformazione ristrutturazione; (*opere letterarie e sim.*) arrangiamento, rielaborazione **2** (*di persona*) ambientamento, acclimatamento, inserimento; rassegnazione, allineamento, sottomissione © opposizione, ribellione, rigidità.

adattàre *v.tr.* accomodare, adeguare, sistemare, riadattare, trasformare, arrangiare; (*opere letterarie e sim.*) ridurre, rielaborare ♦ **adattarsi** *v.pr.* **1** (*di persona*) adeguarsi, conformarsi, arrangiarsi, uniformarsi, acclimatarsi, ambientarsi, abituarsi, integrarsi, rassegnarsi; tollerare, accettare © opporsi, ribellarsi **2** (*di persona o cosa*) confarsi, convenirsi, calzare; (*non com.*) appropriarsi © stonare, stridere.

adàtto *agg.* adeguato, idoneo, opportuno, appropriato, giusto, ad hoc; abile © inadatto, inopportuno, inadeguato, inidoneo; inabile.

addebitàre *v.tr.* **1** (*banc.*) © accreditare **2** ♧ attribuire, imputare, addossare, accusare, ascrivere (*elev.*).

addébito *s.m.* **1** (*banc.*) addebitamento © accredito, accreditamento **2** ♧ attribuzione, imputazione, addossamento, accusa, colpa © discolpa, discarico, giustificazione.

addensaménto *s.m.* **1** condensamento, condensazione, consolidamento, infittimento © diluizione, rarefazione **2** ammassamento, affollamento, concentramento, concentrazione © dispersione, sparpagliamento.

addensàre *v.tr.* **1** condensare, infittire, raddensare, restringere, raggrumare, coagulare © diluire, rarefare **2** ammassare, accalcare, affollare, concentrare, radunare © disperdere, sparpagliare ♦ **addensarsi** *v.pr.* **1** condensarsi, infittirsi, rapprendersi, raggrumarsi, coagularsi © diluirsi, diradarsi, rarefarsi, sciogliersi **2** ammassarsi, accalcarsi, affollarsi, concentrarsi, radunarsi © disperdersi, sparpagliarsi.

addentàre *v.tr.* **1** mordere, morsicare, azzannare **2** (*di ingranaggio e sim.*) afferrare, stringere © lasciare, mollare.

addentràre *v.tr.* immettere, affondare © estrarre ♦ **addentrarsi** *v.pr.* penetrare, introdursi, spingersi, entrare © uscire, venire fuori.

addestraménto *s.m.* allenamento, esercitazione, ammaestramento, insegnamento, preparazione, formazione, apprendistato, training (*ingl.*).

addestràre *v.tr.* allenare, esercitare, preparare, insegnare, istruire, abituare, avvezzare © di-

sabituare, disavvezzare ♦ **addestrarsi** *v.pr.* allenarsi, esercitarsi, abituarsi, avvezzarsi.
addétto *agg.* **1** incaricato, preposto; delegato, deputato **2** (*di cosa o animale*) adibito, destinato, impiegato ♦ *s.m.* incaricato, operatore, tecnico; (*nella diplomazia*) attaché (*fr.*).
addìo *inter.* arrivederci, ciao, goodbye (*ingl.*) ♦ *s.m.* congedo, saluto, commiato; distacco, separazione.
addìrsi *v.pr.* convenire, confarsi, adattarsi, attagliarsi, calzare © sconvenire, stonare, disdirsi (*elev.*).
additàre *v.tr.* indicare, mostrare, segnalare, segnare, accennare.
addizionàle *agg.* aggiuntivo, accessorio, ulteriore, extra, supplementare © principale, primario ♦ *s.f.* (*fin.*) sovrimposta.
addizionàre *v.tr.* **1** (*mat.*) sommare © sottrarre **2** aggiungere, sommare, unire, annettere © sottrarre, detrarre, togliere, defalcare.
addizióne *s.f.* **1** (*mat.*) somma © sottrazione **2** somma, aggiunta, unione, annessione © sottrazione, detrazione.
addobbàre *v.tr.* ornare, decorare, abbellire, adornare, guarnire, arredare.
addòbbo *s.m.* decorazione, ornamento, guarnizione, abbellimento **IPON.** festone, arazzo, drappo.
addolcìre *v.tr.* **1** zuccherare, inzuccherare, dolcificare, edulcorare (*elev.*) **2** ♧ (*un dolore e sim.*) attenuare, calmare, lenire, mitigare, temperare © inasprire, esacerbare, acuire, accentuare **3** ♧ (*una persona*) ammorbidire, intenerire, rabbonire © inacidire, inasprire, incattivire, amareggiare ♦ **addolcirsi** *v.pr.* ♧ calmarsi, intenerirsi, rabbonirsi, ammorbidirsi © inacidirsi, incattivirsi, irrigidirsi, acutizzarsi.
addoloràre *v.tr.* affliggere, rattristare, ferire, amareggiare, crucciare, angosciare, angustiare, rammaricare, abbattere © rallegrare, allietare, confortare, consolare, rincuorare ♦ **addolorarsi** *v.pr.* affliggersi, rattristarsi, angosciarsi, rammaricarsi © rallegrarsi, consolarsi, sollevarsi.
addoloràto *agg.* triste, afflitto, affranto, amareggiato, angosciato, crucciato, mesto © allegro, contento, felice, sereno.
addòme *s.m.* pancia, ventre, trippa (*scherz.*).
addomesticàre *v.tr.* **1** domare, ammansire, ammaestrare **2** ♧ (*le votazioni e sim.*) truccare, manipolare, falsare, falsificare, alterare.
addomesticàto *agg.* **1** domato, ammaestrato, docile, domestico, mansueto, mite **2** ♧ (*votazioni e sim.*) truccato, manipolato, alterato © regolare, veritiero.
addormentàre *v.tr.* **1** assopire, sopire © svegliare, destare; anestetizzare (*med.*) **2** ♧ annoiare, tediare © divertire **3** (*la mente e sim.*) offuscare, intorpidire, impigrire, spegnere © eccitare, accendere, destare, risvegliare ♦ **addormentarsi** *v.pr.* **1** assopirsi, appisolarsi (*colloq.*), prendere sonno, abbioccarsi (*region.*) © svegliarsi, destarsi, risvegliarsi **2** (*di parti del corpo*) intorpidirsi, anchilosarsi, irrigidirsi **3** ♧ impigrirsi, intorpidirsi, spegnersi © risvegliarsi, riscuotersi, accendersi.
addormentàto *agg.*, *s.m.* **1** assopito, dormiente **2** assonnato, insonnolito, sonnolento © sveglio, desto **3** (*di parti del corpo*) intorpidito, anchilosato, irrigidito **4** ♧ stupido, lento, inetto, incapace, pigro © sveglio, lucido, vigile, vivace, alacre.
addossàre *v.tr.* **1** avvicinare, accostare © allontanare, spostare **2** ♧ attribuire, addebitare, accollare, imputare, dare; (*colloq.*) appioppare, affibbiare, rifilare ♦ **addossarsi** *v.pr.* **1** accostarsi, avvicinarsi, appoggiarsi **2** ♧ attribuirsi, assumersi, farsi carico, accollarsi, sobbarcarsi.
addottrinàre *v.tr.* ammaestrare, istruire, insegnare.
addottrinàto *agg.* istruito, colto, erudito, dotto © incolto, ignorante.
addùrre *v.tr.* **1** presentare, allegare, produrre, invocare, citare, esibire (*dir.*); (*scuse e sim.*) accampare **2** (*elev.*) arrecare, condurre, procurare, causare, cagionare.
àde *s.m.* (*elev.*) inferno, inferi; (*mitol.*) averno, tartaro, regno dei morti; aldilà, oltretomba.
adeguaménto *s.m.* adattamento, commisurazione, pareggiamento, allineamento, equiparazione © sbilanciamento, squilibrio, disaccordo.
adeguàre *v.tr.* adattare, conformare, accordare, commisurare, equiparare; aggiornare ♦ **adeguarsi** *v.pr.* adattarsi, allinearsi, conformarsi, uniformarsi; rassegnarsi, sottomettersi; abituarsi, ambientarsi © dissentire, opporsi.
adeguatézza *s.f.* idoneità, opportunità, convenienza, proprietà © inadeguatezza.
adeguàto *agg.* adatto, conveniente, atto, opportuno, proporzionato, giusto, appropriato, consono, conveniente © inadeguato, inadatto, inopportuno, sproporzionato, inappropriato.
adémpiere *v.tr.* e *intr.* **1** compiere, eseguire, svolgere, realizzare, effettuare, sbrigare, ottemperare, evadere (*burocr.*) © tralasciare, trascurare **2** (*un voto, una promessa*) esaudire, mantenere ♦ **adempiersi** *v.pr.* avverarsi, verificarsi, compiersi, realizzarsi, accadere.
adempiménto *s.m.* compimento, assolvimento, esecuzione, realizzazione, attuazione; osser-

vanza, obbedienza © inadempienza, inadempimento.

adempìre *v.tr.* e *intr.* vedi **adémpiere**.

adèpto *s.m.* **1** (*di una setta*) seguace, affiliato, iniziato, accolito **2** (*di un partito, di un'associazione ecc.*) membro, iscritto, aderente, associato, proselito.

aderènte *agg.* **1** (*di abito*) attillato, stretto, fasciante © ampio, largo, morbido **2** ♧ conforme, concordante, pertinente © estraneo ♦ *s.m.f.* membro, iscritto, adepto, affiliato, seguace, associato, accolito.

aderènza *s.f.* **1** adesione, partecipazione © opposizione, rifiuto **2** ♧ conformità, concordanza, attinenza, coerenza, fedeltà **3** (*di colla e sim.*) presa **4** ♧ (*al pl.*) amicizie, appoggi, conoscenze, agganci.

aderìre *v.intr.* **1** attaccarsi, combaciare, appiccicarsi, incollarsi, tenersi © staccarsi, scollarsi **2** (*di abito*) fasciare, modellare, stringere **3** ♧ (*a idee, manifestazioni ecc.*) accogliere, condividere, sostenere; partecipare, unirsi, prendere parte © dissentire, dissociarsi, opporsi, rifiutare **4** (*a un partito e sim.*) iscriversi, entrare, affiliarsi, accostarsi © lasciare, abbandonare **5** (*a una richiesta e sim.*) acconsentire, accondiscendere, accogliere, accettare, approvare © opporsi, respingere.

adescaménto *s.m.* allettamento, lusinga, seduzione, invito, richiamo.

adescàre *v.tr.* allettare, attirare, sedurre, lusingare, circuire, irretire.

adesióne *s.f.* **1** aderenza, presa **2** ♧ consenso, sostegno, appoggio, accettazione, approvazione, partecipazione © opposizione, rifiuto, dissenso, disapprovazione.

adesìvo *agg.* colloso, appiccicoso, viscoso, vischioso ♦ *s.m.* etichetta, autoadesivo.

ad hoc *loc.avv.* (*lat*) apposta, adeguatamente, appositamente, opportunamente © inadeguatamente, inopportunamente ♦ *loc.agg.* adatto, apposito, giusto, appropriato, opportuno © inadatto, inadeguato, inopportuno.

adiacènte *agg.* attiguo, contiguo, confinante, limitrofo, vicino, prossimo © separato, discosto, staccato, lontano, distante.

adiacènza *s.f.* attiguità, contiguità, vicinanza, prossimità © lontananza, distanza.

adibìre *v.tr.* destinare, assegnare, impiegare, riservare, usare, adoperare.

àdipe *s.m.* grasso, ciccia (*colloq.*), pinguedine (*elev.*).

adipóso *agg.* grasso, pingue, obeso, corpulento © magro, secco, asciutto, allampanato.

adiràrsi *v.pr.* arrabbiarsi, inquietarsi, incollerirsi, infuriarsi, inalberarsi, indignarsi, sdegnarsi, stizzirsi, imbestialirsi (*colloq.*), incavolarsi (*colloq.*), incazzarsi (*volg.*), uscire dai gangheri, (*colloq.*) © calmarsi, placarsi, rabbonirsi, tranquillizzarsi.

adìre *v.tr.* (*dir.*) **1** (*le vie legali*) ricorrere, rivolgersi **2** (*un'eredità*) accettare © rifiutare, rinunciare.

àdito *s.m.* entrata, passaggio, accesso, ingresso © uscita.

adocchiàre *v.tr.* **1** guardare, vedere, notare, osservare, scorgere **2** occhieggiare, mettere gli occhi addosso, puntare (*colloq.*).

adolescènte *agg.* **1** giovane, adolescenziale, pubere (*elev.*) © adulto **2** immaturo, adolescenziale, giovanile © adulto, maturo ♦ *s.m.f.* ragazzo, ragazza, giovane, teen-ager (*ingl.*), fanciullo (*elev.*), fanciulla (*elev.*).

adolescènza *s.f.* pubertà, pubescenza (*elev.*).

adolescenziàle *agg.* puberale, pubere (*elev.*); immaturo, giovanile, acerbo © maturo, adulto.

adombràre *v.tr.* **1** ombreggiare, oscurare, offuscare © illuminare, rischiarare **2** ♧ celare, nascondere, occultare; raffigurare, simboleggiare, rappresentare © spiegare, chiarire ♦ **adombrarsi** *v.pr.* **1** (*di animale*) spaventarsi, imbizzarrirsi, impennarsi **2** (*di persona*) turbarsi, prendersela, risentirsi, offendersi, impermalirsi.

adoperàre *v.tr.* usare, impiegare, utilizzare, servirsi, avvalersi ♦ **adoperarsi** *v.pr.* darsi da fare, impegnarsi, prodigarsi, ingegnarsi, affannarsi, brigare © disinteressarsi, infischiarsene (*colloq.*).

adopràre *v.tr.* vedi **adoperàre**.

adoràbile *agg.* delizioso, carino, bello, grazioso, incantevole, attraente, seducente © detestabile, odioso, repellente, ripugnante.

adoràre *v.tr.* **1** (*una divinità*) venerare, pregare **2** (*una persona*) amare, idolatrare, stravedere, riverire © odiare, detestare, aborrire **3** (*una cosa*) bramare, desiderare © disprezzare, rifiutare.

adorazióne *s.f.* **1** (*di divinità*) culto, venerazione, devozione **2** (*di persona*) ammirazione, devozione, amore © odio, disprezzo.

adornàre *v.tr.* abbellire, ornare, decorare, addobbare, guarnire © abbruttire, deturpare.

adórno *agg.* ornato, decorato, guarnito, abbellito © disadorno, spoglio, nudo.

adottàre *v.tr.* **1** (*una proposta e sim.*) accettare, accogliere, approvare, seguire, sposare © rifiutare **2** (*norme, provvedimenti e sim.*) attuare,

mettere in atto, prendere © respingere, scartare.
adozióne *s.f.* **1** (*di libri di testo*) scelta © rifiuto **2** (*di provvedimenti e sim.*) attuazione, messa in atto, realizzazione.
adulàre *v.tr.* blandire, lusingare, incensare, lisciare, arruffianarsi (*colloq.*) © criticare, calunniare.
adulatòrio *agg.* lusinghiero, incensatorio © calunnioso, denigratorio.
adulazióne *s.f.* lusinga, cortigianeria, servilismo, piaggeria (*elev.*), arruffianamento (*colloq.*), sviolinata (*colloq.*) © calunnia, denigrazione.
adulteràre *v.tr.* **1** (*un cibo e sim.*) alterare, sofisticare, manipolare, contraffare **2** ♧ corrompere, guastare, rovinare, manipolare © ripristinare, sanare, risanare.
adulterazióne *s.f.* **1** (*di cibo e sim.*) alterazione, contraffazione, sofisticazione **2** ♧ corruzione, manipolazione.
adulterìno *agg.* **1** (*di figlio*) illegittimo, naturale, bastardo (*spreg.*) © legittimo **2** (*di relazione amorosa*) extraconiugale, illecito.
adultèrio *s.m.* tradimento, infedeltà, tresca © fedeltà.
adùltero *agg., s.m.* infedele, traditore © fedele.
adùlto *agg.* cresciuto, grande, sviluppato, maturo © piccolo, immaturo, acerbo ♦ *s.m.* grande (*colloq.*), donna, uomo.
adunànza *s.f.* riunione, assemblea, adunata.
adunàre *v.tr.* raccogliere, riunire, radunare, assembrare (*elev.*) © disperdere, sparpagliare ♦ **adunarsi** *v.pr.* raccogliersi, radunarsi, convenire, assembrarsi.
adunàta *s.f.* raduno, riunione, adunanza, assemblea, convegno, incontro, meeting (*ingl.*).
adùnco *agg.* curvo, ricurvo, arcuato, uncinato; (*di naso*) aquilino © dritto.
adùso *agg.* vedi **abituàto**.
aeràre *v.tr.* arieggiare, ventilare, dare aria.
aerazióne *s.f.* ventilazione, arieggiamento.
aèreo[1] *agg.* **1** (*chim., fis.*) aeriforme, gassoso **2** ♧ lieve, leggero, delicato, evanescente, etereo (*elev.*) © grave, pesante **3** ♧ vano, inconsistente © consistente, fondato **4** aeronautico, aviatorio.
aèreo[2] *s.m.* vedi **aeroplàno**.
aerodinàmico *agg.* affusolato, slanciato © tozzo, massiccio.
aeròdromo *s.m.* vedi **aeropòrto**.
aeronàuta *s.m.* pilota, aviatore.
aeronàutica *s.f.* aviazione.
aeronàutico *agg.* aereo, aviatorio.
aeronàve *s.f.* **1** dirigibile **2** astronave.
aeroplàno *s.m.* aereo, aeromobile, apparecchio (*colloq.*).
aeropòrto *s.m.* scalo aereo, aerodromo, aerostazione, aviostazione.
aeròstato *s.m.* pallone aerostatico, dirigibile, mongolfiera.
àfa *s.f.* calura, arsura, caldo © frescura, fresco.
affàbile *agg.* amabile, cordiale, socievole, disponibile, simpatico, gentile, amichevole, alla mano © freddo, burbero, scorbutico, scortese, chiuso, distaccato.
affabilità *s.f.* amabilità, cordialità, socievolezza, disponibilità, gentilezza, simpatia © freddezza, distacco, antipatia, scortesia.
affaccendàrsi *v.pr.* darsi da fare, impegnarsi, adoperarsi, affannarsi, prodigarsi; armeggiare, trafficare, brigare © oziare, poltrire.
affaccendàto *agg.* occupato, impegnato, indaffarato, preso (*colloq.*) © sfaccendato, libero.
affacciàre *v.tr.* **1** (*dubbi, proposte ecc.*) esporre, manifestare, avanzare, proporre, prospettare, presentare © ritirare **2** (*di edificio, finestra e sim.*) dare, affacciarsi ♦ **affacciarsi** *v.pr.* **1** (*di persona*) mostrarsi, sporgersi, farsi vedere, far capolino; apparire © sparire, ritirarsi, nascondersi **2** ♧ (*di idea, dubbio ecc.*) presentarsi, prospettarsi, manifestarsi, affiorare, passare per la mente (*colloq.*), passare per la testa (*colloq.*), venire in mente © svanire, dileguarsi.
affamàre *v.tr.* **1** © sfamare **2** ♧ impoverire, spogliare, depredare © arricchire.
affamàto *agg.* **1** famelico, digiuno; ♧ miserabile, indigente © inappetente; sazio, satollo, pieno (*colloq.*) **2** ♧ (*di denaro, potere ecc.*) avido, bramoso, desideroso; (*di sesso*) allupato, arrapato (*colloq.*), assatanato (*colloq.*) © incurante, indifferente, noncurante.
affannàre *v.tr.* ♧ affliggere, angustiare, addolorare © allietare, rallegrare ♦ **affannarsi** *v.pr.* **1** affaticarsi, ansimare **2** ♧ affaccendarsi, agitarsi, angustiarsi, arrabattarsi, sforzarsi, fare i salti mortali, darsi da fare © calmarsi, tranquillizzarsi, oziare, disinteressarsi.
affannàto *agg.* **1** ansimante, trafelato; (*di respiro*) affannoso, ansante, asmatico **2** ♧ agitato, ansioso, inquieto; tormentato, angosciato © calmo, pacato, tranquillo.
affànno *s.m.* **1** fiatone; dispnea (*med.*) **2** ♧ angoscia, pena, ansia, preoccupazione, agitazione, angoscia, ambascia (*elev.*) © calma, tranquillità, serenità.
affannóso *agg.* **1** (*di respiro*) affannato, ansante, asmatico © calmo, regolare **2** (*di situazione, di periodo ecc.*) faticoso, angoscioso, penoso, difficile, stressante © calmo, sereno, tranquillo, pacato.

affàre *s.m.* **1** faccenda, impegno, compito, lavoro **2** (*comm.*) transazione, compravendita, business (*ingl.*) **3** (*polit.*) caso, vicenda, processo, affaire (*fr.*) **4** (*colloq.*) aggeggio, oggetto, coso, arnese.

affarìsta *s.m.* uomo d'affari; (*spreg.*) faccendiere, trafficante, speculatore.

affascinànte *agg.* attraente, seducente, intrigante, interessante, incantevole, delizioso, charmant (*fr.*) © brutto, repellente, ripugnante.

affascinàre *v.tr.* sedurre, ammaliare, conquistare, incantare, attirare, attrarre, fare colpo © allontanare, disgustare, disincantare.

affastellàre *v.tr.* accumulare, ammassare, accatastare, accozzare © sparpagliare, disperdere.

affaticaménto *s.m.* stanchezza, fatica, spossatezza, fiacca (*colloq.*), stress (*ingl.*) © forza, vigore.

affaticàre *v.tr.* stancare, fiaccare, indebolire, logorare © rinvigorire ♦ **affaticarsi** *v.pr.* **1** stancarsi, fiaccarsi, indebolirsi, stressarsi (*colloq.*) © riposare, riposarsi **2** affannarsi, prodigarsi, impegnarsi © disinteressarsi, infischiarsene (*colloq.*).

affaticàto *agg.* stanco, fiacco; spossato, esaurito, stressato (*colloq.*) © energico, forte; riposato.

affermàre *v.tr.* **1** annuire, dire di sì, assentire © negare **2** assicurare, dichiarare, sostenere, asseverare (*elev.*) © negare, smentire, respingere, ritrattare **3** (*un diritto, un'idea ecc.*) sostenere, ribadire, rivendicare ♦ **affermarsi** *v.pr.* **1** (*di persona*) avere successo, imporsi, distinguersi, emergere, sfondare, farsi avanti © fallire, fare fiasco **2** (*di moda, di idea ecc.*) diffondersi, imporsi, attecchire, prendere piede, allignare (*elev.*), propagarsi.

affermatìvo *agg.* assertivo, asseverativo (*elev.*), positivo, confermativo © negativo.

affermàto *agg.* celebre, famoso, arrivato, rinomato, illustre, stimato © fallito, sconosciuto.

affermazióne *s.f.* **1** dichiarazione, asserzione, enunciazione, assicurazione; comunicazione, annuncio; argomento, assunto © negazione, ritrattazione, smentita **2** successo, riuscita, vittoria, exploit (*fr.*) © fallimento, fiasco, sconfitta, insuccesso.

afferràre *v.tr.* **1** acchiappare, prendere, acciuffare, agguantare, attanagliare, pigliare (*colloq.*), ghermire (*elev.*) © lasciare, mollare **2** ♧ (*un'occasione e sim.*) cogliere, approfittare, sfruttare, avvalersi © perdere **3** ♧ (*un concetto e sim.*) cogliere, capire, comprendere ♦ **afferrarsi** *v.pr.* attaccarsi, appigliarsi, aggrapparsi, agguantarsi © mollare, staccarsi.

affettàre[1] *v.tr.* tagliare, tranciare.

affettàre[2] *v.tr.* ostentare, fingere, simulare, esibire, sfoggiare, vantare.

affettàto[1] *s.m.* IPERON. salume.

affettàto[2] *agg.* **1** (*di comportamento e sim.*) ostentato, studiato, artificioso, artefatto, forzato, innaturale, falso © spontaneo, naturale, schietto, vero **2** (*di persona*) lezioso, sdolcinato, falso, innaturale, mellifluo.

affettazióne *s.f.* **1** ostentazione, ricercatezza, artificiosità, leziosità © semplicità, naturalezza, spontaneità **2** (*nel parlare*) leziosaggine, birignao (*scherz.*).

affettìvo *agg.* **1** sentimentale, emotivo; amoroso **2** (*di persona*) affettuoso, amorevole, tenero © freddo, indifferente.

affètto[1] *s.m.* **1** affezione, amore, amicizia, bene, attaccamento, tenerezza, affettuosità, dolcezza, amorevolezza, benevolenza © antipatia, odio, rancore, disaffezione, distacco, freddezza, indifferenza **2** (*oggetto del sentimento*) bene, amore.

affètto[2] *agg.* (*da malattia*) malato, ammalato, sofferente, colpito © esente, sano, immune.

affettuosità *s.f.* **1** affetto, affettività, amorevolezza, benevolenza, dolcezza © freddezza, indifferenza, distacco **2** (*atto affettuoso*) tenerezza, gentilezza, attenzione, coccola (*colloq.*), effusione © sgarbo, sgarberia.

affettuóso *agg.* amorevole, tenero, dolce, premuroso, devoto, carino © freddo, indifferente, brusco, duro.

affezionàrsi *v.pr.* attaccarsi, legarsi, appassionarsi; innamorarsi © disaffezionarsi, disamorarsi, distaccarsi.

affezionàto *agg.* attaccato, legato, devoto; innamorato © freddo, indifferente, disamorato, distaccato.

affezióne *s.f.* **1** affetto, amore, amicizia, attaccamento, benevolenza, simpatia © disaffezione, distacco, freddezza, indifferenza **2** (*med.*) malattia, morbo.

affiancàre *v.tr.* **1** avvicinare, accostare, allineare © allontanare, separare, dividere, scostare **2** ♧ sostenere, aiutare, difendere, proteggere, fiancheggiare; favorire, spalleggiare © abbandonare, lasciare, osteggiare ♦ **affiancarsi** *v.pr.* allinearsi, accostarsi, fiancheggiare.

affiataménto *s.m.* armonia, accordo, intesa, comprensione, sintonia © disaccordo, disarmonia, incomprensione.

affiatàrsi *v.pr.* legare, andare d'accordo, armonizzarsi, fare amicizia, familiarizzare, socializzare, trovarsi.

affiatàto *agg.* concorde, unito, amico © discorde, disunito.
affibbiàre *v.tr.* **1** (*le scarpe ecc.*) allacciare, abbottonare, chiudere, legare © slacciare, sbottonare, aprire, sfibbiare **2** ♧ (*una cosa sgradevole e sim.*) dare, addossare, assegnare, attribuire, appioppare (*colloq.*), rifilare (*colloq.*) © levare, togliere **3** ♧ (*uno schiaffo e sim.*) dare, assestare, mollare, sferrare, tirare.
affidàbile *agg.* **1** (*di persona*) fidato, sicuro, credibile, serio, leale, corretto, raccomandabile © inaffidabile, inattendibile, infido **2** (*di apparecchiatura, di macchina e sim.*) sicuro, efficiente, funzionale, garantito © inaffidabile.
affidabilità *s.f.* **1** (*di persona*) serietà, fiducia, credibilità, attendibilità © inaffidabilità **2** (*di apparecchiatura, di macchina e sim.*) sicurezza, garanzia, funzionalità © inaffidabilità.
affidaménto *s.m.* **1** consegna, custodia; assegnazione, attribuzione © revoca **2** fiducia, sicurezza, garanzia, affidabilità, attendibilità, credibilità © dubbio, sfiducia, sospetto.
affidàre *v.tr.* **1** consegnare, dare in custodia, lasciare; (*un incarico e sim.*) assegnare © togliere, levare, revocare (*dir.*) **2** ♧ raccomandare, rimettere ♦ **affidarsi** *v.pr.* abbandonarsi, rimettersi, consegnarsi, darsi © diffidare, dubitare.
affievoliménto *s.m.* indebolimento, attenuazione, smorzamento; diminuzione © rafforzamento, rinvigorimento, incremento.
affievolìre *v.tr.* indebolire, attenuare, allentare, smorzare; diminuire © rafforzare, acuire, rinvigorire, incrementare ♦ **affievolirsi** *v.pr.* indebolirsi, attenuarsi, smorzarsi, diminuire © rafforzarsi, acuirsi, rinvigorirsi.
affiggere *v.tr.* attaccare, fissare, appendere © staccare.
affilàre *v.tr.* **1** (*coltelli e sim.*) arrotare, molare; (*punte e sim.*) aguzzare, acuminare, appuntire © smussare, arrotondare **2** ♧ (*il volto e sim.*) assottigliare, smagrire © ingrassare.
affilàto *agg.* **1** tagliente; appuntito, aguzzo, acuminato © smussato, spuntato **2** ♧ (*di volto e sim.*) magro, sottile, esile, scarno, smagrito © paffuto, grasso, rotondo.
affiliàre *v.tr.* iscrivere, associare, aggregare © escludere, allontanare, respingere ♦ **affiliarsi** *v.pr.* iscriversi, associarsi, aggregarsi © dissociarsi.
affiliàto *agg. s.m.* iscritto, aderente, socio, membro, seguace, accolito, adepto.
affiliazióne *s.f.* iscrizione, associazione, aggregazione © dissociazione.
affinàre *v.tr.* **1** affilare, arrotare, molare; acuminare, aguzzare, appuntire © ispessire, ingrossare **2** (*il volto e sim.*) affilare, assottigliare © arrotondare, ingrossare **3** (*il comportamento e sim.*) raffinare, perfezionare, migliorare © peggiorare, guastare **4** (*un metallo e sim.*) raffinare, digrossare, sgrossare, purificare.
affine *agg.* simile, analogo, somigliante, conforme; attinente © dissimile, differente, difforme; contrario, opposto ♦ *s.m.f.* parente, congiunto.
affinità *s.f.* **1** (*tra cose*) somiglianza, analogia, conformità; attinenza, relazione © differenza, lontananza, contrasto; opposizione **2** (*tra persone*) simpatia, intesa, somiglianza, sintonia, feeling (*ingl.*) © antipatia, avversione, differenza, lontananza.
affioraménto *s.m.* emersione © immersione, inabissamento.
affioràre *v.intr.* **1** emergere, spuntare © immergersi, inabissarsi, affondare **2** (*di verità, sospetti e sim.*) apparire, manifestarsi, venire a galla, trapelare, prendere forma © scomparire, svanire, sparire.
affissióne *s.f.* esposizione, pubblicazione.
affittàre *v.tr.* **1** (*una stanza e sim.*) fittare, locare (*dir.*), appigionare (*raro*) **2** (*una cosa*) noleggiare.
affitto *s.m.* **1** (*di una stanza e sim.*) locazione, pigione (*elev.*) **2** (*di una cosa*) noleggio, nolo.
affìggere *v.tr.* addolorare, rattristare, angustiare, angosciare; tormentare, perseguitare, torturare © rallegrare, allietare, confortare, risollevare ♦ **affliggersi** *v.pr.* addolorarsi, rattristarsi, angustiarsi, angosciarsi, tormentarsi © rallegrarsi, confortarsi, risollevarsi.
afflìtto *agg.* infelice, addolorato, abbattuto, triste, avvilito, mesto, angustiato, tormentato © allegro, contento, sereno, spensierato.
afflizióne *s.f.* dolore, tristezza, pena, amarezza, sconforto, avvilimento, prostrazione © allegria, felicità, gioia, contentezza.
afflosciàrsi *v.pr.* **1** (*di cosa*) ammosciarsi, sgonfiarsi © indurirsi, gonfiarsi **2** ♧ (*di persona*) abbandonarsi, svenire, crollare © riaversi, risollevarsi.
affluènte *s.m.* (*geogr.*) immissario, confluente, tributario © emissario.
affluènza *s.f.* **1** (*di fiumi*) confluenza **2** (*di gente*) afflusso, concorso, affollamento **3** (*di cose*) abbondanza, copia.
affluìre *v.intr.* **1** (*di liquidi, merci ecc.*) confluire, riversarsi, scorrere, giungere © defluire **2** (*di persone*) accorrere, concentrarsi, riversarsi © defluire, allontanarsi, evacuare.
afflùsso *s.m.* **1** (*di cose*) affluenza, abbondan-

za; entrata © deflusso **2** (*di persone*) affluenza, concorso, entrata, folla, affollamento © deflusso.

affogàre *v.tr.* **1** annegare **2** ♧ (*un dispiacere, una delusione ecc.*) annegare, soffocare, dimenticare ♦ *v.intr.* ♧ (*nel lavoro, nei debiti ecc.*) sprofondare, essere sommerso, perdersi ♦ **affogarsi** *v.pr.* **1** annegarsi **2** ♧(*nel lavoro, nei debiti ecc.*) immergersi, essere sommerso.

affollaménto *s.m.* folla, ammassamento, ressa, calca, assembramento, concentrazione.

affollàre *v.tr.* gremire, riempire, stipare © sfollare, evacuare, svuotare ♦ **affollarsi** *v.pr.* **1** (*di persone*) accalcarsi, ammassarsi, ammucchiarsi, radunarsi, stiparsi © sfollare, disperdersi **2** (*di luogo*) riempirsi, gremirsi © svuotarsi.

affollàto *agg.* pieno, gremito, fitto, stipato, zeppo © deserto, vuoto.

affondàre *v.tr.* **1** (*un'imbarcazione*) colare a picco, inabissare **2** ♧ (*un progetto, un'idea ecc.*) rovinare, mandare a rotoli **3** (*nel fango e sim.*) immergere, sprofondare **4** (*una lama e sim.*) piantare, conficcare © levare, togliere ♦ *v.intr.* (*di imbarcazione*) colare a picco, inabissarsi, naufragare, sprofondare © emergere, affiorare **2** ♧ (*di progetto, idea ecc.*) fallire, naufragare **3** (*di lama e sim.*) piantarsi, conficcarsi, penetrare.

affossàre *v.tr.* (*un progetto e sim.*) accantonare, abbandonare, insabbiare © approvare, varare ♦ **affossarsi** *v.pr.* avvallarsi, incavarsi, cedere, sprofondare.

affrancàre *v.tr.* **1** (*da schiavitù e sim.*) liberare, riscattare, emancipare © sottomettere, soggiogare, asservire **2** (*da impegni e sim.*) disimpegnare, esentare, esimere © impegnarsi, vincolarsi **3** (*la corrispondenza*) bollare ♦ **affrancarsi** *v.pr.* **1** (*da schiavitù e sim.*) liberarsi, emanciparsi, riscattarsi © asservirsi, assoggettarsi **2** (*da impegni e sim.*) disimpegnarsi, esentarsi esimersi, sottrarsi © impegnarsi, vincolarsi.

affrancatùra *s.f.* francobollo, bollo.

affrànto *agg.* **1** (*per la fatica*) spossato, distrutto, esausto, stremato © energico, vigoroso **2** (*per il dolore*) prostrato, disperato, abbattuto, afflitto, sconsolato © allegro, rasserenato.

affratellàre *v.tr.* accomunare, unire.

affrésco *s.m.* ♧ descrizione, quadro, raffigurazione.

affrettàre *v.tr.* accelerare, incalzare, sollecitare, velocizzare, attivare (*burocr.*); (*il passo*) allungare, aumentare, forzare © rallentare, frenare, ritardare ♦ **affrettarsi** *v.pr.* sbrigarsi, muoversi, spicciarsi, fare presto; allungare il passo © attardarsi, indugiare, rallentare.

affrettàto *agg.* **1** rapido, svelto, veloce, accelerato, lesto © lento, rallentato **2** frettoloso, sbrigativo, superficiale, trascurato © accurato, attento, curato.

affrontàre *v.tr.* **1** (*il nemico e sim.*) fronteggiare, assalire, aggredire, sfidare; prendere di petto © evitare, schivare, fuggire, eludere **2** (*una spesa*) sostenere, fare **3** (*un lavoro e sim.*) iniziare, avvicinare, cominciare © evitare, scansare **3** (*un argomento*) trattare, svolgere, discutere, esaminare; avvicinare © evitare, eludere ♦ **affrontarsi** *v.pr.* scontrarsi, azzuffarsi, venire alle mani, litigare.

affrónto *s.m.* offesa, ingiuria, sopruso, oltraggio © complimento, gentilezza.

affusolàto *agg.* sottile, snello, fine, affilato, slanciato; aerodinamico © grosso, tozzo, spesso, largo.

àfono *agg.* (*di voce*) fioco, flebile © forte, squillante.

aforìsma *s.m.* massima, detto, adagio, sentenza, proverbio.

afóso *agg.* soffocante, torrido, opprimente, canicolare © fresco, ventilato.

afrodisìaco *agg., s.m.* eccitante, erotico, stimolante.

afróre *s.m.* (*elev.*) puzzo, fetore, lezzo, tanfo IPERON. odore © profumo, fragranza, effluvio.

agènda *s.f.* **1** taccuino, diario, scadenziario, rubrica; memorandum **2** (*degli impegni e sim.*) lista, scaletta **3** (*di una riunione e sim.*) programma, ordine del giorno.

agènte *s.m.f.* **1** (*di commercio e sim.*) addetto, incaricato, delegato, curatore (*dir.*), procuratore, fiduciario, procacciatore, mediatore, intermediario; rappresentante, venditore, piazzista **2** (*di polizia*) poliziotto, guardia, sbirro (*gerg.*), piedipiatti (*gerg.*) **3** (*scient.*) fattore, causa.

agenzìa *s.f.* **1** (*di affari*) compagnia, società **2** (*di una sede principale*) filiale, succursale, rappresentanza **3** istituzione, ente, organizzazione.

agevolàre *v.tr.* **1** (*un compito, un lavoro e sim.*) facilitare, semplificare, alleggerire © appesantire, complicare **2** (*qlcu. in un compito*) facilitare, aiutare, assistere, appoggiare; (*qlcu. in un esame e sim.*) favorire, raccomandare © ostacolare, intralciare, avversare.

agevolazióne *s.f.* **1** (*di compito, lavoro e sim.*) facilitazione, semplificazione © complicazione **2** (*di qlcu. in un compito*) aiuto, appoggio; (*di qlcu. in un esame e sim.*) favore, raccomandazione, spinta © ostacolamento.

agévole *agg.* facile, comodo, semplice, piano © disagevole, scomodo, difficile, arduo.
agganciaménto *s.m.* aggancio, collegamento © sganciamento.
agganciàre *v.tr.* **1** collegare, attaccare, assicurare, fermare © sganciare, staccare; appendere, sospendere © staccare **2** ♧ (*colloq.*; *una persona*) abbordare, avvicinare.
aggàncio *s.m.* **1** agganciamento, collegamento © sganciamento **2** (*colloq.*; *spec. pl.*) contatto, relazione, conoscenza, appoggio, aderenza.
aggéggio *s.m.* attrezzo, affare, cosa; (*colloq.*) coso, arnese, roba.
aggettàre *v.tr.* (*arch.*) sporgere © rientrare.
aggettìvo *s.m.* attributo; qualifica, epiteto.
agghiacciànte *agg.* spaventoso, terrificante, terribile, orrendo, orribile.
agghindàre *v.tr.* ornare, abbellire, adornare ♦ **agghindarsi** *v.pr.* abbellirsi, adornarsi, ornarsi, mettersi in ghingheri, tirarsi (*colloq.*).
aggiornaménto *s.m.* **1** (*di enciclopedia, di catalogo ecc.*) adeguamento, ammodernamento, revisione, rinnovamento **2** (*professionale*) riqualificazione **3** (*di riunione e sim.*) rinvio, posticipazione, differimento.
aggiornàre *v.tr.* **1** (*enciclopedie, cataloghi ecc.*) adeguare, rinnovare, modernizzare; rivedere, revisionare **2** (*in una professione*) riqualificare **3** (*una riunione e sim.*) rinviare, posticipare, prorogare, spostare **4** (*una persona*) mettere al corrente, informare ♦ **aggiornarsi** *v.pr.* informarsi, tenersi al corrente, seguire, ammodernarsi, evolversi.
aggiornàto *agg.* **1** (*di persona*) informato, preparato, al corrente © disinformato, impreparato **2** (*di enciclopedia e sim.*) moderno, attuale, all'avanguardia © antiquato, arretrato, sorpassato.
aggiràre *v.tr.* **1** (*spec. mil.*) accerchiare, circondare **2** (*un ostacolo*) evitare, scansare © affrontare, prender di petto ♦ **aggirarsi** *v.pr.* **1** vagare, girovagare, gironzolare, errare **2** (*di valore, importo e sim.*) ammontare, avvicinarsi, approssimarsi.
aggiudicàre *v.tr.* assegnare, attribuire, concedere © revocare, togliere ♦ **aggiudicàrsi** *v.pr.* conquistare, ottenere, conseguire, vincere © perdere.
aggiùngere *v.tr.* **1** unire, attaccare, congiungere; aggregare, annettere; conglobare, mescolare, inserire, introdurre; (*numeri*) sommare, addizionare; (*documenti*) allegare, accludere; (*firma*) apporre © togliere, levare, cancellare, sottrarre, dedurre, detrarre **2** (*nel discorso*) soggiungere ♦ **aggiungersi** *v.pr.* unirsi, congiungersi, sommarsi © togliersi, levarsi, sottrarsi.
aggiùnta *s.f.* aumento, giunta, somma, addizione, annessione, complemento, extra, sovrappiù, supplemento © cancellazione, detrazione, eliminazione, sottrazione.
aggiùnto *agg.* unito, attaccato, congiunto, connesso, annesso, sommato; (*di documento*) allegato, accluso © tolto, eliminato.
aggiuntìvo *agg.* addizionale, supplementare, extra.
aggiustaménto *s.m.* **1** (*di cosa*) accomodamento, riparazione, sistemazione; rabberciatura © danno, guasto, rottura **2** (*tra persone*) accordo, accomodamento © contrasto, dissidio.
aggiustàre *v.tr.* **1** riparare, accomodare, sistemare; rabberciare © rompere, guastare, danneggiare **2** (*i capelli e sim.*) sistemare, accomodare **3** (*il tiro, la mira*) correggere, regolare ♦ **aggiustarsi** *v.pr.* **1** accordarsi, mettersi d'accordo, accomodarsi **2** (*i capelli e sim.*) sistemarsi, accomodarsi **3** (*in una situazione, in un luogo ecc.*) adattarsi, sistemarsi.
agglomeràre *v.tr.* ammassare, ammucchiare, accumulare © disperdere, sparpagliare.
agglomeràto *s.m.* conglomerato, ammasso, mucchio, massa, insieme, accumulo.
aggradàre *v.intr.* piacere, garbare, andare a genio © spiacere, dispiacere.
aggrappàrsi *v.pr.* **1** attaccarsi, afferrarsi, appigliarsi, appendersi, tenersi © staccarsi, separarsi, mollare, lasciare **2** ♧ (*a scuse, pretesti ecc.*) appigliarsi, appellarsi, attaccarsi.
aggravànte *agg.*, *s.f.* (*dir.*) © attenuante.
aggravàre *v.tr.* **1** (*una condizione, una situazione ecc.*) appesantire, accentuare, acuire, inasprire; peggiorare, deteriorare © alleggerire, alleviare, migliorare ♦ **aggravarsi** *v.pr.* (*di malattia*) complicarsi, peggiorare, acutizzarsi; (*di una condizione, di una crisi ecc.*) appesantirsi, accentuarsi, acuirsi, inasprirsi; peggiorare, deteriorarsi © alleggerirsi; migliorare.
aggràvio *s.m.* **1** appesantimento; peggioramento © sgravio, alleggerimento; miglioramento **2** (*di lavoro, di tasse ecc.*) sovraccarico, rincaro © sgravio, alleggerimento.
aggraziàto *agg.* **1** (*di movimento e sim.*) elegante, grazioso, armonioso, garbato, leggiadro © goffo, sgraziato **2** (*di persona, di volto ecc.*) grazioso, bello, fine © rozzo, goffo, sgraziato **3** (*di modi, di comportamento ecc.*) fine, gentile, garbato © sgarbato, grossolano.
aggredìre *v.tr.* **1** assalire, attaccare, dare addosso, avventarsi, scagliarsi, caricare (*mil.*) ©

difendere, proteggere **2** ♧ (*a parole*) insultare, investire, ingiuriare, criticare **3** ♧ (*un problema e sim.*) affrontare, prendere di petto © evitare, eludere, schivare.

aggregàre *v.tr.* associare, unire, aggiungere, affiliare, annettere © disgregare, separare; respingere, allontanare ♦ **aggregarsi** *v.pr.* associarsi, unirsi, aggiungersi, affiliarsi, annettersi © disgregarsi, separarsi, dissociarsi, staccarsi.

aggregazióne *s.f.* associazione, unione, annessione © disgregazione, separazione.

aggressióne *s.f.* assalto, attacco © difesa; violenza, brutalità.

aggressività *s.f.* **1** combattività, impetuosità, veemenza; violenza, prepotenza © mitezza, remissività, mansuetudine **2** determinazione, energia, grinta © timidezza, insicurezza.

aggressìvo *agg.* **1** irruente, bellicoso, battagliero; violento, prepotente, litigioso © mite, tranquillo **2** agguerrito, battagliero, grintoso © timido, insicuro **3** (*di linguaggio e sim.*) efficace, incisivo, sferzante © debole, inefficace **4** (*di sostanza*) acido, corrosivo.

aggrovigliàre *v.tr.* **1** (*fili, matassa*) intrecciare, intricare © districare, dipanare **2** (*una situazione e sim.*) complicare, ingarbugliare © risolvere, chiarire, sbrogliare.

agguantàre *v.tr.* afferrare, acchiappare, acciuffare © lasciare, mollare ♦ **agguantarsi** *v.pr.* aggrapparsi, afferrarsi, appigliarsi © staccarsi, mollare.

agguàto *s.m.* imboscata, appostamento, trappola; ♧ tranello, inganno, insidia.

agguerrìre *v.tr.* temprare, rinforzare, fortificare © rammollire, infiacchire.

agguerrìto *agg.* **1** battagliero, bellicoso, combattivo © debole, mansueto, mite, pacifico, remissivo **2** deciso, determinato, grintoso, risoluto © debole, incerto, insicuro, timido **3** (*di concorrente e sim.*) preparato, esperto, ferrato © impreparato, inesperto, incapace.

agiatézza *s.f.* benessere, agio, ricchezza © ristrettezza, povertà, miseria.

agiàto *agg.* **1** (*di persona*) benestante, abbiente, ricco, facoltoso © povero, bisognoso **2** (*di luogo*) comodo, confortevole © disagiato, scomodo.

agìbile *agg.* abitabile, vivibile © inagibile, invivibile; (*di strada*) praticabile, percorribile, transitabile © impraticabile, inagibile.

àgile *agg.* **1** (*di persona*) elastico, disinvolto, flessuoso, snodato, scattante, sciolto, svelto © goffo, rigido, impacciato, pesante **2** (*di gesto, di movimento*) sciolto, elastico, leggero, scattante © goffo, impacciato, maldestro, rigido, legnoso **3** ♧ (*di mente*) vivace, pronto, duttile © ottuso, lento **4** ♧ (*di testo, di scrittura*) leggero, scorrevole, immediato, vivace © pesante, difficile, complicato, farraginoso.

agilità *s.f.* **1** (*di persona*) leggerezza, scioltezza, snellezza, flessuosità © goffaggine, lentezza, rigidità, pesantezza **2** (*di gesto, di movimento ecc.*) scioltezza, elasticità © rigidità, goffaggine **3** ♧ (*di mente*) vivacità, elasticità, duttilità, prontezza © ottusità, lentezza **4** ♧ (*di stile*) scorrevolezza, briosità, vivacità © pesantezza, difficoltà.

àgio *s.m.* **1** comodità, benessere © disagio, scomodità **2** (*al pl.*) comodità, agiatezza, lusso, ricchezza © disagi, ristrettezze, povertà **3** modo, occasione, possibilità.

agìre *v.intr.* **1** (*di persona*) fare, operare, adoperarsi, entrare in azione © oziare **2** comportarsi, operare, procedere **3** (*di strumento, di sostanza ecc.*) operare, funzionare **4** (*di fattore, di elemento ecc.*) incidere, pesare, influire.

agitàre *v.tr.* **1** scuotere, sbattere, scrollare, sbatacchiare IPON. dimenare (*la coda*), dondolare (*il capo*), sventolare (*un fazzoletto*); (*un liquido*) mescolare, rimestare, shakerare IPERON. muovere **2** ♧ (*una persona*) innervosire, inquietare, turbare, preoccupare, spaventare © tranquillizzare, placare, calmare **3** ♧ (*la folla, gli animi ecc.*) eccitare, fomentare, incitare, sollevare © calmare, placare, sedare **4** ♧ (*un problema, una questione ecc.*) sollevare, discutere, trattare, dibattere © rimuovere ♦ **agitarsi** *v.pr.* **1** (*di persona*) dibattersi, dimenarsi, smaniare © fermarsi **2** ♧ innervosirsi, inquietarsi, turbarsi, preoccuparsi © calmarsi, tranquillizzarsi **3** ♧ (*di folla, di animi ecc.*) eccitarsi, scaldarsi, sollevarsi © calmarsi, sedarsi **4** ♧ (*di lavoratori, di categoria ecc.*) scioperare, mobilitarsi **5** ♧ (*di sentimenti, di pensieri ecc.*) mulinare, turbinare.

agitàto *agg.* **1** (*di mare*) mosso, grosso © calmo, tranquillo **2** (*di persona*) nervoso, inquieto, turbato; ansioso, preoccupato; alterato, arrabbiato © calmo, tranquillo, pacato.

agitatóre *s.m.* istigatore, sobillatore © pacificatore, conciliatore.

agitazióne *s.f.* **1** (*di persona*) nervosismo, inquietudine, ansia, turbamento, scombussolamento; smania, eccitazione, frenesia © calma, serenità, tranquillità, placidità, imperturbabilità, freddezza **2** (*di lavoratori*) protesta, sciopero, mobilitazione.

agnòstico *agg.* indifferente, disinteressato, noncurante © partecipe.

àgo *s.m.* **1** (*di bussola, bilancia e sim.*) lancetta, indicatore, indice **2** (*di insetto*) pungiglione, aculeo.
agognàre *v.tr.* e *intr.* sognare, desiderare, vagheggiare, aspirare, ambire; (*elev.*) bramare, anelare © aborrire, detestare.
agonìa *s.f.* sofferenza, pena, angoscia.
agonìsmo *s.m.* combattività, competitività.
agonìstico *agg.* **1** sportivo **2** ♧ battagliero, competitivo; aggressivo.
agonizzànte *agg.* **1** (*di essere vivente*) moribondo, morente, in fin di vita © vivo, vitale **2** ♧ (*di situazione, di rapporto ecc.*) agli sgoccioli, alla fine, moribondo, morente © vivo, vitale; nascente.
agràrio *agg.* agricolo, rurale ♦ *s.m.* propietario terriero; latifondista.
agrèste *agg.* rustico, campagnolo, rurale.
agrìcolo *agg.* agrario, rurale.
agricoltóre *s.m.* contadino, coltivatore **IPON.** fattore, colono, mezzadro.
agricoltùra *s.f.* coltivazione.
àgro *agg.* **1** (*di sapore*) acido, aspro, acre, acidulo © dolce **2** (*di rimprovero, di tono e sim.*) acido, pungente, sarcastico, cattivo © dolce, affabile, lieve.
aguzzàre *v.tr.* **1** acuminare, appuntire; affilare © smussare, arrotondare **2** ♧ (*l'ingegno e sim.*) stimolare, acuire © calmare, frenare.
aguzzìno *s.m.* persecutore, torturatore, seviziatore.
agùzzo *agg.* **1** (*di oggetto*) acuminato, appuntito © smussato, arrotondato **2** ♧ penetrante, acuto © ottuso.
airóne *s.m.* (*zool.*) garza.
aitànte *agg.* prestante, robusto, atletico, vigoroso © mingherlino, esile, debole.
aiutànte *s.m.* aiuto, assistente, collaboratore; sostituto.
aiutàre *v.tr.* **1** assistere, soccorrere, coadiuvare, dare una mano; appoggiare, sostenere © danneggiare, ostacolare **2** (*un'attività e sim.*) agevolare, favorire, facilitare © bloccare, ostacolare ♦ **aiutarsi** *v.pr.* **1** adoperarsi, ingegnarsi, darsi da fare © oziare, poltrire **2** (*con qlco.*) servirsi, avvalersi; adoperare, utilizzare **3** spalleggiarsi, sostenersi, collaborare, cooperare.
aiùto *s.m.* **1** appoggio, assistenza, sostegno, collaborazione, ausilio (*elev.*); (*da un attacco*) difesa, protezione; raccomandazione, spinta (*colloq.*); (*spec. economico*) contributo, finanziamento, sovvenzione **2** aiutante, assistente, collaboratore; sostituto.
aizzàre *v.tr.* incitare, istigare, fomentare; stimolare, eccitare © calmare, frenare, trattenere.
àla *s.f.* **1** (*di mulino, di elica ecc.*) pala **2** (*di cappello*) falda, tesa **3** (*di edificio*) lato **4** (*in politica*) corrente, schieramento, fazione **5** (*nel calcio*) **IPERON.** attaccante, punta.
àlacre, alàcre *agg.* **1** svelto, sollecito, attivo, operoso, instancabile, solerte © lento, pigro, indolente **2** (*di ingegno*) pronto, vivace, fervido © lento, ottuso.
àlba *s.f.* **1** aurora © tramonto **2** ♧ (*di civiltà, di periodo ecc.*) inizio, principio, albori, primordi, origine © fine, conclusione, declino, decadenza.
albeggiàre *v.intr.* (*impers.*) fare giorno, farsi giorno © annottare, fare notte, farsi notte.
alberàto *agg.* (*di territorio*) verde, boscoso © brullo.
albergàre *v.tr.* **1** accogliere, ospitare © sloggiare, cacciare **2** ♧ (*un sentimento*) nutrire, racchiudere, covare ♦ *v.intr.* alloggiare, risiedere; (*di sentimento*) annidarsi.
albèrgo *s.m.* **1** hotel; pensione, locanda, ostello (*per giovani*); (*spec. per automobilisti*) motel **2** rifugio, ricovero, asilo, ospitalità.
àlbero *s.m.* **1** **IPERON.** pianta **2** (*mecc.*) asse **3** (*mat.*) grafo.
àlbo *s.m.* **1** (*per avvisi*) quadro, tabella; bacheca **2** (*professionale*) **IPERON.** libro, elenco, registro **3** fumetto.
albóre *s.m.* (*spec. al pl.*; *di periodo storico e sim.*) primordi, alba, inizio, origine © tramonto, fine, declino.
àlbum *s.m.* **1** raccoglitore, albo; cartellina **2** (*mus.*) ellepì, long playing (*ingl.*).
albùme *s.m.* bianco d'uovo; (*colloq.*) chiara, bianco.
alcalìno *agg.* (*chim*) basico © acido.
àlcol *s.m.* **1** spirito (*colloq.*) **2** alcolici **IPON.** vino, liquore.
alcòlico *agg.* © analcolico ♦ *s.m.* (*spec. al pl.*) **IPON.** vino, liquore, superalcolico.
alcolìsmo *s.m.* (*med.*) etilismo.
alcolìsta *s.m.* (*med.*) alcolizzato, etilista.
alcolizzàto *agg., s.m.* (*med.*) alcolista, etilista, alcoldipendente; (*colloq.*) ubriacone, beone © astemio.
àlcool *s.m.* vedi **àlcol**.
alcòva *s.f.* (*elev.*) camera da letto; letto, talamo (*elev.*).
aldilà *s.m.* oltretomba, l'altromondo; (*mitol.*) Ade, Inferi **IPON.** purgatorio, inferno, paradiso © aldiquà, questo mondo.
aleatòrio *agg.* incerto, dubbio, vago, imprevedibile; avventato, azzardato, rischioso © certo, sicuro, prevedibile.

alfabèto *s.m.* **1** (*di una lingua*) caratteri, lettere **2** (*di una scienza e sim.*) abbicì, basi, rudimenti, fondamenti, principi.
alfière *s.m.* **1** portabandiera, gonfaloniere **2** ♧ (*di una dottrina e sim.*) precursore, antesignano; iniziatore, diffusore.
àlibi *s.m.* scusa, pretesto, giustificazione.
alienàre *v.tr.* **1** (*dir.*; *un bene, un diritto e sim.*) trasferire, cedere **2** ♧ (*una persona*) allontanare © avvicinare ♦ **alienarsi** *v.pr.* **1** perdersi, giocarsi © accattivarsi, conquistare **2** (*dalla realtà e sim.*) estraniarsi, astrarsi.
alienàto *s.m.* **1** (*psic.*) malato di mente, folle, matto **IPON.** psicotico, psicopatico, paranoico © sano di mente **2** ♧ apatico, disinteressato, demotivato, frustrato © interessato, motivato.
alienazióne *s.f.* **1** (*dir.*) cessione, vendita, tasferimento © acquisto **2** (*psic.*) follia, pazzia **IPON.** psicopatia, psicosi.
alièno[1] *agg.* contrario, avverso, sfavorevole; estraneo, restio © favorevole, disposto, propenso.
alièno[2] *agg., s.m.* extraterrestre, marziano, ufo © terrestre.
alimentàre[1] *v.tr.* **1** nutrire, cibare, sfamare © affamare **2** (*il fuoco*) attizzare, ravvivare © spegnere, estinguere **3** (*una macchina, un impianto ecc.*) rifornire, fornire **4** ♧ (*un sentimento*) nutrire, accrescere, favorire, covare, fomentare, ravvivare © attenuare, spegnere, eliminare, reprimere ♦ **alimentarsi** *v.pr.* **1** mangiare, nutrirsi, cibarsi, sfamarsi, sostentarsi © digiunare **2** ♧ (*di sentimento, passione ecc.*) accrescersi.
alimentàre[2] *agg.* **1** commestibile **2** (*di sostanza*) nutritivo ♦ *s.m.* (*al pl.*) generi alimentari, cibarie.
alimentazióne *s.f.* **1** nutrizione, nutrimento **2** cibo, dieta, regime alimentare.
aliménto *s.m.* **1** cibo, nutrimento; piatto, pietanza **2** (*dir.*; *al pl.*) mantenimento, sostentamento.
alìquota *s.f.* **1** (*fin.*) percentuale, tasso **2** (*di una quantità*) parte, quota, rata © totale.
alitàre *v.intr.* **1** fiatare, respirare **2** (*di vento*) soffiare, spirare.
àlito *s.m.* **1** fiato, respiro **2** (*di vento*) brezza, folata, refolo.
allacciàre *v.tr.* **1** (*scarpe e sim.*) legare, annodare © slacciare, sciogliere **2** (*un abito, una cintura ecc.*) abbottonare, agganciare **IPERON.** chiudere © slacciare, sbottonare, aprire **3** ♧ (*relazioni, amicizie ecc.*) stringere, stabilire © rompere, troncare **4** (*il telefono, il gas ecc.*) collegare, attaccare © staccare.
allagaménto *s.m.* inondazione, alluvione © prosciugamento.
allagàre *v.tr.* **1** inondare, sommergere © prosciugare **2** ♧ invadere, riempire.
allampanàto *agg.* magro, secco © grasso, tarchiato.
allargaménto *s.m.* ampliamento; estensione, ingrandimento © restringimento, riduzione, contrazione.
allargàre *v.tr.* **1** ampliare, ingrandire © restringere, ridurre **2** ♧ (*una ricerca e sim.*) estendere, ampliare, sviluppare © limitare, circoscrivere, ridurre **3** allontanare, scostare, distanziare, divaricare, aprire © avvicinare, accostare **4** (*un nodo*) allentare, aprire, sciogliere © stringere, chiudere **5** (*cavi, rotoli ecc.*) stendere, srotolare. aprire ♦ **allargarsi** *v.pr.* **1** (*di ricerca e sim.*) estendersi, ampliarsi, svilupparsi © ridursi, limitarsi **2** (*di nodo*) allentarsi, aprirsi, sciogliersi © stringersi, chiudersi **3** (*di indumento*) cedere, allentarsi © restringersi, ritirarsi.
allarmànte *agg.* preoccupante, inquietante © rassicurante, confortante, incoraggiante.
allarmàre *v.tr.* preoccupare, spaventare, intimorire © rassicurare, calmare.
allàrme *s.m.* **1** sirena; antifurto **2** ♧ ansia, preoccupazione, apprensione, agitazione © calma, tranquillità.
alleànza *s.f.* **1** (*fra stati*) lega, patto, intesa, coalizione, federazione, confederazione **2** (*fra persone*) accordo, unione, intesa, coalizione; amicizia, collaborazione, aiuto © antagonismo, ostilità, rivalità **3** (*fra società*) fusione, accordo; (*econ.*) cartello, consorzio, trust (*ingl.*).
alleàrsi *v.pr.* associarsi, coalizzarsi, unirsi © dividersi, separarsi; combattersi, ostacolarsi.
alleàto *agg., s.m.* amico, socio, associato, sostenitore © avversario, rivale, antagonista.
allegàre *v.tr.* **1** unire, includere, accludere © escludere, togliere **2** (*di frutta*) allappare (*region.*).
allegàto *s.m.* accluso, incluso, unito, annesso © escluso, separato.
alleggerìre *v.tr.* **1** (*da un peso*) sgravare © appesantire, caricare **2** (*da un lavoro*) liberare, sollevare, sgravare © opprimere, sovraccaricare, oberare **3** ♧ (*una pena e sim.*) alleviare, lenire, mitigare © acuire, accrescere, inasprire **4** (*un testo e sim.*) semplificare, sfrondare, snellire **5** (*scherz.*) derubare, depredare ♦ **alleggerirsi** *v.pr.* **1** dimagrire © appesantirsi, ingrassare **2** (*dei vestiti*) scoprirsi, svestirsi, spogliarsi **3** ♧ (*di un peso, di un rimorso e sim.*) liberarsi, scaricarsi © farsi carico, assumersi.
allegorìa *s.f.* **1** (*elev.*) analogia, metafora, similitudine, simbolo **2** (*nelle arti figurative*) personificazione, figura, immagine, rappresentazione.

allegòrico *agg.* figurato, metaforico, simbolico, allusivo © letterale.
allegrézza *s.f.* vedi **allegrìa**.
allegrìa *s.f.* contentezza, gioia, buonumore; brio, vivacità © tristezza, scontentezza, malumore.
allégro *agg.* **1** contento, felice, lieto, di buon umore; vivace, brioso © triste, malinconico, abbattuto **2** (*di uno spettacolo e sim.*) divertente, comico, spassoso; (*di colore e sim.*) vivo, vivace, acceso © deprimente, triste, tetro **3** (*di comportamento*) leggero, frivolo, superficiale © serio **4** (*scherz.*) brillo © sobrio.
allenaménto *s.m.* **1** addestramento, preparazione, esercitazione, training (*ingl.*) **2** abitudine, pratica, esercizio.
allenàre *v.tr.* **1** addestrare, esercitare, abituare **2** (*nello sport*) preparare.
allenatóre *s.m.* istruttore, addestratore, coach (*ingl.*); (*nel calcio*) mister (*gerg.*), trainer (*ingl.*), tecnico; (*della nazionale*) commissario tecnico; (*di cavalli da corsa*) trainer (*ingl.*).
allentàre *v.tr.* **1** (*una fune e sim.*) mollare © tendere, tirare **2** (*un nodo*) allargare, aprire, slacciare, sciogliere © stringere **3** ♧ (*la sorveglianza, la tensione ecc.*) ridurre, attenuare, diminuire © aumentare, acuire **4** (*il passo, l'andatura ecc.*) rallentare © allungare, accelerare **5** (*colloq.*; *un ceffone*) dare, mollare, allungare ♦ **allentarsi** *v.pr.* **1** (*di nodo*) allargarsi, slacciarsi, sciogliersi © stringersi, chiudersi **2** (*di indumento*) cedere, allargarsi © restringersi, ritirarsi **3** ♧ attenuarsi, affievolirsi © rafforzarsi, acuirsi.
allergìa *s.f.* **1** (*med.*) intolleranza, idiosincrasia **2** ♧ (*scherz.*) avversione, intolleranza, ostilità © simpatia, propensione.
allèrgico *agg.* ♧ (*scherz.*) insofferente, intollerante, avverso, ostile © favorevole, propenso, incline.
allestiménto *s.m.* **1** preparazione, sistemazione © smontaggio, smobilitazione **2** (*teatr.*) messa in scena, edizione.
allestìre *v.tr.* preparare, approntare, predisporre, mettere in piedi, mettere su; (*la tavola*) apparecchiare; (*una nave*) armare; (*un lavoro teatrale*) mettere in scena © disfare, smontare, smobilitare, smantellare.
allettànte *agg.* invitante, attraente, affascinante; appetibile, appetitoso © spiacevole, ripugnante, repellente.
allettàre *v.tr.* invogliare, invitare, attrarre; lusingare, blandire © dispiacere, disgustare, respingere.
allevàre *v.tr.* **1** (*un bambino, un cucciolo* ecc.) crescere, nutrire, tirare su **2** (*una pianta*) coltivare **3** ♧ educare, istruire, formare.
alleviàre *v.tr.* attenuare, alleggerire, mitigare, diminuire © inasprire, acuire, aumentare.
allibìre *v.intr.* sbigottire, sbalordire, impallidire, ammutolire, stupirsi, meravigliarsi.
allibìto *agg.* sbigottito, sbalordito, impallidito, ammutolito, stupito, meravigliato.
allibratóre *s.m.* bookmaker (*ingl.*).
allietàre *v.tr.* rallegrare, divertire, dilettare, ricreare; animare, vivacizzare © intristire, incupire, addolorare, affliggere.
allièvo *s.m.* **1** alunno, scolaro, studente **INVER.** maestro, insegnante, docente **2** apprendista, praticante, novizio **INVER.** maestro, esperto, veterano **3** discepolo, seguace **INVER.** maestro, caposcuola.
allignàre *v.intr.* **1** (*di pianta*) radicarsi, attecchire, crescere © avvizzire, appassire, morire **2** ♧ (*di moda, di abitudine ecc.*) diffondersi, imporsi, affermarsi, prendere piede, © decadere, sparire.
allineaménto *s.m.* **1** schieramento, fila **2** ♧ adeguamento, adattamento **3** (*tip.*; *dei margini di uno scritto*) giustificazione.
allineàre *v.tr.* **1** schierare, ordinare © sparpagliare, scompigliare **2** ♧ adeguare, conformare © differenziare, diversificare ♦ **allinearsi** *v.pr.* **1** schierarsi, incolonnarsi © disperdersi, sparpagliarsi **2** ♧ adeguarsi, conformarsi © dissentire, opporsi.
allòcco *s.m.* ♧ ingenuo, sciocco, stupido, idiota, babbeo, citrullo © furbo, furbacchione, volpe, volpone.
allògeno *agg., s.m.* straniero, forestiero © autoctono, indigeno, nativo.
alloggiàre *v.tr.* **1** ospitare, albergare, accogliere, ricevere © sloggiare, sfrattare, cacciare **2** (*mil.*; *le truppe*) accampare ♦ *v.intr.* **1** abitare, dimorare, risiedere, vivere **2** (*mil.*; *di truppe*) accamparsi.
allòggio *s.m.* **1** abitazione, dimora, casa; appartamento **2** albergo, rifugio, riparo **3** (*mar.*) cabina.
allontanaménto *s.m.* **1** scostamento, separazione © avvicinamento, accostamento **2** ♧ (*dalla realtà*) distacco, fuga, evasione © immersione, coinvolgimento **3** (*da un incarico e sim.*) dimissione, esonero, sospensione, trasferimento, licenziamento, espulsione, radiazione © assunzione, nomina, chiamata.
allontanàre *v.tr.* **1** scostare, distanziare, staccare, separare © avvicinare, accostare, stringere; appoggiare, addossare **2** mandare via, cacciare, respingere **3** (*da un paese*) esiliare **4** (*un dubbio,

un sospetto ecc.) fugare, disperdere **5** (*da un incarico e sim.*) dimettere, licenziare, deporre, destituire, mandare via, silurare (*colloq.*) **6** (*la mente*) distogliere ♦ **allontanarsi** *v.pr.* **1** scostarsi, distaccarsi, separarsi, andarsene, andare via, battersela (*colloq.*), svignarsela (*colloq.*) © avvicinarsi, accostarsi, approssimarsi **2** isolarsi, estraniarsi, astrarsi **3** differire, discostarsi © somigliare.

allòpata *s.m.* (*med.*) © omeopata.

allopatìa *s.f.* (*med.*) © omeopatia.

allopàtico *agg.* (*med.*) © omeopatico.

allòro *s.m.* **1** lauro (*elev.*) **2** ♧ vittoria, trionfo, gloria, onore.

allucinànte *agg.* **1** impressionante, sconvolgente, spaventoso, angoscioso **2** (*gerg.*) straordinario, incredibile, stupefacente, folle.

allucinàto *agg.* impressionato, stupefatto ♦ *s.m.* esaltato, visionario, sconvolto (*gerg.*), fuori di testa (*colloq.*).

allucinazióne *s.f.* delirio, visione, vaneggiamento; illusione, inganno, abbaglio.

allùdere *v.intr.* accennare, sottintendere, richiamarsi, fare riferimento.

allupàto *agg., s.m.* (*colloq.*) affamato, arrapato (*colloq.*), assatanato, eccitato.

allungàre *v.tr.* **1** estendere, prolungare; (*un discorso*) ampliare, sviluppare © accorciare, ridurre, abbreviare, tagliare **2** (*il passo*) accelerare, affrettare © rallentare **3** (*una parte del corpo*) stendere, protendere © piegare **4** (*un liquido*) diluire, annacquare **5** (*colloq.*) passare, dare **6** (*colloq.*; *uno schiaffo*) dare, assestare, affibbiare ♦ **allungarsi** *v.pr.* **1** estendersi, prolungarsi, protrarsi (*nel tempo*); aumentare **2** (*di statura*) crescere, alzarsi **3** sdraiarsi, stendersi © alzarsi.

allusióne *s.f.* accenno, sottinteso, insinuazione, ammiccamento; cenno, richiamo, riferimento.

allusìvo *agg.* vago, velato, a doppio senso, equivoco © esplicito, dichiarato, diretto, chiaro.

alluvióne *s.f.* straripamento, allagamento, inondazione.

almanàcco *s.m.* **1** calendario IPON. lunario, effemeride **2** annuario.

alóne *s.m.* aureola.

alopecìa, **alopècia** *s.f.* (*med.*) calvizie, psilosi.

alpéggio *s.m.* alpe, malga (*region.*).

alpèstre *agg.* montano, montuoso; alpino.

alpinìsta *s.m.* scalatore IPON. arrampicatore, rocciatore, free climber (*ingl.*).

alpìno *agg.* **1** (*delle Alpi*) alpigiano **2** montano, alpestre.

alt *inter.* fermo, stop, basta © avanti, via.

altaléna *s.f.* **1** dondolo **2** ♧ alternanza, avvicendamento.

altalenàre *v.intr.* oscillare, tergiversare; barcamenarsi.

altàre *s.m.* ara (*elev.*).

alteràre *v.tr.* **1** trasformare, modificare, manipolare; inquinare, contaminare; rovinare, deteriorare; (*cibi*) adulterare, sofisticare © ripristinare; sanare **2** (*un documento, i fatti ecc.*) falsificare, contraffare, falsare **3** ♧ (*una persona*) turbare, commuovere, emozionare; irritare © calmare, placare ♦ **alterarsi** *v.pr.* **1** trasformarsi, modificarsi, cambiare; guastarsi, rovinarsi, deteriorarsi **2** ♧ (*di persona*) turbarsi, commuoversi, emozionarsi; irritarsi, arrabbiarsi © calmarsi, placarsi.

alteràto *agg.* **1** trasformato, modificato **2** (*di cibo*) adulterato, sofisticato; rovinato, contaminato © genuino, naturale **3** (*di documento, di fatti ecc.*) contraffatto, artefatto, truccato © vero, autentico **4** ♧ (*di persona*) emozionato, turbato; irritato, arrabbiato.

alterazióne *s.f.* **1** trasformazione, modificazione; manipolazione, sofisticazione; deterioramento, contaminazione **2** contraffazione, falsificazione **3** (*colloq.*) febbre, febbriciattola.

altercàre *v.intr.* litigare, bisticciare.

altèrco *s.m.* lite, diverbio, disputa, scontro; contrasto, controversia © accordo, riconciliazione.

alter ego *loc.sost.m.f.invar.* (*lat.*) sostituto, vice; braccio destro.

alterìgia *s.f.* superbia, arroganza, presunzione, boria, spocchia © modestia, umiltà.

alterità *s.f.* diversità © identità.

alternànza *s.f.* avvicendamento, rotazione, turn over (*ingl.*) © continuità, persistenza.

alternàre *v.tr.* avvicendare, intervallare, ruotare ♦ **alternarsi** *v.pr.* avvicendarsi, darsi il cambio, intervallarsi.

alternatìva *s.f.* **1** bivio, dilemma, aut aut **2** possibilità, scelta, opzione.

alternatìvo *agg.* diverso, anticonformista, controcorrente, anticonvenzionale © ufficiale, conformista, tradizionale.

alternàto *agg.* intervallato, avvicendato © continuo, costante, continuato.

altèrno *agg.* **1** alternato, altalenante, oscillante © continuo, costante **2** (*di fortuna, di vicende ecc.*) incerto, instabile, variabile © immutabile, instabile.

altèro *agg.* **1** nobile, fiero, orgoglioso **2** superbo, arrogante, presuntuoso; (*di atteggiamento, di tono*) sussiegoso © modesto, semplice, umile.

altézza *s.f.* **1** altitudine, quota; (*di persona*) sta-

tura; (*dell'acqua*) profondità, livello **2** ♧ dignità, nobiltà, levatura © bassezza, meschinità.
altezzóso *agg.* superbo, arrogante, presuntuoso, borioso; (*di atteggiamento, di tono*) sussiegoso © modesto, semplice, affabile, umile.
altìccio *agg.* brillo, allegro (*scherz.*) © sobrio.
altipiàno *s.m.* vedi **altopiàno**.
altisonànte *agg.* **1** (*di voce*) sonoro, stentoreo, potente © sommesso, ovattato **2** (*di discorso, di eloquio e sim.*) roboante, pomposo, ampolloso, magniloquente © sobrio, semplice.
altitùdine *s.f.* altezza, quota.
àlto *agg.* **1** elevato; rialzato, sollevato; (*di acque*) profondo; (*di persona*) lungo, grande; (*di asse*) spesso © basso; piccolo, tarchiato; fine, sottile **2** (*di nota, di voce e sim.*) acuto, intenso, sonante; (*di volume*) forte © basso, sordo, fioco **3** (*di temperatura e sim.*) elevato **4** (*di cifra, di somma ecc.*) grande, considerevole, ingente © basso, piccolo, modesto **5** (*di giorno*) pieno, fatto; (*di notte*) fondo, inoltrato; (*di epoca*) © basso, tardo **6** (*di sentimento, di ingegno ecc.*) elevato, nobile, profondo © basso, meschino, ignobile **7** (*di regione geografica*) superiore, settentrionale © inferiore, meridionale **8** (*di classe, di quartiere e sim.*) elevato, altolocato, chic © basso, umile, modesto ♦ *s.m.* culmine, cima; apice © basso.
altolocàto *agg.* **1** (*di persona*) importante, autorevole, potente **2** (*di ambiente e sim.*) alto, elegante, bene (*colloq.*).
altoparlànte *s.m.* **1** (*di impianto stereofonico*) cassa **2** megafono.
altopiàno *s.m.* (*geogr.*) acrocoro, plateau (*fr.*).
altrùi *agg.* © proprio.
altruìsmo *s.m.* generosità, magnanimità, filantropia © egoismo, individualismo; grettezza, meschinità.
altruìsta *agg., s.m.f.* generoso, filantropo, benefattore © egoista, individualista; gretto, meschino.
altùra *s.f.* **1** colle, collina, dosso **2** (*mar.*) altomare.
alùnno *s.m.* scolaro, allievo; discepolo **INVER.** maestro, insegnante, professore, docente.
alveàre *s.m.* arnia.
àlveo *s.m.* (*di fiume*) letto.
alzàre *v.tr.* **1** sollevare, innalzare, issare © abbassare, calare; piegare; appoggiare, posare **2** (*un edificio, un muro ecc.*) costruire, erigere © abbattere, demolire **3** (*il volume e sim.*) aumentare, potenziare; (*il prezzo*) aumentare, maggiorare © abbassare, diminuire, calare ♦ **alzarsi** *v.pr.* **1** (*in altezza o intensità*) crescere, aumentare © abbassarsi, ridursi **2** (*del sole, della luna*) nascere, sorgere; (*di vento, di nebbia*) levarsi © abbassarsi, tramontare **3** (*dal letto, da terra ecc.*) tirarsi su, sollevarsi.
alzatàccia *s.f.* levataccia.
amàbile *agg.* **1** piacevole, gradevole; affabile, gentile, simpatico; grazioso, attraente © sgradevole, scortese, scostante, antipatico **2** (*di vino*) abboccato, dolce © secco, asciutto.
amabilità *s.f.* piacevolezza, gradevolezza; affabilità © sgradevolezza.
amàlgama *s.f.* miscuglio, mescolanza, miscela, impasto.
amalgamàre *v.tr.* mescolare, mischiare, unire; impastare.
amànte *agg., s.m.f.* **1** amatore, appassionato, cultore, intenditore **2** innamorato, compagno, partner (*ingl.*); (*eufem.*) amico, amichetto.
amanuènse *s.m.f.* scriba, copista.
amàre *v.tr.* **1** (*una persona*) volere bene; adorare, idolatrare © odiare, detestare **2** (*una cosa*) gradire, adorare, piacere, andare matto **3** (*il denaro, la giustizia ecc.*) desiderare, ricercare, anelare © detestare ♦ **amarsi** *v.pr.* volersi bene, adorarsi © odiarsi, detestarsi.
amareggiàre *v.tr.* rattristare, addolorare, crucciare © addolcire, allietare.
amareggiàto *agg.* triste, addolorato © lieto.
amarézza *s.f.* **1** tristezza, afflizione, dispiacere, dolore © contentezza, gioia **2** rancore, risentimento, astio.
amàro *agg.* **1** amarognolo © dolce, dolciastro, zuccherato, zuccherino **2** ♧ spiacevole, sgradevole; doloroso, penoso © dolce, piacevole **3** ♧ (*di parole*) acido, maligno ♦ *s.m.* **1** (*il sapore*) amarezza © dolce, dolcezza **2** ♧ amarezza, dispiacere, dolore, pena, tristezza **3** digestivo.
amarógnolo *agg.* amaro © dolce, dolciastro.
amàto *agg.* caro, adorato, diletto, prediletto © odiato, destestato, disprezzato ♦ *s.m* amore, innamorato, fiamma (*colloq.*).
amatóre *s.m.* **1** seduttore, casanova, dongiovanni, latin lover (*ingl.*), play-boy (*ingl.*), rubacuori **2** amante, appassionato, cultore, estimatore, intenditore **3** collezionista.
amatoriàle *agg.* dilettantesco, dilettantistico © professionale, professionistico.
amatòrio *agg.* amoroso, erotico.
amàzzone *s.f.* cavallerizza.
ambasciàta *s.f.* **1** delegazione, legazione, rappresentanza **2** messaggio, comunicazione.
ambasciatóre *s.m.* **1** **IPERON.** diplomatico **IPON.** legato pontificio, nunzio apostolico **2** messaggero, inviato.

ambientalìsta *agg.*, *s.m.f.* ecologista, verde.
ambientàre *v.tr.* (*una storia, un film ecc.*) collocare, situare ♦ **ambientarsi** *v.pr.* **1** (*di persona*) adattarsi, acclimatarsi, familiarizzare, inserirsi **2** (*di pianta*) acclimatarsi **3** (*di romanzo, di film ecc.*) accadere, svolgersi, avere luogo.
ambiènte *s.m.* **1** luogo, posto **2** (*biol.*) habitat **3** ♧ ambito, contesto, settore **4** ♧ giro, gruppo, cerchia, milieu (*fr.*) **5** (*di casa*) stanza, locale, vano.
ambiguità *s.f.* equivocità, ambivalenza, evasività; incertezza; falsità, ipocrisia © chiarezza, franchezza, univocità.
ambìguo *agg.* **1** (*di discorso e sim.*) equivoco, enigmatico, confuso; ambivalente © chiaro, evidente, palese **2** (*di persona, di comportamento ecc.*) equivoco, doppio, falso, ambivalente © schietto, sincero, franco, limpido.
ambìre *v.tr.* e *intr.* desiderare, aspirare, mirare © aborrire, detestare.
àmbito *s.m.* campo, sfera; settore, ramo.
ambivalènte *agg.* duplice, ambiguo © univoco.
ambivalènza *s.f.* doppiezza, ambiguità © univocità.
ambizióne *s.f.* **1** aspirazione, desiderio, velleità; arrivismo, carrierismo **2** obiettivo, mira, sogno.
ambizióso *agg.* **1** (*spreg.*) immodesto, presuntuoso © modesto, umile **2** (*di progetto e sim.*) grandioso, imponente, pretenzioso © modesto, misurato ♦ *s.m.* arrivista, carrierista, arrampicatore (*colloq.*).
ambràto *agg.* dorato, abbronzato.
ambrosiàno *agg.* milanese, meneghino.
ambulànte *agg.* itinerante, viaggiante; girovago, nomade © stabile, fisso.
ambulatòrio *s.m.* studio, gabinetto; consultorio.
amenità *s.f.* **1** (*di luogo*) piacevolezza, bellezza, dolcezza © cupezza, tristezza **2** facezia, battuta, scherzo; stupidaggine.
amèno *agg.* **1** piacevole, gradevole, divertente; (*di luogo*) ridente © triste, cupo **2** (*di persona*) allegro, spiritoso **3** (*di storiella*) buffo, divertente.
amichévole *agg.* affabile, cordiale, affettuoso; confidenziale, informale © ostile, nemico.
amicìzia *s.f.* **1** affetto, simpatia, intesa, familiarità, confidenza, intimità © inimicizia, antipatia, ostilità **2** (*eufem.*) relazione, flirt (*ingl.*) **3** (*spec. al pl.*) aderenze, agganci, conoscenze.
amìco *agg.* **1** affettuoso, benevolo; (*di stato*) alleato © nemico, ostile, avverso **2** (*di sorte*) favorevole, propizio © avverso ♦ *s.m.* **1** compagno, confidente © nemico, rivale **2** (*eufem.*) amante, compagno, boy-friend (*ingl.*), partner (*ingl.*) **3** (*di un'arte e sim.*) amante, appassionato, cultore, estimatore; difensore, sostenitore © detrattore, denigratore, nemico.
amlètico *agg.* **1** (*di carattere*) indeciso, titubante © deciso, risoluto **2** (*di dubbio*) arduo, difficile.
ammaccàre *v.tr.* schiacciare, acciaccare (*colloq.*); sformare © stirare, stendere.
ammaccatùra *s.f.* **1** rientranza, acciaccatura (*colloq.*) **2** (*sul corpo*) contusione, botta, livido.
ammaestràre *v.tr.* istruire, educare; (*un animale*) addestrare.
ammainàre *v.tr.* (*una vela e sim.*) abbassare, calare; togliere © issare, alzare.
ammalàrsi *v.pr.* cadere ammalato, contagiarsi © guarire, ristabilirsi.
ammalàto *agg.* malato, infermo © sano, guarito ♦ *s.m.* infermo, degente, paziente.
ammaliàre *v.tr.* incantare, sedurre, stregare, conquistare.
ammansìre *v.tr.* **1** (*un animale*) addomesticare **2** ♧ (*una persona*) rabbonire, calmare © aizzare, sobillare.
ammantàre *v.tr.* ricoprire, avvolgere; celare.
ammassàre *v.tr.* ammucchiare, accatastare; accumulare IPERON. raccogliere © disperdere, sparpagliare ♦ **ammassarsi** *v.pr.* **1** (*di cose*) accumularsi, accatastarsi **2** (*di persone*) accalcarsi, affollarsi, stiparsi, concentrarsi © disperdersi, dividersi **3** (*di liquido*) addensarsi, rapprendersi © sciogliersi.
ammàsso *s.m.* mucchio, accumulo, accozzaglia; (*di persone*) folla, calca, ressa.
ammattìre *v.intr.* **1** impazzire, uscire di senno © rinsavire **2** ♧ (*su un problema*) arrovellarsi, scervellarsi.
ammazzàre *v.tr.* **1** (*una persona*) uccidere, assassinare, fare fuori (*colloq.*), eliminare (*gerg.*); (*con particolare violenza*) trucidare, massacrare; (*un condannato*) mettere a morte **2** (*un animale*) abbattere, macellare **3** ♧ sfiancare, stroncare; (*la noia*) scacciare ♦ **ammazzarsi** *v.pr.* **1** suicidarsi, togliersi la vita **2** (*in un incidente e sim.*) morire, perdere la vita **3** ♧ sfiancarsi, stremarsi.
ammènda *s.f.* **1** (*dir.*) multa, penale, contravvenzione **2** risarcimento, scusa, perdono.
ammennìcolo *s.m.* gingillo, orpello, fronzolo; sciocchezza, bazzecola, inezia.
amméttere *v.tr.* **1** (*in un luogo e sim.*) accettare, accogliere, introdurre © rifiutare, cacciare, escludere **2** (*a un esame e sim.*) accettare; promuovere, abilitare © respingere, bocciare **3** permettere, consentire, autorizzare © disapprovare, impedire **4** (*un fatto*) riconoscere, confessare;

dare atto © contestare, negare, respingere **5** (*una possibilità, un'ipotesi ecc.*) supporre, presumere, ipotizzare, immaginare.
ammezzàto *agg., s.m.* mezzanino, piano rialzato.
ammiccàre *v.intr.* strizzare l'occhio, fare l'occhiolino; alludere.
amministràre *v.tr.* **1** condurre, dirigere, gestire **2** (*il proprio tempo e sim.*) regolare, dosare **3** (*i sacramenti*) impartire, somministrare.
amministratóre *s.m.* economo, gestore, gerente; responsabile.
amministrazióne *s.f.* **1** gestione, organizzazione, direzione, conduzione, management (*ingl.*) **2** governo.
ammiràre *v.tr.* **1** (*un paesaggio*) contemplare **2** *una persona*) apprezzare, stimare; adorare © criticare, biasimare.
ammiràto *agg.* meravigliato, stupito.
ammiratóre *s.m.* **1** appassionato, cultore, sostenitore, fan (*ingl.*) **2** corteggiatore, innamorato, adoratore (*scherz.*), pretendente, spasimante.
ammirazióne *s.f.* **1** contemplazione **2** stima, considerazione, rispetto; adorazione © critica, biasimo, disprezzo **3** meraviglia, stupore.
ammirévole *agg.* mirabile; apprezzabile, lodevole © criticabile, biasimevole.
ammissìbile *agg.* **1** credibile, plausibile © inammissibile, incredibile **2** accettabile, sopportabile © inaccettabile, intollerabile.
ammissióne *s.f.* **1** accettazione, accoglimento; approvazione © esclusione, rifiuto **2** (*di una colpa e sim.*) riconoscimento, confessione © negazione.
ammobiliàre *v.tr.* arredare.
ammodernaménto *s.m.* rinnovo, rimodernamento, rinnovamento, aggiornamento.
ammodernàre *v.tr.* rinnovare, modernizzare, aggiornare, attualizzare.
ammogliàrsi *v.pr.* prendere moglie.
ammollàre *v.tr.* ammorbidire, bagnare, mettere a bagno © indurire, asciugare.
ammoniménto *s.m.* vedi **ammonizióne**.
ammonìre *v.tr.* **1** consigliare, esortare, avvisare, avvertire; mettere in guardia **2** richiamare, riprendere, rimproverare © lodare, elogiare.
ammonizióne *s.f.* **1** monito, esortazione, consiglio **2** richiamo, rimprovero, biasimo.
ammontàre *v.intr.* (*di cifra, di somma ecc.*) aggirarsi, assommare ♦ *s.m.* cifra, somma, totale, importo.
ammonticchiàre *v.tr.* vedi **ammucchiàre**.
ammorbàre *v.tr.* **1** infettare, contagiare, contaminare; (*di odore*) appestare **2** ♧ (*colloq.*) annoiare, seccare, scocciare.
ammorbidìre *v.tr.* **1** (*un tessuto, un materiale ecc.*) ammollare, intenerire © indurire **2** ♧ (*un contrasto*) addolcire, mitigare; (*una persona*) intenerire © indurire, irrigidire, inasprire.
ammortizzàre *v.tr.* **1** (*un debito*) estinguere, pagare; recuperare **2** (*un urto e sim.*) assorbire, attutire, smorzare.
ammucchiàre *v.tr.* accumulare, ammassare, accatastare; accumulare © disperdere, sparpagliare ♦ **ammucchiarsi** *v.pr.* (*di persone*) ammassarsi, stiparsi, accalcarsi, affollarsi © disperdersi, sparpagliarsi.
ammuffire *v.intr.* **1** (*di cibo*) fare la muffa, andare a male **2** ♧ (*di oggetto, di idea ecc.*) invecchiare, marcire **3** ♧ (*di persona*) isolarsi, fossilizzarsi, annoiarsi.
ammutinaménto *s.m.* IPERON. ribellione, rivolta, insurrezione.
ammutinàrsi *v.pr.* IPERON. ribellarsi, sollevarsi, insorgere; disobbedire.
ammutolìre *v.intr.* tacere, zittirsi © parlare.
amnesìa *s.f.* dimenticanza, vuoto di memoria.
amnistìa *s.f.* grazia, condono, perdono.
amnistiàre *v.tr.* graziare, condonare, perdonare.
àmo *s.m.* **1** IPERON. uncino **2** ♧ esca, insidia, tranello; allettamento, lusinga.
amoràle *agg.* immorale © morale, moralista.
amoralità *s.f.* immoralità; indecenza © moralità.
amóre *s.m.* **1** affetto, bene, tenerezza, attaccamento, affettuosità, affezione; devozione, adorazione © odio, avversione, disaffezione, indifferenza, disamore **2** passione, attrazione, desiderio, innamoramento, trasporto **3** eros, erotismo, sessualità; (*riferito ad animali*) calore, estro **4** (*verso il prossimo*) carità, pietà, solidarietà © disinteresse, freddezza, indifferenza **5** (*persona amata*) amato, innamorato, fiamma (*colloq.*) **6** (*persona o cosa molto bella*) bellezza, gioia, meraviglia, perla, tesoro, bijou (*fr.*) © bruttura, orrore, schifo **7** (*rapporto amoroso*) relazione, rapporto, storia (*colloq.*), legame; (*di breve intensità*) avventura, flirt (*ingl.*), filarino (*colloq.*), tresca **8** (*per il sapere, il denaro e sim.*) passione, desiderio, attaccamento © disinteresse, distacco **9** (*nel fare qlco.*) cura, attenzione, diligenza; zelo © odio, avversione, antipatia.
amoreggiàre *v.intr.* flirtare, trescare, filare (*colloq.*); (*region.*) pomiciare, limonare.
amorévole *agg.* affettuoso, dolce, tenero, premuroso © freddo, distaccato, ostile.
amorevolézza *s.f.* affetto, amore, tenerezza, premura © ostilità, freddezza.
amòrfo *agg.* **1** informe © formato **2** ♧ (*di per-

sona) anonimo, insulso, insignificante, piatto © particolare, originale **3** (*chim.*) cristallino.
amoróso *agg.* **1** affettuoso, amorevole, tenero; appassionato, ardente, passionale © freddo, distaccato, indifferente **2** (*di relazione*) passionale, erotico; sentimentale, affettivo ♦ *s.m.* amore, amato, corteggiatore, fidanzato, innamorato, pretendente, spasimante.
ampiézza *s.f.* **1** (*di superficie*) estensione, vastità, grandezza, larghezza (*di un vestito*) © angustia, piccolezza **2** ♧ (*di un significato*) estensione © specificità **3** ♧ (*di mentalità, di vedute ecc.*) apertura, larghezza © chiusura, limitatezza.
àmpio *agg.* **1** (*di superficie*) esteso, vasto, grande © angusto, piccolo **2** ♧ (*di significato*) esteso, generico © letterale, stretto **3** ♧ (*di mentalità, di vedute ecc.*) aperto, largo © chiuso, limitato **4** ♧ (*di scelte, di possibilità e sim.*) numeroso, abbondante, copioso, ricco © scarso, insufficiente.
ampliaménto *s.m.* ingrandimento, estensione, accrescimento, allargamento © restringimento, riduzione.
ampliàre *v.tr.* ingrandire, estendere, accrescere, allargare, amplificare © restringere, ridurre.
ampollóso *agg.* magniloquente, roboante, altisonante, ridondante, enfatico, tronfio © sobrio, semplice, piano, conciso.
amputàre *v.tr.* **1** (*una parte del corpo*) tagliare, recidere **2** ♧ (*uno scritto, un testo e sim.*) ridurre, accorciare, tagliare © ampliare, estendere.
amuléto *s.m.* portafortuna, talismano.
anabbagliànte *s.m.* antiabbagliante, faro basso © abbagliante, faro alto.
anacorèta *s.m.* eremita, asceta.
anacronìstico *agg.* antiquato, arcaico, vecchio, superato, obsoleto, fuori moda © moderno, attuale, alla moda.
anaeròbico *agg.* (*biol.*) © aerobico.
anaeròbio *s.m.* (*biol.*) © aerobio.
analcòlico *agg., s.m.* © alcolico.
analfabèta *agg., s.m.f.* **1** © alfabetizzato, alfabeta **2** (*spreg.*) ignorante, illetterato, incolto © istruito, colto.
analgèsico *agg., s.m.* (*farm.*) antalgico, antidolorifico.
anàlisi *s.f.* **1** (*di una sostanza e sim.*) scomposizione © sintesi **2** (*di una situazione, di un argomento e sim.*) esame, studio, indagine; valutazione, riflessione **3** (*med.*) esame **4** (*psic.*) psicoanalisi, psicoterapia.
analìtico *agg.* **1** (*di metodo*) © sintetico **2** (*di esame, di indagine e sim.*) dettagliato, minuzioso, preciso, accurato; attento, rigoroso © sintetico, generale; generico, impreciso, approssimativo.
analizzàre *v.tr.* **1** (*una situazione, un argomento ecc.*) considerare, esaminare, indagare, esplorare, studiare, vagliare, valutare © generalizzare, sintetizzare **2** (*psic.*) psicoanalizzare.
analogìa *s.f.* corrispondenza, somiglianza, affinità; similarità; correlazione, nesso © differenza, diversità, difformità.
anàlogo *agg.* affine, simile, prossimo, vicino, corrispondente, similare, somigliante © differente, diverso, difforme; opposto, antitetico.
anarchìa *s.f.* ♧ confusione, caos, disordine, disorganizzazione; indisciplina © ordine, organizzazione; disciplina.
anarcòide *agg., s.m.f.* ribelle, insofferente, indisciplinato.
anatèma *s.m.* **1** (*eccl.*) scomunica **2** maledizione, esecrazione © benedizione.
anatomìa *s.f.* **1** (*di un corpo*) forma, struttura **2** (*di un cadavere*) dissezione, autopsia **3** ♧ analisi, esame, scomposizione.
ànca *s.f.* (*anatom.*) fianco (*colloq.*).
ancestràle *agg.* (*elev.*) atavico, primordiale, antico; profondo, insito.
ancheggiàre *v.intr.* sculettare, dimenarsi.
anchilosàrsi *v.pr.* irrigidirsi, paralizzarsi, atrofizzarsi; intorpidirsi, rattrappirsi.
anchilosàto *agg.* indolenzito, intorpidito.
ancoràre *v.tr.* **1** (*mar.*) ormeggiare © disancorare, levare l'ancora, salpare **2** (*una struttura e sim.*) fissare, fermare, assicurare © liberare, sganciare **3** ♧ (*una teoria e sim.*) fondare, basare, imperniare.
andaménto *s.m.* **1** (*di un fenomeno, di una situazione ecc*) tendenza, orientamento, evoluzione, trend (*ingl.*), piega (*colloq.*), andazzo (*spreg.*) **2** (*di una malattia*) decorso.
andànte *agg.* **1** comune, ordinario, usuale © particolare, inusuale **2** economico, mediocre, modesto, dozzinale © fine, pregiato.
andàre *v.intr.* **1** muoversi, spostarsi; dirigersi, recarsi, procedere, avanzare; avviarsi, incamminarsi © restare, rimanere, ritornare, venire **2** (*di strada, di fiume ecc.*) arrivare, portare, condurre, sfociare **3** (*via da un luogo*) allontanarsi, partire © fermarsi, restare **4** (*del tempo*) trascorrere, passare **5** ♧ (*di sguardo, di pensiero ecc.*) dirigersi, guardare **6** (*di strumento*) funzionare, marciare **7** (*di lavoro, di attività ecc.*) svolgersi, procedere **8** accadere, capitare **9** (*di vestiti, scarpe ecc.*) entrare, stare, calzare **10** essere di moda, usare **11** (*colloq.*; *di spesa*) costare, aggirarsi **12**

piacere, andare a genio, soddisfare **13** (*smarrito, perduto ecc.*) essere, venire **14** (*migliorando, peggiorando ecc.*) stare ♦ **andarsene** *v.pro-compl.* **1** (*di cosa*) dileguarsi, scomparire © restare, rimanere, riapparire **2** (*di persona*) andare via, allontanarsi; (*colloq.*) sloggiare, svignarsela **3** (*eufem.*; *di persona*) morire, spegnersi © nascere, venire al mondo ♦ **andarne** *v.pro-compl.* (*dell'onore, della vita ecc.*) essere in gioco, essere in ballo, essere in pericolo.

andatùra *s.f.* **1** camminata, passo, portamento **2** ritmo, cadenza.

andàzzo *s.m.* (*spreg.*) tendenza, piega; abitudine, moda, usanza.

andirivièni *s.m.* **1** passaggio, traffico, viavai **2** groviglio, intrico, confusione.

àndito *s.m.* **1** corridoio, passaggio **2** entrata, ingresso, atrio **3** ripostiglio, sgabuzzino.

andrògino *agg., s.m.* ermafrodito, bisessuato, bisessuale.

andròide *s.m.* replicante.

andróne *s.m.* atrio, andito.

anèddoto *s.m.* episodio, fatterello, storiella.

anelàre *v.intr.* **1** ansimare **2** ♧ aspirare, mirare, tendere ♦ *v.tr.* desiderare, sospirare, bramare © detestare.

anèlito *s.m.* **1** affanno **2** respiro, soffio, alito **3** aspirazione, desiderio, brama.

anèllo *s.m.* **1** cerchio, cerchietto **2** fede, fede nuziale, vera.

anemìa *s.f.* fiacchezza, debolezza, spossatezza © vigore, forza, energia.

anèmico *agg.* **1** debole, fiacco, spossato © forte, vitale, energico **2** (*di viso*) pallido, smorto © colorito.

anestesìa *s.f.* (*med.*) narcosi.

anestètico *agg., s.m.* (*farm.*) narcotico.

anestetizzàre *v.tr.* (*med.*) addormentare (*colloq.*), narcotizzare.

angarìare *v.tr.* opprimere, tiranneggiare, tormentare, maltrattare.

angèlico *agg.* celeste, divino, paradisiaco © cattivo, malvagio, perfido, diabolico.

àngelo *s.m.* (*di persona*) buono, santo © diavolo, demonio; furfante, mascalzone; (*di bambino*) peste, terremoto.

angherìa *s.f.* prepotenza, sopruso, prevaricazione, tirannia, vessazione.

angolazióne *s.f.* punto di vista, prospettiva, ottica.

àngolo *s.m.* **1** (*di una strada*) canto, cantone, cantonata; (*di un mobile*) spigolo **2** (*della bocca*) estremità **3** ♧ cantuccio, angolino, posto.

angòscia *s.f.* ansia, pena, preoccupazione, inquietudine, affanno, tormento © serenità, calma, tranquillità, quiete.

angosciàre *v.tr.* affliggere, preoccupare, tormentare, angustiare, assillare © rasserenare, calmare, tranquillizzare ♦ **angosciarsi** *v.pr.* affliggersi, preoccuparsi, tormentarsi, angustiarsi, assillarsi © rasserenarsi, calmarsi, tranquillizzarsi.

angosciàto *agg.* preoccupato, inquieto, ansioso, angustiato © sereno, calmo, tranquillo.

angoscióso *agg.* penoso, doloroso © consolante, tranquillizzante.

angùria *s.f.* (*region.*) cocomero.

angùstia *s.f.* **1** (*di spazio*) limitatezza, ristrettezza, insufficienza © ampiezza, spaziosità, larghezza **2** ♧ (*di mezzi e sim.*) penuria, ristrettezza, povertà © abbondanza, ricchezza **3** ♧ (*di mente, di idee ecc.*) grettezza, meschinità © larghezza, apertura **4** ansia, pena, preoccupazione, inquietudine, affanno, tormento © serenità, calma, tranquillità, quiete.

angustiàre *v.tr.* vedi **angosciàre**.

angùsto *agg.* **1** (*di spazio*) stretto, limitato; scomodo © ampio, spazioso **2** ♧ (*di mente, di idee ecc.*) meschino, gretto, ristretto © aperto.

ànima *s.f.* **1** spirito; (*psic.*) psiche **2** soffio vitale, respiro, vita, energia **3** animo, cuore; passione, sentimento **4** persona, essere; abitante **5** ♧ animatore, organizzatore; centro, fulcro **6** ♧ (*di un oggetto*) armatura, scheletro, telaio.

animàle[1] *s.m.* **1** bestia **2** ♧ (*di persona*) bruto, rozzo, bestia.

animàle[2] *agg.* vedi **animalésco**.

animalésco *agg.* **1** animale **2** (*spreg.*) bestiale, brutale, disumano, selvaggio; istintivo, irrazionale © elevato, nobile, spirituale; umano.

animàre *v.tr.* **1** (*una conversazione, un ambiente ecc.*) vivacizzare, movimentare © spegnere **2** (*una persona*) incoraggiare, stimolare © scoraggiare, deprimere ♦ **animarsi** *v.pr.* **1** (*di situazione, di ambiente ecc.*) vivacizzarsi, riscaldarsi © spegnersi **2** (*spec. di persona*) accalorarsi, infervorarsi; (*di discussione*) accendersi © smorzarsi **3** rincuorarsi, rinfrancarsi.

animàto *agg.* **1** vivo, vivente © inanimato **2** (*di persona, di discussione ecc.*) vivace, acceso, infervorato **3** (*di luogo*) vivo, frequentato © deserto, vuoto.

animatóre *agg., s.m.* promotore, organizzatore.

animazióne *s.f.* **1** (*di un luogo, di un ambiente ecc.*) movimento, vita, fermento © vuoto, silenzio **2** (*nel parlare, nel discutere*) vivacità, brio, fervore, eccitazione; entusiasmo, calore, ardore © calma, flemma, pacatezza.

ànimo *s.m.* **1** anima, spirito; mente, pensiero **2** disposizione, inclinazione; carattere, indole **3** intenzione, proposito **4** coraggio, audacia, fegato (*colloq.*) ♦ *inter.* coraggio, forza, suvvia.

animosità *s.f.* rancore, acredine, astio, ostilità, malanimo, avversione © affetto, benevolenza, simpatia.

animóso *agg.* **1** (*elev.*) coraggioso, ardito, audace © pauroso, timoroso **2** (*di animale*) focoso, indocile **3** astioso, ostile © benigno, sereno, pacato.

annacquàre *v.tr.* **1** allungare, diluire **2** ♧ mitigare, stemperare, attenuare © inasprire, acuire.

annaffiàre *v.tr.* **1** (*le piante*) bagnare; irrigare **2** bagnare, inzuppare, infradiciare.

annaspàre *v.intr.* **1** agitarsi; gesticolare **2** (*in una situazione, in un lavoro ecc.*) brancolare, dibattersi; arrabattarsi **3** (*nel parlare*) confondersi.

annàta *s.f.* **1** anno, stagione **2** (*di vino e sim.*) produzione, raccolto.

annebbiàre *v.tr.* offuscare, oscurare, ottenebrare, velare; ♧ confondere, obnubilare © schiarire, rischiarare ♦ **annebbiarsi** *v.pr.* offuscarsi, oscurarsi, ottenebrarsi, velarsi; ♧ confondersi.

annebbiàto *agg.* appannato, offuscato, velato; (*di mente*) confuso, ottenebrato.

annegàre *v.tr.* **1** affogare **2** (*un dispiacere e sim.*) affogare, soffocare, dimenticare ♦ *v.intr.* **1** affogare **2** ♧ (*nel lavoro, nei problemi ecc.*) sprofondare, perdersi, dibattersi.

annegàto *agg., s.m.* affogato.

annerìre *v.tr.* scurire © sbiancare, schiarire ♦ **annerirsi** *v.pr.* scurirsi; (*della pelle*) abbronzarsi © schiarirsi, sbiancarsi.

annessióne *s.f.* unione, aggiunta, aggregazione, inclusione, conglobamento; conquista © divisione, separazione.

annèsso, **annésso** *agg.* unito, aggiunto, incluso, allegato, attaccato © separato, disgiunto, diviso, separato, slegato ♦ *s.m.pl.* accessori; (*di una villa e sim.*) dépendance (*fr.*).

annèttere, **annéttere** *v.tr.* **1** unire, aggiungere, includere; (*un documento*) allegare, accludere © separare, dividere, staccare **2** (*un territorio*) inglobare; conquistare **3** ♧ (*importanza e sim.*) attribuire, riconoscere.

annichiliménto *s.m.* vedi **annientaménto**.

annichilìre *v.tr.* **1** annientare, annullare, distruggere **2** ♧ abbattere, avvilire, deprimere, umiliare.

annidàrsi *v.pr.* **1** nascondersi, rintanarsi, occultarsi **2** ♧ (*di sentimenti*) albergare, nascondersi.

annientàre *v.tr.* **1** distruggere, eliminare, annullare, sbaragliare; sterminare **2** ♧ avvilire, umiliare, mortificare.

anniversàrio *s.m.* ricorrenza; celebrazione, commemorazione.

ànno *s.m.* **1** (*al pl.*) epoca, stagione, tempo, periodo **2** (*al pl.*) età **3** (*di studio*) corso, classe.

annodàre *v.tr.* legare, allacciare © snodare, slegare, slacciare **2** (*relazioni, rapporti ecc.*) stringere, allacciare © rompere, sciogliere ♦ **annodarsi** *v.pr.* **1** legarsi, allacciarsi © slegarsi, slacciarsi **2** ingarbugliarsi, imbrogliarsi.

annoiàre *v.tr.* seccare, scocciare (*colloq.*), stancare, infastidire, rompere (*colloq.*), tediare © interessare; divertire ♦ **annoiarsi** *v.pr.* seccarsi, stufarsi, rompersi (*colloq.*), tediarsi © divertirsi.

annoiàto *agg.* stufo, seccato, tediato, scocciato, rotto (*colloq.*); distratto, svagato © divertito; attento.

annotàre *v.tr.* **1** (*sull'agenda e sim.*) segnare, appuntare, prendere nota **2** (*un testo, uno scritto ecc.*) commentare, glossare, chiosare.

annotazióne *s.f.* **1** appunto, promemoria **2** (*in un testo, in uno scritto ecc.*) commento, glossa, chiosa.

annoveràre *v.tr.* contare, includere, comprendere, avere.

annuàle *agg.* annuo.

annuìre *v.intr.* assentire, acconsentire, dire di sì (*colloq.*) © negare, dire di no (*colloq.*).

annullaménto *s.m.* **1** azzeramento, cancellazione, eliminazione; distruzione, annientamento © instaurazione; ripristino **2** (*dir.*) abrogazione, cassazione, revoca; invalidazione © convalida, ratifica **3** (*di un biglietto*) obliterazione.

annullàre *v.tr.* **1** (*dir.*) abrogare, cassare, revocare; invalidare © convalidare, ratificare **2** (*un tentativo, uno sforzo ecc.*) vanificare **3** (*un appuntamento e sim.*) cancellare, disdire **4** annientare, distruggere ♦ **annullarsi** *v.pr.* **1** annientarsi, annichilirsi **2** (*a vicenda*) neutralizzarsi **3** (*mat.*) azzerarsi.

annùllo *s.m.* (*di un francobollo, di un biglietto ecc.*) annullamento, obliterazione, timbratura.

annunciàre *v.tr.* comunicare, dichiarare, dire; avvertire, informare; diffondere, diramare **2** ♧ preannunciare, promettere.

annunciatóre *s.m.* (*radiofonico, televisivo*) speaker (*ingl.*), lettore.

annùncio *s.m.* **1** notizia, comunicazione, dichiarazione, avviso **2** (*pubblicitario e sim.*) inserzione, pubblicità **3** (*elev.*) indizio, presagio, segno.

ànnuo *agg.* annuale.

annusàre *v.tr.* **1** fiutare, odorare **2** ♧ avvertire, fiutare, intuire, percepire, subodorare.

annuvolaménto *s.m.* oscuramento, offusca-

mento; annebbiamento, turbamento © rischiaramento, rasserenamento.
annuvolàre *v.tr.* **1** offuscare, oscurare © rasserenare, rischiarare **2** ♧ annebbiare, turbare ♦ **annuvolarsi** *v.pr.* **1** (*del cielo*) coprirsi, oscurarsi © rasserenarsi, aprirsi **2** (*di persona*) rabbuiarsi, inquietarsi © rasserenarsi.
ànodo *s.m.* (*fis.*) © catodo.
anòmalo *agg.* irregolare, atipico, anormale; particolare, strano, bizzarro, inconsueto, eccezionale © normale, regolare, tipico, consueto, abituale, ordinario.
anònimo *agg.* **1** (*di persona, di autore ecc.*) ignoto, sconosciuto; oscuro © noto, conosciuto; celebre, famoso **2** (*di scritto, di opera d'arte e sim.*) non firmato, adespoto (*filol.*) © firmato **3** (*di stile, di persona ecc.*) impersonale, comune, banale © personale, originale ♦ *s.m.* (*di persona, di autore ecc.*) sconosciuto, ignoto.
anoressìa *s.f.* (*med.*) © bulimia.
anormàle *agg.* anomalo, irregolare, atipico, strano © normale, regolare, tipico ♦ *agg., s.m.f.* squilibrato; subnormale; handicappato © normale, sano.
anormalità *s.f.* anomalia, irregolarità, deviazione, eccezione; stranezza © normalità, regolarità, tipicità; ordinarietà.
ansànte *agg.* vedi **ansimànte**.
ansàre *v.intr.* vedi **ansimàre**.
ànsia *s.f.* **1** agitazione, preoccupazione, apprensione, inquietudine, angoscia, patema d'animo (*colloq.*), trepidazione © calma, pace, quiete, serenità **2** desiderio, avidità, bramosia, smania.
ansietà *s.f.* vedi **ànsia**.
ansimànte *agg.* ansante, affannato, trafelato.
ansimàre *v.intr.* affannarsi, ansare, boccheggiare.
ansiolìtico *agg. s.m.* (*farm.*) tranquillante, calmante, sedativo.
ansióso *agg.* **1** agitato, nervoso, angosciato, inquieto, preoccupato, teso © calmo, sereno, tranquillo **2** desideroso, bramoso, impaziente, smanioso.
ànta *s.f.* (*di armadio, di porta ecc.*) porta, battente, sportello; (*di finestra*) imposta.
antagonìsmo *s.m.* rivalità, competizione, concorrenza; contrasto, opposizione © intesa, accordo; solidarietà, cooperazione.
antagonìsta *agg., s.m.f.* rivale, avversario, nemico; concorrente, competitore © alleato, amico.
antagonìstico *agg.* competitivo, contrario, opposto © solidale, cooperativo.
antàlgico *agg., s.m.* (*med.*) analgesico, antidolorifico; anodino.
antàrtico *agg.* australe © artico, boreale ♦ *s.m.* polo Sud © polo Nord.
antecedènte *agg.* precedente, anteriore, pregresso © posteriore, successivo, conseguente, seguente ♦ *s.m.* antefatto, premessa © conseguenza, risultato.
antefàtto *s.m.* **1** precedente, antecedente, premessa © conseguenza, conclusione, esito **2** (*di un'opera teatrale e sim.*) sfondo, vicenda.
antenàto *s.m.* avo, progenitore IPON. capostipite © discendente, progenie.
antènna *s.f.* pennone IPERON. asta, palo.
antepórre *v.tr.* **1** preporre © posporre **2** ♧ preferire, prediligere, privilegiare © subordinare.
anterióre *agg.* **1** (*nello spazio*) davanti, antistante, frontale © posteriore **2** (*nel tempo*) antecedente, precedente © posteriore, successivo, seguente.
antesignàno *s.m.* precursore, anticipatore, pioniere © continuatore, epigono.
antibattérico *agg.* battericida.
anticàglia *s.f.* (*spreg.*) vecchiume, antichità, cimelio (*scherz.*), bric-à-brac (*fr.*).
anticàmera *s.f.* ingresso, entrata, atrio, vestibolo; sala d'attesa.
antichità *s.f.* **1** vecchiezza, vetustà (*elev.*) © modernità, novità **2** (*l'età antica*) mondo antico, mondo classico **3** (*spec. al pl.*) reperto, resto, rovina, vestigia **4** (*spreg.*) vecchiume, anticaglia.
anticipàre *v.tr.* **1** © posticipare, rimandare, prorogare, rinviare **2** (*essere in anticipo*) © ritardare **3** (*una somma di denaro*) prestare **4** (*arrivare prima di un altro*) precedere, precorrere, prevenire **5** (*dire in anticipo*) annunciare, preannunciare, preavvisare.
anticipazióne *s.f.* vedi **antìcipo**.
antìcipo *s.m.* **1** anticipazione © posticipazione, ritardo, posticipo **2** (*di denaro*) acconto, caparra; (*dir.*) arra, cauzione.
anticlericàle *agg., s.m.f.* laico, laicista; (*spreg., scherz.*) mangiapreti © clericale.
antìco *agg.* **1** vecchio, remoto, arcaico; antiquato, obsoleto, superato © attuale, contemporaneo, moderno, recente **2** (*di abitudine, di vizio ecc.*) abituale, consueto, vecchio, radicato ♦ *s.m.* **1** antichità © modernità **2** (*al pl.*) antenati, padri, predecessori, avi © moderni.
anticoncezionàle *agg., s.m.* contraccettivo, antifecondativo IPON. pillola, spirale, diaframma, preservativo, profilattico, spermicida.
anticonformìsmo *s.m.* originalità, indipendenza, autonomia © conformismo.
anticostituzionàle *agg.* incostituzionale © costituzionale.

antidemocràtico *agg., s.m.* autoritario, reazionario © democratico, libertario.
antìdoto *s.m.* **1** controveleno, contravveleno © veleno **2** ♧ rimedio, soluzione, panacea.
antieconòmico *agg.* costoso, dispendioso; svantaggioso © economico, redditizio.
antifemminìsta *agg.* maschilista, sessista; fallocratico (*spreg.*) © femminista, femministico ♦ *s.m.f.* maschilista, sessista; fallocrate (*spreg.*) © femminista.
antimeridiàno *agg.* mattutino © pomeridiano.
antimilitarìsta *agg., s.m.f.* pacifista © militarista; guerrafondaio.
antinomìa *s.f.* contraddizione, antitesi.
antipatìa *s.f.* avversione, ostilità, insofferenza, repulsione © simpatia, attrazione, benevolenza.
antipàtico *agg.* **1** (*di persona, di atteggiamento ecc.*) insopportabile, odioso; fastidioso, sgradevole © simpatico; gradevole **2** (*di situazione, di avvenimento ecc.*) increscioso, spiacevole © piacevole, gradito.
antiquàto *agg.* vecchio, superato, obsoleto, anacronistico © moderno, nuovo, attuale, all'avanguardia.
antistànte *agg.* davanti, di fronte, prospiciente © dietro, retrostante.
antìtesi *s.f.* contrasto, contrapposizione, incompatibilità © armonia, accordo, sintonia.
antitètico *agg.* opposto, contrastante, contraddittorio, incompatibile © conforme, affine.
antologìa *s.f.* florilegio, crestomanzia (*elev.*) IPERON. raccolta, selezione, scelta.
antònimo *agg., s.m.* (*ling.*) contrario © sinonimo.
antropòfago *agg., s.m.* cannibale.
anulàre *agg.* ad anello, circolare, tondo.
anzianità *s.f.* vecchiaia, senilità; longevità © giovinezza, gioventù.
anziàno *agg.* **1** vecchio, attempato, senile © giovane **2** (*in una carica e sim.*) veterano, decano, senior © giovane, junior ♦ *s.m.* (*gergo militare*) nonno © recluta.
apartheid *s.f.* (*ol.*) segregazione razziale, segregazionismo, razzismo.
apatìa *s.f.* indolenza, inerzia, abulia, pigrizia, accidia (*elev.*) © attività, energia, operosità.
apèrto *agg.* **1** (*di luogo*) ampio, vasto, largo, spazioso, arioso © chiuso, stretto, angusto, limitato **2** ♧ (*di problema, di questione ecc.*) irrisolto, pendente © definito, chiuso **3** (*di persona, di carattere e sim.*) estroverso, affabile, cordiale © chiuso, introverso **4** sincero, schietto © ipocrita, sleale **5** (*di dichiarazione e sim.*) chiaro, esplicito, palese © oscuro, ambiguo, implicito **6** ♧ (*di atteggiamento e sim.*) anticonformista; tollerante; (*di vedute, di mentalità ecc.*) ampio, largo © conformista, chiuso, ristretto, meschino **7** ♧ (*di mente e sim.*) acuto, pronto, vivace © limitato, ottuso.
apertùra *s.f.* **1** buco, fessura, taglio, spaccatura, fenditura, spiraglio; breccia, entrata, ingresso © occlusione, ostruzione **2** ♧ (*di un'attività e sim.*) inizio, avviamento, inaugurazione © chiusura, conclusione **3** (*distanza tra due estremità*) ampiezza **4** ♧ (*mentale, di idee e sim.*) larghezza, ampiezza; anticonformismo © chiusura, ottusità, ristrettezza.
àpice *s.m.* **1** (*di un monte*) punta, cima, vetta **2** ♧ (*di una carriera, di un sentimento ecc.*) culmine, sommo, massimo, top (*ingl.*) © minimo.
apocalìsse *s.m.* catastrofe, disastro, distruzione, fine del mondo, rovina, tragedia.
apocalìttico *agg.* **1** (*di avvenimento e sim.*) catastrofico, disastroso, tragico **2** (*di atteggiamento e sim.*) catastrofico, pessimistico, tragico © ottimistico.
apòcrifo *agg.* (*di scritto e sim.*) falso; (*filol.*) spurio © autentico, vero, autografo, originale.
apogèo *s.m.* **1** (*astr.*) © perigeo **2** ♧ (*della carriera e sim.*) apice, culmine, acme, vertice.
apologètico *agg.* elogiativo, celebrativo, encomiastico © critico, denigratorio.
apologìa *s.f.* **1** (*di una dottrina e sim.*) difesa **2** elogio, celebrazione, lode; esaltazione © critica, calunnia, denigrazione.
apostasìa *s.f.* rinnegamento, ripudio, abiura; tradimento.
apòstata *s.m.f.* rinnegato, traditore.
apostolàto *s.m.* proselitismo, missione.
apostòlico *agg.* **1** (*di chiesa*) cattolico, cattolico-romano **2** papale, pontificale.
apòstolo *s.m.* **1** (*di Cristo*) discepolo **2** evangelizzatore, missionario **3** ♧ (*di una dottrina e sim.*) difensore, promotore, sostenitore © avversario, nemico, oppositore.
apostrofàre *v.tr.* riprendere, rimproverare; (*con le parole*) assalire, investire.
apoteòsi *s.f.* **1** deificazione, divinizzazione **2** ♧ esaltazione, celebrazione © denigrazione **3** ♧ gloria, trionfo.
appagaménto *s.m.* soddisfazione, gratificazione, esaudimento, realizzazione; piacere, godimento © insoddisfazione, inappagamento, delusione, frustrazione.
appagàre *v.tr.* **1** (*una persona*) accontentare, soddisfare, gratificare, saziare © deludere, scontentare **2** (*desideri, richieste ecc.*) esaudire, realizzare **3** (*fame, sete ecc.*) calmare, placare, sedare © acuire.

appaiàre *v.tr.* abbinare, accoppiare © spaiare, scompagnare; dividere, separare.

appallottolàre *v.tr.* accartocciare IPERON. avvolgere, arrotolare © scartocciare ♦ **appallottolarsi** *v.pr.* accartocciarsi IPERON. arrotolarsi.

appaltatóre *agg., s.m.* impresario, imprenditore, concessionario.

appàlto *s.m.* concessione.

appannàggio *s.m.* **1** compenso, paga, stipendio, retribuzione **2** caratteristica, particolarità, peculiarità, prerogativa.

appannàre *v.tr.* **1** offuscare, velare © disappannare, spannare **2** ♧ (*la mente e sim.*) annebbiare, confondere, ottenebrare, strordire © rischiarare, schiarire.

apparàto *s.m.* **1** allestimento; (*di forze e sim.*) spiegamento **2** addobbo, ornamento **3** sistema, impianto, dispositivo, strumentazione **4** (*di un partito, di un'azienda ecc.*) dirigenti, direttivo.

apparecchiàre *v.tr.* (*la tavola*) preparare, imbandire © sparecchiare.

apparecchiatùra *s.f.* sistema, impianto, dispositivo, congegno; attrezzatura, macchinario.

apparécchio *s.m.* **1** congegno, dispositivo, macchina, attrezzo; telefono **2** aeroplano, aereo, velivolo.

apparènte *agg.* **1** (*che si vede*) evidente, manifesto, visibile, palese © invisibile, nascosto **2** (*che sembra ma non è*) illusorio, fittizio, superficiale, di facciata (*colloq.*) © reale, effettivo.

apparènza *s.f.* **1** aspetto, forma, sembianza; immagine, fattezza **2** facciata, illusione, esteriorità, finzione; (*spec. al pl.*) forma, convenzione.

apparìre *v.intr.* **1** comparire, mostrarsi; sbucare, saltare fuori (*colloq.*) © sparire, svanire, dileguarsi **2** (*del sole e sim.*) nascere, sorgere, spuntare, levarsi © calare, tramontare **3** risultare, emergere, evidenziarsi, manifestarsi, profilarsi **4** (*triste, contento ecc.*) sembrare, parere.

appariscènte *agg.* vistoso, spettacolare, d'effetto; (*in senso spreg.*) pacchiano, pretenzioso, kitsch (*ted.*) © sobrio, modesto, dimesso.

apparizióne *s.f.* **1** comparsa, manifestazione, presentazione; (*di movimento, di idea ecc.*) nascita © scomparsa, sparizione **2** visione, fantasma, ombra.

appartàrsi *v.pr.* separarsi, allontanarsi, defilarsi, isolarsi.

appartàto *agg.* **1** (*di luogo*) isolato, sperduto, nascosto, lontano; solitario © vicino; frequentato **2** (*di persona*) isolato, separato, solo; solitario.

appartenénza *s.f.* **1** (*a un insieme e sim.*) attinenza, pertinenza; relazione © estraneità **2** (*di un compito, di un dovere ecc.*) pertinenza, competenza **3** (*di beni*) possesso, proprietà.

appartenére *v.intr.* **1** (*di beni, di proprietà ecc.*) essere **2** (*a un gruppo, a un ambito*) fare parte, collocarsi, inserirsi **3** (*di un compito, di un dovere ecc.*) competere, spettare, toccare.

appassionàre *v.tr.* interessare, coinvolgere, avvincere, entusiasmare, prendere (*colloq.*) © annoiare ♦ **appassionarsi** *v.pr.* interessarsi, entusiasmarsi, innamorarsi, intripparsi (*gerg.*) © disinteressarsi, disamorarsi.

appassìre *v.intr.* **1** (*di pianta*) avvizzire, seccarsi © sbocciarsi, fiorire **2** (*di persona*) invecchiare, sfiorire, sciuparsi © fiorire, rifiorire.

appellàrsi *v.pr.* rivolgersi, ricorrere, invocare, rimettersi.

appèllo *s.m.* **1** chiamata **2** invito, richiamo, istanza (*dir.*); invocazione.

appèndere *v.tr.* attaccare, agganciare, fissare © staccare, sganciare.

appendìce *s.f.* **1** aggiunta, accessorio; ♧ continuazione, prolungamento **2** (*in un testo*) conclusione, coda, complemento; (*spec. in enciclopedie*) aggiornamento, supplemento.

appesantìre *v.tr.* scaricare, sovraccaricare, oberare © alleggerire, sgravare, alleviare ♦ **appesantirsi** *v.pr.* © alleggerirsi.

appestàre *v.tr.* **1** (*di malattie*) contagiare, infettare **2** (*di cattivi odori*) ammorbare, contaminare, impuzzolentire, inquinare © profumare, purificare **3** ♧ corrompere, guastare © risanare, purificare.

appetìbile *agg.* **1** allettante, desiderabile, invitante © spiacevole, sgradevole **2** (*di persona*) attraente, avvenente, appetitoso (*scherz.*).

appetìto *s.m.* **1** fame, languore © disappetenza, inappetenza; sazietà **2** ♧ voglia, desiderio, brama; istinto © avversione, disgusto.

appetitóso *agg.* **1** (*di cibo*) gustoso, stuzzicante © disgustoso, nauseante **2** ♧ (*di proposta e sim.*) allettante, attraente, stimolante © spiacevole, sgradevole.

appianàre *v.tr.* **1** (*un terreno*) livellare, pareggiare **2** (*un ostacolo*) rimuovere, togliere **3** (*una controversia e sim.*) risolvere, dirimere, comporre © provocare, fomentare.

appiattìre *v.tr.* **1** schiacciare **2** ♧ equiparare, livellare, parificare, uniformare © differenziare, diversificare **3** (*le differenze*) ridurre, eliminare © evidenziare, accentuare, sottolineare ♦ **appiattirsi** *v.pr.* **1** schiacciarsi **2** ♧uniformarsi © differenziarsi **3** (*di differenze*) ridursi, scomparire.

appiccicàre *v.tr.* attaccare © staccare, scollare ♦ **appiccicarsi** *v.pr.* aderire © staccarsi.

appiccicóso *agg.* **1** (*di cosa*) colloso, vischioso **2** ♧ (*di persona*) importuno, molesto, fastidioso, insistente © discreto, riservato.
appigliàrsi *v.pr.* **1** attaccarsi, aggrapparsi, afferrarsi, agguantarsi, tenersi © staccarsi, mollare **2** ♧ (*a un pretesto*) ricorrere, appellarsi.
appìglio *s.m.* **1** attacco, presa; (*nell'alpinismo*) sperone, sporgenza **2** ♧ scusa, pretesto.
appioppàre *v.tr.* (*colloq.*; *uno schiaffo e sim.*) assestare, mollare, tirare; affibbiare, rifilare; (*un soprannome e sim.*) attribuire.
appisolàrsi *v.pr.* assopirsi, addormentarsi, sonnecchiare © svegliarsi, destarsi.
applaudìre *v.tr.* **1** battere le mani, acclamare **2** ♧ approvare, elogiare, lodare © criticare, stroncare.
applàuso *s.m.* **1** battimano, ovazione, plauso (*elev.*) **2** ♧ consenso, approvazione, acclamazione © critica, biasimo.
applicàre *v.tr.* **1** (*un'etichetta e sim.*) attaccare, mettere; (*una crema esim.*) stendere; (*una toppa*) cucire © staccare, togliere **2** ♧ (*la mente e sim.*) rivolgere, dedicare © distogliere **3** (*una legge e sim.*) attuare; (*una pena e sim.*) infliggere © abolire **4** (*un metodo e sim.*) adottare, seguire, utilizzare **5** (*una tariffa, uno sconto ecc.*) praticare, concedere ♦ **applicarsi** *v.pr.* dedicarsi; impegnarsi.
applicazióne *s.f.* **1** (*di una norma, di un metodo ecc.*) impiego, attuazione, uso **2** (*su un abito*) guarnizione **3** ♧ attenzione, cura, impegno.
appoggiàre *v.tr.* **1** accostare © scostare **2** posare © sollevare; prendere **3** (*una proposta, un candidato ecc.*) approvare, sostenere; (*una persona*) assistere, aiutare, raccomandare © ostacolare, avversare **4** (*un'idea, un'affermazione ecc.*) fondare, basare ♦ **appoggiarsi** *v.pr.* **1** sostenersi, reggersi, sorreggersi **2** ♧ ricorrere, raccomandarsi; fare affidamento, contare, basarsi, fare assegnamento.
appòggio *s.m.* **1** base, sostegno, supporto **2** ♧ sostegno, supporto; protezione, difesa; raccomandazione © opposizione **3** (*spec. al pl.*) agganci, aderenze, conoscenze.
appórre *v.tr.* mettere, applicare © togliere.
apportàre *v.tr.* **1** causare, provocare, arrecare, procurare, comportare, cagionare **2** (*una prova, un esempio ecc.*) addurre, citare, presentare, esibire, produrre.
appòrto *s.m.* aiuto, collaborazione; contributo © ostacolo, impedimento, intralcio.
appòsito *agg.* adeguato, opportuno, idoneo © inadatto, inadeguato.
appostaménto *s.m.* imboscata, insidia, agguato.
appostàrsi *v.pr.* acquattarsi; nascondersi.
apprèndere *v.tr.* **1** imparare, acquisire, assimilare © disimparare, disapprendere **2** venire a sapere, scoprire © ignorare.
apprendiménto *s.m.* studio, acquisizione, assimilazione, preparazione.
apprendìsta *s.m.* **1** allievo, praticante, tirocinante **2** principiante, novellino © maestro; esperto; veterano.
apprensióne *s.f.* ansia, agitazione, allarme, inquietudine, pena, angoscia, batticuore © calma, tranquillità; impassibilità.
apprensìvo *agg.* ansioso, inquieto, agitato, allarmista, preoccupato, teso © sereno, tranquillo; impassibile, imperturbabile.
apprestàrsi *v.pr.* predisporsi, accingersi, disporsi, prepararsi © interrompere, smettere.
apprezzàbile *agg.* **1** (*di comportamento e sim.*) ammirevole, lodevole, encomiabile © disprezzabile, criticabile **2** (*di quantità e sim.*) considerevole, ragguardevole, notevole © trascurabile, modesto.
apprezzàre *v.tr.* **1** ammirare, considerare, stimare © disprezzare, criticare **2** (*un complimento, un regalo ecc.*) gradire, accettare © disprezzare, disdegnare, detestare.
appròccio *s.m.* **1** accostamento, avvicinamento © allontanamento **2** ♧ (*con una persona*) abbordaggio, avance (*fr.*) **3** (*nell'affrontare un problema e sim.*) criterio, metodo, ottica.
approdàre *v.intr.* **1** attraccare © salpare **2** (*a una soluzione*) giungere, arrivare, pervenire; riuscire.
appròdo *s.m.* **1** attracco IPON. porto, scalo, molo **2** ♧ risultato, esito; meta, traguardo.
approfittàre *v.intr.* avvalersi, servirsi, usare; (*in senso neg.*) sfruttare, abusare.
approfondìre *v.tr.* **1** accrescere, acuire, aggravare **2** (*un argomento, un concetto ecc.*) analizzare, studiare, sviscerare.
approntàre *v.tr.* preparare, predisporre.
appropriàrsi *v.pr.* impossessarsi, prendere.
appropriàto *agg.* opportuno, adeguato, adatto, consono, idoneo © inappropriato, inadeguato.
approssimàrsi *v.pr.* accostarsi, avvicinarsi © allontanarsi.
approssimatìvo *agg.* **1** generico, impreciso, indicativo, sommario © preciso, esatto **2** (*di lavoro*) affrettato, sbrigativo, frettoloso, superficiale, tirato via (*colloq.*) © accurato, esatto, preciso, dettagliato, minuzioso **3** (*di giudizio, di valutazione ecc.*) generico, vago, impreciso, indicativo © preciso, profondo, scrupoloso.
approssimazióne *s.f.* **1** avvicinamento © allontanamento **2** superficialità, faciloneria, generici-

tà, vaghezza, inesattezza © precisione, accuratezza.

approvàre *v.tr.* **1** (*una scelta, un'azione ecc.*) accettare, accogliere, autorizzare, avallare © disapprovare, respingere, rifiutare **2** (*una legge*) ratificare, convalidare, votare © invalidare, abrogare **3** (*un comportamento e sim.*) apprezzare, ammirare, lodare © disapprovare, criticare **4** (*un candidato*) promuovere © respingere, bocciare.

approvazióne *s.f.* **1** accettazione, consenso, autorizzazione, benestare, o.k. (*colloq.*), avallo © disapprovazione, dissenso, critica, biasimo, contestazione, rifiuto **2** lode, elogio, plauso.

approvvigionaménto *s.m.* provvista, rifornimento; (*per un viaggio*) viatico.

appuntaménto *s.m.* incontro, rendez-vous (*fr.*), convegno (elev.).

appuntàre[1] *v.tr.* **1** aguzzare, acuminare, fare la punta; assottigliare; temperare © spuntare, smussare **2** (*con uno spillo e sim.*) attaccare, fermare, fissare **3** (*lo sguardo*) puntare, fissare, rivolgere, indirizzare © distogliere, allontanare.

appuntàre[2] *v.tr.* segnare, registare, annotare.

appuntìre *v.tr.* aguzzare, acuminare, fare la punta; assottigliare; temperare © spuntare, smussare.

appuntìto *agg.* aguzzo, acuminato, puntuto © spuntato, smussato.

appùnto *s.m.* **1** nota, annotazione, promemoria **2** rimprovero, osservazione, critica © lode, elogio, approvazione.

appuràre *v.tr.* accertare, verificare, assodare, dimostrare; accertarsi, assicurarsi, sincerarsi.

aprìre *v.tr.* **1** (*una porta e sim.*) spalancare, schiudere © chiudere, socchiudere **2** (*un pacco e sim.*) scartare, sballare © chiudere, impacchettare **3** (*una bottiglia*) stappare, sturare © tappare **4** (*un vestito, le scarpe ecc.*) sbottonare, slacciare © abbottonare, allacciare **5** (*le braccia, le gambe*) allargare, divaricare © chiudere **6** (*un muro, una parete ecc.*) bucare, forare; sfondare, rompere © chiudere, otturare **7** (*una scuola, un ufficio ecc.*) fondare, istituire; inaugurare © chiudere **8** (*il cuore*) manifestare, dichiarare, palesare © nascondere, celare **9** (*la luce, la radio ecc.*) accendere, avviare © spegnere, chiudere ♦ *v.intr.* (*di uffici e sim.*) © chiudere ♦ **aprirsi** *v.pr.* **1** (*di porta, di finestra*) spalancarsi, schiudersi © chiudersi, socchiudersi **2** (*di abito, di scarpe ecc.*) slacciarsi, sciogliersi © chiudersi, allacciarsi **3** (*di fiore*) sbocciare **4** (*di cielo*) rasserenarsi, rischiararsi © coprirsi, annuvolasi **5** (*di attività*) cominciare, iniziare, inaugurarsi © chiudersi, finire **6** ♧ (*di persona*) confidarsi, sfogarsi, sbottonarsi (*colloq.*) © chiudersi, tacere, abbottonarsi (*colloq.*).

àquila *s.f.* ♧ (*di persona intelligente*) genio, mente, cima (*colloq.*) © idiota, asino, tonto.

aquilìno *agg.* (*di naso*) adunco, arcuato.

arabésco *s.m.* **1** fregio, grottesca, intarsio **2** ghirigoro **IPERON.** decorazione, ornamento.

aràldo *s.m.* portavoce, messo.

aràre *v.tr.* dissodare, solcare.

aratìvo *agg.* seminativo, coltivabile © sterile.

arbitràre *v.tr.* **1** (*dir.*) **IPERON.** giudicare, risolvere; conciliare **2** (*sport*) dirigere, fare da arbitro.

arbitràrio *agg.* irregolare, ingiusto, illegale, ingiustificato, iniquo © giusto, regolare, legittimo, legale.

arbìtrio *s.m.* **1** giudizio, volontà, piacimento; opinione **2** autorità, potere, controllo, dominio **3** abuso, illegalità; prepotenza, sopruso.

àrbitro *s.m.* **1** (*sport*) giudice di gara, direttore di gara; (*gerg.*) fischietto, giacchetta nera **2** (*delle proprie azioni*) padrone **3** (*dir.*) giudice.

àrca *s.f.* **1** sepolcro, tomba **2** **IPERON.** cassa.

arcàico *agg.* **1** primitivo, antico © moderno, recente **2** vecchio, antiquato, arretrato, out (*ingl.*) © nuovo, moderno, in (*ingl.*).

arcaìsmo *s.m.* (*ling.*) © neologismo.

arcàno *agg.* nascosto, segreto, enigmatico; sconosciuto, ignoto ♦ *s.m.* mistero, enigma, rebus.

archètipo *s.m.* modello, originale, campione, prototipo © copia, riproduzione, imitazione ♦ *agg.* autentico, originario, primitivo, esemplare.

architettàre *v.tr.* **1** creare, ideare, inventare, progettare pensare, concepire **2** complottare, macchinare, ordire, tramare.

architétto *s.m.* **1** **IPON.** progettista, urbanista **2** ♧ ideatore, autore, artefice.

architettùra *s.f.* **1** **IPON.** progettistica, urbanistica **2** costruzione, monumento, edificio **3** ♧ struttura, schema, ossatura.

archiviàre *v.tr.* **1** mettere agli atti, registrare; (*inform.*; *dati in un computer*) salvare **2** ♧ (*un progetto, un'idea ecc.*) accantonare, mettere da parte, abbandonare.

archìvio *s.m.* registro, schedario; (*nel computer*) database (*ingl.*).

arcìgno *agg.* severo, burbero, bisbetico, accigliato © bonario, dolce, gentile.

àrco *s.m.* **1** (*arch.*) arcata, volta **2** curva, curvatura **3** ♧ (*di tempo*) periodo, durata, lasso **4** (*di possibilità e sim.*) gamma, serie, ventaglio **5** (*mus.*) archetto.

arcuàre *v.tr.* curvare, incurvare, inarcare (*la schiena*) © drizzare, raddrizzare, tendere.

arcuàto *agg.* curvo, curvato, piegato, ricurvo © diritto, disteso, teso.
ardènte *agg.* **1** arroventato, infuocato, bollente (*di liquido*); fiammeggiante, infiammato © gelido, ghiacciato; spento **2** ♧ (*di sentimento e sim.*) appassionato, intenso, forte, violento, irruento, impetuoso © indifferente, freddo **3** ♧ (*di volto*) acceso, eccitato; (*di sguardo*) febbrile, lucente, luminoso © spento, vuoto.
àrdere *v.tr.* **1** bruciare, incendiare; dare fuoco © spegnere, estinguere **2** (*campi, terreni ecc.*) seccare, inaridire © bagnare **3** ♧ (*di passione e sim.*) infiammare, consumare ♦ *v.intr.* **1** andare a fuoco, bruciare, avvampare, incendiarsi © spegnersi **2** scottare, bruciare **3** (*di campi, terreni ecc.*) inaridirsi, seccarsi © verdeggiare, fiorire **4** (*di passione e sim.*) bruciare, infiammarsi, ribollire; consumarsi, struggersi.
ardiménto *s.m.* ardire, animo, coraggio, temerarietà © timore, paura, vigliaccheria.
ardimentóso *agg.* ardito, coraggioso, temerario © timoroso, pauroso, vile, codardo.
ardìre[1] *v.intr.* osare, azzardarsi, arrischiarsi.
ardìre[2] *s.m.* **1** coraggio, audacia, temerarietà © timore, vigliaccheria, viltà **2** sfacciataggine, sfrontatezza, impudenza © riguardo, ritegno.
ardìto *agg.* **1** coraggioso, audace, ardimentoso, impavido © timoroso, vile, codardo **2** sfacciato, impudente, sfrontato © riservato, discreto **3** (*di impresa, di azione ecc.*) rischioso, avventato © sicuro, tranquillo **4** nuovo, originale, insolito © tradizionale, superato, antiquato **5** indecente, impudico, impertinente © pudico, morigerato.
ardóre *s.m.* **1** calore, calura © fresco, frescura **2** ♧ passione, impeto, slancio, calore © freddezza, indifferenza, distacco **3** ♧ (*nell'agire, nell'operare ecc.*) entusiasmo, vigore, impeto, fervore, zelo © fiacca, inerzia, pigrizia.
àrduo *agg.* **1** ripido, erto, impervio © piano, agevole **2** ♧ difficile, faticoso, complicato, complesso, problematico © semplice, facile, comodo, agevole.
àrea *s.f.* **1** (*geom.*) superficie **2** estensione, territorio **3** zona, luogo, spazio **4** (*in politica*) schieramento, settore.
arèna *s.f.* **1** anfiteatro, stadio **2** (*del circo*) pista; (*della box*) ring **3** ♧ competizione, sfida.
arenàrsi *v.pr.* **1** (*di imbarcazione*) incagliarsi, restare in secco © disincagliarsi **2** ♧ bloccarsi, fermarsi © proseguire, avanzare.
arenìle *s.m.* spiaggia, litorale; sabbia.
arenóso *agg.* sabbioso.
àrgano *s.m.* paranco, verricello, carrucola.
argènteo *agg.* **1** (*di capelli*) bianco, canuto **2** (*di metallo, di luce ecc.*) lucente, splendente © opaco.
argentìno *agg.* (*di suono, di voce ecc.*) limpido, squillante, cristallino, sonoro © basso, grave, profondo, roco.
argìlla *s.f.* creta **IPON.** caolino, marna, terracotta.
arginàre *v.tr.* **1** cingere, circondare, delimitare, difendere **2** ♧ circoscrivere, trattenere; frenare, arrestare, bloccare; combattere, contrastare © aumentare; scatenare.
àrgine *s.m.* **1** rialzo, terrapieno **IPON.** diga, molo, sbarramento, frangiflutti **2** ♧ barriera, freno; ostacolo, impedimento.
argomentàre *v.intr.* discutere, dibattere, ragionare, disquisire, dissertare ♦ *v.tr.* **1** discutere; dimostrare, provare **2** (*un'idea, un concetto ecc.*) esprimere, formulare, spiegare, illustrare, sviluppare.
argomentazióne *s.f.* dimostrazione, prova; ragionamento, discussione, dibattito; (*di un'idea, di un concetto ecc.*) esposizione, formulazione.
argoménto *s.m.* **1** dimostrazione, argomentazione, ragionamento **2** motivo, causa; pretesto, scusa, giustificazione **3** (*di una lezione, di un discorso ecc.*) oggetto, contenuto, tema, materia, questione.
arguìre *v.tr.* concludere, supporre, presumere, intuire, desumere, dedurre.
argutézza *s.f.* vedi **argùzia**.
argùto *agg.* intelligente, acuto, penetrante, sottile; spiritoso, brillante, divertente © stupido, banale; monotono, noioso, insulso.
argùzia *s.f.* **1** acutezza, intelligenza, finezza, vivacità, brio © gravità, serietà **2** facezia, battuta, frizzo, spiritosaggine, lepidezza.
ària *s.f.* **1** atmosfera **2** clima **3** ♧ ambiente, clima, piega, andazzo (*spreg.*) **4** vento, brezza, aura (*elev.*) **5** ♧ (*di persona*) aspetto, faccia, cera; atteggiamento, espressione **6** (*mus.*) motivo, melodia ♦ *inter.* via!, fuori!.
aridità *s.f.* **1** arsura, secchezza, siccità; (*di terreno*) sterilità © umidità; fecondità, fertilità **2** (*di luogo*) desolazione, squallore **3** ♧ (*di persona, di sentimenti ecc.*) insensibilità, indifferenza, freddezza, grettezza, cinismo © sensibilità, calore, affettuosità.
àrido *agg.* **1** secco, asciutto, riarso; (*di terreno*) sterile, improduttivo © umido, bagnato; fecondo, fertile **2** (*di luogo*) brullo, desolato, spoglio **3** ♧ (*di persona*) insensibile, indifferente, freddo, gretto © caldo, cordiale, generoso, affettuoso.
ariète *s.m.* (*zool.*) montone.
ariétta *s.f.* brezza, venticello, alito, bava di vento.

arióso *agg.* aperto, ampio, vasto; ventilato; luminoso, soleggiato © stretto, angusto; soffocante; cupo.
aristocràtico *agg., s.m.* nobile, patrizio, titolato © plebeo; borghese ♦ *agg.* nobile, fine, ricercato, elegante © rozzo, grezzo, grossolano.
aristocrazìa *s.f.* **1** nobiltà, patriziato © plebe, volgo; boghesia **2** oligarchia © democrazia **3** ♧ crema, fior fiore, gotha, élite (*fr.*) **4** distinzione, eleganza, raffinatezza, signorilità © rozzezza, grossolanità.
aritmètico *agg.* **1** IPERON. matematico **2** ♧ chiaro, inequivocabile, preciso, rigoroso © impreciso, incerto, vago.
aritmìa *s.f.* **1** irregolarità © ritmicità, regolarità **2** (*med.*) fibrillazione, tachicardia © euritmia.
arlecchinàta *s.f.* buffonata, pagliacciata, burla.
arlecchinésco *agg.* buffonesco, farsesco; ridicolo.
àrma *s.f.* **1** (*al pl.*) armamenti **2** ♧ risorsa, strumento, espediente **3** (*dell'esercito*) corpo **4** (*per antonomasia*) carabinieri.
armàdio *s.m.* guardaroba.
armamentàrio *s.m.* attrezzi, ferri, strumenti.
armàre *v.tr.* **1** © disarmare **2** (*un'arma*) caricare **3** fornire, dotare, equipaggiare, allestire © sguarnire, privare ♦ **armarsi** *v.pr.* **1** prendere le armi © deporre le armi, disarmarsi **2** ♧ attrezzarsi, dotarsi, munirsi.
armàta *s.f.* esercito.
armàto *agg.* **1** © disarmato, inerme **2** ♧ fornito, munito © privo, sprovvisto ♦ *s.m.* soldato.
armatùra *s.f.* **1** IPON. corazza **2** ♧ difesa, protezione, scudo **3** (*di una costruzione e sim.*) impalcatura, struttura.
armeggiàre *v.intr.* **1** adoperarsi, affacendarsi, ingegnarsi, darsi da fare; frugare, rovistare **2** brigare, intrallazzare, tramare.
armistìzio *s.m.* tregua; interruzione, pausa, sospensione.
armonìa *s.f.* **1** (*mus.*) accordo, consonanza © cacofonia, dissonanza, stonatura **2** (*di forme, di colori ecc.*) equilibrio, proporzione, simmetria, grazia, accordo © disarmonia, sproporzione, asimmetria **3** ♧ (*tra persone*) accordo, intesa, sintonia, concordia © disarmonia, disaccordo, contrasto, attrito.
armònico *agg.* vedi **armonióso**.
armonióso *agg.* **1** musicale, armonico, soave, dolce, gradevole © cacofonico, dissonante stonato, stridente **2** proporzionato, equilibrato, simmetrico © disarmonico, sproporzionato.
armonizzàre *v.tr.* accordare, intonare, abbinare ♦ *v.intr.* combinarsi, accordarsi, abbinarsi, intonarsi; andare d'accordo © contrastare, stridere, discordare, stonare.
arnése *s.m.* **1** attrezzo, strumento, utensile **2** (*colloq.*) aggeggio, oggetto, affare (*colloq.*), coso (*colloq.*).
àrnia *s.f.* alveare, bugno, apiario.
aròma *s.m.* **1** profumo, fragranza, odore, effluvio © puzzo, fetore, tanfo, puzza **2** (*spec. al pl.*) spezie, odori, droga.
aromàtico *agg.* profumato, fragrante, odoroso © fetido, puzzolente.
aromatizzàre *v.tr.* profumare.
arpìa *s.f.* (*di donna brutta e cattiva*) strega, megera, befana.
arpióne *s.m.* **1** gancio, uncino **2** (*per la pesca*) fiocina, rampone.
arrabattàrsi *v.pr.* affannarsi, affaccendarsi, armeggiare; ingegnarsi, arrovellarsi.
arrabbiàrsi *v.pr.* adirarsi, incollerirsi, inalberarsi, inquietarsi, infuriarsi, imbestialirsi, andare su tutte le furie, incavolarsi (*colloq.*), incazzarsi (*volg.*) © calmarsi, placarsi, rabbonirsi, raddolcirsi.
arrabbiàto *agg.* **1** adirato, irritato, alterato, furibondo, imbestialito, incavolato (*colloq.*), incazzato (*volg.*) © quieto, calmo, tranquillo **2** (*di fumatore e sim.*) incallito, accanito, impenitente, incorreggibile **3** (*di cane*) rabbioso, idrofobo.
arraffàre *v.tr.* **1** afferrare, acchiappare, abbrancare **2** rubare, prendere, sottrarre, appropriarsi, fare man bassa.
arrampicàrsi *v.pr.* inerpicarsi, scalare; salire, issarsi © scendere, calarsi.
arrampicàta *s.f.* (*sport*) scalata, ascensione.
arrampicatóre *s.m.* (*sport*) scalatore, rocciatore, alpinista, free climber (*ingl.*).
arrancàre *v.intr.* annaspare, faticare.
arrangiaménto *s.m.* **1** (*mus.*) trascrizione; (*di spettacolo*) rielaborazione, versione, adattamento.
arrangiàre *v.tr.* (*colloq.*) sistemare, aggiustare, accomodare, mettere a posto, rabberciare ♦ **arrangiarsi** *v.pr.* **1** arrabattarsi, darsi da fare, industriarsi **2** (*per dormire, mangiare ecc.*) adattarsi, sistemarsi.
arrecàre *v.tr.* procurare, provocare, causare.
arredaménto *s.m.* arredo, mobilio, mobili, suppellettili.
arredàre *v.tr.* ammobiliare.
arrèdo *s.m.* suppellettile, arredamento; addobbo, ornamento.
arrembàggio *s.m.* assalto, attacco, aggressione.
arrèndersi *v.pr.* capitolare, soccombere, deporre le armi, rinunciare, mollare (*colloq.*) © resistere, combattere, lottare, opporsi.

arrendévole *agg.* docile, accondiscendente, conciliante, cedevole, remissivo © irremovibile, inflessibile, irriducibile, ostinato.

arrendevolézza *s.f.* docilità, cedevolezza, remissività © ostinazione, caparbietà, fermezza.

arrestàre *v.tr.* **1** bloccare, fermare, interrompere, spegnere © avviare, attivare, mettere in moto; continuare **2** (*un ladro e sim.*) ammanettare, imprigionare; catturare, acciuffare, prendere © liberare, rilasciare ♦ **arrestarsi** *v.pr.* fermarsi, bloccarsi, interrompersi, spegnersi © avviarsi, ripartire; continuare.

arrèsto *s.m.* **1** blocco, interruzione, sospensione; spegnimento © avvio; proseguimento **2** cattura, carcerazione, imprigionamento © rilascio, liberazione, scarcerazione.

arretraménto *s.m.* retrocessione, ritirata © avanzamento, avanzata.

arretràre *v.intr.* retrocedere, indietreggiare, ritirarsi ♦ *v. tr.* ritirare, retrocedere.

arretratèzza *s.f.* sottosviluppo, depressione (*econ.*); barbarie, ignoranza © progresso, sviluppo; civiltà, cultura.

arretràto *agg.* **1** (*di paese, di economia ecc.*) sottosviluppato, depresso © avanzato, progredito, sviluppato **2** (*di mentalità e sim.*) antiquato, superato, retrogrado © moderno, aperto **3** (*di giornale, rivista ecc.*) precedente, vecchio ♦ *s.m.* (*spec. al pl.*) credito.

arricchiménto *s.m.* **1** © impoverimento **2** (*culturale e sim.*) accrescimento, ampliamento, sviluppo © riduzione, declino.

arricchìre *v.tr.* **1** accrescere, aumentare, incrementare **2** impoverire, depauperare **3** sviluppare, accrescere, migliorare, ampliare; (*un abito e sim.*) ornare, impreziosire, decorare; (*un cibo e sim.*) farcire, riempire ♦ *v.intr.* e **arricchirsi** *v.pr.* guadagnare, rimpinguarsi © impoverirsi, immiserirsi.

arricciàre *v.tr.* **1** arricciolare, inanellare © lisciare, stirare **2** (*un foglio, una stoffa e sim.*) accartocciare, increspare, raggrinzire © lisciare, stirare.

arricciàto *v.pr.* **1** riccioluto, inanellato © liscio **2** accartocciato © liscio, stirato **3** (*di stoffa e sim.*) pieghettato, plissettato, plissé (*fr.*).

arrìdere *v.intr.* (*di sorte, fortuna ecc.*) favorire, aiutare, essere propizio © contrastare, essere contrario.

arrìnga *s.f.* **1** (*dir.*) difesa, perorazione **2** orazione, concione, requisitoria; (*scherz.*) filippica, comizio, predica IPERON. discorso.

arrischiàre *v.tr.* **1** rischiare, mettere a repentaglio **2** azzardare, osare, tentare © ponderare, valutare ♦ **arrischiarsi** *v.pr.* azzardarsi, avventurarsi, osare.

arrischiàto *agg.* pericoloso, avventato, azzardato; incauto © prudente, cauto; sicuro.

arrivàre *v.intr.* **1** giungere, pervenire, venire, sopraggiungere; (*all'improvviso*) capitare, spuntare, piombare, sbucare © andarsene, partire **2** (*a fare qlco.*) riuscire © fallire **3** azzardarsi, osare **4** (*di evento, di casualità e sim.*) capitare, accadere **5** ♧ capire, cogliere, intuire, afferrare.

arrivàto *agg., s.m.* **1** affermato, famoso, di successo © fallito, perdente **2** (*colloq.*) sazio.

arrivedérci *inter.* a presto, a dopo; addio, ciao, bye-bye (*ingl.*) ♦ *s.m.invar.* addio, commiato.

arrivìsmo *s.m.* carrierismo.

arrivìsta *s.m.* arrampicatore, arrampicatore sociale, rampante, carrierista.

arrìvo *s.m.* **1** venuta, avvento, comparsa © partenza **2** ♧ traguardo, fine, meta, approdo, esito © partenza.

arroccàrsi *v.pr.* proteggersi, difendersi, ripararsi, trincerarsi.

arrogànte *agg., s.m.f.* superbo, altezzoso, borioso, presuntuoso, tracotante; sfacciato, insolente, sfrontato © gentile; modesto, mite.

arrogànza *s.f.* prepotenza, superbia, presunzione, tracotanza, insolenza, sfrontatezza © gentilezza, cortesia; modestia, umiltà.

arrogàrsi *v.pr.* attribuirsi, prendersi, appropriarsi, impadronirsi; pretendere, rivendicare.

arrossàrsi *v.pr.* **1** imporporarsi, infiammarsi, avvampare **2** (*di gola, di occhi ecc.*) infiammarsi, irritarsi.

arrossìre *v.intr.* **1** avvampare, accendersi, imporporarsi, infiammarsi © impallidire, sbiancare **2** ♧ vergognarsi.

arrostìre *v.tr.* grigliare, rosolare; (*le castagne e sim.*) abbrustolire, tostare ♦ *v.intr.* e **arrostirsi** *v.pr.* (*scherz.; al sole*) abbronzarsi, abbrustolirsi.

arrotàre *v.tr.* **1** (*una lama*) affilare, molare **2** (*una superficie*) levigare, lisciare **3** (*i denti*) digrignare, sfregare **4** (*una persona con un veicolo*) investire, travolgere, mettere sotto.

arrotolàre *v.tr.* avvolgere, avvoltolare; (*una carta*) accartocciare, appallottolare © srotolare, svolgere.

arrotondàre *v.tr.* **1** (*una punta e sim.*) smussare, ottundere **2** ♧ (*una cifra*) fare cifra tonda **3** ♧ (*lo stipendio*) integrare.

arrovellàrsi *v.pr.* **1** arrabbiarsi, stizzirsi; preoccuparsi, angosciarsi © calmarsi, distendersi, rilassarsi **2** impegnarsi, sforzarsi, scervellarsi, darsi da fare, spremersi le meningi, lambiccarsi il cervello.

arroventàre *v.tr.* infiammare, infuocare © gelare, raffreddare.

arruffàre *v.tr.* **1** scompigliare, disordinare; (*i capelli*) spettinare, scarmigliare © ordinare, sistemare; pettinare **2** ♧ (*una questione e sim.*) complicare, confondere, ingarbugliare © sbrogliare, chiarire.

arruffóne *s.m.* **1** confusionario, pasticcione, casinista (*colloq.*) **2** imbroglione, maneggione, trafficone (*colloq.*).

arruolaménto *s.m.* **1** (*di soldati*) reclutamento, leva **2** (*di personale*) ingaggio, assunzione © licenziamento.

arruolàre *v.tr.* **1** chiamare alle armi, reclutare © congedare **2** (*personale*) assumere, ingaggiare, prendere, assoldare © licenziare.

arsenàle *s.m.* **1** darsena, cantiere navale **2** armi, armamenti **3** attrezzatura, armamentario **4** ♧ (*di nozioni*) bagaglio.

arsùra *s.f.* **1** afa, calore, calura © frescura, fresco **2** aridità, siccità, sete.

àrte *s.f.* **1** mestiere, professione, lavoro **2** metodo, tecnica **3** capacità, bravura, maestria, destrezza **4** inganno, artificio, astuzia, trucco, raggiro.

artefàtto *agg.* contraffatto, artificiale, adulterato, falso, finto, fittizio, affettato, innaturale © naturale, autentico, genuino, puro, vero, schietto, sincero, spontaneo.

artéfice *s.m.* autore, creatore, ideatore, inventore; artista, maestro.

arterioscleròtico *agg.*, *s.m.* (*colloq.*) rimbambito, rintronato, rincoglionito (*volg.*).

àrtico *agg.* **1** boreale, settentrionale © antartico, australe, meridionale **2** (*di clima*) polare, gelido ♦ *s.m.* polo Nord © antartico, polo Sud.

articolàre *v.tr.* **1** (*le braccia e sim.*) muovere **2** (*un suono, una parola ecc.*) scandire, sillabare; dire, pronunciare **2** ♧ organizzare, sviluppare, elaborare; classificare, suddividere, scindere.

articolàto *agg.* **1** (*di un organo meccanico*) snodabile, mobile, flessibile © fisso, rigido **2** ♧ (*di ragionamento e sim.*) complesso, elaborato, organizzato, strutturato © disarticolato, confuso **3** (*di suono*) chiaro, distinto © confuso, indistinto **4** (*di costa*) frastagliato.

articolazióne *s.f.* **1** (*anat.*) giuntura **2** (*mecc.*) giunzione, giunto, connessione, snodo **3** ♧ (*di un ragionamento e sim.*) organizzazione, elaborazione, struttura, svolgimento.

articolìsta *s.m.* giornalista, pubblicista, editorialista, reporter, cronista.

artìcolo *s.m.* **1** (*di legge e sim.*) punto, capitolo, paragrafo, voce **2** (*di giornale*) pezzo, servizio, trafiletto **3** prodotto, capo, merce.

artificiàle *agg.* **1** (*di prodotto chimico*) sintetico; (*di alimento*) adulterato, sofisticato © naturale, genuino **2** ♧ artificioso, artefatto, atteggiato, falso, finto, innaturale; calcolato, studiato, voluto, ricercato © spontaneo, sincero, vero.

artificio *s.m.* **1** espediente, accorgimento, invenzione, trovata; trucco, inganno, astuzia, sotterfugio **2** affettazione, posa, artificiosità © semplicità, naturalezza, spontaneità.

artificióso *agg.* artificiale, artefatto, atteggiato, falso, finto, innaturale; calcolato, studiato, voluto, ricercato © spontaneo, sincero, vero.

artìglio *s.m.* grinfia, unghia.

arzigogolàre *v.intr.* cavillare, sottilizzare; elucubrare, rimuginare ♦ *v.tr.* fantasticare, congetturare.

arzigogolàto *agg.* contorto, complicato, astruso © chiaro, semplice, lineare.

arzìllo *agg.* vispo, vivace, agile, energico, giovanile, pimpante © fiacco, moscio, spento.

ascendènte *agg.* ascensionale © discendente, discensionale ♦ *s.m.* **1** (*spec. al pl.*) avo, antenato, predecessore **2** influenza, autorità, potere, credito.

ascéndere *v.intr.* **1** salire, montare; innalzarsi **2** (*di somma*) aggirarsi, ammontare.

ascensionàle *agg.* ascendente © discendente.

ascensióne *s.f.* **1** salita © discesa **2** (*alpinistica*) scalata, arrampicata.

ascésa *s.f.* **1** salita, ascensione © discesa **2** ♧ (*a una carica, al trono ecc.*) avvento, insediamento **3** (*dei prezzi e sim.*) aumento, rialzo, impennata, balzo © calo, discesa, diminuzione.

ascèta *s.m.* mistico; eremita.

ascètico *agg.* mistico, contemplativo, spirituale; austero, severo © dissoluto, gaudente, sfrenato, mondano.

ascetìsmo *s.m.* misticismo, contemplazione © mondanità.

àscia *s.f.* accetta, scure, mannaia.

asciugacapélli *s.m.invar.* fon.

asciugàre *v.tr.* **1** seccare, essiccare, disidratare, inaridire; (*il sudore*) detergere © bagnare, inumidire, annaffiare, idratare **2** ♧ (*il conto corrente e sim.*) prosciugare, svuotare © riempire, rimpinguare ♦ **asciugarsi** *v.pr.* **1** seccarsi, essiccarsi, inaridirsi; (*il sudore*) detergersi © bagnarsi, inumidirsi **2** ♧ dimagrire, assottigliarsi © ingrassare.

asciùtto *agg.* **1** secco, arso, inaridito © bagnato, umido **2** ♧ (*di fisico*) magro, snello © grasso, grosso **3** ♧ (*di tono, di risposta ecc.*) brusco, laconico © affabile, cordiale **4** ♧ (*di stile, di testo ecc.*) conciso, sobrio, scarno © prolisso, ridondante **5** (*di vino*) secco © dolce, amabile ♦ *s.m.* (*solo sing.*) secco.

ascoltàre *v.tr.* **1** udire, sentire; (*di nascosto*) origliare; (*una messa, una conferenza ecc.*) assistere, seguire **2** (*un consiglio e sim.*) dare retta, attenersi © rifiutare **3** (*una richiesta, una preghiera ecc.*) accogliere, esaudire © respingere.

ascoltatóre *s.m.* **1** uditore; radioascoltatore **2** (*al pl.*) pubblico, audience (*ingl.*).

ascrìvere *v.tr.* **1** (*in un elenco e sim.*) iscrivere, includere **2** (*una colpa e sim.*) attribuire, imputare, addossare.

asèttico *agg.* **1** (*med.*) sterile © infetto **2** ♧ (*di persona*) freddo, impassibile © caldo, appassionato; (*di tono, di stile ecc.*) impersonale, anonimo.

asfaltàre *v.tr.* bitumare, catramare.

asfàlto *s.m.* **1** catrame, bitume **2** manto stradale.

asfissìa *s.f.* **1** (*med.*) soffocamento **2** ♧ tedio, oppressione.

asfissiànte *agg.* **1** soffocante **2** ♧ tedioso, opprimente, assillante.

asfissiàre *v.tr.* **1** soffocare **2** ♧ annoiare, tediare, assillare, molestare ♦ *v.intr.* soffocare.

asfìttico *agg.* (*di persona, di ambiente ecc.*) spento, scialbo © vitale, vivace.

asìlo *s.m.* **1** rifugio, ricovero, protezione, accoglienza, ospitalità **2** (*per anziani*) ricovero, ospizio **3** asilo infantile, scuola materna, kindergarten (*ted.*), asilo nido, nido.

asimmetrìa *s.f.* sproporzione, squilibrio, disarmonia © simmetria, proporzione, armonia.

asincronìa *s.f.* © sincronia, simultaneità, contemporaneità.

àsino *s.m.* **1** somaro, ciuco (*region.*) **2** ♧ (*persona stupida*) ignorante, stupido; testone, zuccone.

asmàtico *agg.* (*di respiro*) affannoso, ansimante, stentato © regolare, calmo.

asociàle *agg.* chiuso, introverso, scostante, misantropo, orso © socievole, aperto, estroverso.

àsola *s.f.* occhiello.

asperità *s.f.* **1** (*di un terreno e sim.*) asprezza, ruvidità, irregolarità © levigatezza **2** ♧ ostacolo, scoglio, impedimento.

aspettàre *v.tr.* **1** attendere © andarsene **2** indugiare, prendere tempo, temporeggiare © sbrigarsi, affrettarsi ♦ **aspettarsi** *v.pr.* prevedere, presentire, immaginare.

aspettativa *s.f.* **1** attesa, speranza **2** (*spec. al pl.*) speranza, desiderio, auspicio **3** previsione.

aspètto *s.m.* **1** apparenza, immagine, aria **2** (*di una persona*) aria, cera, colorito; volto, faccia; figura, presenza, portamento **3** (*di un problema e sim.*) lato, punto di vista, prospettiva; elemento, componente.

aspirànte *s.m.f.* candidato, concorrente.

aspiràre *v.tr.* **1** (*di persona*) inspirare, inalare © espirare **2** (*di apparecchio*) risucchiare ♦ *v.intr.* ambire, puntare, mirare; desiderare, volere, sognare; bramare, agognare © detestare, aborrire; disdegnare, rifiutare.

aspirazióne *s.f.* inspirazione, inalazione; risucchio © espirazione **2** ♧ desiderio, brama; ambizione, obiettivo, sogno.

asportàre *v.tr.* **1** togliere, levare © mettere, immettere **2** rubare, trafugare **3** (*med.*) amputare, tagliare; estirpare.

asprézza *s.f.* **1** (*di sapore*) agrezza, acidità © dolcezza **2** (*del terreno*) irregolarità, ruvidezza © dolcezza, levigatezza **3** (*di clima*) rigidità, freddezza © dolcezza, mitezza **4** (*del carattere e sim.*) severità, durezza, acredine © dolcezza, amabilità **5** (*di lotta e sim.*) intensità, accanimento **6** (*della vita*) difficoltà, ostacolo.

àspro *agg.* **1** (*di sapore*) acido, acre © dolce **2** (*di suono*) stridente, sgradevole © dolce, melodioso **3** (*di odore*) acre, penetrante, pungente **4** (*al tatto*) ruvido, rugoso **5** (*di luogo*) impervio, accidentato; selvaggio © pianeggiante, agevole **6** (*di percorso e sim.*) difficile, arduo © facile **7** (*di clima*) rigido, freddo © dolce, mite **8** (*di persona, di tono e sim.*) acido, brusco, burbero; pungente, malevolo; severo, duro © amabile, affabile, mite **9** (*di lotta e sim.*) intenso, accanito, violento.

assaggiàre *v.tr.* **1** assaporare, gustare **2** ♧ provare, saggiare.

assàggio *s.m.* **1** degustazione **2** boccone, sorso **3** ♧ prova, dimostrazione.

assalìre *v.tr.* **1** aggredire, attaccare; scagliarsi, avventarsi; (*a parole*) insultare, investire, ingiuriare **2** (*di sentimento, malattia e sim.*) cogliere, prendere, invadere.

assalitóre *s.m.* aggressore, assaltatore, attaccante.

assaltàre *v.tr.* vedi **assalìre**.

assàlto *s.m.* **1** aggressione, attacco, irruzione **2** (*mil.*) carica, offensiva, blitz (*ingl.*); (*di nave*) abbordaggio **3** ♧ assembramento, ressa, calca.

assaporàre *v.tr.* **1** gustare; sbocconcellare, sorseggiare (*una bevanda*) **2** ♧ (*un piacere e sim.*) gustare, godere, godersi.

assassinàre *v.tr.* **1** ammazzare, uccidere, fare fuori (*colloq.*), eliminare (*gerg.*), freddare, accoppare (*colloq.*), liquidare, sopprimere; trucidare, massacrare, sterminare **2** ♧ rovinare, danneggiare, distruggere.

assassìnio *s.m.* uccisione, omicidio, ammazzamento; delitto, fatto di sangue.

assassìno *s.m.* uccisore, omicida; massacratore IPON. sicario, killer (*ingl.*) ♦ *agg.* ♧ (*di sguardo, di occhi ecc.*) affascinante, ammaliatore, irresistibile.
àsse[1] *s.f.* tavola.
asse[2] *s.m.* **1** (*mat.*) retta, linea **2** (*mecc.*) barra, stanga.
assecondàre *v.tr.* **1** (*un progetto, un'idea ecc.*) favorire, sostenere, incoraggiare **2** (*una persona*) compiacere, accontentare © contraddire, contrastare.
assediàre *v.tr.* **1** accerchiare; isolare © liberare **2** affollare, attorniare **3** ♧ opprimere, asfissiare, infastidire.
assegnàre *v.tr.* **1** (*un premio, un compito ecc.*) dare, affidare © togliere, revocare **2** (*una pensione e sim.*) attribuire, riconoscere, stanziare **3** (*qlcu. a una sede e sim.*) destinare, inviare.
assegnazióne *s.f.* **1** (*un premio, un compito ecc.*) attribuzione, conferimento © revoca **2** (*a una sede e sim.*) destinazione, nomina.
assemblàggio *s.m.* montaggio, unione.
assemblèa *s.f.* riunione, raduno, congresso.
assembraménto *s.m.* raduno, concentrazione; folla, ressa.
assennàto *agg.* giudizioso, avveduto, prudente © dissennato, sconsiderato, avventato.
assènso *s.m.* consenso, accettazione, approvazione © dissenso, rifiuto, disapprovazione.
assentàrsi *v.pr.* allontanarsi, andarsene.
assènte *agg.* **1** mancante © presente **2** inesistente; lontano, distante © esistente, presente **3** ♧ freddo, distante; disattento, svagato © presente, vigile, attento ♦ *s.m.f.* mancante © presente; (*eufem.*) morto, defunto, deceduto.
assenteìsmo *s.m.* **1** (*dal lavoro*) assenza **2** (*dai problemi sociali, politici ecc.*) disinteresse, disimpegno, qualunquismo © partecipazione, impegno, interesse.
assentìre *v.intr.* acconsentire, approvare; annuire © dissentire, disapprovare; negare.
assènza *s.f.* **1** (*di una persona*) lontananza, distanza, separazione © presenza, vicinanza **2** (*di qlco.*) mancanza, carenza, penuria © presenza.
asserìre *v.tr.* affermare, dichiarare, dire; assicurare, garantire, attestare © negare, smentire.
asserragliàrsi *v.pr.* barricarsi, trincerarsi, arroccarsi, rinchiudersi, rifugiarsi.
assertóre *s.m.* difensore, fautore, propugnatore © avversario, contestatore, oppositore.
asservìre *v.tr.* sottomettere, assoggettare, schiavizzare; subordinare © liberare, affrancare.
asserzióne *s.f.* affermazione, dichiarazione; giudizio, assunto © negazione, smentita.
assestàre *v.tr.* **1** sistemare, accomodare, adattare © dissestare, scompigliare **2** (*la mira e sim.*) aggiustare, correggere **3** (*uno schiaffo e sim.*) dare, ammollare; (*colloq.*) affibbiare, rifilare, appioppare ♦ **assestarsi** *v.pr.* sistemarsi, accomodarsi, adattarsi.
assetàto *agg.* **1** © dissetato **2** (*di terreno*) arso, arido, asciutto © umido, bagnato **3** ♧ (*di persona*) avido, desideroso, smanioso © appagato, soddisfatto.
assètto *s.m.* **1** sistemazione, diposizione, ordine © disordine, confusione **2** (*politico, finanziario ecc.*) sistema, ordinamento, struttura **3** (*da combattimento, da montagna ecc.*) tenuta, abito, equipaggiamento.
asseveràre *v.tr.* vedi **asserìre**.
assicuràre *v.tr.* **1** proteggere, tutelare, salvaguardare © esporre, mettere a repentaglio **2** (*un oggetto a qlco.*) fissare, bloccare, ancorare © liberare **3** (*una persona di qlco.*) rassicurare **4** (*dare per certo*) garantire, giurare, confermare © negare ♦ **assicurarsi** *v.pr.* **1** accertarsi; controllare, verificare **2** cautelarsi, garantirsi **3** accaparrarsi, procurarsi.
assicurazióne *s.f.* impegno, promessa, certezza, garanzia, parola d'onore.
assideràto *agg.* gelato, congelato, intirizzito.
assiduità *s.f.* **1** frequenza, continuità © sporadicità, saltuarietà **2** costanza, perseveranza; cura, zelo © incostanza, incuria, negligenza.
assìduo *agg.* **1** continuo, costante; (*di cliente, frequentatore e sim.*) abituale, affezionato, fedele © discontinuo, occasionale, saltuario **2** costante, tenace, perseverante; zelante © incostante; negligente.
assillànte *agg.* molesto, insistente, noioso, asfissiante, pressante, scocciante, soffocante © piacevole, gradevole, discreto.
assillàre *v.tr.* molestare, infastidire, seccare, scocciare (*colloq.*), importunare, asfissiare, tormentare.
assìllo *s.m.* fastidio, seccatura, rottura di scatole (*colloq.*), preoccupazione, tormento, ossessione, chiodo fisso, rovello, tarlo.
assimilàre *v.tr.* **1** accomunare, paragonare, confrontare © distinguere **2** (*un cibo*) assorbire, digerire **3** ♧ (*un'idea, un concetto e sim.*) afferrare, capire, comprendere; impadronirsi.
assimilazióne *s.f.* **1** (*di cibo*) assorbimento, digestione **2** ♧ (*di idee, concetti e sim.*) comprensione, apprendimento, acquisizione.
assiòma *s.m.* verità, certezza.
assiomàtico *agg.* vero, certo, evidente, indiscutibile © incerto, discutibile.

assìse *s.f.* assemblea, riunione, convegno.

assistènte *s.m.* aiutante, aiuto, collaboratore, secondo, spalla, ausiliare; sostituto, vice.

assistènza *s.f.* **1** aiuto, collaborazione, appoggio, soccorso, sostegno **2** cura, sorveglianza.

assìstere *v.intr.* (*alla messa, a una conferenza ecc.*) presenziare, partecipare ♦ *v.tr.* aiutare, soccorrere, difendere, sostenere; (*un malato*) avere cura, curare © ostacolare, avversare; trascurare.

àsso *s.m.* **1** (*nelle carte*) uno **2** (*in uno sport*) campione, maestro, mago, fenomeno (*colloq.*), fuoriclasse, mostro © schiappa, brocco.

associàre *v.tr.* **1** (*una persona*) affiliare, consociare; unire © escludere, allontanare **2** (*forze, capitali ecc.*) riunire, fondere, raggruppare © dividere **3** ♧ (*idee, concetti e sim.*) collegare, accomunare © separare, scindere ♦ **associarsi** *v.pr.* **1** (*di aziende e sim.*) affiliarsi, aggregarsi; fondersi, unirsi © dissociarsi, separarsi **2** (*a un club, a un circolo ecc.*) iscriversi, farsi socio **3** ♧ (*a una decisione e sim.*) allinearsi, aderire, approvare, partecipare © dissentire, dissociarsi.

associàto *agg.* unito, aggregato © dissociato ♦ *s.m.* (*a un club, a un circolo ecc.*) socio, membro, iscritto, affiliato.

associazióne *s.f.* **1** unione, affiliazione, aggregazione **2** (*politica, sociale ecc.*) organizzazione, gruppo, club (*ingl.*), alleanza; circolo, lega, consorzio, federazione, corporazione; congregazione, confraternita, setta **3** (*di idee*) rapporto, nesso, correlazione.

assodàre *v.tr.* **1** indurire, irrobustire **2** (*un fatto, una notizia ecc.*) appurare, accertare, verificare, provare.

assoggettàre *v.tr.* **1** sottomettere, soggiogare, asservire © liberare, affrancare **2** (*a imposte, a tributi ecc.*) sottoporre, sottomettere.

assolàto *agg.* soleggiato © ombreggiato.

assoldàre *v.tr.* reclutare, ingaggiare, arruolare.

assolutìsmo *s.m.* **1** dispotismo, tirannia, totalitarismo, dittatura © democrazia **2** (*di atteggiamento, di carattere ecc.*) autoritarismo, dispotismo, prepotenza.

assolùto *agg.* **1** illimitato, incondizionato; totale, massimo; (*di fede, fiducia ecc.*) cieco, incrollabile; (*di bisogno e sim.*) impellente, imprescindibile; (*di verità*) universale, indiscutibile © relativo, limitato **2** (*di potere, di regime ecc.*) dispotico, tirannico, dittatoriale.

assoluzióne *s.f.* **1** (*dir.*) proscioglimento © condanna **2** (*relig.*) perdono.

assòlvere *v.tr.* **1** (*da una promessa, da un obbligo ecc.*) liberare, sciogliere **2** (*dir.*) prosciogliere © condannare, punire **3** (*un compito, un incarico ecc.*) svolgere, adempiere, eseguire, espletare (*bur.*) © disattendere.

assonnàto *agg.* insonnolito, sonnolento, sonnacchioso © sveglio, vigile, desto.

assopìre *v.tr.* **1** addormentare © svegliare **2** (*un dolore*) sopire, placare ♦ **assopirsi** *v.pr.* **1** addormentarsi; appisolarsi © svegliarsi **2** (*di dolore*) placarsi, lenirsi © acuirsi.

assorbènte *agg.* © impermeabile ♦ *s.m.* pannolino, tampone.

assorbìre *v.tr.* **1** imbeversi, impregnarsi, intridersi, inzupparsi **2** ♧ (*idee e sim.*) assimilare, acquisire, fare proprio **3** ♧ (*energie, denaro ecc.*) consumare, occupare **4** ♧ (*tempo e sim.*) impegnare, richiedere.

assordàre *v.tr.* frastornare, rintronare.

assortiménto *s.m.* varietà, gamma.

assortìre *v.tr.* abbinare, accostare.

assòrto *agg.* intento, concentrato, attento © distratto, svagato.

assottigliàre *v.tr.* **1** affinare © ingrossare **2** ♧ (*i guadagni*) ridurre, diminuire © aumentare, rimpinguare ♦ **assottigliarsi** *v.pr.* **1** ♧ dimagrire © appesantirsi, ingrassare **2** (*di scorte*) ridursi, diminuire.

assuefàre *v.tr.* abituare © disabituare.

assuefazióne *s.f.* **1** adattamento, abitudine **2** (*a farmaci, a droghe ecc.*) dipendenza.

assùmere *v.tr.* **1** (*un incarico e sim.*) accettare, farsi carico, accollarsi © rifiutare, declinare, liberarsi **2** (*personale*) ingaggiare, impiegare prendere © licenziare **3** (*in un ragionamento*) presumere, ipotizzare, ammettere.

assùnto *s.m.* argomento, affermazione; ipotesi.

assunzióne *s.f.* nomina, ingaggio, reclutamento © licenziamento, allontanamento.

assùrdo *agg.* **1** illogico, irrazionale, incongruente; (*di dubbio*) insensato, immotivato, infondato © logico, razionale, coerente **2** (*di persona*) stravagante, bizzarro, strampalato, folle ♦ *s.m.* assurdità, paradosso.

àsta *s.f.* **1** barra, bastone, canna, pertica; (*degli occhiali*) stanghetta; (*di bandiera*) pennone **2** (*in calligrafia*) linea, tratto **3** (*dir.*) incanto; licitazione.

astànte *s.m.* presente © assente.

astèmio *agg., s.m.* © bevitore, ubriacone.

astenérsi *v.pr.* **1** evitare, esimersi, fare a meno, trattenersi **2** (*dal voto*) © votare.

astensióne *s.f.* **1** rinuncia, privazione, astinenza **2** (*dal voto*) © partecipazione, voto **3** (*dal lavoro*) agitazione, sciopero.

astinènza *s.f.* **1** privazione, rinuncia **2** (*relig.*) digiuno.

àstio *s.m.* avversione, ostilità, acredine, odio, rancore, risentimento © affetto, benevolenza; dolcezza, tenerezza.
astióso *agg.* ostile, acido, acrimonioso, invelenito, malevolo, rancoroso © affettuoso, amichevole, benevolo; dolce, tenero.
astràle *agg.* **1** celeste, siderale, stellare **2** ♧ assurdo, folle, enorme.
astràrre *v.intr.* prescindere; trascurare © considerare, tenere presente ♦ **astrarsi** *v.pr.* isolarsi, distrarsi, allontanarsi, estraniarsi.
astràtto *agg.* ideale, teorico, utopico; generico, vago; fantasioso, immaginario © concreto, reale, effettivo, pratico, materiale, pragmatico; esatto, preciso.
astrazióne *s.f.* fantasia, ipotesi, utopia © concretezza, realtà.
àstro *s.m.* **1** corpo celeste IPON. stella, pianeta, satellite **2** ♧ (*di campione, di attore ecc.*) celebrità, divo, stella, star (*ingl.*).
astronàve *s.f.* nave spaziale, navetta spaziale.
astronòmico *agg.* ♧ (*di cifra, di prezzo ecc.*) eccessivo, esorbitante, pazzesco, spropositato © moderato, abbordabile.
astrùso *agg.* difficile, oscuro, misterioso, enigmatico, complesso, incomprensibile © semplice, chiaro, lineare, comprensibile.
astùccio *s.m.* custodia, fodero.
astùto *agg.* **1** (*di persona*) furbo, sveglio, scaltro, abile, accorto, dritto (*colloq.*) © candido, ingenuo, sprovveduto **2** (*di idea e sim.*) ingegnoso, intelligente, sagace © stupido, ingenuo.
astùzia *s.f.* **1** furbizia, scaltrezza, acume, acutezza, ingegno, sottigliezza © ingenuità, candore, imbecillità, semplicioneria **2** (*azione astuta*) accorgimento, trucco, stratagemma, trovata.
atàvico *agg.* ancestrale, primordiale.
àteo *agg., s.m.* irreligioso, miscredente © credente, religioso, pio.
atìpico *agg.* anormale, irregolare, bizzarro, originale, singolare, strano © tipico, normale, canonico, consueto.
atlètico *agg.* forte, robusto, aitante, prestante © gracile, debole.
atmosfèra *s.f.* **1** aria **2** ♧ ambiente, situazione, clima, aria.
atòmico *agg.* nucleare.
àtomo *s.m.* corpuscolo, particella, frammento.
àtono *agg.* **1** (*ling.*) © tonico, accentato **2** (*di sguardo*) inespressivo **3** (*di voce*) monotono.
atòssico *agg.* innocuo © tossico, velenoso.
àtrio *s.m.* ingresso, entrata, hall (*ingl.*).
atróce *agg.* **1** orrendo, orribile, agghiacciante, terrificante **2** (*di azione*) brutale, crudele, barbaro, efferato **3** (*di caldo, di dolore e sim.*) tremendo, feroce, insopportabile.
atrocità *s.f.* orrore, crudeltà, barbarie, spietatezza.
atrofizzàre *v.tr.* **1** indebolire **2** (*spec. di mente*) paralizzare, spegnere, ottundere © stimolare, risvegliare ♦ **atrofizzarsi** *v.pr.* **1** indebolirsi **2** (*spec. di mente*) paralizzarsi, spegnersi.
attaccaménto *s.m.* (*affettivo*) affetto, fedeltà, affezione, dedizione © distacco, disinteresse, indifferenza.
attaccàre *v.tr.* **1** unire, collegare; fissare; incollare, appiccicare; (*un bottone*) cucire; (*un manifesto*) affiggere © staccare **2** (*un quadro, un vestito ecc.*) appendere © staccare, togliere **3** (*un avversario*) assalire, assaltare © ritirarsi **4** intaccare, danneggiare **5** (*una persona, un'idea ecc.*) avversare, criticare, contrastare © sostenere **6** (*un discorso, una lite ecc.*) cominciare, iniziare © finire **7** (*una malattia, un virus ecc.*) contagiare, trasmettere ♦ *v.intr.* **1** aderire © staccarsi **2** (*di pianta, di moda ecc.*) attecchire © morire, finire **3** andare all'assalto **4** cominciare, avviarsi © concludersi, finire ♦ **attaccarsi** *v.pr.* **1** incollarsi, appiccicarsi © staccarsi **2** (*di persona*) afferrarsi, aggrapparsi, tenersi **3** ♧ (*a qlcu.*) affezionarsi, legarsi © disaffezionarsi, distaccarsi **4** (*di malattia, di virus ecc.*) trasmettersi, diffondersi.
attaccàto *agg.* **1** ♧ (*a qlcu.*) affezionato, legato, devoto © distaccato, disaffezionato **2** ♧ (*al dovere, alle leggi ecc.*) ligio, rispettoso.
attàcco *s.m.* **1** collegamento, giuntura, connessione **2** (*di un discorso, di un brano musicale ecc.*) inizio, avvio, incipit (*lat.*) © conclusione, fine **3** (*a un nemico*) aggressione, assalto, carica **4** ♧ critica, rimprovero © difesa, lode **5** (*di una malattia*) crisi, accesso.
attardàrsi *v.pr.* indugiare, temporeggiare © affrettarsi, sbrigarsi.
attecchìre *v.intr.* **1** (*di pianta*) attaccare, prendere © avvizzire, appassire **2** (*di moda, di uso e sim.*) affermarsi, fare presa © decadere.
atteggiaménto *s.m.* **1** espressione, movenza, posa **2** comportamento, contegno.
atteggiàrsi *v.pr.* posare, recitare, fingere; pavoneggiarsi.
attempàto *agg.* anziano, maturo, vecchio, senile, stagionato (*scherz.*) © giovane.
attèndere *v.tr.* aspettare; indugiare, temporeggiare © sbrigarsi, affrettarsi ♦ *v.intr.* badare; eseguire © trascurare, disinteressarsi.
attendìbile *agg.* credibile, affidabile; verosimile © inattendibile, inverosimile.

attenérsi *v.pr.* (*agli ordini, al regolamento ecc.*) conformarsi, adeguarsi; rispettare © contravvenire, trasgredire.
attentàto *s.m.* **1** atto terroristico **2** ♧ (*alla morale e sim.*) insulto, offesa, oltraggio.
attènto *agg.* **1** concentrato, vigile © disattento, distratto, svagato **2** diligente, scrupoloso, solerte © negligente, trascurato **3** accorto, prudente, cauto © imprudente, sventato **4** (*di indagine, di lavoro ecc.*) preciso, accurato, meticoloso © affrettato, superficiale.
attenuaménto *s.m.* vedi **attenuazióne**.
attenuànte *agg.*, *s.f.* **1** (*dir.*) © aggravante **2** scusante.
attenuàre *v.tr.* **1** (*un suono*) attutire, affievolire © aumentare **2** (*una sofferenza, un dolore ecc.*) alleviare, mitigare © accentuare, acuire ♦ **attenuarsi** *v.pr.* **1** (*di suono*) attutirsi, affievolirsi **2** (*di sofferenza, di dolore ecc.*) mitigarsi © accentuarsi, acuirsi.
attenuazióne *s.f.* riduzione, diminuzione © aumento, inasprimento.
attenzióne *s.f.* **1** concentrazione, applicazione © distrazione, sbadataggine **2** scrupolosità, diligenza, zelo © negligenza, trascuratezza **3** cautela, prudenza © imprudenza **4** (*al pl.*) premure, gentilezze.
atterràre *v.tr.* **1** abbattere © innalzare, alzare **2** (*un avversario*) stendere (*colloq.*), mettere al tappeto ♦ *v.intr.* toccare terra © decollare, alzarsi in volo.
atterrìre *v.tr.* terrorizzare, agghiacciare, sgomentare, spaventare, impaurire © rincuorare, risollevare.
attésa *s.f.* **1** aspettativa **2** (*spec. al pl.*) speranza, previsione; desiderio.
attestàre *v.tr.* affermare, assicurare, testimoniare, provare © smentire.
attestàto *s.m.* certificazione, dichiarazione, documento, atto.
attestazióne *s.f.* **1** testimonianza, prova **2** (*di stima*) dimostrazione, segno, atto.
attìguo *agg.* adiacente, confinante, vicino; limitrofo © distante, distaccato, lontano.
attillàto *agg.* aderente, stretto © ampio, largo.
àttimo *s.m.* istante, secondo, baleno, momento.
attinènte *agg.* relativo, inerente © estraneo.
attìngere *v.tr.* **1** (*acqua e sim.*) raccogliere, prendere **2** (*notizie, informazioni ecc.*) trarre, ricavare.
attiràre *v.tr.* **1** attrarre, richiamare © respingere **2** ♧ allettare, invogliare, affascinare © dispiacere.
attitùdine *s.f.* inclinazione, predisposizione, vocazione; talento, stoffa; bernoccolo.
attivàre *v.tr.* (*un dispositivo, un processo ecc.*) avviare, mettere in moto, innescare © disattivare, spegnere.
attivazióne *s.f.* avviamento, accensione, messa in moto © disattivazione, spegnimento.
attivìsmo *s.m.* **1** dinamismo, energia © inerzia, inattività **2** (*politico*) militanza; impegno.
attività *s.f.* **1** dinamismo, vitalità, energia, operosità, solerzia © inattività, pigrizia, ozio **2** lavoro, occupazione, business (*ingl.*) **3** (*comm.*) esercizio **4** (*econ.*) © passività.
attìvo *agg.* **1** (*di persona*) dinamico, vitale, efficiente; laborioso, operoso, produttivo © inattivo, pigro, indolente **2** (*di impianto e sim.*) in funzione, operante © bloccato, inattivo **3** (*di vulcano*) inattivo, spento ♦ *s.m.* (*econ.*) utile © passivo; perdita.
attizzàre *v.tr.* **1** (*un fuoco, una fiamma*) ravvivare © soffocare, spegnere **2** ♧ (*una passione, un sentimento ecc.*) accendere, provocare, stimolare © calmare, soffocare, spegnere.
àtto[1] *s.m.* **1** azione, fatto, gesto **2** (*del corpo*) gesto, movimento, mossa **3** (*di stima e sim.*) espressione, dichiarazione, manifestazione, segno **4** (*di un'opera teatrale*) parte, tempo **5** momento, fase **6** (*dir.*) documento, attestato, scritto; (*al pl.*) documentazione, dossier, fascicolo **7** (*al pl.*; *di convegni e sim.*) pubblicazione.
àtto[2] *agg.* **1** (*di persona*) adatto, abile, idoneo **2** (*di cosa*) adeguato, appropriato; finalizzato, teso.
attònito *agg.* stupito, allibito, incredulo; stordito, smarrito.
attorcigliàre *v.tr.* avvolgere; torcere; aggrovigliare © svolgere, dipanare ♦ **attorcigliarsi** *v.pr.* aggrovigliarsi, ingarbugliarsi, intrecciarsi.
attóre *s.m.* **1** interprete; teatrante; divo, star (*ingl.*) **2** ♧ ipocrita, dissimulatore, commediante **3** protagonista © spettatore.
attorniàre *v.tr.* circondare, accerchiare.
attraccàre *v.tr.* approdare © salpare.
attraènte *agg.* (*di persona*) affascinante, piacente, seducente; (*di cosa*) piacevole, allettante © brutto, repellente, sgradevole, spiacevole.
attràrre *v.tr.* vedi **attiràre**.
attrattìva *s.f.* fascino, seduzione, malia; attrazione, interesse, richiamo.
attraversaménto *s.m.* **1** transito, traversata **2** (*di strade*) incrocio, crocevia.
attraversàre *v.tr.* **1** (*una strada e sim.*) passare, oltrepassare, superare; (*un fiume*) guadare **2** (*un muro e sim.*) bucare, perforare, trapassare **3** ♧ (*un momento difficile*) passare, vivere.
attrazióne *s.f.* **1** (*tra persone*) interesse, intesa, feeling (*ingl.*), simpatia © antipatia, avversio-

ne, repulsione **2** fascino, attrattiva, seduzione **3** (*di uno spettacolo*) numero; stella, star (*ingl.*).
attrezzàre *v.tr.* dotare, munire, equipaggiare © privare, sguarnire ♦ **attrezzarsi** *v.pr.* munirsi, equipaggiarsi, rifornirsi.
attrezzatùra *s.f.* equipaggiamento, corredo, dotazione, strumentazione.
attrézzo *s.m.* arnese, utensile, strumento; (*al pl.*) attrezzatura, ferri.
attribuìre *v.tr.* **1** (*un premio e sim.*) dare, assegnare, accordare © togliere, levare, revocare **2** (*una colpa e sim.*) addossare, addebitare, imputare **3** (*un fatto a una causa*) ricondurre, ascrivere.
attribùto *s.m.* **1** (*gramm.*) aggettivo **2** caratteristica, peculiarità **3** titolo, epiteto, qualifica **4** simbolo, emblema **5** (*al pl.*; *eufem.*) genitali, palle (*volg.*), coglioni (*volg.*).
attrìto *s.m.* **1** sfregamento, frizione **2** ♧ disaccordo, dissidio, divergenza, ruggine © accordo, armonia, sintonia.
attuàbile *agg.* realizzabile, fattibile © inattuabile, irrealizzabile.
attuàle *agg.* **1** odierno, contemporaneo, corrente **2** moderno, alla moda, in auge, up to date (*ingl.*) © inattuale, sorpassato, arretrato.
attualità *s.f.* **1** contemporaneità, modernità **2** (*giorn.*) informazione, notizia.
attuàre *v.tr.* realizzare, effettuare, concretizzare, mettere in pratica ♦ **attuarsi** *v.pr.* realizzarsi, avverarsi, compiersi.
attuazióne *s.f.* realizzazione, compimento.
attutìre *v.tr.* **1** (*un rumore e sim.*) attenuare, affievolire © amplificare, aumentare **2** (*un dolore e sim.*) calmare, lenire, mitigare, alleviare © acuire, aggravare.
audàce *agg.* **1** (*di persona*) coraggioso, impavido, intrepido, valoroso © codardo, vile, pauroso **2** (*di impresa e sim.*) temerario, spericolato, azzardato © prudente **3** nuovo, originale, eccentrico; innovatore © tradizionale **4** conturbante, provocante; spinto, scabroso © pudico, sobrio **5** sfacciato, insolente, impudente.
audàcia *s.f.* **1** (*di una persona*) coraggio, ardire, valore © timore, paura, vigliaccheria **2** (*di un'impresa e sim.*) temerarietà, imprudenza, spericolatezza © prudenza **3** novità, originalità, stravaganza © classicità **4** sfacciataggine, insolenza, sfrontatezza, spudoratezza; scabrosità © pudore, sobrietà.
audience *s.f.invar.* (*ingl.*) pubblico, ascoltatori; indice di ascolto, ascolto.
audizióne *s.f.* **1** (*di un cantante, di un attore ecc.*) provino **2** (*dir.*) interrogatorio, deposizione.
àuge *s.f.invar.* apice, culmine, vetta.
auguràre *v.tr.* auspicare, desiderare.
augùrio *s.m.* auspicio, presagio.
àula *s.f.* **1** (*di scuola*) classe **2** sala.
àulico *agg.* (*di linguaggio e sim.*) elevato, nobile, altisonante, solenne © basso, comune, quotidiano, umile, prosaico.
aumentàre *v.tr.* **1** accrescere; (*di dimensioni*) ingrossare, allargare, ampliare, ingrandire, estendere; (*di quantità*) incrementare, accrescere © ridurre, diminuire **2** (*i prezzi e sim.*) alzare, rincarare © ridurre, calare **3** (*di intensità*) alzare, amplificare, intensificare © abbassare, ridurre, attenuare ♦ *v.intr.* **1** (*di dimensioni*) ingrossarsi, ampliarsi, ingrandirsi, estendersi; (*di quantità*) accrescersi © ridursi, diminuire **2** (*di prezzi e sim.*) alzarsi, rincarare © scendere **3** (*di intensità*) accentuarsi, intensificarsi © abbassarsi, ridurrsi, attenuarsi.
auménto *s.m.* **1** (*di dimensioni, di quantità ecc.*) crescita; espansione, ampliamento; ingrandimento, ingrossamento; incremento, sviluppo, arricchimento; (*dei prezzi*) rincaro, rialzo © riduzione, calo **2** (*di intensità*) potenziamento, intensificazione; accentuazione © abbassamento, attenuazione, alleviamento.
àureo *agg.* **1** d'oro **2** dorato **3** ♧ eccellente, pregiato © comune, volgare **4** (*di tempo, di epoca ecc.*) felice © buio.
auròra *s.f.* **1** alba © tramonto **2** ♧ inizio, nascita, principio, origine © termine, fine, tramonto.
ausìlio *s.m.* vedi **aiùto**.
auspicàbile *agg.* augurabile, desiderabile © temibile.
austerità *s.f.* (*di atteggiamento e sim.*) severità, rigore, morigeratezza; (*di stile, di abbigliamento*) semplicità, essenzialità, sobrietà © mollezza, sfrenatezza; lusso, sfarzo.
austèro *agg.* **1** severo, rigido, rigoroso, duro, inflessibile © bonario, tollerante **2** (*di stile, di abbigliamento ecc.*) semplice, essenziale, sobrio, spartano © frivolo, sfarzoso, lussuoso **3** (*di aspetto, di modi ecc.*) imponente, grave, solenne, serio © allegro.
austràle *agg.* © boreale.
autarchìa *s.f.* (*econ.*) autosufficienza, indipendenza © dipendenza.
autenticàre *v.tr.* (*burocr.*) vidimare, legalizzare.
autenticazióne *s.f.* autentica, vidimazione.
autenticità *s.f.* **1** verità, validità © falsità **2** genuinità, sincerità, purezza © ambiguità, artificiosità.
autèntico *agg.* **1** vero, reale; (*di uno scritto*) autografo © falso, finto; (*di uno scritto*) apocrifo **2** (*di opera d'arte e sim.*) originale © falso, con-

traffatto **3** (*di sentimento e sim.*) sincero, vero, spontaneo, schietto © finto, falso, artefatto.
autìsta *s.m.* conducente, guidatore.
àutobus *s.m.* bus; corriera; pullman.
autocàrro *s.m.* camion.
autocommiserazióne *s.f.* vittimismo.
autocontròllo *s.m.* self-control (*ingl.*), aplomb (*fr.*) © impulsività.
autòcrate *s.m.* tiranno, despota, dittatore.
autocrazìa *s.f.* dispotismo, assolutismo, dittatura, tirannide © democrazia.
autòctono *agg.* indigeno © allogeno, straniero.
autoerotìsmo *s.m.* masturbazione, onanismo (*med.*).
autòma *s.m.* **1** robot **2** ♧ burattino, marionetta.
automàtico *agg.* **1** (*di macchina e sim.*) meccanico © manuale **2** (*di gesto, di riflesso ecc.*) involontario, meccanico © volontario, consapevole **3** (*di risultato, di effetto*) necessario.
automatizzàre *v.tr.* meccanizzare, robotizzare.
automazióne *s.f.* meccanizzazione, robotizzazione.
automòbile *s.f.* macchina, auto, autovettura, vettura.
autonomìa *s.f.* **1** indipendenza, libertà; autosufficienza © dipendenza, subordinazione **2** (*dir.*) autogoverno.
autònomo *agg.* indipendente, libero; autosufficiente © dipendente, sottomesso.
autóre *s.m.* **1** artefice, responsabile, creatore, inventore **2** (*di un'opera d'arte*) artista, creatore.
autorévole *agg.* qualificato, accreditato, famoso, stimato, influente, prestigioso © insignificante, ininfluente, screditato.
autorevolézza *s.f.* autorità, credito, influenza, ascendente, carisma.
autoriméssa *s.f.* garage, rimessa.
autorità *s.f.* **1** potere, comando **2** influenza, potere, controllo, ascendente **3** credito, fama, prestigio **4** (*spec. al pl.*) celebrità, nome, personalità, luminare.
autoritàrio *agg.* **1** deciso, imperioso, perentorio **2** dispotico, prepotente, arrogante © mite, dolce **3** (*di governo*) assolutista, antidemocratico, dittatoriale © democratico.
autoritarìsmo *s.m.* dispotismo, assolutismo.
autorizzàre *v.tr.* permettere, consentire © proibire, vietare.
autorizzazióne *s.f.* permesso, consenso, licenza, approvazione © rifiuto, divieto.
autosufficiènte *agg.* autonomo, indipendente © dipendente.
autosufficiènza *s.f.* autonomia, indipendenza © dipendenza.
autotrèno *s.m.* autoarticolato, autosnodato, camion (*colloq.*).
autovettùra *s.f.* vedi **automòbile**.
avallàre *v.tr.* **1** (*un assegno, una cambiale ecc.*) garantire, coprire **2** (*un'ipotesi, una proposta ecc.*) approvare, sostenere, sottoscrivere, avvalorare © disapprovare, censurare, invalidare.
avàllo *s.m.* autorizzazione, approvazione, consenso, beneplacito, benestare, nullaosta © rifiuto, divieto, proibizione.
avance *s.f.invar.* (*fr.*) proposta, approccio.
avanscopèrta *s.f.* ricognizione, esplorazione.
avanzamènto *s.m.* **1** progresso © regresso, retrocessione **2** (*nella carriera e sim.*) promozione.
avanzàre[1] *v.intr.* **1** procedere, andare avanti; inoltrarsi, spingersi © ripiegare, arretrare, fermarsi **2** ♧ (*nello studio, nella carriera ecc.*) migliorare, progredire © peggiorare, regredire ♦ *v.tr.* **1** (*qlcu. in qlco.*) superare, battere **2** (*delle scuse, una richiesta ecc.*) presentare.
avanzàre[2] *v.intr.* sopravanzare, rimanere, restare ♦ *v.tr.* risparmiare, mettere da parte.
avanzàto *agg.* **1** (*di età, di stagione e sim.*) tardo, inoltrato, pieno; (*di notte*) fondo **2** ♧ (*di idea, di tecnica ecc.*) moderno, nuovo, innovativo © arretrato, antiquato **3** (*di corso*) © elementare, di base.
avànzo *s.m.* resto, residuo, rimanenza; (*di stoffa*) scampolo; eccedenza, giacenza.
avarìa *s.f.* **1** (*di motore e sim.*) guasto, danno, rottura, panne (*fr.*) **2** (*di merce*) alterazione, deterioramento.
avariàre *v.tr.* guastare, rovinare, deteriorare ♦ **avariarsi** *v.pr.* guastarsi, danneggiarsi; (*di cibo*) andare a male.
avarìato *s.f.* (*di cibo*) andato a male, deteriorato, andato (*colloq.*); marcio.
avarìzia *s.f.* **1** tirchieria, taccagneria, spilorceria, pidocchieria © generosità **2** ♧ grettezza, meschinità, pidocchieria © nobiltà.
avàro *agg., s.m.* tirchio, spilorcio, taccagno, pitocco, tirato (*colloq.*) © generoso, prodigo.
avére[1] *v.tr.* **1** possedere, disporre © mancare **2** usufruire, fruire, godere **3** (*vestiti, scarpe ecc.*) indossare, portare IPON. vestire, calzare **4** contenere, comprendere; (*abitanti e sim.*) contare, annoverare **5** (*una carica, un premio ecc.*) ottenere, conseguire, raggiungere, conquistare, guadagnare **6** (*una notizia e sim.*) ricevere **7** acquistare, comperare; riscuotere, percepire **8** (*una sensazione, un sentimento ecc.*) sentire, provare **9** (*una malattia e sim.*) soffrire, essere affetto **10** (*seguito dalla prep. e infinito*) dovere.

avére[2] *s.m.* **1** (*spec. al pl.*) bene, sostanza, proprietà, ricchezza **2** (*in contabilità*) credito © dare, debito.

aviatóre *s.m.* aeronauta IPERON. pilota.

aviazióne *s.f.* aeronautica.

avidità *s.f.* desiderio, voglia, brama, bramosia, ingordigia, cupidigia © moderazione.

àvido *agg.* desideroso, voglioso, cupido, famelico © moderato; indifferente; soddisfatto.

aviogètto *s.m.* jet (*ingl.*), reattore.

aviolìnea *s.f.* linea aerea.

àvo *s.m.* antenato, ascendente, capostipite, progenitore © discendente, progenie, successore, erede.

avùlso *agg.* isolato, estraneo, separato © connesso, legato, collegato.

avvalérsi *v.pr.* giovarsi, servirsi, approfittare.

avvallaménto *s.m.* infossamento, buca, depressione (*geol.*) © dosso, rilievo.

avvaloràre *v.tr.* convalidare, confermare, rafforzare, corroborare © contraddire, smentire, invalidare.

avvampàre *v.intr.* **1** ardere, infiammarsi © spegnersi **2** brillare, risplendere **3** (*in volto*) arrossire.

avvantaggiàrsi *v.pr.* **1** beneficiare, usufruire, godere; (*in senso neg.*) sfruttare **2** (*nel lavoro, nello studio ecc.*) portarsi avanti, progredire.

avvedérsi *v.pr.* accorgersi, rendersi conto.

avvedutézza *s.f.* prudenza, cautela, accortezza; furbizia © sventatezza, imprudenza.

avvedùto *agg.* prudente, cauto; scaltro © sventato, imprudente, sprovveduto.

avvelenaménto *s.m.* intossicazione © disintossicazione.

avvelenàre *v.tr.* **1** intossicare © disintossicare **2** contaminare, infettare **3** ♧ (*la vita*) rovinare, tormentare, sconvolgere © addolcire, rallegrare ♦ **avvelenarsi** *v.pr.* **1** intossicarsi **2** ♧ (*la vita*) rovinarsi.

avvenènte *s.m.* bello, grazioso, affascinante, attraente © brutto, sgradevole.

avvenènza *s.f.* bellezza, grazia © bruttezza.

avveniménto *s.m.* fatto, evento, episodio, caso.

avvenìre[1] *v.intr.* succedere, accadere, avere luogo, sopraggiungere.

avvenìre[2] *s.m.* futuro, domani © passato.

avvenirìstico *agg.* ardito, audace, rivoluzionario, innovativo, futuristico.

avventàrsi *v.pr.* **1** buttarsi, gettarsi, scagliarsi **2** ♧ inveire.

avventàto *agg.* imprudente, impulsivo, incauto, precipitoso, sventato © accorto, avveduto, cauto.

avventìzio *agg.* provvisorio, temporaneo, occasionale © fisso, permanente ♦ *s.m.* (*di personale*) precario © effettivo.

avvènto *s.m.* arrivo, venuta, comparsa.

avventóre *s.m.* cliente; frequentatore.

avventùra *s.f.* **1** vicenda, avvenimento, fatto **2** amore, relazione, storia, tresca, flirt (*ingl.*).

avventuràrsi *v.pr.* **1** (*in un luogo*) inoltrarsi, spingersi **2** ♧ arrischiarsi, azzardarsi, osare.

avventurièro *s.m.* **1** giramondo **2** imbroglione, furfante, impostore.

avventuróso *agg.* **1** (*di vita, di esperienza e sim.*) movimentato, travagliato, tempestoso © calmo, tranquillo, monotono **2** pericoloso, rischioso, insicuro © sicuro.

avveràre *v.tr.* compiere, concludere, realizzare ♦ **avverarsi** *v.pr.* compiersi, realizzarsi, verificarsi.

avversàre *v.tr.* contrastare, ostacolare, osteggiare © appoggiare, assecondare, favorire.

avversàrio *agg., s.m.* nemico, rivale, antagonista © amico, alleato.

avversióne *s.f.* **1** ostilità, antipatia, insofferenza © simpatia, attrazione **2** disgusto, repulsione, ribrezzo © passione, predilezione.

avversità *s.f.* (*spec. al pl.*) disgrazia, guaio, sventura, sfortuna, contrarietà, incidente, traversia.

avvertènza *s.f.* **1** prudenza, cautela **2** accortezza, avvertimento **3** (*spec. al pl.*) istruzioni, consigli, informazioni.

avvertiménto *s.m.* **1** raccomandazione, ammonimento, monito **2** segno, indizio **3** minaccia, intimidazione.

avvertìre *v.tr.* **1** informare, avvisare, mettere al corrente; comunicare, segnalare, notificare (*dir.*), preavvisare **2** raccomandare, mettere in guardia; minacciare (*eufem.*) **3** (*un dolore e sim.*) accorgersi, provare, sentire, percepire.

avviaménto *s.m.* **1** avvio, instradamento **2** ♧ istruzione, preparazione **3** (*di un motore*) messa in moto, partenza, avvio © arresto.

avviàre *v.tr.* **1** indirizzare, orientare, instradare **2** (*un motore*) accendere, mettere in moto © fermare, spegnere **3** iniziare, intraprendere © chiudere, concludere ♦ **avviarsi** *v.pr.* incamminarsi, dirigersi.

avvicendaménto *s.m.* rotazione, turno, alternanza, turnover (*ingl.*).

avvicinàre *v.tr.* **1** accostare; affiancare, unire, attaccare **2** ♧ paragonare, confrontare, comparare **3** (*una persona*) abbordare, contattare, attaccare bottone © allontanare, evitare **4** (*un argomento e sim.*) abbordare, affrontare © evitare, eludere.

avvilènte *agg.* demoralizzante, deprimente,

desolante, scoraggiante © appagante, esaltante, incoraggiante.

avviliménto *s.m.* abbattimento, sconforto, tristezza, depressione © allegria, gioia, buonumore.

avvilìre *v.tr.* **1** degradare, svilire, umiliare © valorizzare **2** abbattere, demoralizzare © rincuorare, rallegrare ♦ **avvilirsi** *v.pr.* abbattersi, scoraggiarsi, demoralizzarsi, deprimersi © risollevarsi, rallegrarsi.

avvilìto *agg.* abbattuto, demoralizzato, depresso, giù di corda (*colloq.*) © allegro, contento, sollevato.

avvincènte *agg.* (*di racconto, di film ecc.*) affascinante, appassionante, coinvolgente, entusiasmante, trascinante © noioso, monotono.

avvinghiàre *v.tr.* abbracciare ♦ **avvinghiarsi** *v.pr.* afferrarsi, attaccarsi; abbracciarsi, stringersi © divincolarsi.

avvìo *s.m.* inizio, partenza, principio © fine, conclusione.

avvisàglia *s.f.* segno, sintomo, indizio.

avvisàre *v.tr.* **1** avvertire, mettere al corrente; annunciare, comunicare **2** mettere in guardia; (*eufem.*) minacciare.

avvìso *s.m.* **1** notizia, annuncio, comunicato, messaggio **2** (*di sfratto, di pagamento ecc.*) notifica **3** raccomandazione, avvertimento; (*eufem.*) minaccia **4** cartello, manifesto, locandina; (*sui giornali e sim.*) annuncio, inserzione.

avvistàre *v.tr.* scorgere, ravvisare.

avvizzìre *v.intr.* e *tr.* **1** appassire, seccarsi, sfiorire **2** ♧ invecchiare, sciuparsi, sfiorire.

avvocàto *s.m.* legale.

avvòlgere *v.tr.* **1** (*un filo*) arrotolare, attorcigliare © svolgere **2** (*qlco. nella carta e sim.*) incartare, impacchettare; ricoprire © aprire, scartare.

aziènda *s.f.* **1** ditta, impresa, industria; (*dir.*) società **2** (*pubblica*) ente.

azionàre *v.tr.* avviare, accendere, mettere in moto, fare andare, innestare © arrestare, fermare, bloccare.

azióne *s.f.* **1** attività, operato © inattività, inazione **2** atto, gesto, mossa; comportamento, iniziativa **3** (*nel teatro, nel cinema ecc.*) svolgimento, trama, intreccio **4** (*mil.*) operazione; combattimento, intervento **5** effetto **6** (*sport*) manovra.

azzannàre *v.tr.* addentare, morsicare.

azzardàto *agg.* avventato, imprudente, pericoloso; audace, temerario © prudente, cauto.

azzàrdo *s.m.* rischio, pericolo.

azzeccàre *v.tr.* fare centro, colpire nel segno-riuscire; indovinare, imbroccare, prenderci (*colloq.*).

azzeràre *v.tr.* annullare, cancellare.

azzimàre *v.tr.* agghindare, abbigliare, bardare (*scherz.*); abbellire, ornare.

azzimàto *agg.* agghindato, in ghingheri © sciatto, trasandato.

azzuffàrsi *v.pr.* accapigliarsi, affrontarsi, picchiarsi, fare a botte © rappacificarsi, riconciliarsi.

azzùrro *agg.* **1** celeste, ceruleo (*elev.*) **2** (*di cielo*) limpido, sereno, terso ♦ *s.m.* (*sport*) italiano, nazionale.

b, B

babbèo *agg., s.m.* stupido, cretino, scemo, fesso, imbecille © furbo, intelligente, scaltro.
bàbbo *s.m.* padre, papà **IPERON.** genitore **INVER.** figlio.
babèle *s.f.* confusione, disordine, caos, bolgia, baccano © silenzio, pace, calma.
babórdo *s.m.* (*mar.*) sinistra © tribordo, dritta.
baby-sitter *s.f.invar.* (*ingl.*) bambinaia, tata; (*per neonati*) balia, nurse (*ingl.*).
bacàto *agg.* **1** (*di frutto*) guasto, marcio, andato a male **2** ♧ corrotto, traviato; malato, tarato.
baccalà *s.m.* **1** **IPERON.** merluzzo; stoccafisso (*region.*) **2** ♧ (*persona magra*) acciuga, stecco **3** ♧ (*persona stupida*) idiota, babbeo, sciocco.
baccàno *s.m.* rumore, chiasso, frastuono, casino (*colloq.*) © silenzio, pace, quiete.
bacchétta *s.f.* canna, stecca, asticciola, bastoncino.
bacchettàre *v.tr.* (*vestiti, tappeti*) battere, percuotere.
bacchettòne *s.m.* beghino, bigotto, baciapile, collotorto, ipocrita; moralista, puritano.
bachèca *s.f.* vetrina, teca; (*per avvisi e sim.*) albo, vetrina.
baciapìle *s.m.f.invar.* bacchettone, beghino, bigotto, collotorto, baciasanti; ipocrita, fariseo.
bacìle *s.m.* bacino, bacinella, catino, vaschetta.
bacìllo *s.m.* germe, batterio, microbo, virus **IPERON.** microrganismo.
bacinèlla *s.f.* catinella; bacile, bacino, catino.
bacìno *s.m.* **1** catino, bacile; bacinella, catinella **2** (*geogr.*) avvallamento, conca **3** (*geogr.*) zona, area, regione **4** (*mar.*) darsena **5** (*anat.*) pelvi.
background *s.m.invar.* (*ingl.*) retroterra, sostrato, sfondo; (*di una persona*) bagaglio, patrimonio, corredo.
bàco *s.m.* **1** baco da seta, bombice; bruco **2** verme **3** ♧ difetto, imperfezione, magagna, vizio **4** ♧ assillo, fissazione, incubo, ossessione, tarlo, tormento.
badàre *v.intr.* **1** fare attenzione, stare attento, guardare **2** (*a una persona*) curarsi, accudire, dedicarsi, guardare, occuparsi, prendersi cura, tenere d'occhio © trascurare, disinteressarsi, infischiarsene (*colloq.*) **3** impicciarsi, immischiarsi, intromettersi **4** considerare, curarsi, preoccuparsi tenere conto © fregarsene (*colloq.*), infischiarsene (*colloq.*) ♦ *v.tr.* custodire, sorvegliare, tenere d'occhio © trascurare, ignorare.
badéssa *s.f.* superiora, priora.
badge *s.m.invar.* (*ingl.*) distintivo, pass (*ingl.*).
badìa *s.f.* abbazia, monastero, convento.
badìle *s.m.* pala.
bàffo *s.m.* **1** (*spec. al pl.*) mustacchio; (*spec. di gatto*) vibrissa **2** (*di rossetto, di inchiostro ecc.*) sbaffo, macchia, segno, sbavatura.
bagagliàio *s.m.* cofano, baule, portabagagli.
bagàglio *s.m.* **1** equipaggio, fardello **IPERON.** valigia, sacco, borsa, zaino, fagotto **2** (*di nozioni, di conoscenze ecc.*) patrimonio, corredo, retroterra, sostrato, background (*ingl.*).
bagarinàggio *s.m.* incetta, accaparramento.
bagarìno *s.m.* incettatore, accaparratore.
bagattèlla *s.f.* stupidaggine, bazzecola, sciocchezza, nonnulla, quisquilia.
baggianàta *s.f.* stupidaggine, idiozia, cavolata (*colloq.*), cazzata (*volg.*), cretinata, castroneria, demenza, bestialità.
baglióre *s.m.* **1** luce, lampo, baleno, chiarore, luminosità © offuscamento, buio **2** ♧ segno, manifestazione, apparizione, testimonianza.
bagnàre *v.tr.* **1** inumidire, impregnare, infradiciare, spruzzare, aspergere (*elev.*), inzuppare; (*piante, orti e sim.*) annaffiare, irrigare © asciugare, seccare **2** (*di fiumi, di mari*) lambire, toccare **3** ♧ (*festeggiare qlco.*) brindare, bere ♦ **bagnarsi** *v.pr.* **1** fare il bagno, immergersi **2** inzupparsi, ammollarsi, infradiciarsi © asciugarsi.
bagnaròla *s.f.* **1** vasca **2** (*scherz.*) rottame, carretta; catorcio.
bagnasciùga *s.m.* riva, sponda, battigia.
bagnàto *agg.* umido; fradicio, zuppo, madido; imbevuto, impregnato; (*di terreno, di pianta*) irrigato, innaffiato © asciutto, secco; arido.
bàgno *s.m.* **1** immersione, nuotata; (*burocr.*) balneazione **2** lavata, abluzione, doccia; (*di sole, di aria ecc.*) esposizione **3** gabinetto, toilette (*fr.*), W.C., water-closet (*ingl.*), cesso (*colloq.*) **4** (*balneare, termale*) stabilimento **5** (*fotogr.*) soluzione.

bagórdo *s.m.* (*spec. al pl.*) baldoria, bisboccia, divertimento, orgia, stravizio.
bàia *s.f.* golfo, insenatura, cala, rada.
bàita *s.f.* chalet (*fr.*).
balaùstra *s.f.* **1** parapetto; ringhiera **2** balcone.
balbettàre *v.intr.* tartagliare, farfugliare, incespicare; impappinarsi © scandire ♦ *v.tr.* (*una lingua straniera*) parlucchiare, masticare (*colloq.*) © sapere, conoscere, padroneggiare.
balbettìo *s.m.* balbettamento, tartagliamento.
balbùzie *s.f.* tartagliamento.
balbuziènte *agg.*, *s.m.f.* tartaglione.
balconàta *s.f.* **1** balcone, terrazza **2** (*a teatro*) loggione, piccionaia.
balcóne *s.m.* terrazza, terrazzo, loggia, ballatoio, poggiolo (*region.*).
baldànza *s.f.* **1** ardimento, coraggio, audacia © paura, timore, esitazione **2** arroganza, impertinenza, spavalderia © umiltà, modestia.
baldanzóso *agg.* sicuro, coraggioso, fiero, spavaldo © pauroso, insicuro, esitante.
baldòria *s.f.* bisboccia, festa; allegria, gioia.
baléna *s.f.* **1** IPERON. cetaceo **2** ♧ (*donna molto grassa*) baule, bidone © acciuga, baccalà.
balenàre *v.intr.* **1** brillare, baluginare, lampeggiare, sfavillare, scintillare **2** ♧ (*di idea e sim.*) affiorare, comparire, baluginare.
balenìo *s.m.* lampeggiamento, sfavillio, lampo.
baléno *s.m.* **1** lampo, fulmine, saetta; bagliore **2** (*di tempo*) attimo, istante, momento.
bàlia[1] *s.f.* **1** nutrice **2** bambinaia, tata (*colloq.*), baby-sitter (*ingl.*), nurse (*ingl.*).
balìa[2] *s.f.* (*elev.*) signoria, potere.
bàlla *s.f.* involto, pacco, fagotto.
ballàre *v.intr.* **1** danzare **2** (*per gioia, nervosismo ecc.*) agitarsi, fremere, tremare, saltellare **3** (*spec. di veicoli*) oscillare, sobbalzare, traballare; (*di oggetti*) dondolare, tentennare **4** (*di vestito, di anello ecc.*) cascare, muoversi ♦ *v.tr.* (*un valzer, un tango ecc.*) danzare.
ballàta *s.f.* canzone a ballo IPERON. poesia, composizione.
ballatóio *s.m.* **1** balcone (*esterno*); pianerottolo (*interno*) **2** (*in alpinismo*) terrazzo, cengia.
ballerìno *s.m.* danzatore ♦ *agg.* (*di oggetto*) instabile, traballante, malfermo.
ballétto *s.m.* **1** ballo, danza **2** corpo di danza, compagnia **3** ♧ girandola, ridda, avvicendamento.
bàllo *s.m.* **1** balletto, danza **2** (*festa danzante*) IPERON. festa, veglione.
ballonzolàre *v.intr.* **1** saltellare **2** ondeggiare, oscillare, traballare, sussultare.
ballottàggio *s.m.* (*sport*) finale, spareggio.
balneàre *agg.* (*di stabilimento, di località e sim.*) marino.
balòcco *s.m.* giocattolo, gioco, trastullo; gingillo, ninnolo.
balordàggine *s.f.* stupidità, idiozia, scempiaggine © intelligenza, acume, buonsenso.
balórdo *agg.* **1** scemo, stupido, idiota, sciocco, babbeo, tonto © furbo, intelligente, assennato, saggio **2** rintronato, frastornato, intontito © sveglio, attento, lucido, presente **3** (*di ragionamento e sim.*) insensato, sconclusionato, scriteriato, strampalato © ragionevole, sensato **4** (*di lavoro e sim.*) malfatto, scadente © curato, preciso **5** (*di tempo*) incerto, instabile © stabile ♦ *s.m.* **1** scemo, sciocco, stupido, idiota; sbadato, sventato © furbo, assennato **2** delinquente, malfattore, malvivente.
balsàmico **1** curativo, lenitivo, terapeutico **2** aromatico, odoroso, profumato; (*di aria*) puro, salubre, salutare.
bàlsamo *s.m.* **1** linimento, unguento; (*per capelli*) crema, dopo-shampoo **2** ♧ sollievo, consolazione, conforto.
baluàrdo *s.m.* **1** bastione IPERON. terrapieno, argine IPON. forte, fortificazione, fortezza **2** ♧ difesa, protezione, tutela, sostegno.
baluginàre *v.intr.* **1** (*di luce*) balenare, lampeggiare, sfavillare; splendere, brillare **2** (*di idee e sim.*) balenare, folgorare.
bàlza *s.f.* **1** pendio, dirupo, ciglio **2** (*di stoffa*) bordo, volant (*fr.*), ruche (*fr.*).
balzàno *agg.* strano, eccentrico, stravagante, strampalato © normale, equilibrato, posato.
balzàre *v.intr.* **1** saltare, scattare; buttarsi, lanciarsi, scagliarsi **2** ♧ (*per un'emozione*) fremere, sobbalzare, sussultare **3** ♧ (*agli occhi, alla mente*) saltare, risaltare, apparire, venire.
balzellàre *v.intr.* saltellare, ballonzolare.
balzèllo *s.m.* tassa, imposta, gabella.
bàlzo *s.m.* **1** salto, scatto, slancio, guizzo **2** ♧ avanzamento, miglioramento, scatto.
bambàgia *s.f.* ovatta, cotone.
bambinàia *s.f.* **1** baby-sitter (*ingl.*), tata (*colloq.*), nurse (*ingl.*) **2** balia, nutrice.
bambinésco *agg.* puerile, infantile, fanciullesco © adulto, maturo.
bambìno *s.m.* **1** bimbo, piccolo, piccino, fanciullo, pupo, bebè, marmocchio (*scherz.*), pargolo (*elev.*) © grande, adulto **2** (*con iniziale maiuscola*) Gesù Bambino **3** figlio INVER. genitore, padre, madre **4** (*detto di adulto*) bambinone ♦ *agg.* **1** giovane, infantile © maturo, adulto **2** (*di persona adulta*) ingenuo, inesperto, sprovveduto; infantile, puerile © esperto; adulto, maturo.

bambòccio *s.m.* **1** fantoccio, pupazzo **2** ♧ sciocco, incapace; bambinone.
bàmbola *s.f.* **1** bambolotto, pupazzo **2** ♧ (*donna attraente*) fata, pupa (*colloq.*), vamp (*ingl.*).
bambù *s.m.invar.* canna.
banàle *agg.* comune, scontato, ovvio, ordinario, abituale, prevedibile; (*di ragionamento e sim.*) evidente, lampante; (*di persona*) scialbo, insignificante, anonimo, insulso © straordinario, insolito, inconsueto, particolare, originale.
banalità *s.f.* **1** mediocrità, ordinarietà, piattezza, grigiore © novità, originalità **2** ovvietà, sciocchezza, stupidaggine.
bànca *s.f.* istituto bancario, istituto di credito.
bancarèlla *s.f.* banco, banchetto.
bancarótta *s.f.* **1** (*dir.*) fallimento, crac **2** ♧ rovina, crollo, dissesto, tracollo, rovescio.
banchettàre *v.intr.* bisbocciare, gozzovigliare; pranzare, mangiare.
banchétto *s.m.* pranzo, festino, convivio (*elev.*).
banchière *s.m.* finanziere.
banchìna *s.f.* **1** molo, pontile **2** (*nelle stazioni ferroviarie*) marciapiede.
bànco *s.m.* **1** panca, seggio, sedile **2** (*nei negozi, negli uffici*) bancone **3** (*del mercato*) bancarella, banchetto **4** (*econ.*) banca, istituto di credito **5** (*geol.*) strato, ammasso **6** (*spec. di pesci*) branco, colonia **7** (*di nebbia, di nuvole ecc.*) strato, coltre, cortina **8** (*di sabbia*) secca.
banconòta *s.f.* cartamoneta, biglietto di banca **IPERON.** denaro, soldi.
bànda *s.f.* **1** (*di armati*) gruppo, squadra, brigata (*mil.*) **2** (*di malviventi*) masnada, cosca, associazione a delinquere (*dir.*), gang (*ingl.*) **3** (*di amici*) compagnia, gruppo, combriccola, comitiva **4** (*musicale*) fanfara, orchestra.
banderuòla *s.f.* **1** (*per il vento*) segnavento, bandierina **2** ♧ (*di persona*) voltagabbana.
bandièra *s.f.* **1** drappo, insegna, vessillo, stendardo **2** ♧ idea, ideale, principio, simbolo; emblema, motto.
bandìre *v.intr.* **1** (*un concorso, una gara ecc.*) indire, proclamare, pubblicare (*dir.*) © annullare **2** esiliare, mettere al bando, espellere; allontanare, scacciare © accogliere, ammettere **3** ♧ abolire, eliminare, mettere da parte, evitare.
bandìto *s.m.* **1** fuorilegge, delinquente, malvivente **2** mascalzone, canaglia, farabutto, furfante © gentiluomo, galantuomo.
banditóre *s.m.* **1** (*di proclami*) araldo; messaggero **2** (*nelle aste*) promotore **3** ♧ promulgatore, propugnatore, promotore.
bàndo *s.m.* **1** proclama, editto, decreto; avviso, comunicato, disposizione; (*dir.*) ingiunzione, ordinanaza **2** esilio, espulsione, cacciata.
bandolièra *s.f.* tracolla, balteo (*elev.*).
bàndolo *s.m.* **1** (*della matassa*) capo, inizio, estremità **2** (*di un problema e sim.*) soluzione, via d'uscita, chiave.
banlieue *s.f.invar.* (*fr.*) periferia, cintura, hinterland (*ted.*).
bar *s.m.* caffè, caffetteria; buffet (*in stazioni e sim.*), bistrot (*fr.*), pub (*ingl.*).
bàra *s.f.* feretro, cassa da morto, cataletto.
baràcca *s.f.* **1** capanna, casupola; (*spreg.*) catapecchia, stamberga, tugurio **2** (*scherz.*; *oggetto in cattivo stato*) carretta, macinino, catorcio **3** ♧ (*qlco. di difficile conduzione*) famiglia, azienda, casa.
baraccóne *s.m.* luna-park, parco dei divertimenti.
baraccòpoli *s.f.* bidonville (*fr.*), favela (*portogh.*), slum (*ingl.*); baraccamento; (*di sfollati, di profughi*) tendopoli, campo.
baraónda *s.f.* **1** (*di voci, di rumori ecc.*) baccano, trambusto, chiasso © calma, pace, silenzio **2** (*di persone, di oggetti ecc.*) caos, confusione, finimondo © ordine, assetto.
baràre *v.intr.* **1** truffare, imbrogliare, fregare (*colloq.*) **2** ♧ ingannare, imbrogliare, mentire.
bàratro *s.m.* **1** abisso, strapiombo, precipizio, voragine, orrido **2** ♧ abisso, rovina, perdizione © salvezza, redenzione.
barattàre *v.tr.* cambiare, scambiare, permutare.
baràttolo *s.m.* scatola, lattina, recipiente **IPERON.** contenitore.
baràtto *s.m.* cambio, scambio, permuta.
bàrba *s.f.* **1** **IPON.** pizzo, mosca, moschetta **2** ♧ (*colloq.*) noia, pizza, palla (*volg.*), rottura **3** (*bot.*) radice, filamento.
barbàrie *s.f.invar.* **1** arretratezza, inciviltà © civiltà, cultura **2** crudeltà, atrocità, brutalità, ferocia, bestialità © umanità, pietà **3** (*contro cose*) vandalismo, distruzione **4** (*contro persone*) tortura, sevizia.
bàrbaro *agg.* **1** (*nell'antichità*) forestiero, straniero **2** (*di usi, di costumi ecc.*) incivile, selvaggio, primitivo, arretrato © civile, evoluto, colto **3** atroce, crudele, brutale, feroce, spietato © umano, buono, pietoso **4** (*di lingua, di comportamento ecc.*) rozzo, scorretto © elegante, raffinato ♦ *s.m.* **1** (*nell'antichità*) forestiero, straniero **2** vandalo, teppista.
barbière *s.m.* parrucchiere (*per uomo*).
barbóne *s.m.* vagabondo, mendicante, senzatetto, accattone, clochard (*fr.*).

barbóso *agg.* tedioso, noioso, pesante, prolisso © divertente, brillante, vivace.

bàrca *s.f.* imbarcazione, natante IPON. (*a remi*) canoa, canotto, scialuppa, gondola, piroga; (*a motore*) motoscafo, entrobordo, fuoribordo; (*da pesca*) gozzo, paranza; (*di lusso*) panfilo, yacht (*ingl.*).

barcaiòlo *s.m.* battelliere, rematore; nocchiere (*elev.*) IPON. gondoliere.

barcamenàrsi *v.pr.* arrabattarsi, destreggiarsi, cavarsela (*colloq.*), sbrogliarsela.

barcollàre *v.intr.* vacillare, oscillare, traballare, ondeggiare © stare fermo, stare saldo.

bardàre *v.tr.* **1** (*un cavallo*) imbrigliare **2** abbellire, agghindare, abbigliare.

bardatùra *s.f.* **1** (*del cavallo*) finimenti; barda, armatura **2** addobbo.

barèlla *s.f.* lettiga, portantina.

barellière *s.m.* portantino, lettighiere.

baricèntro *s.m.* (*fis.*) centro di gravità.

barìle *s.m.* **1** botte; bidone, fusto **2** ♧ (*persona grassa*) bidone, baule, ciccione, grassone.

barìsta *s.m.f.* barman (*ingl.*); cameriere.

barlùme *s.m.* **1** chiarore, bagliore, baleno, luccichio **2** ♧ traccia, accenno, residuo, parvenza.

bàro *s.m.* furfante, imbroglione, impostore.

bàrra *s.f.* **1** stanga, spranga; (*di metallo*) verga; (*d'oro*) lingotto **2** (*nell'ippica*) ostacolo.

barricàre *v.tr.* bloccare, sbarrare, sprangare © aprire, liberare ♦ **barricarsi** *v.pr.* **1** asserragliarsi, trincerarsi, rinchiudersi, rintanarsi **2** ♧ chiudersi, nascondersi, trincerarsi, arroccarsi.

barrièra *s.f.* **1** ostacolo, sbarramento, chiusura IPON. steccato, cancello, rete, palizzata, recinzione **2** ♧ difficoltà, impedimento, divisione, separazione **3** ♧ difesa, protezione.

barùffa *s.f.* zuffa, scaramuccia, tafferuglio; litigio, lite, alterco, contrasto.

barzellétta *s.f.* **1** facezia, arguzia, spiritosaggine; freddura, battuta, gag (*ingl.*) **2** sciocchezza, bazzecola, minuzia, nonnulla, quisquilia.

basaménto *s.m.* **1** (*di un edificio e sim.*) base, fondamento, fondazione **2** (*di una colonna*) piedistallo, zoccolo **3** (*di una parete*) zoccolo, battiscopa.

basàre *v.tr.* **1** (*una cosa*) appoggiare, collocare, fondare **2** ♧ (*una teoria, un discorso e sim.*) fondare, imperniare, incentrare ♦ **basarsi** *v.pr.* **1** appoggiarsi, fondarsi, posare, poggiare **2** ♧ incentrarsi, imperniarsi.

bàse *s.f.* **1** appoggio, sostegno, basamento, supporto © cima, vertice, apice, colmo, sommità, punta **2** ♧ fondamento, presupposto, principio, cardine; fulcro, nucleo, perno **3** (*mil.*) campobase, campo, acquartieramento **4** (*di partito e sim.*) iscritti, militanti © vertice **5** (*chim.*) © acido **6** (*geom.*) © altezza ♦ *agg.invar.* fondamentale, essenziale, principale, basilare © secondario, complementare, accessorio.

basilàre *agg.* essenziale, capitale, centrale, fondamentale, imprescindibile, primario © accessorio, complementare, secondario, marginale.

basìlica *s.f.* cattedrale, duomo, santuario IPERON. chiesa.

bassézza *s.f.* **1** piccolezza © altezza, grandezza **2** ♧ abiezione, grettezza, indegnità © generosità, liberalità, dignità, fierezza, rettitudine **3** (*detto di azione*) carognata, canagliata, porcata, mascalzonata, vigliaccata, meschinità © gentilezza.

bàsso *agg.* **1** © alto, elevato **2** (*di persona*) piccolo, tarchiato © alto, grande **3** (*di acque*) © profondo, fondo, alto **4** (*di voce*) sommesso, tenue, lieve © alto, forte, stridulo **5** (*di tono, di suono ecc.*) profondo, grave, cupo, sordo © alto, acuto, sonoro, squillante **6** (*di ceto, di ambiente ecc.*) umile, modesto © alto, abbiente, elevato **7** (*di sentimento, di animo ecc.*) meschino, ignobile, indegno, abbietto, spregevole, immorale © buono, nobile, elevato, degno **8** (*di prezzo*) piccolo, modico, contenuto, modesto, esiguo, accessibile, abbordabile © alto, elevato, caro, sostenuto, ingente, salato (*colloq.*) **9** (*di pressione*) debole © alto **10** (*di regione e sim.*) meridionale © settentrionale **11** (*di epoca storica*) tardo © alto ♦ *s.m.* **1** fondo, basamento © alto, cima **2** (*mus.*) © alto.

bassofóndo *s.m.* (*al pl.*) quartieri bassi; (*della società*) feccia, gentaglia © quartieri alti.

bassopiàno *s.m.* piana, pianura © altopiano.

bastàrdo *agg.* **1** (*spreg.*) (*di figlio*) illegittimo, naturale, adulterino © legittimo **2** (*di animale o pianta*) incrociato, ibrido **3** ♧ impuro, spurio, corrotto, degenerato © puro, incorrotto, genuino, autentico **4** (*volg.*) infame, cattivo, farabutto, mascalzone ♦ *s.m.* (*di animale*) ibrido, meticcio, incrocio © puro, purosangue.

bastàre *v.intr.* averne abbastanza © mancare, occorrere, necessitare.

bastióne *s.m.* **1** (*mil.*) baluardo, fortificazione, terrapieno **2** ♧ barriera, riparo, protezione, difesa.

bastonàre **1** legnare, randellare, manganellare; battere, picchiare, colpire **2** ♧ (*colloq.*) criticare, stroncare; vincere, sconfiggere.

bastonàta *s.f.* **1** randellata, manganellata, batosta; colpo, botta **2** ♧ mazzata, batosta (*colloq.*), botta (*colloq.*), smacco.

bastóne *s.m.* **1** legno, pertica; (*per colpire*) randello, mazza, manganello; (*per sostenersi*) canna, bordone, alpenstock (*ted.*); (*per ciechi*) batocchio **2** (*di re, di autorità ecc.*) scettro, verga **3** (*sport*) mazza, testimone.

batòsta *s.f.* **1** bastonata, mazzata **2** ♧ colpo, mazzata; danno, disgrazia, perdita; fiasco, insuccesso, smacco.

battàglia *s.f.* **1** scontro, combattimento **2** ♧ contrasto, lotta, conflitto, scontro, controversia **3** ♧ (*per uno scopo, per un fine ecc.*) campagna, lotta, impegno.

battaglièro *agg.* agguerrito, bellicoso, litigioso, aggressivo © tranquillo, pacifico.

battaglióne *s.m.* (*mil.*) IPON. compagnia, plotone IPERON.divisione, unità.

battellière *s.m.* barcaiolo, rematore; traghettatore, nocchiere (*elev.*).

battèllo *s.m.* **1** barca, imbarcazione IPERON. natante **2** (*spec. per la navigazione su laghi e fiumi*) motonave, ferry-boat (*ingl.*).

battènte *agg.* (*di pioggia*) scrosciante, sferzante ♦ *s.m.* **1** (*di porta, di finestra e sim.*) anta, stipite **2** battiporta, batacchio, batocchio, battaglio.

bàttere *v.tr.* **1** colpire, percuotere; picchiare, malmenare, pestare **2** (*di orologio e sim.*) suonare, rintoccare, scandire **3** (*il tempo, il ritmo*) segnare, scandire **4** (*un luogo*) percorrere, esplorare, perlustrare; girare; frequentare **5** (*il nemico*) sconfiggere, vincere, debellare, sbaragliare **6** (*un primato*) superare, migliorare **7** (*a macchina*) dattiloscrivere, dattilografare ♦ *v.intr.* **1** sbattere, urtare **2** (*di pioggia*) cadere, picchiare; (*di onda*) sciabordare, frangersi **3** (*a una porta*) bussare **4** (*di polso, di cuore*) pulsare, palpitare **5** (*su un argomento e sim.*) insistere, persistere **6** (*colloq.*) prostituirsi ♦ **battersi** *v.pr.* **1** colpirsi, percuotersi, flagellarsi **2** combattere, lottare; rivendicare.

batterìa *s.f.* **1** (*elettr.*) pila; accumulatore, condensatore **2** serie, set (*ingl.*), corredo, completo; insieme **3** (*mus.*) IPERON. percussioni **4** (*di cani da caccia*) muta.

battèrio *s.m.* germe, bacillo, microbo.

batterìsta *s.m.f.* suonatore di batteria, percussionista.

battésimo *s.m.* **1** (*relig.*) primo sacramento **2** ♧ inaugurazione, iniziazione.

battezzàre *v.tr.* **1** dare il battesimo, amministrare il battesimo **2** chiamare, denominare, soprannominare **3** (*scherz.*) bagnare, innaffiare.

battibécco *s.m.* bisticcio, diverbio, discussione, alterco; litigio, lite, scontro © rappacificazione.

batticuòre *s.m.* **1** palpitazioni; (*med.*) cardiopalmo, tachicardia **2** ♧ ansia, preoccupazione, paura, timore, trepidazione © tranquillità, calma.

battìgia *s.f.* bagnasciuga, sponda, riva; spiaggia.

battimàno *s.m.* applauso.

bàttito *s.m.* **1** (*del cuore*) palpito, pulsazione **2** (*di ali e sim.*) fremito, frullo.

battùta *s.f.* **1** colpo, botta, percossa **2** (*mus.*) misura, tempo **3** (*teatr.*) intervento, frase **4** facezia, trovata, arguzia, freddura, boutade (*fr.*), gag (*ingl.*), uscita, stoccata **5** (*di polizia e sim.*) perlustrazione, rastrellamento **6** (*in un dattiloscritto*) carattere, lettera, spazio **7** (*sport*) rimessa, tiro, lancio, servizio.

battùto *agg.* **1** (*di luogo*) frequentato; affollato © deserto, vuoto **2** (*di persona, di record ecc.*) sconfitto, vinto, superato, surclassato ♦ *s.m.* (*di verdura*) trito.

batùffolo *s.m.* fiocco, bioccolo.

baùle *s.m.* **1** cassa, cassone **2** (*dell'auto*) bagagliaio, cofano, portabagagli **3** ♧ (*persona grassa*) bidone, vagone, ciccione, grassone.

bàva *s.f.* **1** saliva **2** (*del baco da seta*) filo **3** ♧ (*di vento*) alito, refolo, brezza **4** (*di colore*) sbavatura.

bavaglìno *s.m.* bavaglio, bavetta, bavagliolo.

bàvero *s.m.* (*di cappotto, di giacca ecc.*) collo, colletto.

bazàr *s.m.* **1** mercato orientale **2** emporio.

bazzècola *s.f.* sciocchezza, piccolezza, bagatella, inezia, minuzia, nonnulla.

bazzicàre *v.tr.* frequentare ♦ *v.intr.* aggirarsi.

beàrsi *v.pr.* gioire, andare in brodo di giuggiole (*colloq.*), andare in estasi, crogiolarsi, esaltarsi.

beatitùdine *s.f.* felicità, estasi, letizia, soddisfazione, appagamento © infelicità, tristezza, amarezza.

beàto *agg.* **1** felice, contento, sereno, raggiante, esultante, soddisfatto, appagato © infelice, triste, addolorato **2** (*come esclamazione*) felice, fortunato.

beccàre *v.tr.* **1** (*di uccelli*) becchettare **2** (*di persona*) mangiucchiare, piluccare © divorare **3** (*di uccelli, di insetti*) colpire, mordere; pungere **4** ♧ provocare, punzecciare, stuzzicare **5** ♧ (*colloq.; un premio, una mancia ecc.*) guadagnare, ottenere, ricevere; (*un malanno, uno schiaffo ecc.*) prendere, pigliare, buscare **6** ♧ (*colloq.; qlcu. in fallo*) sorprendere, scoprire, cogliere, pescare; (*un malvivente e sim.*) prendere, acciuffare, catturare, arrestare **7** ♧ (*gerg.*) adescare, cuccare (*colloq.*), rimorchiare (*colloq.*) ♦ **beccarsi** *v.pr.* ♧ litigare, punzecchiarsi © conciliarsi.

beccheggiàre *v.intr.* IPERON. oscillare, ondeggiare.

becchìno *s.m.* beccamorto (*spreg.*), necroforo.

bécco *s.m.* **1** (*di uccelli*) rostro **2** ♧ (*scherz.*; *di persona*) bocca **3** (*di un oggetto*) sporgenza, punta; (*di un recipiente*) beccuccio **4** (*di un apparecchio*) cannello, beccuccio.

bécero *agg.* rozzo, zoticone, villano, cafone, sguaiato, ignorante, maleducato © fine, raffinato, gentile, educato.

befàna *s.f.* (*donna brutta*) strega, racchia.

bèffa *s.f.* **1** burla, scherzo, tiro mancino, inganno, presa in giro **2** scherno, derisione, dileggio.

beffàrdo *agg.* **1** (*di persona*) burlone, beffeggiatore, faceto **2** canzonatorio, ironico, mordace, caustico, sarcastico.

beffàre *v.tr.* **1** ingannare, turlupinare, truffare **2** deridere, prendere in giro, burlare, schernire.

beffeggiàre *v.tr.* canzonare, deridere, schernire, dileggiare, prendere in giro.

bèga *s.f.* **1** litigio, lite, contrasto, contesa © armonia, accordo **2** noia, seccatura, briga, scocciatura; (*colloq.*) rottura, gatta da pelare, grana © piacere, spasso, divertimento.

beghìna *s.f.* baciapile, bigotta, bacchettona; moralista, puritana.

bèlla *s.f.* **1** amata, fidanzata **2** (*di uno scritto*) bella copia **3** (*nel gioco*) rivincita, spareggio.

bellézza *s.f.* **1** (*di un luogo, di un oggetto e sim.*) splendore, incanto, gradevolezza, amenità, magnificenza © bruttezza, orrore, squallore **2** (*di una persona*) avvenenza, leggiadria, grazia, fascino, incanto, splendore © bruttezza, sgradevolezza **3** (*come canone estetico*) armonia, proporzione, equilibrio © disarmonia, sproporzione.

bèllico *agg.* guerresco, militare.

bellicóso *agg.* **1** guerriero, guerresco © pacifico, imbelle **2** battagliero, agguerrito, combattivo, grintoso © mite, arrendevole, tranquillo.

belligerànte *agg., s.m.* combattente, contendente, in guerra © neutrale, in pace.

bellimbùsto *s.m.* damerino, elegantone, cascamorto, dandy (*ingl.*).

bèllo *agg.* **1** (*di cosa*) delizioso, incantevole, magnifico, splendido, elegante, armonico, proporzionato, equilibrato © brutto, orribile, orrendo, schifoso, disarmonico, sproporzionato **2** (*di luogo*) ameno, incantevole, paradisiaco, suggestivo © brutto, orribile, squallido **3** (*di tempo atmosferico*) buono, sereno, soleggiato © brutto, cattivo **4** (*di persona*) grazioso, incantevole, affascinante, attraente, avvenente, piacente, fico (*gerg.*) © brutto, schifoso, goffo, sgradevole, repellente, sgraziato **5** (*di patrimonio, di somma e sim.*) cospicuo, notevole, grande © piccolo, modesto, scarso **6** (*di azione*) buono, nobile, generoso © cattivo, ignobile, meschino **7** (*di lavoro*) interessante, gratificante, soddisfacente ♦ *s.m.* **1** bellezza, grazia, armonia © brutto, bruttezza **2** (*ragazzo, uomo bello*) adone, fico (*gerg.*) **3** tempo buono, sereno © brutto, maltempo **4** amato, fidanzato, innamorato, moroso (*region.*).

belluìno *agg.* **1** bestiale, animalesco, ferino © umano **2** crudele, feroce, brutale © umano, mite, pietoso.

bélva *s.f.* **1** fiera, bestia feroce **2** ♧ mostro, bestia, furia, iena, tigre.

belvedére *s.m.* terrazza; panorama.

bènda *s.f.* garza.

bendàggio *s.m.* bendatura, fasciatura, benda.

bendàre *v.tr.* fasciare, avvolgere © sbendare.

bendispósto *agg.* disponibile, favorevole © maldisposto, contrario, ostile.

bène[1] *avv.* **1** (*comportarsi, agire*) giustamente, onestamente, rettamente; adeguatamente, convenientemente, opportunamente © male, disonestamente, ingiustamente; gentilmente, educatamente **2** (*parlare, scrivere*) correttamente © male, scorrettamente **3** (*stare*) © male **4** (*vivere*) felicemente, gradevolmente, piacevolmente © male, poveramente, tristemente **5** (*vestire*) elegantemente © male, sciattamente **6** vantaggiosamente, proficuamente **7** chiaramente, esattamente, precisamente, pienamente ♦ *inter.* bravo.

bène[2] *agg.invar.* (*di quartiere e sim.*) alto, altolocato.

bène[3] *s.m.* **1** giustizia, onestà, correttezza, rettitudine, moralità © male, cattiveria, disonestà, ingiustizia, immoralità **2** vantaggio, beneficio, utilità; benessere, felicità © male, danno, svantaggio **3** affetto, amore © odio, avversione, male **4** (*dir.*) proprietà **5** (*spec. al pl.*) patrimonio, ricchezza, valore, averi **6** (*di prima necessità e sim.*) genere, prodotto.

benedétto *agg.* santo, sacro; consacrato © maledetto, dannato.

benedìre *v.tr.* **1** (*una cosa*) consacrare, santificare © sconsacrare **2** (*una persona*) ringraziare, lodare, glorificare © maledire, esecrare **3** (*di Dio, di santo e sim.*) proteggere, assistere © maledire, perseguitare.

benedizióne *s.f.* **1** (*di una cosa*) consacrazione © sconsacrazione **2** (*da parte di Dio, di santi e sim.*) protezione, favore, grazia © maledizione, anatema **3** (*da parte di una persona*) augurio, favore © malaugurio, maledizione **4** ♧ fortuna, bene, dono © disgrazia, sfortuna.

benefattóre *s.m.* filantropo, altruista © avaro, egoista.

beneficàre *v.tr.* aiutare, assistere, curare, soccorrere, favorire, giovare © danneggiare, nuocere, rovinare, ledere.

beneficènza *s.f.* carità; elemosina, offerta, obolo, beneficio.

beneficiàre *v.intr.* godere, usufruire, approfittare, avvalersi, valersi ♦ *v.tr.* (*una persona*) aiutare, favorire © danneggiare, nuocere.

beneficio *s.m.* **1** favore, bene, vantaggio © svantaggio **2** giovamento, utilità, vantaggio © danno.

benèfico *agg.* **1** utile, vantaggioso, giovevole, provvidenziale © nocivo, dannoso, malefico **2** (*di persona*) caritatevole, generoso, benevolo.

benemèrito *agg.* meritevole, degno, encomiabile © immeritevole, indegno.

beneplàcito *s.m.* benestare, favore, assenso, autorizzazione © disapprovazione, opposizione, dissenso.

benèssere *s.m.* **1** (*fisico*) salute, floridezza; forma, fitness (*ingl.*), wellness (*ingl.*) © male, malessere **2** (*psichico*) gioia, serenità, piacere, soddisfazione, appagamento © inquietudine, disagio, insoddisfazione **3** (*economico*) ricchezza, agiatezza, prosperità © povertà, miseria, bisogno, indigenza.

benestànte *agg., s.m.f.* ricco, agiato, facoltoso, abbiente, danaroso © povero, bisognoso, indigente, spiantato (*colloq.*), squattrinato (*colloq.*).

benestàre *s.m.* approvazione, permesso, beneplacito, assenso © disapprovazione, opposizione, dissenso.

benevolènza *s.f.* affetto, bontà, benignità, bene, affabilità, simpatia, umanità, comprensione, carità © malanimo, malevolenza, avversione, astio, ostilità, rancore, inimicizia.

benèvolo *agg.* benigno, buono, affabile, affettuoso, comprensivo, amorevole, © malevolo, cattivo, maldisposto, avverso.

benvolùto *agg.* apprezzato, benaccetto, gradito, stimato © malvisto, sgradito, indesiderato.

benzìna *s.f.* **1** IPERON. carburante IPON. normale, super, verde **2** ♧ (*colloq.*) energia.

beniamìno *agg., s.m.* preferito, favorito, beneamato, protetto, pupillo.

benignità *s.f.* benevolenza, gentilezza, affabilità, bonarietà, bontà; clemenza, indulgenza, mitezza © malignità, cattiveria, malvagità, avversione, ostilità.

benìgno *agg.* **1** (*di persona*) amorevole, benevolo, bendisposto, cortese, affabile, mite, comprensivo, dolce © maligno, maldisposto, cattivo, malevolo, avverso, ostile **2** (*di sorte e sim.*) propizio, favorevole © avverso, sfavorevole **3** (*di tumore e sim.*) innocuo © maligno, mortale, letale.

benintenzionàto *agg.* bendisposto, benevolo, disponibile, favorevole © malintenzionato, maldisposto, malevolo.

benpensànte *agg., s.m.f.* **1** saggio, assennato, ragionevole, moderato © irragionevole **2** (*spreg.*) borghese, conformista, conservatore, tradizionalista © anticonformista, rivoluzionario, controcorrente.

benvìsto *agg.* gradito, accetto, benvoluto © malvisto, sgradito.

bére *v.tr.* **1** dissetarsi, abbeverarsi; (*a grandi sorsi*) tracannare, trangugiare, scolare; (*a piccoli sorsi*) centellinare, sorseggiare, sorbire **2** (*troppi alcolici*) alzare il gomito (*colloq.*), sbevazzare (*colloq.*), ubriacarsi, sborniarsi (*colloq.*) **3** (*alla salute di qlcu.*) brindare **4** ♧ (*di terreno*) assorbire, impregnarsi **5** (*di motore*) consumare **6** (*una menzogna, una scusa*) credere.

berlìna *s.f.* **1** pubblico ludibrio, gogna **2** scherno, dileggio, derisione.

bernòccolo *s.m.* **1** bitorzolo, bozza, bozzo, bugna, protuberanza, sporgenza **2** ♧ (*per una materia e sim.*) pallino, genio, talento, attitudine, propensione, inclinazione.

berrétto *s.m.* cappello, berretta, copricapo.

bersagliàre *v.tr.* **1** (*di domande, di pugni ecc.*) tempestare **2** ♧ (*una persona*) perseguitare, tormentare, vessare.

bersàglio *s.m.* segno, obiettivo; ♧ meta, scopo, fine.

bestémmia *s.f.* **1** imprecazione, maledizione **2** sproposito, assurdità, eresia.

bestemmiàre *v.tr.* e *intr.* **1** imprecare **2** maledire © benedire.

béstia *s.f.* **1** animale, belva, fiera **2** ♧ bruto, rozzo, mostro **3** ♧ incapace, ignorante, asino, somaro.

bestiàle *agg.* **1** ferino, belluino © umano **2** ♧ brutale, animalesco, feroce, crudele © delicato, mite, ragionevole **3** (*gerg.*) eccezionale, fenomenale, fantastico, stupendo.

bestialità *s.f.* **1** brutalità, crudeltà, ferocia, violenza, barbarie, disumanità © umanità, gentilezza, mitezza **2** assurdità, enormità, sproposito, castroneria, cazzata (*volg.*).

bestiàme *s.m.* IPON. mandria, gregge, armento.

bevànda *s.f.* bibita, drink (*ingl.*).

bevitóre *s.m.* beone, ubriacone © astemio.

bevùta *s.f.* bicchierata, brindisi, trincata (*colloq.*); rinfresco, degustazione.

biancherìa *s.f.* (*intima*) lingerie (*fr.*), intimo, underwear (*ingl.*).

biànco *agg.* **1** candido, latteo, niveo; immacolato, pulito © nero, scuro; sporco **2** (*di capelli*) canuto; (*del volto*) pallido, chiaro, cereo © scuro, nero; colorito, abbronzato **3** (*di pagina*) non scritto, vuoto © scritto **4** innevato ♦ *s.m.* **1** © nero **2** (*dell'uovo*) albume, chiara © tuorlo, rosso.

biancóre *s.m.* candore, bianchezza, chiarore © oscurità, buio.

biascicàre *v.tr.* **1** (*cibo*) rimasticare, ruminare, mangiare svogliatamente **2** ♧ farfugliare, balbettare, borbottare.

biasimàre *v.tr.* criticare, disapprovare, deplorare, rimproverare, riprendere , © approvare, apprezzare, lodare, elogiare.

biasimévole *agg.* riprovevole, deprecabile, criticabile, deplorevole © lodevole, elogiabile, stimabile, irreprensibile.

biàsimo *s.m.* critica, rimprovero, ammonimento, riprovazione © elogio, lode, encomio.

bìbita *s.f.* bevanda, drink (*ingl.*).

bìblico *agg.* **1** (*di impresa, di evento*) grandioso, solenne, enorme; (*in senso negativo*) apocalittico, spaventoso, tragico **2** (*di parole, di discorso ecc.*) profetico, premonitore, divino.

bicchieràta *s.f.* vedi **bevùta**.

bicchière *s.m.* IPON. coppa, boccale, calice.

biciclétta *s.f.* bici , due ruote IPON. (*ingl.*) mountain bike, city bike, tandem.

bidèllo *s.m.* custode, usciere.

bidonàre *v.tr.* (*gerg.*) imbrogliare, ingannare, fregare (*colloq.*), prendere in giro, raggirare, fottere (*volg.*), truffare.

bidonàta *s.f.* (*gerg.*) bidone, pacco (*colloq.*), fregatura (*colloq.*), inganno, frode, truffa, inculata (*volg.*).

bidóne *s.m.* **1** barile, fusto, tanica **2** (*gerg.*) bidonata, bidone, pacco (*colloq.*), fregatura (*colloq.*), inganno, frode, truffa.

bièco *agg.* **1** (*di sguardo*) obliquo, torvo, losco, minaccioso © dritto, sereno, rassicurante **2** (*di persona, di animo ecc.*) sinistro, cattivo, perfido, malvagio © buono, mite, onesto.

bifólco *s.m.* **1** bovaro, mandriano **2** ♧ ignorante, cafone, villano, maleducato.

biforcazióne *s.f.* diramazione; (*di strade*) bivio, divisione, crocevia © confluenza, congiungimento.

biforcùto *agg.* bifido, bicorne, biforme.

bifrónte *agg.* ♧ doppio, subdolo, ambiguo © leale, onesto, limpido.

bighellonàre *v.intr.* vagabondare, girovagare; oziare, poltrire, gingillarsi.

bighellóne *s.m.* sfaccendato, sfaticato, fannullone, girellone, perditempo, vagabondo.

biglietterìa *s.f.* sportello, botteghino, chiosco.

bigliétto *s.m.* **1** nota, foglietto **2** (*che dimostra un pagamento*) scontrino, ricevuta, cedola, buono, talloncino, ticket (*ingl.*), coupon (*fr.*).

bigodìno *s.m.* diavoletto.

bigòtto *agg.*, *s.m.* bacchettone, baciapile, collotorto; moralista, puritano.

bikìni *s.m.invar.* due pezzi © monokini, topless (*ingl.*); cosume intero.

bilància *s.f.* IPON. pesapersone, bascula, stadera.

bilanciàre *v.tr.* **1** (*un peso, un carico ecc.*) equilibrare © sbilanciare, squilibrare **2** compensare, equivalere, pareggiare **3** (*il pro e il contro, vantaggi e svantaggi ecc.*) considerare, calcolare, analizzare, valutare, soppesare ♦ **bilanciarsi** *v.pr.* compensarsi, controbilanciarsi, equilibrarsi; uguagliarsi © sbilanciarsi.

bilancière *s.m.* **1** (*per coniare*) torchio **2** (*sport*) asta, pertica.

bilàncio *s.m.* **1** (*di impresa, di azienda*) rendiconto, resoconto, conteggio; (*fin.*) budget (*ingl.*) **2** ♧ valutazione, esame.

bìle *s.m.* **1** fiele **2** ♧ rabbia, ira, collera, furore, sdegno © calma, pace, serenità.

biliardìno *s.m.* **1** flipper (*ingl.*) **2** (*impropr.*) calcetto.

bìlico *s.m.* **1** instabilità © equilibrio **2** (*di campana*) perno, asse, centro **3** ♧ dubbio, incertezza, indecisione © certezza.

bilióso *agg.* ♧ iracondo, irritabile, sanguigno, collerico, fegatoso © calmo, sereno, tranquillo.

bìmbo *s.m.* **1** bambino, marmocchio (*colloq.*), piccolo, piccino, creatura, baby (*ingl.*), pargolo (*elev.*) **2** ♧ ingenuo, immaturo, inesperto.

binàrio[1] *s.m.* rotaia.

binàrio[2] *agg.* doppio, duplice © semplice, singolo, unico.

binòcolo *s.m.* IPERON. cannocchiale.

biòccolo *s.m.* fiocco, ciuffo; batuffolo.

biodegradàbile *agg.* (*biol.*, *chim.*) decomponibile; ecologico.

biografìa *s.f.* vita; IPON. autobiografia; profilo, medaglione.

bióndo *agg.* chiaro, dorato, fulvo; platinato © scuro, moro, bruno, nero.

biopsìa *s.f.* (*med.*) IPERON. prelievo, esame, analisi.

biosfèra *s.f.* ecosfera.

bipartizióne *s.f.* biforcazione, diramazione IPERON. divisione, frazionamento, suddivisione, partizione © unione, congiungimento, ricongiungimento, unificazione.

bìrba *s.f.* (*scherz.*; *spec. di bambino*) birbante, discolo, birichino, bricconcello, peste, monello, gianburrasca.

birbànte *s.m.f.* **1** furfante, mascalzone, bricco-

ne, farabutto, malandrino, canaglia **2** (*scherz.*; *spec. di bambino*) discolo, birichino, bricconcello, peste, monello, gianburrasca.
birbonàta *s.f.* **1** birboneria, mascalzonata, carognata, furfanteria **2** (*scherz.*; *di un bambino*) birichinata, marachella.
birbóne *s.m.* **1** mascalzone, malandrino, furfante, farabutto **2** (*scherz.*; *di bambino*) birichino, birba, bricconcello, monello, peste ♦ *agg.* **1** (*di scherzo, di tiro ecc.*) cattivo, maligno, malvagio, mancino **2** (*di tempo, di fame ecc.*) tremendo, terribile, bestiale, allucinante.
birichinàta *s.f.* bambinata, birbonata, bricconata, marachella.
birichìno *agg.* **1** (*di bambino*) birbone, disubbidiente, vivace, indisciplinato **2** (*di sguardo, di espressione ecc.*) furbo, malizioso, sbarazzino ♦ *s.m.* birbone, briccone, peste, monello.
bìro *s.f.invar.* penna a sfera, penna biro; penna.
bisàccia *s.f.* borsa, sacco, zaino.
bisbètico *agg.* **1** brontolone, scorbutico, stizzoso, intrattabile, musone **2** lunatico, stravagante ♦ *s.m.* brontolone, borbottone.
bisbigliàre *v.intr.* **1** mormorare, parlare sottovoce, confabulare, parlottare, sussurrare © gridare, urlare, strillare **2** spettegolare, malignare, sparlare ♦ *v.tr.* mormorare, sussurrare.
bisbìglio[1] *s.m.* **1** mormorio, parlottio, sussurro **2** ♧ diceria, pettegolezzo, chiacchiera, ciancia.
bisbiglìo[2] *s.m.* chiacchiericcio, cicalio, mormorio, parlottio, sussurrio, brusio.
bisbòccia *s.f.* baldoria, gozzoviglia, festino, orgia, baccanale © astinenza, digiuno, penitenza.
bìsca *s.f.* casa da gioco, casinò.
bìscia *s.f.* serpe IPERON. serpente.
biscottàre *v.tr.* tostare, abbrustolire.
bisessuàle *agg., s.m.f.* **1** (*biol.*) androgino, ermafrodito, bisessuato **2** (*di persona*) bisex.
bislàcco *agg.* strano, stravagante, bizzarro, singolare, curioso, sconclusionato © normale, regolare.
bisnipóte *s.m.f.* pronipote.
bisnònno *s.m.* bisavolo, bisavo.
bisognàre *v.intr.impers.* occorrere, necessitare, abbisognare.
bisógno *s.m.* **1** necessità, urgenza **2** mancanza, privazione, ristrettezza, povertà, indigenza © sufficienza, abbondanza, ricchezza, opulenza **3** (*colloq., eufem.*; *spec. al pl.*) feci, escrementi, cacca (*volg.*).
bisognóso *agg.* carente, mancante © provvisto, dotato ♦ *s.m.* povero, misero, indigente, nullatenente © ricco, agiato, benestante, abbiente.
bistécca *s.f.* costata, fiorentina, cotoletta, fettina, braciola, filetto, paillard (*fr.*).
bistecchièra *s.f.* IPERON. griglia, piastra.
bisticciàre *v.intr.* litigare, becchettarsi, questionare, altercare, accapigliarsi © rappacificarsi, accordarsi, andare d'accordo.
bistìccio *s.m.* lite, baruffa, alterco, diverbio, battibecco © pace, accordo.
bistrattàre *v.tr.* maltrattare, strapazzare, offendere, umiliare.
bistròt *s.m.invar.* (*fr.*) caffè, bar, pub (*ingl.*).
bisùnto *agg.* sudicio, lercio, lurido © pulito.
bitórzolo *s.m.* bernoccolo, bozzo, bozza, sporgenza, gonfiore; (*di ramo*) nodo, nodosità.
bitorzolùto *agg.* bernoccoluto, nodoso © liscio, levigato.
bitùme *s.m.* catrame, asfalto, pece.
bivaccàre *v.intr.* **1** accamparsi, attendarsi **2** ♧ sistemarsi alla meglio.
bivàcco *s.m.* accampamento; tappa, sosta.
bìvio *s.m.* **1** biforcazione, incrocio, crocevia, diramazione **2** ♧ svolta, decisione, incertezza, dilemma.
bizantino *agg.* **1** (*di gusto*) raffinato, elaborato, prezioso, affettato, snob © semplice, sobrio, essenziale **2** (*di ragionamento e sim.*) cavilloso, contorto, capzioso, pedante © semplice, chiaro.
bìzza *s.f.* capriccio, stizza.
bizzarrìa *s.f.* stranezza, stravaganza, originalità, eccentricità; capriccio, ghiribizzo.
bizzàrro *agg.* strano, strambo, originale, estroso, eccentrico © normale, comune, banale.
bizzóso *agg.* **1** (*di persona*) stizzoso, capriccioso, collerico, rabbioso, irritabile © sereno, equilibrato **2** (*di cavallo*) nervoso, ombroso.
blackout *s.m.invar.* (*ingl.*) **1** oscuramento; buio **2** (*di un servizio*) interruzione **3** (*dell'informazione*) silenzio stampa, oscuramento.
blandìre *v.tr.* **1** adulare, lusingare, lisciare **2** (*un dolore, una pena ecc.*) alleviare, attenuare, attutire, calmare © accentuare, acuire, inasprire.
blàndo *agg.* **1** leggero, lieve, debole © forte, intenso, energico, efficace **2** dolce, piacevole, tenero, carezzevole, delicato © aspro, violento, brusco **3** (*di cura, di farmaco e sim.*) leggero, debole, all'acqua di rose (*colloq.*) © forte, drastico, radicale.
blasfèmo *agg.* empio, irriverente, sacrilego, bestemmiatore © pio, devoto, osservante.
blasonàto *agg., s.m.* aristocratico, nobile, titolato © plebeo, popolano, borghese.
blateràre *v.intr.* straparlare, parlare a vanvera (*colloq.*), chiacchierare, cianciare, ciarlare, farneticare, sproloquiare.

blàtta *s.f.* scarafaggio.
blindàre *v.tr.* corazzare; proteggere, rinforzare.
blindàto *agg.* corazzato; rafforzato, difeso, protetto, rivestito.
bloccàre *v.tr.* **1** (*un meccanismo e sim.*) arrestare, fermare, frenare, inceppare © sbloccare, avviare, mettere in moto **2** assicurare, fermare, fissare © sbloccare, liberare, sganciare, mollare **3** (*una persona*) arrestare, fermare, immobilizzare, trattenere © liberare **4** (*il passaggio e sim.*) chiudere, sbarrare, impedire, proibire, vietare © sbloccare, liberare **5** (*il traffico*) intasare, ingorgare, ostruire, intralciare, paralizzare **6** (*un flusso*) arginare, contenere, arrestare **7** (*i salari e sim.*) congelare, vincolare **8** ♧ inibire, castrare, chiudere © sbloccare, disinibire, aprire.
blòcco[1] *s.m.* **1** bloccaggio, fermo, arresto, tilt (*ingl.*) © sblocco, ripresa, avviamento **2** (*di un passaggio e sim.*) interruzione, sbarramento, chiusura, intoppo © apertura, passaggio, sblocco **3** (*del traffico*) ingorgo, intasamento, imbottigliamento, paralisi © sblocco **4** divieto, proibizione, sospensione; arresto, impasse (*fr.*) © autorizzazione, consenso **5** (*di un credito e sim.*) congelamento © sblocco **6** (*med.*) arresto, interruzione © ripresa.
blòcco[2] *s.m.* **1** (*di materiale*) masso, massa, aggregato **2** (*grossa quantità di merce*) partita, lotto, stock (*ingl.*) **3** (*unione di partiti, di stati ecc.*) coalizione, gruppo, alleanza, cartello **4** bloc-notes, taccuino.
bloc-notes *s.m.invar.* taccuino, agenda, blocco, blocchetto, notes.
bluff *s.m.invar.* (*ingl.*) messinscena, trucco, inganno, finzione, imbroglio, montatura.
bluffàre *v.intr.* fingere; ingannare, imbrogliare, raggirare; millantare.
blùsa *s.f.* **1** (*da donna*) camicetta **2** (*da lavoro*) camiciotto.
bòa *s.f.* galleggiante, gavitello.
boàto *s.m.* fragore, rombo, tuono; esplosione.
bobìna *s.f.* **1** rocchetto, cilindro, spola **2** filo, nastro; pellicola.
bócca *s.f.* **1** cavità orale (*med.*); labbra; (*colloq.*) dentatura **2** ♧ (*da sfamare*) persona **3** (*di un vaso, di un luogo ecc.*) apertura, imboccatura, ingresso; orlo, orifizio **4** (*geogr.*; *di fiume*) foce, estuario; (*di montagna*) passo, valico, strettoia; (*di mare*) stretto; (*di vulcano*) cratere.
boccàglio *s.m.* imboccatura, estremità.
boccàle *s.m.* brocca, anfora, caraffa, vaso; (*di birra*) pinta, bicchiere.
boccétta *s.f.* **1** bottiglietta, ampolla, fiala, flacone **2** (*del biliardo*) pallino.
boccheggiàre *v.tr.* **1** ansimare, ansare, soffocare **2** agonizzare, rantolare.
bocchettòne *s.m.* imboccatura.
bocchìno *s.m.* (*di strumento a fiato*) IPERON. imboccatura.
bòccia *s.f.* **1** bottiglia, ampolla, vaso, boccale **2** palla, sfera **3** (*colloq., scherz.*) testa, capo.
bocciàre *v.tr.* **1** (*una proposta, un candidato e sim.*) respingere, ricusare, rifiutare, silurare © accettare, accogliere, approvare **2** (*a un esame*) respingere, segare (*gerg.*), trombare (*colloq.*) © promuovere.
bocciatùra *s.f.* **1** (*di una proposta e sim.*) rifiuto © approvazione, accoglimento **2** (*di qlcu. a un esame*) trombata (*colloq.*), stangata © promozione.
bóccolo *s.m.* ricciolo, riccio, buccola, ciocca.
boccóne *s.m.* **1** morso, boccata **2** pezzo, tozzo **3** ghiottoneria, delicatezza, prelibatezza.
bòia *s.m.invar.* **1** carnefice, giustiziere **2** delinquente, furfante, manigoldo ♦ *agg.* (*di fame, di freddo, di mondo ecc.*) terribile, cattivo.
boicottàggio *s.m.* **1** blocco, embargo, isolamento **2** impedimento, ostruzionismo, sabotaggio © aiuto, favoreggiamento.
boicottàre *v.tr.* **1** bloccare, isolare **2** (*un'iniziativa e sim.*) ostacolare, sabotare, impedire © aiutare, favorire.
bòlgia *s.f.* caos, baraonda, pandemonio; (*colloq.*) casino, bordello.
bòlide *s.m.* **1** meteorite **2** ♧ (*di persona, di veicolo*) fulmine, razzo, freccia.
bólla[1] *s.f.* (*med.*) vescicola, vescica, rigonfiamento.
bólla[2] *s.f.* **1** sigillo **2** (*documento papale*) enciclica **3** (*comm.*; *di accompagnamento*) bolletta, bollettino, ricevuta.
bollàre *v.tr.* **1** marcare, segnare, contrassegnare, timbrare, vistare, vidimare; (*una lettera e sim.*) affrancare **2** ♧ (*una persona*) etichettare, catalogare, marchiare; diffamare, screditare © elogiare, lodare.
bollàto *agg.* **1** contassegnato, timbrato; (*di lettera e sim.*) affrancato **2** ♧ (*di persona*) diffamato, disonorato, marchiato.
bollènte *agg.* **1** ardente, infuocato, cocente, rovente © freddo, ghiacciato, gelato **2** ♧ focoso, passionale, scalpitante, impulsivo © freddo, distaccato, indifferente.
bollétta *s.f.* **1** ricevuta, bollettino, bolla **2** ♧ povertà, miseria, ristrettezza.
bollettìno *s.m.* **1** comunicato, avviso, annuncio; relazione, rendiconto, resoconto **2** rivista, gazzetta, periodico, notiziario, rassegna.

bollìre *v.intr.* **1** (*di liquido*) ribollire, gorgogliare **2** (*di cibo*) lessarsi **3** ♧ (*di persona*) fremere, agitarsi, scalpitare © sbollire, calmarsi ⧫ *v.tr.* (*un cibo*) lessare.
bollìto *agg.* lesso, lessato ⧫ *s.m.* carne lessa, lesso.
bóllo *s.m.* **1** timbro, contrassegno, marca, marcatura **2** (*colloq.*) francobollo, affrancatura, marca da bollo.
bollóre *s.m.* **1** ebollizione, ribollimento; bollitura **2** afa, caldo, calura, arsura © fresco, frescura **3** ♧ agitazione, eccitazione, fervore, smania © calma, quiete.
bólso *agg.* spossato, stanco, debole, fuori forma © energico, vigoroso.
bómba *s.f.* **1** ordigno, esplosivo **2** ♧ (*di notizia clamorosa*) scoop (*ingl.*), colpo **3** bombolone, krapfen (*ted.*) ⧫ *agg.invar.* straordinario, esplosivo, eccezionale, sensazionale, clamoroso.
bombardaménto *s.m.* **1** cannoneggiamento **2** ♧ (*di domande, di colpi ecc.*) raffica, pioggia, gragnola, martellamento.
bombardàre *v.tr.* **1** cannoneggiare **2** ♧ (*qlcu. di domande, di accuse ecc.*) tempestare, sommergere, investire, bersagliare, subissare.
bombàto *agg.* convesso, ricurvo, tondeggiante © concavo, incavato.
bombonièra *s.f.* confettiera.
bonàccia *s.f.* **1** (*di mare, di vento*) calma © burrasca, bufera, tempesta **2** ♧ pace, serenità, calma, quiete © agitazione, nervosismo.
bonaccióne *agg., s.m.* bonario, mite, pacifico, tranquillo, pacioccone © litigioso, irascibile, aggressivo, attaccabrighe.
bonarietà *s.f.* benevolenza, indulgenza, mitezza, bontà, gentilezza © cattiveria, aggressività, astiosità, severità, durezza, asprezza.
bonàrio *agg.* buono, gentile, disponibile, mite, benevolo; semplice, pacifico, pacioccone, bonaccione © duro, cattivo, aggressivo, aspro.
bonbon *s.m.invar.* (*fr.*) caramella, confetto, chicca, cioccolatino.
bonìfica *s.f.* **1** (*di un terreno*) prosciugamento, risanamento, drenaggio **2** (*di un quartiere, di una zona ecc.*) recupero, risanamento, ristrutturazione, pulizia.
bonificàre *v.tr.* **1** (*un terreno*) prosciugare, risanare, drenare **2** (*un quartiere, una zona ecc.*) risanare, ripulire, recuperare; migliorare **3** (*dalle mine*) liberare, sgombrare **4** (*un debito e sim.*) cancellare, condonare, abbonare.
bonìfico *s.m.* (*di un debito*) abbuono, condono.
bontà *s.f.* **1** benevolenza, carità, pietà, altruismo, generosità © cattiveria, malvagità, malignità **2** dolcezza, delicatezza, mitezza, amorevolezza, amabilità © asprezza, rozzezza, aggressività **3** cortesia, gentilezza, favore © scortesia, malevolenza **4** (*di cibo, di bevanda ecc.*) gradevolezza, gustosità, piacevolezza, squisitezza © schifezza **5** (*di un prodotto*) valore, qualità; genuinità, autenticità **6** (*di un metodo, di un provvedimento e sim.*) efficacia, validità, opportunità © inefficacia, inutilità **7** (*di un'argomentazione*) fondatezza, validità **8** (*di clima*) dolcezza, mitezza.
bon ton *s.m.invar.* (*fr.*) galateo, educazione, etichetta, buone maniere.
bonus *s.m.invar.* (*lat.*) gratifica, premio.
bookmaker *s.m.invar.* (*ingl.*) allibratore.
boom *s.m.invar.* **1** (*economico*) crescita, sviluppo © recessione, ristagno, crisi **2** (*di una moda e sim.*) successo, popolarità, exploit (*fr.*) © crollo, tramonto, decadenza.
borbottàre *v.intr.* mormorare, brontolare, farfugliare ⧫ *v.tr.* farfugliare, biascicare.
borbottìo *s.m.* brontolio, mormorio, parlottio.
bordàre *v.tr.* orlare, profilare, listare, incorniciare, contornare.
bordàta *s.f.* (*di fischi, di urla ecc.*) serie, raffica, sfilza, salva.
bordatùra *s.f.* bordo, orlo, bordura.
bordèllo *s.m.* **1** casa chiusa, casa d'appuntamenti, casino (*volg.*), postribolo, lupanare **2** (*colloq.*) disordine, confusione, baraonda, caos, casino; chiasso, fracasso, schiamazzo.
bórdo *s.m.* **1** (*di nave*) fianco, fiancata **2** (*di strada, di campo, di oggetto ecc.*) lato, margine, ciglio **3** (*di un indumento*) orlo, bordatura, bordura, orlatura.
boreàle *agg.* **1** © australe **2** artico © antartico.
borgàta *s.f.* **1** borgo, frazione, contrada **2** (*a Roma*) sobborgo, suburbio, rione popolare.
borghése *s.m.f., agg.* benpensante, conformista, conservatore, tradizionalista; (*spreg.*) meschino, gretto, retrivo, rezionario © rivoluzionario, anticonformista, progressista ⧫ *agg.* (*di abito*) civile © militare, ecclesiastico.
borghesìa *s.f.* ceto medio © proletariato; aristocrazia.
bórgo *s.m.* frazione, contrada, paese, villaggio.
bòria *s.f.* presunzione, superbia, alterigia, arroganza, spocchia, sufficienza, tracotanza © umiltà, modestia.
borióso *agg., s.m.* presuntuoso, superbo, altero, arrogante, spocchioso, tronfio, vanaglorioso © umile, modesto, semplice.
borràccia *s.f.* fiasca, fiaschetta.
bórsa[1] *s.f.* **1** sacchetto, sacca, sporta; (*da uomo*) borsello; (*da donna*) borsetta, tracolla; (*porta-*

documenti) cartella **2** soldi, denaro; portafoglio, borsellino, portamonete **3** (*colloq.*; *spec. al pl.*) occhiaie.

bórsa[2] *s.f.* **1** mercato finanziario; Borsa valori **2** (*dei calciatori, dell'arte ecc.*) mercato, compravendita.

borsaiòlo *s.m.* vedi **borseggiatóre**.

borseggiatóre *s.m.* borsaiolo, tagliaborse, scippatore IPERON. ladro.

borsellìno *s.m.* portamonete.

boscàglia *s.f.* macchia, sottobosco IPERON. bosco, foresta, selva.

boscaiòlo *s.m.* taglialegna, spaccalegna.

boschìvo *agg.* boscoso.

bòsco *s.m.* selva, foresta IPON. boscaglia, macchia.

boscóso *agg.* boschivo.

boss *s.m.invar.* (*ingl.*) capo, padrone, capoccia; dirigente, direttore, principale; (*di mafia*) capobanda, padrino.

bòssolo *s.m.* **1** (*di proiettile*) involucro **2** (*per le votazioni*) urna; (*per i dadi*) bussolotto.

botànica *s.f.* fitologia.

bòtola *s.f.* apertura, sportello, boccaporto (*mar.*).

bòtta *s.f.* **1** (*intenzionale*) colpo, percossa, battuta; (*amichevole*) pacca **2** (*casuale*) colpo, urto, cozzo **3** (*il segno che resta sul corpo*) livido, segno, ammaccatura **4** botto; esplosione, scoppio; (*di arma da fuoco*) colpo, sparo **5** ♧ colpo, batosta, bastonata; disgrazia, danno **6** (*colloq.*) battuta, frecciata, stoccata.

bótte *s.f.* **1** barile, fusto; barilotto, bidone **2** ♧ (*persona grassa*) bidone, baule, barile, ciccione.

bottéga *s.f.* **1** negozio, esercizio, spaccio, emporio **2** (*di artigiano*) laboratorio, officina **3** (*di artista*) studio, atelier (*fr.*).

bottegàio *s.m.* negoziante, commerciante, rivenditore; (*spreg.*) mercante, trafficante.

botteghìno *s.m.* **1** (*di teatro*) biglietteria, cassa **2** banco del lotto, ricevitoria.

bottiglierìa *s.f.* enoteca, fiaschetteria, cantina, mescita.

bottìno[1] *s.m.* refurtiva, maltolto, malloppo (*gerg.*).

bottìno[2] *s.m.* pozzo nero; concime.

bottóne *s.m.* **1** (*di apparecchi elettrici*) pulsante, tasto, interruttore, manopola **2** (*bot.*) gemma, bocciolo.

bottonièra *s.m.* pulsantiera.

boudoir *s.m.invar.* (*fr.*) **1** salottino **2** spogliatoio, camerino.

boule *s.f.invar.* (*fr.*) borsa dell'acqua calda, scaldino.

bouquet *s.m.invar.* (*fr.*) **1** (*di fiori*) mazzo, mazzolino **2** (*del vino*) aroma, profumo.

bovàro *s.m.* **1** bifolco, mandriano, vaccaro **2** ♧ ignorante, rozzo, villano, zotico.

box *s.m.invar.* (*ingl.*) **1** (*per animali*) recinto; stalla; (*per bambini*) recinto **2** (*della doccia*) cabina **3** (*per automobili*) garage, autorimessa, posto macchina.

boxe *s.f.invar.* (*fr.*) pugilato.

boxer *s.m.pl.* calzoncini IPERON. mutanda.

boxeur *s.m.invar.* (*fr.*) pugile, pugilatore (*raro*).

boy-friend *s.m.invar.* (*ingl.*) fidanzato, ragazzo, filarino (*colloq.*), moroso (*region.*).

bòzza[1] *s.f.* bernoccolo, bitorzolo, gonfiore, protuberanza, sporgenza.

bòzza[2] *s.f.* **1** progetto, studio, traccia, schema; brutta, minuta, brutta copia **2** (*tip.*) prova di stampa.

bozzétto *s.m.* bozza, progetto, studio, schizzo.

braccàre *v.tr.* inseguire, incalzare.

braccìale *s.m.* **1** braccialetto **2** (*di orologio*) cinturino.

bràccio *s.m.* **1** (*anat.*) arto superiore **2** (*al pl.*) manodopera, forza lavoro; lavoratori **3** ♧ (*della legge, della giustizia ecc.*) potere, autorità, forza **4** (*di fiume, di lago ecc.*) diramazione, ramo **5** (*di mare*) canale, stretto **6** (*di edificio*) ala, lato, padiglione.

bracconière *s.m.* cacciatore di frodo.

bràce *s.f.* carbonella, carbone ardente, tizzone.

brachicardìa *s.f.* (*med.*) © tachicardia.

braciòla *s.f.* bistecca, costata, costoletta, cotoletta, fettina, filetto.

bràdo *agg.* libero, selvaggio, selvatico © domestico, addomesticato.

bràma *s.f.* desiderio, frenesia, voglia, fame, sete, ingordigia, cupidigia, avidità © avversione, ripugnanza, rifiuto.

bramàre *v.tr.* desiderare, volere, ambire, agognare, anelare © respingere, rifiutare.

bramóso *agg.* avido, desideroso, voglioso, assetato, affamato, anelante, cupido, smanioso.

brànca *s.f.* **1** (*di animale*) grinfia **2** ♧ (*spreg.*; *spec. al pl.*) potere, dominio, grinfia, balìa **3** (*di una scienza, di un'attività e sim.*) ramo, settore, campo, specializzazione.

brànco *s.m.* **1** (*di animali*) mandria, armento **2** (*spreg.*; *di persone*) gruppo, banda, manica, accozzaglia, combriccola.

brancolàre *v.intr.* annaspare, brancicare; ♧ annaspare, arrancare.

brandèllo *s.m.* **1** pezzo, frammento, brano; (*di stoffa*) lembo **2** (*piccola quantità*) briciolo, briciola.

brandìre *v.tr.* impugnare, afferrare.

bràno *s.m.* **1** pezzo, frammento, brandello **2** (*di*

opera musicale, letteraria ecc.) passo, pezzo, passaggio.
brasàto *agg.* stufato.
bravàta *s.f.* fanfaronata, spacconata, gradassata, smargiassata, millanteria.
bràvo *agg.* **1** capace, esperto, abile, competente, brillante, efficiente, valido © incapace, inabile, inetto, incompetente, inefficiente **2** buono, ammodo, educato, onesto, corretto, degno, leale © cattivo, disonesto, scorretto, malvagio, sleale **3** coraggioso, audace, valoroso, ardimentoso © vile, vigliacco, codardo ♦ *s.m.* (*stor.*) sgherro, scagnozzo, masnadiero.
bravùra *s.f.* capacità, abilità, efficienza, destrezza, maestria © incapacità, imperizia, incompetenza, inettitudine.
break *s.m.invar.* (*ingl.*) pausa, intervallo, interruzione.
bréccia *s.f.* passaggio, apertura, buco, rottura, spaccatura, squarcio.
brefotròfio *s.m.* orfanotrofio.
bretèlla *s.f.* **1** (*di indumento*) spallina **2** (*stradale, ferroviaria ecc.*) raccordo **3** (*di binari*) traversina.
brève *agg.* **1** (*di tempo*) rapido, veloce, corto, fugace, fuggevole, effimero, passeggero © lungo, duraturo, eterno, infinito **2** (*di spazio*) corto, piccolo © lungo **3** (*di discorso, di scritto e sim.*) asciutto, conciso, stringato, succinto, sintetico, telegrafico © prolisso, diffuso, verboso **4** (*di persona*) laconico, spiccio © logorroico, loquace, prolisso.
brevettàre *v.tr.* (*un marchio, un'invenzione ecc.*) registrare.
brevettàto *agg.* **1** (*di marchio, di invenzione ecc.*) registrato, depositato **2** ♧ (*iron.; di sistema, di metodo ecc.*) collaudato, provato, sperimentato.
brevétto *s.m.* **1** (*di un'invenzione*) esclusiva, privativa **2** (*nautico e sim.*) licenza, patente.
brevità *s.f.* **1** (*del tempo*) rapidità, velocità, fugacità, fuggevolezza © lunghezza, lentezza **2** (*di discorso, di stile ecc.*) laconicità, sinteticità, stringatezza © verbosità, prolissità.
brézza *s.f.* venticello, arietta, zefiro (*elev.*).
brìcco *s.m.* cuccuma; brocca, caraffa.
bricconàta *s.f.* birbonata, marachella, monelleria, malefatta; mascalzonata, canagliata.
briccóne *s.m.* **1** bandito, brigante, farabutto, mascalzone, furfante **2** (*di bambino*) birichino, birbone, monello, discolo.
brìciola *s.f.* **1** briciolo, granello **2** ♧ inezia, nonnulla.
bricolage *s.m.invar.* (*fr.*) fai da te.
briefing *s.m.invar.* (*ingl.*) IPERON. riunione, conferenza, seminario.
brìga *s.f.* **1** seccatura, preoccupazione, bega, noia, grana, rogna (*colloq.*), rottura (*colloq.*) **2** pasticcio, imbroglio; maneggio, raggiro.
brigànte *s.m.* **1** malfattore, delinquente, malvivente; furfante, mascalzone, lazzarone, farabutto, canaglia **2** (*colloq., scherz.*) birbante, birbone, briccone; (*di bambino*) birichino, monello.
brigàre *v.intr.* intrigare, trafficare, armeggiare, intrallazzare, manovrare.
brigàta *s.f.* **1** (*di amici*) compagnia, gruppo, banda, combriccola (*colloq.*) **2** (*di combattenti*) banda, gruppo, squadra, unità.
brìglia *s.f.* (*spec. al pl.*) **1** (*del cavallo*) redine **2** (*per bambini*) guinzaglio, cinghia **3** ♧ freno, controllo, disciplina.
brillànte *agg.* **1** lucente, splendente, luminoso, fulgido, sfavillante, sfolgorante © opaco, spento, smorto **2** ♧ (*di persona*) vivace, spiritoso, divertente, piacevole, arguto, spigliato © noioso, insipido, smorto **3** ♧ (*di persona con grandi qualità*) bravo, capace, eccellente, notevole, ottimo, valente © incapace, mediocre, pessimo **4** ♧ (*di idea, di trovata e sim.*) geniale, azzeccato, riuscito, felice, indovinato © infelice, pessimo **5** ♧ (*di spettacolo, di attore ecc.*) leggero, comico © drammatico, pesante, serio, grave **6** ♧ (*di carriera, di prova ecc.*) fortunato, riuscito, notevole, ottimo, fulgido © sfortunato, deludente, pessimo.
brillantìna *s.f.* gel, gommina.
brillàre *v.intr.* **1** risplendere, scintillare, luccicare, sfavillare, rifulgere **2** ♧ (*di persona*) emergere, spiccare, risaltare, distinguersi, imporsi, eccellere **3** (*di mina*) scoppiare, esplodere.
brìllo *agg.* ubriaco, sbronzo © sobrio.
brìna *s.f.* calaverna, gelo, ghiaccio.
brindàre *v.intr.* alzare i bicchieri, levare i calici (*elev.*).
brìo *s.m.* allegria, spirito, amenità, buonumore, effervescenza, esuberanza, verve (*fr.*), vitalità © noia, monotonia, tristezza, freddezza, gravità.
brioche *s.f.invar.* (*fr.*) cornetto, croissant (*fr.*).
brióso *agg.* gaio, allegro, vivace, spiritoso, esuberante, vitale, vivace, frizzante, spigliato © noioso, monotono, pedante, triste, cupo.
brìvido *s.m.* **1** tremito, tremore **2** ♧ emozione, impressione, turbamento.
brizzolàto *agg.* grigio, sale e pepe.
bròcca *s.f.* caraffa, bricco.
bròcco *s.m.* **1** ronzino **2** (*colloq.*; *di persona*) incapace, buono a nulla, schiappa (*colloq.*).
bròdo *s.m.* (*di carne ristretto*) consommé (*fr.*).

bròglio *s.m.* truffa, maneggio, raggiro, intrallazzo.
broker *s.m.f.invar.* (*ingl.*) mediatore, intermediario.
bróncio *s.m.* muso © sorriso.
brontolàre *v.intr.* **1** borbottare, bofonchiare, mugugnare; lagnarsi, lamentarsi **2** (*di mare, di tempesta*) rumoreggiare ♦ *v.tr.* **1** mugugnare, borbottare, bofonchiare **2** (*colloq.*) rimproverare.
brontolìo *s.m.* borbottìo, mugugno; (*dell'intestino*) gorgoglio; (*di tuono*) borbottìo.
brontolóne *s.m.* borbottone; musone, scontroso, bisbetico.
bruciacchiàre *v.tr.* **1** scottare, abbrustolire **2** (*del sole, del gelo e sim.*) seccare, disseccare; bruciare.
bruciànte *agg.* **1** ardente, scottante **2** ♧ (*di dolore, di offesa ecc.*) cocente, duro, amaro, doloroso, irritante, umiliante **3** ♧ (*di partenza, di scatto ecc.*) rapido, veloce, improvviso, fulmineo, repentino.
bruciàre *v.tr.* **1** ardere, incendiare, incenerire, dare alle fiamme, infiammare © spegnere, estinguere, smorzare **2** (*una pietanza*) carbonizzare; abbrustolire, bruciacchiare, tostare **3** (*una ferita*) cauterizzare (*med.*), cicatrizzare **4** (*una parte del corpo*) scottare, ustionare **5** (*di ruggine e sim.*) corrodere, danneggiare, intaccare, rovinare **6** (*piante, campi ecc.*) inaridire, seccare **7** ♧ (*tempo, energie, possibilità ecc.*) consumare, sprecare, sciupare, perdere, esaurire **8** ♧ (*una persona nel lavoro*) rovinare, distruggere, compromettere **9** ♧ (*un avversario*) vincere, battere, sconfiggere, sorpassare ♦ *v.intr.* **1** ardere, avvampare, incendiarsi © spegnersi **2** scottare © gelare **3** (*di alcol, di ferita*) frizzare, irritare, fare male **4** (*di offesa, di delusione e sim.*) dispiacere, addolorare, offendere, rammaricare ♦ **bruciarsi** *v.pr.* **1** scottarsi, ustionarsi **2** incendiarsi, prendere fuoco, carbonizzarsi **3** (*di lampadina*) fulminarsi **4** ♧ (*di persona*) rovinarsi, compromettersi, fallire © riuscire.
bruciatìccio *agg.* bruciacchiato, strinato (*di tessuto*) ♦ *s.m.* bruciato.
bruciàto *agg.* **1** arso, bruciacchiato, incenerito, carbonizzato **2** ustionato, scottato **3** (*di colore*) marrone scuro, bruno **4** ♧ (*di persona, di occasione e sim.*) sprecato, compromesso, rovinato, perduto.
bruciatùra *s.f.* scottatura, ustione (*med.*).
bruciόre *s.m.* **1** irritazione, infiammazione, prurito **2** ♧ mortificazione, umiliazione.
brùfolo *s.m.* foruncolo, pustola, bollicina, bolla.
brughièra *s.f.* landa, steppa.
brulicàre *v.intr.* **1** (*di insetti, di persone*) formicolare, sciamare **2** ♧ (*di pensieri, di idee ecc.*) agitarsi, fervere, turbinare, mulinare, frullare.
brulichìo *s.m.* **1** formicolio **2** (*di idee*) turbinio, ridda, vortice.
brùllo *agg.* arido, desolato, nudo, pietroso, riarso, spoglio, improduttivo © rigoglioso, lussureggiante, ricco, verdeggiante, fertile, boscoso.
brùma *s.f.* foschia, caligine, nebbia.
brumóso *agg.* caliginoso, nebbioso © chiaro, limpido, sereno.
brùno *agg., s.m.* **1** (*di occhi, di capelli e sim.*) scuro, castano, moro, nero © chiaro, biondo **2** (*di pelle*) abbronzato, nero **3** (*di colore*) marrone, bruciato, brunito.
brùsco *agg.* **1** (*di sapore e sim.*) aspro, acre, agro, pungente **2** (*di persona, di modi ecc.*) secco, asciutto, sbrigativo, ruvido, spiccio, sgarbato © gentile, delicato, cortese, amabile, garbato **3** (*di movimento*) improvviso, rapido, inatteso, inaspettato, repentino, imprevedibile.
brusìo *s.m.* mormorio, bisbiglio, sussurrio, ronzio, fruscio.
brutàle *agg.* feroce, violento, crudele, bestiale, disumano, inumano, efferato, barbaro, spietato © buono, gentile, umano, civile, mite.
brutalità *s.f.* bestialità, ferocia, crudeltà, violenza, disumanità, malvagità, spietatezza © bontà, gentilezza, mitezza, umanità.
brutalizzàre *v.tr.* maltrattare, torturare, seviziare; violentare, stuprare.
brùto *agg.* bestiale, animalesco, brutale, violento, selvaggio, disumano, inumano © buono, civile, gentile, umano ♦ *s.m.* **1** bestia, animale, belva, mostro **2** violentatore, stupratore, seviziatore, maniaco.
brùtta *s.f.* minuta, brutta copia, abbozzo, bozza © bella, bella copia.
bruttézza *s.f.* sgradevolezza, mostruosità, sgradevolezza, laidezza (*elev.*) © bellezza, grazia, leggiadria.
brùtto *agg.* **1** (*di aspetto fisico*) sgradevole, spiacevole, sgraziato, disarmonico, antiestetico; mostruoso, orrendo, orribile, disgustoso, ripugnante, abominevole © bello, gradevole, piacevole, aggraziato, attraente, elegante **2** (*di comportamento, di parole e sim.*) cattivo, disdicevole, riprovevole, sconcio, osceno, vergognoso © pulito, buono, bello, morale **3** (*di periodo, di situazione e sim.*) negativo, cattivo, difficile, sfortunato, sfavorevole, disgraziato, difficoltoso, penoso © felice, sereno, bello, tranquillo, positivo, fortunato **4** (*di notizia, di vicenda ecc.*) spiacevole, infelice, doloroso, cattivo, grave © bello,

buono, piacevole, positivo **5** (*di tempo atmosferico*) cattivo, nuvoloso, piovoso, nebbioso © bello, buono, sereno, clemente **6** (*di mare*) agitato, mosso, burrascoso, sporco © bello, calmo, piatto; pulito ♦ *s.m. solo sing.* **1** bruttezza, bruttura © bello, bellezza **2** maltempo © bello, sereno.

bruttùra *s.f.* **1** bruttezza, sgradevolezza, mostruosità, orrore, schifezza © bellezza, meraviglia **2** (*morale*) vergogna, infamia, sconcezza, nefandezza, oscenità.

bubbóne *s.m.* **1** ingrossamento, gonfiore, pustola, ascesso **2** ♧ male, pericolo, minaccia, piaga.

bùca *s.f.* **1** (*del terreno*) buco, fossa, cavità, apertura; voragine; (*geogr.*) depressione, affossamento, avvallamento **2** (*delle lettere*) cassetta postale **3** (*del suggeritore*) botola.

bucàre *v.tr.* **1** (*un muro, una lamiera*) forare, perforare, traforare, trapassare © tappare, ostruire, otturare **2** (*di spina, di ago ecc.*) pungere, ferire **3** (*una gomma, un pneumatico ecc.*) forare **4** (*gerg.*; *la palla*) mancare, sbagliare, lisciare (*gerg.*) © colpire ♦ **bucarsi** *v.pr.* **1** (*con una spina, un ago ecc.*) pungersi, ferirsi **2** (*di pneumatico*) forarsi **3** (*gerg.*) drogarsi, farsi (*gerg.*), siringarsi.

bucàto *s.m.* **1** (*di panni*) lavaggio, pulitura **2** panni, biancheria.

bucatùra *s.f.* **1** (*di pneumatico e sim.*) foratura, buco, foro **2** (*di ago, di spina ecc.*) puntura.

bùccia *s.f.* **1** (*di frutto*) scorza, guscio **2** (*di piente*) corteccia **3** (*di formaggio*) crosta; (*di salame*) pellicola **4** (*colloq., scherz.*) pelle, vita.

bucherellàre *v.tr.* bucare, forare, sforacchiare, crivellare, tarlare.

bùco *s.m.* **1** foro, fessura, cavità, pertugio, buca, apertura **2** (*del naso, delle orecchie e sim.*) foro, orifizio **3** (*della serratura*) toppa **4** (*di animale*) tana, nascondiglio **5** (*abitazione misera*) catapecchia, bicocca, topaia, tugurio, stamberga **6** (*nel lavoro*) pausa, intervallo, interruzione, sosta, break (*ingl.*) **7** (*di denaro*) debito, ammanco, passivo; (*fin.*) deficit, disavanzo **8** (*gerg.*; *iniezione di eroina*) dose (*gerg.*), pera (*gerg.*).

bucòlico *agg.* agreste, campestre, idilliaco, idillico.

budèllo *s.m.* **1** (*colloq.*) visceri, intestino **2** ♧ tubo **3** ♧ vicolo, vicoletto, passaggio, cunicolo.

budget *s.m.invar.* (*ingl.*) **1** (*fin.*) bilancio, preventivo; piano finanziario **2** stanziamento, somma a disposizione.

budìno *s.m.* pudding (*ingl.*) IPERON. dolce.

bùe *s.m.* **1** manzo, vitello, giovenco **2** ♧ (*di persona*) ignorante, sciocco, tardo © sveglio, intelligente.

bufèra *s.f.* **1** tempesta, burrasca, tormenta, uragano, nubifragio © bonaccia, calma **2** ♧ furore, furia, burrasca © pace, tranquillità.

buffet *s.m.invar.* (*fr.*) **1** ricevimento, rinfresco **2** (*nelle stazioni, negli aeroporti ecc.*) bar, caffetteria, ristorante **3** credenza, dispenza.

buffétto *s.m.* pizzico, pizzicotto; carezza.

bùffo *agg.* **1** divertente, comico, ridicolo, allegro, scherzoso, faceto © serio, austero, grave **2** strano, curioso, stravagante, bizzarro, singolare © normale, ordinario **3** (*di attore, di commedia ecc.*) comico, brillante ♦ *s.m. solo sing.* comico, comicità; curiosità, stranezza.

buffonàta *s.f.* buffoneria, pagliacciata, farsa, commedia, scherzo.

buffóne *s.m.* **1** (*anticamente*) giullare, saltimbanco, giocoliere **2** pagliaccio, clown, macchietta, buontempone, allegrone **3** (*spreg.*) ciarlatano, cialtrone, fanfarone, parolaio.

bugìa[1] *s.f.* menzogna, invenzione, storia, falsità, fandonia, palla (*colloq.*), balla (*colloq.*), panzana, frottola, ciancia, favola © verità, vero.

bugìa[2] *s.f.* portacandele, candelabro, candeliere.

bugiardìno *s.m.* (*di medicinali e sim.*) avvertenze, foglietto illustrativo.

bugiàrdo *agg.* falso, ipocrita, menzognero, ingannatore, fallace, simulatore © sincero, schietto, leale, franco ♦ *s.m.* ipocrita, impostore, mentitore, simulatore, millantatore, fanfarone, ballista (*colloq.*), contapalle (*colloq.*).

bugigàttolo *s.m.* **1** sgabuzzino, ripostiglio, stambugio **2** stamberga, buco, catapecchia, topaia, bicocca, tana.

bùio *agg.* **1** oscuro, cupo, tenebroso, fosco, tetro, lugubre © chiaro, luminoso, limpido, lucente **2** (*del cielo*) nuvoloso © sereno, terso, luminoso **3** ♧ (*di persona, di volto*) cupo, triste, scuro, corrucciato, accigliato © felice, raggiante **4** (*di momento, di periodo ecc.*) difficile, duro, brutto, incerto, nero **5** (*di discorso e sim.*) incomprensibile, astruso, intricato, confuso © chiaro, evidente, semplice ♦ *s.m.* **1** oscurità, tenebra, ombra; notte, sera © luce, chiarore **2** ♧ amnesia, dimenticanza.

bùlbo *s.m.* **1** globo, bolla, sfera **2** radice, tubero; (*di fiori*) cipolla.

bulimìa *s.f.* © anoressia; inappetenza.

bulìno *s.m.* cesello, ciappola, scalpello.

bulldog *s.m.invar.* (*ingl.*) molosso, mastino.

bulldozer *s.m.invar.* (*ingl.*) ruspa, apripista, trattore, caterpillar (*ingl.*).

bùllo *s.m.* gradasso, spavaldo, spaccone, bellimbusto; teppista.

bungalow *s.m.invar.* (*ingl.*) villino, casetta.

bunker *s.m.invar.* (*ted.*) casamatta, fortino.

buonaféde *s.f.* sincerità, onestà, fiducia, lealtà © malafede, slealtà, doppiezza.

buoncostùme *s.m.* morale, moralità © malcostume, immoralità.

buongustàio *s.m.* **1** buona forchetta, gourmet (*fr.*) **2** intenditore, raffinato © profano, dilettante.

buongùsto *s.m.* **1** gusto, finezza, eleganza, stile, raffinatezza © cattivo gusto, kitsch (*ted.*) **2** delicatezza, buonsenso, discrezione, intelligenza © indelicatezza.

buòno[1] *agg.* **1** (*di natura e sim.*) giusto, onesto, nobile, retto, virtuoso, probo (*elev.*) © cattivo, disonesto, ingiusto, immorale **2** (*di animo e sim.*) generoso, benevolo, bravo, amorevole, altruista, caritatevole © cattivo, crudele, feroce, malvagio, perfido, diabolico **3** (*di modi*) affettuoso, gentile, cortese, affabile © scortese, sgarbato, rozzo **4** (*di carattere*) sereno, dolce, lieto, ottimista, socievole © cattivo, nervoso, agitato, preoccupato **5** (*di bambino, di scolaro ecc.*) calmo, tranquillo, quieto, disciplinato silenzioso, ubbidiente © nervoso, agitato, indisciplinato, disubbidiente, scalmanato **6** (*di artigiano, di professionista ecc.*) bravo, capace, abile, esperto, provetto, in gamba (*colloq.*), versato © incapace, inesperto **7** (*di farmaco, di rimedio ecc.*) adatto, efficace, utile, giusto, idoneo © inefficace, inutile **8** (*di merce, di prodotto ecc.*) fine, pregiato, pregevole, raffinato © commerciale, dozzinale **9** (*di reputazione e sim.*) onorevole, rispettabile, stimabile © cattivo, disprezzabile **10** (*di musica, di libro ecc.*) bello © brutto, mediocre, scadente **11** (*di occasione e sim.*) favorevole, vantaggioso, opportuno, propizio; (*di affare e sim.*) conveniente, redditizio © cattivo, sfavorevole, svantaggioso, sconveniente **12** (*di ragione, di motivo ecc.*) accettabile, valido, giusto, reale, vero, fondato, plausibile © inaccettabile, infondato, insostenibile **13** (*di lavoro e sim.*) benfatto, esatto, accurato, preciso, approfondito © cattivo, brutto, malfatto **14** (*di cibo, di bevanda ecc.*) gustoso, delizioso, delicato, squisito, stuzzicante © cattivo, disgustoso, nauseante **15** (*di odore*) piacevole, fragrante, profumato © cattivo, sgradevole **16** (*di clima, di tempo e sim.*) bello, dolce, mite, gradevole, piacevole, sereno; (*di aria*) salutare, salubre, pulito © brutto, cattivo, perturbato; insalubre, malsano **17** (*di compagnia e sim.*) gradevole, piacevole, divertente, simpatico, bello © sgradevole, noioso, antipatico **18** (*di quantità*) notevole, considerevole, abbondante, ricco, nutrito, soddisfacente © misero, scarso, modesto, limitato, esiguo **19** (*di moneta, di opera d'arte ecc.*) vero, autentico © falso, fasullo ♦ *s.m.* **1** (*persona*) giusto, onesto, retto © cattivo, ingiusto, infame **2** bontà, bene © male, cattivo, cattiveria.

buòno[2] *s.m.* ricevuta, biglietto, tagliando, scontrino, talloncino, coupon (*fr.*), polizza.

buonsènso *s.m.* saggezza, assennatezza, equilibrio, giudizio, cervello, discernimento, senno © leggerezza, dissennatezza.

buontempóne *s.m.* compagnone, buffone, allegrone, mattacchione, burlone.

buonumóre *s.m.* allegria, contentezza, brio, gaiezza, giovialità, ilarità © malumore, tristezza, malinconia, malcontento.

buonuscìta *s.f.* gratifica, indennizzo, compenso, denaro.

burattinàio *s.m.* **1** marionettista, puparo **2** ♧ manovratore, grande vecchio.

burattìno *s.m.* **1** marionetta, pupo **2** ♧ pupazzo, fantoccio, bamboccio, pagliaccio.

bùrbero *agg.* severo, brusco, scortese, sgarbato, accigliato, musone, scontroso, scorbutico, scostante © gentile, mite, affabile, cordiale, sorridente.

burìno *s.m, agg.* (*spreg.*) zotico, ignorante, grossolano, buzzurro, tamarro (*region.*).

bùrla *s.f.* **1** beffa, scherzo, presa in giro, canzonatura, dileggio, motteggio (*elev.*), scherno, celia (*elev.*) **2** sciocchezza, inezia, bazzecola, nonnulla.

burlàre *v.tr* (*una persona*) beffeggiare, canzonare, deridere, prendere in giro, dileggiare, prendere per il culo (*volg.*), sfottere (*colloq.*) ♦ *v.intr.* scherzare ♦ **burlarsi** *v.pr.* farsi beffe, farsi gioco, prendersi gioco, ridersi.

burlésco *agg.* farsesco, buffo, giocoso, ironico, faceto © serio, serioso, grave.

burlóne *s.m.* buffone, buontempone, giocherellone, compagnone, mattacchione ♦ *agg.* spiritoso, allegro, faceto, arguto © serio, austero, severo.

buròcrate *s.m.* **1** impiegato, funzionario, colletto bianco **2** (*spreg.*) formalista, pedante, fiscale.

burocràtico *agg.* **1** amministrativo **2** (*spreg.*) fiscale, formalista, pedante, gretto, pignolo © agile, elastico.

burocrazìa *s.f.* **1** amministrazione pubblica **2** (*spreg.*) fiscalismo, pedanteria, pignoleria, grettezza, lungaggine.

burràsca *s.f.* **1** bufera, tempesta, uragano, mareggiata, tormenta (*di neve*) © calma, bonaccia **2** ♧ sconvolgimento, disgrazia, disavventura, tragedia; finimondo, scompiglio, putiferio.

burrascóso *agg.* **1** (*di tempo*) tempestoso, cat-

tivo, da lupi; (*di mare*) grosso, agitato, mosso © calmo, tranquillo **2** ♧ (*di vita, di situazione, di rapporto ecc.*) agitato, violento, tempestoso, turbolento © tranquillo, pacifico.
burróne *s.m.* dirupo, baratro, strapiombo, voragine, scarpata, orrido.
burròso *agg.* tenero, morbido, soffice.
buscàre *v.tr.* (*colloq.*) **1** (*un raffreddore, una sberla ecc.*) prendere, beccare (*colloq.*) **2** guadagnare, intascare ♦ **buscarle** *v.procompl.* (*colloq.*) beccarle, prenderle.
business *s.m.invar.* (*ingl.*) affare, attività, impresa.
businessman *s.m.invar.* (*ingl.*) uomo d'affari.
bussàre *v.intr.* battere, picchiare.
bùssola *s.f.* **1** ♧ orientamento, criterio; controllo **2** (*per le elemosine*) cassetta; (*per le schede elettorali*) urna.
bùsta *s.f.* **1** (*per documenti*) cartella, borsa **2** (*per occhiali*) astuccio, custodia.
bustarèlla *s.f.* mazzetta, tangente, pizzo (*region.*).
bùsto *s.m.* **1** tronco, torso, torace, petto, fusto **2** bustino, corsetto, corpetto.
buttàre *v.tr.* **1** gettare, lanciare, tirare, scagliare, scaraventare © prendere, raccogliere, raccattare **2** ♧ (*tempo, fatica, energie ecc.*) sprecare, sciupare, disperdere; (*denaro*) dilapidare, dissipare, scialacquare, sperperare © risparmiare. economizzare **3** (*fumo, liquido*) emettere, perdere, gettare **4** (*di pianta*) germogliare, gemmare, ributtare, rimettere **5** (*una carta da gioco*) giocare, tirare, calare, scartare ♦ *v.intr.* (*di tempo atmosferico*) tendere, volgere, mettersi ♦ **buttarsi** *v.pr.* **1** gettarsi, lanciarsi, scagliarsi, precipitarsi, fiondarsi (*colloq.*), scaraventarsi, piombare © frenarsi, trattenersi **2** (*in un'attività e sim.*) dedicarsi, impegnarsi, applicarsi, occuparsi © disimpegnarsi, abbandonare **3** (*ass.*) osare, rischiare, tentare, provarci © abbandonare, rinunciare, ritirarsi.
butteràto *agg.* pustoloso, vaioloso.
bùttero *s.m.* (*spec. in Maremma*) mandriano, bovaro, vaccaro.
buyer *s.m.f.invar.* (*ingl.*) compratore © venditore.
buzzùrro *s.m.* villano, ignorante, zotico, cafone, burino (*region.*).
by night *loc.agg.invar.* (*ingl.*) notturno; di notte.
by pass *loc.sost.m.invar.* (*ingl.*) collegamento, ponte, raccordo, deviazione, diramazione.
bypassare *v.tr.* scavalcare, superare, sorpassare.

c, C

cabaret *s.m.invar.* (*fr.*) rivista, varietà.
cabìna *s.f.* **1** (*di pilotaggio*) abitacolo **2** (*di ascensore e sim.*) vano **3** (*di spiaggia, di piscina ecc.*) spogliatoio, capanno, casotto.
cabinovìa *s.f.* funivia, ovovia.
cabriolet *agg.invar.* (*fr.*) (*di automobile*) decappottabile, convertibile.
cacào *s.m.invar.* cioccolato in polvere, cioccolato.
cacàre *intr.* (*volg.*) andare di corpo, defecare, evacuare (*med.*) ♦ *v.tr.* **1** espellere, eliminare **2** (*gerg.*) considerare, tenere in considerazione.
cacasótto *s.m.f.invar.* (*spreg.*) vigliacco, fifone, codardo, pauroso.
cacàta *s.f.* (*volg.*) **1** defecazione **2** escrementi, feci, cacca (*colloq.*), sterco (*di animali*); (*volg.*) merda, stronzo **3** (*colloq.*) schifezza, porcheria.
càcca *s.f.* (*colloq.*) **1** escrementi, feci, sterco (*di animali*); (*volg.*) merda, stronzo **2** (*colloq.*) schifezza, porcheria, sudiciume.
càccia *s.f.* **1** venagione **IPON.** battuta, safari **2** (*subacquea*) pesca **3** ♧ (*di persona*) ricerca, inseguimento.
cacciagióne *s.f.* selvaggina.
cacciàre *v.tr.* **1** cercare, inseguire, dare la caccia, braccare **2** (*mandare via*) allontanare, scacciare, espellere, licenziare; bandire, esiliare, proscrivere © accogliere, accettare, ospitare **3** (*colloq.*) infilare, ficcare, mettere, spingere, conficcare; nascondere © estrarre, togliere; trovare **4** (*colloq.*) tirare fuori, estrarre **5** (*colloq.*; *un urlo, un gemito ecc.*) emettere ♦ **cacciarsi** *v.pr.* **1** infilarsi, introdursi, penetrare **2** (*colloq.*) finire, ficcarsi, andare a finire.
cacciàta *s.f.* espulsione, allontanamento; bando, esilio © accoglienza, ospitalità; invito.
cacciavìte *s.m.* giravite.
cachet *s.m.invar.* (*fr.*) **1** capsula, ostia, cialdino **2** pastiglia, compressa, pasticca, pillola; analgesico, aspirina **3** (*per i capelli*) tintura, colorante **4** compenso, gettone di presenza.
càcio *s.m.* (*region.*) formaggio.
cacofonìa *s.f.* **IPERON.** disarmonia © eufonia, armonia, accordo.
cacofònico *agg.* (*di suono e sim.*) sgradevole, disarmonico © eufonico, armonico, gradevole.
cadàvere *s.m.* morto, salma, spoglia, corpo.
cadavèrico *agg.* (*di aspetto, di viso ecc.*) pallido, emaciato, spettrale © sano, colorito, florido, vigoroso.
cadènte *agg.* **1** (*di edificio e sim.*) pericolante, diroccato, fatiscente, traballante © solido, saldo, stabile **2** ♧ (*di persona*) malandato, decrepito, vecchio, sfatto, debole © arzillo, energico, florido, vigoroso.
cadènza *s.f.* **1** accento, inflessione, tono, intonazione **2** (*di ballo, di marcia ecc.*) ritmo, andatura, passo.
cadenzàre *v.tr.* ritmare, scandire.
cadére *v.intr.* **1** cascare, scivolare, volare, ruzzolare; precipitare, piombare, crollare; rovinare, schiantarsi; sprofondare **2** (*di ciuffo, di capelli*) ricadere **3** ♧ (*di notte, di pressione ecc.*) calare, scendere; (*di vento*) cessare **4** ♧ (*di speranze e sim.*) svanire, venire meno, crollare © risorgere **5** (*di comunicazione*) interrompersi **6** ♧ (*di governo, di regime ecc.*) crollare; dimettersi **7** ♧ (*in qlco. di negativo*) incappare, incorrere, venire a trovarsi; cacciarsi (*colloq.*) **8** (*di discorso e sim.*) vertere, toccare; (*di sguardo*) posarsi, rivolgersi **9** (*di festività*) ricorrere, capitare, venire (*colloq.*).
cadétto *agg., s.m.* (*nelle famiglie nobili*) minore; secondogenito © primogenito ♦ *s.m.* (*mil.*) allievo.
caducità *s.f.* fugacità, brevità, transitorietà, vanità © durevolezza, stabilità, persistenza; eternità, immortalità.
cadùco *agg.* **1** effimero, fugace, fuggevole, passeggero, breve, momentaneo, transitorio © duraturo, eterno, immortale, perenne, saldo, stabile, perpetuo **2** (*bot.*) deciduo © perenne.
cadùta *s.f.* **1** capitombolo, volo, ruzzolone, tonfo, crollo **2** (*di denti, di capelli*) perdita **3** ♧ (*di prezzi e sim.*) calo, crollo, diminuzione © aumento, impennata **4** (*di un regime, di una città, di una civiltà ecc.*) crollo, capitolazione, resa; distruzione, rovina, fine; declino, decadenza.
caffè *s.m.* **1** (*bevanda*) **IPON.** espresso, decaffeinato **2** (*locale*) bar, caffetteria.

caffetterìa *s.f.* (*in aeroporti, stazioni ecc.*) bar, caffè.
caffettièra *s.f.* **1** macchinetta del caffè, moka **2** cuccuma, bricco **2** (*scherz.*; *di automobile vecchia*) bagnarola, carretta, catorcio, macinino, trabiccolo, carcassa.
cafonàggine *s.f.* cafoneria, volgarità, maleducazione © gentilezza, garbo, educazione.
cafonàta *s.f.* volgarità, sgarbo, scortesia, villanata.
cafóne *s.m., agg.* (*spreg.*) rozzo, maleducato, villano, zotico © gentile, educato, garbato, cortese; signore, gentiluomo ♦ *s.m.* (*region.*) contadino.
cagionàre *v.tr.* produrre, provocare, suscitare, causare, determinare, arrecare.
cagionévole *agg.* debole, delicato, malaticcio, fragile © forte, robusto, sano, vigoroso.
cagliàre *v.intr.* (*di latte*) coagularsi, rapprendersi, raggrumarsi.
cagnàra *s.f.* (*colloq.*) chiasso, baccano, confusione, baraonda, casino (*colloq.*), bordello (*colloq.*) © pace, quiete, silenzio, tranquillità.
cagnésco *agg.* (*di sguardo e sim.*) bieco, torvo, minaccioso, malevolo, ostile.
càla *s.f.* rada, baia, insenatura.
calamìta *s.f.* **1** magnete **2** ♧ attrazione, richiamo, attrattiva.
calamità *s.f.* catastrofe, cataclisma, disastro, sciagura, sventura.
calamitàre *v.tr.* **1** magnetizzare **2** ♧(*l'attenzione, l'interesse ecc.*) attrarre, attirare, monopolizzare, catalizzare, affascinare, incantare, stregare, ipnotizzare © respingere, allontanare.
calànte *agg.* declinante © crescente.
calàre *v.tr.* **1** abbassare, tirare giù; ammainare (*la vela, la bandiera ecc.*); immergere (*in acqua*) © sollevare, alzare; (*la vela*) issare **2** (*il prezzo e sim.*) diminuire, ribassare, abbassare © aumentare, incrementare, maggiorare ♦ *v.intr.* **1** scendere, discendere © salire, risalire **2** (*in un territorio*) penetrare; invadere © ritirarsi, andarsene **3** diminuire, decrescere, scemare, scendere, ridursi, abbassarsi, attenuarsi © aumentare, crescere, salire, alzarsi **4** (*della sera, del buio*) scendere, sopraggiungere **5** (*del sole*) tramontare, declinare, scendere; (*della luna*) decrescere © sorgere, spuntare, levarsi; crescere ♦ **calarsi** *v.pr.* **1** scendere, discendere © inerpicarsi, arrampicarsi; salire, ascendere **2** (*in una parte*) immedesimarsi, mettersi.
calàta *s.f.* **1** abbassamento, discesa, diminuzione © aumento, ascesa, rialzo **2** (*dei barbari*) invasione, discesa **3** (*del sole*) tramonto, declino © levata **4** (*in alpinismo*) discesa © risalita, arrampicata **5** discesa, pendio, china, pendenza © salita **6** inflessione, accento, cadenza, pronuncia.
càlca *s.f.* ressa, affollamento, folla, carnaio, frotta, massa.
calcàgno *s.m.* tallone.
calcàre *v.tr.* **1** pestare, calpestare, schiacciare **2** (*con forza*) premere, comprimere, pigiare **3** ♧ (*una parola, una frase*) sottolineare, evidenziare **4** (*un disegno e sim.*) ricalcare, copiare.
càlce *s.f.* **1** calce viva, ossido di calcio (*chim.*) **2** calce spenta, idrossido di calcio (*chim.*); calcina.
calciàre *v.intr.* scalciare, ricalcitrare ♦ *v.tr.* (*un pallone*) colpire, tirare.
calciatóre *s.m.* giocatore.
càlcio *s.m.* **1** pedata **2** pallone (*colloq.*), football (*ingl.*).
càlco *s.m.* impronta, copia.
calcolàre *v.tr.* **1** contare, conteggiare, computare **2** considerare, comprendere, includere © escludere, trascurare **3** stimare, apprezzare, valutare, giudicare **4** misurare, studiare, soppesare, ponderare.
calcolatóre *agg.* furbo, scaltro, opportunista, interessato © altruista, disinteressato ♦ *s.m.* computer, elaboratore, cervello elettronico.
càlcolo *s.m.* **1** conto, computo, conteggio, operazione (*mat.*) **2** stima, valutazione, previsione, ipotesi **3** ♧ interesse, vantaggio, tornaconto, profitto **4** ♧ assegnamento, conto, affidamento.
caldàna *s.f.* vampa, vampata; rossore.
caldeggiàre *v.tr.* appoggiare, sostenere, favorire, incoraggiare, promuovere © contrastare, avversare, opporsi, ostacolare.
calderóne *s.m.* **1** paiolo **2** ♧ mucchio, accozzaglia, confusione, guazzabuglio.
càldo *agg.* **1** ardente, bollente, cocente, rovente © freddo, fresco, gelido **2** (*di clima*) afoso, torrido © freddo, glaciale **3** (*di cibo*) fumante, bollente © freddo **4** ♧ (*di carattere*) appassionato, passionale, focoso, impetuoso, irruente © distaccato, freddo, impassibile **5** ♧ (*di parole, di gesti, di accoglienza ecc.*) caloroso, cordiale, affettuoso; sincero, sentito © freddo, scostante **6** ♧ (*di notizia*) fresco, recente, nuovo **7** (*di colore*) forte, intenso, luminoso, vivo © freddo, smorto, spento **8** (*di voce*) profondo, basso, morbido, avvolgente, gradevole © acuto, stridulo, aspro, secco **9** ♧ (*di situazione, di momento ecc.*) critico, difficile, pericoloso ♦ *s.m.* **1** calura, calore, afa, arsura, canicola © freddo, fresco, frescura, gelo.

calendàrio *s.m.* **1** almanacco, effemeride (*elev.*) **2** (*di un'attività e sim.*) programma; agenda; (*di spettacoli*) cartellone.
calibràre *v.tr.* **1** regolare, tarare **2** ♧ (*le parole, le forze ecc.*) misurare, soppesare, dosare, controllare, ponderare.
càlibro *s.m.* **1** (*di bocca di arma da fuoco*) diametro **2** ♧ valore, levatura, livello, rilievo.
calìgine *s.f.* **1** nebbia, bruma, foschia © limpidezza, trasparenza, nitidezza **2** fuliggine.
caliginóso *agg.* nebbioso, brumoso, fosco; fumoso, velato © chiaro, terso, limpido.
calligrafia *s.f.* **1** bella scrittura **2** grafia, scrittura.
càllo *s.m.* callosità, durone.
callóso *agg.* duro © morbido.
càlma *s.f.* **1** (*di mare, di cielo ecc.*) bonaccia © tempesta, burrasca, bufera **2** (*di luogo, di situazione ecc.*) pace, quiete, tranquillità, serenità, silenzio © agitazione, confusione, disordine, trambusto, baccano **3** (*di persona*) tranquillità, serenità, equilibrio, pacatezza, pazienza © inquietudine, agitazione, ansia, irrequietudine, nervosismo.
calmànte *agg., s.m.* **1** (*per il dolore*) analgesico, antidolorifico, antispastico, antinevralgico, lenitivo **2** (*per l'ansia*) sedativo, ansiolitico, tranquillante © eccitante, tonico.
calmàre *v.tr.* **1** (*qlcu.*) placare, chetare, quietare, rabbonire, sedare; tranquillizzare, confortare, pacificare © eccitare, provocare, esasperare, esacerbare, fomentare, innervosire, preoccupare **2** (*un dolore*) sedare, alleviare, lenire, attenuare © aumentare, acutizzare, inasprire ♦ **calmarsi** *v.pr.* **1** placarsi, quietarsi, acquietarsi; rasserenarsi, tranquillizzarsi © inquietarsi, irritarsi, innervosirsi, agitarsi, alterarsi **2** (*di dolore, di ira ecc.*) placarsi, attutirsi, attenuarsi, mitigarsi, smorzarsi © acuirsi, acutizzarsi, inasprirsi, esacerbarsi.
calmieràre *v.tr.* (*i prezzi*) regolare, regolamentare, contenere, fissare, controllare.
càlmo *agg.* **1** (*del mare*) quieto, tranquillo, fermo © agitato, burrascoso, tempestoso **2** (*di persona, di carattere ecc.*) tranquillo, sereno, quieto, pacifico, pacato, paziente, posato © nervoso, agitato, inquieto, ansioso, teso, stressato.
càlo *s.m.* **1** diminuzione, abbassamento, riduzione, alleggerimento, decremento, discesa, perdita © aumento, crescita, incremento, rafforzamento, recupero **2** (*di prestigio, di potere ecc.*) declino, decadenza, caduta © ascesa, ripresa, consolidamento.
calóre *s.m.* **1** caldo, calura, afa, bollore © freddo, fresco, frescura **2** vampata, caldana, vampa **3** ♧ (*di sentimento*) entusiasmo, ardore, impeto, passione, slancio, fervore, foga © distacco, freddezza, indifferenza **4** affetto, partecipazione, premura, sollecitudine, cordialità **5** (*di animali*) amore, estro (*biol.*).
calorìfero *s.m.* termosifone, radiatore, termoconvettore.
caloróso *agg.* **1** © freddoloso **2** ♧ (*di saluto, di gesto e sim.*) affettuoso, caldo, cordiale, festoso, entusiasta © freddo, tiepido, indifferente, scostante **3** ♧ (*di carattere*) focoso, impetuoso, appassionato, espansivo, irruente © calmo, pacato, tranquillo.
calòscia *s.f.* galoscia, sovrascarpa.
calòtta *s.f.* **1** cupola **2** (*di copricapo*) zucchetto, papalina **3** (*cranica*) volta.
calpestàre *v.tr.* **1** pestare, schiacciare, calcare **2** ♧ (*una persona*) opprimere, sopraffare, maltrattare, soverchiare © rispettare, considerare **3** ♧ (*diritti, sentimenti ecc.*) offendere, disprezzare, violare, infrangere, oltraggiare © onorare, rispettare.
calpestìo *s.m.* scalpiccìo.
calùnnia *s.f.* diffamazione, maldicenza, falsità, denigrazione, insinuazione, malignità © elogio, lode, esaltazione.
calunniàre *v.tr.* diffamare, infamare, denigrare, screditare, infangare, sputtanare (*volg.*).
calunniatóre *s.m., agg.* diffamatore, maldicente, denigratore © elogiatore, lodatore.
calunnióso *agg.* diffamatorio, denigratorio, falso, menzognero, infamante, offensivo © veritiero, onesto, sincero.
calùra *s.f.* afa, arsura, caldo, calore, canicola, solleone © freddo, fresco, frescura, refrigerio, gelo.
calvàrio *s.m.* via crucis; sofferenza, pena, tormento, tribolazione, dolore, inferno, tortura, supplizio.
calvìzie *s.f.invar.* alopecia (*med.*).
càlvo *agg.* pelato.
càlza *s.f.* **1** IPON. calzettone, calzino, calzerotto, gambaletto, pedalino; calzamaglia, collant (*fr.*) **2** lavoro a maglia, maglia.
calzamàglia *s.f.* collant IPERON. calza.
calzànte *agg.* **1** (*di vestito*) aderente, attillato © largo **2** (*di discorso, di paragone e sim.*) appropriato, efficace, adatto, proprio, adeguato, congruo, pertinente © improprio, inadatto, inefficace ♦ *s.m.* calzascarpe, calzatoio, corno da scarpe.
calzàre *v.tr.* **1** (*guanti, scarpe ecc.*) infilare, mettere; portare, indossare, avere © sfilare,

togliere, levare **2** (*un mobile, un tavolo ecc.*) puntellare, bloccare, rincalzare © scalzare ♦ *v.intr.* **1** (*di indumenti, di scarpe*) vestire, aderire, adattarsi **2** (*di discorso, di paragone e sim.*) adattarsi, appropriarsi, convenire, addirsi.

calzascàrpe *s.m.* calzante, calzatoio, corno da scarpe.

calzatóio *s.m.* vedi **calzascàrpe**.

calzatùra *s.f.* **IPON.** scarpa, scarpone, stivale, sandalo, scarpa da ginnastica.

calzétta *s.f.* calzino, calzettone, calzerotto **IPERON.** calza.

calzettóne *s.m.* calzino, calzetta, calzerotto **IPERON.** calza.

calzìno *s.m.* calzetta, calzetto, calzerotto **IPERON.** calza.

calzolàio *s.m.* ciabattino.

calzoncìno *s.m.* (*spec. al pl.*) pantaloncini, shorts (*ingl.*); boxer (ingl.).

calzóne *s.m.* (*spec. al pl.*) pantaloni, brache.

cambiàle *s.f.* effetto, pagherò, titolo, tratta.

cambiaménto *s.m.* mutamento, cambio, trasformazione, metamorfosi, modificazione, modifica; innovazione, rinnovamento; rivolgimento, rivoluzione, capovolgimento; (*spec. esteriore*) trasfigurazione © immutabilità, staticità, inalterabilità, costanza, coerenza.

cambiàre *v.tr.* **1** variare, modificare, trasformare, rinnovare **IPON.** migliorare, peggiorare © conservare, mantenere **2** sostituire, mutare, commutare, rimpiazzare; alternare, avvicendare © conservare, lasciare, mantenere **3** barattare, scambiare, convertire ♦ *v.intr.* trasformarsi, modificarsi, mutare ♦ **cambiarsi** *v.pr.* **1** cambiare abito, vestirsi, svestirsi **2** trasformarsi, mutarsi, modificarsi, correggersi.

cambiavalùte *s.m.f.invar.* cambiamonete, cambista.

càmbio *s.m.* **1** cambiamento, sostituzione; modifica, mutamento, trasformazione **2** (*di cose*) baratto, scambio, permuta (*dir.*) **3** (*econ.*) corso, prezzo, quotazione **4** (*della bicicletta*) rapporto.

cambùsa *s.f.* (*mar.*) dispensa.

cambusière *s.m.* (*mar.*) dispensiere.

càmera *s.f.* **1** ambiente, stanza, locale, vano **2** arredamento, mobilia, mobili **3** assemblea parlamentare; (*per antonomasia*) camera dei deputati; (*al pl.*) parlamento **4** (*professionale, sindacale e sim.*) associazione, confederazione, unione, corporazione, sindacato.

cameraman *s.m.* (*ingl.*) operatore cinematografico, operatore televisivo.

cameràta[1] *s.f.* dormitorio, camerone.

cameràta[2] *s.m.* **1** compagno, commilitone **2** (*stor.*) camicia nera, fascista.

cameratésco *agg.* amichevole, solidale, confidenziale © nemico, ostile.

cameratìsmo *s.m.* solidarietà, amicizia, confidenza © inimicizia, ostilità.

camerière *s.m.* **1** domestico, persona di servizio, servitore, colf; maggiordomo **2** barista, barman (*ingl.*).

camerìno *s.m.* **1** (*in teatro e sim.*) spogliatoio, stanzino **2** (*in negozio*) cabina di prova, cabina, spogliatoio.

càmice *s.m.* grembiule.

camicétta *s.f.* blusa, camiciola **IPERON.** camicia.

camìcia *s.f.* **1** **IPON.** blusa, camicetta, camiciola, camiciotto **2** (*tecnol.*) rivestimento, involucro, protezione.

caminétto *s.m.* camino, focolare.

camìno *s.m.* **1** caminetto, focolare **2** comignolo, fumaiolo; canna fumaria **3** ciminiera.

càmion *s.m.invar.* autocarro; autoarticolato, autotreno, tir.

camioncìno *s.m.* furgone, furgoncino.

camionìsta *s.m.f.* autotrasportatore; corriere **IPERON.** autista.

camminàre *v.intr.* **1** procedere, incedere **IPERON.** muoversi, spostarsi © fermarsi, arrestarsi **2** passeggiare, girare, andare in giro, andare a zonzo, girovagare, gironzolare **3** (*fam.*; *spec. all'imperativo*) muoversi, sbrigarsi, spicciarsi © fermarsi **4** (*di veicoli e sim.*) muoversi, avanzare, procedere © bloccarsi, fermarsi, arrestarsi; sostare **5** (colloq.; *di congegno, di meccanismo ecc.*) funzionare, andare © bloccarsi, rompersi, incepparsi **6** (*di situazione, di discorso ecc.*) svolgersi, procedere, evolversi, svilupparsi, crescere, migliorare, progredire © arrestarsi, bloccarsi; regredire.

camminàta *s.f.* **1** passeggiata, giro; marcia, scarpinata; gita, escursione; tragitto **2** andatura, passo, incedere; andamento, portamento.

camminatóre *s.m.* marciatore.

cammìno *s.m.* **1** viaggio, marcia **2** percorso, tragitto, itinerario; strada, via, sentiero; passaggio, valico, varco **3** (*di astro*) moto; (*di fiume*) corso; (*di nave*) rotta **4** ♧ (*della civiltà, dell'umanità ecc.*) crescita, progresso, avanzamento, corso, evoluzione, sviluppo **5** ♧ comportamento, condotta, corso, strada.

campàgna *s.f.* **1** (*antiq.*) agro, contado **2** campi, podere, terra, terreni, tenuta, fondo **3** guerra, spedizione **4** stagione; raccolta **5** (*pubblicitaria*) battage (*fr.*), promozione.

campagnòlo *agg.* rurale, campestre, contadi-

no, rustico © cittadino, urbano, raffinato ♦ *s.m.* contadino, agricoltore, coltivatore, villico © cittadino.
campàle *agg.* faticoso, stressante, stancante.
campàna *s.f.* **1** squilla, martinella **2** (*mus.*) padiglione **3** ♧ opinione, versione, ragione **4** (*gioco infantile*) mondo, settimana.
campanèlla *s.f.* campanello, squilla **2** (*bot.*) campanula, convolvolo.
campanèllo *s.m.* **1** sonaglio, campanella, bubbolo **2** (*elettrico*) suoneria; pulsante.
campanìle *s.m.* **1** torre campanaria **2** ♧ paese.
campanilìstico *agg.* fazioso, parziale, settario.
campàre *v.intr.* vivere, esistere; sopravvivere, tirare avanti; mantenersi, sostenersi © morire, crepare ♦ *v.tr.* mantenere, sostentare, nutrire, provvedere.
campeggiàre *v.intr.* **1** accamparsi, attendarsi **2** risaltare, spiccare, emergere, distinguersi, stagliarsi.
campéggio *s.m.* camping (*ingl.*), attendamento, bivacco; accampamento.
camper *s.m.invar.* (*ingl.*) autocaravan; motorhome (*ingl.*).
campèstre *agg.* agreste, contadino, rurale, rustico © cittadino, urbano.
camping *s.m.invar.* (*ingl.*) campeggio.
campionàrio *s.m.* esposizione, mostra, catalogo, raccolta; scelta, selezione.
campionàto *s.m.* torneo; competizione, gara, partita, incontro.
campióne *s.m.* **1** paladino, sostenitore, protettore © nemico, avversario **2** asso, fenomeno, fuoriclasse **3** esemplare, esempio, specimen **4** prototipo, modello, archetipo.
càmpo *s.m.* **1** terra, terreno, coltivazione; podere, fondo, tenuta; (*spec. al pl.*) campagna, pianura **2** (*mil.*) accampamento, attendamento, bivacco **3** (*sport*) area, pista, arena, terreno **4** superficie, area, zona, spazio **5** ♧ ambito, settore, ramo, branca, sfera, ambiente **6** (*miner.*) giacimento **7** (*in pittura, scultura*) sfondo, fondo **8** (*cinem.*) inquadratura, piano.
camposànto *s.m.* cimitero.
camuffàre *v.tr.* mascherare, travestire, truccare; ♧ nascondere, dissimulare, celare, falsare © smascherare, rivelare, palesare, manifestare.
canàglia *s.f.* **1** carogna, furfante, mascalzone, farabutto, delinquente **2** (*scherz.*) birbone, birichino, birbante, briccone.
canaglìàta *s.f.* **1** carognata, cattiveria, mascalzonata **2** (*scherz.*) bricconata, birbanteria.
canàle *s.m.* **1** tubazione, conduttura, condotto **2** stretto, braccio di mare **3** (*nella comunicazione*) mezzo **4** (*in televisione o radio*) banda di frequenza; emittente **5** ♧ mezzo, via, tramite.
canalizzàre *v.tr.* **1** (*acque e sim.*) incanalare, indirizzare **2** (*il traffico e sim.*) incanalare, dirigere, orientare; regolare.
canalóne *s.m.* (*geogr.*) gola, orrido, forra.
canapè *s.m.invar.* **1** divano, sofà **2** tartina.
cànapo *s.m.* gomena (*mar.*), corda, fune.
cancan *s.m.invar.* baccano, confusione, chiasso, caos, fracasso, frastuono © quiete, calma, silenzio.
cancellàre *v.tr.* **1** (*una parola, una frase, un disegno ecc.*) togliere, levare, escludere, annullare, depennare, cassare © aggiungere, inserire, conservare, mantenere, lasciare **2** (*dalla mente*) dimenticare, rimuovere, sopprimere © serbare; ricordare **3** (*una legge e sim.*) abrogare, invalidare, estinguere © approvare, convalidare **4** (*un appuntamento*) annullare, disdire © confermare ♦ **cancellarsi** *v.pr.* svanire, scolorire, scolorirsi, impallidire © durare, rimanere, mantenersi.
cancellàta *s.f.* inferriata, recinto, recinzione; cancello; steccato.
cancellatùra *s.f.* **1** cancellazione, eliminazione, depennamento **2** frego, segno, abrasione.
cancellazióne *s.f.* **1** cancellatura, eliminazione, depennamento **2** (*di un debito, di una legge e sim.*) estinzione, annullamento, abrogazione, cassazione, eliminazione, soppressione © convalida, conservazione.
cancellière *s.m.* (*in Austria e Germania*) primo ministro, premier (*ingl.*).
cancèllo *s.m.* cancellata; inferriata, recinto, recinzione.
cancerògeno *agg.* (*med.*) oncogeno, carcinogeno.
canceróso *agg.* tumorale, neoplastico (*med.*).
cancrèna *s.f.* **1** (*med.*) necrosi, putrefazione **2** ♧ male, rovina, piaga, flagello, corruzione, vizio.
càncro *s.m.* **1** (*med.*) tumore, neoplasia, carcinoma **2** ♧ male, rovina, piaga, flagello, corruzione, vizio; tormento, mania, ossessione, fissazione.
candeggiàre *v.tr.* sbiancare.
candeggìna *s.f.* varechina.
candéla *s.f.* **1** moccolo IPERON. lume IPON. cero, torcia, candelotto **2** (*colloq.*; *al naso*) moccolo, moccio.
candelàbro *s.m.* candeliere, bugia.
candelière *s.m.* candelabro, bugia.
candidàre *v.tr.* presentare, proporre; sostenere, promuovere.
candidàto *s.m.* **1** (*a una carica*) aspirante, pre-

tendente **2** (*a un esame, a un concorso e sim.*) concorrente, esaminando.
candidatùra *s.f.* nomination (*ingl.*).
càndido *agg.* **1** bianco, immacolato © nero, scuro **2** ♧ (*di anima, di coscienza e sim.*) innocente, puro, immacolato © sporco, torbido, impuro **3** ♧ ingenuo, semplice; onesto, sincero, leale © furbo, astuto; maligno, ipocrita, sleale.
candóre *s.m.* **1** bianchezza, biancore **2** ♧ innocenza, purezza, semplicità, ingenuità; onestà, sincerità, lealtà © ipocrisia, malizia, falsità, malignità.
càne *s.m.* **1** ♧ (*persona crudele*) aguzzino, malvagio, belva, iena **2** (*persona incapace*) inetto, incapace, maldestro, schiappa, brocco ♦ *agg. invar.* **1** (*colloq.*; *di mondo, di vita ecc.*) difficile, duro, triste, crudele, cattivo, boia (*colloq.*) **2** (*colloq.*; *di fame, di sete, di freddo ecc.*) intenso, terribile, tremendo, boia (*colloq.*).
canèstro *s.m.* **1** cesto, cesta, paniere **2** (*nella pallacanestro*) cesto; punto.
cangiànte *agg.* **1** (*di colore*) iridescente, mutevole, variabile © monocromo, monocromatico **2** incostante, instabile, variabile, fluttuante © immutabile, costante.
canìcola *s.f.* calura, afa © freddo, gelo.
canicolàre *agg.* afoso, torrido, cocente, rovente, soffocante © freddo, gelido.
canìle *s.m.* cuccia.
cànna *s.f.* **1** pertica, bastone **2** (*gerg.*) spinello.
cannèllo *s.m.* **1** tubetto; cannuccia **2** cilindretto.
cannìbale *s.m.* antropofago.
cannibalìsmo *s.m.* **1** antropofagia **2** ♧ ferocia, brutalità, atrocità, crudeltà.
cannocchiàle *s.m.* telescopio; binocolo.
cannonàta *s.f.* **1** IPERON. colpo, sparo **2** (*colloq.*; *persona,cosa eccezionale*) fenomeno, meraviglia, portento **3** (*nel calcio*) staffilata, stangata.
cannóne *s.m.* **1** IPERON. bocca da fuoco, pezzo d'artiglieria **2** ♧ (*colloq.*; *di persona*) asso, campione, fenomeno, mostro, prodigio.
cannonière *s.m.* **1** IPERON. artigliere IPON. bombardiere **2** (*nel calcio*) bomber (*ingl.*), goleador (*sp.*), bombardiere.
canòa *s.f.* piroga, kayak (*ingl.*).
cànone *s.m.* **1** regola, norma, principio, metodo, criterio **2** (*dir.*) abbonamento; nolo, noleggio, affitto **3** (*nel diritto canonico*) legge, regola, norma **4** (*di modelli*) catalogo, raccolta.
canònico *agg.* regolare, conforme, convenzionale, legittimo, tipico, classico, normale © irregolare, illegittimo, anomalo, atipico.
canonizzàre *v.tr.* **1** (*relig.*) santificare **2** legittimare, ratificare, approvare, confermare.
canonizzazióne *s.f.* (*relig.*) santificazione.
canottièra *s.f.* camiciola, maglietta della salute, maglia, maglietta.
canottière *s.m.* rematore, vogatore.
canòtto *s.m.* gommone.
canovàccio *s.m.* **1** strofinaccio, straccio, pezza, panno, asciugamano **2** (*di un opera teatrale e sim.*) schema, traccia, abbozzo; trama, intreccio, ordito.
cantànte *s.m.f.* voce, vocalist (*ingl.*), cantautore, chansonnier (*fr.*), corista.
cantàre *v.intr.* **1** canticchiare, canterellare, gorgheggiare, vocalizzare **2** (*di uccelli*) cinguettare, fischiare; (*di cicale, di grilli*) frinire; (*di rane*) gracidare **3** (*gerg.*) confessare, parlare, rivelare, spifferare (*gerg.*), spiattellare, vuotare il sacco (*gerg.*) ♦ *v.tr.* **1** (*un brano musicale, una canzone*) eseguire, intonare IPON. canticchiare, canterellare **2** celebrare, esaltare, narrare, magnificare, onorare, glorificare, commemorare, incensare.
canterellàre *v.tr.* canticchiare; cantare.
canterìno *agg.* canoro.
canticchiàre *v.tr.* canterellare; cantare.
cantilèna *s.f.* **1** tiritera, filastrocca **2** nenia, litania; lagna.
cantìna *s.f.* **1** scantinato, seminterrato **2** osteria, taverna, mescita, fiaschetteria, enoteca, bettola.
cantinière *s.m.* vinaio, oste.
cànto[1] *s.m.* **1** melodia, canzone, canzonetta, aria, arietta **2** IPON. gorgheggio, vocalizzo **3** (*di animali*) IPERON. verso IPON. cinguettio, trillo, fischio, gracidio **4** (*di strumento musicale*) suono **5** (*del mare, del vento e sim.*) rumore, suono **6** (*in letteratura*) poesia, lirica, cantico, canzone, inno.
cànto[2] *s.m.* angolo, cantone; cantonata, cantuccio.
cantonàta *s.f.* **1** cantone, angolo **2** ♧ abbaglio, granchio, svista; equivoco, errore, sbaglio.
cantóne *s.m.* angolo, cantuccio, canto; parte, lato.
cantùccio *s.m.* canto, angolo, cantone; nascondiglio, angolino.
canùto *agg.* **1** (*di barba, di capelli*) bianco, candido **2** (*di persona*) anziano.
canzonàre *v.tr.* beffeggiare, burlare, deridere, prendere in giro, prendere per il culo (*volg.*), prendere per i fondelli (*volg.*), schernire, sfottere (*colloq.*) © elogiare, lodare.
canzonatòrio *agg.* beffardo, ironico, derisorio.
canzonatùra *s.f.* beffa, scherno, presa in giro © lode, elogio.
canzóne *s.f.* **1** canto, aria, melodia, canzonetta **2** (*in letteratura*) poesia, canto, lirica, ode.

càos *s.m.invar.* disordine, confusione, finimondo, baraonda, marasma, subbuglio, trambusto © ordine, regola, armonia, organizzazione, quiete, tranquillità.
caòtico *agg.* confuso, disordinato, sregolato © ordinato, tranquillo.
capàce *agg.* **1** abile, esperto, competente, preparato, bravo, pratico, in grado di, adatto © incapace, inabile, inesperto, incompetente, impreparato, inadatto **2** intelligente, pronto, acuto, perspicace, svelto © incapace, cretino, sciocco, deficiente **3** pronto, disposto, incline, intenzionato © restio, contrario, riluttante **4** (*di luogo, di cosa ecc.*) capiente, ampio, grande, largo, spazioso © stretto, limitato.
capacità *s.f.* **1** (*di cosa*) capienza, misura, volume, ampiezza, portata **2** (*di persona*) attitudine, competenza, bravura, maestria; intelligenza, abilità, dono, talento, ingegno © incapacità, incompetenza, imperizia, inettitudine **3** (*produttiva*) potenzialità, produttività.
capacitàrsi *v.pr.* capire, comprendere, credere, convincersi, persuadersi, rendersi conto; rassegnarsi, farsi una ragione.
capànna *s.f.* **1** capanno, rifugio, ricovero; (*in montagna*) rifugio, baita **2** (*spreg.*) catapecchia, bicocca, tugurio, stamberga.
capannèllo *s.m.* gruppo, crocchio assembramento.
capànno *s.m.* **1** capanna, riparo, ricovero; (*di caccia*) appostamento **2** (*per gli attrezzi*) baracca, casotto **3** (*in spiaggia*) cabina, casotto, spogliatoio.
caparbietà *s.f.* testardaggine, cocciutaggine, ostinazione, tenacia, inflessibilità, pervicacia (*elev.*) © arrendevolezza, docilità, duttilità, flessibilità.
capàrbio *agg.* testardo, cocciuto, ostinato, inflessibile, irremovibile, tenace © docile, accomodante, arrendevole, remissivo, duttile, flessibile.
capàrra *s.f.* anticipo, arra (*dir.*), acconto, deposito, cauzione.
capeggiàre *v.tr.* capitanare, comandare, guidare, condurre, dirigere.
capèllo *s.m.* (*spec. al pl.*) capigliatura, chioma; pettinatura, acconciatura.
capèstro *s.m.* **1** cappio **2** forca, patibolo **3** (*di cavalli*) cavezza.
capezzàle *s.m.* (*di un malato*) letto.
capiènte *agg.* capace; spazioso, ampio, largo © piccolo, stretto, angusto.
capiènza *s.f.* capacità, volume; grandezza, ampiezza.
capigliatùra *s.f.* capelli, chioma.
capillàre *agg.* (*di indagine e sim.*) minuzioso, meticoloso, analitico, dettagliato, particolareggiato © sommario, generico, approssimativo.
capillarità *s.f.* minuziosità © genericità.
capìre *v.tr.* **1** comprendere, cogliere, afferrare, intuire, penetrare; rendersi conto, capacitarsi © equivocare, fraintendere, stravolgere, travisare **2** comprendere, giustificare, perdonare ♦ **capirsi** *v.pr.* intendersi, comprendersi, accordarsi; andare d'accordo.
capitàle[1] *agg.* **1** (*di peccato*) mortale © veniale **2** (*di pena, di sentenza ecc.*) di morte **3** (*di nemico e sim.*) accanito, acerrimo, mortale, implacabile **4** (*di fatto, di argomento ecc.*) principale, fondamentale, essenziale, basilare, determinante © minimo, secondario, accessorio, complementare.
capitàle[2] *s.m.* denaro, beni, fondi, patrimonio, proprietà, ricchezza, fortuna.
capitàle[3] *s.f.* città capitale.
capitalìsta *s.m.f.* **1** possidente, proprietario © nullatenente, povero **2** imprenditore, borghese, padrone © proletario ♦ *agg.* vedi **capitalìstico**.
capitalìstico *agg.* capitalista; borghese; imprenditoriale © socialista; comunista.
capitanàre *v.tr.* capeggiare, comandare, guidare, condurre, dirigere.
capitàno *s.m.* **1** comandante; capo, guida, condottiero **2** (*sport*) caposquadra.
capitàre *v.intr.* **1** (*di persona*) arrivare, giungere, sopraggiungere, venirsi a trovare; (*all'improvviso*) piombare **2** (*di cose*) accadere, sopravvenire, presentarsi, succedere **3** (*di occasioni*) presentarsi, offrirsi ♦ *v.intr.impers.* succedere, accadere, avvenire.
capitolàre *v.intr.* **1** cedere, arrendersi, soccombere, darsi per vinto, piegarsi © resistere, combattere **2** ♧ rassegnarsi, rinunciare, cedere, mollare (*colloq.*), gettare la spugna © resistere, insistere, perseverare.
capitolazióne *s.f.* **1** resa, caduta, disfatta © vittoria, presa, occupazione **2** ♧ rassegnazione, rinuncia.
capìtolo *s.m.* **1** (*di libro*) parte, capo IPERON. suddivisione **2** ♧ (*nella vita di una persona*) fase, periodo **3** (*di un contratto e sim.*) paragrafo, voce, articolo **4** (*di congregazione*) riunione, adunanza.
capitombolàre *v.intr.* cadere, cascare, rotolare, precipitare, ruzzolare.
capitómbolo *s.m.* **1** ruzzolone, tombola, caduta **2** ♧ (*economico*) rovina, fallimento, crollo, tracollo, bancarotta, dissesto.

capitóne *s.m.* anguilla.
càpo *s.m.* **1** testa, cranio, zucca (*scherz.*); cervello, intelligenza **2** leader (*ingl.*), boss (*ingl.*), guida; (*nel lavoro*) direttore, dirigente, padrone, principale, capoufficio, caposquadra, superiore © dipendente, sottoposto **3** (*nell'esercito*) comandante, capitano, condottiero (*elev.*) **4** (*di corda, di matassa ecc.*) cima, inizio, principio, estremità, bandolo © fine, termine, coda **5** (*di chiodo, di spillo*) testa, capocchia **6** (*di bestiame*) unità, individuo, bestia (*colloq.*) **7** (*di vestiario e sim.*) indumento; articolo, oggetto **8** (*geogr.*) promontorio.
capobànda *s.m.f.* boss (*ingl.*), capoccia, capo.
capòcchia *s.f.* (*di spillo, di chiodo*) testa, capo.
capocciόne *s.m.* (*colloq.*) **1** testardo, testone, cocciuto, caparbio; (*scherz.*) genio, cervellone **2** capo, caporione, capoccia.
capofila *s.m.f.* **1** (*di una serie*) primo © ultimo **2** ♧ (*di un movimento artistico, politico ecc.*) capo, leader (*ingl.*).
capogìro *s.m.* giramento di testa, stordimento, vertigine.
capolavóro *s.m.* opera d'arte, meraviglia, splendore, incanto.
capolìnea *s.m.* terminal (*ingl.*).
capopòpolo *s.m.f.* (*spreg.*) agitatore, demagogo, arruffapopoli, sobillatore, fomentatore.
caporàle *s.m.* (*di lavoratori*) caposquadra, capoccia.
caposàldo *s.m.* **1** (*mil.*) fortificazione, forte, fortezza, baluardo; postazione **2** ♧ fondamento, base, principio, cardine, presupposto.
caposcuòla *s.m.f.* maestro, fondatore, ideatore, iniziatore, antesignano.
caposquàdra *s.m.f.* (*di lavoratori*) caporale, capoccia.
capostìpite *s.m.f.* **1** progenitore, patriarca; fondatore, iniziatore IPERON. padre, antenato **2** modello, archetipo.
capovèrso *s.m.* **1** inizio, accapo, alinea (*tip.*) **2** paragrafo **3** (*dir.*) paragrafo, comma.
capovòlgere *v.tr.* **1** rovesciare, rivoltare, ribaltare **2** ♧ (*una situazione*) cambiare, trasformare, rivoluzionare, sovvertire, stravolgere ♦ **capovolgersi** *v.pr.* **1** rovesciarsi, ribaltarsi, capottare (*di automobili, aeroplani e sim.*) **2** ♧ (*di situazione*) cambiare, trasformarsi, invertirsi.
capovolgiménto *s.m.* **1** rovesciamento, ribaltamento **2** ♧ (*di una situazione*) cambiamento, ribaltamento, trasformazione, sconvolgimento, sovvertimento.
càppa *s.f.* **1** mantello, mantella, manto **2** camino **3** (*di nebbia, di fumo ecc.*) cortina.
cappèlla[1] *s.f.* oratorio, edicola, tempietto, chiesina; tabernacolo, nicchia.
cappèlla[2] *s.f.* **1** (*di fungo*) cappello **2** (*gerg.*) recluta, spina (*gerg.*) **3** (*volg.*) glande **5** (*colloq.*) sbaglio, errore, cantonata, granchio (*colloq.*).
cappèllo *s.m.* **1** copricapo; berretto **2** (*di fungo*) cappella **3** (*di scritto, di testo e sim.*) introduzione, premessa, preambolo.
càppio *s.m.* **1** nodo, laccio **2** capestro.
cappòtto *s.m.* paltò, paletot (*fr.*), pastrano, mantello, soprabito, zimarra (*scherz.*).
cappuccìno[1] *s.m., agg.* francescano.
cappuccìno[2] *s.m.* caffellatte, latte macchiato, cappuccio (*colloq.*).
cappùccio[1] *s.m.* **1** copricapo **2** (*di bottiglia*) tappo, capsula **3** (*di penna*) tappo, cappelletto.
cappùccio[2] *s.m.* (*colloq.*) cappuccino.
caprìccio *s.m.* **1** voglia, sfizio, ghiribizzo, desiderio, fantasia **2** fisima, fissazione, puntiglio, ostinazione, pallino, bizza (*spec. di bambini*) **3** infatuazione, amoretto, avventura, flirt (*ingl.*) **4** (*di cosa bizzarra*) stranezza, bizzarria, curiosità, stramberia.
capricciόso *agg.* **1** (*di bambino*) bizzoso, viziato **2** (*di persona*) lunatico, incostante, balzano, viziato © stabile, equilibrato **3** (*di cosa*) curioso, bizzarro, stravagante, originale, eccentrico © comune, ordinario, solito **4** (*di tempo*) instabile, mutevole, balordo (*colloq.*) © stabile.
capriòla *s.f.* **1** capovolta, giravolta **2** salto, piroetta **3** capitombolo, ruzzolone, rotolone.
càpsula *s.f.* **1** involucro, rivestimento **2** (*di medicinale*) cialda, cialdino, cachet (*fr.*), compressa, pillola, pastiglia **3** (*di dente*) rivestimento, copertura.
captàre *v.tr.* **1** (*telecom.*) intercettare, ricevere **2** ♧ capire, cogliere, afferrare, indovinare, intuire, avvertire, subodorare **3** ottenere, conquistarsi, attirarsi, accattivarsi, assicurarsi, propiziarsi.
capziosità *s.f.* cavillosità, sottigliezza, ambiguità; cavillo, arzigogolo © chiarezza, schiettezza, limpidezza.
capzióso *agg.* cavilloso, sottile, ambiguo, artificioso, ingannevole © chiaro, semplice, franco, schietto.
carabàttola *s.f.* (*colloq.*) **1** (*spec. al pl.*) cianfrusaglia, chincaglieria, ciarpame **2** ♧ sciocchezza, bazzecola, bagatella, inezia, nonnulla.
caràffa *s.f.* brocca, bricco.
caràmbola *s.f.* urto, spinta, collisione, scontro.
caramèlla *s.f.* confetto, chicca, zuccherino, bonbon (*fr.*).
caramellóso *agg.* **1** dolciastro **2** ♧ (*di perso-*

na) affettato, lezioso, sdolcinato, melenso, stucchevole © brusco, rude, sgarbato, scorbutico.

caràttere *s.m.* **1** lettera, segno, simbolo, grafema (*ling.*) **2** (*tipogr.*) tipo, font (*ingl.*) **3** (*di persona*) personalità, indole, natura, disposizione, temperamento, inclinazione **4** coraggio, fermezza, grinta, polso, determinazione, risolutezza **5** (*di cosa*) aspetto, natura, caratteristica, tipo, stile, peculiarità, particolarità.

caratterìstica *s.f.* carattere, aspetto, qualità, peculiarità, particolarità, attributo, requisito.

caratterìstico *agg.* **1** proprio, particolare, peculiare, distintivo, rappresentativo © comune, generico, normale **2** tipico, folkloristico, pittoresco.

caratterizzàre *v.tr.* **1** definire, distinguere, determinare, qualificare, designare, contraddistinguere, contrassegnare **2** descrivere, rappresentare, interpretare, delineare.

caratura *s.f.* (*di persona*) qualità, valore, livello, calibro, levatura.

caravan *s.m.* camper, autocaravan, roulotte.

carbóne *s.m.* IPON. carbonella.

carburànte *s.m.* IPERON. combustile IPON. gas, petrolio, benzina, nafta, gasolio, metano.

carcàssa *s.f.* **1** (*di animale*) carogna, scheletro, cadavere **2** ♧ (*di persona*) relitto, rottame, rudere, cencio **3** ♧ (*di veicolo*) bagnarola, carretta, rottame, macinino.

carceràre *v.tr.* vedi **incarceràre**.

carceràto *s.m.* detenuto, recluso; prigioniero © libero.

carcerazióne *s.f.* arresto, detenzione, reclusione, prigionia.

càrcere *s.m.* prigione, galera, penitenziario, bagno penale, gattabuia (*gerg.*), riformatorio (*per minori*).

carcerière *s.m.* secondino, guardia, carceraria; aguzzino.

cardinàle[1] *agg.* principale, fondamentale, basilare © secondario, complementare.

cardinàle[2] *s.m.* porporato IPERON. prelato ♦ *agg.* (*di colore*) porpora, vermiglio.

càrdine *s.m.* **1** perno, ganghero, arpione **2** ♧ fondamento, base, sostegno, caposaldo, principio.

cardiopàlmo *s.m.* **1** (*med.*) batticuore, palpitazione, tachicardia **2** ♧ ansia, agitazione, affanno, angoscia, spavento.

carènte *agg.* mancante, insufficiente, povero, scarso, incompleto, lacunoso, inadeguato © completo, esauriente, sufficiente, adeguato.

carènza *s.f.* insufficienza, scarsezza, penuria, mancanza, assenza © completezza, sufficienza, abbondanza, profusione, eccesso.

carestìa *s.f.* **1** carenza, penuria, mancanza, scarsità © abbondanza, ricchezza **2** fame, miseria, indigenza, povertà © abbondanza, ricchezza, benessere.

carézza *s.f.* **1** buffetto **2** tenerezza, dolcezza, coccola.

carezzàre *v.tr.* **1** accarezzare **2** (*di cosa*) sfiorare, lambire IPERON. toccare **3** ♧ (*una persona*) adulare, blandire, lusingare, lisciare **4** ♧ (*un'idea, un progetto ecc.*) sognare, vagheggiare, sperare, bramare, coltivare.

carezzévole *agg.* dolce, delicato, tenero, amorevole, caldo, suadente, languido, molle © ruvido, brusco, violento, sgradevole.

cariàre *v.tr.* **1** (*di denti*) guastare **2** corrodere, consumare, erodere.

cariàtide *s.f.* **1** (*arch.*) atlante, telamone **2** ♧ (*di persona*) mummia, fossile; statua.

càrica *s.f.* **1** incarico, funzione, ruolo, titolo, posto, grado **2** (*di congegni*) caricamento **3** (*di persona*) energia, forza, vigore, entusiasmo, determinazione, intensità **4** (*di armi, bombe ecc.*) esplosivo **5** (*della polizia, dell'esercito ecc.*) attacco, assalto, avanzata.

caricàre *v.tr.* **1** collocare, mettere, porre, imbarcare © scaricare **2** (*di peso*) appesantire, gravare, sovraccaricare © alleggerire **3** (*di lavoro, di responsabilità e sim.*) addossare, accollare, oberare, opprimere © alleggerire, alleviare **4** (*dosi, colori ecc.*) esagerare, eccedere, calcare, rafforzare **5** ♧ incoraggiare, spronare, stimolare, incitare, gasare (*colloq.*), esaltare © smontare, deprimere, demoralizzare, scoraggiare **6** (*mil.*) attaccare, assalire, aggredire, assaltare **7** (*un'arma*) armare **8** (*gerg.*) rimorchiare, abbordare ♦

caricarsi *v.pr.* **1** (*di impegni, di responsabilità ecc.*) accollarsi, gravarsi, sovraccaricarsi **2** entusiasmarsi, gasarsi (*colloq.*), esaltarsi; concentrarsi.

caricatùra *s.f.* satira, parodia.

caricaturàle *agg.* **1** satirico, parodistico, burlesco **2** grottesco, ridicolo, goffo **3** eccessivo, esagerato, iperbolico.

càrico[1] *s.m.* **1** peso, fagotto, bagaglio, fardello **2** ♧ (*di lavoro, di responsabilità ecc.*) onere, obbligo, peso, impegno, responsabilità, pensiero.

càrico[2] *agg.* **1** colmo, pieno, riempito; sovraccarico, zeppo © vuoto **2** (*di persona*) oberato, gravato, oppresso, sovraccarico **3** (*di stile*) eccessivo, pesante, pacchiano, barocco **4** (*di colore*) forte, intenso, vivo, corposo **5** (*di fucile, di arma*) © scarico.

carìno *agg.* delizioso, grazioso, gradevole, aggraziato, attraente, avvenente, armonioso;

gentile, garbato, affabile, dolce, cortese © brutto, sgradevole, sgraziato; sgarbato, scortese.
carìsma *s.m.* ascendente, fascino, influenza; prestigio.
carismàtico *agg.* affascinante, trascinante, influente; prestigioso.
carità *s.f.invar.* **1** (*teol.*) amore **2** umanità, altruismo, bontà, comprensione, benevolenza, fratellanza, generosità, solidarietà © cattiveria, egoismo, durezza, crudeltà.
caritatévole *agg.* buono, generoso, altruista, pietoso, umano, amorevole, benevolo, misericordioso, solidale © cattivo, egoista, disumano, indifferente, crudele.
carmìnio *agg.* rosso.
carnagióne *s.f.* pelle, colorito, incarnato, cera.
carnàio *s.m.* **1** (*non com.*) strage, massacro, eccidio, carneficina, sterminio **2** ♧ calca, affollamento, ressa.
carnàle *agg.* **1** fisico, corporale, corporeo; materiale, mondano © spirituale **2** (*di amore*) sensuale, lussurioso, voluttuoso, impudico, libidinoso, lascivo © platonico, pudico, puro, casto **3** (*di rapporto*) sessuale, fisico; (*di violenza*) sessuale **4** (*di fratello*) germano.
càrne *s.f.* **1** (*di animale macellato*) polpa, ciccia (*colloq.*) **2** corpo, fisico; corporeità, fisicità, materialità © spirito, anima **3** ♧ sessualità, carnalità, sensualità, erotismo ♦ *agg.* (*di colore*) carnicino, carneo, rosa, roseo.
carnéfice *s.m.* **1** boia, giustiziere **2** aguzzino, persecutore, oppressore © vittima.
carneficìna *s.f.* **1** strage, massacro, bagno di sangue, eccidio, sterminio, ecatombe **2** ♧ (*scherz.*) strage, distruzione, rovina, devastazione.
carnet *s.m.invar.* (*fr.*) **1** taccuino, blocnotes, blocchetto, libretto; agenda **2** libretto di assegni.
carnevalàta *s.f.* **1** mascherata, festa, baldoria, gazzarra **2** buffonata, pagliacciata, bambocciata, burla, farsa.
carnevàle *s.m.* **1** ♧ mascherata, festa, baldoria, gazzarra, baccanale, bisboccia, gozzoviglia **2** ♧ buffonata, pagliacciata, carnevalata, burla, farsa.
carnevalésco *agg.* allegro, burlesco, buffo, scherzoso.
carnóso *agg.* **1** grasso, tondo, grassoccio, pingue, pieno, paffuto, pasciuto, ciccione (*colloq.*), sodo, tornito; (*di labbro*) tumido, turgido © magro, affilato, asciutto, sottile, ossuto, scarno, segaligno.
càro *agg.* **1** amato, diletto, prediletto, adorato, beneamato © odiato, destestato, malvisto **2** gradito, gradevole, simpatico, piacevole, gentile, amabile © sgradevole, sgradito, antipatico, sgarbato **3** importante, pregiato, prezioso, speciale © irrilevante, insignificante, trascurabile **4** (*di prezzo e sim.*) costoso, dispendioso, salato © economico, conveniente, vantaggioso, a buon mercato ♦ *s.m.* **1** amato, fidanzato, partner (*ingl.*), compagno **2** (*al pl.*) familiari, parenti.
carógna *s.f.* **1** (*di animale*) carcassa, cadavere **2** ♧ (*di persona cattiva*) vigliacco, delinquente, farabutto, mascalzone, bastardo (*volg.*), canaglia.
carognàta *s.f.* vigliaccata, canagliata, bricconata, birbonata, mascalzonata.
carosèllo *s.m.* **1** (*per bambini*) giostra, girotondo **2** viavai, andirivieni, confusione **3** (*di foglie, di neve ecc.*) turbinio, vortice; (*di pensieri, di impegni ecc.*) vortice, accavallamento, ridda.
carovàna *s.f.* **1** convoglio, colonna, fila **2** (*di persone*) moltitudine, compagnia, banda, schiera, comitiva.
carpìre *v.tr.* rubare, sottrarre, estorcere, usurpare; ottenere, conseguire; prendere, agguantare, arraffare; impadronirsi, impossessarsi.
carràbile *agg.* carrozzabile, carreggiabile, rotabile; (*di passo*) carraio.
carràio *agg.* (*di passo*) carrabile.
carreggiàta *s.f.* corsia IPERON. strada.
carrellàta *s.f.* rassegna, panoramica, scorsa, occhiata, sguardo.
carrétta *s.f.* **1** carretto, carro **2** (*di veicolo vecchio*) rottame, carcassa, catorcio, macinino, caffettiera, trabiccolo.
carrettière *s.m.* **1** barrocciaio **2** ♧ cafone, villano, insolente, maleducato, zotico © signore, gentiluomo.
carrétto *s.m.* carro, carretta.
carrièra *s.f.* curriculum, curricolo; professione, impiego; indirizzo, strada.
carrierìsmo *s.m.* arrivismo.
carrierìsta *s.m.f.* arrivista, arrampicatore sociale.
càrro *s.m.* **1** carretto, barroccio, carretta **2** (*ferroviario*) vagone, carrozza; carro merci, carro bestiame.
carròzza *s.f.* **1** carrozzella, calesse, vettura, fiacre (*fr.*) **2** (*ferroviario*) vagone, vettura.
carrozzàbile *agg.* vedi **carràbile**.
carrozzèlla *s.f.* **1** carrozza, calesse, barroccino **2** (*per bambini*) carrozzina **3** sedia a rotelle.
carrozzìna *s.f.* **1** (*per bambini*) carrozzella **2** sedia a rotelle.
carrozzóne *s.m.* (*di artisti del circo e sim.*) roulotte, carro.
carrùcola *s.f.* (*mecc.*) girella, puleggia.
càrta *s.f.* **1** (*spec. al pl.*) scritto, lettera, biglietto, foglio, scartoffia (*scherz.*), documento **2** atte-

stato, certificato; contratto; tessera **3** (*di Stato, di enti ecc.*) statuto, dichiarazione **4** ♧ chance (*fr.*), occasione, possibilità **5** pianta, carta geografica, cartina, mappa, piantina **6** (*del ristorante*) menù **7** banconota, biglietto, cartamoneta.

cartacarbóne *s.f.* carta copiativa.

cartamonéta *s.f.* banconota, biglietto.

cartastràccia *s.f.* cartaccia.

carteggiàre *v.tr.* scartavetrare; levigare, raschiare.

cartéggio *s.m.* corrispondenza; epistolario, lettere.

cartèlla *s.f.* **1** scheda, biglietto, foglio **2** (*delle tasse e sim.*) avviso, certificato **3** (*di dattiloscritto*) foglio, pagina, facciata **4** busta, cartellina, raccoglitore, custodia, faldone (*burocr.*); fascicolo, dossier (*fr.*), incartamento **5** borsa, valigetta, ventiquattrore.

cartellìno *s.m.* **1** etichetta, talloncino, foglietto, cartoncino **2** modulo, scheda.

cartèllo[1] *s.m.* **1** avviso, affisso, annuncio; manifesto, cartellone **2** (*stradale*) indicazione, segnale, segnalazione **3** (*di negozi*) insegna, scritta.

cartèllo[2] *s.m.* **1** consorzio; (*ingl.*) trust, pool **2** alleanza, blocco, lega, concentrazione, intesa.

cartellóne *s.m.* **1** (*pubblicitario*) cartello, manifesto, affiche (*fr.*), locandina **2** (*di spettacoli teatrali e sim.*) programma, programmazione **3** (*nella tombola*) tabellone, tabella.

cartellonìsta *s.m.f.* bozzettista.

cartìna *s.f.* **1** carta geografica, carta, mappa, pianta, piantina **2** (*per contenere piccoli oggetti, medicinali, droghe ecc.*) involucro, bustina **3** (*farm.*) presa, presina; dose.

cartòccio *s.m.* involto, pacchetto, pacco, sacchetto.

cartomànte *s.f.* IPERON. mago, indovino, veggente.

cartoncìno *s.m.* biglietto, cartellino, talloncino, scheda.

cartóne *s.m.* **1** scatolone, cassa IPERON. imballaggio **2** cartone animato, disegno animato, cartoon (*ingl.*).

cartonìsta *s.m.* fumettista, animatore, vignettista, cartoonist (*ingl.*).

cartùccia *s.f.* **1** (*di arma*) munizione; colpo, proiettile, pallottola **2** (*di penna e sim.*) ricarica, ricambio, refill (*ingl.*).

cartuccièra *s.f.* giberna.

càsa *s.f.* **1** edificio, costruzione, fabbricato, immobile; (*con appartamenti*) condominio, palazzo, palazzina; (*signorile*) villa, villetta, villino; (*di campagna*) casolare, casale, cascina, rustico; (*di montagna*) baita, chalet; (*povera*) baracca, capanna, casupola, catapecchia, tugurio; (*grande e lussuosa*) palazzo, castello, reggia **2** (*luogo in cui si vive*) abitazione, dimora, alloggio; domicilio, residenza **3** ♧ tetto, focolare, nido, asilo, rifugio **4** famiglia, casata, casato, stirpe, lignaggio **5** impresa, società, ditta, azienda **6** (*nel gioco degli scacchi*) casella, riquadro, quadro.

casàcca *s.f.* IPERON. giacca, giubba; (*sport*) maglia.

casàle *s.m.* cascina, casolare, fattoria.

casalìnga *s.f.* massaia, donna di casa.

casalìngo *agg.* **1** domestico, familiare **2** (*di prodotto, di cucina e sim.*) semplice, genuino, naturale, casereccio, fatto in casa © artificiale, industriale; adulterato, sofisticato.

casaménto *s.m.* caseggiato, palazzo.

casanòva *s.m.invar.* seduttore, dongiovanni, play-boy (*ingl.*), donnaiolo, rubacuori.

casàta *s.f.* famiglia, dinastia, discendenza, stirpe.

casàto *s.m.* vedi **casàta**.

cascàme *s.m.* scarto, scoria, avanzo, resto, ritaglio, rimasuglio.

cascamòrto *s.m.* spasimante, corteggiatore, cicisbeo.

cascàre *v.intr.* **1** cadere, precipitare, crollare, piombare, ruzzolare, rovinare © alzarsi, rialzarsi, sollevarsi **2** (*di governo*) cadere, dimettersi **3** (*di attenzione, di sguardo ecc.*) cadere, posarsi **4** (*in una trappola, in pericoli ecc.*) incorrere, incappare, capitare, trovarsi.

cascàta *s.f.* **1** (*di corso d'acqua*) salto, cateratta, rapida **2** (*colloq.*) caduta, capitombolo, ruzzolone.

cascìna *s.f.* cascinale, casale, casolare, fattoria.

cascinàle *s.m.* vedi **cascìna**.

caseggiàto *s.m.* palazzo, casamento.

casèlla *s.f.* **1** scomparto, sezione, suddivisione, posto, spazio **2** (*di foglio*) quadro, riquadro, quadrato, quadretto **3** (*di scacchiera*) riquadro.

casellàrio *s.m.* **1** scaffale, scaffalatura, scansia **2** (*in tribunale*) archivio, schedario.

casèllo *s.m.* **1** (*di autostrada*) barriera autostradale, entrata, uscita **2** (*di ferrovia, di strada*) casa cantoniera.

caseréccio *agg.* (*di cucina, di prodotto ecc.*) casalingo, fatto in casa, genuino, semplice, naturale.

casinìsta *s.m.f.* (*colloq.*) confusionario, arruffone, pasticcione, disordinato; rumoroso, fracassone © ordinato, preciso.

casìno *s.m.* **1** bordello, casa chiusa, casa d'appuntamenti, casa di tolleranza, postribolo **2** ♧

(*colloq.*) confusione, disordine, caos, baraonda, bolgia; chiasso, baccano, fracasso, frastuono © ordine, organizzazione; calma, pace, silenzio **3** ♧ (*colloq.*) guaio, pasticcio, problema, grana **4** ♧ (*colloq.*) grande quantità, mucchio, sacco, montagna, valanga.

casinò *s.m.invar.* casa da gioco.

casìstica *s.f.* ventaglio, serie, gamma, elenco.

càso *s.m.* **1** circostanza, combinazione, coincidenza, contingenza, eventualità, evenienza, occasione **2** destino, sorte, fatalità, fato **3** avvenimento, faccenda, fatto, episodio, evento, vicenda **4** possibilità, evenienza, ipotesi, eventualità **5** scandalo.

casolàre *s.m.* casale, cascina, cascinale.

casòtto *s.m.* **1** rifugio, capanna, capanno; chiosco, edicola; (*in spiaggia*) cabina, spogliatoio **2** (*region.*) caos, confusione, baraonda, casino (*colloq.*).

càssa *s.f.* **1** cassetta, cassone, baule, cassapanca, collo, scatolone **2** cassaforte, scrigno, forziere **3** (*in banca, in ufficio*) sportello; (*in negozio*) registratore di cassa; (*a teatro, al cinema*) botteghino, biglietteria, box office (*ingl.*) **4** (*istituto di credito*) banca, banco **5** altoparlante, diffusore.

cassafòrte *s.f.* cassa, forziere, scrigno, cassetta di sicurezza, camera blindata, caveau (*fr.*).

cassapànca *s.f.* cassa, cassone, cofano.

cassàre *v.tr.* **1** (*una parola, un testo ecc.*) cancellare, depennare, espungere; sopprimere, annullare © inserire, aggiungere **2** (*dir.*) abolire, cancellare, revocare, annullare; invalidare, abrogare © approvare, ratificare, sancire.

cassazióne *s.f.* annullamento, revoca, abrogazione, abolizione, cancellazione, soppressione © approvazione, convalida, ratifica, sanzione.

casseruòla *s.f.* tegame.

cassétta *s.f.* **1** scatola, cassa; (*per oggetti preziosi e sim.*) astuccio, cofanetto, custodia, scrigno IPERON. contenitore **2** audiocassetta, nastro, musicassetta; videocassetta, videotape **3** (*di negozio e sim.*) cassa; incasso.

cassettóne *s.m.* comò, cassettiera, canterano.

cassóne *s.m.* **1** cassa, baule; cassapanca **2** contenitore, serbatoio (*per liquidi*).

cast *s.m.invar.* (*ingl.*) (*di attori*) insieme, complesso, attori.

càsta *s.f.* **1** classe, ceto, rango, strato **2** gruppo, categoria, ordine.

castagnòla *s.f.* **1** petardo, castagnetta, mortaretto **2** (*al pl.*) nacchere, castagnette.

castàno *agg.* marrone.

castellàno *s.m.* feudatario, signore.

castèllo *s.m.* **1** maniero **2** forte, fortezza, fortificazione, rocca, cittadella **3** (*edil.*) impalcatura, ponte, ponteggio, armatura.

castigàre *v.tr.* **1** punire, dare una lezione © premiare **2** (*elev.*; *di stile, di linguaggio, di costumi ecc.*) correggere, migliorare, emendare, perfezionare, purgare.

castigàto *agg.* **1** sobrio, moderato, decente, morigerato, pudico, irreprensibile © immorale, impudico, indecente **2** (*di stile, di linguaggio ecc.*) corretto, emendato; misurato, moderato, sobrio.

castìgo *s.m.* punizione, pena, penitenza © premio, ricompensa.

castità *s.f.* purezza, pudicizia, pudore, innocenza, illibatezza; astinenza, castigatezza, moderazione, morigeratezza, temperanza, virtù © lussuria, incontinenza, dissolutezza, vizio.

càsto *agg.* **1** puro, innocente, pudico, illibato, virtuoso © dissoluto, impudico, impuro, lussurioso, vizioso **2** (*di stile, di linguaggio*) puro, semplice, sobrio, severo: castigato, controllato © ampolloso, barocco; licenzioso, osceno, lascivo, sboccato, scurrile.

castràre *v.tr.* **1** (*un uomo*) evirare; (*un animale*) sterilizzare; (*un gallo*) accapponare **2** ♧ inibire, reprimere, ostacolare, frenare, soffocare.

castronerìa *s.f.* stupidaggine, sciocchezza, fesseria, sproposito, puttanata (*volg.*), cazzata (*volg.*), cavolata (*colloq.*); errore, sbaglio.

casual *agg.invar.* (*ingl.*) libero, sportivo, disinvolto, informale © formale, elegante, ricercato.

casuàle *agg.* **1** inaspettato, inatteso, imprevisto, imprevedibile, incerto © solito, abituale, consueto, calcolato, previsto **2** possibile, eventuale, accidentale, fortuito, occasionale © certo, sicuro **3** (*stat.*) aleatorio, probabilistico © prevedibile, determinato.

casualità *s.f.* **1** accidentalità, imprevedibilità, eventualità © sicurezza, certezza **2** caso, combinazione, coincidenza, imprevisto, eventualità, fatalità.

casùpola *s.f.* tugurio, stamberga, capanna, baracca, bicocca.

cataclìsma *s.m.* **1** inondazione, alluvione; diluvio, nubifragio **2** catastrofe, disastro **3** ♧ (*politico, sociale ecc.*) sconvolgimento, rivolgimento, rivoluzione.

catalizzàre *v.tr.* **1** (*un'iniziativa, una proposta*) favorire, stimolare, facilitare, promuovere, accelerare © ostacolare, frenare, bloccare, boicottare **2** (*l'attenzione, l'interesse e sim.*) attirare, attrarre, calamitare, monopolizzare, concentrare.

catalogàre *v.tr.* **1** ordinare, classificare, archiviare, registrare, schedare **2** contare, annoverare, enumerare, elencare **3** ♧ (*una persona*) giudicare, etichettare, bollare, marchiare.

catàlogo *s.m.* **1** (*di prodotti, di merci*) lista, elenco, inventario, registro, schedario; listino, tariffario **2** ♧ enumerazione, elenco, lista.

catapécchia *s.f.* tugurio, stamberga, capanna, baracca, bicocca.

cataplàsma *s.m.* **1** impiastro **2** ♧ (*persona noiosa*) scocciatore, seccatore.

catapultàre *v.tr.* scaraventare, scagliare, lanciare, buttare ♦ **catapultarsi** *v.pr.* precipitarsi, scagliarsi, buttarsi, gettarsi, lanciarsi, avventurarsi.

catàrro *s.m.* muco, espettorato, espettorazione, escreato (*med.*).

catàrsi *s.f.* **1** purificazione; sollievo, pacificazione, rasserenamento **2** (*psic.*) liberazione, superamento.

catàrtico *agg.* purificatorio, pacificatore, liberatorio, distensivo, rasserenante.

catàsta *s.f.* montagna, mucchio, cumulo, pila, ammassamento, affastellamento.

catàstrofe *s.f.* **1** calamità, disastro, rovina, cataclisma, sconvolgimento; sciagura, disgrazia **2** ♧ finimondo, tragedia, apocalisse.

catastròfico *agg.* **1** rovinoso, disatroso, tragico, doloroso, funesto, drammatico © lieto, felice **2** (*di persona*) tragico, negativo, pessimista, allarmista, catastrofista © ottimista, positivo.

catastrofismo *s.m.* allarmismo, pessimismo © ottimismo.

catechèsi *s.f.invar.* catechismo.

catechìsmo *s.m.* catechesi, dottrina (*colloq.*); indottrinamento.

catechizzàre *v.tr.* **1** (*relig.*) evangelizzare **2** convincere, persuadere, ammaestrare, indottrinare, istruire.

categorìa *s.f.* **1** concetto, idea, principio **2** classe, genere, tipo, tipologia **3** (*sociale*) classe, ceto, rango, strato, estrazione **4** (*qualitativa*) livello, grado, ordine.

categòrico *agg.* **1** assoluto, certo, definitivo, indubbio, inequivocabile, tassativo **2** (*di risposta, di ordine ecc.*) perentorio, netto, reciso, risoluto.

caténa *s.f.* **1** collana, collier (*fr.*), catenina **2** guinzaglio **3** (*spec. al pl.*) ferri, ceppi, manette; schiavitù, oppressione, sottomissione, prigionia, reclusione **4** ♧ legame, vincolo, obbligo, impedimento, ostacolo, laccio **5** (*di cose, di avvenimenti ecc.*) successione, serie, fila, sequela, concatenazione.

catenàccio *s.m.* **1** chiavistello, paletto, serratura **2** ♧ (*di veicolo malridotto*) rottame, catorcio.

cateràtta *s.f.* **1** (*di corso d'acqua*) cascata, salto, rapida **2** (*di canale, di condotto e sim.*) saracinesca, chiusa, diga, serra.

catinèlla *s.f.* bacinella, catino, bacile, bacino, conca, lavabo, lavamano.

catìno *s.m.* **1** bacile, bacino, conca, bacinella, catinella, lavabo **2** (*geogr.*) conca, bacino.

càtodo *s.m.* (*elettr.*) © anodo.

catòrcio *s.m.* (*di veicolo malridotto*) rottame, carretta, carcassa, trabiccolo.

catràme *s.m.* asfalto, bitume; pece.

càttedra *s.f.* **1** scrivania, tavolo **2** insegnamento, docenza **3** (*papale, episcopale*) scanno, seggio.

cattedràle *s.f.* basilica, duomo.

cattedràtico *agg.* **1** (*di insegnamento e sim.*) universitario, accademico **2** (*spreg.*) dottorale, professorale, pedante, saccente, saputo, presuntuoso ♦ *s.m.* professore universitario, docente.

cattivèria *s.f.* **1** malvagità, crudeltà, perfidia, perversità, durezza, empietà, iniquità © bontà, umanità, benevolenza **2** (*azione cattiva*) malefatta, canagliata, carognata, malvagità.

cattività *s.f.* (*di animale selvatico*) prigionia.

cattìvo *agg.* **1** malvagio, perfido, crudele, violento, spietato, diabolico, infame, spregevole © buono, bravo, giusto, caritatevole, misericorsioso, dolce **2** (*di gesto, di maniere ecc.*) maleducato, sgarbato, scortese, sguaiato, villano, spregevole, biasimevole © gentile, dolce, garbato; (*di sguardo*) bieco, ostile © dolce, gentile **3** (*di bambino*) disubbidiente, inquieto, turbolento, ribelle, indisciplinato © ubbidiente, bravo, buono **4** (*di lavoratore, di genitore ecc.*) incapace, inetto, inadatto © capace, bravo, abile **5** (*di prodotto*) scadente, brutto, difettoso © buono, ottimo, di qualità **6** (*di gusto*) volgare, rozzo, grossolano © buono, raffinato, fine **7** (*di pronuncia*) scorretto, sbagliato © corretto, giusto **8** (*di salute*) cagionevole, precaria © buono, ottimo, eccellente **9** (*di fatto, di notizia ecc.*) brutto, spiacevole, triste, doloroso © bello, buono, piacevole **10** (*di affare, di situazione ecc.*) negativo, sfavorevole, pericoloso, dannoso © vantaggioso, conveniente **11** (*di cibo*) deteriorato, guasto; disgustoso © buono, fresco **12** (*di odore*) sgradevole, spiacevole, disgustoso, nauseante © buono, gradevole, piacevole **13** (*di tempo atmosferico*) brutto, perturbato, nuvoloso © bello, buono, sereno **14** (*di mare*) agitato, burrascoso © calmo, tranquillo **15** (*di clima*) malsano, insalubre, nocivo © buono, salutare, salubre ♦ *s.m.* (*di persona*)

mascalzone, malvagio, manigoldo, furfante, carogna, briccone © buono, galantuomo.
cattùra *s.m.* (*di una persona*) arresto, fermo © liberazione, rilascio, scarcerazione.
catturàre *v.tr.* (*una persona*) arrestare, imprigionare; fermare, acciuffare © rilasciare, scarcerare.
càusa *s.f.* **1** origine, fonte, principio, sorgente, radice, matrice, movente, motivazione, germe, seme © conseguenza, prodotto, risultato, frutto, conclusione **2** scopo, meta, ideale, obiettivo, fede, bandiera, ideologia **3** (*dir.*) processo, controversia, disputa, lite.
causàle *s.f.* (*burocr.*) causa, motivo, motivazione, giustificazione.
causàre *v.tr.* originare, produrre, procurare, provocare, determinare © impedire, bloccare, arrestare, ostacolare, evitare.
càustico *agg.* **1** corrosivo **2** ♧ (*di discorso, di battuta*) aspro, mordace, sarcastico, cattivo, pungente, tagliente, sferzante, acre, offensivo, provocatorio, velenoso © gentile, benigno, dolce, cortese.
cautèla *s.f.* **1** prudenza, attenzione, accortezza, avvedutezza, precauzione, ponderazione, oculatezza © avventatezza, imprudenza, superficialità, sconsideratezza **2** attenzione, riguardo, accorgimento, precauzione.
cautelàre[1] *agg.* (*dir.*) cautelativo, preventivo, prudenziale.
cautelàre[2] *v.tr.* difendere, garantire, proteggere, tutelare, preservare, salvaguardare © mettere a rischio, mettere a repentaglio; danneggiare, nuocere.
cautelatìvo *agg.* preventivo, cautelare (*dir.*), precauzionale, prudenziale.
cauterizzàre *v.tr.* (*med.*) bruciare.
càuto *agg.* prudente, accorto, attento, avveduto, vigile; diplomatico, discreto, circospetto, guardingo, previdente, saggio; astuto, furbo, scaltro © incauto, imprudente, avventato, imprevidente, sconsiderato, sventato.
cauzióne *s.f.* **1** acconto, anticipo, caparra **2** garanzia, assicurazione, pegno.
càva *s.f.* miniera.
cavalcàre *v.tr.* montare ♦ *v.intr.* andare a cavallo.
cavalcavìa *s.m.* sovrappasso, viadotto, sopravvia **IPERON.** ponte.
cavalière *s.m.* **1** cavallerizzo, fantino; (*donna*) amazzone **2** (*mil.*) cavalleggero **3** gentiluomo, gentleman (*ingl.*) **4** (*nel ballo*) accompagnatore, partner (*ingl.*) **5** (*scherz.*) corteggiatore, spasimante, cicisbeo.
cavallerésco *agg.* (*nel comportamento, nei gesti ecc.*) generoso, leale, nobile, onesto; coraggioso, valoroso; galante, gentile, cortese, educato © rozzo, scortese, villano, maleducato.
cavallerìa *s.f.* **1** (*nel comportamento*) generosità, coraggio, valore, nobiltà © grettezza, meschinità, vigliaccheria **2** cortesia, educazione, gentilezza, galanteria © scortesia, rozzezza, maleducazione, villania.
cavallerìzzo *s.m.* cavaliere, fantino.
cavallétta *s.f.* **1** locusta **2** ♧ avido, sfruttatore, divoratore, parassita.
cavallétto *s.m.* trespolo, treppiede.
cavàllo *s.m.* **1** **IPERON.** cavalcatura **IPON.** giumenta, ronzino (*spreg.*), destriero (*elev.*) **2** (*dei pantaloni*) inforcatura **3** (*sport*) cavallina.
cavallóne *s.m.* onda, ondata, flutto, maroso.
cavàre *v.tr.* **1** togliere, levare, estrarre, rimuovere; strappare, estirpare, sradicare, sfoderare © mettere, introdurre, infilare, ficcare **2** (*un risultato, un vantaggio e sim.*) ottenere, raggiungere, guadagnare, conseguire ♦ **cavarsi** *v.pr.* **1** (*un indumento e sim.*) togliersi, levarsi © mettersi, indossare **2** (*dai guai*) togliersi, liberarsi, trarsi © mettersi, ficcarsi ♦ **cavarsela** *v.procompl.* farcela, arrangiarsi; (*da un pericolo, da un guaio ecc.*) farcela, salvarsi, scamparla, farla franca, sfangarsela (*colloq.*); (*da una malattia*) guarire.
cavatàppi *s.m.* apribottiglie, cavaturaccioli, sturabottiglie, tirabusciò (*region.*).
cavaturàccioli *s.m.* vedi **cavatàppi**.
cavèrna *s.f.* **1** grotta, spelonca, antro **2** cavità, buco **3** (*spreg.*; *di abitazione*) tugurio, spelonca, bicocca.
cavernìcolo *agg.*, *s.m.* **1** troglodita, primitivo **2** (*scherz.*) selvaggio, primitivo, rozzo, incivile, incolto, zotico.
cavernóso *agg.* **1** cavo, profondo, scuro **2** ♧ (*di suono*) cupo, grave, basso © squillante, chiaro, limpido, argentino.
cavézza *s.f.* **1** capestro **2** ♧ freno, ostacolo, impedimento.
càvia *s.f.* porcellino d'India.
cavillàre *v.intr.* arzigogolare, sofisticare, sottilizzare.
cavìllo *s.m.* sofisma, sofisticheria, sottigliezza; pretesto, scusa.
cavità *s.f.* **1** incavo, incavatura, cavo; spazio, vuoto, buco **2** grotta, antro, caverna, spelonca **3** (*anat.*) caverna, vestibolo; (*med.*) alveolo.
càvo[1] *agg.* concavo, incavato, scavato; profondo; vuoto © convesso, sporgente; pieno, massiccio ♦ *s.m.* cavità, incavo, buco, foro; vuoto.
càvo[2] *s.m.* **1** fune, corda; (*mar.*) cima, gomena, sartia **2** (*elettr.*) filo, filo elettrico.

càzzo *s.m.* (*volg.*) **1** pene, membro, asta, sesso, fallo (*elev.*), uccello (*volg.*), pisello (*colloq.*) **2** ♧ niente, nulla; (*colloq.*) fico secco, tubo, corno; (*volg.*) mazza, sega **3** (*al pl.*) fatti, affari, faccende, cavoli (*colloq.*) ♦ *inter.* accidenti, accipicchia, all'anima, alla faccia, caspita, capperi, cavolo (*colloq.*), cacchio (*volg.*), minchia (*volg.*),.

cazzòtto *s.m.* (*colloq.*) pugno; colpo, percossa.

cecchìno *s.m.* **1** franco tiratore, tiratore scelto **2** ♧ (*nel gergo politico*) franco tiratore.

cecità *s.f.* ♧ (*della mente*) miopia, ottusità, ottenebramento, offuscamento.

cèdere *v.intr.* **1** (*anche* ♧) arrendersi, indietreggiare, ritirasi, capitolare, gettare le armi, gettare la spugna, soccombere © combattere, resistere, opporsi **2** ♧ (*allo sconforto, al dolore e sim.*) rassegnarsi, piegarsi, arrendersi, desistere, mollare (*colloq.*), crollare, lasciarsi andare; (*di donna nel rapporto sessuale*) concedersi, darsi © resistere, persistere, perseverare, ostinarsi **3** (*di costruzione, di terreno ecc.*) sprofondare, cadere, crollare, franare, rompersi; piegarsi, avvallarsi, affossarsi, curvarsi, sfondarsi © reggere, sopportare ♦ *v.tr.* **1** concedere, dare, lasciare, accordare **2** (*dir.*) trasferire, vendere, alienare © acquistare, comprare.

cedévole *agg.* **1** (*di cosa*) duttile, morbido, plastico, malleabile, flessibile, tenero, deformabile, elastico © resistente, duro, rigido, indeformabile **2** ♧ (*di carattere, di indole e sim.*) arrendevole, docile, remissivo, accomodante, accondiscendente, affabile; debole © inflessibile, caparbio, ostinato, fermo, saldo.

cedìbile *agg.* trasferibile, vendibile, alienabile © invendibile, inalienabile.

cediménto *s.m.* **1** (*del terreno*) frana, affossamento, avvallamento, smottamento; (*di una costruzione*) crollo, caduta **2** ♧ (*morale, fisico*) crollo, crisi, abbandono, collasso (*med.*); rinuncia, resa.

cèdola *s.f.* coupon (*fr.*), tagliando.

cefalèa *s.f.* (*med.*) emicrania, mal di testa, cefalgia (*med.*).

cèffo *s.m.* **1** (*spreg.*) muso, grugno **2** (*di persona*) brutto ceffo, ceffo da galera, figuro.

ceffóne *s.m.* schiaffo, manrovescio, sberla.

celàre *v.tr.* **1** nascondere, coprire, occultare, velare © mostrare, scoprire, palesare, svelare **2** mascherare, dissimulare, camuffare; (*la verità, una notizia e sim.*) tacere, insabbiare ♦ **celarsi** *v.pr.* nascondersi, rintanarsi, rifugiarsi © apparire, comparire, palesarsi.

celàto *agg.* nascosto, segreto, occulto, taciuto, velato © manifesto, visibile, aperto, scoperto.

celebrànte *agg., s.m.* officiante.

celebràre *v.tr.* **1** commemorare, festeggiare **2** (*un rito*) officiare, eseguire, compiere, dire **3** (*dir.*; *una causa, un processo*) svolgere, tenere, fare **4** (*le gesta, le imprese ecc.*) esaltare, decantare, lodare, magnificare, glorificare.

celebratìvo *agg.* **1** commemorativo, evocativo **2** elogiativo, apologetico, encomiastico.

celebrazióne *s.f.* **1** cerimonia, rito **2** commemorazione, festeggiamento, ricorrenza **3** lode, elogio, encomio, apologia.

cèlebre *agg.* famoso, rinomato, noto, illustre, popolare, affermato, conosciuto, insigne © ignoto, sconosciuto, anonimo.

celebrità *s.f.* **1** fama, notorietà, popolarità **2** (*persona celebre*) personaggio, vip, luminare; (*dello spettacolo*) star (*ingl.*).

cèlere *agg.* veloce, rapido, svelto, spedito, lesto; (*di intervento, di risposta ecc.*) immediato, pronto, sollecito © lento, tardo.

celerità *s.f.* velocità, rapidità, sveltezza, prontezza © lentezza, indugio, flemma.

celèste *agg.* **1** (*di colore*) celestino, acquamarina, azzurro, ceruleo (*elev.*) **2** divino, celestiale, soprannaturale, ultraterreno, trascendente © terreno, mondano, infernale.

celestiàle *agg.* divino, celeste, paradisiaco, angelico, soprannaturale, ultraterreno, trascendente; sublime, meraviglioso, incantevole, stupendo © terreno, umano; infernale, orribile, spaventoso.

cèlia *s.f.* scherzo, beffa, motteggio, burla, gioco.

celiàre *v.intr.* scherzare, burlare © fare sul serio.

cèlibe *agg., s.m.* scapolo, single (*ingl.*), zitello (*scherz.*) © sposato, coniugato, ammogliato.

cellulàre *s.m.* **1** furgone cellulare, vettura cellulare **2** telefonino (*colloq.*), telefono cellulare.

cementàre *v.tr.* **1** IPERON. murare, fissare, saldare © staccare **2** ♧ (*un'amicizia e sim.*) rafforzare, rinsaldare, consolidare, rinvigorire © rompere, spezzare, sciogliere.

céna *s.f.* pranzo, desinare IPERON. pasto.

cenàcolo *s.m.* **1** (*di raffigurazione*) ultima cena **2** ♧ (*di artisti, letterati e sim.*) riunione, circolo, gruppo, accolta (*elev.*).

cenàre *v.intr.* pranzare IPERON. mangiare.

céncio *s.m.* **1** straccio, pezza, panno, strofinaccio, canovaccio **2** ♧ (*di persona malridotta*) straccio **3** (*spec. al pl.*; *di tessuti*) ritagli **4** (*di abito logoro o economico*) straccio, straccetto.

cencióso *agg.* **1** consumato, consunto, liso, strappato, stracciato **2** (*spreg.; di persona*) povero, straccione, pezzente.

cénere *s.f.* (*al pl.*) resti mortali, spoglie ♦ *agg.invar.* (*di colore*) grigio, bigio, cenerino.
cénno *s.m.* **1** segno, gesto **2** accenno, allusione, menzione, riferimento **3** segnale, avvertimento, avviso, indizio, sintomo, traccia.
censiménto *s.m.* **1** (*spec. di popolazione*) rilevamento **2** (*di beni immobili*) catasto, inventario.
censìre *v.tr.* **1** rilevare, inventariare **2** (*nei registri catastali*) accatastare, registrare, iscrivere.
cènso *s.m.* reddito, guadagno, rendita, entrate; patrimonio, beni, sostanze, ricchezza.
censóre *s.m.* **1** (*di film, di scritti e sim.*) revisore, esaminatore **2** moralista, castigatore, critico.
censùra *s.f.* **1** controllo, esame, revisione, critica **2** ♧ rimprovero, biasimo, condanna, disapprovazione © approvazione consenso, lode, encomio.
censuràbile *agg.* criticabile, discutibile, riprovevole, condannabile © incensurabile, irreprensibile, lodevole, encomiabile.
censuràre *v.tr.* **1** (*un film, uno scritto ecc.*) esaminare, controllare, correggere, emendare, tagliare; (*la stampa, la televisione ecc.*) imbavagliare, mettere a tacere **2** ♧ criticare, rimproverare, biasimare, condannare, disapprovare, riprovare © approvare, lodare, elogiare, esaltare.
centàuro *s.m.* ♧ motociclista.
centellinàre *v.tr.* **1** (*una bevanda*) sorseggiare, sorbire, assaporare, degustare © ingollare, tracannare **2** ♧ (*le forze, le energie ecc.*) dosare, risparmiare, distribuire, amministrare.
centenàrio *agg.* **1** secolare; vecchio, annoso **2** centennale ♦ *s.m.* centennale.
centennàle *agg., s.m.* centenario.
centènnio *s.m.* secolo.
centràle *agg.* **1** (*di piazza, di quartiere*) © periferico, decentrato **2** (*di amministrazione, di ente e sim.*) principale © decentrato, periferico **3** (*geogr.*) mediano © settentrionale, meridionale **4** principale, fondamentale, primario, essenziale, sostanziale, dominante © secondario, complementario, marginale, laterale ♦ *s.f.* (*di banca, di ente ecc.*) sede principale © filiale, succursale.
centralinìsta *s.m.f.* telefonista; operatore.
centralità *s.f.* rilevanza, importanza © marginalità, irrilevanza.
centralizzàre *v.tr.* accentrare, concentrare; unificare, riunire © decentrare; suddividere.
centràre *v.tr.* **1** (*il bersaglio, l'obiettivo ecc.*) colpire, prendere, fare centro; inquadrare © mancare, fallire, sbagliare **2** (*fotogr.*) inquadrare **3** ♧ (*il problema, l'argomento ecc.*) comprendere, capire, cogliere, individuare, azzeccare.
centrìfugo *agg.* © centripeto.
centrìpeto *agg.* © centrifugo.
cèntro *s.m.* **1** interno, nucleo, mezzo, cuore © lato, margine, periferia **2** (*di un discorso, di una questione ecc.*) fulcro, nocciolo, sostanza, fondamento, essenza, cuore, chiave, succo **3** località, paese, città, agglomerato urbano **4** (*di attività, di iniziative ecc.*) polo, istituto, struttura, complesso, plesso.
centroeuropèo *agg.* mitteleuropeo.
céppo *s.m.* **1** ceppaia, troncone, base; ciocco **2** ♧ stirpe, famiglia, progenie, discendenza, genealogia, origine, provenienza **3** (*di batteri*) coltura **4** (*al pl.*) catene, manette, ferri; schiavitù, asservimento, giogo, oppressione.
céra[1] *s.f.* (*da scarpe*) lucido.
céra[2] *s.f.* aspetto, faccia, espressione, viso.
ceràmica *s.f.* **1** IPON. maiolica, porcellana, terracotta **2** (*spec. al pl.*) stoviglie, vasellame.
ceràta *s.f.* incerata, impermeabile.
cercàre *v.tr.* **1** guardare, frugare, rovistare, perquisire, perlustrare **2** ricercare, indagare, sondare, studiare, esplorare **3** (*la gloria, la fama ecc.*) desiderare, agognare, ambire, bramare, perseguire ♦ *v.intr.* (*di fare qlco.*) tentare, provare, sforzarsi, adoperarsi; (*di qlcu., di qlco.*) chiedere, informarsi.
cérchia *s.f.* **1** cinta, recinto, giro; circonferenza, perimetro **2** (*di persone*) giro, gruppo, circolo, ambiente, entourage (*fr.*).
cerchiàre *v.tr.* cingere, circondare, stringere, serrare, avvolgere, avviluppare.
cérchio *s.m.* **1** disco, tondo, circolo, giro, perimetro, circonferenza **2** orbita, rotazione.
cerchióne *s.m.* (*della ruota*) cerchio.
cerebràle *agg.* astratto, contorto, intellettualistico, macchinoso, sofisticato, freddo © semplice, spontaneo.
cerebralìsmo *s.m.* astrattismo, intellettualismo, complessità © spontaneità, semplicità.
cèreo *agg.* pallido, bianco, smorto, cadaverico, esangue, diafano © colorito, roseo, rubicondo.
cerimònia *s.f.* **1** (*relig.*) rito, funzione, celebrazione **2** festa, commemorazione, solennità **3** (*spec. al pl.*) complimenti, convenevoli, formalismi, smancerie.
cerimoniàle *s.m.* rito, protocollo, etichetta, formalità; (*relig.*) liturgia.
cerimonióso *agg.* complimentoso, affettato, ossequioso, formale.
cerìno *s.m.* fiammifero.
cernièra *s.f.* **1** (*di porte, finestre ecc.*) cardine, perno **2** ♧ tramite, collegamento, raccordo, giunzione **3** (*di abito, pantaloni ecc.*) lampo, zip, chiusura.

cèrnita *s.f.* scelta, selezione, spoglio, vaglio.
céro *s.m.* candela; torcia.
ceróne *s.m.* fondotinta IPERON. trucco, cosmetico.
certézza *s.f.* **1** (*di un fatto*) realtà, verità, evidenza, incontestabilità © incertezza, falsità, discutibilità **2** (*di un'opinione*) sicurezza, convinzione, convincimento © incertezza, dubbio, perplessità.
certificàre *v.tr.* attestare, documentare, dimostrare, comprovare © contestare, contraddire, confutare, invalidare, smentire.
certificàto *s.m.* **1** (*burocr.*) documento, attestato, attestazione, certificazione **2** (*di credito*) titolo, cartella.
certificazióne *s.f.* **1** (*burocr.*) attestato, attestazione, certificato **2** autenticazione.
cèrto *agg.* **1** (*di fatto*) sicuro, indubbio, evidente, provato, ovvio, incontestabile, indiscutibile, incontrovertibile, inequivocabile, inconfutabile © dubbio, incerto, discutibile, controverso, vago, aleatorio **2** (*di persona*) sicuro, convinto, persuaso © incerto, insicuro.
certósa *s.f.* convento, monastero, abbazia.
certosìno *s.m.* IPERON. monaco, frate ♦ *agg.* (*di lavoro e sim.*) attento, preciso, paziente, scrupoloso, meticoloso, minuzioso, accurato.
cerùleo *agg.* celeste, celestino, azzurro.
cervèllo *s.m.* **1** ♧ ingegno, intelligenza, intelletto, ragione, giudizio, buonsenso, criterio, discernimento © stoltezza, stupidità **2** ♧ (*colloq.*) testa, capo; mente **3** (*di organizzazione, di banda ecc.*) capo, mente.
cervellóne *s.m.* **1** genio, talento **2** cervello elettronico, computer.
cervellòtico *agg.* **1** (*di ragionamento e sim.*) astruso, complicato, cerebrale, contorto **2** (*di persona*) bizzarro, strambo, stravagante, strampalato, complicato.
cervìce *s.f.* **1** (*anat.*) collo dell'utero **2** (*elev.*) nuca, collo.
cesellàre *v.tr.* **1** (*il metallo e sim.*) incidere, sbalzare **2** ♧ (*un'opera d'arte, uno scritto ecc.*) rifinire, perfezionare, curare, limare, levigare.
cèspite *s.m.* rendita, reddito, entrata, guadagno; introito, risorsa.
céspo *s.m.* ciuffo, cesto; cespuglio.
cespùglio *s.m.* arbusto, (*bot.*) frutice.
cessàre *v.intr.* finire, terminare, interrompersi, smettere, concludersi, esaurirsi © continuare, durare, prolungarsi; avviarsi, cominciare, iniziare ♦ *v.tr.* interrompere, smettere, sospendere, abbandonare, concludere © continuare, proseguire; iniziare, incominciare, intraprendere.
cessazióne *s.f.* termine, fine, conclusione, chiusura; interruzione, sospensione © inizio, avvio, avviamento; continuazione, prolungamento, prosecuzione.
cessióne *s.f.* **1** abbandono, rinuncia **2** (*di beni, di diritti e sim.*) trasferimento, alienazione (*dir.*).
cèsso *s.m.* (*colloq.*) **1** bagno, gabinetto, toilette (*fr.*) **2** ♧ schifo, schifezza, bruttura, porcheria.
césta *s.f.* paniere, canestro, cesto, cestello.
cestinàre *v.tr.* buttare, gettare.
cestìno *s.m.* **1** cestino, paniere, canestro, cesta, cestello **2** gettarifiuti; pattumiera.
césto *s.m.* **1** paniere, canestro, cesta, cestello **2** (*nella pallacanestro*) canestro.
cesùra *s.f.* **1** (*di un verso*) pausa, spezzatura **2** ♧ pausa, sospensione, sosta, interruzione; taglio, separazione
cèto *s.m.* classe, rango, estrazione, stato; gruppo, livello, categoria, status.
chador *s.m.invar.* (*persiano*) velo.
chaise-longue *s.f.invar.* (*fr.*) sedia a sdraio, sdraio.
chalet *s.m.invar.* (*fr.*) baita, cottage (*ingl.*), villino, villetta.
champignon *s.m.invar.* (*fr.*) prataiolo IPERON. fungo.
chance *s.f.invar.* (*fr.*) possibilità, opportunità, occasione, carta vincente.
charme *s.m.invar.* (*fr.*) fascino, attrattiva.
charter *s.m.invar.* (*ingl.*) **1** (*mar.*) nolo, noleggio **2** aereo non di linea ♦ *agg.* non di linea.
châssis *s.m.invar.* (*fr.*) (*autom.*) telaio.
check-up *s.m.invar.* (*ingl.*) controllo, esame, esame di controllo.
chèque *s.m.invar.* (*fr.*) assegno.
chef *s.m.invar.* (*fr.*) capocuoco.
chetàre *v.tr.* calmare, tranquillizzare, placare; rasserenare; zittire; (*dolori, passioni ecc.*) attenuare, mitigare, lenire © agitare, inquietare, innervosire; scatenare, eccitare, inasprire.
chewing-gum *s.m.invar.* (*ingl.*) gomma americana, gomma da masticare, gomma (*colloq.*), cicca (*colloq.*).
chiàcchiera *s.f.* **1** (*spec. al pl.*) ciancia, ciarla; conversazione, discorso, chiacchierata **2** diceria, maldicenza, pettegolezzo, mormorio **3** loquacità, parlantina (*colloq.*), logorrea, prolissità, verbosità.
chiacchieràre *v.intr.* **1** discorrere, conversare, parlare, dialogare, discutere © tacere **2** cianciare, ciarlare, cicalare, confabulare **3** spettegolare, sparlare, mormorare, malignare; spiattellare, spifferare, riferire, cantare (*gerg.*).

chiacchieràta *s.f.* conversazione, dialogo, discorso, colloquio.
chiacchieràto *agg.* (*di personaggio, di evento, di libro ecc.*) discusso, controverso.
chiacchierìccio *s.m.* cicaleccio, brusio, cicalio, bisbiglio, mormorio, parlottio © silenzio.
chiacchieróne *agg., s.m.* **1** (*scherz.*) ciarliero, loquace, logorroico, parolaio © taciturno, silenzioso, laconico **2** (*spreg.*) pettegolo, maldicente, linguacciuto © riservato, discreto.
chiamàre *v.tr.* **1** convocare, invitare, far venire; gridare **2** telefonare **3** svegliare, risvegliare, destare (*elev.*) **4** (*un medico, un taxi ecc.*) chiedere, richiedere **5** battezzare, dare nome, denominare, soprannominare; definire, qualificare, classificare, designare **6** (*a una carica e sim.*) designare, nominare, destinare, eleggere, incaricare, assumere ♦ **chiamarsi** *v.pr.* **1** avere nome, denominarsi, soprannominarsi **2** dichiararsi, riconoscersi.
chiamàta *s.f.* **1** richiamo **2** convocazione, appello, ordine, invito **3** telefonata, squillo (*colloq.*), colpo di telefono **4** ispirazione; (*relig.*) vocazione **5** (*teatr.*) applauso.
chiàppa *s.f.* (*colloq.*) gluteo, natica.
chiàra *s.f.* (*colloq.*) albume, bianco d'uovo.
chiarézza *s.f.* **1** luminosità, lucentezza, splendore, nitidezza, trasparenza © oscurità, buio **2** (*di idee, di discorso e sim.*) comprensibilità, semplicità, linearità, lucidità, coerenza, logicità © oscurità, ambiguità, incomprensibilità, ermeticità, macchinosità **3** sincerità, franchezza, lealtà, onestà, schiettezza © ipocrisia, ambiguità, doppiezza.
chiarificàre *v.tr.* **1** (*un liquido*) schiarire, purificare, filtrare **2** (*un pensiero, una questione ecc.*) illuminare, chiarire, illustrare, delucidare, spiegare © complicare, confondere.
chiarificatòre *agg.* illuminante, esplicativo, illustrativo; risolutore.
chiariménto *s.m.* spiegazione, chiarificazione, delucidazione, precisazione.
chiarìre *v.tr.* **1** (*un problema e sim.*) spiegare, illustrare, delucidare, definire, precisare, mettere a fuoco © complicare, confondere, ingarbugliare **2** (*un dubbio, un equivoco ecc.*) risolvere, sciogliere **3** (*la verità e sim.*) determinare, verificare, appurare, accertare, stabilire © nascondere, coprire.
chiàro *agg.* **1** luminoso, lucente, splendente, scintillante © scuro, buio **2** limpido, trasparente, nitido, terso; (*di cielo*) azzurro, sereno © fosco, scuro; nuvoloso, plumbeo **3** (*di acqua, di liquido*) trasparente, limpido, cristallino © torbido, fangoso **4** (*di colore*) pallido, sbiadito, tenue, leggero, delicato © scuro, cupo **5** (*di suono, di immagine ecc.*) distinto, nitido, preciso; (*di colpo*) secco; (*di voce*) squillante, argentino **6** (*di persona, di comportamento*) onesto, sincero, schietto, leale, aperto © ambiguo, ipocrita, falso **7** (*di linguaggio e sim.*) lineare, semplice, comprensibile, accessibile © confuso, contorto, incomprensibile **8** (*di risposta, di tono ecc.*) netto, deciso, esplicito, perentorio © ambiguo, vago **9** (*di fatto, di elemento ecc.*) certo, ovvio, lampante, evidente, tangibile © incerto, discutibile, dubbio ♦ *s.m.* luce, luminosità, chiarore; giorno © buio, oscurità; notte.
chiaróre *s.m.* luce, luminosità; bagliore, barlume, baluginio, luccichio © buio, oscurità, tenebra.
chiaroscùro *s.m.* (*nei dipinti, nei disegni ecc.*) contrasto.
chiaroveggènte *agg.* lungimirante, acuto, perspicace, profetico ♦ *s.m.f.* indovino, veggente, mago, divinatore, vate IPON. astrologo, cartomante, chiromante, sensitivo.
chiassàta *s.f.* schiamazzo, baccano, chiasso, strepitio, vocio **2** lite, litigata, scenata, alterco.
chiàsso *s.m.* **1** rumore, fracasso, baccano, frastuono, trambusto **2** schiamazzo, vocio, baraonda, confusione, scompiglio **3** scalpore, clamore, pubblicità, risonanza.
chiassóso *agg.* **1** (*di persona*) rumoroso, fracassone, sguaiato; (*di cosa*) fragoroso, assordante © silenzioso **2** (*di abito, di colore ecc.*) sgargiante, appariscente, vistoso, sguaiato, pacchiano, volgare.
chiàtta *s.f.* barcone.
chiàve *s.f.* **1** ♧ (*per raggiungere uno scopo*) sistema, modo, maniera, strumento, metodo **2** (*di un problema e sim.*) soluzione, spiegazione **3** tono, aspetto, carattere, stile **4** (*di un messaggio cifrato e sim.*) codice, cifra ♦ *agg.invar.* decisivo, determinante, risolutivo; essenziale, fondamentale, principale.
chiavistèllo *s.m.* catenaccio, paletto.
chiàzza *s.f.* macchia, patacca (*colloq.*).
chiazzàre *v.tr.* macchiare; imbrattare, insudiciare.
chic *agg.invar.* (*fr.*) fine, elegante, raffinato, distinto © volgare, rozzo ♦ *s.m.invar.* eleganza, classe, finezza, raffinatezza.
chìcca *s.f.* **1** caramella, confetto, bonbon (*fr.*) **2** ♧ preziosità, rarità.
chìcco *s.m.* seme, grano, granello.
chièdere *v.tr.* **1** domandare, richiedere; reclamare, sollecitare © dare, concedere **2** informar-

si, domandare, richiedere; interrogare © rispondere, replicare **3** invocare, implorare, supplicare, mendicare **4** richiedere, esigere, necessitare, presupporre **5** (*come prezzo, come ricompensa*) pretendere, volere, domandare ♦ *v.intr.* cercare, domandare, informarsi.

chiérica *s.f.* tonsura.

chièsa *s.f.* **1** (*di fedeli, di credenti*) comunità, società **2** (*cattolica*) cattolicesimo, cattolicità **3** (*luogo di culto*) IPERON. tempio, santuario IPON. duomo, cattedrale, abbazia, pieve, cappella **4** parrocchia, diocesi, pieve **5** (*spreg.*) conventicola, setta.

chignon *s.m.invar.* (*fr.*) crocchia, nodo.

chimèra *s.f.* illusione, fantasia, sogno, utopia, miraggio, speranza © realtà.

chìmico *agg.* sintetico, artificiale © naturale.

chìna *s.f.* pendio, discesa, pendenza, declivio.

chinàre *v.tr.* piegare, abbassare, inclinare, reclinare © alzare, levare, sollevare ♦ **chinarsi** *v.pr.* inchinarsi, abbassarsi, piegarsi, curvarsi © alzarsi, levarsi, rizzarsi, sollevarsi.

chincaglierìa *s.f.* cianfrusaglia, ninnolo; ciarpame, minutaglia, paccottiglia.

chìno *agg.* piegato, chinato, curvo, reclinato © eretto, dritto, sollevato.

chiòdo *s.m.* **1** IPON. borchia, bulletta **2** ♧ fitta, dolore, trafittura **3** ♧ (*persona magra*) stecco, stecchino, acciuga, grissino **4** ♧ assillo, preoccupazione, ossessione, fissazione, mania **5** (*colloq.*) debito **6** (*gerg.*) giubbotto.

chiòma *s.f.* **1** capigliatura, capelli **2** (*di animali*) criniera **3** (*di albero*) fronde.

chiòsa *s.f.* postilla, nota, annotazione, commento, glossa, spiegazione, illustrazione, interpretazione.

chiosàre *v.tr.* **1** commentare, annotare, postillare, glossare **2** spiegare, commentare, chiarire.

chiòsco *s.m.* **1** (*di giornali, di gelati ecc.*) edicola, baracchino **2** (*in parchi, giardini ecc.*) gazebo, pergola, pergolato.

chiòstro *s.m.* **1** (*di monastero, di chiesa*) IPERON. cortile **2** convento, monastero; ♧ clausura.

chiromànte *s.m.f.* IPERON. mago, indovino, veggente, chiaroveggente.

chiromanzìa *s.f.* IPERON. preveggenza, chiaroveggenza, divinazione.

chiùdere *v.tr.* **1** (*un passaggio, un'apertura ecc.*) sbarrare, bloccare, serrare, otturare, occludere, tappare © aprire **2** (*uno spazio, una zona ecc.*) circondare, delimitare, circoscrivere, racchiudere, recintare, cingere, recingere **3** (*un vestito, le scarpe*) allacciare, abbottonare © aprire, slacciare, sbottonare **4** (*le braccia, le ali ecc.*) ripiegare, stringere, serrare © allargare, aprire **5** (*denaro, preziosi e sim.*) riporre, nascondere, rinchiudere **6** (*una persona*) imprigionare, rinchiudere, segregare **7** (*un'attività*) cessare, sospendere, finire © aprire, iniziare, inaugurare **8** (*un discorso, un lavoro ecc.*) terminare, ultimare, concludere, finire © iniziare, cominciare **9** (*il gas, la luce ecc.*) spegnere © accendere, aprire **10** (*un conto corrente, un debito*) estinguere, saldare, spegnere © aprire, accendere, contrarre **11** (*un affare e sim.*) concludere ♦ **chiudersi** *v.pr.* **1** (*in un luogo*) rinchiudersi, rinserrarsi, asserragliarsi, barricarsi © uscire **2** ♧ isolarsi, rifugiarsi, estraniarsi © aprirsi, esprimersi **3** (*di ferita*) rimarginarsi, cicatrizzarsi, guarire **4** (*di cielo*) oscurarsi, rannuvolarsi, coprirsi © aprirsi, schiarirsi, rasserenarsi **5** (*di affare*) concludersi, terminare, finire.

chiùsa *s.f.* **1** barricata, riparo, recinto, cancellata **2** (*di acque*) sbarramento, diga, cateratta, argine **3** (*di un discorso, di un poema e sim.*) conclusione, fine, epilogo, finale © inizio, prologo, preambolo, incipit (*lat.*), apertura.

chiùso *agg.* **1** serrato, sbarrato; otturato, tappato, ostruito © aperto, spalancato **2** (*di vestito, di scarpe*) accollato © aperto, scollato **3** ♧ (*di persona, di carattere ecc.*) introverso, timido, riservato; scontroso, asociale © aperto, espansivo, estroverso **4** ♧ (*di mentalità, di idee ecc.*) ristretto, limitato, angusto © aperto, ampio, largo **5** (*di questione, di affare*) concluso, risolto, superato, passato © aperto, attuale, insoluto, irrisolto.

chiusùra *s.f.* **1** conclusione, fine; finale, epilogo © aperura, inizio, avvio **2** (*mentale, di idee ecc.*) limitatezza, ristrettezza, rigidità © apertura, larghezza, elasticità.

choc *s.m.invar.* (*fr.*) colpo, emozione, spavento, trauma, shock (*ingl.*).

ciabàtta *s.f.* **1** pantofola, babbuccia, pianella **2** ♧ (*spreg.*) rottame, carcassa, catorcio, rudere.

cialtróne *s.m.* **1** farabutto, mascalzone, briccone **2** fannullone, pelandrone, pigro, sfaticato, indolente, svogliato.

cialtronerìa *s.f.* indolenza, pigrizia, accidia, neghittosità (*elev.*); sciatteria, trasandatezza, incuria.

cianciàre *v.intr.* chiacchierare, blaterare, ciarlare, spettegolare.

cianfrusàglia *s.f.* (*spec. al pl.*) chincaglieria, ciarpame, minutaglia, carabattola, paccottiglia.

ciàrla *s.f.* **1** chiacchiera, ciancia **2** pettegolezzo, maldicenza, diceria; fandonia, bugia **3** (*colloq.*) loquacità, parlantina, logorrea.

ciarlàre *v.intr.* **1** chiacchierare, blaterare, cianciare **2** spettegolare.
ciarlatàno *s.m.* imbroglione, impostore, truffatore, turlupinatore.
ciarlièro *agg.* chiacchierone, loquace, parolaio, verboso © taciturno.
ciarpàme *s.m.* paccottiglia, cianfrusaglia, chincaglieria.
cibàre *v.tr.* nutrire, sfamare ♦ **cibarsi** *v.pr.* mangiare, nutrirsi.
cibàrie *s.f.* alimenti, cibo, viveri, vettovaglie.
cìbo *s.m.* alimento, nutrimento; pasto, vitto; piatto, pietanza, vivanda.
cicalàre *v.intr.* chiacchierare, blaterare, ciarlare.
cicaléccio *s.m.* **1** parlottio, chiacchiericcio, brusio, mormorio.
cicatrìce *s.f.* **1** segno, sfregio **2** ♧ pena, afflizione, ferita.
cicatrizzàre *v.tr.* rimarginare IPERON. guarire, sanare ♦ **cicatrizzarsi** *v.pr.* chiudersi, rimarginarsi © aprirsi, riaprirsi.
cicatrizzazióne *s.f.* rimarginazione.
cìcca *s.f.* (*colloq.*) **1** mozzicone **2** (*colloq.*) niente, nulla **3** (*colloq.*) gomma da masticare, gomma.
cicchétto *s.m.* **1** (*colloq.*; *di liquore*) bicchierino, liquorino **2** (*colloq.*) ramanzina, sgridata, rimbrotto.
cìccia *s.f.* (*colloq.*) carne; (*scherz.*) lardo, grasso, adipe (*med.*).
ciccióne *agg., s.m.* grasso, pingue; corpulento, obeso © magro, secco, asciutto ♦ *s.m.* grassone, obeso.
ciceróne *s.m.* guida, accompagnatore.
cìclico *agg.* periodico, ricorrente; regolare © discontinuo.
cìclo *s.m.* **1** serie, successione, sequenza **2** corso, processo, svolgimento; (*di malattia*) decorso **3** periodo, arco, fase **4** (*di conferenze, di lezioni ecc.*) serie, gruppo.
ciclomotóre *s.m.* motorino, scooter (*ingl.*).
ciclóne *s.m.* **1** uragano, tifone, turbine, tromba d'aria, vortice **2** ♧ catastrofe, disastro, calamità **3** ♧ (*di persona*) terremoto, furia, uragano.
ciclòpe *s.m.* gigante, colosso, omaccione.
ciclòpico *agg.* enorme, immenso, mastodontico, immane, gigantesco, smisurato, titanico.
cièco *agg.* **1** non vedente, orbo © vedente **2** ♧ irragionevole, folle, pazzo, sconsiderato **3** ♧ (*di amore, di passione ecc.*) travolgente, sconvolgente **4** ♧ (*di obbedienza, di fedeltà ecc.*) totale, assoluto, illimitato **5** ♧ (*di vicolo, di finestra ecc.*) chiuso, senza uscita.
cièlo *s.m.* **1** firmamento, volta cleleste; spazio, universo © terra **2** atmosfera, aria, etere; clima, tempo **3** (*relig.*) paradiso; Dio, Provvidenza **4** (*di una stanza*) soffitto, tetto, volta.
cìfra *s.f.* **1** numero **2** (*di denaro*) somma, ammontare **3** (*di nome, di iniziali*) monogramma, abbreviazione, sigla.
cifràre *v.tr.* (*messaggi e sim.*) codificare, criptare © decifrare, decodificare, decrittare.
cifràrio *s.m.* codice.
cifràto *agg.* **1** (*di messaggio e sim.*) codificato, in codice **2** oscuro, misterioso, incomprensibile, criptico © chiaro, comprensibile, decifrabile **3** (*di documento e sim.*) siglato.
cìglio *s.m.* **1** sopracciglio **2** (*della strada, del burrone e sim.*) orlo, margine, bordo, estremità.
cigolàre *v.intr.* stridere, scricchiolare.
cigolìo *s.m.* stridio, scricchiolio.
cìma *s.f.* **1** vetta, sommità, punta IPERON. monte, altura, montagna **2** (*anche* ♧) apice, culmine, vertice, colmo © fondo, base **3** (*colloq.*; *di persona*) genio, fenomeno, asso, mostro **4** (*mar.*) cavo, fune, corda.
cimèlio *s.m.* **1** antichità, reperto **2** ricordo, reliquia.
cimentàrsi *v.pr.* misurarsi, provarsi, mettersi alla prova; arrischiarsi, avventurarsi, azzardare.
ciminièra *s.f.* camino.
cimitèro *s.m.* **1** camposanto IPON. necropoli, catacomba **2** ♧ mortorio, desolazione, deserto.
cincìn *inter.* salute, alla salute, prosit, evviva ♦ *s.m.* brindisi.
cincischiàre *v.tr.* **1** (*una stoffa, una carta ecc.*) sgualcire, spiegazzare, sciupare © lisciare, spianare, stirare **2** (*le parole*) biascicare, farfugliare, balbettare ♦ *v.intr.* trastullarsi, baloccarsi, gingillarsi, peredere tempo, cazzeggiare (*volg.*).
cineamatóre *s.m.* cinefilo.
cinecàmera *s.f.* cinepresa.
cineclub *s.m.* cineforum.
cinèfilo *s.m.* cineamatore.
cinefòrum *s.m.* cineclub.
cinematogràfico *agg.* filmico; spettacolare, strabiliante.
cinematògrafo *s.m.* cinema; sala cinematografica.
**cinep

résa** *s.f.* cinecamera, macchina da presa.
cinèreo *agg.* **1** (*di colore*) grigio, cenere, cenerognolo **2** (*di volto, di colorito*) pallido, terreo, livido, esangue, cadaverico © colorito, roseo, rubicondo.
cinetèca *s.f.* filmoteca.
cìngere *v.tr.* **1** avvolgere, stringere, avviluppare, fasciare **2** circondare, chiudere, limitare, accerchiare.

cìnghia *s.f.* **1** (*dei pantaloni*) cintura, cinta **2** fascia, laccio, nastro.
cingolàto *s.m.* carro armato.
cinguettàre *v.intr.* **1** (*di uccelli*) cantare, trillare **2** (*di persona*) parlottare, cicalare, chiacchierare.
cìnico *agg.* sprezzante, beffardo; freddo, indifferente, insensibile, distante, distaccato © sensibile, pietoso.
cinìsmo *s.m.* disprezzo, spregio; freddezza, indifferenza, insensibilità.
cìnta *s.f.* **1** mura, fortificazione, muraglia; recinto, recinzione, cancellata **2** (*di città*) perimetro **3** cintura, cinghia, cintola.
cintàre *v.tr.* chiudere, circondare, cingere, recingere, recintare.
cintùra *s.f.* **1** (*dei pantaloni*) cinghia, cinta, cintola **2** (*di vestito, del corpo*) vita **3** (*di città*) periferia, suburbio, hinterland (*ted.*).
cinturìno *s.m.* laccetto, cinghietta, fascetta, bracciale.
ciòcca *s.f.* **1** (*di capelli*) ciuffo **2** (*di fiori, d'erba ecc.*) mazzetto, rametto (*region.*).
cioccolàta *s.f.* vedi **cioccolàto**.
cioccolàto *s.m.* cioccolata; cacao.
ciondolàre *v.intr.* **1** dondolare, penzolare, oscillare, pencolare **2** traballare, vacillare, tentennare, tremolare **3** oziare, bighellonare, poltrire ♦ *v.tr.* dondolare.
cióndolo *s.m.* pendaglio, pendente.
ciòtola *s.f.* scodella, coppa, tazza.
ciòttolo *s.m.* sasso, pietra.
cipìglio *s.m.* **1** occhiataccia, broncio, grugno **2** severità, sdegno.
cipólla *s.f.* **1** (*di tulipano, di giacinto ecc.*) bulbo **2** (*colloq.*) orologio da tasca.
cìppo *s.m.* stele, pilastro, colonna.
cìrco *s.m.* **1** anfiteatro, arena, stadio **2** circo equestre.
circolàre[1] *agg.* tondo, rotondo; ad anello, anulare ♦ *s.m.* comunicazione, lettera, avviso.
circolàre[2] *v.intr.* **1** (*di persone, di veicoli ecc.*) muoversi, girare, passare, spostarsi © fermarsi, sostare **2** (*di fluidi*) scorrere, fluire **3** (*di idee, notizie ecc.*) diffondersi, propagarsi, correre, girare, spandersi.
circolazióne *s.f.* **1** (*di persone, di veicoli ecc.*) movimento, passaggio, moto, spostamento **2** (*di idee, notizie ecc.*) diffusione, trasmissione, divulgazione, propagazione **3** (*med.*) flusso, circolo.
cìrcolo *s.m.* **1** circonferenza, cerchio, tondo, giro **2** (*ricreativo, sportivo ecc.*) associazione, società, club (*ingl.*) **3** (*di persone*) gruppo, cerchia, accolta, cenacolo **4** (*burocr.*) circoscrizione, distretto.
circondàre *v.tr.* **1** accerchiare, attorniare; assediare **2** delimitare, contornare, recingere, recintare **3** (*di affetto, di premure ecc.*) ricoprire, riempire, colmare ♦ **circondarsi** *v.pr.* attorniarsi, contornarsi, avere intorno.
circondàrio *s.m.* vicinanze, dintorni.
circonferènza *s.f.* perimetro, circolo, giro, cerchio, circuito.
circonlocuzióne *s.f.* giro di parole, perifrasi.
circonvallazióne *s.f.* tangenziale.
circoscrìvere *v.tr.* delimitare, restringere; contenere, frenare © allargare, ampliare.
circoscrizióne **1** delimitazione **2** distretto, ripartizione, territorio.
circospètto *agg.* cauto, accorto, prudente, avveduto, guardingo, sospettoso © avventato, incauto, imprudente, sconsiderato, temerario.
circospezióne *s.f.* cautela, prudenza, accortezza, avvedutezza, diffidenza, sospettosità © imprudenza, avventatezza, temerarietà.
circostànte *agg.* vicino, limitrofo, confinante, prossimo, adiacente © lontano, distante, remoto.
circostànza *s.f.* caso, situazione, occasione, combinazione, evenienza, eventualità, frangente; episodio, fatto, vicenda, evento.
circostanziàto *agg.* dettagliato, preciso, particolareggiato, minuzioso © generico, vago, approssimativo; sintetico.
circuìre *v.tr.* raggirare, ingannare, imbrogliare, truffare, abbindolare; sedurre, adescare, irretire.
circùito *s.m.* **1** giro, circonferenza, perimetro **2** (*automobilistico*) pista, autodromo; percorso, tracciato **3** gara, corsa.
circumnavigazióne *s.f.* periplo.
cisalpìno *agg.* cismontano © transalpino.
cistèrna *s.f.* **1** serbatoio, pozzo, vasca **2** autobotte.
citàre *v.tr.* **1** (*dir.*) chiamare in causa, chiamare in giudizio, convocare; querelare **2** (*brani o parole altrui*) riferire, riportare, ripetere **3** (*un nome, una persona ecc.*) menzionare, ricordare, nominare.
citazióne *s.f.* **1** (*dir.*) denuncia, querela, convocazione **2** menzione, segnalazione.
citrùllo *agg., s.m.* scemo, stupido, sciocco, idiota, imbecille, grullo © intelligente, acuto, sagace.
città *s.f.* **1** centro abitato, agglomerato urbano IPON. capitale, capoluogo, metropoli **2** cittadinanza, popolazione.
cittadèlla *s.f.* **1** rocca, roccaforte, castello **2** ♧ baluardo, sostegno, difesa, base.

cittadinànza *s.f.* **1** popolazione, cittadini, abitanti, città **2** nazionalità.
cittadìno *agg.* **1** urbano © rurale, contadino, paesano **2** civico, comunale, municipale ♦ *s.m.* abitante, residente.
ciùcca *s.f.* (*colloq.*) sbornia, ubriacatura, sbronza.
ciucciàre *v.tr.* (*colloq.*) succhiare, poppare.
ciùccio *s.m.* ciucciotto, succhiotto, tettarella.
ciùco *s.m.* somaro, asino.
ciùffo *s.m.* **1** (*di capelli*) ciocca **2** (*di erba, d'insalata e sim.*) cespo; mazzo.
ciùrma *s.f.* **1** (*di nave*) equipaggio **2** (*spreg.*) marmaglia, feccia **3** (*scherz.*) banda, combriccola.
civétta *s.f.* **1** (*donna*) frasca, fraschetta, seduttrice **2** (*giorn.*) locandina.
civetterìa *s.f.* leziosaggine, vanità, frivolezza.
civettuòlo *agg.* lezioso, vanesio, malizioso; grazioso, attraente, vezzoso.
cìvico *agg.* **1** (*della città*) cittadino, comunale, municipale, urbano **2** (*di senso, di dovere ecc.*) civile, sociale.
civìle *agg.* **1** (*di diritti, di doveri ecc.*) civico, sociale **2** (*di guerra*) intestino, fratricida **3** (*di abito*) borghese © militare, religioso **4** (*di popolo, di nazione ecc.*) evoluto, civilizzato, progredito © arretrato, incivile, barbaro, sottosviluppato **5** (*di modi, di persona*) educato, corretto, perbene, gentile, cortese © incivile, maleducato **6** (*di matrimonio, di rito ecc.*) non religioso, laico © religioso ♦ *s.m.* borghese © militare.
civilizzàre *v.tr.* dirozzare, digrossare, incivilire © imbarbarire ♦ **civilizzarsi** *v.pr.* incivilirsi, dirozzarsi, ingentilirsi © imbarbarirsi.
civiltà *s.f.* **1** cultura **2** progresso, sviluppo, civilizzazione © arretratezza, barbarie, sottosviluppo **3** educazione, correttezza; gentilezza, cortesia, garbo © maleducazione, inciviltà, rozzezza, scortesia, cafonaggine, villania.
clàcson *s.m.* avvisatore acustico, tromba.
clamóre *s.m.* **1** rumore, chiasso, baccano, schiamazzo, strepito © pace, silenzio, quiete, tranquillità **2** ♧ (*di notizia, di evento e sim.*) scalpore, scompiglio, eco, risonanza, impressione, interesse.
clamoróso *agg.* **1** rumoroso, chiassoso, assordante © silenzioso **2** ♧ (*di notizia, di evento e sim.*) straordinario, eccezionale, sensazionale, eclatante © banale, insignificante, modesto.
clan *s.m.invar.* **1** gruppo, tribù **2** (*spreg.*) cricca, conventicola, banda, congrega **3** (*sport*) squadra, scuderia, società.
clandestinità *s.f.* **1** (*di cosa*) segretezza; illegalità **2** (*di persona*) latitanza.
clandestìno *agg.* segreto, nascosto; illegale, illecito © palese, pubblico; legale, lecito.
clàsse *s.f.* **1** (*sociale, economica*) ceto, strato, fascia, sfera; condizione, estrazione, rango **2** (*impiegatizia, medica ecc.*) ordine, categoria, ambiente **3** (*di insetti, di mammiferi ecc.*) ordine, specie, gruppo, suddivisione, famiglia, genere **4** (*di scuola*) corso, anno; aula; alunni **5** (*mil.*) leva, anno **6** (*di veicolo*) categoria **7** (*nei modi, nell'abbigliamento e sim.*) eleganza, stile, finezza, distinzione, raffinatezza © volgarità, grossolanità **8** (*nello sport*) abilità, valore, bravura, talento.
classicità *s.f.* **1** classicismo **2** armonia, proporzione, equilibrio, misura.
clàssico *agg.* **1** greco-romano; antico; umanistico © moderno; contemporaneo **2** (*di opera, di artista*) esemplare, emblematico **3** (*di gusto, di abbigliamento e sim.*) tradizionale, intramontabile; (*di cucina*) caratteristico, tipico **4** (*di musica e sim.*) colto © leggero, popolare ♦ *s.m.* **1** modello, esempio **2** (*al pl.*) scrittori greci e latini.
classìfica *s.f.* **1** (*di una gara, di un concorso ecc.*) graduatoria **2** classificazione, ordinamento.
classificàre *v.tr.* **1** catalogare, ordinare, elencare, raggruppare; dividere, distinguere, suddividere **2** (*una persona*) catalogare, etichettare **3** (*un alunno, un compito e sim.*) giudicare, valutare ♦ **classificarsi** *v.pr.* (*in una gara e sim.*) arrivare, piazzarsi, qualificarsi.
classificazióne *s.f.* **1** catalogazione, ordinazione, elencazione, raggruppamento; distinzione, suddivisione, ripartizione; schedatura **2** valutazione, giudizio.
clàusola *s.f.* **1** (*dir.*) IPERON. aggiunta, integrazione IPON. codicillo, postilla **2** condizione, limitazione, restrizione.
claustrofobìa *s.f.* © agorafobia.
clausùra *s.f.* **1** convento, chiostro **2** ♧ solitudine, isolamento.
clàva *s.f.* mazza, randello, bastone.
clemènte *agg.* **1** (*di persona, di carattere*) indulgente, mite, pietoso, misericordioso, comprensivo, buono, generoso, umano © inflessibile, duro, crudele, spietato, implacabile **2** ♧ (*di tempo, di stagione*) mite, dolce, temperato © rigido, cattivo, inclemente, avverso.
clemènza *s.f.* **1** (*di persona, di carattere*) pietà, bontà, misericordia, comprensione, compassione, umanità © inclemenza, inflessibilità, severità, crudeltà, spietatezza **2** ♧ (*di tempo, di stagione*) dolcezza, mitezza © inclemenza, rigidità.

clericàle *agg.* **1** ecclesiastico, religioso © laico, secolare **2** confessionale © anticlericale ♦ *agg., s.m.f.* © anticlericale; laico.
clèro *s.m.* clericato © laicato, laici.
cliché *s.m.invar.* (*fr.*) **1** (*tipogr.*) matrice, stampo **2** ♧ modello; stereotipo, luogo comune.
cliènte *s.m.f.* acquirente, avventore, compratore **INVER.** venditore, negoziante.
clientelàre *agg.* nepotista, nepotistico.
clientelìsmo *s.m.* nepotismo; favoritismo, particolarismo.
clìma *s.m.* **1** tempo, temperatura **2** ♧ ambiente, condizione, situazione, atmosfera, contesto.
climatizzatóre *s.m.* condizionatore, aria condizionata.
climatizzazióne *s.f.* aria condizionata, condizionamento.
clìnica *s.f.* casa di cura **IPERON.** ospedale.
clìnico *agg.* **1** medico, sanitario **2** (*di occhio, di sguardo*) esperto.
clistère *s.m.* clisma, enteroclisma.
clochard *s.m.invar.* (*fr.*) vagabondo, barbone, senza tetto; accattone, mendicante.
clonàre *v.tr.* duplicare, riprodurre.
clou *s.m.invar.* (*fr.*) culmine, colmo, apice.
clown *s.m.invar.* (*ingl.*) pagliaccio; buffone, macchietta.
clownesco *agg.* pagliaccesco; buffonesco, ridicolo, burlesco.
club *s.m.invar.* (*ingl.*) circolo, associazione, società, ritrovo.
coabitàre *v.intr.* convivere, coesistere.
coadiutóre *s.m.* aiutante, assistente, collaboratore, cooperatore, aiuto.
coadiuvàre *v.intr.* collaborare, cooperare, aiutare, assistere © ostacolare.
coagulàre *v.tr.* rapprendere, raggrumare ♦ *v.intr.* e **coagularsi** *v.pr.* rapprendersi, raggrumarsi, addensarsi, solidificare © sciogliersi, liquefarsi; (*del latte*) cagliare, cagliarsi.
coagulazióne *s.f.* coagulamento, condensamento, addensamento © liquefazione, scioglimento.
coàgulo *s.m.* (*di sangue*) grumo, trombo (*med.*).
coalizióne *s.f.* alleanza, lega, associazione, confederazione; patto, intesa, accordo; schieramento © separazione, scissione.
coalizzàre *v.tr.* unire, alleare, unificare, associare, confederare © dividere, separare ♦ **coalizzarsi** *v.pr.* allearsi, associarsi, unirsi, accordarsi © separarsi, scindersi.
coartàre *v.tr.* costringere, obbligare, forzare, violentare, imporre, opprimere.
coartazióne *s.f.* costrizione, coercizione, obbligo.
coattìvo *agg.* **1** costrittivo, coercitivo; oppressivo, repressivo **2** (*dir.*) coercitivo, obbligatorio, cogente © libero.
coàtto *agg.* **1** obbligatorio, forzato, imposto, forzoso © libero, volontario **2** (*psic.*) ossessivo.
coazióne *s.f.* coartazione, costrizione, imposizione.
coccàrda *s.f.* rosetta **IPERON.** distintivo, contrassegno, emblema, nastrino, stemma.
còccio *s.m.* **1** terraglia, terracotta **2** (*di vaso, di bottiglia ecc.*) frammento, pezzo **3** (*spec. al pl.*) stoviglie **4** ♧ (*di persona malandata*) catorcio, rottame.
cocciutàggine *s.f.* ostinazione, testardaggine, caparbietà, irremovibilità, inflessibilità © arrendevolezza, docilità.
cocciùto *agg.* testardo, ostinato, caparbio, puntiglioso © docile, arrendevole, remissivo.
còcco[1] *s.m.* noce d'India.
còcco[2] *s.m.* (*scherz., colloq.*) beniamino, preferito, coccolo (*colloq.*), prediletto.
còccola *s.f.* tenerezza, carezza, moina, vezzo.
coccolàre *v.tr.* accarezzare, cullare, vezzeggiare; viziare.
cocènte *agg.* **1** ardente, scottante, bollente, infuocato, rovente, torrido © freddo, gelido **2** ♧ (*di sentimenti, di passioni*) violento, intenso, impetuoso, appassionato © calmo, quieto, pacato, equilibrato **3** ♧ (*di dolore, di delusione ecc.*) forte, acuto, intenso, bruciante, pungente; (*di lacrime*) amaro, doloroso.
cocktail *s.m.invar.* (*ingl.*) **1** drink (*ingl.*), long drink (*ingl.*) **2** party (*ingl.*), ricevimento, rinfresco **3** ♧ miscuglio, mescolanza, mistura.
cocómero *s.m.* (*region.*) anguria.
cocùzzolo *s.m.* **1** (*di monte*) cima, vetta, sommità **2** (*della testa, del cappello*) punta, apice, sommità.
códa *s.f.* **1** estremità, fondo © cima, inizio, punta, testa **2** (*di lettera, di discorso*) aggiunta, appendice, prolungamento, fine, conclusione; seguito, strascico, conseguenza **3** (*di cometa*) scia, chioma **4** (*di occhio*) angolo, estremità.
codàrdo *agg.* vigliacco, vile, pauroso, pavido, fifone (*colloq.*) © coraggioso, impavido, intrepido, audace, valoroso.
codàzzo *s.m.* (*spreg.*) corte, seguito, corteo.
còdice *s.m.* **1** manoscritto **IPON.** palinsesto **2** (*dir.*) legge, diritto, legislazione; normativa, regolamento **3** (*per decifrare un messaggio*) cifrario.
codicillo *s.m.* aggiunta, postilla.
codìfica *s.f.* **1** codificazione **2** (*di un messaggio e sim.*) trascrizione, traduzione © decodificazione, decrittazione.

codificàre *v.tr.* **1** (*norme, regole ecc.*) ratificare, sanzionare, legalizzare; regolare, disciplinare **2** (*un messaggio e sim.*) cifrare, criptare, tradurre © decodificare, decrittare.

coercitìvo *agg.* costrittivo, coattivo, obbligatorio, cogente (*dir.*); oppressivo, repressivo © libero, spontaneo, volontario.

coercizióne *s.f.* costrizione, obbligo, imposizione, pressione, coartazione (*dir.*).

coerènte *agg.* **1** (*di persona, di comportamento*) costante, congruente © incoerente, incostante **2** (*di discorso, di ragionamento ecc.*) logico, consequenziale, lineare © incoerente, contraddittorio, illogico **3** (*di materiale*) compatto, coeso, omogeneo © friabile.

coerènza *s.f.* **1** (*di persona, di comportamento*) costanza, congruenza © incoerenza, incostanza **2** (*di discorso, di ragionamento ecc.*) logica, congruenza, consequenzialità © incoerenza, contraddittorietà, illogicità, discontinuità **3** (*di materiale*) compattezza, coesione, omogeneità © friabilità.

coesióne *s.f.* **1** unità, unione, compattezza, legame **2** ♧ (*di idee, di un gruppo ecc.*) accordo, armonia, unità, corrispondenza, solidità © disarmonia, discordanza, contraddizione.

coesistènza *s.f.* convivenza, compresenza.

coesìstere *v.intr.* convivere.

cofanétto *s.m.* (*per oggetti preziosi*) scrigno, portagioie, portagioielli; astuccio, custodia.

còfano *s.m.* **1** bagagliaio, baule, portabagagli, portellone (*autom.*) **2** cassa, cassone, baule.

cogitabóndo *agg.* pensoso, pensieroso, assorto, raccolto.

cògliere *v.tr.* **1** (*fiori, frutti*) prendere, raccogliere, staccare, spiccare **2** ♧ (*il significato*) capire, comprendere, afferrare, intuire, indovinare **3** (*un'occasione*) approfittare, sfruttare, afferrare © perdere **4** sorprendere, trovare, pescare (*colloq.*), beccare (*colloq.*) **5** (*il bersaglio e sim.*) colpire, raggiungere, azzeccare, individuare, indovinare © mancare, sbagliare.

cognizióne *s.f.* **1** conoscenza, idea, consapevolezza © ignoranza, incoscienza, inconsapevolezza **2** (*spec. al pl.*) (*di una scienza, di un argomento ecc.*) nozioni, informazioni **3** (*dir.*) accertamento, esame.

coibènte *agg.* isolante IPON. termoisolante, insonorizzante © conduttore.

coincidènza *s.f.* **1** (*di fatti, di eventi*) concomitanza, contemporaneità, simultaneità, sincronismo © sfasamento **2** combinazione, caso, casualità **3** (*di idee, di opinioni ecc.*) identità, uguaglianza, corrispondenza © divergenza.

coincìdere *v.intr.* concordare, corrispondere, collimare, combaciare, identificarsi © divergere, differenziarsi.

cointeressènza *s.f.* compartecipazione, partecipazione.

coinvòlgere *v.tr.* **1** implicare, chiamare in causa, compromettere; interessare, sensibilizzare © allontanare, escludere **2** attrarre, appassionare, avvincere, intrigare, entusiasmare © annoiare.

coinvolgiménto *s.m.* partecipazione, interessamento, implicazione © disinteresse, distacco.

còito *s.m.* amplesso, rapporto sessuale, rapporto intimo, accoppiamento.

colabròdo *s.m.* schiumarola; colino.

colapàsta *s.m.* scolapasta.

colazióne *s.f.* **1** prima colazione **2** pranzo IPERON. pasto.

còlf *s.f.invar.* domestica, donna di servizio, donna, collaboratrice familiare, cameriera, serva (*spreg.*).

colìno *s.m.* passino.

còlla *s.f.* adesivo, collante, gomma, mastice.

collaboràre *v.intr.* contribuire, partecipare, cooperare; aiutare, assistere, affiancare, coadiuvare © ostacolare, intralciare.

collaboratóre *s.m.* coadiutore, aiutante, assistente, ausiliare, cooperatore.

collaborazióne *s.f.* aiuto, assistenza, contributo, partecipazione, apporto, ausilio.

collage *s.m.invar.* (*fr.*) insieme, miscuglio, commistione, mescolanza, mosaico.

collàna *s.f.* **1** catena, girocollo, collier (*fr.*) **2** (*di libri e sim.*) raccolta, collezione.

collànte *s.m.* adesivo, colla.

collàre *s.m.* **1** guinzaglio, cinghia **2** (*di abito*) collo, colletto **3** anello, cerchio.

collàsso *s.m.* **1** (*med.*) malore, mancamento, svenimento **2** ♧ cedimento, crollo, tracollo, rovina.

collateràle *agg.* **1** laterale, vicino **2** ♧ (*di effetto, di fenomeno ecc.*) secondario, parallelo, concomitante, accessorio © principale, primario.

collaudàre *v.tr.* provare, controllare, testare, sperimentare, verificare.

collàudo *s.m.* prova, controllo, test, verifica, esame, check-up (*ingl.*).

còlle *s.m.* collina, altura, dosso, poggio.

collegaménto *s.m.* **1** comunicazione, contatto, allacciamento, connessione **2** ♧ legame, rapporto, relazione, attinenza, unione.

collegàre *v.tr.* unire, connettere, attaccare, allacciare, raccordare © scollegare, separare ♦ **collegarsi** *v.pr.* **1** congiungersi, unirsi; allearsi, associarsi, accordarsi **2** (*per telefono, per radio* *e sim.*) mettersi in comunicazione, comunicare, mettersi in contatto.

collegiàle *agg.* collettivo, comune, generale, assembleare ♦ *s.m.f.* convittore, interno; educanda.

collègio *s.m.* **1** (*dei docenti e sim.*) commissione, consiglio, assemblea, riunione **2** (*dei medici, degli ingegneri ecc.*) corpo, ordine, associazione, congregazione **3** (*elettorale*) circoscrizione **4** convitto, istituto, scuola.

còllera *s.f.* rabbia, indignazione, ira, stizza, irritazione © calma, placidità, tranquillità.

collèrico *agg.* iracondo, rabbioso, irritabile, irascibile, stizzoso, astioso, fegatoso © placido, calmo, sereno, pacato, tranquillo.

collétta *s.f.* questua, raccolta; sottoscrizione.

collettivìsmo *s.m.* socialismo, comunismo © individualismo, liberalismo, capitalismo.

collettività *s.f.* società, comunità, pluralità, massa (*spreg.*) © individuo, singolo.

collettìvo *agg.* comune, pubblico, generale, sociale, collegiale © individuale, particolare, privato, singolo ♦ *s.m.* (*politico*) gruppo; riunione, assemblea.

collétto *s.m.* collo, bavero.

collettóre *s.m.* condotto, canale, conduttura, fogna.

collezionàre *v.tr.* raccogliere, riunire, raggruppare; accumulare.

collezióne *s.f.* **1** (*di fumetti, di monete ecc.*) raccolta **2** (*di pubblicazioni*) collana, serie **3** (*di abiti*) assortimento, linea.

collezionìsta *s.m.* raccoglitore, amatore, cultore.

collimàre *v.intr.* coincidere, combaciare, corrispondere, uguagliarsi, identificarsi, incontrarsi © divergere, contrastarsi, urtare.

collìna *s.f.* altura, colle, poggio.

collisióne *s.f.* **1** urto, scontro, cozzo, tamponamento **2** ♧ contrasto, conflitto, divergenza © accordo.

còllo[1] *s.m.* colletto, bavero.

còllo[2] *s.m.* IPON. pacco, valigia, baule, cassa, sacco.

collocaménto *s.m.* **1** sistemazione, ordine, assetto, collocazione **2** lavoro, occupazione, impiego, sistemazione.

collocàre *v.tr.* **1** mettere, porre, posare, disporre, sistemare, installare, posizionare © levare, spostare, togliere, rimuovere **2** (*nel lavoro*) impiegare, sistemare **3** ♧ (*nel tempo, in un contesto ecc.*) inquadrare, porre, situare, ambientare **4** ♧ (*econ.*; *titoli, azioni ecc.*) investire, piazzare, impiegare ♦ **collocarsi** *v.pr.* **1** mettersi, porsi, sistemarsi, disporsi, piazzarsi **2** ♧ (*nel tempo, in un contesto ecc.*) inquadrarsi, situarsi, inserirsi **3** (*nel lavoro*) impiegarsi, occuparsi, sistemarsi.

collocazióne *s.f.* sistemazione, disposizione.

colloquiàle *agg.* (*di linguaggio, di scrittura ecc.*) informale, familiare, discorsivo, spontaneo © formale, ricercato, ampolloso.

colloquiàre *v.intr.* conversare, parlare, dialogare, discorrere, discutere.

collòquio *s.m.* **1** conversazione, dialogo, discorso, abboccamento **2** esame preliminare, esame orale, orale.

collóso *agg.* appiccicoso, appiccicaticcio, vischioso, viscoso, denso © fluido, scorrevole.

collòttola *s.f.* nuca; collo.

collusióne *s.f.* accordo, intesa; complotto.

colluttazióne *s.f.* **1** lotta, lite, litigio, rissa, tafferuglio, zuffa.

colmàre *v.tr.* **1** riempire, saturare © vuotare, svuotare **2** (*una lacuna*) compensare **3** ♧ (*di baci, di attenzioni e sim.*) coprire, ricoprire, riempire.

cólmo[1] *s.m.* **1** cima, vetta, vertice, sommità **2** ♧ massimo, acme, apice, culmine **3** (*di fiume*) piena.

cólmo[2] *agg.* pieno, zeppo, carico, ricolmo, saturo; straripante, strapieno; (*di persone*) gremito, affollato, sovraffollato © vuoto; deserto.

colombàia *s.f.* piccionaia.

colònia *s.f.* **1** dominio, possedimento **2** gruppo, comunità.

coloniàle *agg.* **1** imperialistico **2** (*di colore*) avana, beige (*fr.*) ♦ *s.m.* (*spec. al pl.*) spezie.

colonialìsmo *s.m.* imperialismo.

colònico *agg.* agricolo, rurale, contadino.

colonizzàre *v.tr.* **1** conquistare, occupare, sottomettere, assoggettare, invadere **2** (*terreni*) bonificare, risanare.

colónna *s.f.* **1** pilastro, sostegno, piedritto; (*monumento*) cippo, stele, obelisco **2** ♧ (*di persona*) sostegno, appoggio, aiuto **3** (*di numeri, di parole ecc.*) fila, elenco, serie, sequela **4** (*di auto, di soldati ecc.*) fila, coda, schiera.

colòno *s.m.* contadino, coltivatore, agricoltore, mezzadro.

coloràre *v.tr.* tingere, tinteggiare, verniciare; dipingere, pitturare ♦ **colorarsi** *v.pr.* **1** tingersi, dipingersi © scolorirsi **2** (*di volto*) arrossarsi, ravvivarsi, colorirsi © impallidire.

colorazióne *s.f.* tintura, tinteggiatura; colore, tinta.

colóre *s.m.* **1** tinta, colorazione **2** tinta, vernice, colorante, tintura **3** (*del volto*) carnagione, cera, colorito, incarnato **4** (*spec. al pl.*; *della nazione, di una squadra ecc.*) bandiera, stemma; partito;

società **5** (*di stile, di narrazione e sim.*) vivacità, espressività, brio **6** (*nelle carte da gioco*) seme.

colorìre *v.tr.* ♧ (*un discorso, una narrazione ecc.*) arricchire, ravvivare, vivacizzare © appiattire, smorzare.

colorìto *agg.* **1** colorato, tinto © scolorito, sbiatito, incolore **2** (*di volto*) roseo, rubicondo, rubizzo © pallido, cereo, esangue, smorto **3** ♧ (*di linguaggio*) ricco, vivace, espressivo, efficace © banale, piatto, monotono, incolore ♦ *s.m.* carnagione, cera, colore, incarnato.

colossàle *agg.* gigantesco, immenso, smisurato, ciclopico, mastodontico, imponente © minuscolo, minimo, esiguo, lillipuziano.

colòsso *s.m.* gigante, ciclope, titano.

cólpa *s.f.* **1** errore, macchia, torto, sbaglio, fallo © innocenza **2** crimine, reato (*dir.*), misfatto, delitto (*dir.*) © innocenza **3** responsabilità, causa, opera.

colpévole *agg., s.m.f.* responsabile; reo (*dir.*) © innocente, incolpevole.

colpevolézza *s.f.* colpa, responsabilità, reità (*dir.*) © innocenza.

colpevolìsta *agg., s.m.f.* © innocentista.

colpìre *v.tr.* **1** percuotere, battere, picchiare; ferire **2** (*un bersaglio*) prendere, centrare, azzeccare © mancare, fallire **3** ♧ impressionare, stupire, sorprendere, scioccare, sbalordire; toccare, turbare; affascinare **4** danneggiare, rovinare, ledere; offendere, ferire, irritare; penalizzare, punire, svantaggiare © favorire.

cólpo *s.m.* **1** percossa, urto, botta, spinta, scossone IPON. bastonata, fendente, mazzata, legnata, sassata, pugnalata, coltellata, frustata, calcio, schiaffo, pugno **2** esplosione, scoppio, botto, deflagrazione, detonazione, schianto, tonfo **3** cartuccia, pallottola **4** ♧ dolore, dispiacere, batosta, trauma; emozione, impressione, entusiasmo **5** (*sport*) tiro, lancio **6** rapina, furto; vincita; affare **7** (*colloq.*) attacco, accidenti, coccolone (*colloq.*); (*med.*) infarto, ictus **8** (*giorn.*) scoop (*ingl.*).

colpóso *agg.* preterintenzionale (*dir.*), involontario.

coltellàta *s.f.* **1** IPERON. colpo, ferita IPON. pugnalata, stilettata **2** ♧ dolore, colpo, dispiacere, pugnalata.

coltèllo *s.m.* IPON. coltellaccio, mannaia, roncola, temperino, serramanico.

coltivàre *v.tr.* **1** (*la terra*) lavorare IPON. arare, zappare, vangare **2** ♧ (*un'arte, una scienza, una lingua ecc.*) curare, esercitare; affinare; sviluppare, migliorare, valorizzare; (*lo studio e sim.*) applicarsi, dedicarsi **3** (*un'amicizia, una speranza, un sentimento ecc.*) nutrire, alimentare; provare, sentire.

coltivatóre *s.m.* agricoltore, contadino.

coltivazióne *s.f.* coltura, piantagione; campo, terreno.

cólto *agg.* istruito, erudito, dotto, sapiente © ignorante, incolto, illetterato, analfabeta, rozzo.

cóltre *s.f.* **1** coperta **2** ♧ (*di nebbia, di neve ecc.*) banco, manto, strato, copertura, cappa.

coltùra *s.f.* **1** coltivazione **2** piantagione, campo **3** (*di ostriche, di bachi da seta*) allevamento **4** (*di batteri*) ceppo.

comandaménto *s.m.* (*teol.*) precetto, prescrizione, norma; (*al pl.*) tavole della legge, decalogo.

comandànte *s.m.* (*mil.*) capo, condottiero.

comandàre *v.tr.* **1** ordinare, imporre, intimare, ingiungere; governare, dirigere; guidare, capeggiare, capitanare © obbedire, eseguire **2** (*al ristorante*) ordinare, chiedere **3** (*prudenza e sim.*) richiedere, esigere **4** (*una leva, un pedale ecc.*) azionare, controllare **5** (*burocr.*) destinare, mandare, inviare, trasferire © richiamare.

comàndo *s.m.* **1** ordine, direttiva, disposizione, ingiunzione, intimazione; precetto, prescrizione **2** potere, autorità, guida, governo, controllo, dominio.

comàre *s.f.* **1** (*region.*) madrina **2** (*region.*) amica, vicina **3** (*colloq.*) pettegola, linguaccia, chiacchierona.

combaciàre *v.intr.* coincidere, collimare © divergere.

combattènte *s.m.f.* soldato, guerriero; guerrigliero, miliziano.

combàttere *v.intr.* **1** battersi, guerreggiare, scontrarsi, lottare © arrendersi **2** ♧ impegnarsi, lottare, affannarsi, affaccendarsi, prodigarsi **3** ♧ gareggiare, competere, cimentarsi **4** (*contro qlco. o qlcu.*) opporsi, ribellarsi © cedere, arrendersi ♦ *v.tr.* **1** affrontare, attaccare, contrastare, far fronte © evitare, sfuggire **2** ♧ contrastare, avversare, ostacolare, osteggiare © appoggiare, favorire, sostenere.

combattiménto *s.m.* **1** battaglia; lotta, scontro, rissa **2** (*sport*) incontro, partita, gara, match (*ingl.*).

combattìvo *agg.* aggressivo, grintoso © arrendevole, remissivo.

combattùto *agg.* **1** (*di contesa, di gara ecc.*) accanito, acceso, aspro, impegnativo, spietato © blando, fiacco **2** (*di persona*) ♧ agitato, tormentato, travagliato; dubbioso, incerto, titubante, confuso © sereno, tranquillo; certo, sicuro.

combinàre *v.tr.* **1** accordare, accompagnare, accostare, mescolare, amalgamare, armonizzare; congiungere, connettere, legare © scombinare, scomporre; dividere, separare **2** (*una gita, un incontro, un affare*) organizzare, predisporre, concordare, realizzare, concludere, decidere © scombinare, mandare a monte, rovinare, annullare **3** (*colloq.*; *un guaio e sim.*) fare ♦ *v.intr.* corrispondere, coincidere, combaciare.

combinazióne *s.f.* **1** (*di colori e sim.*) accostamento, unione, accordo **2** caso, coincidenza, casualità, circostanza, congiuntura.

combrìccola *s.f.* **1** (*spreg.*) banda, congrega, branco, clan, marmaglia **2** (*colloq.*) compagnia, comitiva, gruppo, banda (*scherz.*), brigata.

combustìbile *s.m.* carburante **IPON.** gas, benzina, gasolio, carbone, metano.

combustióne *s.f.* accensione.

combùtta *s.f.* comunella, cricca, congrega.

comfort *s.m.invar.* (*ingl.*) comodità, agio; lusso, agiatezza © disagio, scomodità.

còmico *agg.* buffo, spiritoso, ridicolo, divertente, buffonesco, burlesco © tragico, triste, drammatico ♦ *s.m.* **1** commediante, teatrante, istrione, guitto (*spreg.*) **2** comicità, umorismo, brio, humour (*ingl.*).

comìgnolo *s.m.* camino, fumaiolo; ciminiera.

cominciàre *v.tr.* incominciare, iniziare, aprire, avviare, attaccare, accingersi, intraprendere, inaugurare © finire, terminare, chiudere, concludere, smettere ♦ *v.intr.* iniziare, avere inizio, principiare, decorrere © cessare, finire, smettere, scadere, decadere.

comitàto *s.m.* associazione, commissione, organizzazione, delegazione.

comitìva *s.f.* compagnia, gruppo, banda, combriccola; carovana.

comìzio *s.m.* assemblea, adunanza; discorso, arringa, concione.

còmma *s.m.* capoverso, paragrafo, sottoparagrafo.

commèdia *s.f.* **1** **IPERON.** (*teatr.*) pièce (*fr.*), dramma **2** ♧ messinscena, finzione, scena, montatura; inganno **3** ♧ buffonata, ridicolaggine, farsa, scherzo.

commemoràre *v.tr.* ricordare, rievocare, celebrare.

commemoratìvo *agg.* evocativo, celebrativo.

commemorazióne *s.f.* rievocazione, celebrazione, ricordo, anniversario; cerimonia.

commensàle *s.m.* convitato, invitato.

commentàre *v.tr.* **1** (*un fatto, una notizia ecc.*) interpretare, giudicare, valutare, analizzare **2** (*un testo e sim.*) spiegare, illustrare, interpretare, chiosare.

commentatóre *s.m.* **1** (*della televisione, della radio, della stampa*) giornalista, telecronista, cronista, radiocronista, opinionista **2** (*di un testo e sim.*) interprete, chiosatore, glossatore.

comménto *s.m.* **1** (*di un fatto*) interpretazione, analisi, giudizio, valutazion; resoconto, esposizione, spiegazione **2** (*di un testo e sim.*) annotazione, nota, glossa, postilla; spiegazione, esegesi.

commerciàle *agg.* **1** ordinario, comune, economico, dozzinale © fine, speciale, di classe, di qualità **2** (*di film, di libro ecc.*) di cassetta © d'autore, artistico.

commercialìsta *s.m.f.* contabile, ragioniere; fiscalista, tributarista.

commercializzàre *v.tr.* vendere, distribuire, commerciare.

commerciànte *s.m.f.* venditore, negoziante, bottegaio, esercente; mercante.

commerciàre *v.intr.* negoziare, mercanteggiare, trafficare.

commèrcio *s.m.* compravendita, smercio, vendita, rivendita **IPON.** esportazione, importazione.

comméssa *s.f.* ordine, ordinativo, commissione.

comméssо *s.m.* venditore, banconiere.

commestìbile *agg.* mangereccio, mangiabile © immangiabile ♦ *s.m.* (*al pl.*) cibi, alimenti, generi alimentari, vivande, cibarie.

comméttere *v.tr.* fare, compiere, perpetrare.

commiàto *s.m.* saluto, addio, distacco, partenza.

commilitóne *s.m.* camerata, compagno d'armi.

commiseràre *v.tr.* compatire, compiangere; deplorare, disprezzare.

commiserazióne *s.f.* compassione, pena, pietà, comprensione, misericordia.

commissionàre *v.tr.* ordinare, richiedere; affidare, delegare.

commissióne *s.f.* **1** compito, incarico, faccenda, lavoro, incombenza **2** (*per una prestazione*) compenso, retribuzione, somma, quota **3** (*spec. al pl.*) acquisti, compere, spese; incombenze **4** (*di persone*) comitato, collegio, giunta, giuria.

commòsso *agg.* intenerito, toccato, scosso, turbato © impassibile, indifferente.

commozióne *s.f.* turbamento, emozione, intenerimento, turbamento © impassibilità, freddezza.

commuòvere *v.tr.* toccare, intenerire, emozionare, impietosire, turbare ♦ **commuoversi** *v.pr.* intenerirsi, emozionarsi, impietosirsi; piangere.

commutàre *v.tr.* cambiare, scambiare, sostituire, invertire.

commutazióne *s.f.* cambiamento, cambio, sostituzione, inversione.

comò *s.m.invar.* cassettone, cassettiera, canterano.

comodità *s.f.* **1** agio, confortevolezza, comfort (*ingl.*); praticità; lusso © scomodità; disagio, difficoltà **2** opportunità, occasione, convenienza, vantaggio.
còmodo *agg.* **1** confortevole, gradevole, accogliente © scomodo, inospitale **2** (*di abito, di scarpe ecc.*) ampio, largo, pratico © scomodo, stretto **3** (*di situazione e sim.*) facile, favorevole, conveniente, utile, semplice, agevole © scomodo, sfavorevole, difficile **4** (*colloq.*; *di persona*) calmo, tranquillo, flemmatico, lento © nervoso, agitato, frenetico ♦ *s.m.* agio, comfort, comodità © scomodità, disagio.
compact disc *s.m.invar.* (*ingl.*) compact, cd, CD; (*inform.*) CD-ROM.
compaesàno *s.m.* paesano, conterraneo, connazionale, compatriota.
compàgine *s.f.* **1** insieme, unione, complesso, sistema **2** (*sport*) squadra.
compagnìa *s.f.* **1** © solitudine, isolamento **2** gruppo, banda, comitiva, combriccola **3** (*teatr.*) troupe (*fr.*) **4** (*di assicurazioni, di trasporti ecc.*) società, impresa, azienda, agenzia **5** (*religiosa*) ordine, confraternita **6** (*mil.*) corpo, schiera, reparto.
compàgno *s.m.* **1** amico, collega, alleato, socio; (*di caserma*) commilitone, camerata; complice, compare © avversario, nemico, rivale, antagonista **2** convivente, partner (*ingl.*), consorte, coniuge **3** comunista, socialista ♦ *agg.* (*colloq.*) uguale, pari, simile, corrispondente; appaiato.
comparàre *v.tr.* confrontare, paragonare, contrapporre, raffrontare.
comparazióne *s.f.* confronto, paragone, raffronto, parallelo.
comparìre *v.intr.* **1** apparire, mostrarsi, presentarsi, manifestare, sbucare, spuntare © scomparire, sparire, svanire, dileguarsi, eclissarsi **2** (*in un elenco e sim.*) figurare, risultare, apparire **3** (*di persona*) emergere, spiccare, distinguersi © sfigurare **4** (*di pubblicazione*) uscire, apparire.
compàrsa *s.f.* **1** apparizione, manifestazione, arrivo, venuta; pubblicazione, uscita © scomparsa, sparizione, dileguamento **2** (*cinem.*, *teatr.*) figurante, attore.
compartecipàre *v.intr.* condividere, partecipare.
compartiménto *s.m.* **1** comparto, reparto, scomparto **2** (*nei treni*) scompartimento **3** (*di territorio*) circoscrizione, provincia, zona.
compassàto *agg.* controllato, composto, misurato, severo, sostenuto, rigido, freddo, distaccato © esuberante, sguaiato, scomposto.
compassióne *s.f.* commiserazione, compatimento, pietà, misericordia, tenerezza; comprensione, carità, indulgenza.
compassionévole *agg.* **1** (*di animo, di sguardo ecc.*) pietoso, misericordioso, caritatevole, comprensivo, indulgente, benigno, tenero © crudele, impietoso, duro, spietato **2** (*di vita, di fatto e sim.*) pietoso, penoso, miserevole, miserando, patetico, infelice © felice, piacevole, divertente.
compatìbile *agg.* conciliabile, accordabile © incompatibile, inconciliabile, contrastante.
compatibilità *s.f.* © incompatibilità, inconciliabilità, contrasto.
compatiménto *s.m.* pietà, commiserazione, compassione, misericordia, carità, indulgenza, tolleranza.
compatriòta *s.m. f.* connazionale, conterraneo; compaesano, concittadino © straniero, forestiero.
compattàre *v.tr.* **1** agglomerare, condensare, consolidare, serrare **2** ♧ rinsaldare, rafforzare, consolidare.
compattézza *s.f.* **1** consistenza, coesione, solidità, durezza © fragilità, friabilità **2** ♧ accordo, unione, unanimità © discordia, contrasto, diversità.
compàtto *agg.* **1** denso, omogeneo, duro, robusto, solido © fragile, debole **2** ♧ concorde, unanime, unito, solidale © discorde, disunito.
compendiàre *v.tr.* sintetizzare, riassumere, condensare, stringere, ricapitolare © allungare, svolgere, sviluppare.
compèndio *s.m.* riassunto, sunto, sintesi, riduzione, ricapitolazione, abrégé (*fr.*).
compenetràre *v.tr.* penetrare, permeare, riempire ♦ **compenetrarsi** *v.pr.* immedesimarsi, identificarsi.
compensàre *v.tr.* **1** pagare, retribuire, remunerare; (*danni e sim.*) risarcire, ripagare **2** equilibrare, pareggiare, bilanciare, neutralizzare **3** ricompensare, premiare.
compensazióne *s.f.* pareggiamento, bilanciamento; equilibrio © sbilanciamento, scompenso.
compènso *s.m.* **1** paga, stipendio, retribuzione, salario, onorario, provvigione; (*di un cantante e sim.*) cachet (*fr.*), ingaggio **2** (*per un danno e sim.*) risarcimento, indennizzo **3** (*per un favore e sim.*) ricompensa, premio, contraccambio.
cómpera *s.f.* spesa, acquisto, shopping (*ingl.*).
competènte *agg.* capace, abile, esperto, conoscitore, intenditore, pratico, specializzato; specialista, professionista © incompetente, inesperto, incapace, ignorante.
competènza *s.f.* **1** abilità, capacità, bravura, esperienza, preparazione; professionalità © in-

competenza, incapacità, ignoranza, inettitudine **2** pertinenza, attinenza, spettanza, appartenenza, giurisdizione (*dir.*); (*spec. al pl.*) compito, mansione, incarico **3** (*spec. al pl.*) onorario, compenso, paga, retribuzione.

compètere *v.intr.* **1** gareggiare, misurarsi, contendere, disputare **2** riguardare, attenere, concernere, spettare, toccare.

competitività *s.f.* rivalità, concorrenza, emulazione.

competitìvo *agg.* **1** agonistico, emulativo **2** (*di prodotto, di prezzo ecc.*) concorrenziale.

competizióne *s.f.* **1** antagonismo, rivalità, concorrenza **2** gara, lotta, partita, incontro, confronto, sfida.

compiacènte *agg.* **1** condiscendente, accomodante, conciliante, arrendevole, docile, remissivo; gentile, disponibile © scontroso, intrattabile, intransigente, scortese **2** (*spreg.*; *sessualmente*) facile, disponibile, di facili costumi.

compiacére *v.tr.* accontentare, assecondare, soddisfare, esaudire © contrariare, contraddire ♦ **compiacersi** *v.pr.* **1** rallegrarsi, gioire, bearsi, godere © affliggersi, crucciarsi **2** congratularsi, felicitarsi, complimentarsi, rallegrarsi **3** degnarsi, accondiscendere.

compiaciménto *s.m.* **1** piacere, gioia, soddisfazione **2** congratulazione, complimento.

compiàngere *v.tr.* commiserare, compatire.

compiànto *agg.* (*di defunto*) rimpianto ♦ *s.m.* lutto, cordoglio.

cómpiere *v.tr.* **1** finire, concludere, terminare, ultimare, completare © cominciare, iniziare, avviare **2** fare, eseguire, assolvere, eseguire, realizzare ♦ **compiersi** *v.pr.* **1** terminare, finire, concludersi **2** avverarsi, verificarsi, succedere, accadere.

compilàre *v.tr.* comporre, redigere, stendere, stilare; (*una scheda, un modulo ecc.*) riempire.

compilazióne *s.m.* **1** redazione, composizione, stesura, catalogazione **2** opera.

compiménto *s.m.* **1** conclusione, termine, fine, completamento, ultimazione **2** adempimento, attuazione, assolvimento, realizzazione.

compitàre *v.tr.* sillabare, scandire.

compìto[1] *agg.* gentile, educato, garbato, cortese © maleducato, scortese, villano.

cómpito[2] *s.m.* **1** lavoro, mansione, incarico, ruolo, dovere **2** (*scolastico*) esercizio, esercitazione, verifica, elaborato IPON tema.

compiutézza *s.f.* completezza, pienezza, interezza, perfezione © incompiutezza, imperfezione, incompletezza.

compleànno *s.m.* genetliaco (*elev.*) IPERON. anniversario.

complementàre *agg.* secondario, accessorio, aggiuntivo; marginale © fondamentale, principale, essenziale.

compleménto *s.m.* supplemento, aggiunta, addizione, sovrappiù.

complessàto *agg.*, *s.m.* insicuro, inibito, introverso © disinibito, estroverso.

complessità *s.f.* **1** insieme, globalità, totalità **2** difficoltà, problematicità © semplicità, facilità, linearità.

complessìvo *agg.* globale, generale, collettivo, cumulativo © particolare, specifico, individuale.

complèsso[1] *agg.* **1** articolato, composto, eterogeneo, molteplice © semplice, elementare **2** complicato, difficile, intricato © facile, lineare, semplice.

complesso[2] *s.m.* **1** insieme, totalità, globalità **2** (*industriale e sim.*) gruppo, organismo, insieme **3** (*mus.*) gruppo, band (*ingl.*), orchestra, ensemble (*fr.*) **4** (*psic.*) mania, fissazione, chiodo fisso, ossessione.

completaménto *s.m.* conclusione, ultimazione, rifinitura, integrazione.

completàre *v.tr.* compiere, concludere, terminare, integrare, perfezionare, rifinire.

completézza *s.f.* interezza, integrità, globalità, totalità © incompletezza, frammentarietà, parzialità.

complèto *agg.* **1** intero, totale, integro, compiuto, perfetto © incompleto, parziale, frammentario, incompiuto, imperfetto **2** (*di albergo, di teatro ecc.*) pieno, colmo, esaurito © vuoto **3** (*di fiducia e sim.*) totale, assoluto, illimitato, incondizionato © relativo, parziale ♦ *s.m.* **1** (*di persone*) pieno, pienone **2** (*di abito*) abito, vestito; coordinato **3** (*di oggetti*) set, servizio, batteria.

complicàre *v.tr.* intricare, imbrogliare, confondere, incasinare (*colloq.*); aggravare, peggiorare © semplificare, agevolare, facilitare.

complicàto *agg.* complesso, difficile, articolato; confuso, ingarbugliato, contorto © semplice, facile, chiaro, lineare.

complicazióne *s.f.* **1** (*di fatto, di evento ecc.*) difficoltà, contrattempo, ostacolo, contrarietà, inconveniente © facilitazione, agevolazione, soluzione **2** (*l'essere complicato*) difficoltà, complessità © facilità, semplicità **3** (*med.*) complicanza, aggravamento © miglioramento, guarigione.

còmplice *s.m.f.* connivente, corresponsabile, compare (*gerg.*), correo (*dir.*), favoreggiatore (*dir.*).

complicità *s.f.* **1** connivenza, correità (*dir.*), favoreggiamento (*dir.*) **2** ♧ aiuto, favore.

complimentàrsi *v.pr.* congratularsi, felicitarsi, rallegrarsi, compiacersi.

compliménto *s.m.* **1** congratulazione, felicitazione, rallegramento; elogio, lode, encomio, ossequio **2** (*al pl.*) cerimonie, convenevoli, formalità, smancerie.

complottàre *v.intr.* congiurare, cospirare, macchinare, ordire, tramare.

complòtto *s.m.* congiura, intrigo, macchinazione, cospirazione.

componènte *s.m.f.* (*di persona*) membro, partecipante ♦ *s.m.* **1** (*di miscuglio, di materiale e sim.*) elemento, ingrediente, costituente **2** parte, elemento ♦ *s.f.* elemento.

componìbile *agg.* (*di mobili*) modulare © scomponibile.

componiménto *s.m.* **1** composizione, opera, pezzo **2** (*scolastico*) tema, elaborato, composizione, esercitazione.

compórre *v.tr.* **1** combinare, unire, disporre, formare, mettere insieme, montare, assemblare © scomporre, disfare, smontare **2** (*un'opera letteraria, musicale ecc.*) scrivere, creare, inventare, concepire **3** (*i capelli, i vestiti*) ordinare, assestare, acconciare, accomodare **4** (*il volto*) atteggiare, impostare **5** (*una lite, un contrasto e sim.*) conciliare, rappacificare.

comportaménto *s.m.* condotta, contegno, atteggiamento.

comportàre *v.tr.* implicare, provocare, determinare; richiedere, presupporre ♦ **comportarsi** *v.pr.* agire, procedere, operare, vivere.

composizióne *s.f.* **1** (*il comporre*) elaborazione, compilazione, disposizione, organizzazione, sistemazione © scomposizione **2** (*poetica, musicale ecc.*) creazione, opera, pezzo, brano; (*scolastica*) tema, componimento **3** miscuglio, mescolanza; formazione, struttura, natura **4** (*di lite, di contrasto ecc.*) conciliazione, pacificazione.

compostézza *s.f.* contegno, serietà, dignità, educazione, misura.

compósto *agg.* **1** complesso, articolato, composito, eterogeneo © semplice, unico, unitario **2** (*di abiti, di capelli*) ordinato, sistemato © disordinato, scomposto **3** (*di atteggiamento*) ordinato, dignitoso, decoroso © scomposto ♦ *s.m.* composizione, mescolanza, miscuglio, amalgama.

compràre *v.tr.* **1** acquistare, prendere **INVER.** vendere **2** corrompere, pagare.

compratóre *s.m.* acquirente, cliente, avventore **INVER.** venditore, negoziante.

compravéndita *s.f.* commercio, mercato, negozio, transazione.

comprèndere *v.tr.* **1** contenere, racchiudere, includere, abbracciare, raccogliere © escludere, eliminare **2** ♧ capire, intendere, intuire, realizzare, percepire **3** giustificare, scusare, perdonare.

comprensìbile *agg.* **1** chiaro, accessibile, evidente, semplice, lineare © incomprensibile, oscuro, inafferrabile, astruso **2** giustificabile, sopportabile, tollerabile, accettabile © ingiustificabile, insopportabile, intollerabile.

comprensióne *s.f.* **1** intelligenza, intendimento, intuizione, perspicacia **2** indulgenza, benevolenza, condiscendenza.

comprensìvo *agg.* **1** inclusivo, complessivo, cumulativo **2** indulgente, tollerante, accondiscendente, benevolo, disponibile, pietoso © intollerante, duro, impietoso.

comprensòrio *agg.* area, regione, territorio, zona, distretto.

compresènza *s.m.* concomitanza, coesistenza, concorrenza.

comprèssa *s.f.* pasticca, pillola, pastiglia, cachet (*fr.*).

compressióne *s.f.* pressione, schiacciamento © estensione, espansione, decompressione.

comprìmere *v.tr.* schiacciare, premere, stringere, calcare, pigiare, serrare, pressare © allentare, sciogliere, mollare.

comprométto *s.m.* **1** accordo, accomodamento, aggiustamento **2** (*dir.*) contratto preliminare, capitolato.

comprométtere *v.tr.* **1** (*la reputazione, l'esito, ecc.*) danneggiare, pregiudicare, rovinare, mettere a repentaglio **2** (*una persona*) coinvolgere, implicare, esporre, danneggiare ♦ **compromettersi** *v.pr.* impegnarsi, esporsi, inguaiarsi (*colloq.*).

comprovàre *v.tr.* provare, dimostrare, documentare, avvalorare © confutare, contraddire, negare.

compùnto *agg.* afflitto, avvilito, contrito, mortificato, dispiaciuto © allegro, felice.

computàre *v.tr.* **1** contare, calcolare, conteggiare, annoverare © escludere, trascurare **2** attribuire, ascrivere, imputare.

computer *s.m.invar.* (*ingl.*) calcolatore elettronico, calcolatore, elaboratore; PC, personal computer.

computerizzàre *v.tr.* informatizzare; automatizzare.

còmputo *s.m.* calcolo, conto, conteggio.

comunàle *agg.* municipale, civico; urbano, cittadino.

comunànza *s.f.* comunione, condivisione, partecipazione, unione © separazione.

comùne[1] *agg.* **1** generale, collettivo, universale, pubblico © individuale, privato, personale **2** normale, corrente, usuale, solito, abituale, consueto, diffuso © raro, insolito, inusuale, straordinario, eccezionale, originale **3** (*spreg.*) ordinario, mediocre, grossolano, volgare © prezioso, ricercato, scelto, esclusivo ♦ *s.m.* norma, regola, normalità © singolarità, originalità.

comùne[2] *s.m.* municipio.

comunicàre *v.tr.* **1** annunciare, diffondere, trasmettere, dire, esprimere © nascondere, celare **2** (*una malattia, una passione ecc.*) attaccare, trasmettere ♦ *v.intr.* **1** (*con qlcu.*) dire, parlare, conversare, dialogare, corrispondere **2** (*di porte, di strade ecc.*) dare, immettere, sfociare, sbucare.

comunicatìva *s.f.* affabilità, cordialità, espansività, esuberanza © freddezza, introversione.

comunicatìvo *agg.* affabile, aperto, espansivo, estroverso, socievole © freddo, chiuso, riservato, introverso.

comunicàto *s.m.* rapporto, bollettino, nota, comunicazione, informazione, notizia.

comunicazióne *s.f.* **1** (*di notizie e sim.*) trasmissione, diffusione **2** comunicato, notizia, bollettino, informazione, annuncio **3** (*a congressi e sim.*) intervento, discorso, relazione, rapporto.

comunióne *s.f.* **1** comunanza, unione, partecipazione **2** (*relig.*) eucarestia.

comunità *s.f.invar.* **1** collettività, società; associazione, gruppo **2** (*religiosa*) ordine, congregazione, confraternita; chiesa, parrocchia **3** comune, municipio; cittadinanza.

comunitàrio *agg.* collettivo, comune, pubblico © individuale, privato.

cónca *s.f.* (*geogr.*) depressione, bacino.

concatenàre *v.tr.* congiungere, connettere, collegare, associare, mettere in rapporto © dividere, separare, disgiungere.

concatenazióne *s.f.* collegamento, congiunzione, correlazione, rapporto, nesso, relazione.

cóncavo *agg.* cavo, incavato, rientrante; fondo, profondo © convesso, sporgente, prominente.

concèdere *v.tr.* **1** dare, offrire, regalare, elargire **2** accordare, consentire, permettere, autorizzare **3** ammettere accettare, riconoscere © negare, rifiutare, escludere ♦ **concedersi** *v.pr.* **1** (*un lusso, un piacere, del tempo ecc.*) permettersi, consentirsi **2** (*sessualmente*) darsi, abbandonarsi, cedere © resistere, negarsi.

concentraménto *s.m.* **1** raggruppamento, raccolta, ammassamento © dispersione, sparpagliamento **2** (*politico e sim.*) accentramento, centralizzazione © decentramento.

concentràre *v.tr.* **1** (*persone, cose*) raccogliere, radunare, riunire, ammassare © disperdere, sparpagliare, disseminare, decentrare **2** ♧ dirigere, orientare, focalizzare **3** (*una sostanza*) condensare, addensare, restringere © diluire, sciogliere ♦ **concentrarsi** *v.pr.* **1** (*di persone*) riunirsi, adunarsi, ammassarsi, raccogliersi; affollarsi, accalcarsi © disperdersi, sparpagliarsi **2** (*su qlco.*) riflettere, meditare, raccogliersi © distrarsi, estraniarsi.

concentràto *agg.* **1** (*di persona, di cosa*) ammassato, raggruppato, riunito © disperso, sparpagliato **2** ♧ attento, assorto, intento, preso (*colloq.*), pensoso © distratto, svagato, disattento **3** (*di salsa, caffè e sim.*) denso, ristretto © diluito, lungo **4** ♧ (*di sentimento, di passione ecc.*) intenso, profondo © leggero, debole ♦ *s.m.* (*di pomodoro*) conserva, estratto, salsa.

concentrazióne *s.f.* **1** (*di persone, di cose*) concentramento, convergenza, affluenza, ammassamento © dispersione, sparpagliamento **2** ♧ (*mentale*) raccoglimento, riflessione, meditazione © distrazione.

concepìbile *agg.* immaginabile, pensabile, possibile, accettabile, credibile, plausibile © inconcepibile, inimmaginabile, impensabile, inacettabile, inammissibile.

concepiménto *s.m.* **1** (*di un figlio*) concezione, fecondazione **2** (*di un progetto e sim.*) ideazione, progettazione, creazione.

concepìre *v.tr.* **1** (*un figlio*) generare, procreare **2** ♧ (*un sentimento*) provare, sentire, nutrire **3** (*un'idea, un progetto ecc.*) ideare, immaginare, inventare, creare.

concèrnere *v.tr.* riguardare, interessare, spettare, competere.

concertàre *v.tr.* **1** (*mus.*) accordare, affiatare **2** (*un piano, un programma ecc.*) preparare, stabilire; (*una truffa*) ordire, tramare.

concessionàrio *s.m.* rivenditore.

concessióne *s.f.* **1** permesso, licenza, favore, privilegio © proibizione, divieto, interdizione **2** conferimento, assegnazione, autorizzazione.

concètto *s.m.* **1** idea, principio, nozione **2** giudizio, opinione, pensiero, parere.

concettuàle agg. **1** logico, mentale, speculativo © concreto, materiale **2** (*di errore e sim.*) teorico.

concezióne *s.f.* **1** ideazione, concepimento, creazione, invenzione **2** (*della vita, del mondo*) idea, opinione, visione, punto di vista, Weltanschaung (*ted.*).

conchìglia *s.f.* guscio, valva.

conciàre *v.tr.* **1** (*pelli*) IPERON. trattare **2** abbigliare, acconciare, agghindare **3** rovinare, sciupare, ridurre ♦ **conciàrsi** *v.pr.* **1** (*spreg.*) abbigliarsi, acconciarsi **2** sporcarsi, insudiciarsi.

conciliàbolo *s.m.* conventicola, congrega; combutta, congiura, cospirazione.

conciliànte *agg.* condiscendente, accomodante, compiacente © irremovibile, inflessibile.

conciliàre *v.tr.* **1** (*persone, punti di vista ecc.*) mettere d'accordo, pacificare, rappacificare, accordare © dividere, separare **2** (*cose*) combinare, accordare, armonizzare **3** (*il sonno, l'appetito ecc.*) favorire, procurare © disturbare, impedire.

conciliazióne *s.f.* accordo, intesa, accomodamento, pacificazione © contrasto, opposizione, disaccordo.

concìlio *s.m.* (*eccl.*) sinodo.

concimàre *v.tr.* ingrassare, fertilizzare, stabbiare.

concimazióne *s.f.* fertilizzazione, ingrasso, ingrassamento.

concìme *s.m.* fertilizzante IPON. letame, stallatico.

concisióne *s.f.* brevità, stringatezza, essenzialità; laconicità © prolissità, verbosità, ridondanza, ampollosità.

concìso *agg.* breve, stringato, essenziale, sintetico; laconico © prolisso, esteso, lungo, ridondante, ampolloso.

concitàto *agg.* agitato, affannato, eccitato, emozionato, frenetico, scosso © calmo, pacato, sereno, tranquillo.

concitazióne *s.f.* emozione, eccitazione, agitazione, impeto, fervore, foga © calma, pacatezza, serenità.

concittadìno *s.f.* conterraneo, compaesano, connazionale © forestiero, straniero.

conclùdere *v.tr.* **1** portare a termine; realizzare, fare, eseguire, adempiere, assolvere; (*un affare, un accordo ecc.*) stipulare, definire, stabilire, contrarre, stringere © avviare, impostare, delineare **2** (*un discorso, un lavoro ecc.*) chiudere, finire, cessare, terminare, completare © aprire, iniziare, cominciare, avviare **3** dimostrare, provare, dedurre, constatare, arguire, desumere ♦ *v.pr.* **concludersi** cessare, terminare, chiudersi, finire © iniziare, cominciare, avere inizio.

conclusióne *s.f.* **1** compimento, chiusura, termine, fine, esito © inizio, principio, apertura **2** (*di un discorso, di un testo ecc.*) chiusura, finale, chiusa, epilogo **3** (*di un ragionamento e sim.*) deduzione; (*elev.*) illazione, inferenza.

conclusìvo *agg.* ultimo, decisivo, finale, definitivo, risolutivo © iniziale, introduttivo, preliminare.

concomitànza *s.f.* simultaneità, contemporaneità, coincidenza, sincronia © sfasamento, asincronia.

concordànza *s.f.* accordo, armonia, consonanza, relazione, corrispondenza, conformità, identità © contrasto, discordanza, dissonanza, disaccordo.

concordàre *v.tr.* **1** accordare, armonizzare, conciliare, comporre **2** (*un prezzo, un'iniziativa ecc.*) combinare, fissare, stabilire, trattare, negoziare, patteggiare ♦ *v.intr.* **1** (*di persone*) essere d'accordo, convenire, accordarsi **2** (*di fatti, di opinioni ecc.*) coincidere, corrispondere, collimare © discordare, contrastare.

concordàto *agg.* convenuto, stabilito, fissato, pattuito ♦ *s.m.* accordo, patto, convenzione.

concòrde *agg.* **1** unanime, compatto, unito, unisono © discorde, discordante, dissonante **2** (*di movimento*) simultaneo, sincrono.

concòrdia *s.f.* accordo, armonia, concordanza, sintonia, consenso, conformità, corrispondenza, pace © discordia, disarmonia, divergenza, contrasto, dissonanza.

concorrènte *s.m.f.* **1** (*in una gara, in un concorso e sim.*) partecipante, candidato **2** rivale, avversario, antagonista.

concorrènza *s.f.* competizione, antagonismo, competitività, rivalità.

concorrenziàle *agg.* competitivo.

concórrere *v.intr.* **1** (*a spese, a successi ecc.*) contribuire, partecipare, collaborare **2** (*in gare, concorsi e sim.*) competere, gareggiare, partecipare, rivaleggiare.

concórso *s.m.* **1** (*a spese, iniziative ecc.*) contributo, partecipazione, collaborazione, cooperazione **2** (*di fatti, di eventi e sim.*) concomitanza, simultaneità, convergenza **3** (*in luoghi*) affluenza, afflusso **4** (*pubblico, letterario ecc.*) esame, prova, gara, selezione.

concretàre *v.tr.* concretizzare, realizzare.

concretézza *s.f.* realismo, praticità, pragmatismo; realtà, materialità © astrattezza, idealismo; irrealtà, immaterialità.

concretizzàre *v.tr.* compiere, attuare, eseguire, realizzare, mettere in pratica ♦ **concretizzarsi** *v.pr.* compiersi, attuarsi, realizzarsi; avverarsi, verificarsi © sfumare, svanire, fallire, andare in fumo.

concrèto *agg.* **1** reale, materiale; sensibile, palpabile, tangibile; fisico, corporeo © astratto, ideale, concettuale, teorico; immateriale, incorporeo **2** (*di persona*) pratico, pragmatico, realista © idealista, spirituale.

concupiscènte *agg.* bramoso, voglioso, lascivo, lussurioso © puro, casto.

concupiscènza *s.f.* voglia, brama, bramosia, desiderio, lussuria, lascivia © purezza, castità.
concussióne *s.f.* estorsione, frode.
condànna *s.f.* **1** (*dir.*) pena, sanzione © assoluzione, proscioglimento; amnistia, condono, grazia **2** sventura, disgrazia **3** critica, rimprovero, biasimo, disapprovazione © lode, elogio, approvazione **4** costrizione, obbligo, peso.
condannàre *v.tr.* **1** punire, castigare (*colloq.*) © assolvere, graziare, scagionare, prosciogliere **2** criticare, biasimare, disapprovare, riprendere, deplorare, censurare © lodare, elogiare, approvare **3** costringere, obbligare.
condensàre *v.tr.* **1** addensare, restringere, ispessire; solidificare © allungare, diluire **2** ♧ ridurre, riassumere, sintetizzare © allungare, ampliare.
condensazióne *s.f.* addensamento, condensamento © diluizione, allungamento.
condìre *v.tr.* **1** insaporire **2** ♧ arricchire, abbellire, ornare.
condiscendènte *agg.* accomodante, conciliante, compiacente, docile © inflessibile, ostinato.
condiscendènza *s.f.* arrendevolezza, disponibilità, comprensione © fermezza, durezza, inflessibilità.
condiscéndere *v.intr.* compiacere, assecondare, acconsentire © dissentire, opporsi.
condivìdere *v.tr.* dividere, spartire; partecipare.
condizionaménto *s.m.* **1** influenza, influsso **2** (*dell'aria*) climatizzazione.
condizionàre *v.tr.* **1** influenzare, suggestionare, controllare, limitare **2** (*un ambiente*) climatizzare.
condizionatóre *s.m.* aria condizionata, climatizzatore.
condizióne *s.f.* **1** vincolo, restrizione, limitazione, riserva; clausola, patto **2** (*spec. al pl.*) stato, situazione **3** (*sociale*) classe, livello, estrazione, ceto.
condogliànza *s.f.* cordoglio, compianto.
condonàre *v.tr.* (*dir.*; *una pena, un debito ecc.*) abbonare, rimettere.
condóno *s.m.* (*dir.*) IPERON. grazia, perdono; amnistia, sanatoria.
condótta *s.f.* **1** comportamento, atteggiamento, contegno; maniere, modi; abitudine **2** (*di un'attività, di un lavoro e sim.*) conduzione, guida, strategia **3** tubo, canale, tubazione, conduttura **4** (*di un medico, di un veterinario*) zona, area.
condottièro *s.m.* comandante, capo, capitano; guida.
condótto *s.m.* tubazione, tubo, canale, tubatura, conduttura.
conducènte *s.m.f.* **1** autista, conduttore, guidatore **2** (*dir.*) affittuario, locatario © locatore.
condùrre *v.tr.* **1** accompagnare, portare, guidare **2** (*un veicolo*) guidare, pilotare, governare, manovrare **3** ♧ (*un'azienda, una società ecc.*) dirigere, guidare, amministrare, gestire, mandare avanti (*colloq.*) **4** ♧ (*una trasmissione, un programma ecc.*) presentare **5** ♧ (*una trattativa, un affare ecc.*) concludere, realizzare, fare **6** (*un esercito, una squadra ecc.*) guidare, comandare, capitanare, capeggiare **7** (*un'esistenza, una vita*) passare, trascorrere ♦ *v.intr.* (*di strada e sim.*) andare, finire, sboccare, portare.
conduttóre *s.m.* **1** autista, conducente, guidatore **2** (*dir.*) affittuario, locatario © locatore **3** (*di un negozio*) esercente, gestore **4** (*di un programma radio-televisivo e sim.*) presentatore, anchorman (*ingl.*) **5** (*fis.*) © isolante.
conduttùra *s.f.* tubazione, condotta, condotto, tubo, canale.
conduzióne *s.f.* **1** amministrazione, direzione, guida, gestione **2** (*dir.*) affitto, locazione **3** (*fis.*) trasmissione, propagazione.
confabulàre *v.intr.* bisbigliare, parlottare, mormorare, sussurrare.
confacènte *agg.* **1** adatto, appropriato, idoneo, conveniente, opportuno © inadatto, inadeguato, inappropriato **2** utile, vantaggioso, proficuo © inutile, nocivo, dannoso.
confàrsi *v.intr.* addirsi, adattarsi, convenire, calzare, corrispondere.
confederazióne *s.f.* **1** unione, alleanza, coalizione, lega **2** (*fra enti*) associazione, consociazione, federazione.
conferènza *s.f.* **1** discorso, dissertazione **2** incontro, congresso, convegno, meeting (*ingl.*), simposio.
conferenzière *s.m.* oratore, relatore.
conferiménto *s.m.* concessione, assegnazione, distribuzione, attribuzione.
conferìre *v.tr.* **1** assegnare, attribuire, concedere, dare, accordare **2** (*un aspetto, un'aria*) dare, infondere, donare ♦ *v.intr.* (*con qlcu.*) parlare, discutere, colloquiare, trattare.
confèrma *s.f.* prova, dimostrazione, riprova, attestazione, riscontro © confutazione, obiezione, smentita.
confermàre *v.tr.* **1** (*un'ipotesi, una teoria ecc.*) provare, dimostrare, accertare, verificare, avvalorare, comprovare, suffragare © confutare, contraddire, smentire, negare **2** (*un'opinione, una speranza ecc.*) rafforzare, rinsaldare, consolidare **3** (*una disposizione, un accordo ecc.*) approvare, ratificare, convalidare, sanzionare ©

annullare disdire **4** (*un impegno, un appuntamento ecc.*) riaffermare, ribadire, assicurare, garantire © disdire, annullare, ritrattare.

confessàre *v.tr.* **1** (*una colpa, una mancanza e sim.*) ammettere, riconoscere, dichiarare; (*gerg.*) vuotare il sacco, cantare, parlare © negare, smentire **2** (*un segreto e sim.*) svelare, rivelare, raccontare, confidare © nascondere, tacere.

confessióne *s.f.* **1** ammissione, affermazione, riconoscimento, rivelazione **2** (*relig.*) penitenza **3** (*relig.*; *cattolica, protestante ecc.*) fede, religione, chiesa **4** (*al pl.*) autobiografia, memorie.

confètto *s.m.* **1** caramella, chicca, bonbon (*fr.*) **2** (*farm.*) pastiglia, pasticca, pillola, compressa.

confettùra *s.f.* marmellata, composta, conserva, confiture (*fr.*).

confezionàre *v.tr.* **1** (*abiti e sim.*) fare, creare, eseguire, realizzare; cucire **2** (*merci*) imballare, inscatolare, incartare.

confezióne *s.f.* **1** (*di abiti e sim.*) creazione, lavorazione, manifattura **2** abito, vestito, indumento **3** (*di merci*) imballaggio, scatola, imballo, pacco.

conficcàre *v.tr.* **1** (*un chiodo e sim.*) infilare, piantare, ficcare, inserire © estrarre, cavare **2** ♧ (*nella mente*) imprimere, fissare, stampare © cancellare, eliminare, togliere.

confidàre *v.tr.* (*un segreto e sim.*) rivelare, confessare, raccontare, riferire © diffidare, sospettare; temere ♦ *v.intr.* sperare, contare, credere, aver fiducia; fidarsi, affidarsi © nascondere, tacere ♦ **confidarsi** *v.pr.* aprirsi, sfogarsi.

confidènte *s.m.f.* **1** intimo, amico **2** (*della polizia*) informatore, spia, delatore.

confidènza *s.f.* **1** familiarità, dimestichezza, intimità; amicizia © freddezza, estraneità **2** fiducia, siurezza **3** confessione, segreto.

confidenziàle *agg.* **1** (*di notizia e sim.*) riservato, segreto, privato, intimo © pubblico, ufficiale **2** (*di atteggiamento, di rapporti ecc.*) familiare, amichevole, cordiale © distaccato, formale.

configuràre *v.tr.* rappresentare, delineare, definire, descrivere ♦ **configurarsi** *v.pr.* presentarsi, prospettarsi, annunciarsi, delinearsi, profilarsi; apparire, sembrare.

configurazióne *s.f.* forma, figura, aspetto, foggia; struttura, conformazione.

confinànte *agg.* vicino, adiacente, limitrofo, prossimo © lontano, distante, separato ♦ *s.m.f.* vicino.

confinàre *v.tr.* **1** bandire, deportare, esiliare, cacciare, espellere **2** relegare, intrappolare, isolare.

confine *s.m.* **1** frontiera **2** limite, demarcazione, termine, fine.

confino *s.m.* esilio, bando, relegazione, deportazione.

confisca *s.f.* sequestro, requisizione, espropriazione.

confiscàre *v.tr.* sequestrare, requisire, espropriare, incamerare.

conflagrazióne *s.f.* scoppio, esplosione, deflagrazione.

conflìtto *s.m.* **1** lotta, scontro, combattimento, battaglia; guerra © pace **2** ♧ contrasto, disaccordo, dissenso, attrito, urto © accordo, armonia.

conflittualità *s.f.* contrasto, opposizione, ostilità © armonia, intesa, accordo.

confluènza *s.f.* **1** sbocco, incontro **2** ♧ incontro, convergenza © divergenza.

confluìre *v.intr.* **1** (*di fiumi, di strade ecc.*) immettersi, unirsi, congiungersi, incontrarsi, sboccare © dividersi, separarsi **2** ♧ (*di persone, di opinioni ecc.*) convergere, affluire; mescolarsi, incontrarsi, fondersi.

confóndere *v.tr.* **1** mescolare, disordinare, ingarbugliare, scombinare, incasinare (*colloq.*) **2** (*cose, persone fra loro*) scambiare, sbagliare © distinguere, individuare, riconoscere **3** (*la vista*) annebbiare, appannare, offuscare; (*una persona*) imbarazzare, turbare, disorientare, scombussolare, stordire ♦ **confondersi** *v.pr.* **1** (*nella folla e sim.*) mescolarsi, nascondersi © distinguersi **2** sbagliarsi, fare confusione **3** agitarsi, imbarazzarsi, scombussolarsi, disorientarsi, turbarsi, incasinarsi (*colloq.*).

conformàre *v.tr.* **1** plasmare, formare, modellare **2** adattare, adeguare, accordare, armonizzare © diversificare, distinguere ♦ **conformarsi** *v.pr.* adeguarsi, adattarsi, uniformarsi, allinearsi © distinguersi.

conformazióne *s.f.* aspetto, forma, struttura, configurazione.

confórme *agg.* **1** simile, uguale, identico, corrispondente © diverso, differente **2** (*a idee, a principi ecc.*) corrispondente, affine, rispondente © contraddittorio, antitetico, difforme.

conformìsmo *s.m.* convenzionalismo, tradizionalismo, omologazione, qualunquismo (*spreg.*) © anticonformismo, originalità, eccentricità.

conformìsta *agg., s.m.f.* benpensante, conservatore, tradizionalista, convenzionale, qualunquista (*spreg.*) © anticonformista, originale, eccentrico.

conformità *s.f.invar.* corrispondenza, somiglianza, fedeltà, analogia, identità © difformità, discordanza, diversità.

cònfort *s.m.* vedi **comfort**.

confortànte *agg.* incoraggiante, consolante, rassicurante, rasserenante © scoraggiante, deprimente, avvilente, inquietante.
confortàre *v.tr.* **1** consolare, rassicurare, incoraggiare, rincuorare © scoraggiare, avvilire, deprimere **2** (*una tesi e sim.*) avvalorare, confermare, sostenere, accreditare, corroborare © inficiare, invalidare, smontare (*colloq.*) ♦ **confortarsi** *v.pr.* consolarsi, rincuorarsi, rianimarsi © avvilirsi, abbattersi, angustiarsi.
confortévole *agg.* comodo, agevole; accogliente, ospitale © scomodo, disagevole; inospitale.
confòrto *s.m.* **1** consolazione, sollievo, incoraggiamento © sconforto, avvilimento, scoraggiamento **2** sostegno, appoggio, avallo.
confratèrnita *s.f.* congregazione, congrega; comunità.
confrontàre *v.tr.* paragonare, comparare, contrapporre, raffrontare, rapportare; riscontrare, verificare ♦ **confrontarsi** *v.pr.* competere, gareggiare, misurarsi, cimentarsi.
confrónto *s.m.* **1** paragone, comparazione, raffronto, riscontro **2** faccia a faccia, discussione, dibattito **3** (*sport*) gara, incontro.
confusionàrio *agg.* disordinato, caotico, disorganizzato, pasticcione, casinista (*colloq.*) © ordinato, preciso, metodico, organizzato.
confusióne *s.f.* **1** caos, disordine, baraonda, bolgia, casino (*colloq.*); scompiglio; accozzaglia © ordine, metodo, organizzazione **2** chiasso, baccano, trambusto; (*colloq.*) bordello, casino, macello © silenzio, pace, calma **3** sbaglio, errore, equivoco, fraintendimento **4** imbarazzo, turbamento, disorientamento, smarrimento © lucidità.
confùso *agg.* **1** disordinato, caotico, scombinato, incasinato (*colloq.*) © ordinato, preciso, metodico **2** (*di immagini, di suoni e sim.*) vago, incerto, indefinito, nebuloso © chiaro, preciso, netto, lucido **3** imbarazzaro, disorientato, turbato © lucido, tranquillo.
confutàre *v.tr.* smentire, negare, contraddire; invalidare, inficiare © dimostrare, comprovare, suffragare, avvalorare, corroborare.
confutazióne *s.f.* contestazione, obiezione © conferma, convalida.
congedàre *v.tr.* **1** accomiatare, licenziare **2** (*mil.*) dimettere © reclutare, arruolare ♦ **congedarsi** *v.pr.* accomiatarsi, andarsene; salutare © arrivare, presentarsi.
congèdo *s.m.* **1** commiato **2** (*mil.*) © arruolamento, reclutamento **3** (*dal lavoro*) aspettativa, permesso, licenza.
congegnàre *v.tr.* **1** costruire, montare, fabbricare **2** (*una truffa e sim.*) concepire, ideare, inventare.
congégno *s.m.* meccanismo, apparecchio, dispositivo, strumento.
congelaménto *s.m.* **1** (*med.*) assideramento **2** (*di alimenti*) surgelamento, surgelazione.
congelàre *v.tr.* **1** gelare, ghiacciare, raffreddare; (*un liquido o gas*) solidificare © riscaldare, sgelare; sciogliere, liquefare **2** (*alimenti*) surgelare © scongelare, decongelare **3** ♧ (*un progetto, gli stipendi ecc.*) bloccare, sospendere, immobilizzare © sbloccare ♦ **congelarsi** assiderarsi, gelarsi, intirizzirsi, infreddolirsi © riscaldarsi, scaldarsi.
congelatóre *s.m.* freezer (*ingl.*).
congeniàle *agg.* adatto, appropriato, atto, confacente, consono © inadatto, inadeguato, inappropriato.
congènito *agg.* innato, ereditario, naturale, connaturato © acquisito.
congèrie *s.f.* accozzaglia, confusione, ammasso.
congestionàre *v.tr.* ♧ (*luoghi, strade*) ingombrare, bloccare, ostacolare, ostruire © sgombrare, liberare.
congestióne *s.f.* ♧ (*di traffico*) blocco, intoppo, ingorgo, intasamento, caos.
congettùra *s.f.* ipotesi, supposizione, presupposizione, illazione.
congetturàre *v.tr.* ipotizzare, immaginare, prevedere, presumere © affermare, asserire.
congiùngere *v.tr.* collegare, unire, attaccare, raccordare © disgiungere, separare, scindere ♦ **congiungersi** *v.pr.* **1** unirsi, incontrarsi, collegarsi, attaccarsi **2** accoppiarsi, fare l'amore, copulare (*elev.*).
congiungiménto *s.m.* unione, collegamento, raccordo © separazione, divisione, distacco.
congiùnto *s.m.* parente, consanguineo, familiare.
congiuntùra *s.f.* **1** attacco, giuntura **2** ♧ circostanza, contingenza, situazione.
congiunzióne *s.f.* congiungimento, giuntura, legame, collegamento, connessione, raccordo.
congiùra *s.f.* complotto, trama, cospirazione, intrigo.
congiuràre *v.intr.* cospirare, complottare, ordire, tramare.
congiuràto *s.m.* cospiratore.
conglobàre *v.tr.* riunire, unire, fondere, incorporare, agglomerare © disgregare, scomporre, separare, dividere.
conglomeràto *s.m.* agglomerato, accumulo.

congratulàrsi *v.pr.* complimentarsi, felicitarsi, rallegrarsi, compiacersi.
congratulazióne *s.f.* (*spec. al pl.*) complimenti, felicitazioni, rallegramenti.
congrèga *s.f.* **1** (*spreg.*) combriccola, cricca, clan, banda, ghenga **2** confraternita, congregazione; comunità.
congregazióne *s.f.* confraternita, congrega; comunità.
congrèsso *s.m.* convegno, conferenza, simposio, meeting (*ingl.*); assemblea, riunione.
congruènza *s.f.* corrispondenza, conformità, coerenza, rispondenza, accordo © incongruenza, incoerenza, inadeguatezza.
còngruo *agg.* adeguato, corrispondente, appropriato, adatto, consono, proporzionato © inadeguato, inadatto, inappropriato.
conguàglio *s.m.* pareggio, equiparazione; saldo, liquidazione.
coniàre *v.tr.* **1** (*monete*) stampare, emettere **2** (*parole, espressioni ecc.*) inventare, creare.
coniazióne *s.f.* conio.
coniugàle *agg.* matrimoniale, nuziale.
coniugàre *v.tr.* **1** (*un verbo*) flettere **2** ♧ collegare, unire, combinare, conciliare ♦ **coniugarsi** *v.pr.* sposarsi, accasarsi © separarsi, divorziarsi.
coniugàto *agg.* sposato, ammogliato, maritato, accasato © celibe, nubile, single (*ingl.*); separato, divorziato.
coniugazióne *s.f.* (*gramm.*) flessione.
còniuge *s.m.f.* consorte, metà (*scherz.*) IPON. moglie, marito, sposa, sposo.
connatùrale *agg.* vedi **connaturàto**.
connaturàto *agg.* innato, insito, congenito, naturale, radicato © acquisito, indotto.
connazionàle *s.m.f.* compatriota, conterraneo, compaesano © straniero, forestiero.
connessióne *s.f.* **1** rapporto, relazione, nesso, correlazione, associazione, legame, unione **2** (*inform.*) collegamento © scollegamento.
connéttere *v.tr.* **1** collegare, unire, attaccare, allacciare © scollegare, dividere, separare **2** ♧ (*fatti, idee ecc.*) associare, collegare, correlare, legare © scindere, separare, scollegare **3** ragionare, pensare ♦ **connettersi** *v.pr.* **1** collegarsi, attaccarsi, allacciarsi © scollegarsi, separarsi **2** ♧ (*di fatti, di idee ecc.*) associarsi, collegarsi, correlarsi © scindersi, dividersi **3** (*inform.; a Internet, alla rete ecc.*) collegarsi © scollegarsi.
connivènte *agg.* complice, consenziente, favoreggiatore.
connivènza *s.f.* complicità, favoreggiamento.
connotàto *s.m.* (*spec. al pl.*) tratti, fattezze, sembianze, fisionomia.
connùbio *s.m.* ♧ unione, accordo; (*pol.*) patto, alleanza.
conoscènte *s.m.f.* conoscenza; amico © sconosciuto, estraneo.
conoscènza *s.f.* **1** cognizione, apprendimento, nozione; esperienza, pratica, competenza © ignoranza, incapacità, incompetenza **2** cultura, scienza, erudizione, sapere **3** conoscente © sconosciuto, estraneo **4** familiarità, dimestichezza © estraneità **5** (*spec. al pl.*) amicizie, relazioni, contatto; appoggi, agganci, protezione **6** sensi, coscienza.
conóscere *v.tr.* **1** sapere, essere a conoscenza © ignorare **2** (*la fame, la miseria ecc.*) sperimentare, provare **3** imparare, apprendere **4** (*una parola, una lingua ecc.*) capire, comprendere, intendere **5** (*una persona*) incontrare, fare conoscenza, familiarizzare **6** riconoscere, distinguere ♦ **conoscersi** *v.pr.* fare conoscenza, incontrarsi, frequentarsi.
conoscitóre *s.m.* intenditore, specialista, esperto © ignorante, incompetente, inesperto.
conosciùto *agg.* **1** famoso, noto, celebre, popolare, insigne © sconosciuto, ignoto, oscuro, anonimo **2** certo, provato, garantito, sicuro © dubbio, incerto.
conquìsta *s.f.* **1** occupazione, invasione, presa, assoggettamento **2** ♧ raggiungimento, conseguimento, acquisizione; progresso, vittoria, successo; invenzione, scoperta © sconfitta, fallimento, insuccesso **3** (*in amore*) successo **4** (*la persona conquistata*) amante, fiamma, flirt (*ingl.*).
conquistàre *v.tr.* **1** (*un territorio, un paese ecc.*) occupare, invadere, impossessarsi, sottomettere, assoggettare **2** (*un obiettivo e sim.*) ottenere, raggiungere, conseguire, guadagnare © perdere **3** (*l'affetto, la simpatia ecc.*) guadagnare, ottenere, accattivarsi, propiziarsi © perdere, alienarsi, inimicarsi **4** (*in amore*) affascinare, sedurre, ammaliare, cuccare (*gerg.*).
conquistatóre *agg.* vincitore, vittorioso, trionfatore; invasore, occupante ♦ *s.m.* (*in amore*) seduttore, dongiovanni, play-boy (*ingl.*), casanova, tombeur de femmes (*fr.*).
consacràre *v.tr.* **1** (*relig.*) sacralizzare, santificare, benedire © sconsacrare **2** (*qlcu. sacerdote*) ordinare **3** (*una chiesa, un monumento ecc.*) dedicare, intitolare **4** (*un re, un poeta*) riconoscere, legittimare, proclamare, incoronare **5** (*la propria vita a qlco., a qlcu.*) dedicare, offrire, destinare, votare **6** (*un diritto, una consuetudine e sim.*) sancire, convalidare, legittimare ♦ **consacrarsi** *v.pr.* darsi, dedicarsi, sacrificarsi, votarsi.

consacrazióne *s.f.* **1** (*relig.*) sacralizzazione, santificazione, benedizione © sconsacrazione **2** (*di un sacerdote*) ordinazione **3** ♧ legittimazione, riconoscimento.
consanguìneo *s.m.* parente, congiunto, familiare.
consapévole *agg.* **1** cosciente, conscio; intenzionale, voluto © inconsapevole, incosciente; involontario, casuale **2** informato, al corrente © disinformato, ignaro, all'oscuro.
consapevolézza *s.f.* coscienza, conoscenza © inconsapevolezza, incoscienza, ignoranza.
cònscio *agg.* **1** cosciente, consapevole © incosciente, inconsapevole, inconscio (*psic.*) **2** intenzionale, voluto © casuale, involontario ♦ *s.m.* (*psic.*) © inconscio.
consecutìvo *agg.* successivo, seguente; continuo, ininterrotto © precedente, anteriore.
conségna *s.f.* **1** (*di lettera e sim.*) recapito; distribuzione © ritiro **2** (*mil.*) comando, ordine, disposizione; punizione.
consegnàre *v.tr.* **1** (*lettere e sim.*) recapitare, portare, dare © ricevere, ritirare, prendere **2** affidare, assegnare **3** (*mil.*) punire ♦ **consegnarsi** *v.pr.* arrendersi, costituirsi.
consegènza *s.f.* **1** (*di un fatto, di un'azione ecc.*) effetto, prodotto, risultato, frutto; implicazione, riflesso, ripercussione © causa, origine **2** (*di un ragionamento*) conclusione, risultato, deduzione **3** (*in senso negativo, al pl.*) contraccolpi, strascichi.
conseguiménto *s.m.* raggiungimento, ottenimento, conquista, acquisizione © perdita.
conseguìre *v.tr.* guadagnare, ottenere, raggiungere, conquistare © fallire, mancare ♦ *v.intr.* dipendere, risultare, derivare © causare.
consènso *s.m.* **1** permesso, autorizzazione, beneplacito © rifiuto, divieto **2** approvazione, assenso, favore, simpatia © critica, disprezzo **3** accordo, intesa, sintonia © contrasto, divergenza, contrapposizione.
consentìre *v.tr.* concedere, permettere, autorizzare, accordare, lasciare © impedire, rifiutare, proibire ♦ *v.intr.* **1** riconoscere, ammettere © negare **2** (*a una richiesta e sim.*) acconsentire, approvare, accogliere © negare, rifiutare.
consenziènte *agg.* favorevole, concorde, d'accordo; accondiscendente, acquiescente © contrario, dissenziente, discorde.
consèrva *s.f.* (*di pomodoro*) concentrato, salsa; (*di frutta*) marmellata, composta, confettura.
conservàre *v.tr.* **1** (*alimenti*) mantenere, tenere, custodire, preservare © guastare, alterare **2** (*documenti, oggetti e sim.*) custodire, riporre, tenere, salvare, salvaguardare © buttare via, perdere, smarrire **3** (*la dignità, l'onore ecc.*) mantenere, preservare, difendere © perdere ♦ **conservarsi** *v.pr.* **1** (*di alimenti*) mantenersi, durare, resistere © guastarsi, deteriorarsi, rovinarsi **2** (*di persona*) mantenersi © invecchiare, sciuparsi.
conservatóre *agg., s.m.* tradizionalista; reazionario © progressista, innovatore ♦ *s.m.* (*burocr.*) archivista.
conservazióne *s.f.* mantenimento; manutenzione, salvaguardia © perdita; deterioramento.
consèsso *s.m.* congresso, consiglio, simposio IPERON. riunione.
consideràre *v.tr.* **1** esaminare, valutare, studiare, analizzare, ponderare; tenere presente © trascurare, tralasciare, dimenticare **2** ritenere, giudicare, reputare, trovare **3** apprezzare, stimare, ammirare © disprezzare, criticare **4** (*dir.*) contemplare, prevedere © omettere ♦ **considerarsi** *v.pr.* ritenersi, credersi, reputarsi.
considerazióne *s.f.* **1** esame, studio, analisi, osservazione **2** stima, apprezzamento, rispetto © disprezzo, disistima **3** attenzione, avvedutezza, prudenza, accortezza © avventatezza, sconsideratezza, leggerezza **4** osservazione, nota, appunto, opinione, parere.
considerévole *agg.* notevole, importante, significativo, apprezzabile, ragguardevole; (*di quantità*) consistente, ingente, grande, rilevante © insignificante, trascurabile, modesto, mediocre.
consigliàbile *agg.* raccomandabile, opportuno, vantaggioso, conveniente © inopportuno, dannoso, inutile.
consigliàre *v.tr.* suggerire, proporre, avvisare; guidare, indirizzare, incoraggiare © sconsigliare, scoraggiare, dissuadere ♦ **consigliarsi** *v.pr.* consultarsi, chiedere consiglio.
consiglière *s.m.* **1** confidente, guida, mentore (*elev.*) **2** consulente; esperto **3** membro di un consiglio, funzionario.
consìglio *s.m.* **1** suggerimento, parere, indicazione; incoraggiamento, incitamento; raccomandazione, ammonimento, avvertimento **2** assemblea, consesso, collegio, riunione.
consistènte *agg.* **1** (*di oggetto, di materiale ecc.*) solido, resistente, robusto; denso, spesso; pieno, massiccio © fragile, inconsistente, molle **2** ♧ valido, fondato, attendibile © infondato, inconsistente **3** ♧ (*di somma*) ragguardevole, ingente, notevole, sostanzioso © insignificante, esiguo, modesto.
consistènza *s.f.* **1** (*di oggetto, di materiale ecc.*) resistenza, robustezza, solidità; densità,

spessore, corpo © inconsistenza, fragilità **2** ♧ validità, fondatezza, attendibilità © inconsistenza, inattendibilità, infondatezza **3** ♧ (*di somma*) entità, quantità, grandezza.

consìstere *v.intr.* constare, comporsi, strutturarsi; essere, basarsi, fondarsi.

consociàre *v.tr.* associare, consorziare, unire, affiliare © dividere, separare.

consociàto *s.m.* socio, associato, consocio.

consociazióne *s.f.* confederazione, associazione.

consolànte *agg.* confortante, consolatorio, confortatore, incoraggiante © sconfortante, avvilente, deprimente, scoraggiante.

consolàre *v.tr.* **1** (*una persona*) confortare, rassicurare, incoraggiare, sostenere © deprimere, scoraggiare **2** (*un dolore, una pena ecc.*) alleviare, lenire © acuire, inasprire **3** rallegrare, allietare © addolorare, affliggere, rattristare.

consolatòrio *agg.* consolante, rasserenante, confortante.

consolazióne *s.f.* conforto, sollievo, sostegno, incoraggiamento © sconforto, abbattimento.

consolidaménto *s.m.* rafforzamento, potenziamento; sviluppo, incremento © indebolimento; destabilizzazione.

consolidàre *v.tr.* rafforzare, potenziare, rinforzare, irrobustire, stabilizzare © indebolire, destabilizzare ♦ **consolidarsi** *v.pr.* **1** rafforzarsi, rinforzarsi, irrobustirsi, solidificarsi **2** ♧ affermarsi, diffondersi, rinsaldarsi © attenuarsi, diminuire.

consonànza *s.f.* **1** (*mus.*) armonia © disarmonia, dissonanza **2** ♧ (*di idee, di sentimenti ecc.*) accordo, armonia, corrispondenza, concordanza © discordanza, opposizione.

cònsono *agg.* adatto, appropriato, conforme, confacente © inadeguato, inadatto.

consòrte *s.m.f.* coniuge, metà (*scherz.*) **IPON.** moglie, marito, sposa, sposo.

consorziàre *v.tr.* associare, consociare, unire, riunire.

consòrzio *s.m.* **1** (*di imprenditori, di enti ecc.*) associazione, cooperativa, società, cartello **2** (*elev.*) unione, insieme.

constàre *v.intr.* consistere, essere, strutturarsi, articolarsi, risultare.

constatàre *v.tr.* osservare, notare, riscontrare, rilevare, verificare.

constatazióne *s.f.* accertamento, verifica, riscontro; osservazione, commento.

consuèto *agg.* solito, normale, abituale, quotidiano, usuale © inconsueto, insolito, eccezionale, singolare.

consuetudinàrio *agg.* abitudinario, metodico, ripetitivo © imprevedibile, stravagante, originale.

consuetùdine *s.f.* abitudine, norma, regola, prassi, routine (*fr.*); tradizione, uso, usanza, convenzione.

consulènte *s.m.f.* esperto, specialista, consigliere, professionista.

consulènza *s.f.* parere, consiglio, suggerimento.

consultàre *v.tr.* **1** (*uno specialista e sim.*) interpellare, sentire **2** (*un orario, un dizionario ecc.*) leggere, esaminare, studiare ♦ **consultarsi** *v.pr.* consigliarsi, rivolgersi, discutere, parlare.

consultazióne *s.f.* consulto, consulenza, colloquio, consiglio.

consùlto *s.m.* (*di medici*) visita; consultazione.

consumàre[1] *v.tr.* **1** logorare, usurare; rovinare, guastare; finire, terminare, esaurire **2** (*denaro, tempo e sim.*) sprecare, sperperare, dissipare, dilapidare © risparmiare, accumulare **3** (*il tempo e sim.*) trascorrere, passare, sprecare, dissipare, sciupare **4** ♧ (*la persona, il fisico ecc.*) logorare, sfinire, estenuare, indebolire, stremare **5** (*energia, gas, acqua ecc.*) usare, utilizzare, finire, esaurire **6** (*cibi, bevande ecc.*) mangiare, bere, assumere ♦ **consumarsi** *v.pr.* **1** logorarsi, usurarsi, rovinarsi; esaurirsi, finire, terminare **2** ♧ (*di persona*) indebolirsi, deperire, debilitarsi, spegnersi; (*per una passione, un dolore ecc.*) struggersi, languire, macerarsi, tormentarsi.

consumàre[2] *v.tr.* (*un delitto e sim.*) compiere, commettere, perpetrare.

consumatóre *s.m.* cliente, acquirente, compratore; utente, fruitore.

consùmo *s.m.* **1** logoramento, deterioramento, usura © produzione, conservazione **2** impiego, uso, utilizzo; spreco, sperpero, scialo © risparmio.

consuntìvo *agg.* (*di bilancio e sim.*) conclusivo, finale © preventivo ♦ *s.m.* rendiconto, bilancio, esame.

consùnto *agg.* **1** consumato, logoro, frusto, liso (*di tessuto*) © nuovo, intatto **2** (*di persona, di fisico ecc.*) sfinito, distrutto, estenuato, stanco, patito, sciupato © fresco, vigoroso, sano.

consunzióne *s.f.* (*fisica, organica*) deperimento, debolezza, sfinimento, estenuazione © rinvigorimento, rafforzamento.

contàbile *s.m.f.* ragioniere, computista **IPERON.** commercialista, fiscalista.

contabilità *s.f.* **1** ragioneria, computisteria **2** amministrazione, bilancio.

contadìno *s.m.* **1** agricoltore, coltivatore **2** (*spreg.*) cafone, villano, buzzurro, zotico ♦ *agg.* **1** contadinesco, rustico, rurale, agreste © cittadino, urbano **2** (*spreg.*) rozzo, grossolano, cafone, ignorante, volgare.

contagiàre *v.tr.* **1** contaminare, infettare, appestare **2** ♧ influenzare; (*in senso negativo*) corrompere, fuorviare, guastare.

contàgio *s.m.* **1** infezione, contaminazione; trasmissione **2** ♧ propagazione, diffusione, trasmissione; corruzione, contaminazione.

contagióso *agg.* **1** infettivo, epidemico, virale **2** ♧ (*di moda e sim.*) dilagante.

contaminàre *v.tr.* **1** ammorbare, appestare, inquinare, insudiciare © decontaminare, bonificare, purificare, risanare **2** ♧ corrompere, deviare, guastare, viziare, disonorare, profanare.

contaminazióne *s.f.* inquinamento, intossicazione; contagio, infezione; trasmissione © decontaminazione, depurazione.

contànte *agg.* (*di denaro*) liquido, sonante ♦ *s.m.* soldi, denaro, quattrini.

contàre *v.tr.* **1** calcolare, conteggiare, computare **2** (*il cibo, il denaro*) misurare, limitare, lesinare **3** considerare, mettere in conto, tenere conto © tralasciare **4** avere, annoverare, vantare **5** (*frottole e sim.*) raccontare, dire ♦ *v.intr.* **1** valere, pesare, avere voce in capitolo **2** (*di fare, di dire ecc.*) riproporsi, ripromettersi, intendere **3** (*su qlcu., su qlco.*) fare affidamento, appoggiarsi, puntare, fare conto.

contattàre *v.tr.* avvicinare, incontrare, agganciare (*colloq.*), mettersi in contatto.

contàtto *s.m.* **1** tocco, toccamento; aderenza, adesione; adiacenza, contiguità **2** ♧ (*fra persone*) relazione, rapporto, legame, comunicazione; (*spec. al pl.*) amicizie, conoscenze, relazioni, agganci, aderenze, protezioni.

contéggio *s.m.* conto, calcolo; somma.

contégno *s.m.* **1** atteggiamento, comportamento, condotta **2** dignità, compostezza, decoro.

contemperàre *v.tr.* **1** (*elementi diversi*) accordare, armonizzare, conciliare; adeguare, conformare, commisurare **2** mitigare, addolcire, moderare, ammorbidire, temperare © esasperare, acuire, inasprire.

contemplàre *v.tr.* **1** guardare, osservare, ammirare, fissare **2** (*con la mente*) riflettere, pensare, concentrarsi, meditare **3** (*una possibilità, un caso*) prevedere, tenere conto, comprendere, considerare © escludere; respingere.

contemplatìvo *agg.* mistico, meditativo, spirituale, religioso, ascetico ♦ *s.m.* speculatore, asceta, mistico.

contemplazióne *s.f.* **1** osservazione, ammirazione **2** meditazione, concentrazione, speculazione **3** (*relig.*) estasi; misticismo.

contemporaneità *s.f.* simultaneità, sincronismo © asincronia.

contemporàneo *agg.* **1** simultaneo, concomitante, sincronico, sincrono **2** coevo **3** moderno, attuale, presente, odierno.

contendènte *agg., s.m.f.* avversario, rivale, concorrente, antagonista, nemico © amico, alleato.

contèndere *v.tr.* contestare, disputare © permettere, concedere ♦ *v.intr.* **1** discutere, litigare, questionare © rappacificarsi, accordarsi **2** combattere, confrontarsi, sfidarsi.

contenére *v.tr.* **1** racchiudere, includere, comprendere, delimitare **2** frenare, controllare, moderare, bloccare © sfogare, liberare, scatenare ♦ **contenersi** *v.pr.* controllarsi, trattenersi, moderarsi, frenarsi © sfogarsi, liberarsi, scatenarsi.

conteniménto *s.m.* freno, limitazione, controllo.

contenitóre *s.m.* recipiente, involucro, scatola.

contentàre *v.tr.* accontentare, assecondare, compiacere, esaudire © scontentare, deludere.

contentézza *s.f.* **1** allegria, felicità, gioia, buonumore © scontentezza, dispiacere, malumore **2** soddisfazione, appagamento © insoddisfazione, delusione.

contènto **1** soddisfatto, appagato © scontento, insoddisfatto, deluso **2** felice, allegro, di buonumore, beato, lieto, gioioso © triste, infelice, scontento, malinconico, giù di morale.

contenùto *agg.* **1** racchiuso, raccolto, incluso, compreso **2** (*di desiderio, di sentimento e sim.*) moderato, frenato, represso, trattenuto, dominato © esagerato, sfrenato, eccessivo **3** (*di persona, di stile ecc.*) misurato, sobrio, conciso, equilibrato, compassato, controllato, misurato © enfatico, ampolloso, ridondante **4** (*di prezzo, di spesa ecc.*) moderato, modico © eccessivo, esagerato, proibitivo ♦ *s.m.* (*di un libro e sim.*) argomento, soggetto, oggetto, idea, tema.

conterràneo *agg., s.m.* compatriota, compaesano, concittadino, connazionale © straniero, forestiero.

contésa *s.f.* **1** discussione, lite, polemica, controversia © riconciliazione, pace, concordia **2** combattimento, competizione, lotta.

contestàre *v.tr.* **1** (*un'affermazione, un'opinione ecc.*) negare, criticare, mettere in discussione, confutare **2** (*un reato*) comunicare, notificare **3** (*la società, la scuola ecc.*) criticare, attaccare, protestare.

contestatóre *agg.* contestatario, protestatario, dissenziente ♦ *s.m.* ribelle, sovversivo.

contestazióne *s.f.* **1** (*di un'affermazione, di*

un'opinione ecc.) negazione, confutazione **2** (*studentesca e sim.*) protesta, critica **3** (*di un reato*) comunicazione, notifica, avviso.

contèsto *s.m.* (*in un discorso, in un testo ecc.*) trama, intreccio, insieme, situazione; (*di avvenimento, di fatto ecc.*) ambiente, quadro, clima, scenario.

contestuàle *agg.* (*di fatto*) contemporaneo, concomitante, simultaneo.

contiguità *s.f.* adiacenza, prossimità, vicinanza © lontananza, distanza.

contìguo *agg.* adiacente, limitrofo, vicino © separato, lontano, distante.

continènte *s.m.* terre emerse; (*in contrapposizione alle isole*) terraferma.

continènza *s.f.* misura, controllo, moderazione, morigeratezza; castità, austerità © incontinenza, intemperanza, eccesso, smodatezza.

contingènte *agg.* **1** casuale, eventuale, accidentale © calcolato, voluto **2** (*filos.*) accidentale, casuale © necessario ♦ *s.m.* (*mil.*) **1** IPON. armata, squadrone, reparto, esercito **2** classe, scaglione.

contingènza *s.f.* **1** circostanza, caso, occasione, frangente **2** (*filos.*) accidentalità, casualità © necessità.

continuàre *v.tr.* proseguire, prolungare, seguitare; riprendere © interrompere, lasciare, sospendere, finire ♦ *v.intr.* **1** (*a parlare, a bere, a piovere ecc.*) seguitare, andare avanti, insistere © smettere **2** durare, protrarsi, proseguire © cessare, finire.

continuatìvo *agg.* continuo, costante, duraturo, durevole © momentaneo, temporaneo, occasionale, saltuario.

continuatòre *s.m.* prosecutore, erede, successore, seguace, epigono.

continuazióne *s.f.* prolungamento, proseguimento, seguito © interruzione, sospensione, fine.

continuità *s.f.* proseguimento, permanenza, persistenza; legame, unione; consequenzialità, congruenza; regolarità, ciclicità, stabilità © discontinuità, frammentarietà, intermittenza.

contìnuo *agg.* ininterrotto, costante, duraturo, regolare, perenne, ricorrente, stabile, non stop © discontinuo, frammentario, saltuario, intermittente.

cónto *s.m.* **1** calcolo, conteggio, somma **2** nota, fattura, parcella, spettanza **3** ♧ previsione, analisi, valutazione **4** ♧ importanza, considerazione, stima **5** ♧ assegnamento, affidamento.

contòrcere *v.tr.* attorcigliare ♦ **contorcersi** *v.pr.* dibattersi, dimenarsi, agitarsi, divincolarsi.

contorciménto *s.m.* contorsione.

contornàre *v.tr.* bordare, incorniciare, orlare.

contórno *s.m.* **1** orlo, cornice, margine **2** (*di pietanza*) guarnizione.

contorsióne *s.f.* contorcimento.

contòrto *agg.* **1** torto, attorcigliato, ritorto © diritto **2** ♧ complicato, ingarbugliato, oscuro, involuto, macchinoso © chiaro, lineare.

contraccambiàre *v.tr.* ricambiare, ricompensare, ripagare, sdebitarsi.

contraccàmbio *s.m.* cambio, scambio.

contraccólpo *s.m.* **1** colpo, botta, urto, rinculo (*di arma*) **2** ♧ ripercussione, conseguenza, effetto, riflesso.

contraddìre *v.tr.* **1** confutare, smentire, contestare © approvare, ammettere, confermare **2** contrastare, negare, opporsi © confermare, dimostrare ♦ **contraddirsi** *v.pr.* smentirsi, tradirsi.

contraddistìnguere *v.tr.* **1** (*anche* ♧) distinguere, caratterizzare, differenziare **2** (*un oggetto con un segno*) contrassegnare, marcare, segnare © confondere, mescolare.

contraddittòrio *agg.* **1** opposto, contrario, contrastante, controverso, incompatibile © concordante, univoco **2** ♧ incoerente, ambiguo, incerto, insensato © coerente, razionale, logico ♦ *s.m.* confronto, disputa, polemica, contrasto.

contraddizióne *s.f.* contrasto, opposizione, discordanza, incoerenza.

contraffàre *v.tr.* **1** falsificare, copiare, plagiare, riprodurre **2** (*la voce*) alterare, modificare **3** (*un alimento e sim.*) sofisticare, alterare, adulterare.

contraffazióne *v.tr.* imitazione, falsificazione, plagio.

contrappesàre *v.tr.* **1** (*un peso*) bilanciare, compensare © sbilanciare, squilibrare **2** ♧ ponderare, vagliare.

contrappórre *v.tr.* **1** opporre **2** confrontare, paragonare, comparare ♦ **contrapporsi** *v.pr.* opporsi; contestare, osteggiare © approvare, favorire.

contrapposizióne *s.f.* opposizione; contrasto, conflitto, antitesi © accordo, conformità.

contrappósto *agg.* opposto, contrastante, antitetico.

contrariàre *v.tr.* **1** contrastare, ostacolare, avversare, boicottare © agevolare, appoggiare, favorire **2** irritare, infastidire, seccare, dispiacere, indispettire © soddisfare, appagare, gratificare.

contrarietà *s.f.* **1** avversione, antipatia, disappunto; ostilità © favore, simpatia **2** impedimento, contrattempo, avversità, complicazione, sfortuna © fortuna, favore.

contràrio *agg.* **1** opposto, antitetico, contrastante, discordante © uguale, analogo **2** avverso, sfavorevole, negativo © favorevole, vantaggioso, positivo ♦ *s.m.* opposto, inverso, rovescio, negazione.

contràrre *v.tr.* **1** (*un muscolo, le labbra ecc.*) tendere, tirare, irrigidire, corrugare, raggrinzire, stringere © rilasciare, distendere **2** (*i costi e sim.*) ridurre, contenere, diminuire © aumentare, accrescere **3** (*una malattia, un'abitudine ecc.*) prendere **4** (*un impegno, un debito ecc.*) assumere, accollarsi, addossarsi © liberarsi, assolvere **5** (*un patto, un matrimonio ecc.*) stipulare, stabilire, stringere ♦ **contrarsi** *v.pr.* restringersi, rattrappirsi, raggrinzirsi; ridursi.

contrassegnàre *v.tr.* **1** indicare, marcare, segnare, numerare **2** ♧ caratterizzare, contraddistinguere.

contrasségno *s.m.* **1** segno, marca, bollo, distintivo, marchio **2** ♧ testimonianza, dimostrazione, prova.

contrastàre *v.tr.* avversare, ostacolare, osteggiare, impedire © appoggiare, favorire ♦ *v.intr.* opporsi, discordare © concordare, convenire.

contràsto *s.m.* **1** scontro, conflitto, disaccordo, lite, discussione © armonia, accordo, pace **2** contrapposizione, opposizione, divergenza; incompatibilità © armonia, sintonia, coincidenza.

contrattaccàre *v.tr.* ♧ replicare, reagire, rispondere.

contrattàcco *s.m.* **1** (*mil.*) controffensiva **2** ♧ replica, reazione, risposta **3** (*sport*) contropiede.

contrattàre *v.tr.* trattare, negoziare, mercanteggiare.

contrattazióne *s.f.* trattativa, negoziazione, patteggiamento.

contrattèmpo *s.m.* intoppo, inconveniente, disguido, complicazione, impedimento, ostacolo.

contràtto *s.m.* **1** accordo, patto, convenzione **2** scrittura, documento, atto.

contravvenìre *v.intr.* trasgredire, violare, eludere, disobbedire © osservare, ottemperare, ubbidire.

contravvenzióne *s.f.* **1** violazione, infrazione, trasgressione, inosservanza **2** multa, ammenda, penale, sanzione.

contrazióne *s.f.* **1** (*med.*) spasmo, crampo, contrattura **2** ♧ (*del mercato e sim.*) diminuzione, riduzione © aumento, ampliamento **3** (*di un impegno e sim.*) assunzione.

contribuìre *v.intr.* collaborare, partecipare, concorrere, intervenire, aiutare.

contribùto *s.m.* **1** aiuto, apporto, partecipazione, concorso **2** parte, quota, somma.

contrìto *agg.* dispiaciuto, pentito, desolato, avvilito, mortificato.

contrizióne *s.f.* pentimento, rammarico.

controbàttere *v.tr.* rispondere, contestare, contraddire, obiettare, reagire.

controbilanciàre *v.tr.* **1** bilanciare, contrappesare **2** ♧ compensare, pareggiare.

controffensìva *s.f.* **1** (*mil.*) contrattacco **2** ♧ reazione, replica, contrattacco.

controfigùra *s.f.* **1** (*cinem.*) cascatore, stuntman (*ingl.*) **2** sosia, sostituto.

controindicàre *v.tr.* sconsigliare © consigliare, prescrivere (*med.*).

controindicàto *agg.* sconsigliato; dannoso, controproducente © consigliato.

controllàre *v.tr.* **1** verificare, riscontrare, esaminare, ispezionare **2** sorvegliare, vigilare, badare **3** dominare, padroneggiare; frenare, limitare ♦ **controllarsi** *v.pr.* dominarsi, frenarsi, contenersi, moderarsi © lasciarsi andare, liberarsi, sfogarsi.

contròllo *s.m.* **1** ispezione, verifica, esame, test, check-up (*ingl.*) **2** vigilanza, sorveglianza **3** dominio, potere, padronanza **4** ♧ autocontrollo, self control (*ingl.*).

controllóre *s.m.* **1** collaudatore, revisore, sorvegliante **2** (*sui treni, sugli autobus ecc.*) bigliettaio.

contromàrca *s.f.* biglietto, gettone, scontrino, contrassegno.

contropàrte *s.f.* (*dir.*) avversario.

contropartìta *s.f.* cambio, contraccambio, compenso.

contropiède *s.m.* (*sport*) contrattacco.

controproducènte *agg.* dannoso, nocivo, svantaggioso © vantaggioso, utile, produttivo.

contropròva *s.f.* verifica, riprova.

controsènso *s.m.* contraddizione, incongruenza, nonsenso, assurdità, paradosso.

controvèrsia *s.f.* **1** contrasto, disaccordo, contesa, lite, discussione © accordo, intesa **2** (*dir.*) vertenza, pendenza.

controvèrso *agg.* dubbio, incerto, contraddittorio, dibattuto, discusso, opinabile © incontroverso, certo, indiscutibile, incontrovertibile.

contumàce *agg.* (*dir.*) assente, irreperibile, latitante.

contumàcia *s.f.* **1** (*dir.*) assenza, latitanza **2** (*med.*) quarantena, isolamento.

contùndere *v.tr.* ammaccare, pestare, colpire.

conturbàre *v.tr.* perturbare, agitare, commuovere © calmare, tranquillizzare.

contusióne *s.f.* botta (*colloq.*), livido, ecchimosi (*med.*).

convàlida *s.f.* convalidazione; (*di un atto, di*

una nomina ecc.) ratifica, approvazione; (*di un documento*) autenticazione, vidimazione.
convalidàre *v.tr.* **1** (*un atto, una nomina ecc.*) ratificare, approvare; (*un documento*) autenticare, vidimare **2** avvalorare, confermare.
convégno *s.m.* **1** congresso, conferenza, seminario, simposio, meeting (*ingl.*) **2** (*amoroso*) appuntamento, incontro.
convenévoli *s.m.pl.* cerimonie, complimenti, formalità, ossequi; smancerie, salamelecchi.
conveniènte *agg.* **1** adatto, appropriato, opportuno, degno, decoroso © sconveniente, inopportuno, disdicevole **2** (*di stipendio, di ricompensa ecc.*) giusto, adeguato, congruo © inadeguato **3** (*di prezzo e sim.*) economico, buono, accessibile, vantaggioso © costoso, caro.
conveniènza *s.f.* **1** vantaggio, utilità © svantaggio **2** adeguatezza, corrispondenza, congruità © inadeguatezza, sproporzione **3** decoro, cortesia, buona educazione © maleducazione.
convenìre *v.intr.* **1** confluire, convergere **2** concordare, essere d'accordo © dissentire **3** (*di atteggiamenti, di discorsi ecc.*) adattarsi, confarsi © sconvenire, disdirsi.
convènto *s.m.* monastero, abbazia, badia.
convenùto *agg.* fissato, concordato, stabilito, pattuito ♦ *s.m.* **1** accordo, patto **2** (*dir.*) attore **3** (*a un convegno, a un banchetto ecc.*) partecipante, invitato.
convenzionàle *agg.* **1** stabilito, concordato, convenuto, fissato **2** comune, normale, banale; tradizionale, conformista © originale, anticonformista, anticonvenzionale **3** (*di armi, di metodo, di medicina ecc.*) tradizionale.
convenzióne *s.f.* **1** patto, accordo, contratto **2** (*spec. al pl.*) consuetudini, usanze, usi, costumi, abitudini, tradizioni.
convergènza *s.f.* incontro, confluenza; corrispondenza © divergenza, discordanza, contrapposizione.
convèrgere *v.intr.* **1** confluire, convenire, dirigersi, incontrarsi © divergere, dividersi, separarsi **2** ♧ (*di idee, di sforzi ecc.*) coincidere, avvicinarsi, concordare © divergere, discordare, scontrarsi **3** ♧ mirare, puntare.
conversàre *v.intr.* chiacchierare, dialogare, discorrere, parlare.
conversazióne *s.f.* colloquio, discorso, chiacchierata.
conversióne *s.f.* **1** trasformazione, cambiamento, sostituzione; (*di denaro*) cambio **2** (*di religione, di idee ecc.*) pentimento, ravvedimento, rinnegamento, sconfessione.
convertìre *v.tr.* **1** (*a una fede, a un'ideologia ecc.*) convincere, persuadere, catechizzare, indottrinare **2** (*qlco. in un'altra cosa*) cambiare, trasformare; (*valuta*) cambiare, scambiare.
convessità *s.f.* curvatura, dosso, gobba, prominenza © concavità.
convèsso *agg.* curvo, prominente, sporgente © concavo.
convìncere *v.tr.* persuadere, indurre, spingere © dissuadere, distogliere, scoraggiare.
convinciménto *s.m.* vedi **convinzióne**.
convìnto *agg.* persuaso, certo, determinato, risoluto, irremovibile © incerto, dubbioso.
convinzióne *s.f.* **1** convincimento, persuasione © dissuasione **2** (*ciò di cui si è convinti*) certezza, convincimento, opinione, parere, pensiero, posizione © dubbio, incertezza, perplessità.
convitàto *s.m.* invitato, commensale.
convivènza *s.f.* coabitazione, coesistenza.
convìvere *v.intr.* coabitare, coesistere.
convocàre *v.tr.* **1** (*un'assemblea e sim.*) indire © sciogliere **2** chiamare, invitare, riunire © congedare.
convocazióne *s.f.* **1** invito, chiamata **2** riunione, colloquio, adunata.
convogliàre *v.tr.* indirizzare, dirigere, concentrare, canalizzare, instradare © disperdere.
convòglio *s.m.* **1** colonna, carovana, corteo **2** treno.
convulsióne *s.f.* **1** contrazione, spasmo, crampo **2** accesso, attacco, crisi.
convùlso *agg.* **1** (*di movimento, di pianto ecc.*) violento, irrefrenabile, incontrollato, spasmodico © calmo, tranquillo **2** (*di attività, di vita ecc.*) frenetico, febbrile, intenso, affannato **3** (*di stile, di discorso ecc.*) rapido, concitato, scomposto © tranquillo, lineare, piano.
cooperàre *v.intr.* collaborare, concorrere, contribuire, aiutare, assistere.
cooperatìva *s.f.* associazione, società, consociazione, consorzio.
cooperazióne *s.f.* **1** collaborazione, aiuto, appoggio, assistenza, sostegno **2** cooperativismo, associazionismo.
coordinaménto *s.m.* coordinazione, organizzazione, collegamento © scoordinamento, disorganizzazione.
coordinàre *v.tr.* organizzare, collegare, armonizzare © disorganizzare, scoordinare.
coordinàto *agg.* **1** collegato, organizzato, ordinato © scoordinato **2** (*di movimento e sim.*) armonioso, composto © scoordinato, scomposto **3** (*di abito, di accessorio ecc.*) abbinabile, coordinabile **4** (*gramm.*) © subordinato ♦ *s.m.* completo, insieme, set (*ingl.*), completino.

coordinazióne *s.f.* **1** organizzazione © scoordinazione, disorganizzazione **2** (*gramm.*) © subordinazione.

copertìna *s.f.* sopraccoperta, coperta (*tip.*).

copèrto *agg.* **1** (*di luogo*) riparato, chiuso, protetto © scoperto, aperto, esposto **2** (*con maglioni e sim.*) imbacuccato, infagottato © scoperto, spogliato, nudo **3** ricoperto, cosparso, rivestito, sommerso, carico; (*di neve*) ammantato **4** (*di cielo*) nuvoloso, brutto, nero, scuro, cupo © sereno, pulito, terso **5** ♧ nascosto, velato, segreto, dissimulato © esplicito, chiaro **6** (*di baci, di carezze ecc.*) soffocato, sommerso, colmato ♦ *s.m.* (*a tavola*) posto, apparecchiatura.

copertóne *s.m.* pneumatico, gomma.

copertùra *s.f.* **1** rivestimento, protezione **2** ♧ (*da rischi e sim.*) garanzia, assicurazione, cauzione **3** ♧ maschera, paravento **4** (*mil.*) difesa, protezione.

còpia *s.f.* **1** riproduzione, calco, duplicato, doppione; (*di documento*) facsimile, fotocopia © originale, matrice **2** (*di libro e sim.*) esemplare; edizione, ristampa.

copiàre *v.tr.* **1** riprodurre, ricalcare, riscrivere, trascrivere **2** (*un'opera altrui*) plagiare, scopiazzare (*colloq.*) **3** imitare, emulare, scimmiottare (*colloq.*).

copiatùra *s.f.* copia, ricopiatura.

copióne *s.m.* testo; (*cinem.*) sceneggiatura, script (*ingl.*).

copióso *agg.* abbondante, numeroso, ricco, ampio © povero, scarso, limitato.

còppa *s.f.* **1** calice, vaso, ciotola **2** (*sport*) trofeo **3** (*sport*) campionato, gara, torneo.

còppia *s.f.* **1** paio, duo, binomio, tandem **2** sposi, fidanzati, amanti.

copricàpo *s.m.* cappello, berretto.

coprìre *v.tr.* **1** ricoprire, chiudere, nascondere, riparare © aprire, scoprire, togliere **2** (*di nebbia, di neve ecc.*) ricoprire, avvolgere, ammantare **3** vestire; (*con indumenti pesanti*) infagottare, imbacuccare © scoprire, spogliare **4** ♧ (*la verità, gli errori ecc.*) nascondere, tacere, occultare © denunciare, dichiarare **5** (*mil., sport*) proteggere, difendere **6** ♧ (*di suono*) superare, sopraffare, attutire **7** ♧ (*di baci, di insulti e sim.*) riempire, colmare **8** ♧ (*una carica, un ruolo ecc.*) occupare, ricoprire **9** (*una distanza*) percorrere, compiere ♦ **coprirsi** *v.pr.* **1** vestirsi; (*con indumenti pesanti*) imbacuccarsi, infagottarsi © scoprirsi, svestirsi **2** ♧ (*di gloria, di ridicolo e sim.*) riempirsi, colmarsi **3** (*di nebbia, di neve ecc.*) ammantarsi, ricoprirsi **4** (*di cielo*) annuvolarsi, rannuvolarsi © aprirsi.

coràggio *s.m.* **1** audacia, animo, valore, ardimento, fegato (*colloq.*) © paura, timore, vigliaccheria **2** arroganza, insolenza, faccia tosta (*colloq.*), sfrontatezza, impudenza © discrezione, riguardo, rispetto.

coraggióso *agg.* audace, valoroso, ardito, impavido, temerario © vigliacco, pauroso, vile, codardo; timido.

coràle *agg.* **1** collettivo, generale, universale, unanime © individuale, personale.

coràzza *s.f.* **1** armatura **2** (*di animale*) guscio; (*zool.*) carapace, lorica **3** ♧ difesa, protezione, schermo, scudo.

corazzàre *v.tr.* **1** blindare, fortificare, armare **2** ♧ proteggere, difendere, riparare.

corbellerìa *s.f.* sciocchezza, stupidaggine, cretinata, fesseria, idiozia.

còrda *s.f.* **1** fune, cavo, cordone, cima **2** (*per animali*) cavezza, capestro **3** (*mar.*) gomena, sartia **4** (*per impiccare*) cappio, capestro.

cordiàle *agg.* **1** affettuoso, caloroso, amichevole; gentile, affabile, amabile © scortese, sgarbato; freddo, scostante, ostile **2** (*di saluti e sim.*) vivo, sincero, sentito, fervido ♦ *s.m.* tonico, corroborante.

cordialità *s.f.* affettuosità, calore, cortesia, affabilità, amabilità © freddezza, indifferenza, scortesia.

cordòglio *s.m.* dispiacere, dolore, pena, lutto.

cordless *agg.invar., s.m.invar.* (*ingl.*) senza fili.

cordóne *s.m.* IPERON. corda, fune, cavo; (*del saio*) cordiglio.

coriàceo *agg.* **1** duro, rigido, tenace © tenero, molle **2** ♧ irremovibile, inflessibile, insensibile © morbido, elastico, dolce, sensibile.

coricàre *v.tr.* sdraiare, distendere, adagiare © sollevare, alzare ♦ **coricarsi** *v.pr.* sdraiarsi, distendersi, stendersi; andare a letto, andare a dormire.

corner *s.m.invar.* (*ingl.*) calcio d'angolo.

cornétta *s.f.* **1** (*mus.*) tromba **2** (*del telefono*) ricevitore, microfono.

cornétto *s.m.* croissant (*fr.*), brioche (*fr.*).

cornìce *s.f.* **1** (*arch.*) cornicione **2** (*per dipinti, fotografie ecc.*) telaio, intelaiatura **3** ♧ contorno, corona, sfondo **4** ♧ (*di un fatto e sim.*) contesto, scenario, atmosfera, background (*ingl.*).

cornicióne *s.m.* cornice.

còrno *s.m.* **1** (*scherz.*) bernoccolo, bitorzolo, bozzo **2** (*colloq.*; *in frasi negative*) niente, nulla, acca, tubo, fico, fico secco, cazzo (*volg.*).

còro *s.m.* **1** (*mus.*) gruppo, insieme, coristi; corale **2** (*di uccelli, di grilli ecc.*) canto, verso **3** (*di proteste, di fischi ecc.*) bordata, raffica, sequela, sfilza.

coróna *s.f.* **1** (*di fiori e sim.*) ghirlanda **2** ♧ autorità, regalità; re, sovrano **3** (*di cose o persone in cerchio*) cerchio, cornice, circolo, cerchia **4** (*relig.*) rosario.
coronaménto *s.m.* compimento, realizzazione.
coronàre *v.tr.* **1** circondare, cingere, incorniciare **2** ♧ (*un sogno, un progetto ecc.*) realizzare, portare a compimento, concludere **3** (*sforzi e sim.*) premiare, ripagare, ricompensare.
còrpo *s.m.* **1** organismo, fisico, costituzione, corporatura, figura, persona **2** busto, torso, tronco **3** carne, sensi © anima, spirito **4** cadavere, salma, spoglie; (*di animale*) carogna, carcassa **5** (*di lavoratori e sim.*) categoria, classe, gruppo, ordine, collegio **6** (*di case, di beni ecc.*) insieme, complesso, unità, aggregazione **7** (*raccolta di opere*) raccolta, collezione, corpus (*lat.*) **8** (*mil.*) unità, specialità **9** (*parte centrale di qlco.*) centro, interno, nucleo, essenza **10** (*di un materiale*) spessore, compattezza, consistenza, solidità **11** ♧ forza, vigore, pienezza.
corporàle *agg.* fisico, corporeo, materiale, fisiologico © spirituale, incorporeo.
corporatùra *s.f.* corpo, figura, fisico, costituzione, statura, taglia, conformazione.
corporazióne *s.f.* categoria, classe, associazione, organizzazione; (*nel Medioevo*) arte.
corpòreo *agg.* **1** (*del corpo*) fisico, carnale, corporale, fisiologico © spirituale, psichico **2** (*di sostanza*) materiale, sensibile, reale, concreto, tangibile © incorporeo, invisibile, immateriale.
corpóso *agg.* compatto, denso, consistente, solido, sostanzioso © inconsistente, delicato, evanescente.
corpulènto *agg.* grasso, panciuto, ciccione, obeso; grosso, robusto, massiccio © magro, secco (*colloq.*), esile, gracile.
corpùscolo *s.m.* granello, chicco, grano; (*fis.*) particella, corpo, atomo.
corredàre *v.tr.* dotare, fornire, accompagnare, equipaggiare, attrezzare © privare, spogliare.
corrèdo *s.m.* **1** (*di sposa*) dote; biancheria, guardaroba **2** attrezzatura, armamentario, equipaggiamento **3** (*di capacità, di esperienze ecc.*) bagaglio, patrimonio **4** (*a un testo*) apparato.
corrèggere *v.tr.* **1** rivedere, sistemare, migliorare, rettificare, ritoccare, ripulire, cambiare, modificare, revisionare **2** (*il carattere*) migliorare, emendare © peggiorare, guastare **3** (*la postura, un vizio e sim.*) migliorare, curare, guarire © peggiorare **4** (*un cibo, una bevanda*) alterare, modificare ♦ **correggersi** *v.pr.* migliorare, pentirsi.
corregionàle *agg., s.m.* compaesano, conterraneo, paesano (*region.*); compatriota, connazionale.
correlàre *v.tr.* collegare, paragonare, mettere in relazione, rapportare © scollegare.
correlazióne *s.f.* rapporto, relazione, corrispondenza, legame, nesso, interconnessione © indipendenza, autonomia.
corrènte[1] *agg.* **1** (*di acqua*) fluente © fermo, stagnante **2** ♧ vigente, valido, attuale, presente, in corso; (*di moneta e sim.*) circolante, in corso © disusato, desueto; fuori corso **3** (*di abitudini, di usi ecc.*) diffuso, comune, usuale, normale, generale, vigente, alla moda © ♧ passato, antiquato, fuori moda, inattuale.
corrènte[2] *s.f.* **1** flusso; (*d'aria*) soffio, spiffero; (*di lava*) colata, fiume **2** (*di persone, di veicoli ecc.*) massa, marea, fiumana **3** ♧ tendenza, moda, voga, trend (*ingl.*) **4** ♧ (*artistica, politica ecc.*) movimento, tendenza, scuola, pensiero, gruppo, fazione **5** (*elettrica*) elettricità, luce.
còrreo *s.m.* (*dir.*) complice, connivente.
córrere *v.intr.* **1** affrettarsi, volare (*colloq.*), precipitarsi, mettere le ali ai piedi (*colloq.*) **2** (*in una gara*) gareggiare, partecipare **3** (*di liquidi*) scorrere, fluire © stagnare, ristagnare **4** (*di notizia e sim.*) circolare, diffondersi, spargersi **5** (*di tempo*) trascorrere, passare; intercorrere **6** (*di strada, di monte ecc.*) stendersi, estendersi, snodarsi ♦ *v.tr.* **1** (*anche* ♧) percorrere, attraversare **2** (*un rischio, un pericolo ecc.*) affrontare, sostenere.
corresponsàbile *agg.* complice, connivente, correo (*dir.*).
corresponsióne *s.f.* (*di denaro*) pagamento, versamento; retribuzione, paga, stipendio.
correttézza *s.f.* **1** esattezza, precisione, accuratezza, proprietà (*di linguaggio*) © scorrettezza, inesattezza, imprecisione **2** civiltà, educazione, compostezza © maleducazione, scorrettezza **3** onestà, lealtà, coscienza © scorrettezza, slealtà, disonestà.
corrètto *agg.* **1** (*di linguaggio, di esercizio ecc.*) esatto, giusto, preciso © scorretto, sbagliato, errato, inesatto, erroneo **2** (*di comportamento, di modi ecc.*) civile, educato, ammodo, urbano © incivile, maleducato, scorretto **3** (*moralmente*) onesto, leale, irreprensibile © scorretto, disonesto, sleale.
correttóre *s.m.* revisore.
correzióne *s.f.* **1** revisione, controllo, verifica; rettifica, ritocco, sostituzione; miglioramento, emendamento **2** (*del tiro, della rotta e sim.*) modifica, cambiamento, variazione.

corridóio *s.m.* andito, corsia; passaggio, varco, apertura.
corrièra *s.f.* autobus, pullman.
corrière *s.m.* spedizioniere.
corrimàno *s.m.* mancorrente.
corrispettìvo *agg.* corrispondente, proporzionato ♦ *s.m.* compenso, paga, pagamento, retribuzione, risarcimento.
corrispondènte *agg.* conforme, somigliante, simile, uguale, coincidente, equivalente, adeguato ♦ *s.m.* reporter, inviato **IPERON.** giornalista.
corrispondènza *s.f.* **1** rispondenza, rapporto, correlazione, conformità, equivalenza, uguaglianza, coincidenza © differenza, discordanza, divario **2** carteggio; posta.
corrispóndere *v.intr.* **1** coincidere, concordare, collimare, equivalere © differire, discordare **2** equivalere **3** (*ai desideri, alle attese ecc.*) rispondere, soddisfare, esaudire © deludere, venire meno, tradire **4** (*all'amore di qlcu.*) ricambiare, contraccambiare ♦ *v.tr.* **1** (*l'amore di qlcu.*) ricambiare, contraccambiare **2** (*uno stipendio e sim.*) pagare, versare, dare.
corrìvo *agg.* **1** avventato, precipitoso, imprudente © cauto, riflessivo, prudente **2** condiscendente, tollerante © inflessibile, rigido.
corroborànte *agg.* ricostituente, energetico, fortificante, tonico © debilitante ♦ *s.m.* tonico, cordiale.
corroboràre *v.tr.* **1** (*il corpo*) fortificare, irrobustire, tonificare, ritemprare © indebolire, debilitare **2** (*lo spirito e sim.*) rinfrancare, sollevare © scoraggiare, sconfortare **3** (*un'ipotesi, una teoria ecc.*) provare, dimostrare, avvalorare, suffragare © smentire, confutare, negare.
corródere *v.tr.* **1** consumare, intaccare, logorare, mangiare (*colloq.*) **2** ♧ guastare, rovinare, logorare.
corrómpere *v.tr.* **1** (*moralmente*) guastare, rovinare, traviare, pervertire **2** (*con denaro*) comprare, ungere (*gerg.*) **3** (*cibo e sim.*) alterare, deteriorare, guastare **4** (*l'aria, l'acqua ecc.*) contaminare, ammorbare, inquinare.
corrosìvo *agg.* **1** caustico, erosivo **2** ♧ sferzante, salace, sarcastico © bonario, mite, benevolo.
corrótto *agg.* **1** disonesto, venduto, traviato, pervertito, immorale © onesto, integerrimo, pulito (*colloq.*); puro, incorrotto **2** (*di lingua, di stile ecc.*) alterato, contaminato, imbastardito © puro, incontaminato, integro.
corrucciarsi *v.pr.* **1** rattristarsi, addolorarsi, crucciarsi © rallegrarsi, allietarsi **2** arrabbiarsi, risentirsi, alterarsi © calmarsi, placarsi **3** (*di viso, di fronte ecc.*) accigliarsi, aggrottarsi, corrugarsi, offuscarsi © rasserenarsi, distendersi.
corrucciàto *agg.* aggrottato, accigliato, risentito, dispiaciuto © lieto, allegro, sereno.
corrùccio *s.m.* dispiacere, risentimento, malumore, cruccio; collera, rabbia, irritazione.
corrugaménto *s.m.* increspamento.
corrugàre *v.tr.* aggrondare, aggrottare, increspare, raggrinzire © distendere, spianare.
corruttìbile *agg.* **1** corrompibile, disonesto © incorrompibile, onesto **2** (*di alimento*) alterabile, deteriorabile © inalterabile.
corruzióne *s.f.* **1** decomposizione, disfacimento, putrefazione **2** (*di aria, di acqua*) contaminazione, inquinamento **3** (*di civiltà, di società ecc.*) decadenza, declino, degenerazione, dissoluzione, vizio © moralità, rettitudine **4** (*di minore e sim.*) subornazione (*dir.*), seduzione, traviamento.
córsa *s.f.* **1** (*di cavallo*) galoppo, galoppata **2** gara, competizione **3** (*di visita breve*) salto, volata, capatina, scappata **4** (*con un mezzo pubblico*) viaggio, tragitto, percorso **5** ♧ (*dei prezzi e sim.*) crescita, rialzo, impennata © discesa, calo **6** ♧ (*al successo, al potere ecc.*) gara, ascesa.
corsàro *s.m.* pirata.
corsétto *s.m.* bustino, corpetto.
corsìa *s.f.* **1** corridoio **2** (*in ospedale*) camerata **3** (*tappeto*) passatoia, guida.
corsìvo *agg, s.m.* **1** (*di scrittura*) © stampatello **2** (*tip.*) italico © tondo **3** (*di giornale*) trafiletto, nota, commento.
córso *s.m.* **1** (*di acque*) flusso, corrente **2** (*della vita, del tempo ecc.*) durata, svolgimento, evoluzione, andamento **3** (*di malattia*) decorso, evoluzione **4** (*di una città*) viale, via, passeggiata **5** (*di studi*) corso, carriera, lezioni **6** (*di moneta*) circolazione.
córte *s.f.* **1** cortile, aia **2** reggia, palazzo **3** ♧ seguito, corteo **4** ♧ corteggiamento, filo (*colloq.*) **5** collegio, tribunale.
cortéccia *s.f.* **1** scorza, tegumento (*biol.*) **2** ♧ (*di persona*) apparenza, esteriorità, facciata.
corteggiaménto *s.m.* corte, filo (*colloq.*).
corteggiàre *v.tr.* fare la corte, fare il filo (*colloq.*).
corteggiatóre *s.m.* spasimante, ammiratore, pretendente.
cortèo *s.m.* **1** seguito, codazzo (*spreg.*) **2** manifestazione, marcia **3** (*di veicoli*) fila, colonna, processione.
cortése *agg.* educato, gentile, affabile, disponibile © scortese, maleducato, sgarbato.
cortesìa *s.f.* **1** gentilezza, educazione, garbo, buone maniere © maleducazione, scortesia, vil-

lania **2** (*atto di gentilezza*) favore, gentilezza © scortesia, sgarbo.
cortigianerìa *s.f.* adulazione, servilismo.
cortigiàno *agg.* (*spreg.*) ipocrita, servile, adulatorio, ossequioso ♦ *s.m.* (*spreg.*) adulatore, ipocrita, leccapiedi (*colloq.*).
cortìle *s.m.* corte, aia.
cortìna *s.f.* **1** tenda, drappo **2** (*di fumo, di nebbia ecc.*) strato, cappa, coltre; barriera, muro.
córto *agg.* **1** breve, basso, piccolo © lungo, alto **2** (*di scritto, di discorso ecc.*) conciso, sintetico, laconico, stringato © lungo, prolisso **3** insufficiente, scarso, debole.
corvìno *agg.* nero.
còsa *s.f.* **1** oggetto; (*colloq.*) arnese, affare **2** (*al pl.*) beni, averi, roba **3** affare, faccenda, impegno, questione **4** azione, fatto, gesto **5** fatto, avvenimento, situazione, circostanza **6** (*al pl.*) (*colloq.*) mestruazioni.
còsca *s.f.* congrega, gang (*ingl.*) combutta.
cosciènte *agg.* **1** consapevole, conscio © incosciente, inconsapevole, inconscio **2** (*di azione*) deliberato, volontario © inconsapevole, involontario **3** responsabile, diligente, coscienzioso, scrupoloso © irresponsabile, trascurato.
cosciènza *s.f.* **1** consapevolezza, conoscenza, sensibilità, discernimento © incoscienza, inconsapevolezza, insensibilità **2** (*perdere, riprendere*) sensi, conoscenza **3** (*del bene e del male*) opinione, sentimento, convinzione; anima, spirito, intimo **4** onestà, lealtà, rettitudine, correttezza © disonestà, slealtà **5** (*nell'eseguire un lavoro e sim.*) coscienziosità, scrupolosità, serietà, responsabilità © negligenza, faciloneria, leggerezza **6** (*in senso civile, politico*) sensibilità, interesse © insensibilità, disinteresse.
coscienziosità *s.f.* coscienza, responsabilità, cura, accuratezza, scrupolo, precisione, rigore © negligenza, trascuratezza, noncuranza, leggerezza, superficialità.
coscienzióso *agg.* **1** serio, attento, affidabile, meticoloso, scrupoloso © negligente, irresponsabile, incosciente **2** (*di lavoro*) preciso, accurato, meticoloso © sciatto, trasandato, disordinato.
cosmèsi *s.f.* cosmetica.
cosmètico *s.m.* trucco, maquillage (*fr.*), make-up (*ingl.*).
còsmico *agg.* **1** astrale, siderale, universale, spaziale **2** ♧ generale, universale, totale © individuale, particolare **3** (*gerg.*) straordinario, eccezionale, mitico (*gerg.*).
còsmo *s.m.* mondo, universo; spazio.
cosmonàuta *s.m.* astronauta.
cosmonàutico *agg.* spaziale, astronautico.
cosmopolìta *agg.* **1** internazionale; multietnico © provinciale **2** (*di mentalità, di vedute e sim.*) aperto, ampio, tollerante © provinciale, ristretto, chiuso, angusto, intollerante ♦ *s.m.f.* cittadino del mondo; apolide.
cosmopolitìsmo *s.m.* internazionalismo, universalismo © nazionalismo, provincialismo.
còso *s.m.* (*colloq.*) cosa, affare, oggetto, arnese, aggeggio, roba.
cospàrgere *v.tr.* disseminare, spargere, spruzzare, ricoprire, rivestire.
cospìcuo *agg.* notevole, grande, considerevole, significativo, rilevante, sostanzioso © piccolo, insignificante, misero, trascurabile.
cospiràre *v.intr.* complottare, congiurare, ordire, tramare, macchinare.
cospiratóre *s.m.* congiurato, intrigante, sovvertitore, agitatore.
cospirazióne *s.f.* complotto, congiura, intrigo, macchinazione, trama.
còsta *s.f.* **1** riva, spiaggia, litorale, sponda, riviera **2** (*di un monte*) fianco, pendice, pendio, declivio **3** costola **4** (*di libro*) costola, dorso.
costànte *agg.* **1** continuo, stabile, fisso, stazionario, durevole; immutabile, invariabile, perenne, persistente © discontinuo, irregolare, incostante **2** (*di persona*) tenace, ostinato, perseverante, indefesso © incostante, instabile, mutevole, lunatico ♦ *s.f.* (*mat.*) © variabile.
costànza *s.f.* **1** tenacia, perseveranza, ostinazione, fermezza, pazienza, resistenza; impegno, diligenza © incostanza, volubilità, mutevolezza, irregolarità **2** (*di un fenomeno*) continuità, immutabilità, invariabilità, regolarità © variabilità, incostanza, instabilità, irregolarità.
costàre *v.intr.* valere, venire (*colloq.*) ♦ *v.intr.* e *tr.* ♧ richiedere, esigere, comportare; dispiacere, rincrescere, pesare.
costàta *s.f.* bistecca, fiorentina.
costatàre *v.tr.* vedi **constatàre**.
costàto *s.m.* petto, torace.
costellàre *v.tr.* ricoprire, cospargere, disseminare, punteggiare.
costellazióne *s.f.* **1** galassia **2** (*di cose*) gruppo, insieme.
costernàre *v.tr.* scoraggiare, demoralizzare, avvilire © incoraggiare, animare.
costernàto *agg.* scoraggiato, avvilito, abbattuto, desolato, triste © sollevato, lieto, allegro.
costernazióne *s.f.* avvilimento, scoraggiamento, desolazione, afflizione © sollievo, conforto.
costièra *s.f.* **1** (*amalfitana e sim.*) costa, litorale, riviera **2** (*di un monte*) costa, pendio, fianco.

costièro *agg.* litoraneo, litorale, marittimo, rivierasco.
costipàto *agg.* **1** raffreddato **2** stitico.
costipazióne *s.f.* **1** raffreddore, infreddatura **2** stitichezza, stipsi (*med.*).
costituènte *s.m.* (*chim.*) elemento, componente.
costituìre *v.tr.* **1** (*una società, un'associazione ecc.*) fondare, creare, formare, realizzare, organizzare © sciogliere **2** comporre, formare, mettere insieme **3** rappresentare, essere ♦ **costituirsi** *v.pr.* **1** formarsi, comporsi; organizzarsi, associarsi **2** (*alla giustizia*) consegnarsi, presentarsi; (*parte civile, rappresentante e sim.*) nominarsi, dichiararsi.
costituìto *agg.* fondato, creato, formato, organizzato; (*di governo, di norma ecc.*) stabilito, ordinato.
costitutìvo *agg.* **1** (*di elemento, di parte ecc.*) fontamentale, essenziale, sostanziale **2** (*dir.*; *di atto, di documento e sim.*) istitutivo.
costituzionàle *agg.* **1** (*dir.*) © incostituzionale, anticostituzionale **2** (*med.*) fisico, fisiologico.
costituzióne *s.f.* **1** (*di una società, di un'associazione ecc.*) fondazione, istituzione, creazione © scioglimento **2** (*di una cosa*) composizione, formazione, struttura **3** (*di una persona*) corporatura, conformazione, fisico, organismo **4** (*dir.*) carta costituzionale, statuto, ordinamento; atto, decreto, legge.
còsto *s.m.* **1** spesa **2** prezzo, importo, tariffa, valore **3** ♧ fatica, sacrificio, onere, peso.
còstola *s.f.* **1** costa **2** (*di libro*) dorso **3** (*di foglia*) costa, nervatura.
costóso *agg.* **1** caro, dispendioso, salato (*colloq.*) © economico, conveniente, accessibile, a buon mercato (*colloq.*) **2** ♧ faticoso, gravoso, oneroso © facile, leggero.
costrìngere *v.tr.* obbligare, forzare, sforzare, imporre, spingere, indurre ♦ **costringersi** *v.pr.* obbligarsi, forzarsi.
costrittìvo *agg.* **1** obbligatorio, coercitivo, coattivo © facoltativo **2** (*med.*) astringente © lassativo.
costrizióne *s.f.* imposizione, coercizione, obbligo, coartazione (*dir.*).
costruìre *v.tr.* **1** edificare, erigere, innalzare, fare, fabbricare, montare © abbattere, demolire, distruggere, smontare **2** ♧ (*una teoria, un sistema ecc.*) creare, inventare, fondare, organizzare, congegnare **3** (*un periodo, una frase*) ordinare, organizzare.
costruttìvo *agg.* positivo, propositivo © negativo, disfattista, distruttivo.
costrùtto *s.m.* **1** (*di una frase e sim.*) costruzione, disposizione; senso, significato **2** ♧ utilità, profitto, tornaconto, vantaggio © danno, svantaggio.
costruttóre *s.m.* produttore, fabbricante, fabbricatore.
costruzióne *s.f.* **1** edificazione, fabbricazione, erezione © demolizione, abbattimento, distruzione **2** edificio, fabbricato, immobile; opera **3** ♧ (*di una frase e sim.*) ordinamento, costrutto; sintassi.
costùme *s.m.* **1** abitudine, consuetudine, pratica, regola **2** (*morale*) condotta, comportamento, contegno **3** (*spec. al pl.*) abitudini, tradizioni, usi, usanze **4** (*storico, regionale ecc.*) abbigliamento, foggia, moda **5** (*di carnevale, da sci ecc.*) abito, veste, indumento; maschera.
cotolétta *s.f.* braciola, bistecca, fettina.
cotóne *s.m.* ovatta, bambagia, cotone idrofilo.
còtta *s.f.* **1** (*colloq.*) innamoramento, infatuazione, sbandata (*colloq.*) **2** (*sport*) esaurimento, spossatezza, défaillance (*fr.*) **3** (*colloq.*) sbornia, sbronza.
còtto *agg.* **1** cucinato IPON. bollito, lesso fritto, arrostito © crudo **2** (*colloq.*) innamorato, infatuato, invaghito, preso (*colloq.*) **3** (*sport*) stanco, distrutto, spossato, esaurito, sfinito **4** (*colloq.*) sbronzo, ubriaco ♦ *s.m.* mattone, mattonella, terracotta.
coupon *s.m.invar.* (*fr.*) tagliando, buono, cedola, voucher (*ingl.*).
covàre *v.tr.* **1** (*uova*) incubare **2** ♧ (*una persona*) curare, custodire, coccolare, proteggere **3** (*sentimenti nascosti*) nutrire, meditare, maturare **4** (*un piano, un progetto ecc.*) architettare, preparare ♦ *v.intr.* nascondersi, annidarsi.
covàta *s.f.* nidiata; (*scherz.*) prole.
cover girl *s.f. invar.* (*ingl.*) ragazza copertina, fotomodella, pin-up (*ingl.*).
covìle *s.m.* **1** covo, tana, riparo; cuccia, canile **2** ♧ giaciglio, letto.
cóvo *s.m.* **1** (*di animali*) tana, nido **2** ♧ nascondiglio, rifugio, ritrovo.
còzza *s.f.* mitilo, muscolo.
cozzàre *v.intr.* **1** sbattere, picchiare, urtare **2** (*di navi, di aerei ecc.*) urtarsi, scontrarsi, entrare in collisione **2** ♧ (*di concetto, di pensiero ecc.*)discordare, contrastare, urtare, stridere.
còzzo *s.m.* urto, botta, collisione, impatto.
crac *s.m.invar.* tracollo, fallimento, bancarotta, rovina, dissesto, crisi.
cràmpo *s.m.* contrazione, spasmo.
crànio *s.m.* teschio, scatola cranica; capo, testa.
crapulóne *s.m.* mangione, golosone, ghiottone, gozzovigliatore.

cràsso *agg.* ♣ (*di ignoranza, di risata ecc.*) grossolano, rozzo, volgare, pesante; madornale.

cratère *s.m.* **1** (*di vulcano*) bocca **2** voragine, cavità.

creànza *s.f.* educazione, civiltà, cortesia, garbo © maleducazione, scortesia.

creàre *v.tr.* **1** inventare, produrre, costruire **2** (*imbarazzo, problemi ecc.*) provocare, indurre, suscitare ♦ **crearsi** *v.pr.* formarsi, costituirsi, prodursi, presentarsi.

creatività *s.f.* fantasia, estro, inventiva.

creatìvo *agg.* fantasioso, estroso, inventivo, originale, fecondo ♦ *s.m.* copy-writer (*ingl.*), pubblicitario.

creàto *s.m.* mondo, universo, cosmo.

creatóre *s.m.* **1** ideatore, autore, artefice, inventore, fondatore **2** Dio.

creatùra *s.f.* **1** essere, individuo **2** bimbo, bambino, fanciullo **3** figlio.

creazióne *s.f.* **1** creato, universo, mondo, cosmo **2** invenzione, produzione, realizzazione, fabbricazione; prodotto, opera, produzione **3** (*di una banca, di uno stato ecc.*) costituzione, formazione, istituzione **4** elezione, designazione, nomina.

credènte *agg., s.m.f.* religioso, fedele © ateo, agnostico, miscredente.

credènza[1] *s.f.* **1** idea, opinione, convinzione, parere **2** (*religiosa*) fede, religione, confessione, credo **3** (*popolare*) leggenda, superstizione, tradizione.

credènza[2] *s.f.* buffet, dispensa, madia

crédere *v.intr.* **1** (*in qlcu., in qlco.*) confidare, sperare © diffidare **2** prestare fede, dare retta, ascoltare ♦ *v.tr.* giudicare, ritenere, pensare, stimare ♦ **credersi** *v.pr.* considerarsi, giudicarsi, reputarsi, ritenersi.

credìbile *agg.* verosimile, probabile, possibile © incredibile, inverosimile, assurdo.

credibilità *s.f.* **1** plausibilità, verosimiglianza, attendibilità, fondatezza © incredibilità, assurdità **2** fiducia, stima, credito.

crédito *s.m.* **1** credibilità, attendibilità © inattendibilità **2** fiducia, stima, considerazione, prestigio, reputazione, autorevolezza © sfiducia, discredito, disistima **3** (*dir.*) spettanza © debito.

creditóre *s.m.* © debitore.

crédo *s.m.invar.* **1** fede, religione, dogma **2** ♣ ideale, convinzione, fede, ideologia.

credulità *s.f.* semplicità, ingenuità © incredulità, scetticismo.

credulóne *agg., s.m.* sciocco, ingenuo, semplicione, sprovveduto © diffidente, scettico.

crèma *s.f.* **1** panna, crema di affioramento **2** ♣ élite (*fr.*), aristocrazia, gotha, fior fiore **3** (*di verdure, di funghi ecc.*) passato **4** pomata, unguento.

cremàre *v.tr.* bruciare, incenerire, ardere, incinerare.

cremazióne *s.f.* incinerazione, incenerimento.

crèmisi *agg.invar.* vermiglio.

cremóso *agg.* morbido; denso, spesso, pastoso.

crèolo *agg., s.m.* meticcio.

crèpa *s.f.* **1** frattura, fessura, spaccatura, fenditura **2** ♣ contrasto, dissapore, dissidio, malinteso, incrinatura © accordo, armonia.

crepacuòre *s.m.* disperazione, dolore, sofferenza, pena, strazio, angoscia.

crepàre *v.intr.* **1** incrinarsi, fendersi, spaccarsi **2** ♣ (*spreg.*) morire, andare all'altro mondo; (*colloq.*) tirare le cuoia, schiattare **3** (*colloq.*; *dalla rabbia, dall'invidia ecc.*) scoppiare, morire; (*dalle risate*) sbellicarsi, spanciarsi, morire, scoppiare.

crepitàre *v.intr.* **1** (*di fuoco*) scoppiettare **2** (*di pioggia*) picchiettare, tamburellare, scrosciare **3** (*di foglie*) scricchiolare.

crepuscolàre *agg.* **1** serale **2** ♣ vago, incerto, indefinito, evanescente, dolce, delicato, tenue © chiaro, netto, preciso.

crepùscolo *s.m.* **1** (*prima del sorgere del sole*) aurora, albore (*elev.*) **2** (*dopo il calare del sole*) imbrunire, sera, tramonto, vespro **3** ♣ (*della vita e sim.*) fine, tramonto, termine, declino, decadenza © nascita, ascesa, alba, inizio, principio.

crescènte *agg.* © decrescente, calante.

créscere *v.intr.* **1** aumentare, svilupparsi, ingrandirsi, ampliarsi, allargarsi, allungarsi © diminuire, calare, abbassarsi, ridursi **2** (*di piante*) fiorire, germogliare, attecchire **3** ingrandirsi, progredire, migliorare © regredire, peggiorare ♦ *v.tr.* **1** (*un bambino*) allevare, educare **2** (*una pianta*) coltivare **3** aumentare, ampliare, accrescere © abbassare, diminuire, ridurre.

créscita *s.f.* **1** sviluppo, aumento, accrescimento, maturazione **2** ♣ progresso, espansione, incremento © calo, diminuzione.

créspo *agg.* **1** (*di capelli*) riccio, riccioluto © liscio **2** (*di stoffa, carta ecc.*) increspato, ondulato, crespato © liscio, piatto.

crésta *s.f.* **1** (*di uccelli*) ciuffo, pennacchio **2** (*di capelli*) ciuffo **3** (*geogr.*) crinale, dorsale; cima, vetta, sommità.

créta *s.f.* **1** argilla **2** (*oggetto di creta*) coccio, terracotta.

cretinàta *s.f.* **1** stupidaggine, idiozia, fesseria, cavolata (*colloq.*), cazzata (*volg.*), scemata, stronzata (*volg.*) **2** (*cosa di poco conto*) niente, nonnulla, bazzecola, inezia, sciocchezza, fesseria.

cretìno *agg., s.m.* idiota, imbecille, deficiente, sciocco, scemo, scimunito, ottuso, tonto © intelligente, furbo, sveglio.
crìcca *s.f.* **1** (*di delinquenti*) banda, clan, congrega, combriccola **2** (*di amici*) compagnia, banda, comitiva.
criminàle *agg.* criminoso, delittuoso, delinquenziale; cattivo, malvagio, disonesto © buono, onesto ♦ *s.m.f.* delinquente, bandito, malvivente, malavitoso, malfattore, avanzo di galera (*colloq.*).
criminalità *s.f.* **1** (*l'attività criminale*) delinquenza, malavita **2** (*la natura criminale*) criminosità, delittuosità.
crìmine *s.m.* delitto, reato, colpa, misfatto.
criminóso *agg.* criminale, delittuoso, delinquenziale.
crinàle *s.m.* cresta, spartiacque.
crìsi *s.f.* **1** (*nella vita individuale o sociale*) difficoltà, turbamento, inquietudine, smarrimento, disagio **2** (*economica*) recessione, depressione; rovina, crac © crescita, ripresa, boom (*ingl.*) **3** (*med.*) attacco, accesso; peggioramento; culmine, acme, colmo **4** (*di pianto, di riso ecc.*) accesso, scoppio, attacco.
crìsma *s.m.* **1** (*relig.*) olio sacro **2** ♧ approvazione, convalida, consacrazione.
cristallìno *agg.* **1** (*di cielo, di aria ecc.*) limpido, trasparente, nitido, terso, chiaro, puro © fosco, torbido, offuscato **2** (*di suono*) argentino, chiaro, squillante **3** ♧ (*di coscienza e sim.*) onesto, puro, retto, candido; (*di ragionamento e sim.*) chiaro, lineare, trasparente, limpido ♦ *s.m.* lente.
cristallizzàre *v.tr.* (*una situazione, un fenomeno ecc.*) fissare, irrigidire ♦ **cristallizzarsi** *v.pr.* **1** (*chim.*) solidificarsi **2** ♧ irrigidirsi, fossilizzarsi, fermarsi, immobilizzarsi © evolversi.
cristianizzàre *v.tr.* evangelizzare, catechizzare, convertire.
cristiàno *agg.* **1** battezzato IPON. cattolico, ortodosso, protestante **2** buono, caritatevole, pietoso, compassionevole, umano **3** (*colloq.*) decente, decoroso, conveniente, civile, dignitoso ♦ *s.m.* **1** fedele, battezzato **2** (*colloq.*) essere umano, uomo, persona.
critèrio *s.m.* **1** principio, metodo, metro, misura, regola, parametro **2** buonsenso, giudizio, cervello, saggezza, discernimento, ponderazione © leggerezza, superficialità.
crìtica *s.f.* **1** esame, giudizio, valutazione, disamina **2** (*letteraria e sim.*) analisi; recensione, commento **3** appunto, rimprovero, accusa, contestazione, biasimo, disapprovazione, condanna © lode, consenso, approvazione.
criticàbile *agg.* **1** discutibile, opinabile, contestabile © indiscutibile, incontestabile, inconfutabile **2** riprovevole, biasimevole, deprecabile © lodevole, encomiabile, irreprensibile.
criticàre *v.tr.* **1** esaminare, giudicare; recensire, commentare; (*in senso negativo*) stroncare **2** biasimare, disapprovare, attaccare, contestare, stigmatizzare © approvare, apprezzare, lodare.
crìtico *agg.* **1** (*di momento, di fase ecc.*) difficile, incerto, cruciale, pericoloso, grave, arduo **2** (*di spirito, di giudizio e sim.*) acuto.
crittogràfico *agg.* **1** cifrato, codificato, segreto **2** ♧ oscuro, incomprensibile, criptico, enigmatico © chiaro, comprensibile.
crivellàre *v.tr.* bucare, bucherellare, sforacchiare.
cròcchio *s.m.* (*di persone*) assembramento, gruppo, capannello.
cróce *s.f.* **1** crocifisso **2** ♧ tormento, pena, sofferenza, disgrazia, preoccupazione, patimento, supplizio, tortura.
crocevìa *s.m.* incrocio, crocicchio.
crocìcchio *s.m.* vedi **crocevìa.**
crocifiggere *v.tr.* **1** mettere in croce **2** ♧ tormentare, assillare, affliggere, angosciare, angustiare, perseguitare.
crogiolàrsi *v.pr.* **1** riscaldarsi **2** ♧ bearsi, deliziarsi, compiacersi, godersela.
croissant *s.m.invar.* (*fr.*) cornetto, brioche (*fr.*).
crollàre *v.intr.* **1** cadere, cascare, piombare, precipitare, franare, schiantarsi **2** ♧ (*di speranze, di ideali ecc.*) sfumare, svanire, andare in fumo © realizzarsi, concretizzarsi **3** (*per dolore, per sonno ecc.*) accasciarsi, abbandonarsi, cedere **4** (*di prezzi e sim.*) ribassare, tracollare © aumentare, salire.
cròllo *s.m.* **1** caduta, cedimento, rovina, frana **2** ♧ (*di speranze, di ideali ecc.*) fallimento, fine, caduta, dissoluzione **3** (*finanziario*) fallimento, crac, rovina, bancarotta, patatrac (*colloq.*) **4** (*di prezzi e sim.*) ribasso, tracollo © aumento, ripresa, rialzo.
cronaca *s.f.* racconto, resoconto, cronistoria, narrazione, descrizione, reportage (*fr.*).
crònico *agg.* **1** (*di malattia*) inguaribile, incurabile, persistente, irreversibile, permanente © guaribile, reversibile **2** (*di vizio, di difetto ecc.*) persistente, radicato, endemico, irrecuperabile, irrimediabile © transitorio, temporaneo.
cronìsta *s.m.f.* reporter (*ingl.*) IPERON. giornalista, redattore IPON. telecronista, radiocronista.
cronologìa *s.f.* successione, ordine, datazione.
cronomètrico *agg.* ♧ preciso, puntuale, esatto, rigoroso © inesatto.
cròsta *s.f.* **1** incrostazione, strato, buccia, scor-

za **2** ♧ facciata, apparenza, superficie, scorza © sostanza, essenza.
crucciàre *v.tr.* preoccupare, affliggere, addolorare, rattristare, impensierire, angustiare; esasperare, infastidire, indispettire ♦ **crucciarsi** *v.pr.* addolorarsi, rattristarsi, agitarsi, preoccuparsi; risentirsi, irritarsi, arrabbiarsi.
crùccio *s.m.* pena, dolore, dispiacere, preoccupazione, tormento, rammarico.
cruciàle *agg.* decisivo, risolutivo, fondamentale, importante.
crucivèrba *s.m.* parole crociate, parole incrociate.
crudèle *agg.* **1** malvagio, cattivo, feroce, brutale, perfido, sadico, sanguinario, spietato © buono, mite, pietoso, compassionevole **2** (*di malattia, di morte e sim.*) doloroso, atroce, terribile, orribile.
crudeltà *s.f.* ferocia, malvagità, cattiveria, bestialità, brutalità © bontà, pietà, carità.
crudézza *s.f.* **1** (*di clima*) rigidezza, rigore, asprezza © dolcezza, mitezza **2** ♧ (*di carattere, di modi ecc.*) durezza, asprezza, severità, rigore, aridità, inumanità, rudezza © dolcezza, benevolenza, gentilezza, mitezza.
crùdo *agg.* **1** © cotto **2** (*di clima*) rigido, freddo, pungente, aspro © dolce, mite, caldo **3** ♧ (*di carattere, di modi ecc.*) duro, aspro, schietto; rude, scabroso, brutale.
cruènto *agg.* violento, sanguinoso © incruento.
crumìro *s.m.* (*spreg.*) © scioperante.
crùsca *s.f.* tritello, semola.
cubétto *s.m.* dado.
cubitàle *agg.* (*di carattere, di scrittura e sim.*) grande, enorme, vistoso, gigantesco, colossale.
cùccia *s.f.* canile, covile, giaciglio.
cucciolàta *s.f.* nidiata, figliata.
cucìna *s.f.* (*arte*) culinaria, gastronomia.
cucinàre *v.tr.* **1** cuocere, preparare **2** fare da mangiare, spignattare (*colloq.*) **3** (*scherz.*; *una persona*) sistemare, maltrattare, conciare per le feste (*colloq.*).
cucìre *v.tr.* **1** IPON. imbastire, rammendare, impunturare, ricamare © scucire **2** (*abiti e sim.*) confezionare **3** (*med.*) suturare **4** ♧ (*pensieri, parole ecc.*) collegare, connettere, congiungere, unire.
cucitrìce *s.f.* **1** sarta, ricamatrice **2** (*da ufficio*) pinzatrice, spillatrice.
cucitùra *s.f.* **1** IPON. imbastitura, rammendo, impuntura, ricamo © scucitura **2** (*med.*) sutura.
cùlla *s.f.* **1** lettino **2** ♧ nascita, infanzia **3** ♧ (*di civiltà e sim.*) patria, origine.
cullàre *v.tr.* **1** (*un bambino*) ninnare, dondolare **2** ♧ (*sogni, speranze ecc.*) coltivare, accarezzare, nutrire, custodire ♦ **cullarsi** *v.pr.* **1** dondolarsi, oscillarsi **2** ♧ (*in sogni, speranze ecc.*) illudersi, abbandonarsi, adagiarsi.
culminànte *agg.* decisivo, cruciale, fondamentale © secondario, insignificante.
culminàre *v.intr.* sfociare, concludersi, finire, terminare © cominciare, iniziare.
cùlmine *s.m.* **1** cima, punta, vetta, sommità, vertice © base, fondo **2** ♧ apice, massimo, picco, apogeo, acme, top (*ingl.*), clou (*fr.*) © minimo.
cùlo *s.m.* **1** (*volg.*) sedere, didietro, fondello (*colloq.*), fondoschiena; natiche, glutei, chiappe (*volg.*) **2** (*colloq.*; *di un recipiente*) fondo, base **3** ♧ (*volg.*) fortuna, buona stella © sculo (*volg.*), sfortuna **4** (*spreg., volg.*) omosessuale, gay (*ingl.*); (*volg.*) checca, culattone, frocio, finocchio.
cùlto *s.m.* **1** adorazione, venerazione **2** rito, litùrgia.
cultóre *s.m.* appassionato, amante, conoscitore, estimatore.
cultùra *s.f.* **1** sapere, conoscenza, erudizione, istruzione; educazione, formazione © ignoranza **2** civiltà, civilizzazione; costume, tradizioni.
culturìsmo *s.m.* body building (*ingl.*).
cumulàre *v.tr.* accumulare, ammucchiare, ammassare, concentrare © dividere, separare, sparpagliare.
cumulatìvo *agg.* complessivo, totale, globale, comprensivo, inclusivo © diviso, separato, singolo, individuale.
cùmulo *s.m.* **1** ammasso, mucchio, catasta, pila **2** ♧ (*di redditi*) unione, cumulazione © separazione, divisione.
cunétta *s.f.* **1** fosso, canaletto **2** (*di una strada*) buca, avvallamento, infossamento, incavo © dosso.
cunìcolo *s.m.* tunnel, passaggio, galleria.
cuòcere *v.tr.* **1** cucinare IPON. friggere, bollire, arrostire **2** bruciare, scottare ♦ *v.intr.* ♧ bruciare, scottare, dispiacere ♦ **cuocersi** *v.pr.* (*al sole*) abbronzarsi; bruciarsi, ustionarsi.
cuòco *s.m.* chef (*fr.*), cuciniere.
cuòio *s.m.* pelle.
cuòre *s.m.* **1** petto, seno **2** ♧ anima, animo, coscienza, intimo **3** ♧ bontà, carità, compassione, generosità, sentimento © durezza, freddezza, indifferenza **4** ♧ coraggio, ardimento, audacia © paura, timore, viltà **5** ♧ (*di qlco.*) centro, nucleo, essenza, sostanza, nocciolo **6** ♧ (*della notte, di una stagione ecc.*) mezzo, pieno.
cupézza *s.f.* **1** buio, oscurità © chiarezza, chiarore **2** ♧ (*di carattere e sim.*) tristezza, tetraggine, ombrosità © allegria, serenità.

cupidìgia *s.f.* cupidità, avidità, desiderio, smania, brama, bramosia © moderazione, sobrietà, misura.

cùpido *agg.* (*elev.*) avido, voglioso, smanioso © moderato, sobrio, misurato.

cùpo *agg.* **1** buio, scuro, oscuro, fosco, tetro © chiaro, luminoso, ridente, ameno **2** (*di colore*) scuro © chiaro **3** (*di suono*) profondo, grave © acuto, squillante **4** ♧ (*di carattere, di stato d'animo ecc.*) triste, tetro, ombroso, pensieroso, malinconico © sereno, allegro, spensierato, estroverso.

cùra *s.f.* **1** (*verso qlcu. o qlco.*) dedizione, riguardo, amorevolezza, premura © indifferenza, disinteresse, noncuranza **2** (*in un lavoro e sim.*) attenzione, precisione, accuratezza, impegno, studio © negligenza, incuria **3** (*di un ente, di un'azienda ecc.*) gestione, amministrazione, direzione **4** (*di un malato*) trattamento, terapia, medicina, rimedio.

curàre *v.tr.* **1** badare, guardare, accudire, occuparsi, seguire, dedicarsi © trascurare, disinteressarsi **2** gestire, amministrare, dirigere © trascurare **3** (*una mostra, le pubbliche relazioni e sim.*) organizzare, realizzare, seguire, allestire **4** (*un malato*) assistere, accudire **5** (*una ferita*) medicare ♦ **curarsi** *v.pr.* **1** riguardarsi © trascurarsi **2** (*di qlcu. o di qlco.*) badare, occuparsi, dedicarsi, adoperarsi, avere cura © disinteressarsi, trascurare, infischiarsene (*colloq.*), fregarsene (*colloq.*) **3** (*delle chiacchiere, delle dicerie ecc.*) badare, tenere conto, preoccuparsi.

curatìvo *agg.* terapeutico.

curàto[1] *agg.* **1** accurato, meticoloso, preciso, rifinito © trascurato, approssimativo **2** (*di persona, di vestito ecc.*) elegante, ordinato © trascurato, sciatto, trasandato **3** (*di luogo*) ordinato © trascurato, abbandonato.

curàto[2] *s.m.* parroco.

curatóre *s.m.* **1** amministratore, gestore, procuratore **2** (*di un libro, di una trasmissione ecc.*) redattore.

curiosàre *v.intr.* osservare, guardare, sbirciare; ficcanasare (*colloq.*), spiare, impicciarsi.

curiosità *s.f.* **1** interesse, attenzione, desiderio © disinteresse, indifferenza **2** invadenza, indiscrezione © discrezione, riservatezza **3** bizzarria, stranezza, rarità, novità.

curióso *agg.* **1** interessato, attento, desideroso © disinteressato, indifferente **2** indiscreto, invadente, ficcanaso © discreto, riservato **3** (*di oggetto, di comportamento ecc.*) stravagante, originale, buffo, bizzarro, particolare, eccentrico © normale, ordinario, comune.

cùrva *s.f.* **1** arco, curvatura, parabola **2** curvatura, gomito, piega **3** (*di una strada, di un fiume ecc.*) svolta, tornante, ansa, gomito **4** (*spec. al pl.; in una donna*) forme, sinuosità, rotondità.

curvàre *v.tr.* piegare, arcuare, incurvare, inarcare © raddrizzare ♦ *v.intr.* (*di strada, di veicolo ecc.*) girare, voltare, svoltare, sterzare ♦ **curvarsi** *v.pr.* piegarsi, flettersi, chinarsi, inchinarsi © raddrizzarsi, alzarsi.

curvatùra *s.f.* curva, incurvatura © dirittura, rettilineo.

curvilìneo *agg.* curvo, ricurvo, arcuato © dritto, rettilineo.

cùrvo *agg.* **1** arcuato, ricurvo, curvilineo, adunco (*di naso*) © dritto, rettilineo **2** (*di persona*) ingobbito, gobbo; (*su qlcu. o qlco.*) chino, piegato © dritto, eretto.

cuscìno *s.m.* guanciale.

custòde *s.m.f.* **1** (*di edifici*) guardiano, portiere, portinaio, usciere; (*di scuole*) bidello, operatore scolastico **2** sorvegliante, guardiano; (*carcerario*) secondino **3** ♧ (*della tradizione, della libertà ecc.*) tutore, depositario, difensore, protettore, garante.

custòdia *s.f.* **1** controllo, vigilanza, sorveglianza; tutela, protezione, affidamento; (*di valori, di titoli ecc.*) deposito **2** astuccio, cofanetto, fodero, contenitore.

custodìre *v.tr.* **1** conservare, proteggere, difendere, salvaguardare **2** (*un segreto*) mantenere, serbare **3** (*un prigioniero*) controllare, sorvegliare, tenere d'occhio.

cutàneo *agg.* epidermico.

cùte *s.f.* pelle IPON. epidermide, derma.

d, D

dabbenàggine *s.f.* ingenuità, credulità; semplicioneria, stupidità.
dabbène *agg.invar.* onesto, retto, perbene, a posto, ammodo © disonesto, corrotto.
dàdo *s.m.* **1** cubetto, cubo **2** bullone, madrevite **3** (*arch.*) basamento, zoccolo, piedistallo.
dàma *s.f.* **1** nobildonna, gentildonna, signora **2** (*nel ballo*) compagna.
damerìno *s.m.* bellimbusto, elegantone, gagà, dandy (*ingl.*) © straccione, sciattone.
danaróso *agg.* ricco, facoltoso, benestante, pieno di soldi (*colloq.*) © povero, indigente, bisognoso.
dancing *s.m.invar.* (*ingl.*) sala da ballo, locale da ballo.
dannàre *v.tr.* (*alle pene dell'inferno*) condannare © salvare ♦ **dannarsi** *v.pr.* affannarsi, affliggersi, crucciarsi, dare l'anima (*colloq.*), sputare sangue (*colloq.*).
dannazióne *s.f.* **1** castigo, condanna, punizione, pena © redenzione, salvezza **2** ♧ dolore, disperazione, pena, strazio, tormento ♦ *inter.* maledizione, accidenti.
danneggiàre *v.tr.* **1** rovinare, rompere, sciupare, deteriorare © aggiustare, riparare **2** (*la reputazione e sim.*) offendere, ferire, ledere, nuocere, rovinare **3** penalizzare, sfavorire © favorire, avvantaggiare.
dànno *s.m.* **1** (*materiale*) rottura, guasto, avaria, danneggiamento, manomissione © accomodamento, aggiustamento, riparazione **2** (*morale*) male, guaio, sfortuna © fortuna, salvezza **3** (*dir.*) perdita, discapito; offesa, oltraggio © risarcimento, indennizzo **4** (*med.*) lesione, alerazione, disfunzione.
dannóso *agg.* nocivo, controproducente, deleterio, rovinoso, pericoloso, svantaggioso, lesivo (*elev.*) © innocuo, inoffensivo, utile, benefico, vantaggioso.
dànza *s.f.* ballo IPON. balletto.
danzàre *v.intr.* e *tr.* ballare.
dappòco *agg.* **1** (*di persona*) incapace, inesperto, buono a nulla © capace, abile **2** (*di cosa*) piccolo, trascurabile, irrilevante, secondario © importante, rilevante.
dàrdo *s.m.* (*elev.*) **1** freccia, saetta **2** ♧ (*del sole*) raggio.
dàre *v.tr.* **1** consegnare, affidare, porgere, offrire © ricevere, prendere, pigliare (*colloq.*), ritirare **2** (*una medicina*) somministrare, prescrivere **3** (*il passo, la strada ecc.*) cedere **4** (*un permesso, una possibilità ecc.*) concedere, accordare © rifiutare, negare **5** (*un compito, un premio ecc.*) affidare, assegnare, attribuire **6** (*un ordine, una lezione ecc.*) impartire, assegnare **7** (*una pena*) infliggere **8** (*un pugno, uno schiaffo ecc.*) sferrare, assestare, affibbiare; (*colloq.*) allungare, mollare, rifilare **9** (*gioia, piacere e sim.*) procurare, arrecare, provocare, suscitare **10** (*denaro e sim.*) pagare, versare, sborsare (*colloq.*), corrispondere © ricevere, riscuotere, intascare (*colloq.*) **11** (*frutti, profitto ecc.*) produrre, rendere **12** (*una notizia e sim.*) comunicare, trasmettere **13** (*un'opera teatrale*) rappresentare; (*un film*) proiettare; (*alla televisione*) trasmettere **14** (*solo al part. pass.*) considerare ♦ *v.intr.* **1** (*contro qlco.*) battere, urtare, sbattere **2** (*in escandescenze e sim.*) prorompere, scoppiare **3** (*di case, di finestre ecc.*) guardare, affacciarsi **4** (*di fiume, di strada ecc.*) gettarsi, sfociare, sboccare **5** (*di colori*) tendere, avvicinarsi ♦ **darsi** *v.pr.* **1** (*allo studio, allo sport e sim.*) dedicarsi, applicarsi, impegnarsi; consacrarsi, votarsi **2** (*a un'attività e sim.*) intraprendere, incominciare, iniziare © smettere, cessare **3** (*al bere, alla pazza gioia e sim.*) abbandonarsi, cedere **4** (*al nemico*) arrendersi © resistere **5** (*nel sesso*) concedersi © negarsi **6** (*un bacio, una carezza ecc.*) scambiarsi ♦ *s.m.* (*in contabilità*) © avere.
dàrsena *s.f.* **1** approdo, attracco, scalo; porticciolo **2** cantiere, arsenale, officina.
dàta *s.f.* **1** datazione; giorno, mese, anno **2** tempo, epoca, periodo, momento; termine, scadenza.
data base *s.m.invar.* (*ingl.*; *inform.*) banca dati, archivio.
datàre *v.tr.* **1** mettere la data **2** (*un'opera d'arte e sim.*) collocare ♦ *v.intr.* avere inizio, cominciare, decorrere, risalire © finire, terminare.
datàto *agg.* ♧ antiquato, sorpassato, superato,

vecchio out (*ingl.*) © moderno, nuovo, in (*ingl.*), trendy (*ingl.*).
datazióne *s.f.* data, cronologia.
dàto *agg.* certo, determinato, stabilito; specifico © imprecisato, indefinito ♦ *s.m.* **1** elemento, fatto, concetto; presupposto, fondamento **2** (*al pl.*) generalità, estremi.
deambulàre *v.intr.* camminare, passeggiare.
deambulazióne *s.m.* locomozione, cammino.
débâcle *s.f.invar.* (*fr.*) sconfitta, disastro, sfacelo, rovina © trionfo, vittoria.
debellàre *v.tr.* sconfiggere, eliminare, distruggere; (*una malattia e sim.*) guarire, estirpare, sradicare.
debilitàre *v.tr.* indebolire, stancare, spossare, stremare, sfinire, infiacchire © rinforzare, irrobustire, rinvigorire.
debilitazióne *s.f.* indebolimento, esaurimento; fiacchezza, spossatezza © rinvigorimento, irrobustimento.
débito *agg.* dovuto, doveroso, necessario; opportuno, adeguato, adatto © indebito; inadatto, inadeguato ♦ *s.m.* **1** © credito **2** ♧ dovere, impegno, obbligo.
debitóre *agg.*, *s.m.* **1** (*di denaro*) © creditore **2** ♧ (*di un favore e sim.*) obbligato, in obbligo, grato, riconoscente © creditore.
débole *agg.* **1** (*di persona*) fragile, delicato, cagionevole, gracile; stanco, sfinito, stremato; (*dopo una malattia*) fiacco, deperito, indebolito © forte, robusto, vigoroso, energico **2** (*di carattere*) fragile, indeciso, incostante, arrendevole, influenzabile © forte, risoluto, determinato **3** (*di scuse, di argomenti ecc.*) poco convincente, inconsistente, labile © convincente, valido **4** (*di cosa*) delicato, fragile © resistente **5** (*di luce, di rumore ecc.*) scarso, fievole, tenue © forte, vivo ♦ *s.m.* **1** punto debole, lato debole, carenza, difetto © punto di forza, forte **2** (*per qlcu. o qlco.*) predilezione, passione, simpatia, debolezza, inclinazione, predisposizione © avversione, antipatia.
debolézza *s.f.* **1** (*fisica*) fragilità, gracilità; stanchezza, fiacchezza, sfinimento, spossatezza; (*dopo una malattia*) deperimento, debilitamento, astenia (*med.*) © forza, vigore, energia **2** (*di carattere e sim.*) fragilità, indecisione, irresolutezza © forza, decisione, risolutezza **3** punto debole, lato debole; difetto, pecca, errore © virtù, pregio, dote, merito.
debosciàto *agg.*, *s.m.* depravato, vizioso, dissoluto © virtuoso, retto, onesto.
debuttànte *agg.*, *s.m.f.* esordiente, principiante, novellino © esperto, professionista, veterano.
debuttàre *v.intr.* esordire, iniziare, incominciare, intraprendere.
debùtto *s.f.* **1** (*di un attore*) esordio; (*di uno spettacolo*) prima **2** (*di un'attività e sim.*) inizio, principio © fine, conclusione, termine.
decadènte *agg.* **1** (*di persona*) invecchiato, vecchio, stanco **2** (*di civiltà, di popolo ecc.*) declinante © emergente, fiorente.
decadènza *s.f.* **1** (*di persona*) deperimento, cedimento, decadimento, invecchiamento © rafforzamento, invigorimento **2** (*di civiltà, di popolo ecc.*) declino, decadimento, tramonto, crepuscolo, degrado, disgregazione, disfacimento, involuzione © ascesa, progresso, fioritura.
decadére *v.intr.* declinare, deteriorarsi, tramontare © fiorire, progredire.
decadùto *agg.* **1** in disuso, tramontato, scaduto **2** immiserito, impoverito, rovinato.
decàlogo *s.m.* **1** (*relig.*) comandamenti, dieci comandamenti, tavole della legge **2** leggi, precetti, principi, norme, regole.
decantàre[1] *v.tr.* lodare, elogiare, esaltare, celebrare © criticare, biasimare.
decantàre[2] *v.tr.* distillare, purificare, depurare ♦ *v.intr.* **1** (*chim.*) sedimentare **2** ♧ attenuarsi, mitigarsi, smorzarsi.
decapitàre *v.tr.* **1** tagliare la testa; ghigliottinare **2** (*di piante e sim.*) cimare.
decèdere *v.intr.* morire, spegnersi, spirare.
decedùto *s.m.* morto, defunto, scomparso.
deceleràre *v.tr.* frenare, rallentare © accelerare.
decènte *agg.* **1** (*di vestito, di comportamento ecc.*) decoroso, dignitoso; castigato, casto, pudico, morigerato, pudico © indecente, indecoroso, indecoroso; impudico, immorale, osceno, sconcio **2** (*di trattamento, di paga ecc.*) accettabile, adeguato, congruo, consono, decoroso, discreto, passabile, ragionevole.
decentralizzàre *v.tr.* vedi **decentràre**.
decentraménto *s.m.* decentralizzazione; dislocazione © concentramento, accentramento, centralizzazione.
decentràre *v.tr.* decentralizzare, dislocare © concentrare, accentrare.
decènza *s.f.* **1** pudore, morigeratezza, decoro © indecenza, impudicizia **2** accettabilità, dignità, convenienza.
decèsso *s.m.* morte, scomparsa, trapasso, dipartita (*elev.*).
decìdere *v.tr.* **1** stabilire, scegliere, fissare, determinare, decretare **2** (*una causa, una controversia ecc.*) risolvere, definire, dirimere **3** (*l'esito di qlco. ecc.*) causare, provocare, de-

terminare, condizionare, influenzare ♦ *v.tr.* e *intr.* determinare; essere determinante ♦ **decidersi** *v.pr.* risolversi, determinarsi, scegliere © esitare, tentennare, tergiversare.
decìduo *agg.* caduco © perenne, permanente.
decifràre *v.tr.* **1** (*un messaggio, un'iscrizione e sim.*) decodificare, decrittare © codificare, criptare **2** (*un enigma e sim.*) risolvere, spiegare, capire **3** ♧ capire, comprendere, riconoscere, interpretare.
decimàre *v.tr.* **1** distruggere, devastare, sterminare, falcidiare **2** ♧ ridurre, diminuire, decurtare.
decimazióne *s.f.* sterminio, massacro, strage.
decisionàle *agg.* deliberativo, risolutivo.
decisióne *s.f.* **1** scelta, conclusione, risoluzione, delibera, misura, provvedimento, disposizione; giudizio, sentenza, verdetto **2** energia, determinazione, fermezza, risolutezza © indecisione, esitazione, incertezza, titubanza.
decisìvo *agg.* determinante, definitivo, conclusivo, critico, cruciale, fatidico, fondamentale, nodale, risolutivo, ultimo, topico.
decìso *agg.* **1** (*di persona*) risoluto, determinato, fermo, energico, risoluto, saldo, sicuro, volitivo, tosto (*gerg.*) © indeciso, incerto, debole, esitante, insicuro, irresoluto, titubante **2** (*di colore, di tratto ecc.*) netto, accentuato, marcato, preciso, pronunciato, spiccato, vivace © incerto, indefinito, indistinto, sfumato, vago.
declamàre *v.tr.* recitare; leggere.
declamatòrio *agg.* (*di tono e sim.*) solenne, enfatico, magniloquente.
declamazióne *s.f.* recitazione.
declassàre *v.tr.* degradare, deprezzare, squalificare, retrocedere © elevare, innalzare, promuovere, qualificare, nobilitare.
declinàbile *agg.* **1** evitabile, rifiutabile © indeclinabile **2** (*gramm.*) variabile © indeclinabile.
declinàre *v.tr.* **1** (*un invito e sim.*) respingere, rifiutare © accettare, accogliere **2** (*burocr.*; *le proprie generalità*) dichiarare, dire **3** (*gramm.*) flettere ♦ *v.intr.* **1** (*del sole*) calare, scendere, tramontare, coricarsi © nascere, sorgere, spuntare **2** (*di terreno, di monti ecc.*) calare, scendere, abbassarsi, digradare © salire, innalzarsi, elevarsi **3** ♧ (*di forze, di energie ecc.*) calare, diminuire, scemare, venire meno © aumentare, crescere, accrescersi.
declìno *s.m.* (*di civiltà, di popolo ecc.*) decadenza, tramonto, regresso, disfacimento © ascesa, progresso, fioritura.
declìvio *s.m.* pendio; pendenza.
decodificàre *v.tr.* **1** (*un codice, un messaggio ecc.*) decifrare, decrittare, interpretare © codificare, criptare, cifrare **2** capire, comprendere, interpretare, decifrare.
decodificazióne *s.f.* decifrazione, decrittazione; comprensione, interpretazione.
decollàre *v.intr.* **1** (*di velivoli*) sollevarsi, prendere il volo, partire © atterrare **2** ♧ (*di attività e sim.*) avviarsi, espandersi, svilupparsi © calare.
decòllo *s.m.* **1** partenza, take off (*ingl.*) © atterraggio **2** ♧ avvio, sviluppo, espansione, incremento © calo.
decoloránte *agg.*, *s.m.* scolorante, schiarente, sbiancante © colorante.
decoloràre *v.tr.* scolorare, schiarire, sbiancare, sbiatire; (*i capelli*) ossigenare, schiarire © colorare, tingere; scurire.
decompórre *v.tr.* **1** dividere, scindere, disgregare, separare © comporre, aggregare, unire **2** corrompere, putrefare ♦ **decomporsi** *v.pr.* corrompersi, putrefarsi.
decomposizióne *s.f.* **1** scomposizione, scissione, disgregazione © composizione **2** putrefazione, disfacimento.
decompressióne *s.f.* © compressione.
deconcentràrsi *v.pr.* distrarsi © concentrarsi.
decongelàre *v.tr.* scongelare © congelare.
decongestionàre *v.tr.* **1** (*med.*) © congestionare **2** ♧ (*il traffico, il centro cittadino ecc.*) liberare, sbloccare, sgombrare © congestionare, bloccare, intasare.
decontaminàre *v.tr.* depurare, disinfettare; (*un terreno*) bonificare © contaminare.
decoràre *v.tr.* **1** ornare, abbellire, addobbare, adornare, guarnire **2** (*con una medaglia e sim.*) insignire, fregiare.
decoratìvo *agg.* ornamentale; (*iron., scherz.*) insignificante, ordinario.
decoratóre *s.m.* pittore IPON. stuccatore.
decorazióne *s.f.* **1** ornamento, abbellimento, guarnizione **2** medaglia, onorificenza.
decòro *s.m.* **1** dignità, compostezza, contegno, decenza **2** ♧ onore, prestigio, gloria © disonore, infamia **3** decorazione, fregio, ornamento.
decoróso *agg.* **1** (*di comportamento, di abito ecc.*) degno, dignitoso, conveniente, decente, opportuno © indecoroso, indegno, indecente, disdicevole, sconveniente **2** (*di compenso, di risultato ecc.*) decente, discreto, accettabile, passabile, dignitoso © indecente, inaccettabile.
decorrènza *s.f.* inizio, principio © scadenza, fine.
decórrere *v.intr.* **1** (*di legge e sim.*) partire, entrare in vigore (*dir.*), cominciare, datare **2** (*di tempo*) trascorrere, passare.
decórso *s.m.* **1** (*del tempo*) corso, svolgimento

2 (*di una malattia*) evoluzione, sviluppo, durata, ciclo, corso, andamento.
decòtto *s.m.* infuso, tisana.
decreménto *s.m.* riduzione, calo, abbassamento, diminuzione, contrazione, flessione © incremento, crescita, espansione, sviluppo.
decrèpito *agg.* **1** vecchio, cadente © giovane **2** ♧ (*di istituzione e sim.*) vecchio, sorpassato, antiquato, anacronistico © moderno, attuale.
decréscere *v.intr.* calare, diminuire, ridursi, abbassarsi © crescere, aumentare, salire.
decretàre *v.tr.* **1** (*leggi, provvedimenti ecc.*) stabilire, decidere, fissare, deliberare © annullare, abrogare **2** ♧ tributare, rendere.
decréto *s.m.* **1** (*dir.*) provvedimento, disposizione, legge, delibera, ordinanza, atto **2** decisione, disposizione, ordine.
decuplicàre *v.tr.* moltiplicare © diminuire.
decurtàre *v.tr.* diminuire, ridurre, tagliare; dedurre, detrarre, defalcare © accrescere, aumentare; aggiungere, sommare.
decurtazióne *s.f.* riduzione, diminuzione, taglio; deduzione, detrazione © aumento, incremento; addizione, somma.
dèdalo *s.m.* labirinto, intrico, groviglio, intreccio, meandro.
dedicàre *v.tr.* **1** (*la vita, il tempo ecc.*) destinare, offrire, dare, impiegare, indirizzare, spendere; (*completamente*) consacrare, votare **2** (*una chiesa e sim.*) consacrare, intitolare; (*una piazza e sim.*) intitolare **3** (*un'opera letteraria e sim.*) rivolgere, destinare, offrire ♦ **dedicarsi** *v.pr.* applicarsi, impegnarsi, coltivare; (*completamente*) consacrarsi, votarsi, darsi, donarsi, offrirsi © trascurare, disinteressarsi.
dèdito *agg.* **1** votato, consacrato; impegnato, concentrato, interessato, preso, appassionato © disinteressato **2** (*all'alcol, al gioco e sim.*) incline, disposto, portato, propenso © alieno, restio; contrario, nemico, ostile.
dedizióne *s.f.* **1** (*a una persona, a un'attività ecc.*) attaccamento, devozione, cura, impegno, passione © disinteresse, disaffezione **2** altruismo, generosità, abnegazione © egoismo.
dedùrre *v.tr.* **1** trarre, ricavare, desumere **2** (*una somma, un importo ecc.*) detrarre, sottrarre, togliere, scalare © aggiungere, sommare.
deduttìvo *agg.* consequenziale, aprioristico © induttivo, a posteriori.
deduzióne *s.f.* **1** conclusione, argomentazione; congettura, illazione **2** detrazione, sottrazione, defalcazione © addizione, somma.
defalcàre *v.tr.* detrarre, dedurre, scalare, sottrarre © aggiungere, addizionare, sommare.
defecàre *v.intr.* andare di corpo (*colloq.*), cacare (*volg.*), evacuare (*med.*).
defenestràre *v.tr.* ♧ (*da una carica, da un impiego ecc.*) destituire, cacciare, licenziare.
deferènte *agg.* ossequioso, rispettoso, riverente; remissivo, sottomesso © irriverente, irrispettoso, insolente.
deferènza *s.f.* rispetto, riguardo, ossequio; umiltà, sottomissione.
defezióne *s.f.* diserzione, tradimento, abbandono, fuga © fedeltà, dedizione, devozione.
deficiènte *agg.* carente, mancante, privo, sprovvisto © dotato, provvisto ♦ *agg., s.m.f.* idiota, cretino, scemo, stupido, imbecille.
deficiènza *s.f.* **1** (*di mezzi, di viveri ecc.*) mancanza, scarsezza, insufficienza, penuria, carenza, esiguità © abbondanza, ricchezza **2** ♧ (*di preparazione e sim.*) lacuna, mancanza, carenza; incompletezza, manchevolezza **3** stupidità, idiozia, cretineria, scemenza.
deficit *s.m.invar.* **1** (*econ.*) perdita, passivo, disavanzo; rosso (*colloq.*), scoperto, buco (*colloq.*) © attivo, avanzo, surplus; guadagno, utile **2** ♧ (*nella preparazione e sim.*) insufficienza, carenza.
deficitàrio *agg.* **1** (*econ.*) passivo © attivo **2** ♧ carente, insufficiente.
defilàrsi *v.pr.* allontanarsi, ritirarsi, scomparire, svignarsela (*colloq.*), squagliarsela (*colloq.*).
definìre *v.tr.* **1** (*un concetto e sim.*) descrivere, spiegare **2** (*un confine, un accordo ecc.*) stabilire, fissare, indicare, delimitare, circoscrivere **3** (*una questione, una lite e sim.*) risolvere, sistemare, comporre, dirimere (*elev.*).
definitìvo *agg.* decisivo, conclusivo, risolutivo; categorico, finale, perentorio.
definìto *agg.* **1** determinato, regolato, preciso, fissato, stabilito © impreciso, indefinito **2** (*di immagine e sim.*) distinto, nitido, netto © incerto, impreciso, sfocato, vago, sfumato.
definizióne *s.f.* **1** (*di un concetto e sim.*) spiegazione, precisazione, illustrazione **2** (*di confini, di accordi e sim.*) determinazione, delimitazione, precisazione **3** (*di una lite e sim.*) appianamento, risoluzione, composizione (*dir.*), conclusione **4** (*di immagini*) nitidezza, risoluzione.
deflagràre *v.intr.* **1** (*di bomba e sim.*) scoppiare, esplodere **2** ♧ (*di sentimenti e sim.*) scatenarsi, esplodere, scoppiare.
deflagrazióne *s.f.* esplosione, scoppio, detonazione.
defluìre *v.intr.* **1** (*di liquidi*) scorrere, fluire © affluire **2** ♧ (*di folla*) uscire, sgombrare © affluire, riversarsi.
deflùsso *s.m.* **1** (*di liquidi*) flusso, scorrimento ©

afflusso **2** ♧ (*di folla*) uscita, sgombro © afflusso, entrata.

deformàre *v.tr.* **1** alterare, sformare, deturpare, sciupare, imbruttire **2** ♧ (*la verità e sim.*) alterare, distorcere, travisare.

deformazióne *s.f.* **1** alterazione, cambiamento, deturpazione **2** ♧ (*della verità e sim.*) alterazione, distorsione, travisamento, falsificazione, mistificazione.

defórme *agg.* anormale, sproporzionato, informe, brutto, sgradevole, mostruoso, ripugnante; (*di persona*) storpio, sciancato, gobbo, disgraziato © normale, proporzionato.

deformità *s.f.* **1** anormalità, anomalia, sproporzione; bruttezza, mostruosità © normalità, regolarità; bellezza, armonia **2** difetto, malformazione.

defraudàre *v.tr.* derubare; ingannare, imbrogliare, truffare.

defùnto *agg., s.m.* morto, deceduto, scomparso, estinto © vivo, vivente.

degeneràre *v.intr.* **1** peggiorare, corrompersi, guastarsi, traviarsi © migliorare, perfezionarsi **2** (*di discussione e sim.*) decadere, scadere.

degeneràto *agg., s.m.* depravato, pervertito, corrotto, debosciato, vizioso © retto, onesto.

degenerazióne *s.f.* alterazione, peggioramento, declino; (*di costumi*) decadenza, corruzione.

degènere *agg.* degenerato, snaturato, depravato, dissoluto.

degènte *agg., s.m.f.* ammalato, infermo, ricoverato, paziente.

degènza *s.f.* (*in ospedale*) ricovero.

deglutìre *v.tr.* inghiottire, ingoiare, mandare giù (*colloq.*).

dégno *agg.* **1** meritevole © indegno, immeritevole **2** adatto, adeguato, all'altezza, in grado © incapace, inadatto, inetto **3** (*di persona*) onesto, rispettabile, onorato, perbene, retto, rispettabile, stimato, virtuoso © indegno, disonesto, ignobile, ingame, spregevole **4** (*di azione*) ammirevole, apprezzabile, encomiabile, lodevole, meritorio, pregevole © indegno, ignobile, biasimevole, criticabile, deplorevole, riprovevole, spregevole **5** (*di ambiente e sim.*) adatto, adeguato, appropriato, consono, conforme, conveniente; (*di compenso e sim.*) adeguato, commisurato, giusto, equo, proporzionato © indegno, inadatto, inadeguato, sconveniente.

degradànte *agg.* (*di condizione e sim.*) avvilente, umiliante, mortificante, disonorevole, disdicevole © dignitoso, decoroso, onorevole, nobile.

degradàre *v.tr.* **1** (*un soldato e sim.*) retrocedere, declassare, destituire © promuovere **2** (*l'ambiente e sim.*) danneggiare, rovinare, guastare, deteriorare, corrompere **3** ♧ avvilire, abbrutire, umiliare ♦ *v.intr.* (*di terreno*) digradare, scendere, abbassarsi ♦ **degradarsi** *v.pr.* **1** abbrutirsi, umiliarsi, abbassarsi, avvilirsi, cadere in basso, imbarbarirsi © elevarsi, innalzarsi, migliorare, incivilirsi **2** (*di situazione, di ambiente ecc.*) deteriorarsi, danneggiarsi, rovinarsi, guastarsi, corrompersi.

degràdo *s.m.* (*ambientale, edilizio ecc.*) deterioramento, rovina, decadenza; (*morale*) abbrutimento, degenerazione, imbarbarimento.

degustàre *v.tr.* gustare, assaggiare, assaporare.

delatóre *s.m.* spia, informatore, spione (*colloq.*); traditore.

delazióne *s.f.* accusa, denuncia, spiata, soffiata (*gerg.*).

dèlega *s.f.* mandato, procura, autorizzazione, incarico.

delegàre *v.tr.* incaricare, autorizzare, deputare, investire; eleggere, nominare, scegliere.

delegàto *agg., s.m.* incaricato, deputato, rappresentante, inviato.

delegazióne *s.f.* rappresentanza, commissione, deputazione, legazione.

deletèrio *agg.* dannoso, nocivo, rovinoso, funesto, pernicioso © utile, benefico, vantaggioso, proficuo.

deliberàre *v.tr.* e *intr.* stabilire, decidere, decretare, disporre, sancire (*dir.*).

deliberàto *agg.* (*di atto, di comportamento ecc.*) intenzionale, voluto, volontario, consapevole © involontario.

deliberazióne *s.f.* **1** provvedimento, decreto, delibera **2** determinazione, intenzione, decisione.

delicatézza *s.f.* **1** finezza, leggerezza, tenerezza, morbidezza © asprezza, rozzezza, ruvidezza **2** (*di materiale*) fragilità, friabilità © solidità, resistenza **3** (*di costituzione fisica*) debolezza, gracilità, esilità © robustezza, forza, vigore **4** riguardo, attenzione, prudenza, tatto, discrezione © indelicatezza, indiscrezione, sfacciataggine **5** (*di persona, di modi ecc.*) gentilezza, sensibilità, finezza, grazia, cortesia © maleducazione, rozzezza **6** ♧ (*di argomento e sim.*) scabrosità, asprezza, difficoltà **7** (*di cibo*) squisitezza, delizia, raffinatezza.

delicàto *agg.* **1** fine, leggero, morbido, tenue © rozzo, grossolano **2** (*di cibo*) gradevole, gustoso, squisito © pesante, sgradevole **3** (*di materiale*) fragile © resistente, solido **4** (*di costituzione fisica*) gracile, cagionevole, debole © forte, robusto, vigoroso **5** ♧ (*di argomento e sim.*)

critico, difficile, scabroso, imbarazzante **6** (*di persona, di modi ecc.*) gentile, educato, garbato, fine, sensibile © maleducato, rozzo, grossolano, indelicato.
delimitàre *v.tr.* limitare, circoscrivere, racchiudere, determinare.
delineàre *v.tr.* **1** schizzare, tracciare, disegnare, abbozzare **2** ♧ (*una situazione, un personaggio ecc.*) descrivere, tratteggiare, caratterizzare ♦ **delinearsi** *v.pr.* presentarsi, profilarsi, prospettarsi.
delinquènte *s.m.f.* **1** criminale, malvivente, bandito, fuorilegge **2** (*persona malvagia*) mascalzone, carogna, canaglia, farabutto.
delinquènza *s.f.* criminalità, malavita.
delirànte *agg.* **1** (*di folla, di pubblico ecc.*) esaltato, eccitato, elettrizzato, fuori di sé (*colloq.*), infervorato, galvanizzato, fanatico © calmo, tranquillo; impassibile, imperturbabile **2** (*di discorso, di mente ecc.*) assurdo, folle, insensato, vaneggiante, irragionevole, sconclusionato © assennato, coerente, equilibrato, ragionevole, sensato.
deliràre *v.intr.* **1** (*di malato e sim.*) farneticare, vaneggiare, sragionare © ragionare, connettere **2** (*di folla, di pubblico ecc.*) esaltarsi, eccitarsi, impazzire, entusiasmarsi, infervorarsi, invasarsi, smaniare.
delìrio *s.m.* **1** vaneggiamento, follia, allucinazione, farneticazione, vaniloquio; follia, pazzia, furore, insania, ossessione © lucidità, assennatezza **2** (*di folla, di pubblico ecc.*) esaltazione, entusiasmo, eccitazione, ebbrezza; fanatismo © distacco, freddezza, indifferenza **3** ♧ (*di sensi, di passioni e sim.*) ebbrezza, esaltazione, estasi, inquietudine, turbamento, tormento.
delìtto *s.m.* **1** crimine, reato **2** omicidio, assassinio, ammazzamento, uccisione IPERON. fatto di sangue **3** errore, colpa, peccato, mancanza.
delittuóso *agg.* criminoso, criminale, delinquenziale.
delìzia *s.f.* **1** godimento, piacere, gioia, felicità © dolore, dispiacere, pena, sofferenza **2** (*di cibo*) squisitezza, delicatezza, ghiottoneria, golosità, prelibatezza, squisitezza **3** (*di persona*) amore, tesoro, gioia.
deliziàre *v.tr.* dilettare, divertire, rallegrare, svagare © annoiare, affliggere, infastidire, irritare, molestare, tediare ♦ **deliziarsi** *v.pr.* godere, bearsi, crogiolarsi, divertirsi, gioire, sollazzarsi, svagarsi © annoiarsi, infastidirsi, scocciarsi (*colloq.*).
delizióso *agg.* **1** (*di spettacolo, di luogo ecc.*) piacevole, attraente, incantevole, gradevole © sgradevole, brutto **2** (*di cibo*) squisito, gustoso, prelibato © cattivo, disgustoso **3** (*di persona*) simpatico, attraente, carino, dolce, amabile © antipatico, sgradevole, odioso.
dèlta *s.m.invar.* IPERON. foce, sbocco.
delucidàre *v.tr.* chiarire, spiegare, illustrare.
delucidazióne *s.f.* spiegazione, chiarimento, precisazione.
deludènte *agg.* insufficiente, scarso, modesto, deprimente, insoddisfacente, frustrante, sconfortante © entusiasmante, incoraggiante, soddisfacente.
delùdere *v.tr.* **1** tradire, ingannare, amareggiare, disilludere © illudere, lusingare **2** scontentare, sconfortare © accontentare, soddisfare, appagare **3** (*speranze, desideri ecc.*) tradire, frustrare, disattendere © soddisfare, realizzare, esaudire, appagare.
delusióne *s.f.* **1** disillusione, disinganno, amarezza, frustrazione © soddisfazione, appagamento; illusione **2** fallimento, fiasco, insuccesso, disastro © successo, riuscita.
delùso *agg.* **1** scontento, amareggiato, insoddisfatto, disilluso, disincantato, frustrato, inappagato © contento, soddisfatto, appagato; illuso **2** (*di speranza, di desiderio ecc.*) disatteso, infranto, tradito © esaudito, realizzato.
demaniàle *agg.* statale, pubblico © privato.
demarcàre *v.tr.* segnare, tracciare, delimitare.
demènte *agg.*, *s.m.f.* **1** (*med.*) pazzo, folle, malato di mente, squilibrato **2** (*colloq.*) idiota, stupido, deficiente.
demenziàle *agg.* incoerente, insensato, illogico, assurdo.
demèrito *s.m.* **1** mancanza, colpa, difetto, peccato, torto © merito, qualità, valore **2** biasimo © merito, benemerenza.
demistificàre *v.tr.* demitizzare, dissacrare, smitizzare © mitizzare, esaltare.
democràtico *agg.* **1** liberale, libertario, egualitario, paritario © antidemocratico, autoritario, assolutista, dittatoriale, illiberale, dispotico **2** (*di comportamento e sim.*) cordiale, disponibile, alla mano, liberale © autoritario, dispotico, intollerante.
democrazìa *s.f.* © autoritarismo, dittatura, assolutismo, tirannide.
demolìre *v.tr.* **1** (*una costruzione e sim.*) abbattere, buttare giù, spianare, radere al suolo; (*una nave, un impianto ecc.*) smantellare, smontare © costruire, innalzare **2** ♧ (*una teoria e sim.*) distruggere, stroncare, fare a pezzi, confutare, smentire © appoggiare, sostenere **3** ♧ (*la reputazione, una persona ecc.*) distruggere, rovinare, screditare, compromettere.

dèmone *s.f.* **1** (*nelle religioni politeistiche*) **IPON.** genio, folletto, spirito **2** ♣ (*del gioco, dell'invidia ecc.*) passione, febbre, smania **3** diavolo, demonio © angelo.

demonìaco *agg.* **1** diabolico, satanico © celeste, angelico **2** maligno, crudele, malefico, perverso, infernale.

demònio *s.m.* **1** maligno, diavolo, principe delle tenebre, angelo del male, Lucifero, Belzebù © angelo **2** ♣ (*persona malvagia*) malvagio, empio, infame © angelo **3** ♣ (*colloq.; di bambino vivace*) peste, birbante, terremoto © angelo, santo **4** (*colloq.; di persona molto abile*) fenomeno, genio, asso, mago, portento.

demoralizzàre *v.tr.* abbattere, avvilire, deprimere, scoraggiare, sconfortare © incoraggiare, animare, entusiasmare.

demòrdere *v.intr.* arrendersi, cedere, mollare, abbandonare, desistere © insistere, perseverare.

demotivàto *agg.* disinteressato, apatico, scoraggiato © motivato, incoraggiato, interessato, incentivato.

denàro *s.m.* soldi, quattrini, contante, grana (*gerg.*), capitale, patrimonio, ricchezze; (*scherz.*) baiocchi, pecunia, cocuzze.

denigràre *v.tr.* diffamare, calunniare, infamare, screditare © elogiare, lodare.

denigratòrio *agg.* diffamatorio, calunnioso, infamante © elogiativo, celebrativo.

denominàre *v.tr.* chiamare, nominare, soprannominare; definire, designare.

denominatóre *s.m.* (*mat.*) © nominatore.

denominazióne *s.f.* qualificazione, titolo, nome, appellativo, epiteto.

denotàre *v.tr.* rivelare, mostrare, manifestare, indicare, esprimere.

densità *s.f.* consistenza, compattezza, spessore © inconsistenza.

dènso *agg.* **1** spesso, fitto, folto, condensato, concentrato © rado, rarefatto, diluito **2** ♣ pieno, ricco, abbondante, colmo © povero, scarso, privo.

dènte *s.m.* **1** zanna **2** (*di un ingranaggio*) dentello, punta, sporgenza **3** (*geogr.*) picco, punta, guglia.

dentìsta *s.m.f.* odontoiatra.

denudàre *v.tr.* **1** svestire, spogliare; scoprire © vestire, rivestire; coprire **2** ♣ privare, spogliare ♦ **denudarsi** *v.pr.* spogliarsi, svestirsi.

denùncia *s.f.* **1** **IPON.** querela, soffiata (*gerg.*) **2** dichiarazione; notificazione.

denunciàre *v.tr.* **1** comunicare, dichiarare, segnalare, riferire © nascondere, occultare, tacere **2** **IPON.** querelare, accusare **3** rivelare, evidenziare, sottolineare, riferire, manifestare.

denutrìto *agg.* malnutrito, deperito; magro, macilento, emaciato © grasso, florido, ipernutrito.

denutrizióne *s.f.* malnutrizione © ipernutrizione.

deodoràre *v.tr.* profumare © ammorbare, impuzzolentire.

deontologìa *s.f.* etica professionale.

depauperàre *v.tr.* **1** impoverire, immiserire, dissanguare © arricchire **2** indebolire, debilitare, sfruttare.

depennàre *v.tr.* cancellare, togliere, eliminare, cassare, sopprimere, abolire © aggiungere, inserire.

deperìbile *agg.* deteriorabile.

deperiménto *s.m.* **1** indebolimento, debolezza, sfinimento, consunzione, esaurimento © rafforzamento, rinvigorimento **2** (*di cose, di cibi*) deterioramento, alterazione © mantenimento, conservazione.

deperìre *v.intr.* **1** indebolirsi, consumarsi, esaurirsi, debilitarsi © fortificarsi, irrobustirsi **2** (*di cose, di cibi*) deteriorarsi, guastarsi, rovinarsi, sciuparsi © durare, conservarsi.

depilàre *v.tr.* rasare, radere.

depilazióne *s.f.* epilazione, ceretta, rasatura.

depistàre *v.tr.* deviare, sviare, fuorviare, dirottare © indirizzare.

dépliant *s.m.invar.* (*fr.*) pieghevole, opuscolo, fascicolo, brochure (*fr.*), folder (*ingl.*).

deploràre *v.tr.* biasimare, criticare, disapprovare, condannare, deprecare © approvare, apprezzare.

deplorévole *agg.* **1** biasimevole, criticabile, esecrabile, riprovevole, indegno © ammirevole, apprezzabile, degno **2** spiacevole, increscioso © piacevole, fortunato.

depórre *v.tr.* **1** appoggiare, posare, mettere giù, depositare © alzare, sollevare, prendere su **2** (*da una carica e sim.*) destituire, allontanare, dimettere **3** ♣ (*idee, progetti ecc.*) abbandonare, lasciare, accantonare ♦ *v.tr* e *intr.* testimoniare.

depositàre *v.tr.* **1** mettere giù, lasciare, posare © alzare, sollevare **2** affidare, versare (*denaro in banca*) © ritirare, prelevare ♦ **depositarsi** *v.pr.* posarsi, sedimentare.

depositàrio *s.m.* consegnatario, custode, fiduciario; (*di segreti e sim.*) custode, confidente, difensore.

depòsito *s.m.* **1** (*di denaro*) versamento, caparra **2** magazzino, silo; (*di automezzi*) rimessa; (*di armi*) arsenale **3** (*di merci*) raccolta, ammasso, stoccaggio **4** (*di un liquido*) fondo, residuo.

deposizióne *s.f.* **1** ♣ (*da una carica*) rimozione, destituzione, allontanamento **2** (*dir.*) dichiarazione, testimonianza.

depravàto *s.m.* perverso, degenerato, vizioso, corrotto © onesto, retto, virtuoso.

depravazióne *s.f.* degenerazione, corruzione, vizio, dissolutezza; perversione, immoralità © onestà, rettitudine, virtù.

deprecàbile *agg.* biasimevole, riprovevole, odioso, condannabile © encomiabile, lodevole, meritevole.

deprecàre *v.tr.* biasimare, disapprovare, criticare, condannare © approvare, lodare, elogiare.

depredàre *v.tr.* derubare, saccheggiare, razziare.

depressióne *s.f.* **1** avvallamento, abbassamento; conca, bacino; buca, fossa © rilievo, sporgenza **2** (*meteor.*) bassa pressione © alta pressione **3** (*econ.*) crisi, recessione © sviluppo, boom (*ingl.*) **4** abbattimento, tristezza, malinconia, demoralizzazione, sfiducia, apatia © gioia, allegria, buonumore, euforia.

deprèsso *agg.* **1** (*econ.*) arretrato, povero, sottosviluppato © ricco, sviluppato, progredito **2** avvilito, giù di morale, triste, abbattuto, demoralizzato, apatico © allegro, felice, euforico.

deprezzàre *v.tr.* **1** calare, diminuire © rincarare, aumentare **2** ♧ sminuire, screditare, denigrare, disprezzare © apprezzare, valorizzare.

deprimènte *agg.* avvilente, triste, scoraggiante, sconfortante, desolante, squallido © incoraggiante, esaltante, eccitante, entusiasmante.

deprìmersi *v.pr.* abbattersi, avvilirsi, demoralizzarsi, rattristarsi, buttarsi giù © sollevarsi, rallegrarsi, esaltarsi.

depuràre *v.tr.* **1** purificare, raffinare, filtrare, chiarificare, decantare © inquinare, contaminare, sporcare **2** (*la lingua, lo stile ecc.*) affinare, ripulire, dirozzare, sgrossare © corrompere, guastare.

deputàre *v.tr.* incaricare, delegare, designare, nominare.

deputàto *s.m.* onorevole, parlamentare.

deragliàre *v.intr.* uscire dalle rotaie, sviare.

derelìtto *agg.*, *s.m.* abbandonato, negletto, reietto; meschino, tapino.

deretàno *s.m.* sedere, didietro, culo (*volg.*), posteriore.

derìdere *v.tr.* prendere in giro, burlare, beffare, canzonare, dileggiare.

derisióne *s.f.* beffa, burla, presa in giro, dileggio, irrisione.

derivàre *v.intr.* **1** avere origine, provenire, discendere, nascere, scaturire © finire, terminare **2** (*di corso d'acqua*) nascere, scaturire, sgorgare © sfociare, sboccare **3** (*come conseguenza*) conseguire, dipendere, provenire, scaturire ♦ *v.tr.* trarre, ricavare, dedurre, desumere.

dèroga *s.f.* eccezione, strappo (*colloq.*), inosservanza © osservanza, rispetto, ottemperanza.

derogàre *v.intr.* contravvenire, disubbidire, trasgredire, tradire, venir meno © attenersi, ottemperare, osservare, rispettare.

derràta *s.f.* (*spec. al pl.*) provviste, alimenti, viveri, vettovaglie.

derubàre *v.tr.* rubare, depredare; imbrogliare, raggirare, frodare, truffare.

descrìvere *v.tr.* **1** dire, raccontare, narrare, spiegare, definire, esprimere, esporre, riferire, delineare, dipingere **2** (*linee, segni ecc.*) tracciare, disegnare.

descrizióne *s.f.* narrazione, esposizione, racconto, rappresentazione.

desèrtico *agg.* arido, secco; improduttivo, sterile © umido; fertile, produttivo.

desèrto *agg.* **1** disabitato, spopolato, desolato, vuoto © abitato, popolato, pieno **2** (*di terreno*) incolto, selvaggio, abbandonato © coltivato, lavorato, fertile.

desideràre *v.tr.* **1** volere, sognare, vagheggiare, cercare, aspirare, ambire © rifiutare, respingere, disprezzare **2** volere, esigere, pretendere **3** (*in formule di cortesia*) richiedere, cercare, ricercare.

desidèrio *s.m.* **1** aspirazione, voglia, sogno; (*intenso*) avidità, brama, cupidigia, smania, struggimento; (*frivolo, bizzarro*) capriccio, fantasia, ghiribizzo, sfizio © avversione, antipatia, ripugnanza **2** (*di cibo e sim., anche* ♧) appetito, fame, sete, gola © disgusto, nausea **3** (*sessuale*) voglia, eccitazione, libidine, fregola (*volg.*) **4** (*di qlcu. o qlco. che non c'è più*) bisogno, necessità, voglia; nostalgia, rimpianto.

desideróso *agg.* voglioso, smanioso, ansioso; bramoso, avido; (*di cibo e sim.*) goloso, affamato, assetato, famelico © indifferente, noncurante, sazio, appagato.

designàre *v.tr.* **1** (*a un incarico e sim.*) nominare, scegliere, proporre, assegnare, eleggere **2** (*una data, un luogo e sim.*) indicare, stabilire, fissare, concordare **3** (*di parola*) indicare, significare, rappresentare, definire.

designazióne *s.f.* nomina, indicazione, scelta.

designer *s.m.f. invar.* (*ingl.*) disegnatore, stilista.

desìstere *v.intr.* cedere, ritirarsi, rinunciare, smettere, cessare, mollare, gettare la spugna (*colloq.*), darsi per vinto, recedere © continuare, insistere, persistere, perseverare.

desolànte *agg.* sconfortante, triste, angosciante, deprimente, penoso, doloroso © allegro, lieto, piacevole.

desolàto *agg.* **1** triste, infelice, addolorato, avvilito, costernato © contento, allegro, felice **2** spiacente, dispiaciuto, rammaricato © lieto, compiaciuto **3** (*di luogo*) deserto, abbandonato, trascurato, squallido © ameno, ridente, popolato, frequentato.

desolazióne *s.f.* **1** dolore, tristezza, disperazione, angoscia, sgomento © gioia, allegria, felicità **2** (*di luoghi*) abbandono, rovina, squallore, trascuratezza © ricchezza, splendore.

dèspota *s.m.f.* **1** dittatore, tiranno, autocrate **2** (*persona autoritaria*) prepotente, sopraffattore, tiranno, dittatore, arrogante.

dessert *s.m.invar.* (*fr.*) dolce **IPON.** frutta, gelato, dolce © antipasto.

destabilizzàre *v.tr.* turbare, sconvolgere, stravolgere, sovvertire, indebolire.

destàre *v.tr.* **1** svegliare, risvegliare © addormentare **2** ♧ stimolare, sollecitare, suscitare © frenare, raffreddare **3** provocare, scatenare, indurre © calmare, placare, spegnere ♦ **destarsi** *v.pr.* **1** svegliarsi, alzarsi **2** ♧ (*dall'inerzia, dal torpore ecc.*) scuotersi, riscuotersi, scrollarsi **3** ♧ (*di sentimento e sim.*) nascere, manifestari, rivelarsi, palesarsi © spegnersi, placarsi.

destinàre *v.tr.* **1** stabilire, fissare, definire, decidere **2** (*a un incarico e sim.*) assegnare, designare, nominare **3** indirizzare, rivolgere, inviare, spedire, mandare.

destinatàrio *s.m.* ricevente © mittente.

destinazióne *s.f.* **1** fine, scopo, obiettivo **2** (*luogo d'arrivo*) arrivo, meta, approdo **3** (*di lettera e sim.*) recapito, indirizzo **4** (*di lavoro, di residenza ecc.*) sede, assegnazione.

destìno *s.m.* **1** sorte, fato, fatalità, fortuna, provvidenza **2** futuro, avvenire.

destituìre *v.tr.* rimuovere, allontanare, licenziare, cacciare © nominare, assumere.

dèstra *s.f.* **1** (*la mano*) © sinistra, mancina **2** (*di lato, di direzione*) dritta, diritta © sinistra, manca **3** (*in politica*) © sinistra.

destreggiàrsi *v.pr.* arrangiarsi, cavarsela, ingegnarsi, barcamenarsi.

destrézza *s.f.* **1** abilità, bravura, prontezza, capacità, agilità, scioltezza © goffaggine, impaccio, incapacità, imperizia **2** ♧ accortezza, astuzia, ingegno, sagacia © ingenuità, inavvedutezza.

dèstro *agg.* **1** (*di mano, di occhio ecc.*) © sinistro, mancino **2** abile, capace, svelto, veloce, sciolto © lento, goffo, impacciato, incapace ♦ *s.m.* possibilità, opportunità, occasione.

desuèto *agg.* vecchio, antiquato, arcaico, abbandonato, disusato, obsoleto © corrente, moderno, attuale, usato.

desùmere *v.tr.* ricavare, dedurre, derivare, arguire.

detective *s.m.f.invar.* (*ingl.*) investigatore, poliziotto privato.

detenére *v.tr.* **1** avere, possedere, occupare; mantenere, conservare, trattenere **2** (*in prigione*) trattenere © liberare, rilasciare, scarcerare.

detentìvo *agg.* (*di pena e sim.*) carcerario.

detentóre *agg., s.m.* possessore.

detenùto *s.m.* carcerato, prigioniero, recluso, galeotto.

detenzióne *s.f.* **1** (*di armi e sim.*) possesso **2** (*in prigione*) carcerazione, prigionia, reclusione.

detergènte *agg., s.m.* detersivo.

detèrgere *v.tr.* **1** pulire, lavare, ripulire © sporcare, imbrattare, insudiciare **2** (*il sudore e sim.*) asciugare, tergere, togliere.

deterioraménto *s.m.* alterazione, danneggiamento, peggioramento, guasto © miglioramento, recupero.

deterioràre *v.tr.* alterare, guastare, danneggiare, sciupare, rovinare © migliorare, recuperare, proteggere ♦ **deteriorarsi** *v.pr.* **1** guastarsi, rovinarsi, sciuparsi; (*di cibo*) andare a male, avariarsi © durare, conservarsi, mantenersi **2** (*di costumi e sim.*) peggiorare, degenerare, corrompersi, decadere.

deterióre *agg.* **1** peggiore © migliore **2** mediocre, inferiore, scadente, dozzinale © superiore, pregiato.

determinànte *agg.* decisivo, risolutivo, definitivo, conclusivo, fatidico; essenziale, fondamentale © secondario, irrilevante.

determinàre *v.tr.* **1** stabilire, fissare, definire, delimitare, circoscrivere, demarcare **2** (*un prezzo, una quantità ecc.*) calcolare, fissare, concordare, convenire **3** (*un effetto e sim.*) provocare, causare, produrre, originare **4** (*una persona*) convincere, persuadere, spingere, indurre © dissuadere **5** decidere, stabilire, risolvere ♦ **determinarsi** *v.pr.* **1** crearsi, originarsi, presentarsi **2** decidersi, risolversi © esitare, indugiare.

determinatézza *s.f.* **1** (*di cosa*) precisione, esattezza © indeterminatezza, vaghezza **2** (*di persona*) fermezza, risolutezza © insicurezza, irresolutezza.

determinàto *agg.* **1** stabilito, definito, preciso © indeterminato, imprecisato **2** certo, particolare, dato **3** deciso, risoluto, fermo, forte, sicuro, pronto © incerto, indeciso, esitante, irresoluto.

determinazióne *s.f.* **1** (*di un confine, di un valore ecc.*) definizione, delimitazione, identificazione, individuazione, precisazione **2** (*di persona, di carattere*) fermezza, decisione, volontà, risolutezza, grinta, forza di volontà, tenacia © indecisione, incertezza, esitazione, debolezza, insicurezza, titubanza.

deterrènte *s.m.* freno, minaccia, spauracchio © incentivo.

detestàbile *agg.* odioso, insopportabile, abominevole, ripugnante © amabile, gradito, gradevole, simpatico.

detestàre *v.tr.* odiare, disprezzare, aborrire, rifuggire, deprecare; condannare, disapprovare, biasimare © amare, adorare; approvare, accettare, lodare, elogiare.

detonazióne *s.f.* esplosione, colpo, scoppio, botto, sparo.

detràrre *v.tr.* togliere, sottrarre, dedurre, defalcare, scalare © aggiungere, sommare, addizionare.

detrattóre *s.m.* calunniatore, diffamatore, denigratore, maldicente © adulatore, incensatore, elogiatore, apologeta (*elev.*).

detrazióne *s.f.* sottrazione, riduzione, decurtazione, taglio © aumento, aggiunta, accrescimento, incremento, somma.

detriménto *s.m.* discapito, sfavore.

detrìto *s.m.* frammento, frantume, scoria.

detronizzàre *v.tr.* deporre, destituire, spodestare, cacciare, allontanare.

dettagliànte *s.m.f.* negoziante, rivenditore, bottegaio © grossista.

dettagliàto *agg.* particolareggiato, minuzioso, preciso.

dettàglio *s.m.* particolare; minuzia, sfumatura.

dettàme *s.m.* precetto, norma, indicazione, prescrizione.

dettàre *v.tr.* **1** (*regole, condizioni ecc.*) imporre, ordinare, comandare, intimare, stabilire **2** suggerire, consigliare.

détto *agg.* soprannominato, chiamato; alias (*lat.*) ♦ *s.m.* modo di dire, proverbio, adagio, massima, sentenza.

deturpàre *v.tr.* rovinare, imbruttire, sfigurare, sfregiare © abbellire, adornare.

devastàre *v.tr.* **1** (*un luogo*) distruggere, mettere a ferro e fuoco, saccheggiare, depredare, razziare **2** (*il volto e sim.*) deturpare, sfigurare, sfregiare, rovinare **3** ♧ sconvolgere, stravolgere, annichilire, distruggere, turbare © sollevare, confortare.

deviànte *agg.* anormale, anomalo, diverso © normale.

deviàre *v.intr.* **1** (*da un percorso e sim.*) discostarsi, allontanarsi, divergere, spostarsi **2** ♧ allontanarsi, discostarsi, corrompersi, traviarsi ♦ *v.tr.* **1** (*un veicolo*) dirottare, sviare **2** ♧ allontanare, distogliere, fuorviare.

deviazióne *s.f.* **1** spostamento, allontanamento, deviamento **2** biforcazione, bivio, diramazione **3** ♧ allontanamento, aberrazione, degenerazione, traviamento.

devòlvere *v.tr.* **1** (*una somma*) destinare, dare, offrire, regalare, elargire **2** (*un diritto, un bene e sim.*) passare, trasmettere, destinare, attribuire.

devòto *agg.* **1** (*a un ideale*) dedito, votato, consacrato **2** deferente, ossequioso, rispettoso **3** (*a una persona*) affezionato, fedele, sincero, leale ♦ *s.m.* credente, osservante, praticante, pio.

devozióne *s.f.* **1** religiosità, fede; pietà **2** culto, venerazione **3** (*a un ideale, a una persona ecc.*) dedizione, attaccamento, affezione; rispetto, deferenza © avversione, ostilità **4** fedeltà.

diabòlico *agg.* **1** demoniaco, infernale, satanico © angelico, celeste, celestiale **2** ♧ malvagio, perverso, perfido © buono, angelico, benigno **3** astuto, furbo © candido, ingenuo.

diàfano *agg.* **1** chiaro, limpido, trasparente, traslucido © opaco, oscuro, torbido **2** (*di persona*) pallido, emaciato, esangue; esile, delicato, sottile © forte, vigoroso, robusto **3** (*di bellezza*) etereo, evanescente **4** (*di pelle*) delicato, fine, sottile.

diaframma *s.m.* **1** divisione, separazione **2** ♧ (*nella comunicazione e sim.*) barriera, frattura, ostacolo, difficoltà, impedimento **3** (*med.*) pessario IPERON. anticoncezionale, contraccettivo.

diàgnosi *s.f.* **1** (*med.*) responso **2** giudizio, parere, esame, analisi, valutazione.

diagnosticàre *v.tr.* individuare, riconoscere, trovare, scoprire, stabilire, identificare.

diagonàle *agg.* obliquo, trasversale ♦ *s.m.* (*nel calcio*) cross (*ingl.*).

diagràmma *s.m.* grafico, disegno, tracciato, schema.

dialettàle *agg.* vernacolare; idiomatico.

dialèttica *s.f.* **1** eloquenza, oratoria, parlantina (*colloq.*), chiacchiera (*colloq.*) **2** confronto, dialogo; opposizione, contrasto.

dialètto *s.m.* vernacolo, parlata; gergo; slang (*ingl.*); patois (*fr.*); argot (*fr.*).

dialogàre *v.intr.* conversare, discorrere, parlare, chiacchierare, discutere, colloquiare.

diàlogo *s.m.* **1** conversazione, colloquio, chiacchierata, discorso, discussione © monologo, soliloquio **2** comunicazione, confronto.

diària *s.f.* rimborso, indennità.

diàrio *s.m.* **1** agenda, cronaca **2** (*degli esami e sim.*) calendario **3** (*di bordo, di viaggio ecc.*) giornale, libro.

diarrèa *s.f.* dissenteria, cacarella (*colloq.*), sciolta (*colloq.*) © stitichezza, stipsi (*med.*).

diàspora *s.f.* dispersione, esodo, migrazione.
diàtriba, diatrìba *s.f.* **1** contrasto, discussione, diverbio, controversia, disputa **2** invettiva, critica; rimprovero, sfuriata.
diavolerìa *s.f.* **1** trucco, trovata, artificio, astuzia, stratagemma **2** (*cosa strana*) stranezza, bizzarria, stregoneria **3** cattiveria, malvagità.
diàvolo *s.m.* **1** demonio, maligno, Lucifero, Belzebù, Satana, principe delle tenebre, tentatore, anticristo © angelo **2** ♧ (*bambino vivace*) peste, demonio, terremoto © angelo **3** ♧ (*persona astuta*) demonio © angelo, santo **4** (*in funzione rafforzativa in frasi interrogative*) accidenti, cavolo (*colloq.*), cazzo (*volg.*).
dibàttere *v.tr.* (*un problema, una questione ecc.*) discutere, trattare, analizzare, esaminare, considerare ♦ **dibattersi** *v.pr.* **1** agitarsi, contorcersi, divincolarsi **2** ♧ (*in una situazione, nell'incertezza ecc.*) arrovellarsi, angustiarsi, tormentarsi.
dibattiménto *s.m.* **1** discussione, dibattito; controversia, disputa **2** (*dir.*) giudizio, processo.
dibàttito *s.m.* discussione, dibattimento, tavola rotonda.
dicerìa *s.f.* voce, chiacchiera, maldicenza, pettegolezzo; bugia, storia, frottola, fandonia © verità.
dichiaràre *v.tr.* **1** esprimere, manifestare, annunciare, comunicare, dire, mostrare, rivelare, esternare © nascondere, celare, dissimulare, tacere **2** affermare, assicurare, sostenere, proclamare © negare, smentire **3** (*il proprio reddito, le proprie generalità e sim.*) denunciare, notificare, certificare © nascondere, celare **4** stabilire, proclamare, decretare; nominare, eleggere **5** (*qlcu. colpevole, innocente*) giudicare, ritenere ♦ **dichiararsi** *v.pr.* **1** definirsi, mostrarsi, proclamarsi, professarsi **2** esprimersi, pronunciarsi **3** (*a una donna*) fare la dichiarazione.
dichiaràto *agg.* esplicito, chiaro, evidente, manifesto, palese © nascosto, segreto, celato, inespresso.
dichiaraziόne *s.f.* **1** affermazione, assicurazione, attestazione, asserzione; comunicazione, annuncio, proclamazione **2** (*di reddito, generalità e sim.*) denuncia, certificazione, notificazione **3** (*dir.*) deposizione, testimonianza **4** (*d'amore, d'amicizia e sim.*) atto, dimostrazione, manifestazione, professione.
dicitùra *s.f.* scritta, iscrizione, didascalia.
dicotomìa *s.f.* **1** biforcazione, bipartizione **2** separazione, disgiunzione, disgregazione, contrasto, opposizione; alternativa, contrapposizione.
didascalìa *s.f.* **1** scritta, iscrizione, dicitura **2** avvertenza, avviso **3** (*di film*) sottotitolo.
didascàlico *agg.* **1** (*di metodo*) didattico, pedagogico **2** (*di scritto e sim.*) educativo, istruttivo, divulgativo **3** (*di tono e sim.*) pedantesco, saccente, dottorale.
didàttica *s.f.* pedagogia, insegnamento.
didàttico *agg.* **1** istruttivo, educativo, pedagogico, didascalico **2** (*di tono e sim.*) pedantesco, professorale, saccente.
dièta[1] *s.f.* **1** alimentazione **2** digiuno, astinenza, astensione.
dièta[2] *s.f.* assemblea, adunanza, consulta.
difèndere *v.tr.* **1** proteggere, salvaguardare, riparare © offendere, avversare **2** (*opinioni, ragioni ecc.*) sostenere, appoggiare, patrocinare, spalleggiare © contrastare, osteggiare **3** (*da accuse*) scusare, giustificare, scagionare ♦ **difendersi** *v.pr.* **1** proteggersi, ripararsi © esporsi **2** discolparsi, scusarsi, giustificarsi © accusarsi, incolparsi **3** (*colloq.*) cavarsela, arrangiarsi, barcamenarsi.
difensìva *s.f.* difesa © offensiva, attacco.
difensìvo *agg.* protettivo © offensivo.
difensóre ♦ *s.m.* **1** protettore, paladino, sostenitore © accusatore, avversario, nemico **2** (*dir.*) avvocato, legale, patrocinante.
difésa *s.f.* **1** protezione, salvaguardia, tutela; aiuto, appoggio, soccorso, sostegno © offesa, attacco **2** protezione, riparo, barriera, fortificazione **3** (*discorso o scritto con cui si difende*) arringa, apologia, patrocinio, perorazione © accusa, invettiva, requisitoria **4** (*sport*) difensori © attacco, attaccanti.
difettàre *v.intr.* mancare, scarseggiare.
difètto *s.m.* **1** imperfezione, imprecisione, neo, pecca **2** (*in una persona*) vizio, magagna, imperfezione; colpa, errore, torto © qualità, pregio, dote, virtù **3** mancanza, scarsità, penuria © abbondanza, eccedenza.
difettóso *agg.* impreciso, imperfetto; malfatto, scadente; insufficiente, carente, lacunoso © perfetto, preciso, impeccabile.
diffamàre *v.tr.* calunniare, offendere, denigrare, infamare, infangare © elogiare, esaltare, lodare, decantare.
diffamatòrio *agg.* calunnioso, denigratorio, infamante, ingiurioso, oltraggioso, offensivo © celebrativo, elogiativo, apologetico.
diffamaziόne *s.f.* calunnia, maldicenza, offesa, infamia, ingiuria, oltraggio © lode, adulazione, elogio, esaltazione.
differènte *agg.* diverso, altro, distante, distinto, dissimile, disuguale © uguale, simile, pari, identico.

differènza *s.f.* **1** diversità, disparità, disuguaglianza, divario, divergenza, lontananza © uguaglianza, identità, coincidenza, corrispondenza, somiglianza **2** (*mat.*) resto, scarto; (*di denaro*) avanzo, resto, rimanenza.

differenziàre *v.tr.* **1** distinguere © unificare, conformare, adeguare **2** (*un compito, un ruolo e sim.*) diversificare, dividere, suddividere, separare **3** modificare, variare © uguagliare, equiparare ♦ **differenziarsi** *v.pr.* distinguersi, differire, diversificarsi; divergere, discordare, dissentire © assomigliare, somigliarsi, identificarsi, coincidere.

differenziazióne *s.f.* diversificazione, distinzione, differenza, diversità © uguaglianza, identità, coincidenza.

differìre *v.tr.* rimandare, spostare, prorogare rinviare © anticipare ♦ *v.intr.* differenziarsi, distinguersi, diversificarsi; divergere, discordare, dissentire © concordare, somigliarsi, corrispondere, equivalere.

diffìcile *agg.* **1** complesso, complicato, duro, arduo, difficoltoso, ostico © facile, semplice, leggero, agevole **2** incomprensibile, oscuro, astruso © chiaro, facile, piano **3** (*di persona, di carattere*) scontroso, scostante, intrattabile, inavvicinabile © affabile, cordiale **4** esigente, schizzinoso, incontentabile © facile, adattabile **5** (*di periodo, di situazione ecc.*) critico, delicato, grave, incerto, confuso © normale, semplice **6** dubbio, incerto, improbabile © possibile, probabile ♦ *s.m.* difficoltà, problema.

difficoltà *s.f.* **1** complessità, problematicità © semplicità, facilità **2** ostacolo, complicazione, impedimento, intralcio, problema, disagio © facilitazione, agevolazione **3** fatica, sforzo, stento **4** obiezione, opposizione, problema **5** (*al pl.*) indigenza, miseria, povertà © ricchezza, agiatezza, benessere.

difficoltóso *agg.* vedi **difficile**.

diffìda *s.f.* ingiunzione, intimazione.

diffidàre *v.intr.* (*di qlcu., di qlco.*) dubitare, sospettare, temere © confidare, fidarsi ♦ *v.tr.* (*dir.*) ingiungere, intimare.

diffidènte *agg., s.m.f.* sospettoso, dubbioso, scettico © fiducioso.

diffidènza *s.f.* sfiducia, sospettosità, sospetto, dubbio © fiducia, sicurezza.

diffóndere *v.tr.* **1** spandere, effondere, emanare emettere, irradiare **2** (*un contagio*) propagare, trasmettere © limitare, circoscrivere **3** ♧ (*notizie e sim.*) comunicare, diramare, divulgare; (*per radio e televisione*) trasmettere ♦ **diffondersi** *v.pr.* **1** spandersi, espandersi, allargarsi © restringersi **2** ♧ (*di idee, notizie e sim.*) propagarsi, divulgarsi; (*di moda, di fenomeno ecc.*) dilagare, proliferare, prendere piede, propagarsi **3** ♧ (*in chiacchiere*) dilungarsi, andare per le lunghe © abbreviare, tagliare corto.

diffórme *agg.* discordante, diverso © conforme, concordante.

difformità *s.f.* discordanza, diversità, differenza, contrasto © conformità, concordanza.

diffusióne *s.f.* **1** (*di una notizia e sim.*) propagazione, divulgazione; trasmissione, comunicazione **2** (*di un fenomeno, di una moda ecc.*) circolazione, espansione © limitazione **3** (*di un virus e sim.*) trasmissione, proliferazione **4** (*di un suono, di una luce ecc.*) emanazione, emissione, irradiazione, propagazione.

diffùso *agg.* **1** (*di notizia e sim.*) comunicato, trasmesso, divulgato **2** (*di luce e sim.*) soffuso, sparso **3** (*di discorso*) esteso, prolisso, minuzioso © breve, succinto, scarno.

dìga *s.f.* **1** IPERON. sbarramento, barriera **2** ♧ barriera, argine, freno, scudo.

digerìre *v.tr.* **1** assimilare, elaborare, smaltire **2** ♧ (*nozioni, concetti*) assimilare, comprendere, capire, impadronirsi **3** ♧ (*un'offesa, una persona ecc.*) sopportare, tollerare; accettare, ammettere, mandare giù (*colloq.*) © respingere, rifiutare.

digestióne *s.f.* (*med.*) pepsi © indigestione.

digitàle *agg.* numerico © analogico.

digitàre *v.tr.* scrivere, comporre.

digiunàre *v.intr.* © mangiare, alimentarsi, nutrirsi.

digiùno[1] *agg.* **1** affamato © sazio, satollo **2** ♧ (*di notizie e sim.*) privo, sprovvisto © fornito, provvisto **3** ♧ (*di una materia e sim.*) ignorante, impreparato © preparato, ferrato.

digiùno[2] *s.m.* **1** astinenza, inedia; dieta **2** mancanza, privazione © abbondanza.

dignità *s.f.* **1** onore, decoro, distinzione, nobiltà, rispettabilità © abiezione, bassezza, indegnità **2** orgoglio, amor proprio **3** (*di aspetto e sim.*) austerità, fierezza, gravità, severità **4** carica, grado, ufficio.

dignitóso *agg.* **1** (*di persona, di comportamento ecc.*) decoroso, distinto, nobile, signorile © indecoroso, indegno, abietto, meschino **2** (*di lavoro, di casa ecc.*) accettabile, decente, decoroso, passabile © indecoroso, inaccettabile, indecente.

digradàre *v.intr.* **1** (*di terreno e sim.*) scendere, abbassarsi, calare, declinare © salire, innalzarsi **2** (*di luce, di suono ecc.*) diminuire, attenuarsi, scemare, smorzarsi.

digressióne *s.f.* **1** (*da un percorso*) deviazione

2 ♧ (*da un argomento e sim.*) divagazione, parentesi, excursus, inciso, sconfinamento, variazione.
digrossàre *v.tr.* **1** sgrossare **2** ♧ dirozzare.
diktat *s.m.invar.* (*ted.*) ordine, imposizione.
dilagàre *v.intr.* **1** straripare, tracimare, spandersi **2** ♧ (*di epidemia, di corruzione ecc.*) diffondersi, propagarsi, attecchire, allignare, svilupparsi © regredire, spegnersi.
dilaniàre *v.tr.* **1** lacerare, strappare, smembrare, sbranare **2** ♧ tormentare, straziare, torturare.
dilapidàre *v.tr.* sperperare, scialacquare © risparmiare, economizzare.
dilatàre *v.tr.* allargare, ampliare, estendere, ingrandire, accrescere © restringere, ridurre ♦ **dilatarsi** *v.pr.* ampliarsi, allargarsi, espandersi.
dilazionàre *v.tr.* rinviare, differire, posticipare, procrastinare, prorogare © anticipare.
dilazióne *s.f.* differimento, proroga, rinvio.
dileggiàre *v.tr.* deridere, prendere in giro, schernire, sfottere (*colloq.*).
diléggio *s.m.* derisione, beffa, burla, canzonatura, presa in giro, scherno, sfottimento (*colloq.*).
dileguàre *v.tr.* allontanare, disperdere, dissipare ♦ **dileguarsi** *v.pr.* scomparire, svanire, volatilizzarsi.
dilèmma *s.m.* scelta, alternativa, svolta, aut aut (*lat.*) © soluzione.
dilettànte *agg.*, *s.m.f.* **1** amatore, cultore, appassionato © professionista **2** inesperto, incapace, incompetente, principiante © esperto, maestro, specialista.
dilettàre *v.tr.* allietare, deliziare, rallegrare © annoiare, rattristare ♦ **dilettarsi** *v.pr.* divertirsi, deliziarsi, svagarsi © annoiarsi, rattristarsi.
dilettévole *agg.* divertente, piacevole, gradevole © spiacevole, fastidioso, noioso.
dilètto[1] *agg.* caro, amato, adorato, benvoluto, dolce, prediletto © detestato, odiato.
dilètto[2] *s.m.* **1** piacere, gioia, soddisfazione © dolore, pena, sofferenza **2** divertimento, svago, passatempo.
diligènte *agg.* **1** (*di persona*) coscienzioso, laborioso, meticoloso, preciso, scrupoloso, solerte © impreciso, frettoloso, negligente, trascurato, svogliato **2** (*di studente*) attento, impegnato, studioso © disattento, distratto, incostante, svogliato **3** (*di lavoro*) accurato, curato, esatto, preciso, minuzioso © approssimativo, impreciso, trasandato, sciatto.
diligènza *s.f.* accuratezza, precisione, scrupolosità, meticolosità, solerzia © negligenza, sciatteria, disattenzione, distrazione, pigrizia.
diluènte *s.m.* solvente.
diluìre *v.tr.* (*un liquido con un altro liquido*) allungare, annacquare; (*una sostanza solida con un liquido*) sciogliere, stemperare © addensare, concentrare.
dilungàrsi *v.pr.* soffermarsi, attardarsi, indugiare © abbreviare, stringere, condensare.
diluviàre *v.intr.* piovere a dirotto, scrosciare.
dilùvio *s.m.* **1** nubifragio, scroscio, rovescio **2** ♧ (*di fischi, di applausi ecc.*) mucchio, caterva, profluvio, infinità, raffica, salva.
dimagrànte *agg.* snellente © ingrassante.
dimagriménto *s.m.* smagrimento © ingrassamento.
dimagrire *v.tr.* smagrire, snellire © ingrassare, ingrossare ♦ *v.intr.* deperire, rinsecchire, smagrire © ingrassare.
dimenàre *v.tr.* agitare, scuotere, dondolare ♦ **dimenarsi** *v.pr.* agitarsi, contorcersi, dibattersi.
dimensióne *s.f.* **1** (*di un corpo*) grandezza, misura, estensione **2** ♧ (*di un fatto, di un fenomeno ecc.*) entità, importanza, misura, valore, portata.
dimenticànza *s.f.* **1** amnesia, oblio; lacuna © memoria, ricordo, reminescenza **2** distrazione, disattenzione, negligenza, errore, svista © attenzione, cura, concentrazione.
dimenticàre *v.tr.* **1** scordare © ricordare, rammentare **2** (*qlco. in un luogo*) lasciare, perdere, scordare **3** (*un dovere, un obbligo e sim.*) ignorare, omettere, tralasciare © considerare **4** (*un'offesa e sim.*) perdonare, cancellare ♦ **dimenticarsi** *v.pr.* scordarsi, scordare © ricordarsi, rammentare.
dimésso *agg.* **1** (*di abito, di persona ecc.*) trasandato, trascurato, modesto, povero, umile © appariscente, accurato, elegante, sfarzoso **2** (*di stile e sim.*) semplice, disadorno, scarno © ornato, forbito, pomposo.
dimestichézza *s.f.* familiarità, confidenza, intimità; (*con una materia e sim.*) pratica, esperienza, conoscenza, competenza.
diméttere *v.tr.* **1** rilasciare, liberare; congedare **2** (*da una carica e sim.*) deporre, destituire, licenziare, esonerare, dimissionare ♦ **dimettersi** *v.pr.* (*da una carica e sim.*) dare le dimissioni, licenziarsi, ritirarsi © insediarsi.
dimezzàre *v.tr.* **1** dividere © raddoppiare, duplicare **2** (*le spese e sim.*) ridurre, limitare.
diminuìre *v.tr.* calare, ridurre, rimpicciolire, abbreviare, accorciare; (*un dolore e sim.*) attenuare, affievolire, mitigare © aumentare, accrescere, ingrandire ♦ *v.intr.* ridursi, decrescere, calare, scemare © crescere, aumentare.

diminutìvo *agg.* © accrescitivo.

diminuzióne *s.f.* calo, decremento; attenuazione, moderazione © aumento, crescita, incremento.

dimissióne *s.f.* (*spec. al pl.*) congedo, esonero, licenziamento; abbandono, rinuncia, ritiro © assunzione, insediamento.

dimoràre *v.intr.* abitare, stare, vivere, risiedere, alloggiare, soggiornare.

dimostrànte *s.m.f.* manifestante.

dimostràre *v.tr.* **1** mostrare, manifestare, esprimere, rivelare © nascondere, occultare **2** (*una tesi e sim.*) provare, argomentare, comprovare, attestare, documentare © smentire, confutare **3** (*il funzionamento, l'uso di qlco.*) spiegare, descrivere, illustrare, insegnare ♦ *v.intr.* manifestare, sfilare, scendere in piazza ♦ **dimostrarsi** *v.pr.* apparire, mostrarsi, rivelarsi.

dimostrazióne *s.f.* **1** (*di affetto, di forza ecc.*) prova, atto, manifestazione, testimonianza, attestazione **2** (*di una tesi e sim.*) prova, giustificazione, riprova **3** (*spec. scientifica*) esperimento, prova, test **4** (*di protesta e sim.*) manifestazione, corteo, raduno.

dinamicità *s.f.* dinamismo, vivacità, energia, attivismo, operosità © lentezza, inerzia.

dinàmico *agg.* **1** (*fis.*) © statico **2** ♧ attivo, energico, vitale, vivace, operoso, laborioso © inerte, inattivo, statico.

dinamìsmo *s.m.* dinamicità, energia, vitalità, vivacità, operosità © immobilismo, inerzia, pigrizia.

dinastìa *s.f.* casa, casato, ceppo, famiglia, stirpe.

diniègo *s.m.* rifiuto, negazione © consenso, assenso, accettazione.

dinoccolàto *agg.* slegato, snodato, cascante © rigido.

dìo *s.m.* **1** (*con l'iniziale maiuscola*) Creatore, Iddio, Onnipotente, Padreterno, Signore **2** (*nelle religioni politeistiche*) divinità, nume **3** ♧ (*persona di qualità eccezionali*) fenomeno, asso, mago, talento, portento © schiappa **4** ♧ (*persona o cosa adorata*) idolo, mito, sogno.

dipanàre *v.tr.* **1** districare, sbrogliare © avvolgere, aggrovigliare **2** ♧ (*una situazione e sim.*) sbrogliare, chiarire, districare, risolvere © complicare, ingarbugliare.

dipartiménto *s.m.* divisione, reparto, settore, sezione, compartimento, ufficio.

dipendènte *agg.* **1** (*di lavoratore e sim.*) subalterno, subordinato © autonomo, indipendente **2** (*gramm.*) subordinato, secondario © principale ♦ *agg.*, *s.m.f.* IPON. impiegato, operaio © autonomo, indipendente, libero professionista.

dipendènza *s.f.* **1** subalternità, subordinazione © indipendenza, autonomia **2** soggezione, sottomissione, ubbidienza © indipendenza **3** assuefazione, tossicodipendenza.

dipèndere *v.intr.* **1** (*da qlco.*) derivare, discendere, provenire, originarsi **2** (*da qlcu.*) obbedire, soggiacere, sottostare.

dipìngere *v.tr.* **1** (*un quadro e sim.*) pitturare, colorare IPON. affrescare, acquerellare **2** (*una parete e sim.*) verniciare, pitturare, tinteggiare **3** (*gli occhi, le labbra ecc.*) truccare, imbellettare **4** ♧ (*una situazione e sim.*) descrivere, rappresentare, illustrare, ritrarre ♦ **dipingersi** *v.pr.* **1** truccarsi, imbellettarsi **2** ♧ (*di stati d'animo*) manifestarsi, mostrarsi.

dipìnto *s.m.* pittura, quadro, tela.

diplòma *s.m.* attestato, attestazione, certificato; (*scolastico*) laurea, maturità.

diplomàtico *agg.* ♧ attento, abile, accorto, avveduto, prudente ♦ *s.m.* IPON. ambasciatore, console.

diplomazìa *s.f.* **1** corpo diplomatico **2** ♧ tatto, discrezione, accortezza, prudenza, savoir-faire (*fr.*).

dipòrto *s.m.* svago, divertimento.

diradàre *v.tr.* **1** rarefare, sfoltire © infittire, ispessire, infoltire **2** (*le visite e sim.*) ridurre, diminuire, sfoltire © aumentare, intensificare, moltiplicare.

diramàre *v.tr.* (*una notizia e sim.*) diffondere, divulgare, trasmettere, comunicare © ricevere; nascondere, insabbiare ♦ **diramarsi** *v.pr.* **1** dividersi, biforcarsi, ramificarsi **2** ♧ (*di notizia*) diffondersi, divulgarsi, propagarsi.

diramazióne *s.f.* **1** (*di notizie e sim.*) diffusione, divulgazione, propagazione **2** (*di un fiume, di una strada ecc.*) ramificazione, biforcazione, propaggine **3** (*di azienda e sim.*) filiale, succursale.

dìre *v.tr.* **1** esprimere, pronunciare, comunicare, parlare © tacere **2** (*una poesia, un discorso ecc.*) recitare, declamare, pronunciare **3** (*notizie, opinioni ecc.*) affermare, dichiarare, raccontare, riferire, riportare, sostenere © negare, smentire **4** esprimere, significare, indicare, simboleggiare **5** consigliare, suggerire, esortare, avvertire **6** ordinare, comandare, imporre **7** ♧ (*di comportamento e sim.*) dimostrare, provare, attestare **8** (*con valore impers.*) parere, risultare, sembrare **9** (*con valore impers.*) esprimere, tradurre **10** (*assol.*) parlare; raccontare, riferire ♦ *s.m.* discorso.

dirètta *s.f.* (*di trasmissioni radio-televisive*) © differita, registrata.

direttìva *s.f.* **1** disposizione, ordine, istruzione, comando, diktat (*ted.*) **2** criterio, indirizzo, orientamento, principio.

direttìvo *agg.* direzionale, dirigente; dirigenziale ♦ *s.m.* (*di un partito e sim.*) direzione, dirigenza, vertice.

dirètto *agg.* **1** indirizzato, destinato, inviato, rivolto **2** (*di spettacolo, di governo ecc.*) condotto, guidato **3** (*di strada, di linea ecc.*) diritto, rettilineo © obliquo, storto **4** (*di rapporto, di conseguenza ecc.*) immediato © indiretto, mediato **5** (*di discorso e sim.*) chiaro, esplicito, onesto, sincero © ambiguo, indiretto.

direttóre *s.m.* capo, dirigente, principale, superiore © dipendente, subalterno.

direzióne *s.f.* **1** senso, parte, lato, verso **2** corso, indirizzo, linea, orientamento, tendenza **3** (*di lavori, d'orchestra ecc.*) guida, comando, governo **4** (*di partito e sim.*) dirigenza, direttivo, vertice.

dirigènte *agg.* direttivo, direzionale ♦ *s.m.f.* (*d'azienda e sim.*) quadro, manager (*ingl.*), executive (*ingl.*) IPERON. capo.

dirigènza *s.f.* **1** comando, governo, guida, direzione **2** (*insieme dei dirigenti*) direzione, direttivo, vertice.

dirìgere *v.tr.* **1** (*la mira, lo sguardo ecc.*) rivolgere, guidare, puntare, indirizzare **2** (*un messaggio e sim.*) inviare, indirizzare, mandare, spedire © ricevere **3** (*un'azienda, un'attività ecc.*) guidare, comandare, condurre, reggere, amministrare, governare **4** (*il traffico*) regolare, controllare, disciplinare, sorvegliare **5** (*sport*) arbitrare ♦ **dirigersi** *v.pr.* avviarsi, incamminarsi, indirizzarsi, rivolgersi.

dirìmere *v.tr.* (*una lite, una controversia*) risolvere, accomodare, appianare, sistemare.

dirìtto[1] *agg.* **1** retto, rettilineo, diretto © curvo, obliquo **2** (*di palo, di schiena ecc.*) dritto, ritto, eretto, perpendicolare © inclinato, disteso; curvo, piegato **3** (*di persona*) onesto, leale, retto © disonesto ♦ *s.m.* **1** (*nel tessuto, nel lavoro a maglia*) © rovescio **2** (*nel tennis*) drive © rovescio.

dirìtto[2] *s.m.* **1** legge, legislazione, giurisprudenza **2** (*di voto e sim.*) facoltà, potere, prerogativa, privilegio © dovere **3** (*spec. al pl.*; *di bollo, di segreteria ecc.*) tassa, imposta, spettanza.

dirittùra *s.f.* **1** rettilineo **2** ♧ rettitudine, onestà, lealtà, correttezza © corruzione, disonestà.

diroccàto *agg.* cadente, fatiscente, pericolante, in rovina.

dirompènte *agg.* (*di notizia e sim.*) clamoroso, esplosivo, sconvolgente, straordinario.

dirottàre *v.tr.* incanalare, indirizzare, deviare ♦ *v.intr.* cambiare rotta, deviare.

diròtto *agg.* (*di pioggia, di pianto ecc.*) impetuoso, irrefrenabile, violento.

dirozzàre *v.tr.* **1** (*un blocco di marmo e sim.*) sgrossare **2** ♧ (*il comportamento, i costumi ecc.*) raffinare, incivilire, educare © imbarbarire, involgarire.

dirùpo *s.m.* burrone, precipizio, strapiombo, scarpata.

disàbile *agg.*, *s.m.f.* diversamente abile, handicappato, portatore di handicap, invalido.

disabitàto *agg.* deserto, abbandonato, spopolato © abitato, popolato.

disabituàre *v.tr.* **1** diseducare © abituare, educare **2** divezzare, svezzare © abituare, assuefare.

disaccòrdo *s.m.* dissidio, contrasto, discordanza, dissapore, discordia © accordo, armonia.

disadattaménto *s.m.* © adattamento.

disadattàto *agg.*, *s.m.* emarginato, spostato, asociale © integrato, inserito.

disadàtto *agg.* **1** (*di cosa*) inopportuno, inidoneo © adatto, idoneo **2** (*di persona*) incapace, inabile © adatto, capace, abile.

disadórno *agg.* **1** nudo, spoglio; essenziale, semplice, sobrio, povero, dimesso © ricco, sfarzoso, sontuoso **2** (*di stile e sim.*) essenziale, conciso, pulito, sobrio, scarno © prolisso, ridondante, barocco.

disaffezionàrsi *v.pr.* allontanarsi, distaccarsi, disamorarsi © affezionarsi, attaccarsi, innamorarsi.

disaffezióne *s.f.* disamore, distacco, raffreddamento, indifferenza © affezione, attaccamento.

disagévole *agg.* disagiato, scomodo, difficile © agevole, comodo, confortevole.

disagiàto *agg.* **1** scomodo, disagevole, difficoltoso © comodo, confortevole, agevole **2** (*di vita, di condizioni ecc.*) povero, bisognoso, misero, indigente © ricco, agiato, benestante.

disàgio *s.m.* **1** scomodità, fastidio, malessere © comodità **2** (*economico*) privazione, stento, sofferenza © agiatezza, agio **3** imbarazzo, difficoltà © agio.

disàmina *s.f.* esame, analisi, indagine, studio, valutazione.

disamoràre *v.tr.* disaffezionare, distaccare, raffreddare © innamorare ♦ **disamorarsi** *v.pr.* allontanarsi, disaffezionarsi, distaccarsi.

disapprovàre *v.tr.* biasimare, criticare, condannare, deplorare, censurare © approvare, accettare, lodare, elogiare.

disapprovazióne *s.f.* critica, condanna, biasimo, censura, riprovazione © approvazione, apprezzamento, consenso, beneplacito.

disappùnto *s.m.* dispiacere, rammarico; contrarietà, rabbia, stizza © soddisfazione, gioia, piacere.

disarcionàre *v.tr.* sbalzare.

disarmàre *v.tr.* **1** sguarnire, smilitarizzare © armare, munire, militarizzare **2** ♧ calmare, rabbonire, placare, rasserenare © agitare, eccitare, innervosire **3** (*edil.*) © armare.

disarmàto *agg.* **1** sguarnito © armato **2** ♧ indifeso, inerme, innocuo, inoffensivo © forte.

disàrmo *s.m.* © armamento, riarmo.

disarmonìa *s.f.* **1** (*di suoni*) stonatura, contrasto, dissonanza © armonia, accordo **2** discordanza, disaccordo, contrasto © accordo, intesa, armonia, concordia.

disarticolàre *v.tr.* ♧ scompaginare, disgregare © aggregare, organizzare, unificare.

disarticolàto *agg.* **1** slogato **2** ♧ (*di ragionamento e sim.*) incoerente, sconnesso, slegato © articolato, coerente.

disastràto *agg.*, *s.m.* danneggiato, rovinato, distrutto, sinistrato **IPON.** alluvionato, terremotato.

disàstro *s.m.* **1** catastrofe, cataclisma, calamità, disgrazia, tragedia **2** (*aereo, ferroviario*) incidente, disgrazia, sciagura **3** confusione, disordine, caos, scompiglio **4** ♧ guaio, pasticcio, casino (*colloq.*) **5** ♧ (*di persona incapace*) frana, buono a nulla, rovina **6** (*di spettacolo e sim.*) fiasco, insuccesso, fallimento © successo, trionfo.

disastróso *agg.* **1** catastrofico, rovinoso, tragico, apocalittico **2** (*di viaggio, di strada ecc.*) scomodo, disagevole, disagiato © comodo, agevole **3** (*di esame, di giornata ecc.*) negativo, deludente, fallimentare © proficuo, vantaggioso.

disattèndere *v.tr.* **1** (*una legge*) contravvenire, ignorare, eludere, infrangere, trasgredire © osservare, rispettare, attenersi **2** (*le aspettative e sim.*) deludere, tradire, venire meno © mantenere, rispettare.

disattènto *agg.* distratto, incurante, noncurante, sbadato © attento, preciso, meticoloso, zelante.

disattenzióne *s.f.* **1** distrazione, sbadataggine, negligenza, noncuranza © attenzione, precisione, diligenza **2** svista, errore, dimenticanza **3** mancanza, scortesia, indelicatezza © riguardo, cortesia, delicatezza, gentilezza.

disattivàre *v.tr.* disinnescare, disinnestare © attivare, innescare.

disavànzo *s.m.* deficit, perdita, passivo, buco (*colloq.*), debito © attivo, credito, eccedenza, sopravanzo.

disavvedùto *agg.* sbadato, distratto, incauto, malaccorto, sconsiderato © avveduto, accorto, cauto.

disavventùra *s.f.* guaio, contrarietà, vicissitudine, traversia, odissea, disgrazia, sventura.

disbrigàre *v.tr.* sbrigare, espletare, risolvere.

disbrìgo *s.m.* esecuzione, compimento, espletamento, risoluzione.

discàpito *s.m.* scapito, danno, svantaggio.

discendènte *agg.* calante, decrescente, discensionale © ascendente, ascensionale ♦ *s.m.f.* erede, successore © antenato, predecessore.

discendènza *s.f.* **1** casata, nascita, famiglia, origine, provenienza, stirpe **2** discendenti, posteri, successori, eredi © ascendenza, ascendenti; padri, progenitori, antenati.

discéndere *v.intr.* **1** scendere, venire giù, calare © salire, ascendere **2** (*da cavallo, da un treno ecc.*) scendere, smontare, sbarcare © montare, salire **3** (*di collina e sim.*) scendere, digradare © salire, innalzarsi **4** (*da una famiglia*) derivare, provenire **5** ♧ dipendere, conseguire, derivare ♦ *v.tr.* scendere © salire.

discènte *s.m.f.* discepolo, allievo, scolaro, studente © docente, insegnante.

discépolo *s.m.* allievo, scolaro, studente; seguace © docente, insegnante, maestro.

discèrnere *v.tr.* distinguere, riconoscere, individuare; comprendere, conoscere.

discerniménto *s.m.* giudizio, senno, buon senso, saggezza.

discésa *s.f.* **1** pendenza, pendio, declivio © salita **2** calo, abbassamento, caduta, diminuzione © salita, aumento, incremento.

dischiùdere *v.tr.* socchiudere © chiudere.

discìnto *agg.* seminudo; (*di abito*) succinto © vestito, coperto.

disciògliere *v.tr.* sciogliere, liquefare © condensare, coagulare, solidificare.

disciplìna *s.m.* **1** (*militare ecc.*) ordine, regola, regolamento © disordine, anarchia **2** rispetto, osservanza, ubbidienza © indisciplina, disubbidienza **3** (*di studio*) ambito, settore, materia.

disciplinàre[1] *agg.* (*di provvedimento, di norma ecc.*) punitivo.

disciplinàre[2] *v.tr.* **1** regolamentare © liberalizzare **2** (*il traffico*) dirigere, regolare **3** (*un sentimento e sim.*) controllare, dominare, frenare.

disciplinàto *agg.* **1** (*di persona*) ligio, rispettoso, sottomesso, ubbidiente © indisciplinato, disubbidiente **2** (*di traffico*) regolato, ordinato © disordinato, indisciplinato.

discólpa *s.f.* difesa, scusa, giustificazione, discarico © accusa.

discolpàre *v.tr.* scagionare, scusare, giustificare © accusare, incolpare ♦ **discolparsi** *v.pr.* difendersi, giustificarsi, scusarsi.

disconnèttersi *v.pr.* (*inform.*) scollegarsi, sconnettersi © collegarsi, connettersi.
disconóscere *v.tr.* negare, rinnegare, misconoscere, sconfessare © riconoscere, ammettere.
discontinuità *s.f.* interruzione, irregolarità, frammentarietà, incostanza, saltuarietà © continuità, coerenza, regolarità.
discontìnuo *agg.* **1** irregolare, interrotto, intermittente, frammentario, saltuario © continuo, costante, uniforme **2** ♧ incostante, incoerente © regolare, coerente, costante.
discordànte *agg.* contraddittorio, contrastante, diverso, divergente © concorde, coincidente, unanime.
discordànza *s.f.* disaccordo, differenza, contrasto, contraddizione, disarmonia © accordo, armonia, concordia.
discordàre *v.intr.* **1** dissentire, divergere, differire © concordare, collimare **2** (*di suoni, di colori ecc.*) contrastare, stonare, stridere © accordarsi, armonizzare, intonarsi.
discòrde *agg.* discordante, contrastante, contraddittorio © concorde.
discòrdia *s.f.* **1** contrasto, disaccordo, dissidio, conflitto © concordia, accordo, intesa **2** (*di opinioni, giudizi e sim.*) contrasto, divergenza, dissenso, incompatibilità, discrepanza © accordo, concordanza, conformità.
discórrere *v.intr.* parlare, conversare, chiacchierare, discutere, colloquiare, dialogare.
discorsìvo *agg.* (*di tono, di stile ecc.*) chiaro, semplice, facile, accessibile, comprensibile, scorrevole © formale, ampolloso, magniloquente (*elev.*), ridondante.
discórso *s.m.* **1** colloquio, conversazione, dialogo, chiacchierata **2** ragionamento, riflessione **3** conferenza, dissertazione, trattazione **4** (*al pl.*) chiacchiere **5** ♧ affare, questione, faccenda, problema.
discrédito *s.m.* disistima, disonore © fiducia, credito, stima.
discrepànza *s.f.* differenza, contraddizione, disaccordo, divergenza, sfasamento © accordo, armonia, concordanza, conformità.
discréto *agg.* **1** (*di tempo atmosferico, di qualità ecc.*) abbastanza buono, passabile, soddisfacente, decente © cattivo, mediocre, pessimo **2** (*di quantità*) modesto, misurato; decente, decoroso, dignitoso **3** (*di persona*) riservato, delicato, educato, riguardoso © indiscreto, invadente, importuno.
discrezióne *s.f.* **1** giudizio, criterio, discernimento © avventatezza, sconsideratezza **2** tatto, educazione, riservatezza, delicatezza, sensibilità © indiscrezione, invadenza, maleducazione **3** arbitrio, volontà.
discriminàre *v.tr.* **1** differenziare, dividere, distinguere © accomunare, confondere **2** (*socialmente*) emarginare, ghettizzare, isolare, segregare © integrare.
discussióne *s.f.* **1** dialogo, dibattito, colloquio, conversazione **2** esame, analisi, argomentazione, trattazione **3** contrasto, litigio, battibecco, alterco, disputa.
discùtere *v.tr.* e *intr.* **1** esaminare, valutare, trattare **2** contestare, criticare, confutare **3** litigare, bisticciare, polemizzare © accordarsi, intendersi **4** parlare, trattare, disputare; conversare, chiacchierare.
discutìbile *agg.* incerto, controverso, contestabile, criticabile, dubbio © certo, sicuro, indiscutibile, incontestabile.
disdegnàre *v.tr.* disprezzare, respingere, sdegnare © apprezzare, gradire, stimare.
disdétta *s.f.* **1** (*dir.*) scioglimento, denuncia **2** sfortuna, sventura © fortuna.
disdicévole *agg.* indecente, sconveniente, scorretto, riprovevole © ammirevole, conveniente, decente.
disdìre *v.tr.* **1** (*un impegno e sim.*) annullare, cancellare © confermare **2** (*un contratto e sim.*) rescindere, recedere, risolvere, annullare © onorare, osservare, rispettare.
diseducàre *v.tr.* guastare, corrompere; disabituare © educare.
diseducatìvo *agg.* © educativo, formativo, istruttivo.
disegnàre *v.tr.* **1** tracciare, delineare, schizzare **2** ♧ descrivere, illustrare, rappresentare **3** ♧ concepire, progettare.
disegnatóre *s.m.* IPON. grafico, designer (*ingl.*).
diségno *s.m.* **1** IPON. schizzo, traccia, abbozzo, bozzetto, vignetta **2** progetto, studio **3** (*di una stoffa e sim.*) motivo, ornamento **4** ♧ (*di un romanzo e sim.*) schema, traccia, canovaccio **5** ♧ intenzione, intento, piano, programma, proposito.
diseredàto *agg., s.m.* povero, indigente, miserabile, nullatenente.
disertàre *v.tr.* (*le lezioni, una riunione ecc.*) mancare © partecipare, prendere parte ♦ *v.intr.* **1** (*mil.*) defezionare, abbandonare **2** ♧ esimersi, sottrarsi.
disertóre *s.m.* (*mil.*) fuggiasco; traditore.
diserzióne *s.f.* (*mil.*) fuga, defezione; tradimento.
disfaciménto *s.m.* **1** (*di materiale organico*) decomposizione, putrefazione **2** ♧ (*di società,*

di costumi e sim.) corruzione, dissoluzione, decadenza, sfacelo.
disfàre *v.tr.* **1** smontare, scomporre, scompaginare © fare, montare **2** (*neve e sim.*) sciogliere, fondere, liquefare **3** distruggere, abbattere, demolire © costruire, edificare ♦ **disfarsi** *v.pr.* **1** liberarsi, sbarazzarsi **2** guastarsi, avariarsi, corrompersi **3** ♧ (*di persona*) sfiorire, deperire **4** sciogliersi, liquefarsi.
disfàtta *s.f.* sconfitta, annientamento, capitolazione © successo, vittoria, trionfo.
disfattìsmo *s.m.* sfiducia, pessimismo © fiducia, ottimismo.
disfunzióne *s.f.* **1** (*med.*) anomalia, irregolarità, squilibrio **2** (*di servizi pubblici, enti ecc.*) disorganizzazione © organizzazione.
disgèlo *s.m.* **1** (*di ghiaccio, di neve*) scioglimento, fusione © congelamento **2** ♧ (*nei rapporti e sim.*) distensione, miglioramento © gelo, tensione, irrigidimento.
disgiùngere *v.tr.* dividere, separare, staccare © congiungere, unire, attaccare.
disgiùnto *agg.* separato, staccato © congiunto, unito, collegato.
disgràzia *s.f.* **1** (*cattiva sorte*) sventura, avversità, sfortuna, iella (*colloq.*) © fortuna **2** (*evento doloroso*) incidente, disastro, sciagura, catastrofe, tragedia **3** (*evento spiacevole*) contrattempo, intoppo, contrarietà.
disgraziàto *agg.* **1** sfortunato, sventurato, sciagurato © fortunato, felice **2** (*di impresa, di evento ecc.*) malaugurato, sfortunato, infausto © fortunato, fausto, piacevole **3** (*di situazione*) incerto, critico, complesso, difficile © sereno, tranquillo ♦ *s.m.* **1** poveraccio, poveretto, povero diavolo, sventurato **2** deliquente, mascalzone, farabutto, canaglia.
disgregàre *v.tr.* **1** frantumare, frammentare, scindere, sgretolare **2** ♧ (*un partito, la famiglia ecc.*) dividere, smembrare, sfasciare © unire, aggregare, unificare, cementare.
disgregazióne *s.f.* **1** frantumazione, sgretolamento, scomposizione © aggregazione **2** ♧ (*di un partito, della famiglia ecc.*) divisione, disgregamento, scissione © unione, aggregazione.
disguìdo *s.m.* malinteso, equivoco; errore, sbaglio, svista.
disgustàre *v.tr.* nauseare, stomacare, ripugnare, schifare © gustare, gradire, piacere.
disgùsto *s.m.* **1** nausea, avversione, ribrezzo, ripugnanza © gusto, piacere **2** ♧ avversione, fastidio, insofferenza, repulsione © simpatia, attrazione.
disgustóso *agg.* nauseante, ripugnante, repellente, rivoltante, stomachevole, vomitevole © buono, gustoso, gradevole, piacevole.
disillùdere *v.tr.* disincantare, disingannare, deludere © illudere, incantare, ingannare.
disillusióne *s.f.* disincanto © illusione, inganno, sogno.
disimpegnàre *v.tr.* **1** (*da una promessa e sim.*) sciogliere, liberare, disobbligare © impegnare, obbligare **2** (*qlco. dato in pegno*) riscattare © impegnare **3** (*un incarico, una funzione ecc.*) esercitare, svolgere, adempiere ♦ **disimpegnarsi** *v.pr.* liberarsi, svincolarsi © impegnarsi, vincolarsi.
disimpegnàto *agg.* **1** (*politicamente, socialmente ecc.*) © impegnato, militante, engagé (*fr.*) **2** (*di film, di romanzo ecc.*) commerciale, d'evasione © impegnato.
disimpégno *s.m.* **1** (*politico, sociale ecc.*) disinteresse, distacco; qualunquismo © impegno **2** ripostiglio, sgabuzzino.
disincantàre *v.tr.* disingannare, disilludere © illudere, incantare.
disincànto *s.m.* disillusione, disinganno; scetticismo © illusione, inganno.
disincentivàre *v.tr.* scoraggiare, frenare, demotivare © incentivare, incoraggiare, stimolare.
disinfestàre *v.tr.* sanare, risanare, bonificare.
disinfestazióne *s.f.* risanamento, bonifica.
disinfettànte *agg.*, *s.m.* antisettico, germicida.
disinfettàre *v.tr.* sterilizzare; depurare, purificare; (*una ferita*) medicare.
disinfezióne *s.f.* sterilizzazione, depurazione © infezione.
disingànno *s.m.* disillusione, disincanto, delusione © inganno, illusione.
disinibìto *agg.* libero, disinvolto, aperto, spregiudicato © inibito, introverso, chiuso.
disinnescàre *v.tr.* disattivare © innescare, attivare.
disinnestàre *v.tr.* disinserire, scollegare © innestare, collegare.
disintegràre *v.tr.* **1** (*un materiale, un oggetto ecc.*) distruggere, frantumare, sgretolare, sbriciolare, polverizzare **2** ♧ (*un partito, un unione ecc.*) dividere, separare, sfasciare, disunire © unire, cementare.
disinteressàrsi *v.pr.* trascurare, infischiarsene (*colloq.*), fregarsene (*colloq.*) © badare, interessarsi, occuparsi.
disinteressàto *agg.* **1** generoso, altruista © interessato, egoista **2** imparziale, obiettivo, distaccato, spassionato © interessato, parziale **3** indifferente, noncurante © partecipe.
disinterèsse *s.m.* **1** distacco, apatia, indifferen-

za, noncuranza © interesse, attenzione, impegno, partecipazione **2** altruismo, generosità, imparzialità, obiettività © parzialità.
disintossicàre *v.tr.* depurare, purificare © intossicare, avvelenare.
disintossicazióne *s.f.* depurazione, purificazione © intossicazione, avvelenamento.
disinvòlto *agg.* **1** sicuro, spigliato, sciolto, naturale © goffo, timido, impacciato, inibito **2** (*di atteggiamento e sim.*) sfacciato, spregiudicato, spudorato, ardito, audace © discreto, modesto, riservato.
disinvoltùra *s.f.* **1** scioltezza, spigliatezza, sicurezza, spontaneità © goffaggine, impaccio, insicurezza **2** leggerezza, superficialità **3** spudoratezza, spregiudicatezza, audacia © discrezione, riservatezza, riguardo.
disistìma *s.f.* disprezzo © stima, ammirazione.
dislivèllo *s.m.* distanza, differenza, scarto, divario, disparità, gap (*ingl.*).
dislocàre *v.tr.* collocare, posizionare, distribuire, disporre © riunire, concentrare.
disobbedìre e derivati vedi **disubbidìre** e derivati.
disoccupàto *agg.*, *s.m.* senza lavoro, inoccupato © occupato, impiegato.
disoccupazióne *s.f.* inoccupazione © occupazione; lavoro.
disonestà *s.f.* **1** corruzione, immoralità, iniquità, scorrettezza, slealtà © onestà, lealtà, correttezza, dirittura, rettitudine **2** (*azione disonesta*) bassezza, scorrettezza, malefatta, mascalzonata, ingiustizia.
disonèsto *agg.* **1** corrotto, fraudolento, sleale © onesto, giusto, leale, retto **2** dissoluto, immorale, impudico, scostumato © onesto, morigerato, casto, costumato ♦ *s.m.* farabutto, imbroglione, mascalzone, delinquente.
disonoràre *v.tr.* diffamare, infamare, screditare © onorare, rispettare.
disonóre *s.m.* onta, vergogna, macchia, discredito © onore, onorabilità, dignità.
disonorévole *agg.* disdicevole, infamante, sconveniente, vergognoso © onorevole.
disordinàre *v.tr.* mettere in disordine, scombinare, scompigliare, incasinare (*colloq.*) © riordinare, mettere in ordine, ordinare, rassettare.
disordinàto *agg.* **1** caotico, confuso, scompigliato, incasinato (*colloq.*) © ordinato, in ordine **2** (*di discorso, di racconto e sim.*) confuso, ingarbugliato, incoerente, sconnesso, farraginoso © ordinato, coerente **3** (*di persona*) confusionario, caotico, sconclusionato, casinista (*colloq.*) © ordinato, preciso **4** (*privo di misura*) sregolato, smodato, esagerato © moderato, misurato.
disórdine *s.m.* **1** caos, confusione, scompiglio © ordine, assetto **2** (*nel bere, nel mangiare ecc.*) sregolatezza, eccesso © moderazione, misura **3** (*spec. al pl.*) scontri, incidenti, tumulti, ribellione, rivolta.
disorganicità *s.f.* frammentazione, incoerenza, disorganizzazione © organicità, coerenza, sistematicità.
disorgànico *agg.* disordinato, frammentario, frammentato, disorganizzato, incoerente, slegato, disorganizzato © organico, coerente, sistematico, organizzato.
disorganizzàre *v.tr.* disordinare, scompigliare, scomporre; sconvolgere, turbare © organizzare, ordinare, strutturare.
disorganizzàto *agg.* disordinato, confuso, incasinato (*colloq.*), disorganico © organizzato, ordinato, strutturato.
disorganizzazióne *s.f.* **1** disordine, confusione, caos, anarchia © organizzazione, ordine **2** (*dei servizi pubblici e sim.*) disordine, disservizio, dissesto © organizzazione, funzionamento.
disorientaménto *s.m.* **1** © orientamento **2** ♧ incertezza, confusione, smarrimento, sconcerto, turbamento © equilibrio, lucidità.
disorientàre *v.tr.* **1** © orientare **2** ♧ confondere, frastornare, sconcertare, scombussolare, turbare ♦ **disorientarsi** *v.pr.* ♧ confondersi, sconcertarsi, turbarsi.
disorientàto *agg.* ♧ smarrito, confuso, perplesso, sconcertato, spaesato © lucido, sicuro, imperturbabile.
dispàccio *s.m.* comunicazione, comunicato, avviso; lettera.
disparàto *agg.* diverso, differente, vario, variegato, eterogeneo, multiforme © simile, uguale, affine.
dìspari *agg.invar.* **1** (*di numero*) © pari **2** differente, diverso; impari © uguale, simile; equivalente.
disparità *s.f.* disuguaglianza, differenza, divario, dislivello © parità, uguaglianza.
dispèndio *s.m.* spreco, sperpero © risparmio, economia.
dispendióso *agg.* costoso, caro, salato (*colloq.*); faticoso © economico, a buon mercato, conveniente; comodo.
dispènsa *s.f.* **1** credenza **2** (*pubblicazione periodica*) fascicolo, numero **3** (*da un obbligo e sim.*) esenzione, esonero **4** (*dir.*) licenza.
dispensàre *v.tr.* **1** (*favori, sorrisi e sim.*) distribuire, elargire © ricevere, accettare **2** (*da un

obbligo) esentare, esimere, assolvere, condonare © obbligare, vincolare.

disperàre *v.intr.* sperare, confidare, fidare ♦ **disperarsi** *v.pr.* angosciarsi, angustiarsi, affliggersi, avvilirsi, sconsolarsi, sconfortarsi © confortarsi, consolarsi.

disperàto *agg.* **1** abbattuto, avvilito, angosciato, sconfortato, sconsolato © speranzoso, fiducioso **2** ♧ (*di lavoro, di lotta e sim.*) intenso, furioso, furibondo, febbrile ♦ *s.m.* (*colloq.*) miserabile, spiantato, diseredato, pezzente.

disperazióne *s.f.* **1** angoscia, dolore, avvilimento, sconforto © speranza, fiducia; felicità gioia **2** (*persona o cosa che fa disperare*) croce, tormento © conforto, consolazione.

dispèrdere *v.tr.* **1** (*persone*) spargere, sparpagliare © riunire, adunare, raccogliere **2** (*oggetti*) gettare, disseminare, spargere, sparpagliare © raccogliere, raggruppare, ammucchiare **3** (*il nemico*) mettere in fuga, sconfiggere, sbaragliare, scacciare **4** ♧ (*forze, sostanze ecc.*) dissipare, sperperare, dilapidare © risparmiare, economizzare, accumulare ♦ **disperdersi** *v.pr.* **1** dividersi, separarsi, sparpagliarsi **2** (*di fumo, calore ecc.*) dissolversi, svanire © concentrarsi **3** ♧ distrarsi, gingillarsi, trastullarsi © concentrarsi, impegnarsi.

dispersióne *s.f.* **1** sparpagliamento, divisione, separazione **2** (*di denaro, di energie ecc.*) dissipazione, spreco **3** (*di gas e sim.*) fuga, perdita.

dispersìvo *agg.* disordinato, superficiale, disorganico © ordinato, preciso, organico.

dispèrso *agg.* **1** sparpagliato © raccolto, riunito **2** perduto, smarrito, scomparso © rinvenuto, rintracciato, trovato ♦ *s.m.* scomparso.

dispètto *s.m.* **1** (*azione*) molestia, ripicca, sgarbo © riguardo, cortesia **2** (*sentimento*) stizza, irritazione, risentimento, disappunto © simpatia, gioia, piacere.

dispettóso *agg.* **1** (*di persona, di azione*) antipatico, fastidioso, spiacevole, irritante, seccante; offensivo, provocatorio © gentile, cortese, simpatico **2** (*di tempo atmosferico*) capriccioso, instabile, variabile.

dispiacére[1] *v.intr.* infastidire, urtare, seccare © piacere ♦ **dispiacersi** *v.pr.* dolersi, rammaricarsi, rincrescersi © rallegrarsi, gioire.

dispiacére[2] *s.m.* rincrescimento, rammarico, pena, cruccio © piacere, gioia, soddisfazione.

dispiaciùto *agg.* desolato, amareggiato, rattristato, rammaricato © contento, soddisfatto.

display *s.m.invar.* (*ingl.*) schermo, video, monitor.

disponìbile *agg.* **1** accessibile, utilizzabile © inutilizzabile, indisponibile **2** (*di posto e sim.*) vuoto, vacante © occupato **3** (*di persona*) libero, disimpegnato © impegnato, occupato **4** aperto, comprensivo, servizievole © chiuso, scostante.

disponibilità *s.f.* **1** (*di una persona*) apertura © chiusura **2** (*di un bene, di una casa e sim.*) utilizzabilità, accessibilità **3** (*spec. al pl.*) denaro, liquidità.

dispórre *v.tr.* **1** sistemare, ordinare, mettere, collocare, porre, posizionare **2** preparare, predisporre, allestire **3** (*una persona a fare qlco.*) convincere, indurre, indirizzare, predisporre, spingere **4** ordinare, decidere, stabilire, prescrivere ♦ *v.intr.* **1** stabilire, decidere, deliberare **2** possedere, avere a disposizione ♦ **disporsi** *v.pr.* **1** ordinarsi, organizzarsi, sistemarsi **2** accingersi, apprestarsi, prepararsi.

disposizióne *s.f.* **1** collocazione, sistemazione, assetto, dislocazione **2** stato d'animo, morale, spirito, umore **3** inclinazione, attitudine, talento, stoffa **4** comando, decreto, legge, ordine, norma.

dispòsto *agg.* capace, disponibile, pronto, propenso © avverso, restio.

dispòtico *agg.* **1** (*di regime*) assoluto, assolutista, dittatoriale, tirannico, totalitario **2** (*di persona*) autoritario, prepotente, dittatoriale, tirannico © democratico, tollerante.

dispotìsmo *s.m.* **1** (*di regime*) assolutismo, dittatura, tirannia, tirannide © democrazia **2** (*di persona*) prepotenza, autoritarismo, dittatura © democrazia, liberismo.

disprezzàre *v.tr.* disdegnare, detestare, denigrare © apprezzare, amare, adorare, lodare.

disprèzzo *s.m.* disistima, biasimo, disdegno, sprezzo © considerazione, stima, rispetto.

dìsputa *s.f.* **1** (*letteraria, teologica ecc.*) discussione, dibattito **2** dissidio, contrasto, lite, controversia **3** (*sport*) gara.

disputàre *v.tr.* **1** (*una tesi e sim.*) dibattere, discutere, argomentare **2** (*una gara, una partita ecc.*) sostenere, giocare ♦ *v.intr.* **1** discutere **2** polemizzare, questionare.

disquisìre *v.intr.* discutere, ragionare, dissertare, discettare (*elev.*).

disquisizióne *s.f.* esame, ricerca, analisi; esposizione, dissertazione.

dissacràre *v.tr.* smitizzare, demistificare.

dissanguàre *v.tr.* **1** svenare, salassare **2** ♧ (*economicamente*) esaurire, impoverire, sfruttare, rovinare ♦ **dissanguarsi** *v.pr.* ♧ rovinarsi, esaurirsi, impoverirsi.

dissapóre *s.m.* contrasto, disaccordo, dissidio, screzio © accordo, intesa.

disseminàre *v.tr.* **1** spargere, sparpagliare, spandere, disperdere © riunire, ammassare **2** ♧ (*il panico e sim.*) diffondere, spargere; (*notizie, dicerie ecc.*) divulgare.
dissennàto *agg.* irragionevole, insensato, folle © assennato, equilibrato.
dissènso *s.m.* **1** contrasto, disaccordo, divergenza © accordo, concordia, intesa **2** disapprovazione, riprovazione © consenso, approvazione **3** (*ideologico, politico ecc.*) contrasto, opposizione, protesta.
dissenterìa *s.f.* diarrea © stitichezza, stipsi.
dissentìre *v.intr.* discordare, divergere, contrastare, contestare © assentire, concordare, consentire.
dissenziènte *agg.* discorde, discordante © consenziente.
disseppellìre *v.tr.* **1** (*un cadavere*) esumare, dissotterrare, riesumare © seppellire, inumare **2** (*rovine, tesori ecc.*) dissotterare, scavare **3** ♧ (*usi, ricordi ecc.*) riesumare, riscoprire.
dissertàre *v.intr.* discutere, disquisire, ragionare, discorrere, trattare.
dissertazióne *s.f.* disquisizione, trattazione; discorso; studio.
disservìzio *s.m.* inefficienza, malfunzionamento, disorganizzazione © efficienza.
dissestàre *v.tr.* **1** sbilanciare, squilibrare © assestare **2** ♧ danneggiare, rovinare © riassestare, rinsaldare.
dissestàto *agg.* **1** instabile, squilibrato © stabile **2** ♧ rovinato, fallito © florido, saldo, ricco.
dissèsto *s.m.* **1** (*politico, sociale e sim.*) crisi © assestamento **2** (*economico*) crisi, rovina, fallimento, tracollo, crac.
dissetànte *agg.* fresco, rinfrescante.
dissetàre *v.tr.* abbeverare © assetare ♦ **dissetarsi** *v.pr.* bere, abbeverarsi; rinfrescarsi.
dissezióne *s.f.* **1** (*di un cadavere*) autopsia, necroscopia **2** ♧ (*di una questione e sim.*) esame, studio.
dissidènte *agg.*, *s.m.f.* dissenziente, dissociato; oppositore, avversario, critico © seguace, sostenitore.
dissidènza *s.f.* dissenso, dissidio, contrasto, scissione © accordo, armonia.
dissìdio *s.m.* contrasto, disaccordo, dissenso, discordia; lite, disputa, screzio © accordo, armonia, pace.
dissìmile *agg.* diverso, differente, disuguale, distinto © simile, conforme, uguale.
dissimulàre *v.tr.* **1** (*un sentimento ecc.*) nascondere, cammuffare, celare, mascherare © dimostrare, manifestare, mostrare **2** fingere, mentire.
dissimulazióne *s.f.* finzione, doppiezza, falsità © sincerità, franchezza, schiettezza.
dissipàre *v.tr.* **1** disperdere, dissolvere, scacciare **2** sprecare, sperperare, sciupare © risparmiare.
dissipàto *agg.* corrotto, dissoluto, sregolato, vizioso © integerrimo, morigerato.
dissipazióne *s.f.* **1** sperpero, spreco, sciupio © economia, risparmio **2** sregolatezza, dissolutezza © morigeratezza.
dissociàre *v.tr.* dividere, separare, scindere © associare, unire ♦ **dissociarsi** *v.pr.* separarsi, dividersi, distaccarsi, prendere le distanze; discordare, dissentire © acconsentire, approvare, concordare.
dissociàto *agg.*, *s.m.f.* (*psic.*) alienato, squilibrato.
dissolutézza *s.f.* sregolatezza, depravazione, intemperanza, degenerazione, vizio © morigeratezza, temperanza, virtù.
dissolùto *agg.* depravato, corrotto, debosciato, libertino, sfrenato © castigato, morigerato, virtuoso.
dissoluzióne *s.f.* **1** disfacimento, disgregazione, scioglimento **2** (*di società, di istituzioni ecc.*) disfacimento, rovina, decadenza, declino **3** (*morale*) corruzione, licenziosità, scostumatezza, sfrenatezza © morigeratezza, virtù.
dissòlvere *v.tr.* **1** (*la nebbia, un dubbio*) disperdere, dissipare **2** ♧ disgregare, separare, sfasciare ♦ **dissolversi** *v.pr.* **1** sciogliersi, disgregarsi; fondersi, liquefarsi **2** (*di fumo e sim.*) sparire, svanire, dileguarsi © addensarsi, infittirsi.
dissonànte *agg.* **1** (*mus.*) cacofonico, disarmonico; sgradevole, stridente © armonico, armonioso; gradevole, dolce **2** ♧ (*di giudizi e sim.*) discordante, contrastante, diverso, differente, divergente © concorde, unanime.
dissonànza *s.f.* **1** (*mus.*) disarmonia, discordanza © armonia, consonanza **2** ♧ (*di giudizi e sim.*) discordanza, disaccordo, divergenza © accordo, armonia.
dissotterràre *v.tr.* **1** disseppellire, riesumare © sotterrare, seppellire **2** ♧ (*ricordi*) riesumare, rinvangare © dimenticare.
dissuadére *v.tr.* scoraggiare, sconsigliare, trattenere, distogliere © convincere, spingere, persuadere.
dissuasióne *s.f.* scoraggiamento, allontanamento © persuasione, convincimento, incitamento.
distaccaménto *s.m.* **1** distacco, separazione, allontanamento **2** (*mil.*) dislocamento, guarnigione, reparto.
distaccàre *v.tr.* **1** staccare, separare, disgiunge-

re, scindere © attaccare, unire, congiungere **2** (*un impiegato, le truppe ecc.*) trasferire, dislocare, destinare **3** (*in una gara sportiva*) staccare, distanziare ♦ **distaccarsi** *v.pr.* **1** staccarsi, separarsi, allontanarsi © attaccarsi, unirsi **2** distinguersi, differire, emergere, spiccare.

distaccàto *agg.* **1** staccato, diviso, disgiunto © attaccato, legato, unito **2** freddo, indifferente, distante, impassibile, imperturbabile © interessato, partecipe, caloroso, entusiasta.

distàcco *s.m.* **1** divisione, separazione, allontanamento © unione, congiungimento, avvicinamento **2** ♧ freddezza, indifferenza, disinteresse, impassibilità © interesse, partecipazione **3** (*sport*) vantaggio, differenza, scarto © svantaggio.

distànte *agg.* **1** (*nello spazio*) lontano, discosto (*elev.*) © vicino, adiacente, attiguo **2** (*nel tempo*) remoto, passato © prossimo, vicino **3** ♧ diverso, differente, lontano © simile, uguale, vicino **4** ♧ freddo, distaccato, indifferente.

distànza *s.f.* **1** (*tra due punti*) spazio, tratto, lontananza © vicinanza, attiguità, prossimità **2** ♧ differenza; disuguaglianza © vicinanza, prossimità **3** (*in una gara di corsa*) percorso, lunghezza.

distanziàre *v.tr.* **1** allontanare, dividere, separare, staccare © avvicinare, accostare, unire **2** (*in una gara*) distaccare, staccare, superare.

distàre *v.intr.* **1** essere distante **2** ♧ differire, discordare, divergere © coincidere, collimare, avvicinarsi.

distèndere *v.tr.* **1** allentare, rilassare © tendere, contrarre, tirare **2** (*le braccia, le gambe*) allungare, allargare, stendere, spiegare (*le vele*) © piegare, contrarre, raccogliere, ripiegare **3** (*una persona*) sdraiare, adagiare © alzare, sollevare ♦ **distendersi** *v.pr.* **1** sdraiarsi, adagiarsi © alzarsi, sollevarsi **2** (*di campi e sim.*) estendersi **3** ♧ rilassarsi, lasciarsi andare; riposarsi; calmarsi © agitarsi, affaticarsi, stressarsi.

distensióne *s.f.* **1** (*dei muscoli, degli arti ecc.*) allungamento, allentamento © contrazione **2** ♧ rilassamento, riposo, relax © agitazione, ansia **3** (*in politica*) disgelo © tensione, gelo.

distensìvo *agg.* rilassante, riposante, calmante © eccitante, stressante.

distésa *s.f.* **1** (*di sabbia, di campi ecc.*) estensione, tratto, spazio **2** (*di cose*) fila, serie, successione.

distéso *agg.* **1** allungato, allargato, spiegato © piegato; contratto **2** sdraiato, adagiato, coricato © dritto, in piedi **3** ♧ rilassato, sereno, tranquillo © teso, nervoso, agitato, stressato.

distìnguere *v.tr.* **1** individuare, riconoscere © confondere, mescolare **2** (*in parti e sim.*) suddividere, dividere, ripartire © unificare **3** differenziare, contrassegnare, caratterizzare, qualificare ♦ **distinguersi** *v.pr.* **1** differenziarsi, differire © confondersi **2** emergere, brillare, spiccare, eccellere, mettersi in luce, segnalarsi © confondersi, uniformarsi.

distìnta *s.f.* lista, elenco, nota; catalogo, listino, borderò.

distintìvo *agg.* proprio, caratteristico, particolare © comune, generale, generico ♦ *s.m.* insegna, nota, contrassegno, emblema.

distìnto *agg.* **1** diviso, separato © unito, congiunto **2** diverso, differente © comune, uguale **3** (*di suono, di immagine ecc.*) chiaro, netto, marcato, nitido, riconoscibile © indistinto, confuso, vago **4** (*di persona, di modi ecc.*) elegante, raffinato, signorile © grossolano, rozzo.

distinzióne *s.f.* **1** differenziazione, ripartizione, suddivisione © confusione, commistione, mescolanza **2** differenza, disparità, discriminazione © uguaglianza **3** (*di modi e sim.*) eleganza, finezza, raffinatezza, signorilità © grossolanità, volgarità.

distògliere *v.tr.* **1** (*lo sguardo, l'attenzione ecc.*) allontanare, togliere, distrarre **2** (*da un proposito*) dissuadere, allontanare, sconsigliare © indurre, persuadere, convincere, spingere **3** (*dal lavoro e sim.*) distrarre, disturbare, sviare.

distòrcere *v.tr.* **1** storcere © drizzare, raddrizzare **2** ♧ alterare, falsificare, travisare.

distorsióne *s.f.* **1** (*di un'articolazione*) storta, slogatura; lussazione (*med.*) **2** (*acustica, ottica*) alterazione, deformazione, aberrazione **3** ♧ (*della verità e sim.*) alterazione, falsificazione, stravolgimento, travisamento.

distràrre *v.tr.* **1** (*dal lavoro e sim.*) distogliere, sviare; interrompere **2** svagare, distendere, divertire © annoiare, disturbare, seccare ♦ **distrarsi** *v.pr.* **1** estraniarsi, fantasticare, astrarsi © concentrarsi, impegnarsi **2** svagarsi, divertirsi © annoiarsi, stufarsi.

distràtto *agg.* assente, svagato, smemorato, disattento, sbadato © attento, concentrato, diligente.

distrazióne *s.f.* **1** disattenzione, sbadataggine, negligenza, dimenticanza © attenzione, cura, diligenza; concentrazione **2** errore, mancanza, disattenzione, dimenticanza, sbadataggine, svista **3** svago, diversivo, divertimento, passatempo; (*scherz.*) scappatella.

distrétto *s.m.* circoscrizione, ripartizione, comprensorio.

distribuìre *v.tr.* **1** dare, assegnare, consegnare, elargire; ripartire, spartire, dividere **2** (*l'acqua, il gas ecc.*) fornire, erogare **3** (*secondo un ordine*) disporre, dislocare, sistemare, suddividere.

distributóre *s.m.* **1** diffusore, erogatore **2** (*di carburante*) pompa, benzinaio, stazione di servizio.

distribuzióne *s.f.* **1** assegnazione, elargizione, consegna; (*di periodici e sim.*) diffusione; (*di gas, luce e sim.*) erogazione, fornitura © raccolta **2** ripartizione, disposizione, collocazione, sistemazione.

districàre *v.tr.* **1** sbrogliare, slegare, snodare, dipanare © intricare, aggrovigliare, imbrogliare **2** ♧ (*una questione, un problema ecc.*) chiarire, risolvere, spiegare © confondere ♦ **districarsi** *v.pr.* liberarsi; (*da un impaccio*) cavarsela, sbrogliarsela © impelagarsi, impegolarsi.

distrùggere *v.tr.* **1** abbattere, annientare, buttare giù (*colloq.*), sfasciare, demolire © costruire, edificare, erigere, innalzare **2** (*il nemico*) annientare, debellare, sbaragliare **3** ♧ (*moralmente*) annientare, annullare, sfinire, stremare ♦ **distruggersi** *v.pr.* **1** (*di cosa*) rompersi, frantumarsi **2** (*di persona*) consumarsi, deperire, logorarsi.

distruttìvo *agg.* **1** distruttore, devastatore **2** ♧ negativo, disfattista © costruttivo, positivo.

distrùtto *agg.* **1** rotto, frantumato, fracassato; (*di edificio*) demolito, abbattuto, sfasciato, spianato © integro, sano, intero **2** ♧ (*di persona*) sfinito, stanco, esausto, spossato, stremato.

distruzióne *s.f.* demolizione, abbattimento, devastazione, rovina; strage, sterminio © costruzione, creazione, edificazione.

disturbàre *v.tr.* **1** importunare, infastidire, distrarre, seccare, scocciare (*colloq.*) **2** (*lo svolgimento di qlco.*) interrompere, intralciare, ostacolare ♦ **disturbarsi** *v.pr.* (*in frasi di cortesia*): incomodarsi, scomodarsi, preoccuparsi.

distùrbo *s.m.* **1** fastidio, molestia, disagio, intralcio, seccatura, noia; (*colloq.*) rottura, scocciatura, grana © piacere, comodità **2** malanno, indisposizione, acciacco **3** (*nelle telecomunicazioni*) interferenza **4** (*di apparecchio*) disfunzione, difetto.

disubbidiènte *agg.* indisciplinato, ribelle, insubordinato, indocile, turbolento © ubbidiente, disciplinato.

disubbidiènza *s.f.* insubordinazione, ribellione, inosservanza, inadempienza, trasgressione, violazione © ubbidienza, disciplina, rispetto, osservanza.

disubbidìre *v.intr.* contravvenire, ribellarsi, trasgredire © ubbidire, sottostare, ascoltare, ottemperare.

disuguagliànza *s.f.* differenza, disparità, diversità © uguaglianza, parità.

disuguàle *agg.* **1** diverso, differente, distinto, divergente © uguale, pari, simile **2** irregolare, © regolare, uniforme **3** ♧ discontinuo, incostante, incoerente © costante, coerente.

disumàno *agg.* **1** crudele, atroce, brutale, feroce, efferato, spietato © umano, buono **2** bestiale, belluino, selvaggio **3** (*di vita, di dolore ecc.*) insopportabile, atroce, terribile, inumano.

disunióne *s.f.* disgregazione, frammentazione; contrasto, discordia © unione, armonia, intesa.

disunìre *v.tr.* **1** dividere, separare, staccare © unire, collegare, congiungere **2** ♧ allontanare, dividere © unire, conciliare.

disusàto *agg.* vecchio, antiquato, superato, desueto, obsoleto © usato, corrente, attuale, moderno.

dìtta *s.f.* azienda, impresa, società, compagnia, casa.

dittatóre *s.m.* **1** despota, oppressore, tiranno © democratico, liberale **2** autoritario, prepotente, prevaricatore © democratico.

dittatoriàle *agg.* **1** (*di regime*) assolutista, autocratico, illiberale, totalitario © democratico, liberale **2** (*di modi e sim.*) autoritario, dispotico, tirannico © democratico, mite, tollerante.

dittatùra *s.f.* **1** assolutismo, dispotismo, tirannide, totalitarismo © democrazia **2** autoritarismo, dispotismo, prepotenza, prevaricazione.

diùrno *agg.* © notturno, serale.

dìva *s.f.* stella, star (*ingl.*), vedette (*fr.*).

divagàre *v.intr.* (*da un argomento*) allontanarsi scostarsi, deviare, perdersi, sconfinare.

divagazióne *s.f.* digressione, parentesi, excursus (*lat.*).

divampàre *v.intr.* **1** accendersi, avvampare, infiammarsi © estinguersi, spegnersi **2** ♧ (*di rivolta, di passione e sim.*) infuriare, esplodere, prorompere, scatenarsi © calmarsi, acquietarsi, placarsi, cessare.

divàno *s.m.* sofà, canapè.

divaricàre *v.tr.* aprire, spalancare © chiudere, serrare.

divàrio *s.m.* diversità, distanza, differenza, discrepanza, salto, scarto, dislivello, gap (*ingl.*) © corrispondenza, coincidenza, concordanza.

divenìre *v.intr.* diventare, farsi, rendersi, trasformarsi.

diventàre *v.intr.* divenire, farsi, rendersi, trasformarsi.

divèrbio *s.m.* discussione, lite, litigio, alterco, battibecco.

divergènza *s.f.* **1** © convergenza **2** ♧ (*di opinioni e sim.*) differenza, contrasto, discordanza, disparità, divario © accordo, coincidenza, corrispondenza, convergenza, uguaglianza.
divèrgere *v.intr.* **1** allontanarsi, deviare, dividersi **2** ♧ differire, discordare, discrepare © accordarsi, coincidere, allinearsi.
diversificàre *v.tr.* differenziare, distinguere, variare © adeguare, unificare, uniformare ♦ **diversificarsi** *v.pr.* differenziarsi, distinguersi © assomigliarsi, avvicinarsi.
diversità *s.f.* **1** differenza, difformità, disparità, discordanza © uguaglianza, identità, uniformità **2** (*di colori e sim.*) molteplicità, varietà, eterogeneità.
diversìvo *s.m.* distrazione, svago, divertimento, evasione, passatempo, intrattenimento.
divèrso *agg.* differente, dissimile, diseguale, difforme, distante; opposto, divergente © uguale, identico, equivalente, preciso ♦ *agg., pron. indef.* molto, molti, parecchio, parecchi.
divertènte *agg.* allegro, piacevole, spassoso, spiritoso © noioso, pesante, triste, malinconico.
divertiménto *s.m.* distrazione, diversivo, svago, passatempo © noia.
divertìre *v.tr.* rallegrare, allietare, intrattenere, distrarre, svagare © annoiare, rattristare, immalinconire, seccare, scocciare (*colloq.*) ♦ **divertirsi** *v.pr.* **1** svagarsi, dilettarsi, ricrearsi © annoiarsi **2** amoreggiare, godersela, spassarsela.
dividèndo *s.m.* **1** (*mat.*) © divisore **2** (*in una società per azioni*) utile, profitto.
divìdere *v.tr.* **1** ripartire, suddividere, scomporre; separare, scindere © unire, attaccare, collegare, congiungere, ricomporre **2** (*in gruppi e sim.*) classificare, ordinare, distinguere © mescolare, mischiare **3** (*fra più persone*) distribuire, assegnare, ripartire **4** (*la gioia e sim.*) condividere, partecipare **5** (*due persone*) allontanare, inimicare, separare © conciliare, rappacificare **6** (*mat.*) © moltiplicare ♦ **dividersi** *v.pr.* (*di coniugi*) separarsi, divorziare.
divièto *s.m.* proibizione, interdizione, veto © autorizzazione, consenso, assenso, permesso.
divincolàrsi *v.pr.* dimenarsi, contorcersi, dibattersi.
divinità *s.f.* **1** deità **2** dio, dea, nume.
divinizzàre *v.tr.* **1** deificare **2** ♧ esaltare, glorificare, immortalare © umiliare.
divìno *agg.* **1** celeste, soprannaturale, trascendente, ultraterreno © terreno, umano, mondano **2** ♧ straordinario, eccezionale, celestiale, sublime **3** ♧ meraviglioso, stupendo, incantevole, eccellente © orribile, orrendo, mostruoso.
divìsa[1] *s.f.* uniforme.
divìsa[2] *s.f.* valuta.
divisióne *s.f.* **1** suddivisione, frazionamento ripartizione © unione, collegamento, congiunzione **2** (*fra più persone*) distribuzione, assegnazione, spartizione © accentramento, concentrazione **3** ♧ discordia, contrasto, dissenso © armonia, concordia **4** (*di beni*) separazione © comunione, unione **5** (*in un'azienda, in un ospedale e sim.*) settore, reparto, sezione **6** (*sport*) categoria, serie **7** (*mil.*) reparto.
divìso *agg.* **1** separato, disunito, disgiunto, frammentato, scisso, smembrato, staccato, segmentato, tagliato © congiunto, collegato, connesso, unito **2** suddiviso, ripartito, classificato, distinto © raggruppato, mescolato, unificato **3** (*di persona*) incerto, indeciso, tentennante © certo, fermo, sicuro, deciso **4** (*di coniuge*) separato © sposato.
divisóre *s.m.* (*mat.*) © dividendo.
dìvo *s.m.* stella, star (*ingl.*).
divoràre *v.tr.* **1** ingoiare, ingurgitare, trangugiare © assaporare, gustare **2** ♧ (*di passione e sim.*) consumare, tormentare, logorare, agitare **3** ♧ (*un patrimonio e sim.*) dissipare, dilapidare, sperperare **4** ♧ (*con lo sguardo*) mangiare, desiderare.
divorziàre *v.intr.* separarsi, dividersi © sposarsi.
divulgàre *v.tr.* **1** comunicare, diffondere, rivelare, propagare © nascondere, celare, occultare **2** (*una teoria scientifica*) diffondere, comunicare, spiegare, volgarizzare.
divulgatìvo *agg.* accessibile, didascalico © specialistico, tecnico.
divulgazióne *s.f.* **1** diffusione, propagazione, pubblicizzazione **2** (*di una teoria scientifica*) spiegazione, volgarizzazione.
dizionàrio *s.m.* vocabolario; (*specialistico*) glossario, lessico.
dóccia *s.f.* (*del tetto*) grondaia, gronda.
docènte *agg., s.m.f.* insegnante © allievo, alunno.
dòcile *agg.* **1** (*di carattere, di persona*) buono, mite, arrendevole, accondiscendente, remissivo © ribelle, indisciplinato, indocile **2** (*di animale*) mansueto, mite; domestico, addomesticato © selvatico, feroce **3** (*di materiale e sim.*) malleabile, plasmabile, lavorabile.
documentàre *v.tr.* dimostrare, provare, certificare, attestare, comprovare ♦ **documentarsi** *v.pr.* informarsi, prepararsi.
documentàto *agg.* provato, fondato, attestato.
documentazióne *s.f.* certificazione; dossier, fascicolo, incartamento, documenti.

documénto *s.m.* **1** certificato, attestato, atto, carta; (*spec. al pl.*) IPON. carta d'identità, passaporto, patente **2** ♧ testimonianza, memoria; prova attestazione.

dògma *s.m.* **1** (*teol.*) verità rivelata, articolo di fede **2** assioma, principio, verità.

dogmàtico *agg.* (*di affermazioni, di tono*) categorico, assoluto, indiscutibile, acritico, dottrinario © discutibile, dubbio, opinabile.

dólce *agg.* **1** (*di cibo, di bevanda*) zuccherino, zuccheroso, mielato © amaro **2** ♧ (*di clima*) mite, tiepido, temperato © rigido, freddo **3** ♧ (*di ricordo, di suono ecc.*) gradito, gradevole, piacevole © brutto, sgradevole **4** ♧ (*di carattere, di sorriso ecc.*) gentile, affettuoso, buono, tenero © cattivo, duro, crudele **5** (*di amico e sim.*) caro, amato, diletto © detestato, odiato **6** ♧ (*di metallo, di pietra ecc.*) tenero, malleabile © duro **7** (*di acqua*) © salato, duro ♦ *s.m.* **1** © amaro **2** dessert (*fr.*) IPON. gelato, torta; (*spec. al pl.*) dolciumi.

dolcézza *s.f.* **1** dolce © amarezza, amaro **2** ♧ (*di una melodia e sim.*) delicatezza, piacevolezza, grazia © bruttezza **3** ♧ (*di clima*) mitezza, clemenza © durezza, rigidezza **4** ♧ (*di modi, di carattere ecc.*) amorevolezza, affettuosità, delicatezza, gentilezza © durezza, asprezza **5** ♧ (*di sentimento*) piacere, gioia, felicità, tenerezza.

dolcificànte *s.m.* edulcorante.

dolciùme *s.m.* dolce.

dolènte *agg.* **1** dolorante, sofferente **2** addolorato, dispiaciuto, triste © contento, soddisfatto **3** (*nella loc.: punto dolente*) critico, cruciale.

dolére *v.intr.* **1** fare male **2** dispiacere, rincrescere © rallegrarsi ♦ **dolersi** *v.pr.* **1** rammaricarsi, amareggiarsi, crucciarsi, dispiacersi © rallegrarsi, gioire, compiacersi **2** lamentarsi, lagnarsi © congratularsi.

doloránte *agg.* dolente, sofferente.

dolóre *s.f.* **1** (*fisico*) male IPON. fitta, bruciore, spasmo © piacere **2** (*al pl.*) doglie **3** (*morale*) tristezza, angoscia, dispiacere, pena, afflizione **4** (*ciò che causa dolore*) preoccupazione, cruccio © gioia.

doloróso *agg.* **1** © indolore **2** (*di avvenimento, di notizia ecc.*) brutto, infelice, triste, amaro, tragico, drammatico, sfortunato © allegro, piacevole, lieto, divertente.

dolóso *agg.* (*dir.*) intenzionale, volontario © colposo; preterintenzionale; accidentale.

domànda *s.f.* **1** interrogazione, quesito, questione © risposta, replica **2** (*a un ufficio, a un'autorità e sim.*) richiesta, istanza, petizione.

domandàre *v.tr.* **1** (*per sapere qlco.*) chiedere, richiedere, interrogare © rispondere, replicare **2** (*per ottenere qlco.*) chiedere, reclamare, esigere, sollecitare © concedere, dare, accordare, esaudire ♦ *v.intr.* chiedere.

domàre *v.tr.* **1** addomesticare, ammaestrare, ammansire **2** ♧ sottomettere, soggiogare, piegare **3** (*una rivolta e sim.*) reprimere, sedare, stroncare, debellare **4** (*un incendio e sim.*) spegnere **5** (*impulsi, passioni e sim.*) controllare, frenare, reprimere.

domatóre *s.m.* ammaestratore.

domèstico *agg.* **1** casalingo, familiare © estraneo **2** (*di animale*) addomesticato, docile © selvatico, feroce ♦ *s.m.* cameriere, inserviente, persona di servizio, colf (*solo f.*).

domiciliàto *agg.* abitante, residente.

domicìlio *s.m.* **1** sede, recapito **2** abitazione, casa, dimora.

dominànte *agg.* **1** prevalente, predominante © sottostante, inferiore **2** (*biol.*; *di carattere*) © recessivo.

dominàre *v.tr.* **1** (*un popolo, un paese ecc.*) comandare, guidare, reggere, governare © sottostare, ubbidire, soggiacere **2** (*un avversario e sim.*) sottomettere, assoggettare, sopraffare © liberare, affrancare **3** (*il pubblico e sim.*) affascinare, ammaliare, avvincere **4** ♧ (*una lingua e sim.*) padroneggiare, conoscere **5** ♧ (*istinti, passioni e sim.*) controllare, frenare, reprimere, trattenere © scatenare **6** (*di castello, di collina e sim.*) sovrastare ♦ *v.intr.* **1** regnare, imperare, spadroneggiare **2** ♧ brillare, emergere, distinguersi, primeggiare, spopolare ♦ **dominarsi** *v.pr.* controllarsi, contenersi, frenarsi, reprimersi, trattenersi © liberarsi, lasciarsi andare, scatenarsi.

dominazióne *s.f.* dominio, egemonia, predominio © sottomissione.

domìnio *s.m.* **1** autorità, comando, potere, supremazia © dipendenza, sottomissione **2** ♧ padronanza, controllo, equilibrio, self-control (*ingl.*) © impulsività, impetuosità **3** (*di territorio dominato*) possedimento, colonia **4** ♧ (*della scienza, della religione ecc.*) ambito, campo, settore, mondo, sfera.

donàre *v.tr.* dare, offrire, regalare © prendere, ricevere ♦ *v.intr.* (*di abito, di pettinatura e sim.*) stare bene, abbellire, giovare ♦ **donarsi** *v.pr.* consacrarsi, darsi, votarsi, dedicarsi.

donazióne *s.f.* dono, offerta, elargizione.

dondolàre *v.tr.* **1** agitare, ciondolare **2** (*un bambino*) cullare, ninnare ♦ *v.intr.* e **dondolarsi** *v.pr.* oscillare, ondeggiare; barcollare, vacillare.

dongiovànni *s.m.invar.* donnaiolo, casanova, rubacuori, play-boy (*ingl.*), latin lover (*ingl.*).
dònna *s.f.* **1** signora, femmina © uomo, maschio **2** moglie, compagna, fidanzata, amica, ragazza **3** (*colloq.*) domestica, colf **4** (*nelle carte da gioco francesi*) dama, regina.
donnaiòlo *s.m.* vedi **dongiovànni**.
donnicciòla *s.f.* (*spreg.*) **1** paurosa; pettegola, chiacchierona **2** (*di uomo debole*) femminuccia, codardo, pauroso, vigliacco.
dóno *s.m.* **1** regalo, offerta, omaggio, presente, cadeau (*fr.*) **2** favore, grazia, concessione **3** ♧ qualità, dote, virtù.
donzèlla *s.f.* (*elev.*) fanciulla, ragazza.
dopoguèrra *s.f.* © anteguerra.
doppiàre *v.tr.* **1** (*nelle gare di corsa*) superare **2** (*mar.*) oltrepassare.
doppiézza *s.f.* falsità, ipocrisia, ambiguità, ambivalenza, slealtà © chiarezza, onestà, sincerità.
dóppio *agg.* **1** duplicato, raddoppiato © mezzo, dimezzato, scempio **2** (*di copia e sim.*) duplice © semplice, unico **3** ♧ (*di comportamento, di persona ecc.*) falso, ipocrita, ambiguo, sleale © onesto, sincero, leale.
doppióne *s.m.* **1** copia, duplicato © originale **2** (*ling.*) sinonimo; variante.
dormicchiàre *v.intr.* sonnecchiare, appisolarsi assopirsi.
dormiglióne *s.m.* ♧ pigrone, poltrone, pelandrone, pigro, indolente.
dormìre *v.intr.* **1** riposare **IPON.** dormicchiare, sonnecchiare © vegliare; svegliarsi **2** ♧ poltrire, oziare © darsi da fare, agire.
dormìta *s.f.* sonno, riposo © veglia.
dormitòrio *s.m.* camerata.
dòrso *s.m.* **1** schiena, spalle **2** (*della mano*) © palmo **3** (*di libro*) costola.
dosàre *v.tr.* **1** misurare, pesare **2** ♧ (*le parole, le energie ecc.*) misurare, soppesare, pesare, risparmiare, gestire © sciupare, sprecare.
dòse *s.f.* razione, porzione, quantità.
dossier *s.m.invar.* (*fr.*) cartella, fascicolo; documentazione, incartamento.
dòsso *s.m.* gobba © cunetta, avvallamento.
dotàre *v.tr.* fornire, munire, attrezzare, corredare © togliere, eliminare.
dotàto *agg.* **1** fornito, provvisto, equipaggiato, ricco © privo, sfornito **2** abile, capace, intelligente, esperto, in gamba.
dotazióne *s.f.* attrezzatura, equipaggiamento, corredo.
dòte *s.f.* **1** corredo **2** ♧ pregio, qualità, dono, virtù, prerogativa © difetto, magagna, pecca.
dòtto *agg., s.m.* **1** istruito, colto, erudito, sapiente © ignorante, incolto, illetterato **2** (*di tradizione, di parola e sim.*) © popolare.
dottóre *s.m.* **1** laureato **2** (*colloq.*) medico.
dottrìna *s.f.* **1** cultura, erudizione, sapere, sapienza, scienza © ignoranza **2** (*di una scuola, di un autore ecc.*) insegnamento, pensiero, teoria **3** (*relig.*) catechismo.
dovére[1] *v.tr.* **1** (*seguito da un infinito*) essere tenuto a, avere l'obbligo di **2** (*con valore impers.*) bisognare, essere necessario, occorrere **3** parere, sembrare **4** (*seguito da un complemento*) essere debitore © essere creditore.
dovére[2] *s.m.* obbligo, compito, impegno, incombenza, responsabilità.
doveróso *agg.* giusto, necessario, obbligatorio, debito, dovuto © facoltativo, possibile.
dovìzia *s.f.* abbondanza, ricchezza © mancanza, penuria.
dovùto *agg.* **1** (*di paga, di ricompensa ecc.*) spettante, legittimo, meritato © immeritato **2** giusto, adeguato, equo, opportuno © inopportuno, sconveniente **3** doveroso, necessario, debito, obbligatorio ♦ *s.m.* spettanza, giusto.
dozzinàle *agg.* comune, mediocre, ordinario, grossolano, scadente © pregiato, raffinato, speciale.
dragàre *v.tr.* **1** scavare **2** (*acque minate*) bonificare, sminare.
dràmma *s.m.* **1** **IPON.** commedia, tragedia **2** disastro, disgrazia, catastrofe, tragedia, sciagura; guaio, problema.
drammàtico *agg.* **1** teatrale **2** (*di evento, di situazione e sim.*) angoscioso, tragico; commovente, doloroso, triste, pietoso © comico, allegro, ridicolo **3** (*di giornata, di periodo ecc.*) complicato, agitato, movimentato © calmo, tranquillo **4** (*di persona, di modi ecc.*) tragico, melodrammatico; eccessivo, esagerato, spropositato © equilibrato, misurato, moderato.
drammatizzàre *v.tr.* **1** sceneggiare; recitare **2** esagerare, esasperare, amplificare, complicare © sdrammatizzare, minimizzare, sgonfiare.
drammatùrgo *s.m.* **IPON.** commediografo, tragediografo.
drappèllo *s.m.* **1** (*di soldati*) squadra, plotone **2** (*di persone*) gruppo, insieme.
dràppo *s.m.* stoffa, tessuto; tenda, tendaggio.
dràstico *agg.* estremo, decisivo, definitivo, efficace, categorico, duro, perentorio, severo © leggero, mite, moderato, blando.
drenàre *v.tr.* **1** (*un terreno*) prosciugare, bonificare **2** ♧ (*capitali e sim.*) trasferire, fare affluire.
dribblàre *v.tr.* **1** (*nel calcio*) scartare **2** ♧ (*difficoltà, problemi ecc.*) evitare, schivare.

dribbling *s.m.invar.* (*ingl.*) palleggio, scarto.
drink *s.m.invar.* (*ingl.*) **1** bevanda, bibita, cocktail (*ingl.*) **2** rinfresco, festa, ricevimento, cocktail (*ingl.*).
drìtta *s.f.* **1** destra © manca, sinistra **2** (*mar.*) tribordo © babordo **3** (*colloq.*) consiglio, suggerimento, informazione; (*gerg.*) soffiata, spiata, spifferata.
drìtto *agg.* **1** diritto © storto **2** diritto, eretto, ritto, verticale © disteso, orizzontale **3** (*colloq.*) furbo, astuto, scaltro © ingenuo, sciocco, sprovveduto ♦ *s.m.* **1** © rovescio **2** (*colloq.*) furbo, furbacchione, volpe, volpone © fesso, ingenuo, sciocco.
drizzàre *v.tr.* **1** raddrizzare © piegare, torcere, curvare **2** (*un muro, un palo e sim.*) alzare, costruire, rizzare, innalzare **3** (*colloq.*; *le orecchie*) fare attenzione, ascoltare ♦ **drizzarsi** *v.pr.* alzarsi, rizzarsi.
dròga *s.f.* **1** (*in cucina*) spezia, aroma **2** stupefacente, roba (*gerg.*) **IPON.** acido, cocaina, crack, eroina, ecstasy, hascisc, marijuana, oppio **3** ♧ abitudine, vizio.
drogàre *v.tr.* **1** (*una pietanza*) aromatizzare, speziare, condire **2** narcotizzare; (*in ambito sportivo*) dopare ♦ **drogarsi** *v.pr.* (*di eroina*) bucarsi (*gerg.*), farsi (*gerg.*); (*di acido, ecstasy e sim.*) impasticcarsi (*gerg.*), calarsi (*gerg.*); (*di cocaina*) sniffare (*gerg.*).
drogàto *agg.* **1** aromatizzato, speziato, insaporito **2** fatto (*gerg.*), fumato (*gerg.*), fuso (*gerg.*), intrippato (*gerg.*); (*sport*) dopato ♦ *s.m.* tossicodipendente, tossicomane, tossico (*gerg.*), fattone (*gerg.*).
dry *agg.invar.* (*ingl.*) (*di vini e liquori*) secco, asciutto © dolce, amabile.
dualìsmo *s.m.* opposizione, contrasto, antagonismo, attrito, rivalità © accordo, armonia.
dùbbio[1] *agg.* **1** incerto, controverso, discutibile, opinabile © certo, chiaro, evidente, indubbio, incontestabile **2** (*di provenienza, di moralità ecc.*) sospetto, equivoco, ambiguo © certo, integro, trasparente.
dùbbio[2] *s.m.* **1** incertezza, esitazione, indecisione, perplessità, titubanza © certezza, sicurezza **2** sospetto, timore © fiducia, sicurezza **3** questione, dilemma, problema, quesito.
dubbióso *agg.* **1** incerto, esitante, irresoluto, perplesso, tentennante, titubante © certo, sicuro, deciso, risoluto **2** diffidente, sospettoso, scettico © sicuro, fiducioso **3** (*di esito, di faccenda ecc.*) incerto, vago, discutibile © certo, sicuro.
dubitàre *v.intr.* **1** (*essere in dubbio*) esitare, tentennare, titubare **2** mettere in dubbio, mettere in discussione **3** (*di qlcu., di qlco.*) sospettare, diffidare, temere © fidarsi.
dubitatìvo *agg.* (*di sguardo, di tono ecc.*) incerto, perplesso, dubbioso © certo, sicuro.
dùce *s.m.* (*elev.*) capo, condottiero, guida.
duèllo *s.m.* **1** combattimento, scontro **2** ♧ contesa, contrasto, lotta, sfida **3** (*nello sport*) gara, competizione, sfida.
duepèzzi *s.m.* **1** bikini © monokini, costume intero **2** (*di vestito*) spezzato, tailleur (*fr.*).
dùo *s.m.invar.* **1** (*mus.*) duetto **2** (*spec. di artisti*) coppia.
duòmo *s.m.* cattedrale; basilica.
duplicàre *v.tr.* **1** copiare, riprodurre, fotocopiare **2** (*una somma*) raddoppiare © dimezzare.
duplicàto *s.m.* **1** (*di un documento e sim.*) copia, facsimile, duplicazione; fotocopia © originale **2** (*delle chiavi e sim.*) copia, doppione, riproduzione, facsimile.
dùplice *agg.* doppio © singolo, unico.
duràre *v.intr.* **1** continuare, perdurare, persistere, reggere © cessare, finire **2** resistere, conservarsi, mantenersi, cessare, finire.
duràta *s.f.* **1** arco, corso, decorso, svolgimento; lunghezza, estensione **2** (*di un materiale*) resistenza.
duratùro *agg.* continuo, costante, durevole, permanente, resistente, stabile © temporaneo, transitorio, provvisorio, effimero, instabile.
durévole *agg.* duraturo, lungo, continuativo, resistente, stabile © effimero, temporaneo, provvisorio, caduco (*elev.*).
durézza *s.f.* **1** compattezza, consistenza, robustezza, solidità © debolezza, duttilità, fragilità, mollezza, malleabilità, plasticità **2** ♧ (*di carattere e sim.*) asprezza, severità, rigidità, insensibilità, inflessibilità, crudeltà © dolcezza, tenerezza, sensibilità, amabilità, bonarietà **3** ostinazione, testardaggine **4** ♧ (*del clima*) asprezza, inclemenza, rigidità © mitezza, clemenza **5** (*di un lavoro e sim.*) difficoltà, gravosità, pesantezza.
dùro *agg.* **1** resistente, consistente, compatto, robusto, solido, rigido © molle, morbido, tenero, elastico, soffice **2** ♧ (*d'orecchi*) sordo **3** ♧ (*di cuore*) insensibile, spietato, crudele, cattivo **4** ♧ (*di testa, di cervello*) tonto, tardo, ottuso **5** (*di carne*) fibroso © tenero **6** (*di pane*) raffermo, vecchio © fresco **7** (*di materasso e sim.*) rigido © molle, morbido, floscio, soffice **8** ♧ (*di verità, di vita ecc.*) spiacevole, gravoso, doloroso, faticoso, difficile, pesante © facile, leggero, dolce, piacevole **9** (*di rimprovero, di disciplina*) aspro; severo, rigido, ferreo **10** (*di clima*) freddo, inclemente, rigido © dolce, mite,

clemente **11** (*di persona, di atteggiamento ecc.*) severo, rigido, rigoroso, inflessibile, rude, spietato © buono, dolce, sensibile **12** (*di lavoro, di problema e sim.*) difficile, impegnativo, ostico, arduo © facile **13** (*di lineamenti*) spigoloso, sgraziato, pesante © grazioso, delicato, morbido **14** (*di acqua*) calcareo ♦ *s.m.* **1** © molle, morbido **2** ♧ (*di persona*) audace, coraggioso, impavido; forte, energico; insensibile, spietato.

duróne *s.m.* callo, callosità.

dùttile *agg.* **1** (*di materiale*) malleabile, lavorabile, cedevole, plasmabile **2** ♧ (*di carattere, di persona ecc.*) accondiscendente, arrendevole, conciliante, comprensivo, tollerante © duro, rigido, irremovibile **3** elastico, flessibile, versatile.

duttilità *s.f.* **1** (*di materiale*) malleabilità, lavorabilità, cedevolezza **2** ♧ (*di carattere, di persona ecc.*) accondiscendenza, arrendevolezza, docilità, remissività © durezza, rigidità **3** elasticità, flessibilità, versatilità.

e, E

èbano *agg.* (*di colore*) nero, scuro.
ebbrézza *s.f.* **1** ubriachezza © sobrietà **2** ♧ esaltazione, eccitamento, euforia, stordimento © calma, tranquillità, indifferenza.
èbbro *agg.* **1** (*elev.*) ubriaco, sbronzo (*colloq.*), ciucco (*colloq.*) © sobrio **2** ♧ esaltato, eccitato, euforico; confuso, stordito.
èbete *agg.*, *s.m.f.* scemo, stupido, idiota, deficiente, ottuso, rimbambito, rimbecillito © intelligente, scaltro, sveglio.
ebollizióne *s.f.* **1** bollore, ribollimento **2** ♧ eccitazione, fermento, animazione, effervescenza; agitazione © calma, tranquillità.
ebràico *agg.* ebreo, giudaico, giudeo, israelita, israelitico.
ebrèo *agg.* ebreo, giudaico, giudeo, israelita, israelitico ♦ *s.m.* israelita, giudeo; semita.
ecatómbe *s.f.* strage, massacro, carneficina, bagno di sangue, eccidio, sterminio.
eccedènte *agg.* superfluo, rimanente, restante, sovrabbondante © mancante, insufficiente ♦ *s.m.* eccesso, eccedenza, sovrabbondanza, surplus (*fr.*) © necessario, occorrente.
eccedènza *s.f.* eccesso, sovrabbondanza, surplus, esubero © carenza, insufficienza, mancanza, scarsità.
eccèdere *v.tr.* superare, oltrepassare; sovrabbondare ♦ *v.intr.* (*nel bere e sim.*) esagerare, abusare © moderarsi, limitarsi, contenersi.
eccellènte *agg.* **1** illustre, eminente, ottimo, straordinario, egregio, esimio, insigne, valente © pessimo, infimo, mediocre scadente **2** (*di cosa*) ottimo, fantastico, speciale, straordinario, superbo, di classe, pregevole, sopraffino © pessimo, dozzinale **3** (*di cibo*) squisito, prelibato © pessimo, disgustoso, repellente, schifoso.
eccellènza *s.f.* superiorità, perfezione, primato © inferiorità, imperfezione.
eccèllere *v.intr.* emergere, primeggiare, brillare, spiccare, distinguersi, risaltare.
eccèlso *agg.* **1** altissimo, sommo, supremo © infimo **2** ♧ eccellente, eccezionale, egregio, eminente, insigne, sommo, sublime.
eccentricità *s.f.* stravaganza, stranezza, bizzarria, originalità © normalità, convenzionalità.
eccèntrico *agg.* strano, stravagante, bizzarro, originale, singolare, vistoso © banale, comune, normale, conformista.
eccepìre *v.tr.* obiettare, opporre, replicare, ridire, dissentire © ammettere, accettare.
eccessìvo *agg.* esagerato, enorme, smisurato, esorbitante, astronomico, sovrabbondante, sproporzionato © moderato, contenuto, modesto, insufficiente, scarso.
eccèsso *s.m.* **1** esagerazione, sovrabbondanza, abuso © carenza, insufficienza, mancanza, scarsità **2** intemperanza, smoderatezza, sregolatezza © moderazione, temperanza.
eccettuàre *v.tr.* escludere, scartare, eliminare © comprendere, includere.
eccezionàle *agg.* **1** particolare, speciale, singolare, insolito, raro, inusuale, straordinario © comune, normale, ordinario **2** incredibile, meraviglioso, splendido, straordinario, superiore © comune, normale, banale.
eccezióne *s.f.* **1** anomalia, anormalità, singolarità © normalità, regola, consuetudine, norma **2** esclusione, eliminazione; limitazione; deroga **3** contestazione, confutazione, protesta, critica, obiezione.
ecchìmosi *s.f.* (*med.*) livido, contusione, ematoma, botta (*colloq.*).
eccìdio *s.m.* strage, sterminio, massacro, carneficina, ecatombe.
eccitàbile *agg.* (*di persona*) emotivo, impressionabile, sensibile; nervoso, impulsivo, infiammabile © freddo, impassibile, imperturbabile.
eccitabilità *s.f.* emotività, impressionabilità, sensibilità; impulsività, irritabilità © freddezza, impassibilità, imperturbabilità.
eccitànte *agg.* **1** entusiasmante, emozionante, elettrizzante, coinvolgente, esaltante © noioso, deprimente **2** seducente, erotico, provocante, sexy (*ingl.*), arrapante (*colloq.*) **3** (*di sostanza*) stimolante; afrodisiaco © calmante, sedativo.
eccitàre *v.tr.* **1** (*i sensi e sim.*) provocare, stimolare, risvegliare, solleticare, destare © calmare, frenare, placare **2** (*sessualmente*) stimolare, arrapare (*colloq.*) **3** (*gli animi, la folla ecc.*) accendere, animare, entusiasmare, scatenare, spinge-

re, incitare, provocare, sobillare, aizzare © calmare, trattenere, frenare, placare ♦ **eccitarsi** *v.pr.* agitarsi, emozionarsi, accalorarsi, esaltarsi; (*sessualmente*) arraparsi (*colloq.*), attizzarsi (*colloq.*) © calmarsi, tranquillizzarsi.

eccitazióne *s.f.* **1** agitazione, nervosismo, tensione; esaltazione, effervescenza, euforia © calma, tranquillità, serenità; freddezza, impassibilità **2** (*sessuale*) desiderio, voglia.

ecclesiàstico *agg.* religioso, clericale © civile, laico, secolare ♦ *s.m.* sacerdote, prete © laico, secolare.

echeggiàre *v.intr.* riecheggiare, risuonare, rimbombare, vibrare.

eclatànte *agg.* **1** evidente, lampante, palese **2** (*di notizia, di evento ecc.*) clamoroso, sbalorditivo, sorprendente, sensazionale, spettacolare; (*di bellezza*) radioso; appariscente, vistoso.

eclèttico *agg.* **1** (*di persona, di mente e sim.*) duttile, versatile, poliedrico, multiforme **2** (*di stile, di architettura ecc.*) composto, vario, eterogeneo, multiforme © uniforme, monotono, piatto.

eclissàre *v.tr.* **1** occultare, nascondere, offuscare **2** ♧ offuscare, oscurare, umiliare ♦ **eclissarsi** *v.pr.* ♧ (*di persona*) scomparire, dileguarsi, volatilizzarsi © apparire, comparire.

eclìssi *s.f.* **1** (*astron.*) oscuramento **2** ♧ scomparsa, sparizione; crisi, declino, tramonto, decadenza.

èco *s.f.invar., s.m.* **1** (*di suoni*) ripetizione, ripercussione, rimbombo **2** ♧ notizia, fama, voce **3** ♧ (*di un avvenimento, di una notizia*) risonanza, ripercussione, seguito.

ecologìsta *agg., s.m.f.* ambientalista, verde.

economìa *s.f.* **1** parsimonia, risparmio, sobrietà © consumo, spreco, sperpero, scialo **2** scienze economiche **3** (*di beni e sim.*) amministrazione, gestione, organizzazione **4** (*di un'opera, di un discorso ecc.*) articolazione, struttura, organizzazione, equilibrio, proporzione.

econòmico *agg.* **1** conveniente, a buon mercato, vantaggioso, accessibile © caro, costoso, antieconomico **2** finanziario.

economizzàre *v.tr.* risparmiare, lesinare, misurare, centellinare © sprecare, sperperare, scialacquare, buttare (*colloq.*).

ecònomo *s.m.* amministratore, gerente, gestore ♦ *agg.* parco, parsimonioso, oculato, moderato, risparmiatore © dissipatore, scialacquatore, sprecone.

ecosistèma *s.m.* biosistema, habitat.

ecumènico *agg.* **1** (*relig.*) interconfessionale, pancristiano **2** universale, generale, globale.

èden *s.m.invar.* **1** paradiso terrestre **2** ♧ paradiso, eldorado, bengodi, paese della cuccagna.

edìcola *s.f.* **1** chiosco, baracchino (*colloq.*), rivendita **2** (*arch.*) cappella, tabernacolo, tempietto.

edificànte *agg.* educativo, istruttivo, formativo; ammirevole, esemplare, lodevole © diseducativo, riprovevole.

edificàre *v.tr.* **1** (*un palazzo e sim.*) costruire, erigere, fabbricare © abbattere, demolire **2** ♧ (*una società, una teoria ecc.*) costituire, fondare, creare, costruire **3** ♧ (*l'animo e sim.*) educare, formare, forgiare.

edificazióne *s.f.* **1** costruzione, fabbricazione, erezione © abbattimento, demolizione, distruzione **2** ♧ (*morale*) stimolo, buon esempio, ammaestramento.

edifìcio *s.m.* costruzione, fabbricato, immobile, stabile IPON. casa, palazzo, caseggiato.

edìle *agg.* edilizio, murario ♦ *s.m.* operaio edile, muratore.

èdito *agg.* pubblicato, stampato © inedito.

editóre *s.m.* **1** casa editrice **2** (*di testi, di traduzioni ecc.*) curatore.

editorìa *s.f.* industria libraria; stampa.

editoriàle *s.m.* (*giorn.*) articolo di fondo, fondo.

edizióne *s.f.* **1** stampa, riproduzione, pubblicazione **2** copia, esemplare IPON. libro, volume **3** (*spec. di giornali*) tiratura **4** (*di una manifestazione, di uno spettacolo ecc.*) esecuzione, allestimento, realizzazione, presentazione; (*di un'opera teatrale o cinematografica*) versione.

edonìsta *s.m.f.* epicureo, gaudente.

edòtto *agg.* informato, consapevole, istruito © ignaro, inconsapevole.

educàre *v.tr.* **1** guidare, formare, istruire, indirizzare, insegnare © diseducare, corrompere, viziare **2** (*il gusto, la fantasia e sim.*) sviluppare, affinare, coltivare **3** (*il corpo, la mente ecc.*) abituare, allenare, esercitare © disabituare.

educatìvo *agg.* istruttivo, formativo; didattico, didascalico © diseducativo.

educàto *agg.* civile, cortese, corretto, garbato, gentile, compito © maleducato, incivile, scortese, sgarbato.

educatóre *s.m.* maestro, istitutore, pedagogo, precettore.

educazióne *s.f.* **1** formazione, istruzione © diseducazione **2** (*di modi, di comportamenti ecc.*) buona educazione, buone maniere, buona creanza, civiltà, cortesia, correttezza, gentilezza © maleducazione, inciviltà, scortesia, rozzezza.

efèlide *s.f.* lentiggine.

efferatézza *s.f.* ferocia, crudeltà, spietatezza.
efferàto *agg.* feroce, crudele, atroce, disumano, mostruoso.
effervescènte *agg.* **1** (*di liquido*) frizzante, gasato, gassato © naturale, liscio **2** ♧ (*di persona, di fantasia ecc.*) brillante, vivace, brioso, spumeggiante, esuberante, estroverso © spento, calmo.
effervescènza *s.f.* **1** (*di una bevanda*) frizzantino **2** ♧ vivacità, brio, esuberanza, euforia; fermento, eccitazione, agitazione © calma, pace, pacatezza.
effettìvo *agg.* **1** reale, concreto, vero, tangibile © apparente, fittizio, ipotetico **2** (*burocr.*) titolare, di ruolo © precario, fuori ruolo ♦ *s.m.* (*spec. al pl.*) organico, personale.
effètto *s.m.* **1** conseguenza, risultato, esito, frutto, prodotto © causa, origine, principio **2** (*di una legge e sim.*) validità, valore, efficacia © inefficacia **3** (*di un progetto, di un'idea ecc.*) realizzazione, attuazione, fine, termine **4** ♧ impressione, turbamento, emozione; impatto, spettacolarità **5** (*in banca*) cambiale, titolo di credito, pagherò **6** (*di luce, di suono*) gioco, combinazione **7** (*al pl.*) oggetti, vestiario.
effettuàre *v.tr.* realizzare, compiere, fare, eseguire, attuare.
efficàce *agg.* **1** valido, attivo, utile; adeguato, opportuno; energico, potente © inefficace, debole, inadeguato, blando **2** (*di discorso e sim.*) convincente, eloquente, espressivo, incisivo © inefficace, inespressivo, piatto, scialbo.
efficàcia *s.f.* **1** validità, utilità, energia, forza, potenza © inefficacia, inutilità **2** (*di un discorso e sim.*) forza, espressività, vigore, incisività © inefficacia, debolezza, inespressività.
efficiènte *agg.* **1** valido, utile, efficace, funzionale © inefficace, inutile **2** (*di persona*) attivo, dinamico, capace, intraprendente, energico © inconcludente, inefficiente, improduttivo.
efficiènza *s.f.* **1** (*di un ufficio, di un impiegato ecc.*) rendimento, produttività, funzionalità © inefficienza **2** capacità, abilità, bravura, dinamismo, intraprendenza © incapacità, inettitudine, inefficienza.
effigiàre *v.tr.* ritrarre, riprodurre, rappresentare.
effigie *s.f.* figura, immagine, ritratto.
effìmero *agg.* breve, corto, passeggero, temporaneo, precario, caduco (*elev.*), labile, fugace, momentaneo © durevole, permanente, costante, eterno, immortale, perenne.
efflùsso *s.m.* (*di un liquido, di un gas*) uscita, emanazione, flusso, fuga, fuoriuscita © afflusso, entrata.
efflùvio *s.m.* **1** aroma, profumo, odore © puzzo **2** (*iron.*) puzzo, tanfo.
effóndere *v.tr.* **1** spargere, versare, emanare, sprigionare, emettere **2** (*notizie e sim.*) diffondere, propagare © nascondere, occultare ♦ **effondersi** *v.pr.* diffondersi, propagarsi.
effrazióne *s.f.* forzatura, scassinamento, scasso.
effusióne *s.f.* **1** (*di un liquido*) spargimento, versamento **2** ♧ affetto, calore, espansività © freddezza, indifferenza **3** (*spec. al pl.*) tenerezze, carezze, coccole (*colloq.*).
effusìvo *agg.* (*di rocce*) lavico, vulcanico © intrusivo.
egèmone *agg.* egemonico, dominante, predominante © subalterno, subordinato.
egemonìa *s.f.* supremazia, predominio, preminenza, controllo, dominio, autorità.
egemònico *agg.* dominante, predominante, superiore © inferiore, subalterno, subordinato.
egemonizzàre *v.tr.* controllare, dominare, monopolizzare.
ègida *s.f.* (*elev.*) protezione, difesa, riparo, tutela; appoggio, sostegno, patrocinio.
egocèntrico *agg.*, *s.m.* individualista, individualistico; egoista © altruista, altruistico.
egocentrìsmo *s.m.* individualismo; egoismo © altruismo.
egoìsmo *s.m.* individualismo, egocentrismo © altruismo; generosità.
egoìsta *agg.*, *s.m.f.* individualista, egocentrico © altruista; generoso.
egrègio *agg.* **1** eccellente, ottimo, straordinario, eminente, insigne © comune, normale, ordinario, mediocre **2** (*nelle formule di cortesia*) distinto, illustre, esimio.
elaboràre *v.tr.* **1** (*un piano, un progetto e sim.*) preparare, concepire, studiare, articolare, formulare **2** (*inform.*) trattare **3** (*cibi*) digerire.
elaboràto *agg.* **1** accurato, articolato, studiato © abbozzato, improvvisato, impreciso **2** (*di stile*) curato, complesso, ricercato, raffinato; (*in modo eccessivo*) artificioso, arzigogolato © piano, semplice, essenziale ♦ *s.m.* compito, prova, tema; relazione.
elaboratóre *s.m.* (*elettronico*) calcolatore, computer.
elaborazióne *s.f.* **1** (*di un progetto, di un lavoro e sim.*) preparazione, studio, progettazione; sviluppo, svolgimento © improvvisazione, abbozzo **2** (*di dati informatici*) trattamento.
elargìre *v.tr.* (*mance, doni, sorrisi ecc.*) offrire, regalare, distribuire © prendere, ricevere.
elargizióne *s.f.* dono, regalo, donazione; offerta, elemosina, obolo.

elasticità *s.f.* **1** flessibilità, cedevolezza, plasticità © rigidezza, rigidità, anelasticità **2** (*nei movimenti*) agilità, scioltezza, flessuosità © rigidezza, rigidità, legnosità **3** ♧ (*mentale*) adattabilità, duttilità, flessibilità; prontezza, agilità © chiusura, ottusità, rigidezza **4** (*morale*) disinvoltura, incoerenza © rigore, inflessibilità, coerenza.

elàstico *agg.* **1** (*di materiale, di tessuto ecc.*) flessibile, pieghevole, cedevole © rigido **2** (*di movimento e sim.*) agile, sciolto, snodato © rigido, duro **3** ♧ (*di mente, intelligenza ecc.*) aperto, duttile, adattabile, pronto, versatile © rigido, chiuso, ottuso **4** ♧ (*di orario, di norma ecc.*) libero, flessibile, mobile © fisso, rigido **5** (*di coscienza, di moralità e sim.*) disinvolto; debole © rigoroso, inflessibile.

elefantìaco *agg.* enorme, gigantesco, mastodontico, smisurato, sproporzionato.

elegànte *agg.* **1** (*di abito, di gesto ecc.*) fine, raffinato, distinto, ricercato, chic (*fr.*), signorile © grossolano, sciatto, trascurato, inelegante, dozzinale, kitsch (*ted.*) **2** (*di ragionamento e sim.*) arguto, fine, ingegnoso, sottile © banale, comune.

elegànza *s.f.* gusto, classe, stile, raffinatezza, finezza © sciatteria, rozzezza, ineleganza.

elèggere *v.tr.* **1** votare, incaricare, nominare, designare, scegliere, deputare © respingere, destituire **2** (*come amico e sim.*) prendere, scegliere, nominare © scartare **3** (*il domicilio e sim.*) fissare, stabilire.

elementàre *agg.* **1** fondamentale, primario, basilare, essenziale © secondario, superfluo, accessorio **2** facile, semplice, comprensibile, chiaro © complesso, difficile, oscuro.

eleménto *s.m.* **1** (*di un tutto*) parte, componente, pezzo © insieme, intero, tutto **2** (*al pl.*) nozioni, basi, rudimenti, fondamenti **3** (*di una comunità*) persona, individuo, membro; (*di una scuola*) allievo **4** ambiente, habitat.

elemòsina *s.f.* **1** carità, beneficenza **2** (*in chiesa*) offerta, obolo, elargizione.

elemosinàre *v.tr.* **1** mendicare, accattare, questuare **2** ♧ (*aiuti, favori ecc.*) implorare, mendicare.

elencàre *v.tr.* catalogare, ordinare, inventariare, registrare, rubricare; enumerare.

elènco *s.m.* lista, registro, catalogo, indice, inventario, rubrica.

elètto *agg., s.m.* **1** designato, incaricato, nominato, votato, scelto **2** (*relig.*) prescelto, predestinato.

elettoràto *s.m.* elettori, votanti.

elettóre *s.m.* votante.

elettricità *s.f.* **1** energia elettrica, luce, corrente **2** ♧ agitazione, irritabilità, nervosismo, tensione; fermento, frenesia, vivacità © calma, serenità, tranquillità.

elèttrico *agg.* ♧ (*di persona, di atmosfera ecc.*) nervoso, irrequieto, irritabile, teso; eccitato, elettrizzato © calmo, tranquillo.

elettrizzànte *agg.* eccitante, entusiasmante, stimolante, stuzzicante © calmante, tranquillizzante.

elettrizzàre *v.tr.* **1** (*un corpo, una sostanza*) caricare **2** ♧ eccitare, entusiasmare, infervorare, infiammare, gasare (*gerg.*); aizzare, incitare © calmare, placare.

elevàre *v.tr.* **1** alzare, innalzare, sollevare; (*case, palazzi ecc.*) costruire, fabbricare © abbattere, demolire **2** ♧ migliorare, innalzare © peggiorare **3** (*a una carica*) innalzare, promuovere © degradare, retrocedere ♦ **elevarsi** *v.pr.* **1** alzarsi, ergersi, sollevarsi **2** ♧ migliorarsi, nobilitarsi, emergere, brillare © abbassarsi, avvilirsi, umiliarsi, degradarsi.

elevàto *agg.* **1** alto, rialzato, sollevato © basso **2** (*di denaro e sim.*) cospicuo, ingente, notevole, rilevante © basso, scarso, misero **3** ♧ (*spiritualmente*) nobile, sublime, eccellente © basso, ignobile, spregevole **4** (*di linguaggio e sim.*) aulico, forbito © prosaico, volgare.

elevazióne *s.f.* **1** innalzamento, sollevamento; miglioramento © abbassamento; peggioramento **2** (*di un atleta*) stacco **3** rialzo, rilievo, dosso.

elezióne *s.f.* **1** nomina, designazione, chiamata, scelta **2** (*spec. al pl.*) votazioni **3** (*elev.*) scelta, adozione.

elìdere *v.tr.* sopprimere, eliminare, togliere © aggiungere, inserire.

eliminàre *v.tr.* **1** cancellare, rimuovere, togliere, annullare, abrogare © aggiungere, inserire, integrare, mettere **2** (*un'ipotesi e sim.*) escludere, respingere, rifiutare © ammettere, accettare **3** (*da una gara, da un concorso ecc.*) escludere, scartare, estromettere, vincere **4** (*gerg.*) ammazzare, uccidere, togliere di mezzo, fare fuori (*colloq.*), assassinare **5** (*sostanze, rifiuti ecc.*) espellere, smaltire © assimilare, immettere.

eliminatòria *s.f.* qualificazione, selezione.

eliminazióne *s.f.* **1** abolizione, cancellazione, esclusione, rimozione, soppressione © aggiunta, inclusione, integrazione **2** (*di persone*) allontanamento, cacciata **3** (*da una gara sportiva*) estromissione, esclusione **4** (*gerg.*) assassinio, omicidio, uccisione **5** (*di sostanze, rifiuti ecc.*) espulsione.

elisióne *s.f.* annullamento, eliminazione, soppressione © aggiunta, integrazione.
elisìr *s.m.invar.* cordiale, tonico; pozione magica.
elitàrio *agg.* d'élite, esclusivo, snob, ristretto, privilegiato, selettivo; classista © popolare, democratico, di massa.
élite *s.f.invar.* (*fr.*) crema, gotha, fior fiore, crème (*fr.*).
ellìsse *s.f.* **1** (*geom.*) ovale **2** (*astron.*) orbita.
ellìssi *s.f.* (*ling.*) concisione, stringatezza, brevità, sintesi.
ellìttico[1] *agg.* (*geom.*) ovale.
ellìttico[2] *agg.* (*di discorso e sim.*) sintetico, stringato, conciso, succinto; implicito © prolisso, ridondante; esplicito.
elmétto *s.m.* casco, elmo.
elocuzióne *s.f.* oratoria, eloquenza.
elogiàre *v.tr.* lodare, esaltare, applaudire, magnificare, approvare.
elogiativo *agg.* apologetico, celebrativo, encomiastico © critico, denigratorio.
elògio *s.m.* lode, complimento, applauso, approvazione; (*di discorso celebrativo*) celebrazione, encomio, apologia, panegirico © critica, biasimo, condanna.
eloquènte *agg.* **1** facondo, loquace, magniloquente © laconico **2** ♧ (*di sguardo, di silenzio ecc.*) significativo, espressivo, efficace © insignificante, inespressivo **3** ♧ (*di discorso, di tono ecc.*) chiaro, evidente, palese, efficace.
eloquènza *s.f.* **1** oratoria, facondia © laconicità **2** ♧ espressività, chiarezza, efficacia, immediatezza © inespressività.
elòquio *s.m.* linguaggio, stile, eloquenza.
elucubràre *v.tr.* (*anche iron.*) meditare, congetturare, pensare, rimuginare.
elucubrazióne *s.f.* (*iron.*) rimuginamento, arzigogolo, fantasticheria, congettura, meditazione.
elùdere *v.tr.* scansare, sfuggire, evitare, schivare, sottrarsi; (*leggi e sim.*) trasgredire, violare; raggirare, ingannare, imbrogliare © osservare.
elusìvo *agg.* evasivo, ambiguo, generico, vago, sfuggente © chiaro, preciso, inequivocabile.
elvètico *agg.* svizzero.
emaciàto *agg.* magro, macilento, patito, smunto; affilato, scarno © florido, paffuto, grasso.
e-mail *s.f.invar.* (*ingl.*) posta elettronica; messaggio.
emanàre *v.tr.* **1** (*calore, profumo ecc.*) diffondere, emettere, esalare, sprigionare **2** (*una legge e sim.*) emettere, promulgare, varare © abrogare ♦ *v.intr.* provenire, diffondersi, sprigionarsi.
emanazióne *s.f.* **1** (*di luce, di gas ecc.*) diffusione, esalazione **2** (*di una legge e sim.*) promulgazione, pubblicazione © abrogazione **3** espressione, manifestazione.
emancipàre *v.tr.* liberare, affrancare, svincolare © opprimere, sottomettere ♦ **emanciparsi** *v.pr.* liberarsi, affrancarsi, sottrarsi, svincolarsi.
emancipàto *agg.* libero, indipendente; moderno, responsabile © oppresso, represso, schiavo.
emancipazióne *s.f.* liberazione, indipendenza, autonomia © dipendenza, oppressione, schiavitù.
emarginàre *v.tr.* escludere, ghettizzare, isolare, relegare, estromettere © accogliere, accettare, ammettere, integrare, inserire, reinserire.
emarginàto *agg., s.m.* escluso, isolato, estromesso, reietto © inserito, integrato.
emarginazióne *s.f.* isolamento, esclusione, ghettizzazione, segregazione © accettazione, integrazione, inclusione.
embàrgo *s.m.* blocco, sanzione, boicottaggio.
emblèma *s.m.* ♧ simbolo, segno, rappresentazione.
emblemàtico *agg.* ♧ simbolico, rappresentativo, significativo, esemplare © insignificante, irrilevante.
embrionàle *agg.* ♧ (*di progetto, di fase e sim.*) iniziale, in nuce, nascente, progettuale; indefinito, provvisorio © finale, definitivo, compiuto.
embrióne *s.m.* ♧ (*di un progetto, di un pensiero e sim.*) abbozzo, accenno.
emendaménto *s.m.* **1** correzione, rettifica, miglioramento **2** (*dir.*) modifica.
emendàre *v.tr.* correggere, modificare, rettificare, migliorare, perfezionare; rivedere.
emergènte *agg.* nascente, in ascesa, crescente © declinante, in discesa.
emergènza *s.f.* eventualità, bisogno, necessità; pericolo, rischio; urgenza © normalità.
emèrgere *v.intr.* **1** venire a galla, affiorare; apparire, spuntare © affondare, immergersi, sprofondare **2** ♧ venire alla luce, risultare, manifestarsi © scomparire, nascondersi **3** ♧ brillare, eccellere, spiccare, distinguersi, mettersi in luce, primeggiare.
emèrito *agg.* eccellente, illustre, insigne, famoso; (*iron.*) notorio, patentato, perfetto.
emersióne *s.f.* affioramento, galleggiamento © affondamento, immersione, inabissamento.
eméttere *v.tr.* **1** mandar fuori, cacciare, buttare, gettare **2** (*luce, calore ecc.*) diffondere, emanare, sprigionare, spandere, irradiare **3** (*monete, francobolli ecc.*) immettere © ritirare **4** ♧ (*un decreto e sim.*) emanare, promulgare, spiccare © abrogare, ritirare **5** (*una sentenza e sim.*) pronunciare, esprimere, formulare.

emicrània *s.f.* mal di testa.
emigrànte *s.m.f.* emigrato; (*per motivi politici*) profugo, esule © immigrato.
emigràre *v.intr.* **1** espatriare, trasferirsi, trapiantarsi, andarsene © immigrare, rimpatriare **2** (*di animali*) migrare.
emigràto *s.m.* emigrante; (*per motivi politici*) profugo, esule © immigrato.
emigrazióne *s.f.* **1** espatrio, esodo; esilio (*per motivi politici*) © immigrazione **2** (*di animali*) migrazione.
eminènte *agg.* **1** ♧ (*di persona*) egregio, illustre, autorevole, rinomato © comune, ordinario **2** ♧ importante, significativo, notevole, rilevante © insignificante.
emìro *s.m.* sceicco, sultano.
emisfèrico *agg.* (*geom.*) semisferico.
emisfèro *s.m.* (*geogr.*) semisfera.
emissàrio[1] *s.m.* (*geogr.*) © immissario.
emissàrio[2] *s.m.* messaggero, delegato, rappresentante, incaricato, mandatario (*dir.*).
emissióne *s.f.* **1** (*di sangue e sim.*) fuoruscita, flusso **2** (*di francobolli, monete ecc.*) messa in circolazione, distribuzione © ritiro **3** (*di calore, di gas ecc.*) diffusione, uscita, emanazione, esalazione, perdita, fuga.
emittènte *s.f.* (*di stazione radio o televisiva*) trasmittente.
emolliènte *agg.* decongestionante, lenitivo, calmante © irritante.
emoluménto *s.m.* (*spec. al pl.*) compenso, retribuzione, onorario.
emorragìa *s.f.* ♧ (*di voti, di capitali ecc.*) perdita, riduzione, calo, fuga, dispersione © recupero, rientro.
emotività *s.f.* impressionabilità, sensibilità, eccitabilità © razionalità, freddezza, controllo.
emotìvo *agg., s.m.* sensibile, impressionabile, sentimentale, emozionale (*psic.*) © razionale, controllato, freddo, impassibile, imperturbabile.
emozionànte *agg.* appassionante, avvincente, eccitante, coinvolgente, entusiasmante © scialbo, noioso, monotono.
emozionàre *v.tr.* commuovere, impressionare, colpire, toccare, turbare; (*di spettacolo, di film ecc.*) appassionare, coinvolgere, entusiasmare © annoiare ♦ **emozionarsi** *v.pr.* agitarsi, eccitarsi, commuoversi; impressionarsi, turbarsi.
emozióne *s.f.* impressione, commozione, sensazione, sentimento; agitazione, batticuore, inquietudine, turbamento © calma, controllo; freddezza, impassibilità, imperturbabilità.
empietà *s.f.* **1** sacrilegio, profanazione **2** (*azione empia*) cattiveria, malvagità, crudeltà, scelleratezza **3** (*parola empia*) bestemmia, maledizione.
émpio *agg., s.m.* **1** blasfemo, sacrilego, bestemmiatore; miscredente © credente, devoto; pio religioso **2** cattivo, crudele, malvagio, spietato, scellerato © buono, pietoso.
empìre *v.tr.* riempire, colmare © svuotare.
empìrico *agg.* **1** sperimentale, pratico, concreto, induttivo © scientifico, teorico **2** (*spreg.*) approssimativo, improvvisato © preciso, accurato, scientifico.
empirìsmo *s.m.* sperimentalismo; pratica, concretezza © scientificità; sistematicità.
émpito *s.m.* impeto, impulso, slancio.
empòrio *s.m.* **1** grande magazzino, negozio, bazar **2** (*di cose diverse*) mucchio, ammasso, congerie.
emulàre *v.tr.* imitare, seguire, ricalcare, copiare, scimmiottare (*spreg.*); competere, gareggiare, rivaleggiare.
emulatóre *s.m.* emulo, imitatore, seguace; rivale, concorrente, antagonista.
emulazióne *s.f.* imitazione; competizione, antagonismo, rivalità.
èmulo *s.m.* emulatore, imitatore, seguace; rivale, concorrente, antagonista.
emulsionàre *v.tr.* mescolare, amalgamare.
enciclopèdico *agg.* **1** generale, universale © monografico **2** (*spreg.*) superficiale, generico **3** ♧ (*di cultura, di sapere ecc.*) esteso, vasto; eclettico, versatile, poliedrico.
encomiàre *v.tr.* lodare, elogiare, esaltare, celebrare, apprezzare © condannare, criticare, denigrare, disapprovare.
encòmio *s.m.* lode, elogio, apprezzamento, complimento, riconoscimento, plauso © biasimo, critica, denigrazione, disapprovazione.
endèmico *agg.* **1** (*di malattia infettiva*) caratteristico, esclusivo, particolare, specifico, locale **2** (*di fenomeno, di abitudine negativi*) diffuso, persistente, radicato, tenace.
endògeno *agg.* interno © esogeno, esterno.
energètico *agg.* (*di alimento e sim.*) corroborante, ricostituente, tonico; calorico, ricco.
energìa *s.f.* **1** (*fisica*) forza, vigore, potenza, prestanza, vitalità © debolezza, fiacca, spossatezza **2** (*di carattere e sim.*) fermezza, decisione, determinazione, polso, risolutezza © esitazione, incertezza, indecisione **3** ♧ (*di discorso, di stile ecc.*) efficacia, forza, incisività, vivacità.
enèrgico *agg.* **1** (*fisicamente*) forte, vigoroso, robusto © debole, fiacco **2** (*di carattere e sim.*) deciso, determinato, risoluto © incerto, indeci-

so, insicuro **3** (*di rimedio, di provvedimento ecc.*) radicale, efficace, drastico © blando.
energùmeno *s.m.* violento, prepotente; bestione, figuro.
ènfasi *s.f.* **1** (*nei gesti e sim.*) calore, passionalità, animazione, solennità, teatralità © controllo, equilibrio, misura **2** (*nelle parole, nella scrittura ecc.*) ampollosità, magniloquenza, pomposità, ridondanza © misura, moderatezza.
enfàtico *agg.* altisonante, ampolloso, magniloquente, retorico, ridondante © semplice, contenuto, misurato.
enfatizzàre *v.tr.* accentuare, amplificare, esagerare, ingigantire, sottolineare © attenuare, moderare, sminuire.
enìgma *s.m.* **1** indovinello, rebus, rompicapo **2** ♧ mistero, arcano, giallo, busillis (*scherz.*) **3** (*di persona misteriosa*) rebus, arcano.
enigmàtico *agg.* **1** ambiguo, oscuro, misterioso, incomprensibile, indecifrabile, complicato © chiaro, semplice, comprensibile **2** (*spec. di persona*) ambiguo, sfuggente, elusivo © chiaro, trasparente.
enològico *agg.* vinicolo.
enórme *agg.* smisurato, sconfinato, infinito; colossale, gigantesco, immenso © minuscolo, piccolo, minimo, microscopico.
enormità *s.f.* **1** immensità, smisuratezza © limitatezza **2** eccesso, esagerazione **3** (*di azione, di affermazione assurda, irragionevole*) assurdità, sciocchezza, sproposito **4** scelleratezza, nefandezza, crimine.
enotèca *s.f.* cantina, bottiglieria, fiaschetteria, mescita.
ènte *s.m.* **1** (*filos.*) essere, essenza, entità, individuo, creatura **2** istituzione, fondazione, istituto, organo.
entèrico *agg.* (*med.*) intestinale.
entità *s.f.* **1** (*filos.*) essere, essenza, ente, individuo, creatura **2** (*di danni, di patrimonio ecc.*) dimensione, importanza, misura, quantità, valore, grandezza, portata, ammontare.
entourage *s.m.invar.* (*fr.*) cerchia, ambito, giro, seguito, sfera.
entràmbi *agg.indef. pron.m.pl.* ambedue, ambo.
entrànte *agg.* **1** (*di settimana, mese ecc.*) futuro, prossimo, venturo, nuovo © passato, ultimo, scorso **2** (*di persona che ha appena assunto una carica*) nuovo, neoeletto © uscente **3** ♧ (*di persona, di atteggiamento ecc.*) invadente, insinuante © discreto, riservato.
entràre *v.intr.* **1** accedere, addentrarsi, introdursi, penetrare, immettersi; (*nell'acqua*) immergersi; (*in luoghi stretti*) cacciarsi, ficcarsi, infilarsi; (*con forza, improvvisamente*) irrompere, piombare; (*di nascosto*) infiltrarsi, intrufolarsi © uscire, andarsene; (*dall'acqua*) emergere, affiorare **2** (*in un contenitore, in un ambiente ecc.*) stare, starci, passare, passarci **3** ♧ (*in un gruppo e sim.*) accedere, inserirsi, introdursi © uscire **4** ♧ (*in guerra, in azione ecc.*) iniziare, cominciare, dare inizio © concludere, finire, terminare **5** ♧ (*in faccende altrui*) impicciarsi, immischiarsi, intromettersi.
entràta *s.f.* **1** (*l'entrare*) ingresso © uscita **2** (*luogo per cui si entra*) accesso, ingresso, imboccatura; (*di un'abitazione, di un palazzo*) ingresso, anticamera, atrio, hall (*ingl.*) **3** ♧ (*spec. al pl.*) guadagno, incasso, introito, profitto, reddito.
entrotèrra *s.m.invar.* retroterra.
entusiasmàre *v.tr.* accendere, appassionare, eccitare, esaltare, elettrizzare, infiammare © abbattere, deprimere, annoiare ♦ **entusiasmarsi** *v.pr.* appassionarsi, eccitarsi, esaltarsi © abbattersi, demoralizzarsi, deprimersi.
entusiàsmo *s.m.* esaltazione, eccitazione, passione, fervore, foga © depressione, demoralizzazione, abbattimento.
entusiàsta *agg.* appassionato, ardente, caloroso; contento, soddisfatto © freddo, indifferente, insoddisfatto, scontento ♦ *s.m.f.* ottimista © pessimista.
entusiàstico *agg.* caldo, appassionato, caloroso © freddo, indifferente, distaccato.
enucleàre *v.tr.* focalizzare, evidenziare; chiarire.
enumeràre *v.tr.* contare, elencare; esporre, presentare.
enumerazióne *s.f.* elenco, lista, elencazione, catalogo.
enunciàre *v.tr.* dire, esprimere, esporre, formulare, presentare, spiegare, illustrare; (*teorie e sim.*) dimostrare, spiegare.
enunciazióne *s.f.* esposizione, formulazione, illustrazione.
enzìma *s.m.* fermento.
èpica *s.f.* saga, epopea, epos (*lat.*), ciclo.
epicèntro *s.m.* (*di un'epidemia, di una rivolta ecc.*) centro, origine, focolaio, fulcro, nucleo, sorgente.
èpico *agg.* **1** eroico **2** grandioso, memorabile, leggendario, eroico, solenne, straordinario, fantastico ♦ *s.m.* (*di poeta*) aedo (*elev.*).
epidemìa *s.f.* diffusione, propagazione.
epidèmico *agg.* **1** contagioso, infettivo, pestilenziale **2** ♧ vasto, diffuso, esteso.
epidèrmico *agg.* **1** cutaneo **2** ♧ (*di sensazione e sim.*) apparente, esteriore, superficiale © profondo, interiore, intimo.

epidèrmide *s.f.* cute, pelle.
epìgono *s.m.* (*di un maestro, di una scuola ecc.*) continuatore, emulo, seguace, imitatore; allievo, discepolo, scolaro © caposcuola, precursore.
epìgrafe *s.f.* **1** iscrizione, epitaffio **2** (*all'inizio di un libro*) citazione, dedica, intestazione.
epigràfico *agg.* ♧ conciso, stringato, lapidario, laconico © lungo, prolisso, verboso.
epilessìa *s.f.* malcaduco (*colloq.*).
epìlogo *s.m.* chiusa, chiusura, finale, conclusione © introduzione, incipit, preludio, prologo.
episòdico *agg.* raro, saltuario, sporadico, occasionale, isolato © sistematico, ricorrente, regolare.
episòdio *s.m.* **1** fatto, avvenimento, evento, vicenda **2** (*di un romanzo, di un'opera ecc.*) parte, pagina, vicenda **3** (*di un film*) puntata.
epìstola *s.f.* lettera, missiva.
epistolàrio *s.m.* carteggio, corrispondenza.
epitàffio *s.m.* epigrafe.
epìteto *s.m.* **1** aggettivo, appellativo, attributo; soprannome **2** ♧ (*spec. al pl.*) insulto, offesa, ingiuria, improperio, parolaccia.
època *s.f.* periodo, età, era, fase.
epocàle *agg.* eccezionale, memorabile, mitico, straordinario.
epopèa *s.f.* **1** (*serie di imprese eroiche*) imprese, gesta **2** epos (*lat.*), epica, ciclo.
èpos *s.m.invar.* (*lat.*) **1** poema, epopea **2** saga, epopea, ciclo.
epuràre *v.tr.* (*persone per motivi politici*) allontanare, espellere, scacciare, eliminare, radiare, silurare.
epurazióne *s.f.* allontanamento, cacciata, espulsione, eliminazione, estromissione, radiazione.
equànime *agg.* equo, giusto, imparziale, sereno, spassionato © ingiusto, parziale, fazioso, tendenzioso.
equanimità *s.f.* equità, obiettività, imparzialità, giustizia © parzialità, ingiustizia, iniquità.
equilibràre *v.tr.* bilanciare, compensare, contrappesare © squilibrare, sbilanciare ♦ **equilibrarsi** *v.pr.* bilanciarsi © sbilanciarsi.
equilibràto *agg.* **1** bilanciato, proporzionato, simmetrico © asimmetrico, sbilanciato, squilibrato, sproporzionato **2** ♧ assennato, moderato, saggio, sereno; giusto, equo, imparziale © squilibrato, scombinato, esagerato, folle; ingiusto, iniquo, parziale.
equilìbrio *s.m.* **1** bilanciamento, stabilità, compensazione © instabilità, squilibrio **2** ♧ armonia, proporzione © disarmonia, sproporzione, opposizione, squilibrio **3** ♧ misura, buonsenso, saggezza, assennatezza; equità, imparzialità © squilibrio, impulsività, sregolatezza.
equilibrìsmo *s.m.* **1** funambolismo **2** ♧ (*spec. in campo politico*) opportunismo, spregiudicatezza, trasformismo.
equilibrìsta *s.m.f.* funambolo, acrobata.
equipaggiaménto *s.m.* attrezzatura, bagaglio, corredo, dotazione, fornitura.
equipaggiàre *v.tr.* dotare, fornire, attrezzare, corredare, munire ♦ **equipaggiarsi** *v.pr.* dotarsi, fornirsi, attrezzarsi, corredarsi, munirsi, rifornirsi.
equipàggio *s.m.* personale di bordo; (*di una nave*) marinai, ciurma (*spreg.*).
equiparàre *v.tr.* pareggiare, livellare, parificare, unificare, adeguare © distinguere, separare.
équipe *s.f.invar.* (*fr.*) gruppo, squadra; (*ingl.*) team, staff.
equipollènte *agg.* equivalente.
equità *s.f.* giustizia, imparzialità, equanimità, obiettività © ingiustizia, iniquità, parzialità.
equivalènte *agg.* pari, uguale, equipollente © diverso, differente.
equivalènza *s.f.* parità, corrispondenza, uguaglianza © differenza, disparità.
equivalére *v.intr.* corrispondere © differire ♦ **equivalersi** *v.pr.* corrispondersi, equipararsi, uguagliarsi © differire.
equivocàre *v.tr.* fraintendere, travisare, sbagliarsi; prendere fischi per fiaschi (*colloq.*), prendere lucciole per lanterne (*colloq.*).
equivocità *s.f.* ambiguità, doppiezza © chiarezza, univocità.
equìvoco *agg.* **1** ambiguo, dubbio; oscuro, enigmatico © inequivocabile, chiaro, certo, netto, univoco **2** ♧ losco, sospetto, malfamato ♦ *s.m.* errore, malinteso, fraintendimento, sbaglio, quiproquò.
èquo *agg.* **1** giusto, imparziale, onesto, disinteressato, obiettivo © ingiusto, iniquo, parziale **2** (*di compenso e sim.*) proporzionato, conveniente, giusto © eccessivo, sproporzionato, insufficiente.
èra *s.f.* epoca, età, periodo, tempo, evo.
eràrio *s.m.* finanza, tesoro, fisco.
èrba *s.f.* **1** (*spec. al pl.*) ortaggi, verdure, erbaggi; odori, erbette **2** (*gerg.*) marijuana, canapa indiana (*bot.*).
èrcole *s.m.* (*di uomo molto forte*) forzuto, colosso, maciste, roccia, toro.
erède *s.m.f.* **1** (*dir.*) successore **2** (*scherz.*) figlio **3** ♧ seguace, continuatore, allievo, discepolo.
eredità *s.f.* **1** IPERON. patrimonio **2** ♧ retaggio, insegnamento.

ereditàrio *agg.* **1** (*dir.*) successorio **2** (*di malattia e sim.*) genetico, familiare.
eremìta *s.m.f.* **1** (*relig.*) anacoreta **2** ♧ solitario.
eresìa *s.f.* **1** (*relig.*) eterodossia © ortodossia **2** ♧ (*affermazione assurda*) assurdità, stupidaggine, bestialità, sproposito.
erètico *agg., s.m.* **1** (*relig.*) eterodosso © ortodosso **2** ateo, miscredente; blasfemo, sacrilego © ortodosso, credente, osservante.
erètto *agg.* dritto, diritto, ritto, impettito © curvo, gobbo, piegato.
erezióne *s.f.* **1** (*di un edificio*) costruzione, innalzamento © abbattimento **2** (*di un organo*) inturgidimento.
erìgere *v.tr.* **1** innalzare, costruire, edificare, fabbricare © abbattere, demolire **2** ♧ (*una scuola, un ospedale ecc.*) fondare, istituire ♦ **erigersi** *v.pr.* **1** innalzarsi, drizzarsi, levarsi © abbassarsi, inchinarsi **2** ♧ (*a giudice, a moderatore ecc.*) atteggiarsi, trasformarsi.
ermafrodìto *agg., s.m.* bisessuale, androgino © unisessuale.
ermètico *agg.* **1** (*di chiusura*) stagno, a tenuta stagna **2** ♧ (*di una poesia, di uno sguardo e sim.*) oscuro, enigmatico, incomprensibile, indecifrabile, inaccessibile, sibillino © chiaro, esplicito, evidente, comprensibile.
ermetìsmo *s.m.* oscurità, enigmaticità, indecifrabilità, incomprensibilità © chiarezza, trasparenza.
eródere *v.tr.* consumare, corrodere, intaccare, mangiare (*colloq.*).
eròe *s.m.* **1** (*nella mitologia*) semidio **2** coraggioso, valoroso; campione, paladino © vigliacco **3** (*di un'opera letteraria, cinematografica ecc.*) protagonista © antieroe **4** (*iron., scherz.*) protagonista.
erogàre *v.tr.* **1** (*acqua, gas, energia elettrica*) fornire, distribuire **2** (*denaro, fondi ecc.*) assegnare, destinare, devolvere, stanziare.
erogatóre *s.m.* distributore.
eròico *agg.* **1** (*di persona, di impresa ecc.*) coraggioso, valoroso; nobile, glorioso © vigliacco, vile, antieroico **2** (*di periodo, di evento ecc.*) grandioso, epico, leggendario, mitico; eccezionale, straordinario © ordinario, comune, normale.
eroìna *s.f.* brown sugar (*ingl.; gerg.*), roba (*gerg.*).
eroinòmane *s.m.f.* tossicodipendente, tossicomane, tossico (*gerg.*).
eroìsmo *s.m.* coraggio, valore, ardimento, prodezza © vigliaccheria, viltà.
èros *s.m.* amore, sessualità, erotismo, libido.
erosióne *s.f.* **1** (*geol.*) corrosione; abrasione **2** ♧ (*dei salari, del reddito e sim.*) riduzione, contrazione, diminuzione.
erosìvo *agg.* corrosivo, abrasivo.
eròtico *agg.* **1** sessuale, sensuale, carnale **2** (*che suscita desiderio*) eccitante, libidinoso, lussurioso, voluttuoso, arrapante (*colloq.*) **3** (*di film e sim.*) audace, spinto, piccante, sexy (*ingl.*); pornografico, osceno.
erotìsmo *s.m.* eros, libidine, sessualità.
erràre *v.intr.* **1** vagare, vagabondare, girovagare, gironzolare, peregrinare **2** ingannarsi, sbagliare.
erràto *agg.* sbagliato, inesatto, erroneo, scorretto © giusto, corretto, esatto.
erròneo *agg.* vedi **erràto**.
erróre *s.m.* **1** sbaglio, imprecisione, inesattezza **2** (*in senso religioso e morale*) colpa, mancanza, peccato **3** disattenzione, svista, distrazione; abbaglio, cantonata, granchio, lapsus; (*di grammatica*) strafalcione; (*di stampa*) refuso.
erudìre *v.tr.* **1** istruire, educare, ammaestrare **2** (*scherz.*) informare, aggiornare, mettere al corrente, ragguagliare.
erudìto *agg., s.m.* istruito, colto, dotto, sapiente © ignorante, incolto.
erudizióne *s.f.* **1** conoscenza, cultura, cognizione, sapere © ignoranza **2** (*spreg.*) nozionismo.
eruttàre *v.tr.* (*di vulcano, di ciminiera ecc.*) emettere, buttare, gettare, sputare.
esacerbàre *v.tr.* **1** (*un dolore, una pena e sim.*) acuire, accentuare, aggravare © calmare, alleviare, mitigare, lenire **2** (*l'animo e sim.*) irritare, esasperare, inasprire, innervosire, stizzire © calmare, distendere, tranquillizzare.
esageràre *v.tr.* **1** amplificare, ingrandire, gonfiare, enfatizzare, ingigantire © ridurre, diminuire, ridimensionare, minimizzare, sminuire **2** (*toni, colori e sim.*) accentuare, calcare, caricare © attenuare, moderare ♦ *v.intr.* eccedere, passare il segno, oltrepassare i limiti © contenersi, limitarsi, frenarsi.
esageràto *agg.* eccessivo, spropositato, smisurato, caricato, sbalorditivo; smodato © contenuto, moderato, modesto; equilibrato.
esagerazióne *s.f.* **1** enfasi, amplificazione, eccesso © attenuazione, ridimensionamento **2** sproposito, enormità.
esagitàto *agg., s.m.* agitato, frenetico, eccitato, nervoso © calmo, tranquillo.
esalàre *v.tr.* emettere, diffondere, emanare, sprigionare; (*l'ultimo respiro*) morire, spirare.
esalazióne *s.f.* emanazione, emissione, odore; (*gradevole*) profumo, fragranza, aroma; (*sgradevole*) puzzo, fetore, tanfo.

esaltàre *v.tr.* **1** accentuare, evidenziare, far risaltare, valorizzare © diminuire, smorzare **2** (*imprese, meriti e sim.*) lodare, magnificare, celebrare, decantare © denigrare, sminuire, svilire **3** (*animi, folle ecc.*) eccitare, infiammare, entusiasmare, accendere © frenare, moderare, placare ♦ **esaltarsi** *v.pr.* **1** eccitarsi, entusiasmarsi, impazzire © abbattersi, deprimersi **2** gloriarsi, vantarsi, gasarsi (*colloq.*), montarsi la testa.

esàme *s.m.* **1** considerazione, analisi, vaglio, disamina, indagine **2** (*spec. di candidati*) prova, controllo, test, verifica **3** (*medico*) controllo, check-up (*ingl.*).

esaminàndo *agg., s.m.* candidato, concorrente © esaminatore.

esaminàre *v.tr.* **1** osservare, guardare, considerare, analizzare, soppesare, valutare, vagliare **2** (*un candidato*) interrogare, testare.

esaminatóre *s.m.* commissario © esaminando.

esàngue *agg.* **1** dissanguato **2** (*di viso e sim.*) pallido, smorto, cereo © colorito.

esànime *agg.* morto; svenuto, privo di sensi, incosciente, moribondo, tramortito © vivo, animato.

esasperànte *agg.* irritante, insopportabile, logorante, snervante, stressante.

esasperàre *v.tr.* **1** (*un dolore, una pena ecc.*) aggravare, accentuare, acuire, inasprire © calmare, attenuare, lenire, mitigare **2** (*una persona*) irritare, estenuare, logorare, spazientire, stressare, stizzire © calmare, placare, rilassare.

esasperàto *agg.* **1** (*di persona*) irritato, arrabbiato, furibondo, stizzito, esacerbato, stressato **2** (*di sentimento*) estremo, forte, intenso, eccessivo © contenuto, moderato.

esasperazióne *s.f.* **1** (*di un dolore e sim.*) acutizzazione, aggravamento, inasprimento © alleviamento, attenuazione **2** (*di una situazione, di una passione ecc.*) culmine, eccesso, parossismo **3** (*stato d'animo*) nervosismo, irritazione, rabbia © calma, serenità.

esattézza *s.f.* **1** (*di calcolo*) precisione, correttezza, giustezza © inesattezza, erroneità, imprecisione **2** (*di lavoro e sim.*) attenzione, scrupolosità, meticolosità © trascuratezza, imprecisione.

esàtto *agg.* **1** (*di calcolo*) giusto, preciso © sbagliato, errato, erroneo, inesatto, impreciso **2** (*di metodo, di principio ecc.*) rigoroso, infallibile, certo © incerto, insicuro **3** (*di persona*) attento, accurato, diligente, meticoloso, scrupoloso, puntuale © disattento, impreciso, faciloне, superficiale.

esaudìre *v.tr.* accogliere, ascoltare, realizzare, soddisfare © negare, respingere, rifiutare.

esauriènte *agg.* **1** (*di discussione, di studio e sim.*) approfondito, completo, dettagliato, minuzioso © incompleto, lacunoso, superficiale, vago **2** (*di risposta, di prova ecc.*) convincente, persuasivo, soddisfacente © incerto, dubbio, insoddisfacente.

esauriménto *s.m.* **1** (*di risorse, di scorte ecc.*) fine, termine **2** (*fisico*) debilitazione, affaticamento, spossatezza © irrobustimento, forza, vigore.

esaurìre *v.tr.* **1** (*le provviste, la pazienza ecc.*) consumare, finire **2** (*una persona*) indebolire, sfinire, spossare; stressare, logorare © fortificare, rinvigorire **3** (*un compito, un'indagine ecc.*) compiere, completare, finire, portare a termine **4** (*un argomento*) sviscerare.

esaurìto *agg.* **1** (*di cose, di prodotti ecc.*) finito, terminato; (*di biglietti per spettacoli ecc.*) venduto; (*di teatro, di cinema ecc.*) pieno **2** (*di persona*) sfinito, spossato, esausto; logorato, stressato, nevrastenico.

esaustìvo *agg.* approfondito, completo, esauriente, minuzioso © incompleto, lacunoso.

esàusto *agg.* sfinito, stremato, spossato, esaurito; stanco © forte, vigoroso, in forma.

esazióne *s.f.* **1** incasso, riscossione © pagamento, versamento **2** (*la somma riscossa*) incasso, introito, provento; entrata, gettito.

esbórso *s.m.* pagamento, spesa, versamento © incasso, riscossione.

ésca *s.f.* ♧ allettamento, lusinga; illusione, inganno, trappola.

escalation *s.f.invar.* (*ingl.*) aumento, crescita, intensificazione, acutizzazione, crescendo.

esclamàre *v.tr.* e *intr.* **1** gridare IPERON. affermare, dire, proferire **2** prorompere, sbottare.

esclùdere *v.tr.* **1** (*da un luogo*) allontanare, cacciare, respingere, rifiutare, estromettere © accettare, accogliere, ammettere **2** (*da una lista, da un elenco ecc.*) togliere, levare, depennare © comprendere, includere **3** (*un'ipotesi*) eliminare, scartare, trascurare; negare © accettare, ammettere, contemplare **4** (*da obblighi e sim.*) esentare, esonerare © includere.

esclusióne *s.f.* **1** (*di persone*) allontanamento, cacciata, espulsione, emarginazione, estromissione © ammissione, accettazione, inserimento **2** (*di cose*) eliminazione, rimozione, depennamento © inclusione, aggiunta, inserimento.

esclusìva *s.f.* esclusività, monopolio, privativa (*dir.*).

esclusìvo *agg.* **1** (*di ambiente, di locale ecc.*) elitario, chiuso, ristretto; snob © normale, popolare, di massa **2** (*di sentimento, di rapporto*) possessivo, geloso.

esclùso *agg.* **1** (*di persona*) emarginato, estromesso, respinto, rifiutato © incluso, accolto, ammesso, inserito **2** (*da una graduatoria e sim.*) eliminato, scartato, respinto © ammesso, incluso **3** eccettuato **4** (*in costruzioni impers.*) impossibile, improbabile © possibile, probabile ♦ *s.m.* emarginato, reietto.

escogitàre *v.tr.* immaginare, inventare, architettare, ideare, pensare, trovare.

escoriàrsi *v.pr.* scorticarsi, spellarsi, graffiarsi, sbucciarsi (*colloq.*).

escoriazióne *s.f.* abrasione, sbucciatura (*colloq.*), scorticatura, graffio.

escreménto *s.m.* feci, cacca (*colloq.*), merda (*volg.*), stronzo (*volg.*); (*di animali*) sterco.

escursióne *s.f.* **1** gita, passeggiata, scampagnata, tour (*fr.*) **2** (*mecc.*) corsa **3** (*termica e sim.*) differenza, variazione.

esecràre *v.tr.* condannare, odiare, detestare, disprezzare, deprecare, aborrire © apprezzare, amare, approvare, ammirare, stimare, lodare.

esecutìvo *agg.* **1** (*di sfratto e sim.*) operativo **2** (*di impiegato e sim.*) direttivo ♦ *s.m.* governo, direttivo, comitato centrale, vertice © base.

esecuzióne *s.f.* **1** attuazione, realizzazione, adempimento, compimento © omissione **2** (*di un brano musicale*) interpretazione.

esegèsi *s.f.* interpretazione, commento, spiegazione; analisi, critica.

eseguìre *v.tr.* **1** fare, compiere, realizzare, svolgere, attuare; mettere in opera, mettere in atto **2** (*una composizione musicale*) interpretare IPON. suonare, cantare; (*un balletto, un'opera*) rappresentare, mettere in scena.

esèmpio *s.m.* **1** modello, guida, norma, punto di riferimento; ammaestramento, monito **2** caso, esemplificazione, spiegazione **3** modello, campione, prototipo, specimen (*lat.*).

esemplàre[1] *agg.* **1** (*di vita, di padre ecc.*) ideale, perfetto, irreprensibile **2** (*di punizione e sim.*) dimostrativo, educativo, edificante **3** tipico, emblematico, paradigmatico, rappresentativo, da manuale (*colloq.*).

esemplàre[2] *s.m.* modello, campione, esempio; copia, pezzo.

esemplificàre *v.tr.* spiegare, illustrare, chiarire.

esemplificatìvo *agg.* dimostrativo, esemplare.

esentàre *v.tr.* (*da un obbligo*) liberare, sollevare; dispensare, esonerare © costringere, obbligare.

esènte *agg.* **1** (*da obblighi, da tasse ecc.*) libero, dispensato, esonerato © obbligato, soggetto, tenuto **2** (*da malattie, contagio ecc.*) immune; (*da colpe, difetti ecc.*) privo.

esenzióne *s.f.* dispensa, esonero, immunità © obbligo, dovere, costrizione.

esèquie *s.f.pl.* funerale, onoranze funebri.

esercènte *s.m.f.* commerciante, negoziante, rivenditore, bottegaio.

esercitàre *v.tr.* **1** (*il corpo, la mente*) addestrare, allenare, educare, abituare **2** (*il potere, un diritto ecc.*) usare, adoperare, utilizzare; avvalersi, valersi **3** (*un'attività*) svolgere, attuare, praticare ♦ **esercitarsi** *v.pr.* addestrarsi, allenarsi.

esercitazióne *s.f.* esercizio, addestramento, allenamento; (*scolastica*) compito, prova, test.

esèrcito *s.m.* **1** forze armate, milizie, truppe **2** ♧ (*di turisti, di auto ecc.*) massa, mucchio, schiera, moltitudine.

esercìzio *s.m.* **1** addestramento, allenamento **2** (*a scuola*) esercitazione, compito **3** (*di un negozio, di un'azienda ecc.*) gestione, conduzione **4** negozio, bottega; attività, ditta.

esibìre *v.tr.* **1** (*documenti*) mostrare, porgere, presentare; (*prove*) produrre **2** (*doti, capacità ecc.*) sfoggiare, mettere in mostra, ostentare (*spreg.*) © nascondere ♦ **esibirsi** *v.pr.* **1** (*in uno spettacolo*) partecipare, prendere parte, intervenire **2** mettersi in mostra, farsi notare.

esibizióne *s.f.* **1** presentazione, produzione (*dir.*) © occultamento **2** (*di un artista e sim.*) numero, performance (*ingl.*), spettacolo, show (*ingl.*) **3** (*di cultura e sim.*) dimostrazione; (*spreg.*) ostentazione, sfoggio.

esigènte *agg.* **1** duro, rigido, severo © indulgente, tollerante **2** difficile, incontentabile, pignolo © accontentabile, adattabile, alla buona **3** (*nel mangiare*) schizzinoso, delicato © di bocca buona.

esigènza *s.f.* **1** richiesta, pretesa **2** bisogno, necessità.

esìgere *v.tr.* **1** pretendere, reclamare, volere, rivendicare © concedere **2** richiedere, necessitare **3** (*un credito*) riscuotere, incassare, percepire.

esiguità *s.f.* insufficienza, limitatezza, piccolezza, scarsezza © abbondanza, profusione, ricchezza, ampiezza.

esìguo *agg.* piccolo, modesto, modico, limitato, scarso, trascurabile, irrisorio © grande, grosso, abbondante, ricco, consistente, considerevole.

esilarànte *agg.* divertente, spassoso; buffo, comico; ridicolo © triste, lacrimevole; patetico.

èsile *agg.* **1** (*di persona*) magro, minuto, sottile, snello; gracile © grosso, robusto, massiccio, solido **2** ♧ (*di speranza, di suono ecc.*) debole, tenue, flebile, fievole © forte, intenso, potente.

esiliàre *v.tr.* **1** bandire, confinare, proscrivere; deportare © rimpatriare **2** ♧ allontanare, cacciare, scacciare, mandare via; (*da un gruppo e sim.*) escludere, isolare, emarginare © accogliere, inserire, integrare.

esìlio *s.m.* **1** bando, confino, espulsione, proscrizione, deportazione © rimpatrio **2** (*da un gruppo, da un luogo e sim.*) allontanamento, cacciata, isolamento, emarginazione © inserimento, integrazione.

esìmere *v.tr.* esentare, esonerare, dispensare, sollevare, liberare © obbligare, costringere, imporre ♦ **esimersi** *v.pr.* sottrarsi, esonerarsi, dispensarsi; evitare, sfuggire © impegnarsi, incaricarsi, sobbarcarsi.

esìmio *agg.* **1** famoso, celebre, insigne, illustre, egregio, eminente **2** (*in formule di cortesia*) chiaro, distinto, egregio.

esistènza *s.f.* **1** essere, realtà; presenza © inesistenza; assenza **2** vita, vivere © morte.

esìstere *v.intr.* **1** esserci, sussistere © mancare **2** contare, importare, valere **3** vivere © morire.

esitànte *agg.* indeciso, incerto, tentennante, titubante © sicuro, convinto, deciso, risoluto.

esitàre *v.intr.* indugiare, tentennare, titubare, tergiversare © decidersi, risolversi, osare.

esitazióne *s.f.* incertezza, indecisione, perplessità, titubanza; dubbio, timore © decisione, sicurezza, determinazione, certezza, risolutezza.

èsito *s.m.* **1** fine, conclusione, risultato, seguito, epilogo; riuscita, realizzazione, soluzione **2** (*comm.*) commercio, vendita, smercio **3** (*burocr.*) risposta.

èsodo *s.m.* **1** (*di una popolazione*) emigrazione, migrazione, espatrio, diaspora **2** (*di capitali, di opere d'arte ecc.*) trasferimento.

esoneràre *v.tr.* esentare, dispensare, liberare, sollevare © obbligare, costringere.

esònero *s.m.* esenzione, dispensa © obbligo.

esorbitànte *agg.* eccessivo, enorme, esagerato, spropositato © giusto, modesto, ragionevole.

esordiènte *agg., s.m.f.* debuttante, principiante © esperto, veterano.

esòrdio *s.m.* **1** (*di un discorso, di uno scritto ecc.*) introduzione, preambolo, prologo, incipit (*lat.*) **2** (*di un'attività*) inizio, principio, debutto.

esordìre *v.intr.* **1** (*in un discorso, in uno scritto*) iniziare, cominciare, attaccare © chiudere, concludere, terminare **2** (*con un'attività*) avviare, cominciare, debuttare, intraprendere © cessare, finire, smettere.

esortàre *v.tr.* incitare, invitare, sollecitare, spronare © dissuadere, sconsigliare, scoraggiare.

esortazióne *s.f.* incitamento, incoraggiamento, consiglio, sollecitazione.

esòso *agg.* **1** avido, ingordo, gretto, meschino, spilorcio, taccagno © generoso, prodigo, magnanimo **2** (*di prezzo*) alto, caro, esagerato, eccessivo, esorbitante © contenuto, moderato, modesto.

esotèrico *agg.* misterioso, oscuro, occulto, segreto, iniziatico © chiaro, manifesto, palese.

esòtico *agg.* **1** straniero, forestiero © locale, indigeno, nostrano, autoctono **2** strano, bizzarro, insolito, stravagante © comune, normale.

espàndere *v.tr.* allargare, ampliare, estendere, ingrandire © ridurre, limitare ♦ **espandersi** *v.pr.* **1** estendersi, ingrandirsi © ridursi **2** (*di moda e sim.*) diffondersi, crescere, affermarsi, prendere piede **3** (*di gas, di odore ecc.*) diffondersi, emanare, esalare, spandersi, sprigionarsi.

espansióne *s.f.* **1** allargamento, ampliamento, estensione © riduzione **2** (*di un'attività economica*) sviluppo, diffusione, aumento, crescita © riduzione, crisi, contrazione **3** (*di una civiltà e sim.*) ascesa, affermazione, fioritura © decadenza, declino.

espansività *s.f.* calore, cordialità, esuberanza, socievolezza, estroversione © chiusura, freddezza, riservatezza, scontrosità, introversione.

espansìvo *agg.* affettuoso, aperto, cordiale, comunicativo, estroverso, socievole © freddo, riservato, chiuso, introverso, taciturno.

espatriàre *v.intr.* emigrare © rimpatriare.

espàtrio *s.m.* emigrazione, esodo; esilio, diaspora © rimpatrio.

espediènte *s.m.* accorgimento, artificio, stratagemma, trovata, scappatoia, rimedio, risorsa.

espèllere *v.tr.* **1** (*una persona*) allontanare, cacciare, scacciare; (*per motivi politici*) bandire, esiliare, radiare; (*da un incarico*) congedare, sollevare, destituire, licenziare, mandare via, sbattere fuori (*colloq.*) © insediare **2** (*dall'organismo*) eliminare, buttare fuori, evacuare (*med.*) © ritenere.

esperiènza *s.f.* **1** conoscenza, pratica; abilità, competenza, perizia © inesperienza, incapacità, imperizia **2** avvenimento, avventura, episodio, vicenda **3** (*scient.*) esperimento.

esperiménto *s.m.* sperimentazione, esperienza, test.

espèrto *agg.* capace, competente, abile, pratico, preparato, provetto, sapiente, ferrato, qualificato, versato, valente © inesperto, incapace, ignorante, incompetente, impreparato ♦ *s.m.* tecnico, specialista, conoscitore, intenditore © apprendista, dilettante, praticante, principiante, tirocinante.

espiàre *v.tr.* pagare, scontare; purificarsi.

espiazióne *s.f.* penitenza, pena, castigo.

espletàre *v.tr.* **1** (*pratiche e sim.*) completare,

concludere, sbrigare © avviare, iniziare **2** (*compiti, funzioni e sim.*) eseguire, svolgere, adempiere, compiere.
esplicàre *v.tr.* (*mansioni e sim.*) svolgere, esercitare.
esplicatìvo *agg.* chiarificatore, illustrativo.
esplìcito *agg.* chiaro, dichiarato, evidente, manifesto, palese, inequivocabile © implicito, ambiguo, allusivo, sottinteso, oscuro, tacito, velato.
esplòdere *v.intr.* **1** deflagrare, detonare **2** (*di fenomeno atmosferico*) scatenarsi, scoppiare **3** ♧ (*di persona*) prorompere, sbottare, scoppiare; dare in escandescenze © frenarsi, reprimersi, trattenersi ♦ *v.tr.* (*colpi, proiettili e sim.*) sparare.
esploràre *v.tr.* **1** perlustrare, battere; ispezionare, scandagliare **2** ♧ (*l'animo, i pensieri e sim.*) indagare, scrutare, sondare.
esplorazióne *s.f.* perlustrazione, spedizione.
esplosióne *s.f.* **1** scoppio, deflagrazione, detonazione **2** ♧ (*di sentimenti e sim.*) scatto, scoppio, sbotto, sfogo; (*di malattia*) attacco, accesso.
esplosìvo *agg.* **1** detonante, deflagrante **2** ♧ (*di notizia, di evento ecc.*) eccezionale, straordinario, incredibile, clamoroso, sensazionale, sconvolgente; bomba **3** (*di situazione*) critico, rischioso **4** (*di bellezza*) eccezionale, straordinario, atomico, mozzafiato ♦ *s.m.* **IPON.** dinamite, nitroglicerina, plastico.
esponènte *s.m.f.* **1** rappresentante, portavoce **2** (*mat.*) © deponente.
espórre *v.tr.* **1** mostrare, esibire, presentare, mettere in mostra © nascondere, occultare **2** ♧ (*fatti, vicende, pensieri ecc.*) raccontare, descrivere, riferire, riportare, narrare, spiegare **3** (*la vita e sim.*) rischiare, mettere a repentaglio, compromettere ♦ **esporsi** *v.pr.* **1** (*a pericoli, a critiche e sim.*) affrontare, rischiare, cimentarsi **2** compromettersi, sbilanciarsi **3** (*econ.*) indebitarsi, impegnarsi.
esportàre *v.tr.* © importare.
esportazióne *s.f.* © importazione.
esposizióne *s.f.* **1** relazione, resoconto, descrizione, illustrazione, rapporto, spiegazione **2** presentazione, esibizione **3** (*di un terreno, di un edificio ecc.*) posizione, disposizione, orientamento **4** fiera, mostra, salone, expo (*fr.*).
espressióne *s.f.* **1** manifestazione, esteriorizzazione; dimostrazione, segno **2** frase, locuzione, modo di dire, parola, termine, vocabolo **3** (*del volto*) aria, aspetto, atteggiamento; faccia, viso; sguardo **4** (*di stile*) espressività, forza, intensità, vigore **5** (*ling.*) forma © contenuto.
espressività *s.f.* forza, efficacia, incisività, vigore, vivacità, © inefficacia, inespressività.
espressìvo *agg.* **1** efficace, incisivo, forte, vigoroso © debole, inefficace, piatto, inespressivo **2** (*di sguardo, di discorso ecc.*) intenso, eloquente, vivo, significativo.
esprìmere *v.tr.* **1** manifestare, rivelare, comunicare, descrivere, presentare, dire, spiegare, pronunciare © nascondere, celare **2** (*di un'opera d'arte e sim.*) rappresentare, descrivere, riflettere, significare, rispecchiare ♦ **esprimersi** *v.pr.* **1** dire, parlare, comunicare; spiegarsi **2** manifestarsi, rivelarsi.
espropriàre *v.tr.* **1** (*dir.*) requisire; sequestrare, confiscare **2** privare, sottrarre.
espugnàre *v.tr.* **1** conquistare, occupare, impadronirsi **2** ♧piegare, vincere, soggiogare.
espulsióne *s.f.* **1** (*di una persona*) allontanamento, cacciata, esclusione, estromissione; (*dalla patria*) esilio, bando, proscrizione; (*dal lavoro*) licenziamento, radiazione **2** emissione, escrezione; (*delle feci*) evacuazione.
espùngere *v.tr.* eliminare, cancellare, cassare © aggiungere, inserire, interpolare.
espunzióne *s.f.* eliminazione, cancellazione, cassazione, soppressione, taglio © interpolazione, aggiunta, inserimento.
essènza *s.f.* **1** centro, cuore, nucleo, nocciolo, nodo, sostanza, succo, quintessenza **2** (*chim.*) profumo, estratto, olio, olio essenziale.
essenziàle *agg.* **1** fondamentale, sostanziale, principale, capitale, primario © secondario, accessorio, complementare, marginale **2** indispensabile, necessario; semplice; alla buona, approssimativo © superfluo, accessorio; ridondante.
èssere[1] *v.intr.* **1** esistere, sussistere; vivere **2** (*di fatto, di evento*) accadere, avere luogo, avvenire **3** (*in riferimento a un luogo*) trovarsi, stare, situarsi **4** rappresentare, significare, equivalere **5** misurare, pesare; costare, valere, venire **6** (*di lavoro e sim.*) adattarsi, addirsi, convenire, fare **7** (*per qlcu. o qlco.*) parteggiare, simpatizzare, tifare, sostenere ♦ *v.intr.impers.* (*di caldo, di freddo*) fare.
èssere[2] *s.m.* **1** (*filos.*) realtà, entità, sostanza, natura **2** creatura, individuo, persona, uomo; (*spreg., scherz.*) soggetto, tipo, tizio.
essiccàre *v.tr.* seccare, inaridire, prosciugare © bagnare, idratare.
èst *s.m.* oriente, levante © ovest, occidente, ponente.
èstasi *s.f.* rapimento, delirio, esaltazione, trance (*fr.*); entusiasmo, visibilio.
estasiàre *v.tr.* entusiasmare, incantare, ammaliare, affascinare, trascinare © annoiare, tediare.

estàtico *agg.* **1** contemplativo **2** (*di persona*) rapito, incantato, ammirato, affascinato.
estemporàneo *agg.* improvvisato, a braccio, immediato © preparato, meditato, studiato.
estèndere *v.tr.* ampliare, allargare, espandere, ingrandire, sviluppare © restringere, ridurre, contrarre ♦ **estendersi** *v.pr.* **1** ampliarsi, allargarsi © restringersi **2** ♧ (*di epidemia, di fenomeno ecc.*) diffondersi, propagarsi **3** (*di territorio e sim.*) allargarsi, stendersi, svilupparsi.
estensióne *s.f.* **1** ampliamento, allargamento; sviluppo, diffusione, espansione © riduzione, accorciamento, diminuzione, limitazione **2** ampiezza, area, dimensione, misura, superficie **3** (*di tempo, di vita e sim.*) arco, periodo, spazio, durata.
estensìvo *agg.* (*di significato, di senso*) ampio, largo, allargato © letterale, stretto, ristretto.
estenuànte *agg.* spossante, snervante, logorante, massacrante © riposante, rilassante.
estenuàre *v.tr.* indebolire, stancare, stressare, logorare, spossare, sfinire © rafforzare, corroborare, fortificare; rilassare, ristorare.
esterióre *agg.* **1** esterno, estrinseco © interno, intrinseco **2** (*di realtà, di mondo e sim.*) visibile, materiale © interiore, spirituale **3** (*di atteggiamento e sim.*) vuoto, superficiale, apparente, formale © sostanziale, profondo.
esteriorità *s.f.* aspetto, apparenza, parvenza; (*di comportamento*) forma, etichetta, formalità © sostanza, essenza, profondità.
esteriorizzàre *v.tr.* manifestare, esprimere.
esternàre *v.tr.* esprimere, manifestare, palesare; rivelare, confidare; comunicare, dichiarare © nascondere, tacere, dissimulare.
estèrno *agg.* **1** esteriore, apparente, superficiale © interno, interiore **2** (*di mondo, di realtà ecc.*) fenomenico, sensibile, visibile © interiore, spirituale, invisibile **3** (*di incontro sportivo*) fuori casa, in trasferta © in casa, casalingo ♦ *s.m.* (*di un edificio e sim.*) fuori, facciata © interno, dentro.
èstero *agg.* straniero, forestiero; esotico © nazionale, interno; indigeno, autoctono ♦ *s.m.* © patria, madrepatria.
esterrefàtto *agg.* allibito, attonito, sbalordito, sconcertato, stupito, sorpreso, trasecolato.
estéso *agg.* ampio, largo, spazioso, vasto, diffuso; (*di discorso e sim.*) dettagliato, minuzioso, particolareggiato; lungo, prolisso © stretto, ridotto, piccolo, esiguo; (*di discorso e sim.*) breve, stringato, conciso.
estètica *s.f.* **1** bellezza, grazia, armonia, avvenenza © bruttezza, disarmonia **2** aspetto, forma, esteriorità.
estètico *agg.* **1** bello, aggraziato, elegante, armonioso © brutto, antiestetico, sgraziato **2** (*di giudizio e sim.*) formale, artistico.
estimatóre *s.m.* ammiratore, appassionato, cultore, conoscitore, intenditore © detrattore.
estìnguere *v.tr.* **1** (*un incendio*) spegnere, domare © accendere, appiccare **2** ♧ (*la sete, il ricordo ecc.*) soddisfare, appagare, placare **3** (*un debito e sim.*) pagare, saldare, liquidare, cancellare, annullare; (*un conto corrente*) chiudere © accendere, contrarre ♦ **estinguersi** *v.pr.* **1** spegnersi © accendersi, divampare **2** ♧ (*di passioni e sim.*) cessare, finire, scomparire, spegnersi **3** (*di persona*) morire, decedere, spegnersi **4** (*di reato e sim.*) decadere, cadere in prescrizione **5** (*di specie animale*) scomparire.
estìnto *agg.* **1** (*di incendio*) domato, spento, soffocato © acceso **2** (*di specie animale*) scomparso **3** (*di debito*) chiuso, pagato, saldato © contratto ♦ *s.m.* defunto, morto, deceduto, scomparso.
estinzióne *s.f.* **1** (*di incendio*) spegnimento © accensione **2** (*di una specie animale*) scomparsa, fine **3** (*di un debito*) pagamento, saldo, liquidazione © accensione **4** (*di un reato*) annullamento, cancellazione, prescrizione.
estirpàre *v.tr.* **1** (*una pianta*) sradicare, divellere, strappare; (*un dente, un callo ecc.*) levare, togliere, estrarre **2** ♧ (*un male, un vizio ecc.*) eliminare, distruggere, vincere, sradicare.
estòrcere *v.tr.* carpire, strappare; (*denaro*) sottrarre, spillare (*colloq.*).
estorsióne *s.f.* ricatto, taglieggiamento; truffa.
estraneità *s.f.* © appartenenza, coinvolgimento; attinenza, pertinenza.
estràneo *agg.* **1** sconosciuto, ignoto © noto, familiare, conosciuto **2** (*di elemento, di fatto*) lontano, alieno, avulso © attinente, inerente, pertinente, relativo ♦ *s.m.* sconosciuto; intruso © conoscente, familiare.
estraniàrsi *v.pr.* allontanarsi, isolarsi; astrarsi, distrarsi © partecipare, interessarsi.
estrapolàre *v.tr.* estrarre, dedurre, ricavare, evincere (*elev.*).
estràrre *v.tr.* **1** levare, togliere, tirare fuori, cavare © introdurre, mettere, inserire **2** tirare a sorte, sorteggiare **3** (*materiali, sostanze ecc.*) ottenere, ricavare.
estràtto *s.m.* **1** concentrato, distillato, elisir **2** riassunto, sintesi, compendio.
estrazióne *s.f.* **1** prelievo, asportazione **2** sorteggio **3** ♧ nascita, origine, provenienza; ambiente, classe, ceto, stato.
estremìsmo *s.m.* **1** fondamentalismo, integralismo, eversione, oltranzismo; massimalismo,

radicalismo © moderatismo, gradualismo **2** eccesso, fanatismo, intolleranza, intransigenza © misura, equilibrio, moderazione.

estremìsta *agg., s.m.f.* radicale, fondamentalista, integralista, oltranzista © moderato, centrista.

estremità *s.f.* **1** bordo, punta, fine, limite, margine, sommità, terminazione **2** (*al pl.*) arti **IPON.** mani, piedi; braccia, gambe; (*di animali*) zampe.

estremizzàre *v.tr.* esasperare, aggravare, acuire, amplificare, inasprire © attenuare, minimizzare, mitigare, ridurre, ridimensionare.

estrèmo *agg.* **1** ultimo, finale, conclusivo, terminale © primo, iniziale **2** ♧ grande, grave, eccezionale, immenso, straordinario © minimo, normale, insignificante **3** (*di sport*) pericoloso, rischioso **4** (*di decisione e sim.*) definitivo, irreparabile, drastico, risolutivo ♦ *s.m.* **1** capo, cima, fine, punta, estremità **2** (*delle forze, della miseria e sim.*) limite, ultimo, stremo **3** (*spec. al pl.*; *di un documento*) dato, generalità.

estrinsecàre *v.tr.* esprimere, manifestare, rivelare, esternare, palesare © nascondere, tacere, reprimere.

estrìnseco *agg.* esterno, esteriore, estraneo; apparente, superficiale © intrinseco, interiore, intimo, sostanziale.

èstro *s.m.* **1** fantasia, immaginazione, creatività, ispirazione, inventiva, vena; disposizione, inclinazione, tendenza **2** voglia, capriccio, ghiribizzo, bizzarria **3** (*biol.*) calore.

estrométtere *v.tr.* allontanare, cacciare via, espellere, licenziare, radiare, destituire, deporre © riammettere, riassumere.

estromissióne *s.f.* allontanamento, esclusione, espulsione, licenziamento, radiazione © riammissione, riassunzione.

estróso *agg.* (*di persona*) creativo, fantasioso, originale; bizzarro, capriccioso, eccentrico, stravagante, strambo © normale, banale.

estrovèrso *agg., s.m.* aperto, comunicativo, espansivo, socievole, solare © introverso, chiuso, asociale.

esuberànte *agg.* **1** sovrabbondante, eccedente, eccessivo **2** (*di persona, di temperamento ecc.*) vitale, vivace, brioso, effervescente, prorompente **3** (*di vegetazione*) fiorente, lussureggiante, rigoglioso; (*di forme*) florido, formoso, prorompente.

esuberànza *s.f.* **1** sovrabbondanza, eccedenza, sovrannumero **2** vitalità, vivacità, brio, effervescenza, verve (*fr.*) **3** (*di vegetazione*) rigoglio; (*di forme*) floridezza, formosità.

èsule *s.m.f.* esiliato, profugo, emigrante, emigrato, fuoriuscito; fuggiasco, fuggitivo.

esultànza *s.f.* gioia, entusiasmo, felicità, contentezza, tripudio © dolore, malinconia, tristezza.

esultàre *v.intr.* gioire, entusiasmarsi, rallegrarsi © abbattersi, addolorarsi, affliggersi.

esumàre *v.tr.* **1** disseppellire, dissotterrare, riesumare © seppellire, inumare **2** ♧ recuperare, riesumare, rispolverare.

età *s.f.* **1** anni **2** epoca, periodo, fase, momento, tempo.

ètere *s.m.* aria; cielo, volta celeste.

etèreo *agg.* aereo, celestiale, spirituale; delicato, evanescente, impalpabile, incorporeo © materiale, corporeo.

eternità *s.f.* immortalità, perennità, perpetuità.

etèrno *agg.* **1** immortale, infinito, sempiterno © mortale, temporale, finito **2** (*di sentimento e sim.*) immortale, immutabile, infinito, inesauribile, perenne © passeggero, effimero, temporaneo, fugace, caduco (*elev.*) **3** ♧ (*di oggetti, di materiali ecc.*) resistente, duraturo, indistruttibile **4** ♧ (*di discorso e sim.*) interminabile, infinito, lungo, chilometrico © breve, rapido, veloce **5** ♧ (*di guerra e sim.*) perenne, ininterrotto, continuo, costante © passeggero, temporaneo.

eterogèneo *agg.* diverso, differente, vario, complesso, composito, variegato © omogeneo, uniforme, compatto.

eterosessuàle *agg., s.m.f.* etero (*colloq.*) © omosessuale, gay (*ingl.*), omosex; bisessuale, bisex.

ètica *s.f.* morale.

etichétta[1] *s.f.* cartellino; marca, marchio, griffe (*fr.*).

etichétta[2] *s.f.* cerimoniale, protocollo; galateo, educazione, bon ton (*fr.*).

etichettàre *v.tr.* **1** (*un prodotto*) marchiare, griffare **2** ♧ (*una persona*) giudicare, qualificare, classificare, bollare, tacciare.

ètico *agg.* morale © immorale, amorale.

etilìsmo *s.m.* alcolismo.

etilìsta *s.m.f.* alcolista.

ètimo *s.m.* etimologia; origine, derivazione.

etimologìa *s.f.* vedi **ètimo**.

eufemìsmo *s.m.* attenuazione, giro di parole, circonlocuzione, perifrasi.

eufonìa *s.f.* © cacofonia.

euforìa *s.f.* eccitazione, entusiasmo, esaltazione, gioia, felicità © depressione, sconforto, abbattimento.

eufòrico *agg.* entusiasta, felice, allegro, eccitato, esaltato © triste, depresso, abbattuto.

eunùco *s.m.* castrato, evirato.

evacuàre *v.tr.* **1** (*un luogo*) abbandonare, sgombrare, lasciare © occupare **2** (*med.*) espellere,

vuotare **3** andare di corpo (*colloq.*), defecare, cacare (*volg.*), liberarsi (*eufem.*) ♦ *v.intr.* (*da un luogo*) andarsene, uscire, sfollare, andare via.
evàdere *v.intr.* **1** fuggire, scappare, dileguarsi, squagliarsela (*colloq.*) **2** ♧ (*dalla monotonia, dalla realtà ecc.*) allontanarsi, distrarsi, svagarsi © calarsi, immergersi ♦ *v.tr.* **1** (*le tasse, il fisco ecc.*) eludere, frodare © pagare **2** (*una pratica*) chiudere, concludere, sbrigare.
evanescènte *agg.* **1** (*di immagine, di ricordo e sim.*) debole, indistinto, labile, vago © nitido, netto, marcato **2** (*di figura, di bellezza ecc.*) esile, delicato, etereo, diafano, sottile, incorporeo © corposo, marcato, materiale **3** (*di discorso*) inconsistente, vuoto, fumoso © chiaro, esplicito, significativo, sostanzioso.
evangelizzàre *v.tr.* **1** convertire, cristianizzare, catechizzare **2** ♧ convincere, persuadere, indottrinare.
evaporàre *v.intr.* **1** (*di liquido*) svaporare, volatilizzarsi **2** (*di aroma, di odore e sim.*) svanire, dissolversi, volatilizzarsi.
evasióne *s.f.* **1** fuga, uscita **2** ♧ (*dalla monotonia, dalla realtà ecc.*) fuga, distacco, distrazione, allontanamento © coinvolgimento, immersione **3** (*di una pratica*) disbrigo; (*di una lettera*) risposta.
evasìvo *agg.* ambiguo, vago, generico, impreciso, sfuggente, elusivo © chiaro, esplicito, evidente, inequivocabile, preciso.
evàso *agg., s.m.* fuggiasco, fuggitivo.
evasóre *s.m.* (*fiscale*) frodatore.
evenienza *s.f.* caso, circostanza, occasione, occorrenza, eventualità, possibilità, situazione.
evènto *s.m.* avvenimento, episodio, fatto, vicenda.
eventuàle *agg.* possibile, probabile, ipotetico, potenziale, casuale, fortuito, accidentale © certo, sicuro, indubbio.
eventualità *s.f.* possibilità, ipotesi, probabilità; caso, evenienza, occasione, occorrenza.
eversióne *s.f.* destabilizzazione, sovversione, sovvertimento; terrorismo.
eversìvo *agg.* destabilizzante, sovversivo; terroristico, rivoluzionario.
evidènte *agg.* **1** chiaro, visibile, percepibile, palese, lampante © incerto, oscuro, nascosto **2** certo, indubbio, indiscutibile, incontestabile, innegabile; logico, ovvio © dubbio, incerto, discutibile, opinabile, confutabile.
evidènza *s.f.* **1** certezza, chiarezza, incontestabilità, ovvietà © incertezza, ambiguità, vaghezza **2** (*di un'immagine, di uno stile ecc.*) chiarezza, efficacia, immediatezza, incisività, rappresentatività.
evidenziàre *v.tr.* mettere in evidenza, far risaltare, sottolineare, enfatizzare, rimarcare, mettere in luce © nascondere, minimizzare, sminuire.
evitàre *v.tr.* **1** scansare, schivare, fuggire, sfuggire, eludere © affrontare, fronteggiare **2** (*il fumo, l'alcol e sim.*) astenersi, fare a meno, rinunciare, privarsi **3** (*un incidente e sim.*) impedire, scongiurare, prevenire © causare, provocare **4** (*qlco. a qlcu.*) risparmiare, liberare © accollare, addossare ♦ **evitarsi** *v.pr.* (*una fatica e sim.*) risparmiarsi.
evocàre *v.tr.* **1** (*gli spiriti e sim.*) chiamare **2** (*il passato*) ricordare, rievocare, richiamare.
evocazióne *s.f.* memoria, ricordo, rievocazione.
evolutìvo *agg.* © involutivo.
evolùto *agg.* **1** (*di civiltà e sim.*) avanzato, progredito, sviluppato, civile © arretrato, barbaro, primitivo, incivile **2** (*di mentalità e sim.*) aperto, libero, moderno, avanzato, emancipato © antiquato, retrogrado, chiuso.
evoluzióne *s.f.* progresso, sviluppo, avanzamento, miglioramento, trasformazione © involuzione, regressione, regresso.
evòlversi *v.pr.* cambiare, modificarsi, trasformarsi; (*in positivo*) avanzare, progredire, svilupparsi © regredire.
exploit *s.m.invar.* (*fr.*) balzo, boom, esplosione; (*professionale, sportivo ecc.*) successo © insuccesso, flop (*ingl.*), sconfitta.
export *s.m.invar.* (*ingl.*) esportazione © import (*ingl.*), importazione.
èxtra *agg.invar.* (*lat.*) **1** (*di guadagno, di spesa ecc.*) supplementare, ulteriore, imprevisto, straordinario © ordinario, normale, previsto **2** (*di prodotto, di qualità e sim.*) superiore, speciale, eccellente © normale ♦ *s.m.invar.* accessorio, optional (*ingl.*); (*di compenso*) mancia, fuoribusta; sovrappiù.
extraterrèstre *agg., s.m.f.* alieno, marziano, ufo © terrestre.
extraurbàno *agg.* periferico, suburbano © cittadino, urbano.

f, F

fabbisógno *s.m.* necessario, occorrente © inutile, superfluo.
fàbbrica *s.f.* industria, manifattura; laboratorio, officina, stabilimento; ♧ fucina.
fabbricàbile *agg.* (*di terreno*) edificabile.
fabbricànte *s.m.f.* produttore, costruttore; industriale.
fabbricàre *v.tr.* **1** (*edifici, ponti ecc.*) costruire, edificare, erigere, innalzare © abbattere, distruggere, demolire, buttare giù **2** (*prodotti, merci ecc.*) produrre, fare, lavorare, confezionare **3** ♧ (*notizie false, accuse e sim.*) inventare, architettare, escogitare.
fabbricàto *s.m.* casa, costruzione, edificio, palazzo, palazzina, stabile.
fabbricazióne *s.f.* produzione, lavorazione, realizzazione, creazione.
faccènda *s.f.* **1** affare, impegno, lavoro, impresa, incombenza, occupazione **2** (*al pl.*) pulizie, lavori di casa, lavori domestici **3** fatto, caso, situazione, questione, vicenda, roba (*colloq.*).
faccendière *s.m.* intrallazzatore, intrigante, maneggione, trafficone.
facchìno *s.m.* portabagagli, scaricatore.
fàccia *s.f.* **1** viso, volto; (*spreg., scherz.*) muso; (*spreg.*) ceffo, grinta, grugno **2** aspetto, fattezze, fisionomia; persona, individuo **3** ♧ espressione, cera, aria **4** lato, parte; (*di un edificio*) facciata **5** ♧ (*di un problema e sim.*) angolazione, aspetto, punto di vista **6** ♧ coraggio, ardire, sfacciataggine, impudenza.
facciàta *s.f.* **1** (*di un palazzo e sim.*) fronte, esterno, faccia, prospetto © retro **2** (*di uno scritto, di un libro ecc.*) foglio, pagina **3** ♧ aspetto, apparenza, esteriorità, forma, superficie © interiorità.
facèto *agg.* buffo, spiritoso, comico, arguto, scherzoso, umoristico © serio, grave, solenne.
facèzia *s.f.* scherzo, battuta, spiritosaggine, barzelletta, frizzo, boutade (*fr.*).
fàcile *agg.* **1** agevole, comodo, piano, elementare, semplice; fattibile, realizzabile © difficile, complicato, complesso, duro, arduo, laborioso, pesante, disagevole, ostico; irrealizzabile **2** (*di discorso, di libro ecc.*) chiaro, comprensibile, accessibile © difficile, complesso, incomprensibile, complicato, ostico **3** (*di vita, di guadagni ecc.*) comodo, agevole © difficile, faticoso **4** (*all'ira, alla tristezza ecc.*) incline, propenso; (*di parola*) pronto, sciolto, spedito **5** (*spec. di donna*) leggero, allegro, di facili costumi, disponibile © serio, casto, onesto, pudico **6** (*di persona, di carattere ecc.*) accomodante, conciliante, docile, mite, affabile © difficile, intrattabile, scontroso **7** possibile, probabile, prevedibile, verosimile © difficile, improbabile, impossibile.
facilità *s.f.* **1** comodità, semplicità, agio © difficoltà, fatica, impossibilità, complessità **2** (*di una materia, di un libro ecc.*) chiarezza, comprensibilità, semplicità, immediatezza © difficoltà, complessità, incomprensibilità **3** (*nel fare qlco.*) abilità, capacità, attitudine, competenza, predisposizione, scioltezza © difficoltà, fatica, incapacità.
facilitàre *v.tr.* agevolare, favorire, aiutare, semplificare, spianare la strada © complicare, intralciare, ostacolare.
facilitazióne *s.f.* aiuto, favore, appoggio, agevolazione © complicazione, ostacolo.
facilóne *s.m.* superficiale, distratto, irresponsabile; superficialone, sciattone © preciso, serio, coscienzioso, meticoloso, pignolo.
faciloneria *s.f.* approssimazione, leggerezza, improvvisazione, superficialità © coscienziosità, serietà, assennatezza; esattezza, meticolosità, pignoleria.
facinoróso *agg., s.m.* violento, agitatore, aggressivo, ribelle, litigioso, rissoso, turbolento; attaccabrighe © pacifico, tranquillo, calmo, pacato, moderato.
facoltà *s.f.* **1** dote, capacità, forza, possibilità, dono, abilità, potenzialità © incapacità, impossibilità **2** (*di decidere e sim.*) autorità, diritto, potere; permesso, autorizzazione, licenza © divieto, proibizione, veto.
facoltatìvo *agg.* a scelta, libero, opzionale © obbligatorio, obbligato.
facoltóso *agg.* ricco, abbiente, agiato, benestante, danaroso © bisognoso, povero, misero, indigente, al verde (*colloq.*).

facsìmile *s.m.invar.* (*di un documento e sim.*) copia, riproduzione, duplicato © originale.
factòtum *s.m.f.invar.* **1** tuttofare; (*spreg.*) galoppino, portaborse, tirapiedi **2** (*spreg.*) faccendiere, trafficone.
fagocitàre *v.tr.* incorporare, assorbire, includere, inghiottire.
fagòtto *s.m.* involto, fardello.
fàida *s.f.* vendetta, rappresaglia.
faidate *s.m.invar.* bricolage (*fr.*).
fair play *s.m.invar.* (*ingl.*) correttezza; cortesia, buone maniere, tatto, savoir faire (*fr.*).
falànge *s.f.* **1** (*mil.*) schiera, schieramento **2** moltitudine, stuolo, schiera, esercito.
falcàta *s.f.* passo, andatura.
falciàre *v.tr.* **1** (*erba, grano e sim.*) tagliare, mietere **2** ♧ (*di epidemia, di guerra ecc.*) uccidere, abbattere, sterminare.
falcìdia *s.f.* **1** riduzione, defalcazione, deduzione **2** strage, sterminio, decimazione, ecatombe.
falcidiàre *v.tr.* **1** (*guadagni e sim.*) decurtare, diminuire, ridurre, defalcare © aumentare, accrescere **2** sterminare, massacrare, decimare.
fàlda *s.f.* **1** strato, striscia, sfoglia, lamina **2** (*di neve*) fiocco **3** (*di un vestito*) bordo, lembo, orlo **3** (*di un monte*) pendice, piede.
fàlla *s.f.* **1** (*in uno scafo*) squarcio, buco, apertura, fenditura **2** (*in un bacino e sim.*) rottura, apertura **3** ♧ crepa, incrinatura.
fallàce *agg.* falso, erroneo, ingannevole; illusorio; (*di persona*) bugiardo, doppio, falso © veritiero, veridico; (*di persona*) sincero, leale.
fallimentàre *agg.* **1** (*di azienda e sim.*) dissestato, in perdita, in rovina © solido, fiorente **2** (*di iniziativa, di esito e sim.*) disastroso, rovinoso, negativo, deleterio © efficace, positivo, vantaggioso.
falliménto *s.m.* **1** insuccesso, sconfitta, crollo, fiasco (*colloq.*), naufragio © successo, riuscita, trionfo **2** (*dir.*) bancarotta.
fallìre *v.intr.* **1** (*in un'impresa e sim.*) sbagliare, fare fiasco (*colloq.*), toppare (*gerg.*), cannare (*gerg.*) © riuscire, vincere, trionfare **2** (*dir.*) fare fallimento, fare bancarotta ♦ *v.tr.* (*il colpo, il bersaglio ecc.*) sbagliare, mancare © colpire, raggiungere, centrare.
fallìto *agg.* (*di obiettivo e sim.*) mancato, sbagliato, andato a vuoto, vano © riuscito, andato a segno ♦ *s.m.* **1** (*dir.*) bancarottiere, insolvente **2** ♧ frustrato, deluso © arrivato.
fàllo[1] *s.m.* **1** errore, sbaglio; mancanza, colpa **2** (*sport*) infrazione, irregolarità **3** (*di un tessuto e sim.*) difetto, imperfezione.
fàllo[2] *s.m.* pene, membro, cazzo (*volg.*), pisello (*colloq.*), pistolino (*infant.*), minchia (*volg.*), uccello (*volg.*).
fallóso *agg.* (*sport*) scorretto © corretto.
falò *s.m.* rogo IPERON. fuoco.
falsàre *v.tr.* **1** (*la realtà, le parole ecc.*) deformare, distorcere, travisare, mistificare, snaturare, stravolgere **2** (*un documento e sim.*) contraffare, falsificare.
falsarìga *s.f.* esempio, modello, traccia.
falsàrio *s.m.* falsificatore, contraffattore.
falsificàre *v.tr.* **1** (*una firma, un quadro ecc.*) contraffare, alterare, falsare, imitare **2** (*una notizia e sim.*) alterare, deformare, distorcere, travisare.
falsificazióne *s.f.* **1** (*di firme, documenti e sim.*) alterazione, contraffazione; manipolazione **2** (*di notizie e sim.*) alterazione, distorsione, travisamento, mistificazione.
falsità *s.f.* **1** (*di una notizia, di un documento ecc.*) erroneità, inattendibilità, inesattezza © verità, attendibilità **2** (*di una persona*) doppiezza, ambiguità, insincerità, ipocrisia © sincerità, franchezza, lealtà **3** (*di affermazione, notizia falsa*) bugia, menzogna, palla (*colloq.*), balla (*colloq.*), frottola © verità.
fàlso *agg.* **1** (*di affermazione, di notizia e sim.*) errato, erroneo, inesatto, sbagliato, inattendibile; finto, inventato © vero, esatto, veritiero, veridico **2** (*di moneta e sim.*) contraffatto, falsificato, fasullo © autentico, vero **3** (*di persona, di sorriso ecc.*) finto, ipocrita, insincero, menzognero, simulato © sincero, franco, schietto ♦ *s.m.* **1** bugia, inganno, falsità, menzogna © verità, vero **2** (*di opera d'arte, documento e sim.*) copia, imitazione, riproduzione © originale.
fàma *s.f.* **1** reputazione, nome, nomea; credito, stima **2** celebrità, gloria, notorietà, rinomanza © anonimato, oscurità, disprezzo.
fàme *s.f.* **1** appetito, languore; inedia © disappetenza, inappetenza (*med.*); sazietà **2** ♧ (*di affetto, di giustizia e sim.*) bisogno, desiderio; (*di successo, di denaro e sim.*) voglia, bramosia, avidità, smania **3** (*scherz.; desiderio sessuale*) voglia **4** (*nel mondo*) miseria, indigenza, povertà; carestia, denutrizione.
famèlico *agg.* **1** affamato, vorace © sazio, satollo **2** ♧ avido, assetato, desideroso, bramoso, voglioso © sazio; disinteressato.
famigeràto *agg.* **1** malfamato **2** (*iron., spreg.*) famoso, celebre, noto, emerito.
famìglia *s.f.* **1** gruppo familiare, nucleo familiare; parenti, parentela, parentado **2** nascita, origine, casata, dinastia, discendenza, stirpe **3** (*bot.*) genere, gruppo, classe.
famigliàre e derivati vedi **familiàre** e derivati.

familiàre *agg.* **1** (*di abitudine e sim.*) domestico, casalingo © estraneo **2** (*di pensione, di cucina e sim.*) semplice, alla buona, casalingo, informale **3** (*di tono, di modi e sim.*) confidenziale, intimo, naturale, informale, fraterno, spontaneo, schietto © estraneo, freddo, distaccato, distante, indifferente **4** ♧ (*di volto, di luogo, di argomento ecc.*) noto, conosciuto, abituale, solito © estraneo, sconosciuto, nuovo ♦ *s.m.f.* parente, congiunto, consanguineo © estraneo ♦ *s.f.* (*di auto*) station-wagon (*ingl.*).

familiarità *s.f.* **1** confidenza, intimità, cordialità, amicizia © distacco, freddezza **2** ♧ (*con un argomento e sim.*) dimestichezza, pratica, esperienza © inesperienza, ignoranza.

familiarizzàre *v.intr.* e **familiarizzarsi** *v.pr.* **1** (*con qlcu.*) legare, affiatarsi, simpatizzare, socializzare **2** (*con qlco.*) abituarsi, impratichirsi.

famóso *agg.* **1** (*di persona*) celebre, conosciuto, noto, illustre, popolare, rinomato © qualunque, sconosciuto, oscuro, anonimo **2** (*di avvenimento*) noto, leggendario, memorabile, mitico, storico, glorioso © dimenticato, ignorato, ignoto, oscuro.

fan *s.m.f.invar.* (*ingl.*) ammiratore, sostenitore, patito, fanatico, tifoso, supporter (*ingl.*).

fanàle *s.m.* luce, faro.

fanàtico *agg.* **1** (*in politica, religione ecc.*) esagerato, eccessivo, estremo, maniaco, integralista, intollerante © equilibrato, misurato, moderato **2** (*per la musica, lo sport ecc.*) entusiasta, appassionato, fissato, maniaco, patito ♦ *s.m.* **1** (*in politica, religione ecc.*) estremista, integralista, intollerante, invasato, radicale © moderato, equilibrato **2** (*di una musica, di uno sport ecc.*) appassionato, entusiasta, fissato, patito, fan (*ingl.*), tifoso.

fanatìsmo *s.m.* **1** (*religioso, politico ecc.*) estremismo, intolleranza, intransigenza, invasamento © equilibrio, distacco, misura, moderazione, tolleranza **2** (*per un cantante, una squadra e sim.*) entusiasmo, passione, esaltazione, adorazione, tifo © indifferenza.

fanciùllo *s.m.* bambino, ragazzino, bimbo, adolescente.

fandònia *s.f.* bugia, frottola, favola, invenzione, menzogna, palla (*colloq.*), balla (*colloq.*), panzana.

fanfaróne *s.m.* gradasso, spaccone, smargiasso.

fàngo *s.m.* **1** melma, fanghiglia, limo **2** ♧ (*morale*) miseria, vergogna, umiliazione; corruzione, infamia, disonore.

fangóso *agg.* melmoso, limaccioso.

fannullóne *s.m.* sfaticato, pigro, pelandrone, lazzarone, perdigiorno, scioperato © lavoratore, stacanovista.

fantascientìfico *agg.* **1** (*di progetto, di macchina ecc.*) avanzato, avveniristico, evoluto, futuristico **2** ♧ (*di teoria e sim.*) assurdo, irrealizzabile, utopistico © possibile, realizzabile.

fantasìa *s.f.* **1** immaginazione, inventiva, creatività **2** sogno, fantasticheria, castello in aria, chimera, utopia © realtà, verità **3** creazione, invenzione **4** (*di colori, di immagini ecc.*) varietà, ventaglio, fantasmagoria **5** voglia, capriccio, idea, ghiribizzo, grillo, stravaganza.

fantasióso *agg.* **1** estroso, originale **2** (*di racconto e sim.*) immaginario, fantastico, inverosimile © realistico, verosimile.

fantàsma *s.m.* **1** spettro **2** visione, apparizione, illusione © realtà.

fantasmagòrico *agg.* fantastico, spettacolare, straordinario © semplice, normale.

fantasticàre *v.intr.* sognare a occhi aperti, fare castelli in aria ♦ *v.tr.* immaginare, sognare, vagheggiare.

fantasticherìa *s.f.* **1** immaginazione, fantasia, castello in aria **2** sogno, chimera, miraggio, utopia.

fantàstico *agg.* **1** immaginario, fittizio, inesistente, inventato, irreale © possibile, vero **2** straordinario, eccezionale, meraviglioso, splendido, magnifico © brutto, terribile, orrendo; ordinario, banale, scontato.

fantìno *s.m.* jockey (*ingl.*).

fantozziàno *agg.* **1** (*di aspetto, di movenze*) goffo, impacciato, insicuro, maldestro **2** (*di situazione*) grottesco, tragicomico.

faraònico *agg.* grandioso, lussuoso, monumentale; ambizioso, pretenzioso.

farcìre *v.tr.* imbottire, riempire.

fardèllo *s.m.* **1** fagotto **2** ♧ (*morale*) peso, carico, responsabilità, onere.

fàre *v.tr.* **1** agire, operare, lavorare © oziare **2** creare, fabbricare, costruire, produrre © abbattere, demolire **3** (*cibi*) preparare, cucinare **4** (*paura, piacere*) causare, provocare, produrre **5** (*un libro, un articolo e sim.*) scrivere, realizzare, produrre; (*un'opera teatrale e sim.*) rappresentare, mettere in scena **6** (*legna, quattrini ecc.*) raccogliere, mettere insieme, rifornirsi **7** (*una professione, un mestiere*) esercitare; (*uno sport*) praticare **8** (*lo stupido e sim.*) comportarsi, atteggiarsi **9** (*colloq.*; *migliore di quello che è*) considerare, credere, giudicare, ritenere, stimare **10** eleggere, nominare, promuovere **11** (*rumore, scandalo e sim.*) causare, determinare, provocare, produrre **12** (*per introdurre un discorso diretto*) dire, esclamare **13** (*seguito da un verbo all'infinito*) lasciare, permettere **14** (*colloq.*) comprare, regalare ♦ *v.intr.* **1** adattarsi, convenirsi **2** (*in frasi impers.*) essere, diventare ♦ **farsi** *v.pr.* **1** (*grande, tardi e sim.*) diventare **2** (*bello, brutto e sim.*) rendersi **3** (*un'idea*) formulare **4** (*colloq.; una pizza e sim*) mangiare; (*una birra e sim.*) bere **5** (*gerg.*) drogarsi ♦ *s.m.* **1** attività, azione **2** atteggiamento, comportamento, modo di fare **3** (*del giorno, della sera*) inizio, principio, alba.

farfugliàre *v.tr.* e *intr.* balbettare, borbottare.

fàrmaco *s.m.* medicina, medicinale, medicamento.

farneticàre *v.intr.* delirare, vaneggiare; sragionare, dare i numeri.

fàro *s.m.* **1** riflettore, luce **2** (*di automobile e sim.*) luce, fanale **3** ♧ esempio, guida, maestro, luce, modello.

farràgine *s.f.* miscuglio, guazzabuglio.

farraginóso *agg.* confuso, caotico, disordinato, incoerente, sconclusionato © lineare, coerente, chiaro, comprensibile.

fàrsa *s.f.* ♧ (*situazione ridicola*) buffonata, pagliacciata; scherzo © dramma, tragedia.

fàscia *s.f.* **1** striscia, nastro; (*per medicazioni*) benda, garza **2** (*nell'abbigliamento*) fusciacca, sciarpa **3** (*di territorio*) zona, area **4** ♧ categoria, gruppo, settore, classe.

fasciàre *v.tr.* **1** avvolgere; bendare, medicare **2** (*di abito*) aderire, stringere.

fasciatùra *s.f.* benda, bendatura, bendaggio.

fascìcolo *s.m.* **1** (*di una pubblicazione*) dispensa, numero, opuscolo **2** (*di documenti*) cartella, pratica, dossier, incartamento.

fàscino *s.m.* **1** attrattiva, magia, incanto **2** carisma, magnetismo, appeal (*ingl.*), charme (*fr.*), sex-appeal (*ingl.*).

fascinóso *agg.* affascinante, attraente, seducente © repellente, ripugnante.

fàscio *s.m.* **1** (*di legna*) fascina; (*di fiori*) mazzo **2** (*di fogli*) pila **3** (*gerg.*) fascista.

fàse *s.f.* periodo, momento, stadio, stato.

fast food *s.m.invar.* (*ingl.*) tavola calda.

fastìdio *s.m.* **1** (*sensazione*) antipatia, disgusto, repulsione; disagio, disappunto © simpatia; piacere **2** (*ciò che disturba*) noia, pensiero, preoccupazione, problema, seccatura, rottura (*colloq.*) © gioia, piacere, divertimento.

fastidióso *agg.* noioso, seccante, antipatico, molesto, sgradevole © piacevole, gradevole, simpatico, divertente, gradito.

fàsto *s.m.* lusso, sfarzo, magnificenza, opulenza, ricchezza © semplicità, modestia, sobrietà.

fastóso *agg.* ricco, splendido, lussuoso, sfarzoso © semplice, umile, modesto, sobrio.

fasùllo *agg.* **1** falso, finto, artefatto © vero, autentico **2** ♧ (*di persona*) incapace, incompetente, inetto © capace, competente, abile.

fàta *s.f.* maga.

fatàle *agg.* **1** (*di evento*) inevitabile, ineluttabile **2** (*di momento e sim.*) decisivo, fatidico **3** funesto, tragico, sfortunato, infausto, malaugurato; mortale © fortunato, lieto **4** ♧ (*di donna, di sguardo ecc.*) affascinante, irresistibile, conturbante.

fatalìsmo *s.m.* rassegnazione, accettazione, passività © reazione, ribellione.

fatalìsta *agg., s.m.f.* rassegnato, passivo © ribelle, reattivo.

fatalità *s.f.* **1** fato, destino, caso **2** disgrazia, sventura, sfortuna, tragedia © fortuna.

fatàto *agg.* magico, incantato, stregato.

fatìca *s.f.* **1** impegno, lavoro, sforzo © riposo, ozio **2** affaticamento, stanchezza © forza, vigore **3** attività, occupazione, opera; faticata, sfacchinata, sgobbata **4** ♧ difficoltà, pena, stento.

faticàre *v.intr.* **1** affaticarsi, sforzarsi, sfacchinare, sgobbare © riposare, oziare **2** penare, stentare, tribolare.

faticàta *s.f.* sfacchinata, sudata.

faticóso *agg.* **1** duro, pesante, stancante © facile, leggero, piacevole **2** difficile, impegnativo; (*di discorso, di stile*) complicato, contorto, involuto © facile, chiaro, scorrevole, semplice.

fatìdico *agg.* fatale, decisivo, cruciale.

fatiscènte *agg.* cadente, diroccato, pericolante.

fàto *s.m.* destino, sorte, caso, fortuna.

fattézze *s.f.pl.* faccia, viso, volto, tratti, lineamenti, fisionomia.

fattìvo *agg.* **1** (*di intervento e sim.*) concreto, efficace, fruttuoso, proficuo © inefficace, inconcludente **2** (*di persona*) attivo, energico, dinamico, laborioso © debole, passivo.

fàtto[1] *agg.* **1** costituito, composto, formato **2** (*di lavoro, di opera ecc.*) compiuto, realizzato **3** (*di persona*) grande, adulto, maturo; (*di giorno, di notte ecc.*) inoltrato, pieno **4** (*di attività e sim.*) adatto, adeguato; (*di persona*) adatto, capace, idoneo, portato, tagliato (*colloq.*) **5** (*gerg.*) drogato, fuso (*gerg.*), flippato (*gerg.*), sballato (*gerg.*), scoppiato (*colloq.*).

fàtto[2] *s.m.* **1** avvenimento, accaduto, vicenda **2** azione, atto, impresa, gesto **3** (*di un romanzo e sim.*) storia, vicenda, trama **4** (*spec. al pl.*) affari, questioni, faccende, problemi, cazzi (*volg.*).

fattóre[1] *s.m.* agricoltore, contadino, coltivatore.

fattóre[2] *s.m.* elemento, causa.

fattorìa *s.f.* **1** azienda agricola, tenuta, masseria, ranch (*ingl.*) **2** casa colonica, casale.

fattorìno *s.m.* commesso, garzone; corriere, pony express (*ingl.*).

fattùra *s.f.* **1** (*comm.*) ricevuta, conto, nota **2** lavorazione, preparazione, confezione, realizzazione **3** incantesimo, maleficio, sortilegio.

fatturàto *s.m.* vendite.

fàtuo *agg.* frivolo, vuoto, leggero, superficiale, vanesio © serio, profondo.

fàuna *s.f.* **1** animali **2** ♧ (*scherz.*) persone; (*di locali e sim.*) frequentatori.

fàusto *agg.* felice, fortunato, favorevole, lieto, benedetto © infausto, sfortunato, sfavorevole, tragico, maledetto, nero.

fautóre *agg., s.m.* amico, difensore, protettore, promotore, sostenitore © avversario, nemico.

favela *s.f.invar.* (*portogh.*) baraccopoli, bidonville (*fr.*), slum (*ingl.*).

favèlla *s.f.* parola, linguaggio.

fàvola *s.f.* **1** storia, fiaba, novella; racconto, narrazione **2** fandonia, bugia, frottola **3** diceria, chiacchiera, pettegolezzo, voce.

favoleggiàre *v.intr.* raccontare, narrare.

favolóso *agg.* **1** (*di luogo, di personaggio ecc.*) fantastico, immaginario, leggendario, mitico © reale, vero, storico **2** ♧ incredibile, straordinario; (*di guadagno e sim.*) enorme, esagerato, esorbitante, eccezionale, spropositato **3** ♧ (*di gioiello, di spettacolo ecc.*) straordinario, bellissimo, meraviglioso, splendido, stupendo © comune, ordinario; brutto, orrendo.

favóre *s.m.* **1** benevolenza, consenso, simpatia, approvazione, gradimento, stima © antipatia, avversione, disapprovazione **2** cortesia, grazia, piacere; aiuto, beneficio, vantaggio © dispetto, scortesia **3** (*del vento, del buio ecc.*) aiuto, appoggio, complicità, protezione.

favoreggiaménto *s.m.* complicità, connivenza.

favorévole *agg.* **1** (*di persona, di atteggiamento*) disponibile, bendisposto, benevolo, propenso © contrario, maldisposto **2** (*di occasione, di situazione*) propizio, vantaggioso © sfavorevole, negativo **3** (*di giudizio ecc.*) positivo, buono © negativo, contrario.

favorìre *v.tr.* **1** (*una persona*) appoggiare, aiutare, sostenere; preferire, privilegiare © avversare, boicottare, osteggiare, sfavorire **2** (*un progetto e sim.*) agevolare, appoggiare, facilitare, sostenere, incoraggiare © avversare, boicottare.

favoritìsmo *s.m.* particolarismo, parzialità; clientelismo, nepotismo © giustizia, equità, imparzialità.

favorìto *agg., s.m.* prediletto, preferito, beneamato ♦ *s.m.* beniamino, cocco (*colloq.*), pupillo.

fax *s.m.invar.* telefax, facsimile.

fazióne *s.f.* gruppo, ala, corrente, movimento, frangia, partito; setta.

faziosità *s.f.* parzialità, partigianeria, settarismo © equità, imparzialità, obiettività, neutralità.

fazióso *agg.* **1** parziale, di parte, partigiano, settario, tendenzioso © imparziale, equanime, neutrale, obiettivo; moderato **2** ribelle, sovversivo, eversivo, settario, sedizioso ♦ *s.m.* agitatore, fanatico, facinoroso, sedizioso.

fazzolétto *s.m.* **1** (*da collo*) foulard (*fr.*); (*da taschino*) pochette (*fr.*) **2** (*gioco infantile*) rubabandiera.

fèbbre *s.f.* **1** temperatura; (*med.*) piressia, ipertermia © (*med.*) apiressia **2** (*colloq.*) herpes **3** ♧ passione, desiderio, voglia, bramosia, smania.

febbrìfugo *agg., s.m.* antipiretico.

febbrìle *agg.* **1** (*med.*) piretico **2** ♧ agitato, affannoso, ansioso, concitato, convulso, inquieto, smanioso © calmo, tranquillo **3** (*di attività, di ricerche ecc.*) intenso, convulso, instancabile.

fèccia *s.f.* **1** (*spec. del vino*) fondo, deposito, residuo **2** ♧ (*della società e sim.*) gentaglia, marmaglia, teppa © crema, fior fiore, élite (*fr.*)

fèci *s.f.pl.* cacca (*colloq.*), escrementi, merda (*volg.*), popò (*infant.*), sterco (*di animali*), deiezioni.

fecondàre *v.tr.* **1** ingravidare IPON. inseminare **2** (*un terreno*) fertilizzare © inaridire, isterilire.

fecondazióne *s.f.* concepimento, IPON. inseminazione.

fecondità *s.f.* **1** fertilità, prolificità © infecondità, infertilità, sterilità **2** (*di un terreno*) fertilità, produttività © aridità, improduttività, sterilità **3** ♧ (*di uno scrittore e sim.*) creatività, fertilità, inventiva, ricchezza; fantasia, creatività © aridità, infecondità, sterilità.

fecóndo *agg.* **1** fertile, prolifico © infecondo, sterile **2** ♧ (*di un terreno*) fertile, produttivo ubertoso (*elev.*) © arido, improduttivo, sterile **3** ♧ (*di ingegno, di scrittore ecc.*) fertile, creativo, prolifico, ricco © infecondo, sterile, arido.

féde *s.f.* **1** fiducia, convinzione; credito © dubbio, incertezza, sfiducia **2** (*religiosa*) culto, religione, credo, dottrina, confessione **3** (*politica e sim.*) ideologia, idea, ideale **4** (*a un impegno e sim.*) rispetto, fedeltà, osservanza, onore © tradimento, infedeltà **5** anello nuziale, fede nuziale, vera.

fedéle *agg.* **1** (*a un patto, a un giuramento e sim.*) devoto, leale © infedele, traditore **2** (*di cliente e sim.*) affezionato, assiduo © occasionale, saltuario **3** (*di traduzione, di resoconto ecc.*) esatto, puntuale, preciso © impreciso, superficiale **4** (*a una religione*) credente, devoto, osservante, praticante ♦ *s.m.f.* seguace, sostenitore.

fedeltà *s.f.* **1** devozione, attaccamento, dedizione, lealtà © tradimento, infedeltà, slealtà **2** (*di un resoconto, di un ritratto ecc.*) corrispondenza, conformità, esattezza, precisione, attendibilità © divergenza, inesattezza, inattendibilità.

federazióne *s.f.* **1** confederazione **2** (*sindacale, politica*) associazione, unione.

fedìfrago *agg.* infedele, sleale, traditore, disonesto © fedele, leale, onesto, corretto.

feeling *s.m.invar.* (*ingl.*) attrazione, simpatia, intesa, sintonia © disaccordo, disarmonia.

fégato *s.m.* ♧ coraggio, animo, ardimento, temerarietà; sfacciataggine, sfrontatezza.

fegatóso *agg., s.m.* irascibile, collerico, bilioso.

felìce *agg.* **1** allegro, beato, contento, lieto, soddisfatto © infelice, scontento, triste **2** (*di situazione, di occasione ecc.*) favorevole, fausto, fortunato, festoso, gioioso © brutto, infelice, sfortunato, triste **3** (*di idea, di frase ecc.*) indovinato, azzeccato, efficace, fortunato, opportuno © infelice, inopportuno, sbagliato.

felicità *s.f.* **1** gioia, contentezza, piacere, allegria, buonumore, letizia © infelicità, tristezza **2** benessere, prosperità © disgrazia **3** (*di un'idea e sim.*) efficacia, validità © infelicità, inopportunità **4** abilità, bravura, capacità © incapacità.

felicitàrsi *v.pr.* **1** rallegrarsi, compiacersi © dispiacersi, rammaricarsi **2** congratularsi, complimentarsi, rallegrarsi.

felicitazióne *s.f.* (*spec. al pl.*) congratulazioni, rallegramenti.

felpàto *agg.* ♧ (*di passo e sim.*) leggero, silenzioso, smorzato; felino.

fémmina *s.f.* **1** (*biol.*) © maschio **2** donna; ragazza; bambina © maschio, uomo; bambino.

femmìneo *agg.* **1** femminile, femminino © maschile, mascolino **2** effeminato © mascolino, virile, maschio.

femminìle *agg.* **1** femmineo, femminino, muliebre, donnesco © maschile, mascolino virile **2** (*di donna*) affascinante, attraente, seducente; (*di uomo*) effemminato, femmineo ♦ *s.m.* © maschile.

femminìsmo *s.m.* © antifemminismo, sessismo.

femminìsta *agg., s.m.f.* © antifemminista, sessista.

fendènte *s.m.* sciabolata IPERON. colpo.

fèndere *v.tr.* **1** dividere, spaccare, tagliare, aprire © attaccare, unire **2** (*la folla e sim.*) attraversare, solcare.

fenditùra *s.f.* apertura, frattura, crepa, solco, spacco, squarcio, lesione, lacerazione, taglio.

fenòmeno *s.m.* **1** avvenimento, fatto, evento; processo, manifestazione **2** (*di persona*) campione, asso, mago, mostro.

feràle *agg.* (*elev.*) funesto, infausto, mortale.

feriàle *agg.* lavorativo © festivo.

fèrie *s.f.* vacanze, feste.

ferìre *v.tr.* **1** tagliare, lacerare IPON. accoltellare, pugnalare **2** ♧ addolorare, offendere, umiliare **3** ♧ (*di luce, di rumore*) colpire, trafiggere.

ferìta *s.f.* **1** taglio, lesione, lacerazione IPON. coltellata, pugnalata **2** ♧ (*morale*) dolore, colpo, dispiacere, offesa, strazio, tormento.

ferìto *agg.* **1** colpito, leso **2** ♧ (*moralmente*) colpito, mortificato, offeso, umiliato.

fermàglio *s.m.* (*per abiti*) fibbia, spilla; (*per capelli*) fermacapelli; (*per fogli di carta*) graffetta, graffa, clip (*ingl.*).

fermàre *v.tr.* **1** bloccare, frenare, trattenere; interrompere, sospendere © muovere, spingere; avviare, continuare, ricominciare **2** (*un impianto, un motore ecc.*) arrestare, spegnere, chiudere © accendere, avviare, mettere in moto **3** (*un bottone, un cavo ecc.*) fissare, assicurare, agganciare © allentare, staccare, sganciare **4** ♧ (*una camera e sim.*) riservare, prenotare © liberare, disdire **5** (*un sospettato*) trattenere © rilasciare, liberare ♦ *v.intr.* (*di autobus e sim.*) sostare ♦ **fermarsi** *v.pr.* **1** arrestarsi, bloccarsi © avanzare, andare, proseguire **2** (*in un luogo*) trattenersi, sostare, soffermarsi; stabilirsi © andarsene.

fermàta *s.f.* **1** (*di un mezzo pubblico*) sosta **2** interruzione, pausa, stop; arresto, alt, sospensione © continuazione, proseguimento; avviamento, avvio.

fermentàre *v.intr.* **1** bollire, ribollire; lievitare **2** ♧ (*di ribellione e sim.*) crescere, svilupparsi © attenuarsi, sbollire.

ferménto *s.m.* **1** (*biol.*) enzima; lievito **2** ♧ agitazione, eccitazione, inquietudine; movimento, vita, vivacità; subbuglio, tumulto © calma, pace.

fermézza *s.f.* **1** resistenza, saldezza, stabilità © instabilità **2** ♧ (*morale*) costanza, energia, decisione, determinazione, forza, rigore, perseveranza, tenacia © debolezza, fragilità, insicurezza.

férmo *agg.* **1** fisso, immobile, statico © mobile, instabile **2** (*di macchina e sim.*) spento, disattivato, inattivo; guasto © acceso, in funzione; funzionante **3** ♧ (*di persona*) costante, irremovibile, saldo, tenace; energico, deciso, sicuro © incerto, insicuro, incostante, titubante; debole, arrendevole **4** ♧ (*di punto*) stabilito, deciso ♦ *s.m.* **1** sicura **2** (*di polizia*) arresto © rilascio.

feróce *agg.* **1** crudele, disumano, spietato, bestiale, brutale, malvagio, sadico, violento © buono, dolce, mite, umano **2** (*di scherzo*) cattivo, pesante, offensivo © innocente, innocuo, inoffensivo **3** (*di critica e sim.*) aspro, duro, mordace, pungente, tagliente © mite, clemente, indulgente **4** (*di animale*) aggressivo, pericoloso; selvaggio, selvatico © docile, mansueto; domestico **5** ♧ (*di freddo, di dolore ecc.*) terribile, tremendo, bestiale (*colloq.*), insopportabile, mostruoso.

feròcia *s.f.* crudeltà, bestialità, brutalità, violenza, spietatezza, efferatezza © bontà, dolcezza, pietà, umanità.

ferràto *agg.* **1** (*di struttura e sim.*) rinforzato **2** ♧ preparato, competente, esperto © ignorante, incompetente.

fèrreo *agg.* **1** ♧ (*di salute e sim.*) resistente, forte, robusto © debole, fragile **2** (*di memoria, di volontà ecc.*) tenace, incrollabile © labile **3** ♧ (*di disciplina e sim.*) duro, rigido, inflessibile, severo © mite, indulgente, tollerante.

fèrro *s.m.* **1** acciaio, ghisa **2** (*al pl.*) attrezzi, arnesi, strumenti, utensili **3** (*spec. al pl.*) catene, manette, ceppi **4** (*colloq.*) ferro da stiro.

ferrovìa *s.f.* strada ferrata.

ferryboat *s.m.invar.* (*ingl.*) traghetto, nave traghetto.

fèrtile *agg.* **1** (*di terra e sim.*) fecondo, fruttifero © arido, sterile **2** ♧ (*di femmina*) fecondo, prolifico © infecondo, sterile **3** ♧ (*di fantasia e sim.*) ricco, creativo, vivace, prolifico © povero, sterile.

fertilità *s.f.* **1** (*di terra e sim.*) produttività © aridità, sterilità **2** ♧ (*di femmina*) fecondità, prolificità © infecondità, sterilità, infertilità (*med.*) **3** ♧ (*di fantasia e sim.*) ricchezza, creatività, vivacità © povertà, sterilità.

fertilizzànte *s.m.* concime.

fertilizzàre *v.tr.* concimare, ingrassare.

fervènte *agg.* acceso, appassionato, ardente, fervido, sentito, vivo © freddo, tiepido, debole, blando, fiacco.

fèrvido *agg.* **1** (*di discorso, di preghiera ecc.*) appassionato, caloroso, ardente, fervente © freddo, tiepido **2** (*di mente, di ingegno e sim.*) vivace, vivo, ricco, creativo, vulcanico © arido, sterile, torpido.

fervóre *s.m.* **1** (*di sentimento*) entusiasmo, passione, slancio, vigore © distacco, freddezza **2** (*di attività e sim.*) fermento, animazione, concitazione.

fesserìa *s.f.* **1** idiozia, sciocchezza, stupidaggine, cavolata (*colloq.*), cazzata (*volg.*), corbelleria (*elev.*) **2** (*cosa di nessuna importanza*) sciocchezza, bagattella, inezia, quisquilia (*elev.*).

fésso *agg.*, *s.m.* sciocco, stupido, cretino, imbecille, allocco, babbeo, beota, cazzone (*volg.*), coglione (*volg.*), tontolone (*colloq.*), tonto © furbo, dritto, sveglio.

fessùra *s.f.* spaccatura, fenditura, frattura, crepa, incrinatura, spiraglio, squarcio.

fèsta *s.f.* **1** celebrazione, ricorrenza, festeggiamento; anniversario, commemorazione **2** compleanno, onomastico **3** (*nel lavoro, nella scuola*) vacanza **4** ricevimento, party (*ingl.*), festino, serata, galà, soirée (*fr.*) **5** gioia, allegria, felicità, giubilo © tristezza, dolore, afflizione, lutto.

festànte *agg.* in festa, allegro, festoso, gioioso, lieto © triste, afflitto, mesto, serio; in lutto.

festeggiaménto *s.m.* festa, celebrazione.

festeggiàre *v.tr.* celebrare; commemorare ♦ *v.intr.* divertirsi, fare festa.

festìno *s.m.* festa, ricevimento, party (*ingl.*).

fèstival *s.m.invar.* **1** (*artistico, musicale ecc.*) manifestazione, rassegna, mostra **2** (*popolare*) fiera, sagra, kermesse (*fr.*).

festività *s.f.* festa, ricorrenza, celebrazione; vacanza.

festìvo *agg.* © feriale, lavorativo.

festóne *s.m.* IPERON. addobbo, decorazione.

festóso *agg.* allegro, gioioso, felice; caldo, caloroso, cordiale © triste, cupo, malinconico.

fetènte *agg.* **1** fetido, maleodorante, puzzolente © odoroso, profumato **2** ♧ (*colloq.*) meschino, spregevole, infame, disgustoso, vile ♦ *s.m.f.* ♧ carogna, bastardo (*colloq.*), farabutto, mascalzone, figlio di puttana (*volg.*), stronzo (*volg.*).

fetìccio *s.m.* idolo; amuleto; totem.

feticìsmo *s.m.* **1** idolatria **2** ♧ culto, adorazione, esaltazione, fanatismo, venerazione.

feticìsta *s.m.f.* **1** idolatra **2** fanatico.

fètido *agg.* maleodorante, puzzolente, nauseabondo © odoroso, profumato.

fetóre *s.m.* puzzo, tanfo, afrore; esalazione, miasma © profumo, olezzo.

fétta *s.f.* **1** pezzo, porzione, parte **2** ♧ parte, pezzo, striscia, tranche (*fr.*); (*di terra*) fascia, striscia, area, regione; (*di denaro e sim.*) quota, percentuale.

fiàba *s.f.* **1** favola, novella, storia **2** ♧ bugia, frottola, menzogna.

fiabésco *agg.* favoloso, incantato, fantastico, magico, straordinario, irreale.

fiàcca *s.f.* stanchezza, fiacchezza, spossatezza; svogliatezza, indolenza, pigrizia © energia, forza, vigore; alacrità, solerzia.

fiaccàre *v.tr.* indebolire, infiacchire, debilitare, logorare, stremare, stroncare © fortificare, rafforzare, rinforzare, rinvigorire.

fiàcco *agg.* debole, stanco, affaticato, sfinito,

stremato; rammollito, smidollato, pigro, svogliato © forte, energico, vigoroso, attivo, dinamico, operoso.
fiàccola *s.f.* **1** torcia **2** ♧ luce, fiamma, ideale.
fiàmma *s.f.* **1** fiammata, vampata **2** (*al pl.*) fuoco, incendio, rogo **3** ♧ (*dell'amore, della speranza ecc.*) forza, impeto, ardore; entusiasmo, passione **4** ♧ (*scherz.*) amore, amante, amato, innamorato; flirt (*ingl.*).
fiammànte *agg.* (*spec. di rosso*) vivo, vivace, acceso, brillante, sfavillante © smorto, spento.
fiammàta *s.f.* **1** vampata **2** ♧ fuoco di paglia.
fiammeggiànte *agg.* (*di occhi, di sguardo ecc.*) lucente, luminoso, rilucente, sfavillante, splendente © opaco, smorzato.
fiammìfero *s.m.* cerino, zolfanello.
fiancàta *s.f.* lato, fianco, parte; (*di nave*) bordo, murata.
fiancheggiàre *v.tr.* **1** affiancare **2** ♧ aiutare, appoggiare, sostenere, dare man forte, spalleggiare, supportare © contrastare, combattere, ostacolare.
fiancheggiatóre *agg.*, *s.m.* simpatizzante, sostenitore; complice, connivente.
fiànco *s.m.* **1** (*del corpo*) anca **2** (*di un edificio e sim.*) lato, parte, fiancata; (*di nave*) bordo, murata.
fiaschetterìa *s.f.* bottiglieria, mescita, osteria.
fiàsco *s.m.* **1** IPERON. bottiglia **2** ♧ fallimento, disastro, insuccesso, flop (*ingl.*) © successo, trionfo, exploit (*fr.*).
fiatàre *v.intr.* ♧ pronunciare parola, parlare, aprire bocca © tacere.
fiàto *s.m.* **1** respiro, alito **2** (*sport*) resistenza; energia, allenamento.
fiatóne *s.m.* affanno.
fibbia *s.f.* fermaglio.
fibra *s.f.* **1** (*biol.*) filamento **2** ♧ (*di una persona*) costituzione, corporatura, struttura, fisico; carattere, natura, temperamento; forza, vigore, energia, tempra.
fibrillazióne *s.f.* **1** (*med.*) IPERON. aritmia **2** ♧ ansia, affanno, eccitazione, sovreccitazione, trepidazione © calma, tranquillità.
ficcanàso *s.m.f.* curiosone, impiccione ♦ indiscreto, invadente © discreto, riservato.
ficcàre *v.tr.* conficcare, piantare; inserire, introdurre © estrarre, levare, sfilare, togliere ♦ **ficcarsi** *v.pr.* **1** cacciarsi, conficcarsi, entrare **2** finire, cacciarsi, nascondersi **3** (*in un pasticcio e sim.*) cacciarsi, impegolarsi, impelagarsi, invischiarsi.
fidanzaménto *s.m.* rapporto, relazione, storia (*colloq.*).
fidanzàrsi *v.pr.* **1** promettersi © sfidanzarsi **2** mettersi insieme, legarsi © lasciarsi, piantarsi.
fidanzàta *s.f.* promessa sposa; ragazza, compagna, partner (*ingl.*), girlfriend (*ingl.*), donna (*colloq.*), tipa (*gerg.*) ♦ *agg.* occupata, impegnata © libera, disponibile.
fidanzàto *s.m.* promesso sposo; ragazzo, compagno, partner (*ingl.*), boyfriend (*ingl.*), uomo (*colloq.*), tipo (*gerg.*), ganzo (*colloq.*) ♦ *agg.* occupato, impegnato © libero, disponibile.
fidàrsi *v.pr.* **1** avere fiducia, confidare, fare affidamento © diffidare **2** (*colloq.*) sentirsela, osare.
fidàto *agg.* fido, leale, fedele, affidabile © infedele, inaffidabile, infido, sleale.
fido[1] *agg.* (*elev.*) fedele, fidato, leale, affezionato.
fido[2] *s.m.* (*banc.*) credito.
fidùcia *s.f.* **1** fede, affidamento, sicurezza, certezza, speranza, ottimismo © sfiducia, diffidenza, dubbio, pessimismo **2** considerazione, credito, reputazione © sfiducia, discredito.
fiducióso *agg.* speranzoso, ottimista, sereno, tranquillo © sospettoso, diffidente, pessimista, scoraggiato.
fienìle *s.m.* pagliaio.
fièra[1] *s.f.* **1** mercato **2** esposizione, mostra, rassegna; festa, sagra.
fièra[2] *s.f.* belva, bestia feroce.
fierézza *s.f.* **1** coraggio, ardimento, valore © debolezza, paura, vigliaccheria **2** orgoglio, altezzosità, superbia © semplicità, umiltà.
fièro *agg.* **1** coraggioso, intrepido, valoroso, energico © debole, pauroso, vigliacco **2** altero, superbo, orgoglioso, sdegnoso © modesto, semplice, umile.
fièvole *agg.* debole, fioco, flebile, sottile, sommesso © forte, chiaro, distinto, potente.
fifa *s.f.* (*colloq.*) paura, panico, timore, strizza (*colloq.*), tremarella (*colloq.*).
fifóne *s.m.* (*colloq.*) pauroso, vile, vigliacco.
figlia *s.f.* **1** bambina, bimba, piccina; creatura, figliola INVER. madre, padre; genitore **2** (*burocr.*) tagliando **3** ♧ prodotto, conseguenza, frutto © causa, origine.
figlio *s.m.* **1** bambino, bimbo, piccino; creatura, figliolo INVER. madre, padre; genitore **2** (*al pl.*) figliolanza, prole; discendenza, stirpe © antenati, ascendenza **3** (*di un paese*) nativo, originario **4** giovane, ragazzo **5** ♧ prodotto, conseguenza, frutto © causa, origine.
figliòccio *s.m.* INVER. madrina, padrino.
figliòlo *s.m.* **1** (*spec. affettuosamente*) figlio **2** giovane, giovanotto, ragazzo.
figùra *s.f.* **1** aspetto, forma, configurazione, sagoma **2** (*di una persona*) aspetto, corpo, corporatura, fisico **3** personaggio, personalità **4** disegno, illustrazione, immagine.

figuràccia *s.f.* brutta figura, gaffe (*fr.*). © bella figura, figurona, figurone.
figuràre *v.tr.* **1** rappresentare, raffigurare, simboleggiare **2** immaginare, pensare ♦ *v.intr.* **1** (*in un elenco e sim.*) apparire, comparire, risultare, esserci, trovarsi **2** (*da un documento*) risultare, emergere **3** distinguersi, spiccare, emergere, piacere, fare figura © sfigurare.
figuratìvo *agg.* © astratto.
figuràto *agg.* **1** illustrato **2** (*di significato e sim.*) metaforico, simbolico, traslato © letterale, proprio.
figurìno *s.m.* (*scherz.*) damerino, dandy (*ingl.*).
figùro *s.m.* ceffo.
figuróna *s.f.* bella figura © figuraccia.
fila *s.f.* **1** (*di oggetti*) serie, successione, allineamento, linea, riga, sfilza; (*di alberi*) filare **2** (*di automobili*) coda, colonna; corteo, sfilata **3** ♧ (*di domande e sim.*) sequela, serie, successione, sfilza.
filantropìa *s.f.* altruismo, umanitarismo IPERON. solidarietà, fratellanza, carità © misantropia; egoismo, individualismo.
filàntropo *s.m.* altruista, benefattore © misantropo; egoista, individualista.
filàre *v.tr.* tessere, ordire ♦ *v.intr.* **1** (*di veicolo*) correre, viaggiare **2** (*di persona*) andarsene, scappare, fuggire, battersela (*colloq.*), squagliarsela (*colloq.*) **3** ♧ (*di discorso, di ragionamento ecc.*) procedere, scorrere, reggere **4** (*colloq.*) amoreggiare, flirtare, intendersela.
filarìno *s.m.* (*colloq.*), amoretto, storia (*colloq.*), flirt (*ingl.*).
filastròcca *s.f.* **1** (*per bambini*) cantilena, nenia, ninnananna, tiritera **2** (*di lamentele e sim.*) cantilena, nenia, ritornello, solfa, tiritera.
filàto *agg.* ♧ continuo, ininterrotto; logico, coerente, lineare © discontinuo, sconclusionato, sconnesso ♦ *s.m.* filo.
file *s.m. invar.* (*ingl.*) **1** dossier (*fr.*), fascicolo, incartamento **2** (*inform.*) documento.
filiàle *s.f.* agenzia, succursale.
filiazióne *s.f.* derivazione, discendenza, origine, provenienza.
filibustière *s.m.* **1** pirata, corsaro, bucaniere **2** ♧ bandito, mascalzone, imbroglione, truffatore.
filifórme *agg.* sottile, allungato, esile; magro, secco © grosso, massiccio, spesso.
filìppica *s.f.* **1** invettiva, requisitoria © difesa, apologia **2** (*scherz.*) ramanzina, rimprovero, paternale, predicozzo.
film *s.m.invar.* **1** (*per macchina fotografica e sim.*) pellicola **2** (*opera cinematografica*) pellicola, lungometraggio, movie (*ingl.*) **3** cinematografia, cinema **4** pellicola, strato, patina, velo.
filmàre *v.tr.* riprendere, girare.
filo *s.m.* **1** (*per cucire, tessere ecc.*) filato **2** corda, spago **3** (*del telefono, della luce ecc.*) cavo **4** (*d'acqua e sim.*) rivolo **5** ♧ (*del ragionamento, del discorso*) ordine, senso, continuità, logica, filo conduttore, svolgimento; (*di una situazione*) capo, bandolo **6** (*di coltello e sim.*) lama, taglio.
filobus *s.m.invar.* filovia.
filóne *s.m.* **1** vena; giacimento **2** ♧ (*artistico, culturale ecc.*) corrente, indirizzo, scuola, tendenza, tradizione **3** (*pane*) baguette (*fr.*).
filosofàre *v.intr.* **1** filosofeggiare, speculare **2** (*spec. iron.*) riflettere, indagare, meditare, arzigogolare.
filosofeggiàre *v.intr.* filosofare, speculare.
filosofìa *s.f.* **1** speculazione IPON. epistemologia, estetica, etica, logica, metafisica, ontologia **2** (*di un filosofo, di una scuola ecc.*) pensiero, indirizzo, dottrina; (*di un'azienda e sim.*) orientamento, strategia **3** ♧ serenità, tranquillità, saggezza.
filòsofo *s.m.* **1** pensatore, speculatore **2** ♧ saggio, savio.
filtràre *v.tr.* **1** (*un liquido*) colare, depurare **2** (*le amicizie e sim.*) scegliere, selezionare ♦ *v.intr.* **1** (*di umidità e sim.*) penetrare, passare, trasudare **2** ♧ (*di notizia e sim.*) trapelare, spargersi, diffondersi.
filtro[1] *s.m.* **1** depuratore **2** ♧ (*della mente, della ragione ecc.*) esame, setaccio, vaglio.
filtro[2] *s.m.* pozione, elisir.
finàle *agg.* **1** ultimo, conclusivo, terminale © primo, iniziale **2** definitivo, decisivo, estremo, risolutivo ♦ *s.m.* (*di un romanzo, di un film ecc.*) fine, chiusura, conclusione, epilogo © inizio, principio, apertura, prologo ♦ *s.f.* gara conclusiva.
finalità *s.f.* fine, intenzione, scopo, obiettivo.
finalizzàre *v.tr.* indirizzare, rivolgere, volgere.
finànza *s.f.* **1** (*finanza pubblica*) fisco, erario, tesoro **2** (*colloq.*) Guardia di Finanza **3** (*al pl.*) disponibilità, possibilità, risorse, beni, capitale, patrimonio.
finanziaménto *s.m.* sovvenzionamento, sovvenzione, contributo, sussidio.
finanziàre *v.tr.* sovvenzionare, sostenere, sponsorizzare.
finanziàrio *agg.* **1** economico, monetario **2** (*delle finanze dello Stato*) fiscale, tributario.
finanzière *s.m.* **1** guardia di Finanza **2** banchiere; capitalista.
fine[1] *agg.* **1** sottile, fino, delicato, minuto © grosso, spesso **2** ♧ (*di udito, di vista ecc.*) acuto, penetrante, sottile; (*di ingegno*) arguto, lucido,

perspicace, vivace © debole, scarso; lento, tardo **3** ♧ (*di persona*) elegante, chic (*fr.*), distinto, raffinato © rozzo, grossolano, cafone **4** (*di cose*) pregiato, raffinato © dozzinale, ordinario.

fine[2] *s.f.* **1** conclusione, termine; (*di un lavoro e sim.*) compimento, completamento © inizio, principio, partenza **2** (*di un'opera teatrale e sim.*) conclusione, finale, epilogo © inizio, principio; preambolo, prologo **3** (*di un oggetto*) fondo, estremità, coda; bordo, margine **4** morte © nascita ♦ *s.m.* **1** scopo, meta, obiettivo, disegno, proposito **2** effetto, esito, risultato, riuscita.

finèstra *s.f.* apertura, luce (*edil.*).

finézza *s.f.* **1** sottigliezza © grossezza, spessore **2** (*di lineamenti e sim.*) delicatezza © grossolanità **3** (*di modi, di persona e sim.*) distinzione, eleganza, raffinatezza, stile © grossolanità, rozzezza, scortesia, villania **4** (*di una lavorazione e sim.*) delicatezza, minuziosità, precisione; (*di un prodotto e sim.*) qualità, pregio **5** ♧ (*di udito, di vista*) acutezza, sensibilità © debolezza **6** ♧ (*di persona, d'ingegno ecc.*) acume, acutezza, intelligenza, intuito, perspicacia © ottusità.

fingere *v.tr.* **1** fare finta, bluffare, dare a vedere. simulare **2** immaginare, figurarsi ♦ **fingersi** *v.pr.* atteggiarsi.

finimóndo *s.m.* caos, babele, baraonda, fracasso, frastuono.

finìre *v.tr.* **1** concludere, compiere, terminare, ultimare; (*lavori d'ufficio*) sbrigare, espletare (*elev.*) © iniziare, incominciare, attaccare, avviare **2** (*le scorte e sim.*) consumare, esaurire **3** (*un uomo, un animale morente*) uccidere, sopprimere ♦ *v.intr.* **1** concludersi, terminare, cessare © iniziare, incominciare, aprirsi **2** (*di fiume, di strada ecc.*) sfociare, sboccare, immettersi **3** (*spec. accidentalmente*) capitare, arrivare, trovarsi **4** (*nei pasticci e sim.*) cacciarsi (*colloq.*), ficcarsi (*colloq.*) ♦ *s.m.* fine, termine © inizio, principio.

finìto *agg.* **1** concluso, terminato, compiuto, esaurito, ultimato © avviato, incominciato, iniziato **2** (*di persona*) andato, rovinato, spacciato, perduto; moribondo **3** (*di ambito, di territorio ecc.*) limitato, circoscritto © infinito **4** (*di epoca, di fase ecc.*) chiuso, concluso, passato, tramontato, trascorso © cominciato, iniziato.

fino *agg.* **1** fine **2** ♧ (*di ingegno e sim.*) acuto, perspicace, penetrante, sottile © limitato, tardo.

finta *s.f.* inganno, bluff (*ingl.*), finzione, simulazione.

finto *agg.* **1** falso, fasullo, artificiale, fittizio © vero, autentico **2** (*di materiale, di oggetto*) falso, artificiale, artefatto; sintetico © vero, autentico, naturale **3** (*di persona*) ipocrita, falso, fasullo © sincero, vero, autentico.

finzióne *s.f.* **1** ipocrisia, falsità; simulazione © sincerità © realtà, verità **2** (*letteraria e sim.*) invenzione, rappresentazione; illusione.

fioccàre *v.intr.* **1** nevicare **2** ♧ (*di ordini, di proteste ecc.*) arrivare, giungere, susseguirsi.

fiòcco *s.m.* **1** IPERON. nastro, nodo **2** (*di lana, di cotone*) batuffolo, bioccolo; (*di neve*) falda.

fiòco *agg.* **1** (*di suono*) debole, fievole, flebile, smorzato, sommesso © alto, forte, chiaro, potente **2** (*di luce*) basso, debole, pallido, tenue © forte, intenso, vivo, abbagliante, brillante.

fiondàrsi *v.pr.* (*colloq.*) correre, precipitarsi, accorrere, schizzare (*colloq.*).

fioràio *s.m.* fiorista.

fióre *s.m.* **1** infiorescenza **2** ♧ (*parte migliore*) meglio, fior fiore, scelta © peggio, scarto **3** ♧ (*lett.*) scelta, raccolta, selezione, antologia, florilegio.

fiorènte *agg.* (*di civiltà e sim.*) florido, ricco, opulento, prospero; (*di economia*) prospero, sano, solido © povero, decadente, in crisi; (*di economia*) depresso, stagnante.

fiorìre *v.intr.* **1** sbocciare, germogliare © sfiorire **2** ♧ (*di commercio, di arte ecc.*) espandersi, diffondersi, prosperare, svilupparsi © languire, stagnare; morire **3** ♧ (*di sorriso e sim.*) spuntare, affiorare, nascere © morire.

fiorìto *agg.* **1** (*di pianta*) in fiore **2** ♧ (*di stile, di linguaggio*) elegante, forbito, ricercato © povero, disadorno, rozzo; sobrio.

fioritùra *s.f.* **1** (*di pianta*) sboccio, rigoglio **2** ♧ (*delle arti e sim.*) sviluppo, espansione © declino, decadenza **3** (*sulla pelle*) sfogo, eczema (*med.*)

fiòtto *s.m.* getto, flusso, spruzzo, zampillo.

firma *s.f.* **1** (*spec. di persona famosa*) autografo **2** (*burocr.*) autenticazione, convalida, ratifica, vidimazione **3** (*della moda*) griffe, marchio.

firmaménto *s.m.* **1** cielo, volta celeste **2** ♧ (*del cinema e sim.*) gotha, olimpo, star system (*ingl.*).

firmàre *v.tr.* **1** sottoscrivere; siglare, vistare **2** accettare, confermare, ratificare, approvare.

firmatàrio *s.m.* sottoscrittore.

fiscàle *agg.* **1** (*di sistema e sim.*) tributario, erariale **2** ♧ pignolo, intransigente, inflessibile, duro, rigido, severo © elastico, comprensivo, tollerante.

fischiàre *v.intr.* zufolare, fischiettare ♦ *v.tr.* **1** (*un ritornello*) zufolare, fischiettare **2** (*un cantante, un oratore ecc.*) disapprovare, bocciare © applaudire, acclamare **3** (*sport*) segnalare.

fischiettàre *v.tr.* e *intr.* zufolare.
fischio *s.m.* **1** fischiata **2** disapprovazione, protesta © applauso, ovazione **3** (*di animale*) sibilo.
fisco *s.m.* erario.
fisico *agg.* **1** naturale, fenomenico, sensibile © metafisico **2** corporeo, materiale © astratto, immateriale **3** carnale, sessuale, sensuale © spirituale ♦ *s.m.* corpo umano, corporatura, costituzione.
fisima *s.f.* mania, fissazione, fissa (*colloq.*).
fisiològico *agg.* **1** (*med.*) © patologico **2** naturale, normale © anormale, patologico.
fisionomìa *s.f.* aspetto, espressione, lineamenti, fattezze, viso, volto, faccia.
fissa *s.f.* (*colloq.*) fissazione, mania.
fissàre *v.tr.* **1** fermare, bloccare, assicurare © staccare, sbloccare, muovere **2** (*la mente, lo sguardo ecc.*) volgere, indirizzare, concentrare **3** (*intensamente*) guardare, osservare, scrutare **4** (*un'immagine e sim.*) imprimere, fermare, memorizzare **5** (*un appuntamento, un prezzo ecc.*) decidere, stabilire, concordare **6** (*un tavolo, una camera ecc.*) prenotare, riservare, fermare © annullare, disdire ♦ **fissarsi** *v.pr.* **1** (*in un luogo*) fermarsi, stabilirsi © muoversi, spostarsi **2** ♧ accanirsi, intestardirsi, incaponirsi, ostinarsi © arrendersi, cedere, rinunciare.
fissàto *s.m.* maniaco, fanatico, patito.
fissazióne *s.f.* mania, fissa (*colloq.*), fisima, ossessione, pallino (*colloq.*).
fisso *agg.* **1** fermo, stabile, immobile, inamovibile © mobile, instabile, vacillante, traballante, amovibile **2** (*di sguardo, di pensiero*) attento, concentrato © assente, distratto, disattento **3** (*di idea*) costante, continuo; maniacale, ossessivo © passeggero **4** (*di regola, di norma ecc.*) definitivo, invariabile, permanente © provvisorio, temporaneo **5** (*di lavoro*) regolare, continuativo, stabile, a tempo indeterminato © provvisorio, temporaneo, interinale, precario, saltuario, a tempo determinato **6** (*di cliente*) abituale, assiduo, affezionato © occasionale, saltuario.
fitta *s.f.* puntura, stilettata, trafittura; dolore.
fittìzio *agg.* finto, falso, fasullo; artificiale, artificioso, ingannevole, simulato © vero, autentico.
fitto[1] *agg.* **1** conficcato, ficcato, piantato **2** folto, denso, spesso, compatto © rado, rarefatto.
fitto[2] *s.m.* affitto, pigione.
fiumàna *s.f.* **1** piena **2** ♧ (*di persone e sim.*) fiume, marea, massa, moltitudine, torrente; folla.
fiùme *s.m.* **1** corso d'acqua **2** ♧ marea, ondata, mare; (*di persone*) folla, calca.
fiutàre *v.tr.* **1** annusare, odorare **2** ♧ intuire, prevedere, presagire, indovinare **3** (*tabacco*) aspirare; (*cocaina*) sniffare (*gerg.*), tirare (*gerg.*)
fiùto *s.m.* **1** odorato, olfatto **2** ♧ intuito, naso, sensibilità, acutezza, perspicacia.
flàccido *agg.* molle, moscio, cascante, sfatto © sodo, turgido, duro, tonico.
flacóne *s.m.* fiala.
flagellàre *v.tr.* **1** frustare, fustigare, staffilare **2** (*di onde, di vento e sim.*) battere, colpire, abbattersi **3** ♧ angustiare, tormentare, criticare.
flagèllo *s.m.* **1** frusta, sferza **2** ♧ calamità, disgrazia, sciagura, rovina, tragedia.
flagrànte *agg.* evidente, lampante, manifesto, palese, chiaro © oscuro, celato, nascosto.
flash *s.m.invar.* (*ingl.*) **1** (*in fotografia*) lampo; lampeggiatore **2** ♧ (*giornalistico*) comunicazione, notizia, comunicato.
flautàto *agg.* dolce, carezzevole, melodioso, soave © aspro, stridente.
flèbile *agg.* debole, fievole, lieve, sommesso; malinconico, triste, lamentoso © forte, squillante, allegro.
flèmma *s.f.* calma, pacatezza; lentezza, indolenza; distacco, imperturbabilità © impeto, foga, slancio; ansia, affanno, agitazione.
flemmàtico *agg.* calmo, pacato; lento, indolente; distaccato, imperturbabile © impetuoso, solerte; agitato, irrequieto.
flessìbile *agg.* **1** elastico, cedevole, flessuoso, pieghevole © duro, rigido **2** ♧ (*di carattere e sim.*) adattabile, duttile, elastico © duro, rigido, inflessibile, ostinato **3** ♧ (*di orario*) elastico, variabile © fisso, invariabile.
flessióne *s.f.* **1** piegamento **2** (*di prezzi, di vendite e sim.*) diminuzione, caduta, calo, riduzione © aumento, crescita, rialzo.
flessuóso *agg.* leggero, morbido, sinuoso.
flèttere *v.tr.* **1** piegare, arcuare, inarcare © raddrizzare **2** (*ling.*) coniugare, declinare.
flirt *s.m.invar.* (*ingl.*) amore, relazione, storia (*colloq.*), love story (*ingl.*), filarino (*colloq.*).
flirtàre *v.intr.* amoreggiare, filare (*colloq.*).
flop *s.m.invar.* (*ingl.*) fallimento, fiasco, insuccesso © successo, trionfo, exploit (*fr.*).
flòra *s.f.* vegetazione, piante.
floridézza *s.f.* **1** (*di vegetazione*) rigoglio **2** (*fisica*) formosità, prosperosità; vigore, robustezza © debolezza, gracilità, magrezza **3** (*economica*) benessere, prosperità, ricchezza.
flòrido *agg.* **1** (*di vegetazione*) rigoglioso © secco, inaridito **2** (*di persona*) formoso, prosperoso, rotondo; robusto, sano © debole, magro, deperito **3** (*di economia e sim.*) fiorente, prospero, ricco © povero, dissestato, misero.
florilègio *s.m.* antologia; scelta, raccolta.
flòscio *agg.* **1** molle, flaccido, cascante © duro,

rigido, tonico **2** ♧ (*di carattere e sim.*) fiacco, debole, molle, rammollito © fermo, deciso, risoluto.

fluènte *agg.* **1** (*di barba, di capelli ecc.*) lungo, folto © corto, rado **2** ♧ (*di discorso, di traffico ecc.*) agile, sciolto, scorrevole, fluido © lento, pesante, stentato.

fluidità *s.f.* **1** ♧ (*di parola, di movimenti ecc.*) disinvoltura, naturalezza, scioltezza © goffaggine **2** ♧ instabilità, mutevolezza, incertezza © stabilità, immutabilità.

flùido *agg.* **1** (*di liquido*) scorrevole © denso, vischioso **2** ♧ (*di discorso, di movenze ecc.*) agile, sciolto, scorrevole, © lento, goffo, stentato; (*di traffico*) scorrevole, veloce © bloccato **3** ♧ (*di situazione e sim.*) instabile, mutevole, incerto © immutabile, stabile ♦ *s.m.* **1** IPERON. liquido **2** ♧ ascendente, fascino, carisma, magnetismo.

fluìre *v.intr.* scorrere, sgorgare, defluire © fermarsi, ristagnare, stagnare.

flùsso *s.m.* **1** (*di un liquido e sim.*) corrente, circolazione; fuoruscita; fiotto, getto **2** andirivieni, viavai, movimento, passaggio **3** ♧ (*della storia, degli eventi ecc.*) corso, successione **4** alta marea © riflusso, bassa marea.

flùtto *s.m.* onda, ondata.

fluttuàre *v.intr.* **1** (*di barca*) ondeggiare; (*di bandiera*) sventolare **2** ♧ (*di prezzi e sim.*) oscillare, altalenare, variare © stabilizzarsi **3** (*di persona*), esitare, tentennare, titubare, tergiversare.

fluttuazióne *s.f.* instabilità, oscillazione, variazione © stabilità.

fobìa *s.f.* paura, repulsione, idiosincrasia; avversione, antipatia.

focalizzàre *v.tr.* mettere a fuoco, centrare, enucleare, individuare, inquadrare, precisare; (*l'attenzione e sim.*) incentrare ♦ **focalizzarsi** *v.pr.* (*di attenzione e sim.*) concentrarsi, incentrarsi.

fóce *s.f.* IPON. delta, estuario © sorgente.

focolàio *s.m.* (*d'infezione e sim.*) centro, fonte, origine, sorgente.

focolàre *s.m.* **1** camino, caminetto **2** ♧ casa, nido, famiglia.

focóso *agg.* ardente, impetuoso, irruente © freddo, distaccato, gelido.

fòdera *s.f.* rivestimento.

foderàre *v.tr.* rivestire, ricoprire.

fòdero *s.m.* guaina; astuccio.

fóga *s.f.* ardore, slancio, impeto, grinta, veemenza © calma, pacatezza, distacco, freddezza.

fòggia *s.f.* (*di un oggetto*) aspetto, figura, forma; (*di un abito*) stile, modello, taglio.

foggiàre *v.tr.* **1** creare, formare, modellare **2** ♧ (*il carattere*) forgiare, formare, plasmare.

fogliàme *s.m.* foglie, fronde.

fòglio *s.m.* **1** pagina **2** lamina, lastra **3** modulo, documento, certificato, stampato.

fógna *s.f.* **1** acque nere, cloaca **2** ♧ (*luogo sudicio, corrotto*) letamaio, porcaio, cesso (*colloq.*), bordello (*colloq.*) **3** (*scherz.*; *di persona*) mangione.

folàta *s.f.* soffio, raffica, ventata, sbuffo.

folclóre *s.m.* usi, costumi, tradizioni.

folcloristico *agg.* **1** popolare, tradizionale **2** caratteristico, pittoresco, suggestivo; bizzarro, curioso, originale.

folgorànte *agg.* **1** abbagliante, sfavillante **2** ♧ (*di passione e sim.*) intenso, prorompente, travolgente; (*di bellezza*) abbagliante, radioso.

folgoràre *v.tr.* **1** (*di fulmine, di scarica elettrica*) fulminare **2** ♧ (*con lo sguardo e sim.*) fulminare, raggelare.

folgorazióne *s.f.* **1** fulminazione **2** ♧ intuizione, illuminazione, ispirazione.

fólgore *s.f.* fulmine, lampo, saetta.

folk *agg.invar.* (*ingl.*) popolare ♦ *s.m.invar.* musica popolare.

fólla, **fòlla** *s.f.* **1** calca, marea, massa, moltitudine, schiera, stuolo **2** ♧ (*di pensieri e sim.*) accozzaglia, ridda, turbine, vortice.

fòlle *agg.* **1** matto, pazzo, dissennato, forsennato, irragionevole, squilibrato © saggio, assennato, ragionevole **2** (*di comportamento e sim.*) sconsiderato, irragionevole, insensato, scriteriato © ragionevole, saggio, sensato **3** (*di passione e sim.*) smisurato, immenso, cieco **4** (*di impresa e sim.*) spericolato, rischioso, temerario **5** (*di prezzo e sim.*) esorbitante, esoso, pazzesco (*colloq.*), da capogiro.

folleggiàre *v.intr.* darsi alla pazza gioia, fare follie, divertirsi, godersela, spassarsela.

follìa *s.f.* **1** pazzia, insania, demenza (*psic.*) **2** avventatezza, insensatezza, sconsideratezza; (*di azione*) assurdità, pazzia, sciocchezza **3** ♧ stranezza, stramberia, stravaganza, eccentricità.

fólto *agg.* **1** fitto, spesso © rado, raro; diradato **2** (*di pubblico e sim.*) numeroso, grande, fitto, nutrito © piccolo, scarso, esiguo ♦ *s.m.* (*del bosco e sim.*) mezzo, centro, cuore.

fomentàre *v.tr.* aizzare, istigare, sobillare; provocare, suscitare © placare, mitigare, spegnere.

fòn *s.m.invar.* asciugacapelli.

fondàle *s.m.* **1** (*del mare e sim.*) fondo © superficie **2** (*teatr.*) sfondo; scena, scenario.

fondamentàle *agg.* centrale, principale, essenziale, basilare, nodale, imprescindibile, sostanziale © secondario, accessorio, complementare, marginale.

fondamentalìsmo *s.m.* integralismo, estremismo; intolleranza © tolleranza, rispetto.
fondamentalìsta *agg., s.m.f.* integralista, estremista.
fondaménto *s.m.* **1** (*di edifici*) base, basamento, fondazione **2** (*di una teoria e sim.*) base, caposaldo, nozione, nucleo **3** (*di notizia, di ipotesi ecc.*) attendibilità, credibilità, fondatezza, validità © infondatezza, inattendibilità.
fondàre *v.tr.* **1** (*una città, un edificio ecc.*) costruire, erigere, edificare © abbattere, distruggere, demolire **2** ♧ (*un partito e sim.*) creare, costituire, istituire, promuovere © sciogliere, chiudere, abolire, sopprimere **3** ♧ (*un'accusa, una teoria ecc.*) appoggiare, basare, costruire, imperniare, incentrare ♦ **fondarsi** *v.pr.* basarsi, imperniarsi, incentrarsi, poggiare.
fondatézza *s.f.* attendibilità, validità © infondatezza.
fondàto *agg.* attendibile, credibile, giustificato, legittimo, motivato, plausibile, sensato, valido © infondato, illegittimo, ingiustificato, immotivato, ipotetico.
fondatóre *s.m.* creatore, iniziatore, promotore; ideatore, inventore.
fondazióne *s.f.* **1** creazione, costituzione, costruzione, istituzione © distruzione, fine, abolizione, demolizione **2** (*al pl.; di edificio*) fondamenta, basamento.
fóndere *v.tr.* **1** (*una materia, un metallo ecc.*) liquefare, sciogliere, squagliare © condensare, addensare, rapprendere, solidificare **2** (*una statua e sim.*) colare **3** ♧ associare, unire, unificare, accorpare, aggregare, consociare © dividere, separare, sciogliere **4** ♧ (*colori, suoni ecc.*) combinare, mescolare, amalgamare, armonizzare © distinguere, separare ♦ *v.intr.* liquefarsi, sciogliersi ♦ **fondersi** *v.pr.* **1** liquefarsi, sciogliersi, squagliarsi © rassodarsi, solidificarsi **2** ♧ associarsi, aggregarsi, consociarsi, incorporarsi, unirsi © separarsi, dividersi, disgregarsi.
fóndo *agg.* **1** profondo **2** (*di bosco e sim.*) fitto, folto, spesso © rado.
fóndo *s.m.* **1** base © cima, estremità, orlo **2** (*del mare e sim.*) fondale © superficie **3** (*di liquido*) deposito, residuo, sedimento; (*dell'olio*) morchia; (*del vino*) feccia **4** ♧ (*di un lavoro, di un impresa ecc.*) fine, termine, compimento, conclusione © inizio, avvio **5** ♧ (*dell'animo*) profondo, intimo **6** terreno, podere, appezzamento **7** (*spec. al pl.*) capitale, disponibilità, risorse **8** (*di un dipinto*) sfondo.
fònico *s.m.* tecnico del suono, sound engineer (*ingl.*).
fónte *s.f.* **1** sorgente, polla **2** ♧ causa, motivo, origine.
football *s.m.invar.* (*ingl.*) calcio.
footing *s.m.invar.* (*ingl.*) corsa, jogging (*ingl.*).
foraggiàre *v.tr.* **1** (*il bestiame*) alimentare, nutrire **2** ♧ (*scherz., spreg.*) finanziare, mantenere, sovvenzionare.
foràre *v.tr.* bucare, perforare © chiudere, otturare.
forbìto *agg.* (*nel parlare, nello scrivere*) elegante, curato, raffinato, ricercato © grossolano, rozzo, sciatto, dozzinale.
fórca *s.f.* **1** forcone **2** patibolo **3** impiccagione.
forènse *agg.* avvocatesco, giudiziario.
forèsta *s.f.* bosco, selva; boscaglia, macchia.
forestàle *agg.* boschivo ♦ *s.m.* guardia forestale, guardaboschi.
forestièro *agg., s.m.* straniero; estero © nazionale, locale, indigeno, nostrano.
forièro *agg.* messaggero, precursore.
fórma *s.f.* **1** aspetto, figura, struttura, configurazione, conformazione, foggia **2** (*al pl.; di una persona*) aspetto, corporatura, conformazione, costituzione, linea **3** genere, qualità, specie, sorta, tipo **4** (*nell'esprimersi, nello scrivere*) stile, veste **5** (*di comportarsi e sim.*) maniera, modo **6** apparenza, esteriorità, facciata © sostanza **7** formalità, esteriorità, etichetta; educazione, buone maniere, galateo **8** (*per dolci*) stampo; (*in fonderia*) modello **9** (*fisica*) condizione, stato.
formàle *agg.* **1** (*di persona, di atteggiamento ecc.*) affettato, artificioso, controllato, studiato © naturale, spontaneo **2** (*di incontro, di promessa ecc.*) ufficiale, solenne, esplicito © amichevole, informale, ufficioso **3** esteriore © sostanziale.
formalità *s.f.* **1** (*spec. al pl.*) procedura, adempimento, iter (*lat.*) **2** etichetta, cerimoniale, forma, galateo, pro forma (*lat.*).
formalizzàre *v.tr.* ufficializzare ♦ **formalizzarsi** *v.pr.* scandalizzarsi, offendersi, stupirsi; fare i complimenti.
formàre *v.tr.* **1** creare, modellare, fare, plasmare **2** ♧ (*una persona*) educare, forgiare **3** (*una famiglia, un partito ecc.*) costituire, creare, fare, istituire, fondare © sciogliere, disfare, disgregare ♦ **formarsi** *v.pr.* **1** crearsi, prodursi, originarsi **2** crescere, svilupparsi.
formatìvo *agg.* educativo, istruttivo © diseducativo.
formàto *s.m.* dimensione, grandezza, misura, taglio.
formazióne *s.f.* **1** creazione, costituzione, costruzione, realizzazione; origine © distruzione,

disfacimento; disgregazione, scioglimento **2** (*di una persona*) educazione, preparazione, crescita, maturazione **3** (*professionale*) addestramento, istruzione, preparazione, tirocinio, training (*ingl.*) **4** (*mil.*) disposizione, schieramento, ordine; (*sport*) squadra, team (*ingl.*).

formicolàre *v.intr.* **1** (*di luogo*) brulicare **2** (*di arto*) intorpidirsi.

formicolìo *s.m.* **1** brulichio **2** (*di arto*) intorpidimento.

formidàbile *agg.* **1** straordinario, incredibile, eccezionale, sbalorditivo © normale, mediocre **2** forte, imponente, potente.

formóso *agg.* florido, pieno, prosperoso, in carne © magro, emaciato, smunto.

fòrmula *s.f.* **1** (*di una dottrina e sim.*) detto, massima, motto **2** (*di un preparato*) ricetta **3** (*di un governo e sim.*) schema, struttura **4** (*mat.*) espressione.

formulàre *v.tr.* esprimere, dire, dichiarare.

formulàrio *s.m.* modulo, modello.

formulazióne *s.f.* enunciazione; esposizione.

fornàio *s.m.* panettiere.

fornèllo *s.m.* cucina; fuoco.

fornicazióne *s.f.* adulterio; tradimento.

fornìre *v.tr.* **1** dotare, munire, corredare; attrezzare, equipaggiare; dare © togliere; negare, rifiutare **2** (*documenti, prove ecc.*) mostrare, esibire, presentare, produrre (*dir.*) © nascondere.

fornitóre *s.m., agg.* negoziante, commerciante; distributore, rifornitore © cliente, acquirente, consumatore.

fornìto *agg.* dotato, munito, provvisto; attrezzato, equipaggiato © privo, sfornito, sprovvisto.

fórno *s.m.* **1** fornace **2** panetteria, panificio.

fóro[1] *s.m.* buco, apertura; fessura, fenditura.

fòro[2] *s.m.* **1** (*nell'antica Roma*) piazza centrale; mercato **2** (*dir.*) tribunale.

forsennàto *agg.* (*di ritmo, di vita ecc.*) agitato, convulso, febbrile, frenetico, folle (*colloq.*) ♦ *agg., s.m.* (*di persona*) folle, pazzo, squilibrato; indemoniato, scalmanato.

fòrte *agg.* **1** robusto, vigoroso, prestante, aitante © debole, delicato **2** (*in una materia*) bravo, capace, ferrato © debole, incapace **3** (*di esercito, di nazione ecc.*) potente, influente © debole **4** (*di colpo, di pugno ecc.*) energico, potente, violento © debole, leggero **5** (*di materiale*) robusto, resistente, solido **6** (*di carattere e sim.*) fermo, deciso, determinato, energico, risoluto © debole, indeciso, arrendevole **7** (*di sentimento*) intenso, profondo, grande © debole, moderato **8** (*di somma, di guadagno ecc.*) considerevole, consistente, grande, notevole, ragguardevole © piccolo, insignificante **9** (*di dolore*) acuto, intenso, lancinante, straziante © debole, lieve **10** (*di luce, di colore*) vivo, acceso, violento © debole, tenue, fioco **11** (*di frase, di parola*) duro, offensivo, pesante, provocatorio, pungente © deferente, riguardoso, rispettoso ♦ *s.m.* **1** coraggioso, prode, valoroso © debole, vigliacco, vile, pusillanime **2** © debole, punto debole, tallone d'Achille **3** acido, agro **4** fortificazione, fortezza, piazzaforte, roccaforte; fortino.

fortézza *s.f.* **1** forza © debolezza **2** forte, fortino, fortificazione.

fortificàre *v.tr.* **1** rafforzare, corroborare, irrobustire, rinforzare, temprare © indebolire, debilitare **2** (*mil.*) guarnire; trincerare © sguarnire.

fortificazióne *s.f.* **1** rafforzamento, potenziamento © indebolimento **2** forte, fortino, fortezza.

fortùito *agg.* casuale, accidentale, occasionale; imprevisto, inaspettato © previsto, prestabilito, voluto.

fortùna *s.f.* **1** sorte, destino, caso, fato **2** buona sorte, buona stella, sedere (*colloq.*), culo (*volg.*) © sfortuna, cattiva sorte, iella (*colloq.*), sculo (*volg.*), sfiga (*colloq.*) **3** ricchezza, patrimonio **4** (*di un autore, di un'opera ecc.*) successo, fama © fiasco, insuccesso.

fortunàto *agg.* **1** beato, felice, privilegiato © sfortunato, disgraziato, iellato (*colloq.*), infelice, sfigato (*colloq.*), sventurato **2** (*di impresa, di epoca ecc.*) felice, roseo, prospero, propizio © sfortunato, infelice, avverso **3** (*di incontro e sim.*) felice, favorevole, utile, vantaggioso © infelice, sfavorevole, svantaggioso.

fortunóso *agg.* (*di viaggio, di evento ecc.*) avventuroso, travagliato; burrascoso, tempestoso.

forùncolo *s.m.* brufolo, pustola, bolla (*colloq.*).

fòrza *s.f.* **1** vigore, energia, potenza © debolezza, fragilità **2** (*d'animo*) fermezza, decisione, energia, determinazione, ostinazione © debolezza, incertezza, indecisione **3** (*intellettuale*) vigore, acutezza, vitalità **4** coraggio, animo, valore © vigliaccheria, paura **5** (*al pl.*) doti, mezzi, qualità **6** (*della natura, del vento ecc.*) intensità, impeto, potenza, energia **7** violenza, prepotenza, brutalità **8** (*di un rimedio e sim.*) potere, efficacia, validità **9** (*spec. al pl.*) truppe, schiere, schieramento; esercito.

forzàre *v.tr.* **1** premere, pressare, spingere **2** (*una serratura*) manomettere, scassinare **3** (*la voce*) sforzare; (*il passo*) accelerare **4** (*una persona*) costringere, obbligare, spingere, sforzare.

forzàto *agg.* **1** (*di sorriso e sim.*) falso, affettato, innaturale © naturale, spontaneo **2** (*di assenza e sim.*) involontario © voluto, intenzionale **3**

(*di discorso e sim.*) stiracchiato, contorto, stentato © naturale, semplice, disinvolto.

foschìa *s.f.* caligine.

fósco *agg.* **1** buio, cupo, scuro © chiaro, luminoso **2** ♧ (*di sguardo e sim.*) cupo, tetro, minaccioso, torvo © sereno.

fosforescènte *agg.* luminoso, luminescente, scintillante, splendente.

fosforescènza *s.f.* luminosità.

fòssa *s.f.* **1** fosso; cavità, buca **2** tomba **3** (*anat.*) cavità, seno.

fossàto *s.m.* canale, fossa, fosso.

fossilizzàrsi *v.pr.* ♧ cristallizzarsi, sclerotizzarsi, fissarsi, irrigidirsi © evolversi, rinnovarsi, progredire.

fòsso *s.m.* canale, fossato; buca, fossa.

fotocòpia *s.f.* **1** copia fotostatica **2** ♧ copia, doppione, clone (*scherz.*), fotografia, sosia.

fotografàre *v.tr.* **1** riprendere, ritrarre, immortalare (*scherz.*) **2** ♧ descrivere, rappresentare.

fotografìa *s.f.* **1** foto, immagine, ritratto, riproduzione **2** ♧ descrizione, rappresentazione.

fotogràfico *agg.* (*di descrizione e sim.*) fedele, identico; esatto, minuzioso, preciso; (*di memoria*) visivo.

fóttere *v.tr.* (*volg.*) **1** possedere, scopare (*volg.*), trombare (*volg.*) **2** ♧ imbrogliare, ingannare, truffare, fregare (*colloq.*) **3** rubare, sottrarre, grattare (*colloq.*) ♦ **fottersene** *v.pr.* infischiarsene, fregarsene (*colloq.*), sbattersene (*colloq.*).

fottùto *agg.* (*colloq.*) **1** ♧ imbrogliato, ingannato, fregato (*colloq.*) **2** spacciato, rovinato © salvo **3** ♧ maledetto, dannato, schifoso.

foulard *s.m.invar.* (*fr.*) fazzoletto.

fracassàre *v.tr.* **1** rompere, frantumare, spezzare **2** ♧ (*una persona*) fare a pezzi; pestare, legnare, malmenare.

fracàsso *s.m.* **1** baccano, chiasso, frastuono, putiferio © silenzio **2** (*colloq.*) massa, fiume, mare, mucchio, sacco, casino (*colloq.*).

fràdicio *agg.* **1** marcio, avariato, deteriorato © fresco, sano, integro **2** bagnato, inzuppato, intriso, zuppo © asciutto.

fràgile *agg.* **1** delicato; frangibile, friabile, spezzabile © robusto, resistente, infrangibile **2** ♧ (*di salute e sim.*) debole, delicato, cagionevole © forte, robusto **3** ♧ (*di carattere, di volontà ecc.*) debole, arrendevole, insicuro, instabile, vacillante © forte, fermo, sicuro **4** ♧ (*di speranza, di sentimento ecc.*) effimero, passeggero, fugace, fievole, precario, tenue © durevole, duraturo, stabile.

fragilità *s.f.* **1** (*di un oggetto e sim.*) delicatezza, debolezza, frangibilità © forza, resistenza, robustezza, solidità, infrangibilità, indistruttibilità **2** ♧ (*di persona, di salute ecc.*) delicatezza, debolezza, gracilità © forza, salute, robustezza **3** ♧ (*di speranza, di sentimento ecc.*) debolezza, caducità, fugacità © forza, potenza, durevolezza, saldezza, stabilità **4** ♧ (*di una tesi, di un'accusa ecc.*) inconsistenza, infondatezza, debolezza © fondatezza, solidità.

fragóre *s.m.* frastuono, boato, rumore.

fragoróso *agg.* rumoroso, assordante, rimbombante © silenzioso.

fragrànte *agg.* odoroso, profumato © puzzolente, maleodorante.

fragrànza *s.f.* profumo, aroma © puzzo, tanfo.

fraintèndere *v.tr.* equivocare, travisare; distorcere; sbagliarsi © capire, comprendere, intendere.

fraintendiménto *s.m.* equivoco, malinteso, qui pro quo; travisamento.

frammentàre *v.tr.* frantumare, spezzettare.

frammentàrio *agg.* **1** incompleto, lacunoso © completo, intero **2** ♧ (*di discorso e sim.*) discontinuo, disorganico, incoerente, sconclusionato © articolato, organico, coerente.

framménto *s.m.* **1** pezzo, scheggia, scaglia, briciola, coccio **2** (*di opera letteraria*) brano, passo, stralcio, parte.

frammìsto *agg.* mescolato, misto, mischiato.

fràna *s.f.* **1** smottamento **2** ♧ rovina, crollo, fallimento © riuscita, successo **3** ♧(*scherz.*) incapace, imbranato, buono a nulla, disastro (*colloq.*).

franàre *v.intr.* **1** smottare **2** ♧ (*di speranze e sim.*) crollare, sfumare, svanire © compiersi, realizzarsi.

franchézza *s.f.* sincerità, schiettezza, lealtà, chiarezza © ipocrisia, ambiguità, falsità.

frànco *agg.* **1** chiaro, onesto, schietto, sincero, leale © ambiguo, falso, ipocrita **2** (*da obblighi tasse ecc.*) libero, dispensato, esente © assoggettato, soggetto.

francobóllo *s.m.* affrancaura, bollo (*colloq.*).

frangènte *s.m.* **1** ondata, cavallone **2** ♧ momento, caso, circostanza, contingenza, situazione.

fràngia *s.f.* **1** frangiatura IPERON. guarnizione **2** frangetta **3** ♧ (*in politica*) gruppo, ala, fazione.

frantóio *s.m.* macina; torchio.

frantumàre *v.tr.* **1** fare a pezzi, sbriciolare, spezzettare, rompere **2** ♧ (*sogni, speranze ecc.*) infrangere, spezzare, mandare in frantumi; (*una teoria e sim.*) confutare, distruggere, smontare.

frantumazióne *s.f.* frammentazione, disgregazione, spezzettamento.

frantùme *s.m.* (*spec. al pl.*) pezzo, frammento, coccio, scheggia, briciola.

frappé *s.m.invar.* (*fr.*) frullato.
frappórre *v.tr.* frammezzare, interporre, inserire ♦ **frapporsi** *v.pr.* interporsi, intromettersi, mettersi in mezzo.
fràse *s.f.* **1** (*gramm.*) proposizione **2** espressione, locuzione, modo di dire.
frastagliàto *agg.* **1** dentellato, seghettato, tagliuzzato **2** irregolare, discontinuo.
frastornàre *v.tr.* confondere, disorientare, assordare, rincretinire (*colloq.*), stordire.
frastornato *agg.* confuso, disorientato, rintronato (*colloq.*), stordito.
frastuòno *s.m.* baccano, fracasso, fragore, strepito, trambusto © silenzio, calma, pace.
fràte *s.m.* monaco; fratello, padre.
fratellànza *s.f.* affetto, amicizia, fraternità, solidarietà © inimicizia, ostilità.
fratèllo *s.m.* **1** (*elev.*) frate, germano IPON. gemello **2** ♧ amico, compagno © avversario, nemico **3** (*nel cristianesimo*) prossimo **4** (*di confraternita*) confratello; (*di setta e sim.*) affiliato.
fraternità *s.f.* affetto, amicizia, fratellanza, solidarietà © inimicizia, ostilità.
fraternizzàre *v.intr.* legare, familiarizzare, simpatizzare, solidarizzare.
fratèrno *agg.* amichevole, amorevole, affettuoso, benevolo, sincero, solidale © nemico, ostile; freddo, distaccato.
fratricìda *agg.* (*di lotta, di guerra*) civile, interno, intestino.
frattùra *s.f.* **1** rottura, spaccatura, crepa, fenditura, incrinatura, lesione **2** ♧ (*tra persone, nei rapporti ecc.*) rottura, crisi, separazione, strappo, spaccatura; disaccordo, dissenso © continuazione, proseguimento; accordo, armonia, consenso.
fraudolènto *agg.* **1** falso, disonesto, ingannevole, sleale © leale, onesto, sincero **2** (*dir.*) doloso © in buona fede.
frazionaménto *s.m.* divisione, suddivisione; (*di terreno*) lottizzazione, parcellizzazione © unione, accorpamento.
frazionàre *v.tr.* dividere, spartire, suddividere, segmentare, spezzettare; (*un terreno*) lottizzare, parcellizzare © riunire, unire, fondere, unificare, accorpare.
frazióne *s.f.* **1** parte, porzione, pezzo, sezione, quota © intero, tutto **2** borgo, borgata.
fréccia *s.f.* **1** (*elev.*) dardo, saetta **2** (*di una bussola e sim.*) ago, lancetta **3** ♧ (*di persona*) fulmine, lampo, razzo, bolide, scheggia (*colloq.*) **4** (*autom.*) indicatore di direzione.
frecciàta *s.f.* ♧ battuta, botta, stoccata.
freddàre *v.tr.* **1** raffreddare © riscaldare, scaldare **2** ammazzare, uccidere; ♧ (*con uno sguardo*) bloccare, intimorire, fulminare **3** (*un sentimento e sim.*) gelare, smorzare.
freddézza *s.f.* **1** freddo, gelo © caldo, calore **2** ♧ distacco, disinteresse, indifferenza © calore, cordialità **3** controllo, calma, autocontrollo, impassibilità, self-control (*ingl.*) © agitazione, emotività, impulsività **4** cinismo.
fréddo *agg.* **1** gelato, gelido; (*di clima*) rigido © caldo, tiepido, infuocato, rovente **2** ♧ indifferente, distaccato, impassibile, insensibile, duro © caldo, caloroso, sensibile, passionale ♦ *s.m.* gelo, freddezza, rigidità © caldo, calore, calura.
freddùra *s.f.* battuta di spirito, spiritosaggine.
freezer *s.m.invar.* (*ingl.*) congelatore.
fregàre *v.tr.* **1** (*una superficie*) strofinare, sfregare **2** ♧ (*colloq.*) imbrogliare, raggirare, truffare; rubare; (*a un esame*) bocciare ♦ **fregarsene** *v.pr.* infischiarsene (*colloq.*), disinteressarsi.
fregatùra *s.f.* imbroglio, inganno, bidone (*colloq.*), inculata (*volg.*), raggiro.
fregiàre *v.tr.* **1** ornare, decorare, abbellire, guarnire **2** (*di un titolo*) decorare, insignire ♦ **fregiarsi** *v.pr.* gloriarsi, vantarsi.
frégio *s.m.* abbellimento, decorazione, guarnizione, ornamento.
frégola *s.f.* **1** (*di animali*) calore **2** ♧ voglia, desiderio, frenesia, smania.
fremènte *agg.* **1** impaziente, nervoso, ansioso, smanioso © calmo, controllato **2** (*di desiderio*) ardente, appassionato, palpitante, vibrante.
frèmere *v.intr.* (*di rabbia, di sdegno ecc.*) ribollire, tremare, vibrare; agitarsi, spazientirsi © calmarsi, controllarsi.
frèmito *s.m.* palpito, sussulto, brivido, tremore.
frenàre *v.tr.* **1** fermare, bloccare © avviare, accelerare **2** ♧ scoraggiare, boicottare, ostacolare, © favorire, incentivare, promuovere ♦ *v.intr.* rallentare, decelerare © accelerare **3** ♧ (*un sentimento e sim.*) bloccare, trattenere, controllare, reprimere, soffocare, inibire © sfogare, scatenare ♦ **frenarsi** *v.pr.* **1** fermarsi, rallentare © accelerare **2** ♧ controllarsi, limitarsi, dominarsi, reprimersi © lasciarsi andare, liberarsi, scatenarsi.
frenàta *s.f.* rallentamento; arresto © accelerazione.
frenesìa *s.f.* **1** eccitazione, esaltazione **2** ♧ desiderio, smania.
frenètico *agg.* **1** folle, pazzo, esaltato, delirante © assennato **2** ♧ (*di ritmo, di danza ecc.*) convulso, febbrile, sfrenato, travolgente © calmo, lento **3** ♧ (*di applausi e sim.*) entusiasta, appassionato, esaltato © calmo, misurato.

fréno *s.m.* **1** (*del cavallo*) morso **2** (*di veicolo*) blocco **3** ♧ confine, limite, controllo, disciplina.
frequentàre *v.tr.* **1** (*un luogo*) andare, visitare; bazzicare (*colloq.*) © evitare, disertare **2** (*lezioni, corsi ecc.*) seguire **3** (*persone*) praticare, vedere © evitare.
frequentatóre *s.m.* assiduo, habitué (*fr.*), aficionado (*sp.*); cliente, avventore.
frequènte *agg.* **1** continuo, costante, ripetuto, ricorrente © raro, eccezionale, episodico, occasionale **2** abituale, consueto, solito © insolito, inconsueto, raro.
frequènza *s.f.* **1** ripetizione, iterazione, ripetitività © occasionalità, sporadicità **2** (*a lezioni e sim.*) partecipazione, assiduità © assenza.
freschézza *s.f.* **1** fresco, frescura, refrigerio © caldo, calura, afa **2** (*di aspetto e sim.*) floridezza, salute © avvizzimento, decadimento **3** (*di stile e sim.*) immediatezza, naturalezza, spontaneità; brio, vivacità © artificiosità, affettazione, ricercatezza.
frésco *agg.* **1** (*di aria, di bevanda ecc.*) rinfrescante, refrigerante © caldo **2** (*di luogo*) ombreggiato, ombroso, ventilato © caldo, afoso **3** (*di cibo*) di giornata © vecchio, marcio, stantio; conservato, stagionato **4** (*di notizia e sim.*) nuovo, recente © vecchio, passato **5** ♧ (*di aspetto*) fiorente, florido, giovanile © appassito, sfiorito **6** (*di fisico, di mente ecc.*) in forma, riposato © stanco, affaticato **7** (*di stile*) immediato, naturale; brioso, vivace; moderno © artificioso; antiquato, sorpassato ♦ *s.m.* freschezza, frescura, refrigerio © caldo, calura, afa.
frescùra *s.f.* fresco, refrigerio © calura, caldo.
frétta *s.f.* **1** premura, urgenza; furia, foga, precipitazione © calma, tranquillità, comodo **2** rapidità, velocità, prontezza © calma, tranquillità, lentezza.
frettolóso *agg.* **1** rapido, svelto, precipitoso © calmo, lento **2** affrettato, sbrigativo, impreciso, approssimativo © accurato, preciso.
frìggere *v.tr.* IPON. soffriggere, rosolare ♦ *v.intr.* ♧ (*di persona*) fremere, scalpitare, smaniare.
frìgido *agg.* ♧ freddo, distaccato, indifferente © appassionato, ardente, caloroso, focoso.
frigorìfero *agg.* (*di impianto e sim.*) refrigerante © calorifico ♦ *s.m.* frigo, frigidaire (*fr.*); ghiacciaia.
frittàta *s.f.* **1** omelette (*fr.*) **2** ♧ disastro, danno, guaio, pasticcio, casino (*colloq.*).
frittèlla *s.f.* ♧ (*colloq.*) macchia, chiazza.
frìtto *agg.* ♧ (*colloq.*) finito, rovinato, fottuto (*colloq.*), spacciato © salvo ♦ *s.m.* frittura.
frivolézza *s.f.* **1** leggerezza, futilità © profondità, serietà **2** sciocchezza, bazzecola, inezia, piccolezza.
frìvolo *agg.* futile, leggero, superficiale, fatuo © profondo, serio.
frizionàre *v.tr.* strofinare, massaggiare.
frizióne *s.f.* **1** massaggio **2** attrito, sfregamento **3** ♧ contrasto, dissenso, dissidio, tensione © accordo, armonia, intesa.
frizzànte *agg.* **1** (*di bevanda*) effervescente, gassato, spumeggiante © naturale, liscio **2** ♧ (*di aria, di vento*) pungente, fresco **3** ♧ (*di battuta, di persona ecc.*) arguto, vivace, spiritoso; mordace, pungente.
frizzàre *v.intr.* **1** (*di bevanda*) pizzicare, spumeggiare **2** (*di alcol sulla pelle e sim.*) bruciare, pizzicare, pungere.
frodàre *v.tr.* **1** imbrogliare, truffare **2** rubare, sottrarre, fregare (*colloq.*).
fròde *s.f.* imbroglio, truffa; furto.
frónda[1] *s.f.* **1** frasca, ramoscello **2** (*al pl.*) chioma, fogliame.
frónda[2] *s.f.* ribellione, opposizione, contrasto, dissenso, disaccordo.
frondóso *agg.* **1** (*di pianta*) rigoglioso, florido, lussureggiante © nudo, spoglio **2** ♧ (*di discorso e sim.*) ampolloso, ridondante © sobrio.
frontàle *agg.* anteriore, davanti © dietro, posteriore.
frónte *s.f.* (*di un edificio e sim.*) facciata, davanti © dietro, retro ♦ *s.m.* **1** (*mil.*) prima linea © retrovie, retroguardia **2** partito, coalizione.
fronteggiàre *v.tr.* **1** affrontare, fare fronte, opporsi, resistere © arrendersi, cedere **2** guardare, essere rivolto ♦ **fronteggiarsi** *v.pr.* affrontarsi, scontrarsi, battersi.
frontièra *s.f.* confine, limite.
frónzolo *s.m.* (*spec. al pl.*) abbellimento, guarnizione, ornamento, orpello.
fròtta *s.f.* esercito, folla, massa, moltitudine, nugolo, orda, schiera.
fròttola *s.f.* bugia, fandonia, menzogna, palla (*colloq.*), balla (*colloq.*).
frugàle *agg.* **1** (*di persona*) moderato, morigerato, parco, sobrio © smodato, sregolato, intemperante **2** (*di cena, di pasto*) semplice, modesto, povero, spartano © ricco, abbondante.
frugalità *s.f.* misura, moderazione, morigeratezza, parsimonia, semplicità, sobrietà, temperanza © smodatezza, sregolatezza, intemperanza.
frugàre *v.tr.* e *intr.* **1** cercare, rovistare; curiosare **2** perquisire.
fruìre *v.intr.* usufruire, beneficiare, godere; avvalersi, disporre.
fruitóre *s.m.* utente, consumatore.

fruizióne *s.f.* **1** uso, godimento **2** (*della letteratura, del teatro ecc.*) accesso, godibilità.
frullàre *v.tr.* (*le uova*) agitare, sbattere; (*verdure*) centrifugare ♦ *v.intr.* **1** (*di ali*) frusciare, sbattere **2** (*di trottola e sim.*) girare, roteare **3** ♧ (*di pensiero, di idea ecc.*) agitarsi, mulinare, turbinare, passare.
frullàto *s.m.* frappé (*fr.*).
frullatóre *s.m.* frullino, mixer (*ingl.*).
frusciàre *v.intr.* (*di foglie*) stormire.
fruscìo *s.m.* brusio, mormorio, soffio, sussurrio.
frùsta *s.f.* sferza, scudiscio, flagello.
frustàre *v.tr.* sferzare, scudisciare, flagellare.
frustàta *s.f.* **1** sferzata, scudisciata **2** ♧ stimolo, incoraggiamento, incitamento.
frùsto *agg.* **1** (*di abito e sim.*) consumato, logoro **2** ♧ (*di argomento, di battuta ecc.*) antiquato, superato, risaputo, arcinoto, fritto e rifritto (*colloq.*).
frustràre *v.tr.* **1** (*sogni, speranze ecc.*) deludere, vanificare, tradire © appagare, realizzare **2** (*una persona*) deprimere, avvilire, demoralizzare © gratificare.
frustràto *s.m.* insoddisfatto, deluso, scontento © soddisfatto, contento, gratificato.
frustrazióne *s.f.* **1** insoddisfazione, delusione, avvilimento © soddisfazione, appagamento **2** (*psic.*) depressione, abbattimento, avvilimento © gratificazione.
fruttàre *v.tr.* **1** produrre, rendere **2** ♧ procurare, apportare.
fruttìfero *agg.* **1** (*di terra, di albero ecc.*) fecondo, fertile, fruttuoso © sterile, infecondo **2** ♧ (*di bene, di capitale ecc.*) redditizio, vantaggioso © improduttivo, infruttuoso.
frùtto *s.m.* **1** (*della terra*) prodotto, raccolto **2** ♧ (*di capitale, di investimento ecc.*) utile, interesse, guadagno, profitto, rendita **3** ♧ effetto, conseguenza, risultato.
fruttuóso *agg.* **1** (*di investimento e sim.*) proficuo, redditizio, vantaggioso © infruttuoso, improduttivo **2** (*di tentativo e sim.*) efficace, proficuo © inutile, vano.
fucilàre *v.tr.* mettere al muro.
fucilàta *s.f.* schioppettata.
fucìle *s.m.* schioppo.
fucìna *s.f.* **1** forgia; officina **2** ♧ (*di idee e sim.*) officina, crogiolo, fabbrica, vivaio.
fùga *s.f.* **1** fuggifuggi; (*di esercito*) ritirata; (*dal carcere*) evasione **2** (*di liquido, di gas*) perdita, uscita, dispersione; emanazione, esalazione **3** (*di capitali*) trasferimento **4** (*di cervelli*) emigrazione **5** (*dalla realtà e sim.*) evasione.
fugàce *agg.* fuggevole, effimero, momentaneo, passeggero, breve, transitorio © duraturo, eterno, infinito, perenne, perpetuo, saldo, stabile.
fugacità *s.f.* brevità, caducità, labilità, provvisorietà, transitorietà © durevolezza, stabilità.
fugàre *v.tr.* disperdere, dissipare, scacciare, allontanare © suscitare, attirare.
fuggévole *agg.* breve, fugace, effimero, passeggero © durevole, duraturo, stabile.
fuggiàsco *agg.*, *s.m.* fuggitivo, latitante; esule, fuoriuscito, profugo.
fuggifùggi *s.m.invar.* fuga.
fuggìre *v.intr.* **1** scappare; (*colloq.*) filare, darsela a gambe, squagliarsela, tagliare la corda; (*dal carcere*) evadere; (*dall'esercito*) disertare © ritornare, tornare **2** rifugiarsi **3** ♧ (*del tempo e sim.*) passare, scorrere, trascorrere, volare ♦ *v.tr.* (*un pericolo, una responsabilità ecc.*) evitare, schivare, scansare © cercare, ricercare.
fuggitìvo *agg.*, *s.m.* fuggiasco, latitante; esule, fuoriuscito, profugo.
fùlcro *s.m.* ♧ (*di un discorso e sim.*) base, cardine, centro, fondamento, nodo, nucleo.
fùlgido *agg.* **1** brillante, luminoso, splendente, radioso **2** (*di intelligenza e sim.*) eccezionale, magnifico, straordinario, sublime.
fulìggine *s.f.* nerofumo; caligine (*region.*).
fuligginóso *agg.* scuro, nerastro; nebbioso.
full time *agg.invar.*, *s.m.invar.* (*ingl.*) tempo pieno © part time, tempo parziale.
fulminànte *agg.* **1** folgorante **2** ♧ (*di sguardo e sim.*) raggelante, penetrante **3** (*di malattia e sim.*) improvviso, rapido; mortale, letale.
fulminàre *v.tr.* **1** (*di scarica elettrica*) folgorare **2** ♧ (*con lo sguardo*) gelare, folgorare, paralizzare, impietrire **3** ammazzare, uccidere; stendere, atterrare ♦ *v.intr.impers.* balenare, lampeggiare ♦ **fulminarsi** *v.pr.* (*di lampadina*) saltare, bruciarsi.
fùlmine *s.m.* **1** folgore, saetta **2** ♧ freccia, lampo, scheggia (*colloq.*), bolide **3** ♧ disgrazia, sciagura, sventura.
fulmìneo *agg.* **1** repentino, istantaneo **2** ♧ (*di sguardo e sim.*) fulminante, folgorante.
fumatóre *s.m.* tabagista © non fumatore.
fumétto *s.m.* **1** (*spec. al pl.*) striscia, cartoon (*ingl.*), comic strip (*ingl.*); giornalino, giornaletto **2** nuvoletta, vignetta.
fùmo *s.m.* **1** esalazione, vapore; smog; scarico; (*di un locale*) fumosità **2** ♧ (*al pl.*) annebbiamento, offuscamento **3** (*gerg.*) hascisc **4** ♧ apparenza, esteriorità © sostanza.
fumóso *agg.* **1** caliginoso, nebbioso **2** ♧ (*di discorso e sim.*) confuso, contorto, oscuro, vago, nebuloso © chiaro, comprensibile **3** ♧ (*di proposta e sim.*) vago, inconsistente © chiaro.

funambolésco *agg.* **1** acrobatico **2** ♧ spregiudicato; camaleontico.
funàmbolo *s.m.* **1** acrobata, equilibrista **2** ♧ (*in politica*) opportunista, trasformista.
fùne *s.f.* corda, cavo, cordone.
fùnebre *agg.* **1** funerario, mortuario **2** ♧ triste, cupo, lugubre, funereo © allegro, lieto.
funeràle *s.m.* esequie, onoranze funebri, corteo funebre.
funeràrio *agg.* funebre, mortuario.
funèreo *agg.* triste, cupo, lugubre.
funestàre *v.tr.* colpire, affliggere, tormentare.
funèsto *agg.* **1** (*di guerra, di epidemia ecc.*) letale, mortale, fatale, catastrofico, disastroso © favorevole, propizio **2** (*di periodo, di evento ecc.*) infausto, doloroso, luttuoso, sciagurato, triste © felice, lieto.
fùngere *v.intr.* (*di persona*) fare; (*di cosa*) servire, funzionare.
fùngo *s.m.* **1** IPON. porcino, gallinaccio, ovolo, prataiolo, chiodino, finferlo, champignon (*fr.*) **2** (*bot.*) micete **3** (*della pelle*) micosi (*med.*).
funzionàle *agg.* pratico, razionale, efficiente © inefficiente, irrazionale.
funzionalità *s.f.* praticità, razionalità, efficienza, © irrazionalità, inefficienza.
funzionàre *v.intr.* andare, camminare, marciare © bloccarsi, fermarsi.
funzionàrio *s.m.* dirigente, quadro.
funzióne *s.f.* **1** attività, carica, compito, incarico, mansione, ruolo **2** (*di macchina e sim.*) azione, funzionamento, meccanismo **3** (*relig.*) cerimonia, rito **4** (*biol.*) attività.
fuòco *s.m.* **1** fiamma; incendio **2** focolare, camino; fiamma, fornello **3** ♧ (*di sentimenti*) ardore, entusiasmo, eccitazione, passione, vivacità © freddezza, gelo, indifferenza **4** (*di arma da fuoco*) sparo.
fuoriclàsse *s.m.f.invar.*, *agg.* asso, campione, fenomeno © schiappa (*colloq.*).
fuorilégge *s.m.f.invar.* bandito, criminale, delinquente.
fuoristràda *s.m.f.invar.* jeep (*ingl.*); pick-up (*ingl.*); SUV.
fuoriuscìre *v.intr.* uscire, colare, sgorgare, traboccare; (*di gas*) esalare © entrare, affluire.
fuoriuscìto *s.m.* esule, profugo, rifugiato.
fuorviàre *v.tr.* **1** depistare, deviare, dirottare, mettere fuori strada, sviare © instradare, indirizzare **2** corrompere, traviare.
fùrbo *agg.* abile, accorto, sveglio, dritto (*colloq.*) © sciocco, tonto, ingenuo, sprovveduto.
furènte *agg.* furibondo, infuriato, furioso, arrabbiato, imbestialito © calmo, sereno.
furfànte *s.m.f.* delinquente, criminale, farabutto, imbroglione, canaglia © onesto, onestuomo, galantuomo.
furgóne *s.m.* camioncino, furgonato; (*di polizia*) cellulare.
fùria *s.f.* **1** furore, rabbia, ira, collera © calma, tranquillità **2** (*di passioni e sim.*) foga, forza, impeto, violenza © calma, freddezza **3** fretta, premura, smania, urgenza © calma, lentezza **4** ♧ (*di persona*) ciclone, tornado.
furibóndo *agg.* furioso, furente, arrabbiato, imbestialito, incazzato (*volg.*); impetuoso, violento © calmo, tranquillo.
furióso *agg.* **1** furibondo, furente, imbestialito, arrabbiato, incazzato (*volg.*) © calmo, tranquillo **2** (*di litigio, di tempesta ecc.*) violento, intenso, impetuoso **3** frettoloso, precipitoso, frenetico © lento, flemmatico.
furóre *s.m.* **1** furia, collera, rabbia, ira © calma **2** impeto, violenza, foga ardore © calma, freddezza.
furoreggiàre *v.intr.* trionfare, far furore.
furtìvo *agg.* nascosto, occulto, segreto, clandestino; cauto, circospetto © aperto, manifesto.
fùrto *s.m.* ladreria, ruberia, sottrazione, trafugamento, colpo (*gerg.*); (*di idee e sim.*) plagio, pirateria.
fusióne *s.f.* **1** liquefazione © solidificazione **2** (*di metalli*) colata, gettata **3** (*di aziende, di partiti ecc.*) associazione, unione, unificazione, incorporazione © divisione, separazione **4** ♧ (*di colori, di suoni ecc.*) accordo, armonia.
fustigàre *v.tr.* **1** frustare, sferzare **2** ♧ criticare, condannare, censurare © approvare, lodare.
fùsto *s.m.* **1** (*di fiore*) stelo, gambo; (*di albero*) tronco **2** (*di corpo umano*) petto, busto, tronco, torace **3** (*colloq.*) adone, atleta, fico (*gerg.*), marcantonio **4** (*di birra, di benzina*) bidone, barile, botte, tanica.
fùtile *agg.* inconsistente, inutile, leggero, vano, vuoto, insulso, fatuo, frivolo, mondano © importante, serio.
futilità *s.f.* **1** frivolezza, leggerezza, fatuità, inconsistenza, vanità © importanza, profondità **2** sciocchezza, bazzecola, minuzia, inezia.
futùro *agg.* prossimo, a venire, venturo © passato, scorso, trascorso ♦ *s.m.* avvenire, domani, dopo, poi © passato, ieri; presente, oggi.

g, G

gabbàre *v.tr.* ingannare, imbrogliare, truffare, fregare (*colloq.*); beffare, prendere in giro.

gàbbia *s.f.* **1** (*per uccelli*) uccelliera, voliera; (*per polli*) stia **2** (*per gli imputati*) gabbione **3** ♧ (*colloq.*) carcere, prigione, galera **4** (*edil.*) armatura, intelaiatura.

gabèlla *s.f.* imposta, tassa, dazio.

gabinétto *s.m.* **1** bagno, cesso (*colloq.*), toilette (*fr.*); latrina, ritirata (*nei treni*), vespasiano (*per uomini*); tazza, water closet (*ingl.*), WC **2** (*di un professionista*) studio, ambulatorio **3** (*di fisica, di chimica ecc.*) laboratorio **4** consiglio dei ministri, ministero.

gaffe *s.f.invar.* (*fr.*) figuraccia, brutta figura, figura.

gag *s.f.invar.* (*ingl.*) battuta, trovata, sketch (*ingl.*).

gagliardìa *s.f.* **1** forza, energia, vigore © debolezza, stanchezza, fiacchezza **2** valore, bravura, coraggio, baldanza © vigliaccheria, codardia.

gagliàrdo *agg.* **1** (*di persona*) forte, energico, robusto, possente, vigoroso © debole, esile, gracile; affaticato, stanco **2** audace, coraggioso, valoroso © vigliacco, codardo **3** (*di cosa*) energico, resistente, robusto; (*di intelligenza e sim.*) fervido, pronto, vivace © mediocre, scarso.

gagliòffo *s.m.* farabutto, furfante, delinquente.

gàio *agg.* allegro, festoso, gioioso, contento, ilare © infelice, triste, cupo, mesto, malinconico.

gàla *s.f.* **1** lusso, sfarzo, pompa, ostentazione © semplicità, modestia **2** guarnizione, nastro, fiocco.

galà *s.m.invar.* festa, ricevimento, cerimonia.

galànte *agg.* **1** cortese, gentile, garbato © maleducato, sgarbato **2** (*di avventura e sim.*) amoroso, erotico.

galanterìa *s.f.* **1** cortesia, gentilezza, cavalleria © scortesia, cafonaggine, villania **2** (*di atto, frase ecc.*) complimento, attenzione, gentilezza © sgarbo, offesa.

galantuòmo *s.m.* onestuomo, gentiluomo © disonesto, delinquente, mascalzone.

galatèo *s.m.* educazione, etichetta, bon ton (*fr.*).

galeòtto *s.m.* **1** (*sulle antiche galee*) rematore **2** carcerato, prigioniero, detenuto **IPON.** ergastolano.

galèra *s.f.* carcere, prigione, gattabuia (*colloq.*), penitenziario.

galleggiànte *agg.* fluttuante ♦ *s.m.* **1** **IPON.** boa, gavitello **2** (*nella pesca*) sughero.

galleggiàre *v.intr.* **1** fluttuare, stare a galla © affondare, andare a fondo, colare a picco **2** ♧ destreggiarsi, barcamenarsi.

gallerìa *s.f.* **1** (*di strada, di ferrovia ecc.*) tunnel, traforo **2** (*pedonale*) sottopassaggio **3** (*di miniera e sim.*) cunicolo, condotto **4** (*per opere d'arte*) museo, pinacoteca; esposizione, mostra **5** (*nei teatri, nei cinema*) loggione, piccionaia (*colloq.*) **6** (*arch.*) loggia, loggiato.

gallétta *s.f.* biscotto, cracker (*ingl.*).

gallìna *s.f.* **1** (*giovane*) gallinella; (*con i pulcini*) chioccia **2** ♧ (*spreg.; di donna stupida*) oca, stupida.

gàllo *s.m.* **1** (*giovane*) galletto, pollo, pollastro **2** ♧ (*di uomo*) seduttore, playboy (*ingl.*).

gallonàto *agg.* (*mil.*) decorato.

gallóne *s.m.* **1** nastro, cordone, passamano **2** (*di uniformi militari*) grado, distintivo.

galoppàre *v.intr.* **1** ♧ (*di persona*) trottare; affrettarsi, sbrigarsi **2** ♧ (*di fantasia e sim.*) correre, scatenarsi, spaziare © contenersi.

galoppàta *s.f.* **1** (*di cavallo*) corsa, cavalcata **2** ♧ (*di persona*) faticata, sfacchinata, sgobbata (*colloq.*), trottata (*colloq.*).

galoppatóio *s.m.* maneggio.

galoppìno *s.m.* **1** inserviente, fattorino, factotum **2** (*spreg.*) portaborse.

galvanizzàre *v.tr.* ♧ eccitare, entusiasmare, elettrizzare, infiammare, gasare (*colloq.*) © calmare, frenare, trattenere.

gàmba *s.f.* **1** (*di essere umano*) arto inferiore; (*di animale*) zampa **2** (*di mobile*) piede, zampa **3** (*di lettera d'alfabeto, di nota*) asta.

gàmbo *s.m.* **1** (*di fiore*) stelo; (*di frutto, di foglia*) picciolo **2** ♧ (*di un oggetto*) sostegno, fusto, stelo.

gàmma *s.f.* **1** scala, scala musicale; (*di un suono*) ampiezza, estensione **2** (*di colori*) scala, serie; spettro **3** ♧ (*di oggetti*) scelta, varietà, ventaglio, assortimento.

gàncio *s.m.* **1** arpione, rampino, uncino **2** (*di vestito, di gioiello ecc.*) fermaglio **3** (*nel pugilato*) uncino, crochet (*fr.*), hook (*ingl.*).

gang *s.f.invar.* (*ingl.*) **1** banda, clan, cricca,

associazione per delinquere (*dir.*) **2** (*scherz.*) compagnia, banda, combriccola (*colloq.*).
ganglio *s.m.* **1** nodo, plesso **2** ♧ centro, nodo, fulcro, nucleo.
gangster *s.m.invar.* (*ingl.*) **1** bandito, criminale, delinquente, malvivente **2** ♧ farabutto, mascalzone © gentiluomo, onestuomo.
gànzo *s.m.* (*spreg.*) amante; (*colloq.*) fidanzato, innamorato, filarino ♦ *agg., s.m.* astuto, furbo, dritto (*colloq.*), filone, lenza (*colloq.*).
gap *s.m.invar.* (*ingl.*) (*tecnologico, generazionale ecc.*) scarto, squilibrio, divario, differenza.
gàra *s.f.* **1** competizione, partita, disputa, incontro **2** (*politica, elettorale ecc.*) contrasto, contesa **3** concorso, prova, appalto.
garage *s.m.invar.* (*fr.*) autorimessa, rimessa, box (*singolo*), autosilo (*su molti piani*).
garànte *agg., s.m.f.* responsabile; (*dir.*) IPON. avallante, fideiussore.
garantìre *v.tr.* **1** assicurare, avallare, cauzionare, coprire (*banc.*) **2** ♧ (*i diritti, la salute ecc.*) assicurare, proteggere, salvaguardare, tutelare **3** (*una notizia, la verità ecc.*) confermare, attestare, avallare; promettere ♦ **garantirsi** *v.pr.* assicurarsi, cautelarsi, premunirsi, salvaguardarsi.
garantito *agg.* **1** (*di un prodotto*) certificato, DOC **2** (*di un lavoro, di un risultato ecc.*) sicuro, certo, assicurato © incerto, insicuro.
garanzìa *s.f.* **1** (*in contratti e sim.*) malleveria, fideiussione; (*di una cambiale, di una polizza e sim.*) copertura **2** (*di un prodotto*) certificato attestazione, certificazione **3** ♧ certezza, sicurezza.
garbàre *v.intr.* piacere, andare a genio, gradire, andare (*colloq.*) © dispiacere, spiacere.
garbàto *agg.* cortese, gentile, amabile, educato © sgarbato, scortese, maleducato.
gàrbo *s.m.* **1** cortesia, gentilezza, amabilità, educazione, finezza © maleducazione, scortesia, cafonaggine, villania **2** finezza, eleganza, grazia © grossolanità, volgarità.
garbùglio *s.m.* **1** (*di fili, di idee ecc.*) groviglio, intreccio, imbroglio, intrico **2** ♧ caos, pasticcio, ginepraio, imbroglio.
gareggiàre *v.intr.* competere, concorrere, contendere, misurarsi, affrontare, battersi.
gàrza *s.f.* **1** (*per medicazioni e fasciature*) benda, fascia **2** (*di tessuto*) velo, tulle, organza.
garzóne *s.m.* apprendista, giovane di bottega; commesso, fattorino.
gasàre *v.tr.* **1** (*una bibita*) gassare © sgassare **2** asfissiare, gassare, uccidere **3** ♧ (*colloq.*) eccitare, esaltare, caricare, montare © avvilire, demoralizzare, smontare ♦ **gasarsi** *v.pr.* (*colloq.*) eccitarsi, caricarsi, entusiasmarsi, montarsi la testa © calmarsi, frenarsi; demoralizzarsi, scoraggiarsi.
gasàto *agg.* **1** (*di acqua, di bibita*) effervescente, frizzante © naturale, liscio **2** ♧ eccitato, esaltato, caricato, montato © avvilito, depresso.
gasòlio *s.m.* nafta.
gassàre *v.tr.* **1** (*una bibita*) gasare © sgassare **2** asfissiare, gasare, uccidere.
gassàto *agg.* (*di acqua, di bibita*) effervescente, frizzante © naturale, liscio.
gassóso *agg.* (*chim., fis.*) aereo, aeriforme.
gastronomìa *s.f.* **1** arte culinaria; cucina **2** (*negozio*) alimentari; rosticceria.
gastronòmico *agg.* culinario.
gattabùia *s.f.* (*colloq.*) prigione, carcere.
gattamòrta *s.f.* (*colloq.*) acqua cheta, ipocrita, simulatore, sornione, santerello.
gàtto *s.m.* micio (*colloq.*) IPERON. felino.
gaudènte *agg.* edonista, festaiolo, libertino, mondano © austero, morigerato ♦ *s.m.f.* libertino, viveur (*fr.*) © asceta.
gàudio *s.m.* gioia, felicità, beatitudine, esultanza © malinconia, tristezza, infelicità.
gay *agg., s.m.invar.* (*ingl.*) omosessuale, omosex © eterosessuale, etero (*colloq.*).
gazèbo *s.m.invar.* padiglione.
gazzàrra *s.f.* chiasso, confusione, baccano, baraonda © silenzio, quiete, ordine.
gazzétta *s.f.* **1** giornale, quotidiano; bollettino, notiziario **2** ♧ pettegolo, chiacchierone.
gazzettìno *s.m.* vedi **gazzétta**.
gelàre *v.tr.* **1** ghiacciare, congelare © sciogliere, sgelare **2** ♧ (*con un'occhiata e sim.*) sbalordire, stupire, congelare, impietrire, paralizzare ♦ *v.intr.impers.* ghiacciare ♦ **gelarsi** *v.pr.* congelarsi, intirizzirsi, infreddolirsi © riscaldarsi, scaldarsi; sgelarsi.
gelàta *s.f.* brinata.
gelatinóso *agg.* colloso, vischioso, molle © liquido; solido.
gelàto *agg.* **1** ghiacciato, gelido **2** (*di persona, di arto*) assiderato, intirizzito, congelato **3** ♧ impietrito, paralizzato, pietrificato, esterrefatto, sbigottito ♦ *s.m.* IPON. cono, granita, sorbetto.
gèlido *agg.* **1** gelato, ghiacciato; (*di clima, di temperatura*) glaciale, polare © caldo, bollente, infuocato **2** ♧ (*di persona, di comportamento ecc.*) freddo, distaccato, indifferente, glaciale, impassibile, insensibile © caldo, caloroso, affettuoso.
gèlo *s.m.* **1** gelata, brinata © disgelo **2** ghiaccio **3** ♧ (*dovuto a imbarazzo, emozione ecc.*) freddo; paura, sbigottimento **4** ♧ freddezza, indifferenza; ostilità © calore, cordialità, affetto.

gelosìa *s.f.* **1** (*nei confronti della persona amata*) possessività **2** (*nei confronti di colleghi, fratelli e sim.*) rivalità, antagonismo; invidia © solidarietà, accordo **3** (*verso oggetti, ricordi e sim.*) attenzione, cura, scrupolo © disattenzione, sciatteria.
gelóso *agg.* **1** (*nei confronti della persona amata*) possessivo, sospettoso; (*di amore*) esclusivo, possessivo © fiducioso **2** (*nei confronti di colleghi, fratelli e sim.*) invidioso © solidale **3** (*verso oggetti, ricordi e sim.*) attento, premuroso, scrupoloso © indifferente, disattento.
gemèllo *agg.* **1** IPON. eterozigote, monozigote **2** affine, identico © diverso **3** doppio, abbinato © singolo ♦ *s.m.* IPERON. fratello.
gèmere *v.intr.* **1** lamentarsi, frignare, lagnarsi; (*per il piacere*) mugolare **2** ♧ soffrire, affliggersi **3** (*di porta*) cigolare, scricchiolare **4** (*di botte, di ferita ecc.*) trasudare, gocciolare, stillare.
gèmito *s.m.* lamento, piagnucolio; mugolio.
gèmma *s.f.* **1** germoglio, bocciolo, occhio (*bot.*) **2** pietra preziosa, gioia **3** ♧ (*cosa particolarmente bella*) capolavoro, meraviglia, gioiello; (*di persona*) perla.
gendàrme *s.m.* **1** guardia, carabiniere, poliziotto, sbirro (*gerg.*) **2** (*scherz.*; *di persona severa*) cerbero, generalessa (*di donna*).
genealogìa *s.f.* nascita, origine, discendenza, stirpe; (*di animali*) pedigree (*ingl.*).
generàle *agg.* **1** comune, complessivo, totale, universale © particolare, parziale, peculiare, settoriale **2** (*di opinione, di richiesta ecc.*) comune, diffuso, generalizzato, unanime © individuale, personale, ristretto **3** (*di discorso e sim.*) generico, vago © preciso, puntuale **4** (*di preparazione e sim.*) generico, di base © specialistico ♦ *s.m.* **1** tutto, universale, totalità © particolare, specifico **2** alto ufficiale.
generalità *s.f.* **1** universalità © particolarità, specificità **2** maggioranza, totalità © minoranza **3** (*al pl.*) estremi, dati.
generalizzàre *v.tr.* **1** (*un'usanza e sim.*) diffondere, estendere, propagare © limitare, restringere **2** (*un giudizio e sim.*) universalizzare, astrarre © circostanziare, individualizzare.
generàre *v.tr.* **1** concepire; procreare; partorire, dare alla luce, mettere al mondo; (*spec. di animali*) figliare **2** ♧ (*elettricità, calore e sim.*) creare, produrre, originare **3** ♧ (*sospetti, sfiducia e sim.*) causare, provocare, dare vita.
generatóre *agg.* generativo, produttivo ♦ *s.m.* IPON. alternatore, dinamo.
generazióne *s.f.* **1** riproduzione, procreazione **2** ♧ (*di elettricità, di calore ecc.*) produzione, creazione **3** (*insieme di persone che hanno la stessa età*) leva, classe **4** (*di macchine, di computer ecc.*) classe, specie, tipo, serie.
gènere *s.m.* **1** (*di persone, di animali, di cose*) classe, categoria, famiglia, qualità, sorta, tipo **2** (*di vita, di comportamento e sim.*) modo, stile, tipo **3** (*di merci*) prodotto, articolo.
genericità *s.f.* vaghezza, imprecisione, superficialità © precisione, puntualità.
genèrico *agg.* **1** generale, di massima; astratto, indeterminato © preciso, concreto, determinato, dettagliato **2** approssimativo, superficiale, vago © preciso, puntuale **3** (*di medico, di operaio ecc.*) © specialista, specializzato.
gènero *s.m.* INVER. suocera, suocero.
generosità *s.f.* **1** liberalità, magnanimità, prodigalità © avidità, avarizia, grettezza, tirchieria **2** altruismo, bontà, disinteresse, nobiltà © egoismo, meschinità **3** ricchezza, abbondanza © scarsità, carenza.
generóso *agg.* **1** magnanimo, prodigo © avaro, gretto, tirchio **2** altruista, nobile, disinteressato © egoista, meschino **3** caritatevole, pietoso, comprensivo, indulgente **4** (*di pasto e sim.*) ricco, abbondante, lauto, sostanzioso © misero, insignificante, scarso, frugale **5** (*di atleta e sim.*) combattivo, tenace **6** (*di vino*) corposo, robusto **7** ♧ (*di forme*) ampio, opulento, abbondante © modesto, scarso.
gènesi *s.f.* **1** origine, nascita, formazione; inizio, principio © fine, morte **2** (*di una cosa*) creazione, nascita, ideazione.
genètico *agg.* (*di malattia e sim.*) ereditario.
genìa *s.f.* **1** (*elev.*) discendenza, dinastia, stirpe, razza **2** (*spreg.*) accozzaglia, combriccola, banda, cricca.
geniàle *agg.* **1** (*di persona*) dotato, ingegnoso; creativo, fantasioso © stupido, idiota; mediocre, modesto **2** (*di idea e sim.*) brillante, luminoso, ingegnoso; originale © stupido, scemo; banale, insignificante, scontato.
genialità *s.f.* genio, talento; ingegno, intelligenza; creatività, originalità © stupidità, scemenza; mediocrità; banalità, prevedibilità.
gènio *s.m.* **1** (*di una persona*) intelligenza, ingegno, genialità, talento © idiozia, stupidità **2** inclinazione, disposizione, propensione, bernoccolo (*colloq.*) © negazione, idiosincrasia **3** (*di persona geniale*) cervellone, testa, mente, talento; grande (*colloq.*) **4** gusto, gradimento **5** nume tutelare; (*nelle fiabe*) demone, folletto.
genitàli *s.m.pl.* organi sessuali, apparato riproduttore, parti intime (*colloq.*), pudenda (*elev.*).
genitóre *s.m.* procreatore (*elev.*) IPON. padre,

babbo (*colloq.*), papà (*colloq.*), madre, mamma (*colloq.*); (*al pl.*) il padre e la madre, i vecchi (*colloq.*).

genocìdio *s.m.* sterminio, olocausto; (*del popolo ebraico*) shoah (*ebr.*).

gentàglia *s.f.* gentaccia, marmaglia, feccia, teppa, plebaglia.

gènte *s.f.* **1** persone; moltitudine, folla, massa **2** nazione, popolo, popolazione; umanità, genere umano **3** ambiente **4** (*elev.*) famiglia, casata, stirpe, progenie.

gentìle *agg.* **1** cortese, garbato, affabile, amabile, educato © maleducato, cafone, incivile, scortese **2** (*di aspetto, di viso ecc.*) fine, delicato, grazioso, armonioso, aggraziato © grossolano, sgraziato **3** (*di animo*) nobile, elevato, sensibile © meschino, insensibile.

gentilézza *s.f.* **1** cortesia, garbo, amabilità, educazione, delicatezza; galanteria © maleducazione, scortesia, cafonaggine **2** (*atto, parola gentile*) attenzione, cortesia, delicatezza, riguardo; favore, piacere © sgarbo, dispetto; insulto, offesa.

gentiluòmo *s.m.* **1** nobile, aristocratico, signore © popolano, plebeo **2** (*nei modi, nel comportamento*) signore, gentleman (*ingl.*); (*verso le donne*) cavaliere, galante © maleducato, cafone, villano, zotico; farabutto, mascalzone.

gentleman *s.m.invar.* (*ingl.*) gentiluomo, signore © cafone, zoticone.

genuflèttersi *v.pr.* inginocchiarsi.

genuinità *s.f.* **1** (*di alimento*) naturalezza © adulterazione, sofisticazione **2** (*di persona, di sentimento ecc.*) spontaneità, sincerità, autenticità, immediatezza, naturalezza © artificiosità, falsificazione, falsità.

genuìno *agg.* **1** (*di alimento*) naturale, puro, casalingo, fatto in casa; (*di vino*) sincero, schietto © adulterato, sofisticato, alterato; industriale **2** (*di persona, di sentimento ecc.*) naturale, autentico, sincero, spontaneo, franco, schietto © falso, fasullo, ipocrita **3** (*di notizia e sim.*) veritiero © falso.

geometrìa *s.f.* **1** IPERON. matematica **2** ♧ (*di un'opera e sim.*) schema, struttura; (*di uno spazio*) armonia, organizzazione, proporzione.

geomètrico *agg.* ♧ (*di ragionamento e sim.*) lineare, logico, preciso, rigoroso © irregolare, impreciso, confuso, contraddittorio.

gerarchìa *s.f.* **1** ordinamento **2** ♧ ordine, scala, classifica, graduatoria.

gerènte *s.m.f.* amministratore, gestore; (*di esercizio pubblico*) esercente.

gerènza *s.f.* amministrazione, gestione.

gèrgo *s.m.* **1** (*della mafia, della malavita ecc.*) slang (*ingl.*), argot (*fr.*), parlata **2** (*di una categoria, di un gruppo*) linguaggio, lingua, terminologia.

germànico *agg.* tedesco, teutonico (*scherz.*).

gèrme *s.m.* **1** bacillo, batterio, microbo **2** ♧ causa, inizio, origine, radice, seme.

germicìda *agg., s.m.* battericida, antisettico, disinfettante.

germinàre *v.intr.* **1** (*di seme di fiore ecc.*) germogliare, buttare **2** ♧ (*di odio, di amore ecc.*) nascere, svilupparsi, prodursi.

germogliàre *v.intr.* **1** (*di seme*) germinare; (*di ramo, di fiore ecc.*) buttare, gemmare, sbocciare; spuntare **2** ♧ nascere, crescere, prodursi, svilupparsi.

germóglio *s.m.* **1** butto, getto, pollone **2** ♧ causa, inizio, origine, germe, radice, seme.

geroglifico *s.m.* **1** ideogramma **2** (*scherz.*) scarabocchio, sgorbio, ghirigoro; enigma, rebus.

gèsta *s.f.pl.* imprese; (*iron.*) bravate, spacconate.

gestazióne *s.f.* **1** gravidanza **2** ♧ (*di un progetto e sim.*) preparazione, studio, elaborazione, incubazione, progettazione.

gesticolàre *v.intr.* fare gesti, sbracciarsi, agitarsi.

gestióne *s.f.* **1** (*di un'azienda e sim.*) amministrazione, conduzione, direzione, management (*ingl.*) **2** (*di una situazione e sim.*) controllo, coordinazione, organizzazione.

gestìre *v.tr.* **1** (*un'azienda e sim.*) amministrare, condurre, dirigere, guidare, governare **2** (*una trattativa, un affare ecc.*) condurre, guidare, organizzare **3** (*una situazione, il proprio tempo ecc.*) organizzare, amministrare; (*le forze e sim.*) dosare, misurare, regolare.

gèsto *s.m.* **1** movimento, cenno, mossa, segno **2** (*teatrale e sim.*) posa, atteggiamento **3** (*d'amicizia e sim.*) atto, azione.

gestóre *s.m.* gerente, amministratore, direttore; (*di esercizio pubblico*) esercente.

gesuìta *s.m.* ♧ (*spreg.*) falso, ipocrita, subdolo.

gesuìtico *agg.* ♧ (*spreg.*) falso, ipocrita, insincero, subdolo.

gettàre *v.tr.* **1** lanciare, tirare, scagliare, buttare **2** (*una cosa rotta o inservibile*) buttar via, abbandonare, scartare, sbarazzarsi © conservare, tenere; raccogliere, raccattare, riciclare **3** ♧ (*il tempo, un'occasione ecc.*) sprecare, sciupare, bruciare, giocarsi © cogliere, sfruttare **4** ♧ (*denaro*) dilapidare, dissipare, scialacquare © risparmiare, mettere via **5** (*liquidi*) versare, spargere **6** (*cemento, metallo e sim.*) colare **7** ♧ (*grida e sim.*) lanciare, mandare, emettere **8** (*un ponte, le fondamenta ecc.*) costruire, erigere **9**

(*di rendita e sim.*) rendere, fruttare ♦ **gettarsi** *v.pr.* **1** lanciarsi, scagliarsi, buttarsi, precipitarsi **2** (*di corsi d'acqua*) sboccare, sfociare, buttarsi, entrare.

gettàta *s.f.* **1** (*di un oggetto*) lancio, getto, tiro **2** (*di cemento*) getto, colata **3** frangiflutti **4** (*in balistica*) gittata, portata.

gèttito *s.m.* introito, provento, rendimento.

gètto *s.m.* **1** gettata, lancio, tiro **2** (*di un liquido o di un gas*) fiotto, spruzzo, zampillo **3** (*bot.*) germoglio, butto **4** (*di cemento*) colata, gettata; (*di metallo*) fusione.

gettóne *s.m.* **1** (*nei giochi d'azzardo*) fiche (*fr.*) **2** (*di contrassegno*) marca, contromarca.

ghermìre *v.tr.* **1** (*una preda*) artigliare, afferrare **2** (*una persona*) agguantare, acchiappare © lasciare, mollare, liberare.

ghettizzàre *v.tr.* isolare, emarginare, escludere © inserire, integrare.

ghiacciàia *s.f.* **1** frigorifero, frigo; cella frigorifera; freezer, congelatore **2** ♧ (*ambiente freddissimo*) frigorifero © forno, fornace.

ghiacciàre *v.tr.* **1** gelare, congelare; raffreddare © scongelare, liquefare; scaldare, riscaldare **2** ♧ (*per la paura, lo stupore e sim.*) gelare, sbalordire, raggelare ♦ *v.intr.impers.* gelare ♦ **ghiacciarsi** *v.pr.* **1** congelarsi, gelare, gelarsi © sgelarsi, liquefarsi, sciogliersi **2** assiderarsi, intirizzirsi, gelarsi.

ghiàia *s.f.* pietrisco, breccia.

ghigliottinàre *v.tr.* decapitare.

ghignàre *v.intr.* sogghignare; ridere, sghignazzare.

ghìgno *s.m.* sogghigno, ghignata; sghignazzata.

ghiótto *agg.* **1** (*di persona*) goloso, ingordo; avido, desideroso **2** (*di cibo*) gustoso, appetitoso, invitante, prelibato © schifoso, disgustoso **3** ♧ (*di notizia, di occasione ecc.*) interessante, gustoso, stuzzicante.

ghiottóne *s.m.* goloso, buona forchetta.

ghiottonerìa *s.f.* **1** golosità, gola, ingordigia **2** (*di cibo ghiotto*) delicatezza, leccornia, manicaretto, squisitezza © schifezza, porcheria **3** ♧ (*di cosa ricercata*) chicca, curiosità, rarità.

ghiribìzzo *s.m.* idea, fantasia, capriccio, voglia, desiderio, ticchio.

ghirigòro *s.m.* arabesco, svolazzo; scarabocchio.

ghirlànda *s.f.* corona.

giàcca *s.f.* giubba (*mil.*).

giacènza *s.f.* (*spec. di merce*) rimanenza, residuo, avanzo, fondo di magazzino, invenduto.

giacére *v.intr.* **1** stare disteso, stare sdraiato **2** essere sepolto, riposare (*eufem.*) **3** ♧ (*in determinate condizione*) stare, trovarsi **4** (*di villaggio e sim.*) essere situato, trovarsi **5** ♧ (*di merci, di pratiche burocratiche ecc.*) languire, sostare.

giaciménto *s.m.* miniera, filone, vena; deposito.

giacobìno *agg.* radicale, estremista © moderato.

giaculatòria *s.f.* **1** litania IPERON. preghiera, orazione, invocazione **2** ♧ filastrocca, tiritera, litania, cantilena; solfa, lagna.

giàllo *agg.* **1** IPON. oro, canarino, miele, paglierino, ocra, zafferano; (*di capelli*) biondo, dorato, fulvo ♦ *s.m.* **1** (*dell'uovo*) tuorlo, rosso d'uovo © albume, chiara **2** poliziesco, thriller (*ingl.*), noir (*fr.*) **3** enigma, caso, mistero **4** (*spreg.*) orientale, asiatico; cinese; giapponese.

giàra *s.f.* orcio.

giavellòtto *s.m.* asta, lancia.

gibbòso *agg.* gobbo, prominente, protuberante, ondulato.

gigànte *s.m.* **1** (*nella mitologia*) titano **2** (*scherz.*) colosso, corazziere; marcantonio, omone © nano, gnomo, pigmeo **3** ♧ (*persona eccezionale*) grande, sommo, colosso ♦ *agg.* enorme, colossale, gigantesco © piccolo, lillipuziano, minuscolo.

giganteggiàre *v.intr.* **1** (*di torre, di monte ecc.*) elevarsi, dominare, sovrastare, torreggiare **2** ♧ (*in un'arte e sim.*) eccellere, spiccare, distinguersi.

gigantésco *agg.* **1** (*di persona*) enorme, colossale, imponente © nano, lillipuziano **2** (*di cosa*) enorme, immenso, mastodontico; (*di errore*) madornale, macroscopico © minimo, piccolo, miscroscopico, minuscolo.

gigióne *s.m.* **1** istrione, commediante **2** esibizionista, vanesio.

gilè *s.m.* panciotto.

ginepràio *s.m.* (*situazione intricata*) garbuglio, pasticcio, guaio, casino (*colloq.*), bega, imbroglio.

gingillàrsi *v.pr.* giocherellare, giocare, trastullarsi; (*perdere tempo*) oziare, indugiare, cincischiare © lavorare, impegnarsi.

gingìllo *s.m.* **1** ninnolo, gadget (*ingl.*) **2** giocattolo, balocco **3** ♧ sciocchezza, inezia; passatempo.

ginnàsta *s.m.f.* atleta.

ginnàstica *s.f.* **1** educazione fisica; esercizio, moto, movimento **2** ♧ (*mentale*) esercizio.

gìnnico *agg.* atletico, agile.

giocàre *v.intr.* **1** divertirsi, svagarsi; giocherellare, trastullarsi; distrarsi, scherzare **2** (*ai cavalli, al totocalcio ecc.*) scommettere **3** (*in borsa*) speculare **4** (*contro qlcu.*) gareggiare; affrontare, incontrare **5** (*d'astuzia*) agire **6** (*di fortuna, di caso e sim.*) contare, importare, influire, valere ♦ *v.tr.* **1** (*una partita*) disputare, sostenere **2** (*nei* *giochi di carte*) buttare, calare **3** (*nei giochi d'azzardo*) puntare, scommettere **4** ♧ (*la reputazione, il posto ecc.*) mettere in gioco, rischiare **5** ♧ (*una persona*) ingannare, raggirare, prendere in giro.

giocàta *s.f.* **1** (*alle carte*) mano, giro, manche (*fr.*); (*negli scacchi*) mossa **2** (*alle corse, alle carte e sim.*) puntata, scommessa, posta, piatto.

giocatóre *s.m.* **1** (*di calcio*) calciatore **2** scommettitore.

giocàttolo *s.m.* gioco, balocco.

giocherellàre *v.intr.* trastullarsi, gingillarsi, giocare.

giòco *s.m.* **1** svago, divertimento **2** giocattolo, balocco **3** (*sportivo*) sport; partita, gara **4** (*modo di giocare*) mossa, azione, tecnica; regole, norme **5** (*alle carte, alla roulette*) giocata, puntata **6** ♧ scherzo, beffa, burla **7** ♧ (*di luce, d'acqua*) effetto, contrasto, combinazione **8** (*di parole*) doppio senso **9** (*mecc.*) agio.

giocolière *s.m.* saltimbanco; giullare.

giocóndo *agg.* **1** allegro, contento, sereno, spensierato © triste, infelice, malinconico **2** (*scherz.*) credulone, ingenuo, sciocco © dritto, furbo, sveglio.

giocóso *agg.* allegro, scherzoso, spiritoso; (*di battuta*) canzonatorio, burlesco © serio, severo, austero.

giógo *s.m.* ♧ **1** dominio, oppressione, schiavitù © libertà, indipendenza **2** (*di monte*) valico, passo, sella.

giòia[1] *s.f.* **1** felicità, allegria, contentezza © dolore, disperazione, tristezza, infelicità **2** delizia, diletto © croce, tormento **3** (*della vita*) soddisfazione, piacere; consolazione, conforto © pena, preoccupazione, cruccio.

giòia[2] *s.f.* pietra preziosa, gemma, gioiello.

gioielleria *s.f.* oreficeria.

gioiellière *s.m.* orefice, orafo.

gioièllo *s.m.* **1** gioia, monile, bijou (*fr.*) **2** (*al pl.*) ori, preziosi **3** ♧ (*di persona*) perla, amore, delizia, tesoro; (*di cosa*) bellezza, meraviglia.

gioióso *agg.* **1** (*di persona*) allegro, contento, felice, festoso, ridente © triste, infelice, malinconico, mesto **2** (*di notizia, di evento ecc.*) allegro, lieto, piacevole © triste, doloroso, spiacevole.

gioìre *v.intr.* rallegrarsi, godere, felicitarsi; esultare, andare in visibilio © addolorarsi, amareggiarsi, dispiacersi, penare, soffrire.

giornalàio *s.m.* edicolante.

giornàle *s.m.* **1** (*pubblicazione giornaliera*) quotidiano; (*pubblicazione periodica*) periodico; rivista, bollettino **IPON.** settimanale, mensile, quindicinale **2** (*la sede*) redazione **3** (*di bordo, di viaggio*) diario, registro.

giornalièro *agg.* quotidiano, diurno ♦ *s.m.* (*di lavoratore agricolo*) bracciante.

giornalino *s.m.* giornaletto; fumetto.

giornalìsmo *s.m.* **1** (*insieme dei giornali o dei giornalisti*) stampa, giornalisti **2** **IPERON.** pubblicismo.

giornalìsta *s.m.f.* redattore; cronista; (*dall'estero*) corrispondente, inviato, inviato speciale, reporter (*ingl.*).

giornàta *s.f.* **1** giorno, dì (*elev.*) © nottata, notte **2** (*di cammino e sim.*) giorno **3** (*in cui si celebra qlco.*) festa, giorno, celebrazione, ricorrenza **4** (*di un campionato sportivo*) turno.

giórno *s.m.* **1** giornata, dì (*elev.*) © notte, nottata **2** data **3** (*riferito alla luce del sole*) chiaro; alba, mattina © buio; notte, sera **4** (*in cui si celebra qlco.*) festa, giornata, anniversario, commemorazione **5** (*spec. al pl.*) periodo, tempo.

giòstra *s.f.* **1** (*per bambini*) carosello **2** (*di cavalieri*) torneo, carosello **3** (*colloq.; al pl.*) luna park, parco dei divertimenti **4** ♧ (*di avvenimenti, di notizie ecc.*) balletto, girandola, ridda, turbinio.

giostràre *v.intr.* **1** gareggiare **2** ♧ destreggiarsi, barcamenarsi, cavarsela.

giovaménto *s.m.* aiuto, beneficio, vantaggio, utilità; guadagno, profitto, tornaconto © danno, discapito, svantaggio.

gióvane *agg.* **1** © vecchio, anziano, maturo, attempato **2** (*minore d'età*) piccolo, minore; junior © grande, maggiore; senior **3** (*di viso, di aspetto ecc.*) fresco, giovanile; fiorente, florido © vecchio; appassito, avvizzito **4** (*di moda, di abbigliamento ecc.*) giovanile, moderno, sportivo, casual (*ingl.*) © antiquato, sorpassato **5** (*di pianta*) tenero **6** (*di vino*) nuovo, novello © maturo, invecchiato **7** (*di formaggio*) fresco © stagionato ♦ *s.m.f.* adolescente, teen-ager (*ingl.*) ♦ *s.m.* ragazzo, giovanotto ♦ *s.f.* ragazza, signorina.

giovanìle *agg.* **1** (*di viso, di aspetto ecc.*) fresco, giovane; fiorente, florido © appassito, avvizzito, sfiorito, vecchio **2** (*di moda, di abbigliamento ecc.*) giovane, moderno, sportivo, casual (*ingl.*) © antiquato, sorpassato.

giovanòtto *s.m.* **1** giovane, ragazzo, giovinastro (*spreg.*) **2** scapolo, celibe © sposato.

giovàre *v.intr.* servire, fare bene, essere utile, essere opportuno © nuocere, fare male, danneggiare ♦ **giovarsi** *v.pr.* servirsi, valersi, usare, utilizzare; approfittare.

gioventù *s.f.* **1** giovinezza, fiore degli anni ©

vecchiaia, senilità **2** giovani, ragazzi © vecchi, anziani.

giovïàle *agg.* allegro, sorridente; cordiale, simpatico, piacevole, amabile © triste, malinconico, cupo, severo.

giovinàstro *s.m.* ragazzaccio; bullo, teppista.

giovinézza *s.f.* gioventù, fiore degli anni © vecchiaia, senilità, maturità.

giradìschi *s.m.* piatto.

giramóndo *s.m.f.invar.* globe-trotter (*ingl.*), viaggiatore, vagabondo, zingaro (*spreg.*) © sedentario.

giràndola *s.f.* **1** fuoco d'artificio **2** banderuola **3** (*giocattolo*) mulinello **4** ♧ (*di persona volubile*) banderuola, voltagabbana **5** ♧ (*di notizie, di eventi ecc.*) balletto, carosello, giostra, turbine.

giràre *v.tr.* **1** ruotare, roteare **2** (*le pagine, un materasso e sim.*) voltare, rivoltare, rovesciare **3** (*la testa*) volgere, ruotare **4** (*la minestra e sim.*) mescolare **5** (*un luogo*) percorrere, visitare **6** (*un ostacolo, una difficoltà e sim.*) aggirare, evitare, eludere **7** (*un film e sim.*) riprendere, filmare **8** (*un assegno, una cambiale e sim.*) trasferire, cedere ♦ *v.intr.* **1** (*intorno a un asse, a un punto*) ruotare, orbitare, muoversi **2** andare in giro, passeggiare, camminare, muoversi **3** (*di veicoli*) circolare, transitare **4** (*di recinzione e sim.*) correre **5** (*a destra, a sinistra*) curvare, voltare, svoltare, piegare **6** (*di notizia, di voce*) diffondersi, propagarsi ♦ **girarsi** *v.pr.* voltarsi, volgersi, dirigersi; rivoltarsi, rotolarsi, muoversi.

giràta *s.f.* **1** giro, rotazione, voltata; (*di chiave*) mandata **2** giro, passeggiata, camminata **3** (*di un assegno e sim.*) trasferimento, cessione **4** (*nelle carte*) giro, mano, partita.

giravòlta *s.f.* **1** piroetta, capriola, capovolta, volteggio **2** (*di strada e sim.*) curva, svolta © rettilineo **3** (*di fiume*) ansa, meandro **4** ♧ (*di opinione e sim.*) voltafaccia, cambiamento, mutamento.

girévole *agg.* rotante, girabile © fisso.

gìro *s.m.* **1** circolo, cerchia, circonferenza, circuito **2** rotazione, orbita; (*di chiave*) mandata **3** girata, passeggiata, camminata; (*turistico*) tour (*fr.*), escursione, itinerario **4** (*nel ciclismo*) tour (*fr.*), gara **5** (*di un minuto, di un mese ecc.*) arco, periodo, spazio **6** (*di persone*) gruppo, cerchia, circolo, entourage (*fr.*), compagnia **7** (*di denaro, d'affari ecc.*) volume, movimento, circolazione, traffico.

gironzolàre *v.intr.* andare in giro, girellare, girovagare, bighellonare, vagabondare, vagare.

girovagàre *v.intr.* andare in giro, girellare, gironzolare, bighellonare, vagabondare, vagare.

giròvago *agg., s.m.* vagabondo, ramingo, randagio, nomade © sedentario, stanziale

gìta *s.f.* escursione, giro, passeggiata, visita, scampagnata, picnic (*ingl.*).

gitàno *s.m.* zingaro.

gitànte *s.m.f.* turista, escursionista.

gittàta *s.f.* portata.

giùbba *s.f.* giacca, casacca.

giubbòtto *s.m.* giaccone, giubbone.

giubilèo *s.m.* anno santo.

giùbilo *s.m.* gioia, esultanza, tripudio.

giudàico *agg.* ebraico, giudeo; israelita, israelitico; semitico.

giudaìsmo *s.m.* ebraismo.

giudèo *agg.* ebraico, giudaico; israelita, israelitico; semitico ♦ *s.m.* ebreo.

giudicàre *v.tr.* **1** stimare, valutare, qualificare, classificare; (*in negativo*) etichettare **2** considerare, credere, pensare **3** (*qlcu. colpevole, innocente*) dichiarare, riconoscere, sentenziare.

giùdice *s.m.f.* **1** arbitro; critico, esperto **2** magistrato.

giudìzio *s.m.* **1** idea, parere, opinione, considerazione; critica, recensione **2** criterio, discernimento, senno, cervello (*colloq.*), buon senso, prudenza, saggezza © leggerezza, avventatezza, imprudenza **3** (*dir.*) processo, procedimento **4** (*di tribunale e sim.*) decisione, responso, sentenza, verdetto.

giudizióso *agg.* assennato, saggio, accorto, prudente, ragionevole, responsabile © irresponsabile, imprudente, avventato.

giullàre *s.m.* buffone, cantastorie, menestrello.

giùngere *v.intr.* **1** arrivare, pervenire; (*all'improvviso*) capitare, piombare, sopraggiungere © partire, allontanarsi, andarsene **2** (*a dire, a fare*) osare, arrivare, spingersi ♦ *v.tr.* (*le mani e sim.*) congiungere, unire © disgiungere, allontanare.

giùngla *s.f.* **1** foresta tropicale **2** ♧ caos, disordine, confusione.

giùnta[1] *s.f.* collegio, commissione, comitato, consiglio; consulta; assemblea.

giùnta[2] *s.f.* aggiunta, complemento; appendice, integrazione; unione, collegamento.

giuntùra *s.f.* **1** attaccatura, unione, collegamento, congiungimento **2** (*anat.*) articolazione.

giuraménto *s.m.* promessa, voto.

giuràre *v.tr.* **1** promettere; (*il falso*) spergiurare **2** assicurare, garantire, dare per certo; affermare, dichiarare, sostenere **3** dare per certo, mettere la mano sul fuoco (*colloq.*) © dubitare.

giuràto *agg.* (*di nemico*) accanito, implacabile ♦ *s.m.* giudice popolare.

giurìa *s.f.* **1** (*di un processo*) giurati **2** (*di un concorso e sim.*) giudici, commissione.
giurìdico *agg.* giudiziario, legale.
giurisdizióne *s.f.* **1** (*di un organo giudiziario e sim.*) competenza **2** (*ambito territoriale*) zona, territorio **3** raggio d'azione, competenza, appartenenza, zona d'influenza.
giurisprudènza *s.f.* **1** diritto, legge **2** (*facoltà universitaria*) legge **3** (*insieme di leggi*) diritto, legge, ordinamento, legislazione **4** magistratura, potere giudiziario.
giurìsta *s.m.f.* giureconsulto, giurisperito, uomo di legge.
giustappórre *v.tr.* accostare, avvicinare, affiancare © allontanare, separare.
giustapposizióne *s.f.* accostamento, affiancamento © separazione.
giustézza *s.f.* (*di calcolo, di misura ecc.*) esattezza, precisione, correttezza © imprecisione, inesattezza, scorrettezza.
giustificàre *v.tr.* **1** (*un comportamento e sim.*) legittimare, autorizzare **2** (*una persona*) scusare, discolpare, difendere; capire, comprendere, perdonare © accusare, condannare, incolpare **3** (*un'assenza, un ritardo, una spesa ecc.*) spiegare, motivare, rendere conto ♦ **giustificarsi** *v.pr.* difendersi, discolparsi, scusarsi, accusarsi, incolparsi.
giustificazióne *s.f.* **1** discolpa, difesa, discarico; scusa, alibi, pretesto, attenuante, scusante **2** motivazione, spiegazione, argomentazione.
giustìzia *s.f.* **1** equità, imparzialità, equanimità; legittimità, legalità © ingiustizia, iniquità, parzialità; illegittimità, illegalità **2** (*autorità giudiziaria*) legge, magistratura, potere giudiziario.
giustiziàre *v.tr.* mettere a morte IPON. fucilare, impiccare, decapitare, ghigliottinare, lapidare.
giustizière *s.m.* vendicatore.
giùsto *agg.* **1** equo, equanime, imparziale, obiettivo © ingiusto, iniquo, di parte **2** onesto, retto, leale © disonesto, immorale **3** (*di richiesta, di sentenza ecc.*) legittimo, giustificato, ragionevole, fondato © ingiusto, illegittimo **4** (*di osservazione, di calcolo ecc.*) corretto, esatto, preciso © sbagliato, impreciso, inesatto **5** (*di parole, di momento*) adatto, appropriato, opportuno © inadatto, inappropriato **6** (*di statura, di peso ecc.*) normale, regolare **7** (*gerg.*; *nel linguaggio giovanile*) regolare (*gerg.*) ♦ *s.m.* **1** onestuomo, galantuomo, onesto © disonesto **2** (*ciò che spetta*) dovuto.
glaciàle *agg.* **1** (*di stagione, di vento ecc.*) gelido, polare, freddo © torrido, tropicale, caldo **2** ♧ (*di atteggiamento, di sguardo ecc.*) gelido, freddo, distaccato, impassibile.
gladiatóre *s.m.* combattente, lottatore.
glissàre *v.intr.* (*su un fatto e sim.*) sorvolare, lasciar correre, passare sopra © insistere.
globàle *agg.* **1** complessivo, generale, totale © particolare, parziale, specifico **2** mondiale, universale.
globalizzazióne *s.f.* mondializzare.
glòbo *s.m.* palla, sfera; (*terrestre*) terra, mondo.
glòria *s.f.* **1** fama, celebrità, popolarità, lustro, onore, prestigio © disonore, vergogna, ignominia, infamia **2** vanto, orgoglio © onta, vergogna **3** (*relig.*) beatitudine, paradiso.
gloriàrsi *v.pr.* esaltarsi, incensarsi, magnificarsi, vantarsi © disprezzarsi, sminuirsi.
glorificàre *v.tr.* **1** (*un'impresa, un eroe*) celebrare, esaltare, magnificare, lodare, decantare © disonorare, disprezzare **2** (*Dio*) lodare.
glorificazióne *s.f.* esaltazione, celebrazione, magnificazione © denigrazione.
glorióso *agg.* illustre, epico, eroico, grande © inglorioso, disonorevole, infamante.
glòssa *s.f.* commento, nota, chiosa, postilla.
glossàrio *s.m.* (*spec. di vocaboli rari o difficili*) lessico, dizionario, vocabolario.
glucòsio *s.m.* destrosio IPERON. zucchero.
glùteo *s.m.* natica, chiappa (*volg.*).
gnòmo *s.m.* spiritello, folletto; nano.
goal *s.m.invar.* (*ingl.*) gol, rete, punto.
gòbba *s.f.* **1** (*di persona*) gibbosità; cifosi (*med.*) **2** prominenza, protuberanza, rilievo, sporgenza © incavatura, avvallamento.
gòbbo *agg.* **1** (*di persona*) curvo, ingobbito, gibboso © dritto, eretto **2** curvo, storto, bitorzoluto © piano, piatto.
góccia *s.f.* **1** (*d'acqua, di sudore ecc.*) gocciola, stilla (*elev.*) **2** (*piccola quantità di un liquido*) goccio, gocciolo, sorso.
gocciolàre *v.tr.* e *intr.* colare, sgocciolare; perdere.
godére *v.intr.* **1** gioire, rallegrarsi; compiacersi © patire, soffrire **2** (*di un diritto e sim.*) beneficiare, usufruire, disporre **3** deliziarsi, dilettarsi; (*raggiungere l'orgasmo*) venire (*colloq.*) ♦ *v.tr.* **1** gustare, assaporare, godersi; divertirsi, spassarsela **2** (*salute, popolarità ecc.*) avere, possedere.
godiménto *s.m.* **1** gioia, soddisfazione © sofferenza, dispiacere **2** divertimento, piacere, spasso, goduria (*colloq.*).
goffàggine *s.f.* impaccio, sgraziataggine, ineleganza © disinvoltura, scioltezza, eleganza.
gòffo *agg.* impacciato, maldestro, sgraziato, scoordinato, ridicolo © disinvolto, agile, leggero, elegante, sciolto.

gógna *s.f.* berlina, ludibrio.
gòl *s.m.invar.* goal (*ingl.*), rete, punto.
góla *s.f.* **1** faringe (*med.*), gargarozzo (*colloq.*) **2** golosità, ghiottoneria **3** (*fra due montagne*) valico, valle, stretta.
gòlf *s.m.invar.* (*ingl.*) cardigan (*ingl.*), maglia, maglione, pullover (*ingl.*).
gólfo *s.m.* baia, insenatura.
golosità *s.f.* **1** (*l'essere goloso*) gola, ghiottoneria **2** (*cosa ghiotta*) leccornia, ghiottoneria, delicatezza, squisitezza.
golóso *agg.* **1** (*di persona*) ghiotto, ingordo, vorace © misurato, moderato **2** ♧ avido, bramoso, desideroso, voglioso **3** (*di cibo*) appetitoso, prelibato, invitante © disgustoso, schifoso.
golpe *s.m.invar.* (*sp.*) colpo di stato, putsch (*ted.*).
gómito *s.m.* **1** (*di una strada, di un tubo ecc.*) curva, svolta.
gomìtolo *s.m.* **1** matassa **2** ♧ groviglio, intrico, garbuglio.
gómma *s.f.* **1** caucciù; para **2** gomma per cancellare **3** pneumatico, copertone **4** chewing gum (*ingl.*), cicca (*colloq.*), gomma da masticare **5** (*colloq.*; *per innaffiare*) tubo, canna, pompa.
gommóne *s.m.* canotto pneumatico.
gonfalóne *s.m.* bandiera, stendardo, vessillo.
gonfiàre *v.tr.* **1** © sgonfiare **2** dilatare, ingrossare © sgonfiare, svuotare **3** ♧ (*una notizia, una spesa ecc.*) esagerare, ingrandire, aumentare, enfatizzare, pompare © ridimensionare, minimizzare **4** (*di lodi e sim.*) esaltare, adulare © smontare, sminuire ♦ **gonfiarsi** *v.pr.* **1** aumentare, dilatarsi, ingrossarsi © sgonfiarsi **2** ♧ insuperbirsi, esaltarsi, gasarsi (*colloq.*) © avvilirsi.
gónfio *agg.* **1** gonfiato, dilatato, ingrossato; (*di fiume*) in piena, grosso; (*di capelli*) vaporoso, voluminoso © sgonfio, appiattito **2** ♧ (*di cuore*) pieno, traboccante; addolorato, afflitto © leggero **3** ♧ pieno di sé, superbo, borioso, tronfio © semplice, modesto ♦ *s.m.* gonfiore, rigonfiamento.
gonfióre *s.m.* rigonfiamento, ingrossamento, tumefazione (*med.*); bernoccolo, bozzo.
gongolàre *v.intr.* gioire, bearsi, esultare, andare in brodo di giuggiole © abbattersi, avvilirsi, rattristarsi.
gónzo *agg., s.m.* sciocco, babbeo, credulone © furbo, dritto, astuto.
gorgheggiàre *v.intr.* trillare IPERON. cantare.
górgo *s.m.* **1** mulinello, risucchio, vortice **2** ♧ abisso, baratro, vortice, turbine.
gorgogliàre *v.intr.* (*di acqua*) borbottare, rumoreggiare; (*di intestino*) brontolare.
gorgoglìo *s.m.* (*di acqua*) borbottio, brontolio; (*di intestino*) brontolio IPERON. rumore, rumorio.
gorìlla *s.m.invar.* ♧ (*di persona*) guardia del corpo, guardiaspalle.
gòta *s.f.* guancia.
gotha *s.m.invar.* **1** aristocrazia, nobiltà **2** crema, olimpo, élite (*fr.*).
governànte *s.m.* governatore; (*spec. al pl.*) capo di stato, potente ♦ *s.f.* bambinaia, baby sitter (*ingl.*), nurse (*ingl.*), tata (*colloq.*).
governàre *v.tr.* **1** dirigere, guidare, amministrare, gestire, condurre **2** (*di destino e sim.*) condizionare, influenzare **3** (*una nave, un aereo, un automezzo ecc.*) condurre, manovrare, pilotare, portare **4** (*animali*) curare, accudire **5** (*la casa e sim.*) amministrare, gestire.
govèrno *s.m.* **1** guida, direzione, comando, amministrazione **2** esecutivo, consiglio dei ministri **3** (*di azienda, di casa ecc.*) amministrazione, gestione, cura **4** (*di cose, animali, persone*) cura, assistenza.
gozzovìglia *s.f.* bagordo, baldoria, bisboccia, stravizio.
gozzovigliàre *v.intr.* bagordare, straviziare, fare follie, darsi alla pazza gioia.
gràcile *agg.* **1** (*di persona*) delicato, magro, esile, debole; mingherlino, sottile © forte, robusto, atletico **2** (*di una struttura, di una trama ecc.*) debole, inconsistente © robusto.
gracilità *s.f.* **1** (*fisica*) esilità, magrezza; debolezza, fragilità **2** (*di una struttura, di una trama ecc.*) debolezza, inconsistenza.
gradàsso *s.m.* spaccone, smargiasso.
gradazióne *s.f.* **1** progressione, sequenza; (*di colore*) scala, sfumatura, tonalità **2** (*di alcol*) grado, percentuale; alcolicità.
gradévole *agg.* piacevole, attraente, simpatico © sgradevole, spiacevole, cattivo.
gradevolézza *s.f.* piacevolezza, amabilità © sgradevolezza.
gradiménto *s.m.* **1** apprezzamento, soddisfazione, compiacimento © dispiacere, avversione **2** approvazione, assenso, consenso, favore © rifiuto, disapprovazione, opposizione.
gradinàta *s.f.* scalinata, scala, scalone; (*di stadio*) spalti.
gradìno *s.m.* **1** scalino **2** ♧ grado, livello.
gradìre *v.tr.* **1** (*un invito, un regalo ecc.*) apprezzare **2** desiderare, volere.
gràdo *s.m.* **1** livello; (*di colore*) sfumatura, gradazione **2** (*di rango, di gerarchia ecc.*) gradino, livello, posizione **3** (*in una gerarchia militare*) rango **4** (*alcolico*) gradazione.
graduàle *agg.* progressivo; lento © improvviso; repentino.

graduàre *v.tr.* **1** distribuire, regolare **2** (*uno strumento*) tarare.
graduatòria *s.f.* classifica **IPERON.** elenco, lista, ordine.
graffétta *s.f.* fermaglio, clip (*ingl.*).
graffiànte *agg.* (*di critica e sim.*) pungente, sarcastico, tagliente.
graffiàre *v.tr.* **1** lacerare; (*una superficie*) incidere, scalfire **2** ♧ (*con le parole e sim.*) ferire, pungere ♦ **graffiarsi** *v.pr.* escoriarsi, ferirsi, scorticarsi; (*di superficie*) rigarsi, scalfirsi.
gràffio *s.m.* graffiatura, scorticatura, lacerazione; (*di superficie*) graffiatura, incisione, scalfittura.
grafìa *s.f.* scrittura, calligrafia.
gràfica *s.f.* lay-out (*ingl.*) **IPON.** disegno, stampa, computergrafica.
gràfico *s.m.* **1** diagramma **2 IPON.** disegnatore, illustratore, impaginatore, tipografo.
grammòfono *s.m.* fonografo.
gràmo *agg.* **1** disgraziato, infelice, meschino, misero, sventurato; (*di vita e sim.*) duro, travagliato © felice, fortunato **2** (*di raccolto*) povero, scarso, insufficiente © abbondante, prospero.
gràna[1] *s.f.* **1** consistenza **2** ♧ (*colloq.*) guaio, fastidio, noia, pasticcio, problema, seccatura, rogna (*colloq.*)
gràna[2] *s.m.invar.* parmigiano.
gràna[3] *s.f.invar.* (*gerg.*) denaro, soldi, quattrini.
granàglie *s.f.pl.* cereali, grani.
granàio *s.m.* **IPON.** silo.
grànde *agg.* **1** grosso, imponente, massiccio, possente, voluminoso © piccolo **2** (*di corporatura*) robusto, corpulento, massiccio © piccolo, esile, mingherlino **3** (*di statura*) alto © piccolo, basso **4** (*di età*) adulto; maggiore © piccolo; minore **5** (*di spazio*) ampio, esteso, vasto © piccolo, stretto, angusto **6** (*di qualità*) eccellente, notevole, straordinario © modesto, semplice **7** (*di quantità*) grosso, considerevole, consistente, cospicuo, ingente © piccolo, modesto, scarso **8** (*di sentimento e sim.*) profondo, intenso, vivo **9** (*di impresa e sim.*) importante, straordinario, insigne **10** (*di idea e sim.*) brillante, geniale, felice © banale, insignificante **11** (*di personaggio*) illustre, eminente, esimio, grosso © oscuro, sconosciuto, infimo ♦ *s.m.* **1** adulto © bambino, piccino, piccolo **2** personaggio, big (*ingl.*), vip (*ingl.*) © nullità, nessuno.
grandézza *s.f.* **1** (*di un oggetto*) dimensione, misura, mole, proporzioni; formato **2** (*di uno spazio*) area, superficie, vastità; (*di un recipiente*) capacità, ampiezza **3** mole, grandiosità, imponenza © piccolezza **4** ♧ (*di un'impresa, di un'opera ecc.*) eccellenza, importanza, valore **5** (*di una persona*) genio, genialità, importanza, merito, valore © limitatezza, mediocrità, modestia **6** ♧ (*di una civiltà e sim.*) potenza, gloria, magnificenza, prestigio **7** (*d'animo*) nobiltà, altruismo, generosità © meschinità, grettezza **8** fasto, lusso, sfarzo, ostentazione.
grandinàta *s.f.* **1** grandine **2** ♧ (*di pugni, di critiche ecc.*) pioggia, raffica, gragnola.
gràndine *s.f.* **1** grandinata **2** ♧ (*di pugni, di critiche ecc.*) pioggia, raffica, gragnola.
grandiosità *s.f.* imponenza, maestosità, solennità, magnificenza, sontuosità © modestia, semplicità, povertà.
grandióso *agg.* imponente, maestoso, sontuoso, sfarzoso © modesto, semplice, povero.
granèllo *s.m.* **1** (*di grano*) chicco **2** (*di frutta*) seme, grano; (*di uva*) acino, chicco **3** ♧ (*quantità minima*) briciolo, grano, pizzico.
granìta *s.f.* gramolata; granatina.
granìtico *agg.* (*di fede, di carattere ecc.*) saldo, incrollabile, ferreo.
gràno *s.m.* **1** (*di frutta*) seme, granello; (*di uva*) acino, chicco **2** (*di sale, di pepe*) chicco, granello **3** ♧ (*quantità minima*) briciolo, granello, pizzico.
grantùrco *s.m.* mais.
granulàre *agg.* granuloso.
grànulo *s.m.* chicco, granello.
granulóso *agg.* (*che contiene granuli*) grumoso; (*composto da granuli*) granulare.
gràppa *s.f.* acquavite.
gràppolo *s.m.* **1** racimolo, graspo (*dial.*) **2** ♧ (*di persone, di cose*) gruppo, capannello, crocchio, mucchio.
grassétto *agg.*, *s.m.* neretto, bold (*ingl.*)
grassézza *s.f.* obesità, adiposità, pinguedine © magrezza, asciuttezza.
gràsso *agg.* **1** (*di persona*) corpulento, obeso, pingue © magro, asciutto, secco, snello **2** (*di cibo e sim.*) pesante, ricco, sostanzioso **3** (*di capelli, di pelle ecc.*) unto, untuoso, oleoso © secco, arido **4** (*di terreno*) fertile, fecondo, ubertoso © sterile **5** ♧ (*di guadagno e sim.*) abbondante, ricco, lauto, sostanzioso © misero, scarso **6** (*di risata*) crasso, sguaiato ♦ *s.m.* **1** adipe **2** unto.
gràta *s.f.* graticolato, inferriata.
graticciàta *s.f.* cannicciata.
gratìccio *s.m.* canniccio.
gratìcola *s.f.* griglia, grata, gratella.
gratìfica *s.f.* compenso, premio, incentivo.
gratificàre *v.tr.* **1** ricompensare **2** appagare, soddisfare © deludere, frustrare.
gratificazióne *s.f.* soddisfazione, appagamento © delusione, frustrazione.

gratitùdine *s.f.* riconoscenza © ingratitudine.
gràto *agg.* **1** riconoscente, obbligato © ingrato, irriconoscente **2** gradito, benaccetto, apprezzato © sgradito.
grattacàpo *s.m.* preoccupazione, fastidio, seccatura.
grattàre *v.tr.* **1** fregare, sfregare; graffiare, raschiare **2** (*il formaggio e sim.*) grattugiare **3** ♧ (*colloq.*) rubare, fregare (*colloq.*), fottere (*volg.*), sgraffignare ♦ *v.intr.* **1** stridere **2** (*di animale*) raspare.
grattugiàre *v.tr.* grattare.
gratuità *s.f.* inconsistenza, infondatezza; arbitrarietà, pretestuosità © consistenza, fondatezza.
gratùito *agg.* **1** gratis © a pagamento **2** ♧ (*di accusa, di critica ecc.*) infondato, immotivato, ingiustificato © giustificato, motivato.
gravàme *s.m.* **1** peso, carico, responsabilità, onere **2** imposta, tassa, tributo, ipoteca (*dir.*).
gravàre *v.intr.* pesare, poggiare ♦ *v.tr.* **1** (*di compiti, di tasse ecc.*) appesantire, caricare, oberare, sovraccaricare © alleggerire, sgravare **2** affliggere, angustiare, opprimere © liberare, sollevare.
gràve *agg.* **1** pesante, gravoso, duro © leggero, lieve **2** ♧ (*di dolore e sim.*) duro, grande, terribile, insopportabile © lieve **3** (*di decisione e sim.*) arduo, difficile, serio, rischioso © leggero, facile **4** (*di accusa e sim.*) preoccupante, serio, inquietante, pesante © blando **5** ♧ (*di voce, di aspetto*) austero, serio, severo, solenne **6** (*di accento*) © acuto **7** (*di nota*) basso © acuto, alto.
gravidànza *s.f.* gestazione.
gràvida *agg.f.* incinta, in stato interessante (*colloq.*); (*di animale*) pregna.
gràvido *agg.* ♧ carico, pieno, denso, ricco, saturo © privo, vuoto.
gravità *s.f.* **1** (*di una situazione, di un'accusa ecc.*) serietà, importanza, peso, rilevanza, pericolosità © irrilevanza, trascurabilità **2** (*di atteggiamento, di sguardo ecc.*) dignità, maestosità, solennità.
gravitàre *v.intr.* (*anche* ♧) orbitare.
gravóso *agg.* faticoso, duro, impegnativo, pesante, oneroso © leggero, rilassante.
gràzia *s.f.* **1** bellezza, eleganza, fascino, leggiadria © bruttezza, goffaggine **2** armonia, equilibrio, proporzione © disarmonia, sproporzione **3** gentilezza, garbo, finezza © grossolanità, rozzezza **4** (*spec. al pl.*) benevolenza, favore, simpatia, stima **5** (*divina*) benedizione, dono, concessione; misericordia.
graziàre *v.tr.* perdonare, condonare, amnistiare © condannare, punire.
gràzie *s.m.invar.* ringraziamento.
grazióso *agg.* carino, attraente, bello, aggraziato, delicato, delizioso, dolce, elegante, piacevole, squisito © brutto, sgraziato, sgradevole.
gregàrio *s.m.* subalterno © capo, superiore, leader (*ingl.*).
grégge *s.m.* **1** IPERON. branco **2** ♧ (*spreg.*; *di persone*) banda, branco, manica.
gréggio *agg.* (*di materiale*) naturale, grezzo © raffinato, lavorato ♦ *s.m.* petrolio.
grèmbo *s.m.* (*di donna*) ventre.
gremìre *v.tr.* riempire, affollare, popolare.
gremìto *agg.* pieno, zeppo, affollato, stracolmo © vuoto, deserto, libero, sgombro.
gréppia *s.f.* mangiatoia.
grettézza *s.f.* **1** bassezza, meschinità, piccineria © generosità, magnanimità, nobiltà **2** avarizia, spilorceria, tirchieria © generosità, magnanimità, prodigalità.
grétto *agg.* **1** meschino, arido; (*di mentalità*) chiuso, limitato, ristretto © aperto, generoso, illuminato, liberale, nobile **2** avaro, taccagno, tirchio, spilorcio © generoso, prodigo.
grève *agg.* **1** (*di aria*) pesante, opprimente, irrespirabile, soffocante © fresco, puro **2** (*di persona, di battuta ecc.*) pesante, volgare, scurrile, sboccato, triviale.
grézzo *agg.* **1** (*di materiale*) greggio, naturale © lavorato, rifinito; sgrossato **2** ♧ (*di persona*) rozzo, grossolano, cafone, maleducato, incivile, villano © fine, raffinato, educato.
gridàre *v.intr.* urlare, strillare; sbraitare, strepitare; sgolarsi © bisbigliare, mormorare, sussurrare ♦ *v.tr.* **1** (*aiuto*) chiedere, invocare **2** ♧ (*la propria innocenza e sim.*) affermare, proclamare, sostenere **3** ♧ (*una notizia*) divulgare, diffondere, dire.
grìdo *s.m.* **1** urlo, strillo **2** (*di aiuto*) invocazione, richiesta.
grìgio *agg.* **1** IPON. cenere, perla, antracite, bigio, cinerino, plumbeo (*di cielo, di acqua*), brizzolato (*di capelli*) **2** ♧ (*di vita, di ambiente ecc.*) noioso, monotono, piatto, insignificante, scialbo © vivace, vario, intenso, movimentato.
grigióre *s.m.* **1** (*del cielo*) grigio, nuvolosità, oscurità © limpidezza, luminosità **2** ♧ monotonia, noia, malinconia, ordinarietà, piattume mediocrità, squallore © vivacità, brio.
grìglia *s.f.* **1** graticola, gratella, grill (*ingl.*) **2** grata, inferriata.
grill *s.m.invar.* (*ingl.*) griglia, graticola, gratella.
grìnta *s.f.* **1** cipiglio, broncio, muso **2** volontà, determinazione, aggressività, combattività, risolutezza © debolezza, mitezza, remissività.

grintóso *agg.* determinato, combattivo, energico, risoluto © debole, indeciso, remissivo.
grìnza *s.f.* **1** piega, sgualcitura, spiegazzatura, stazzonatura **2** ruga.
grinzóso *agg.* raggrinzito, rugoso, sgualcito.
grondàia *s.f.* canale, doccia.
grondànte *agg.* fradicio, gocciolante, inzuppato, zuppo © asciutto.
grondàre *v.tr.* e *intr.* colare, gocciolare, sgocciolare.
gròppa *s.f.* **1** (*di quadrupede*) dorso, schiena **2** (*colloq.*; *di persona*) schiena, spalle, groppone.
gróppo *s.m.* **1** nodo, garbuglio, groviglio **2** ♧ difficoltà, dubbio, intoppo.
groppóne *s.m.* (*colloq.*) schiena, spalle.
gròsso *agg.* **1** grande, imponente, massiccio, voluminoso; (*per estensione*) ampio, vasto; (*per capacità*) capiente, capace © piccolo, minuscolo, piccino **2** (*di persona*) robusto, corpulento, massiccio; grasso © esile, snello, minuto, mingherlino **3** (*di affare, di guadagno ecc.*) considerevole, cospicuo, sostanzioso © misero, magro, modesto, esiguo **4** (*di personaggio e sim.*) famoso, grande, importante, potente © insignificante, mediocre **5** (*di errore e sim.*) grande, grave, serio © piccolo, lieve **6** (*di parola e sim.*) offensivo **7** (*di fiato*) affannato, affannoso **8** (*di mare*) agitato, burrascoso, mosso, tempestoso © calmo, tranquillo, piatto.
grossolanità *s.f.* rozzezza, volgarità, cafonaggine © educazione, distinzione, raffinatezza.
grossolàno *agg.* **1** mediocre, ordinario, scadente © fine, pregiato, raffinato **2** approssimativo, impreciso, sommario © accurato, preciso **3** (*di persona*) rozzo, volgare, maleducato, grezzo, ordinario © fine, educato, distinto, elegante.
gròtta *s.f.* caverna, antro, cavità, spelonca.
grottésco *agg.* bizzarro, comico, ridicolo; tragicomico; assurdo, strano, paradossale ♦ *s.m.* ridicolo.
grovìglio *s.m.* garbuglio, intreccio, intrico.
grùccia *s.f.* **1** stampella **2** (*per abiti*) appendiabiti, attaccapanni, stampella, ometto (*region.*).
grugnìre *v.intr.* brontolare, bofonchiare, borbottare, mugugnare, lamentarsi.
grugnìto *s.m.* borbottio, brontolio, mugugno.
grùgno *s.m.* **1** (*del maiale*) muso **2** ♧ faccia muso, ceffo; cipiglio, broncio.
grùmo *s.m.* (*spec. di sangue*) coagulo.
grùppo *s.m.* **1** insieme, unione, raggruppamento **2** (*di persone*) banda, branco, compagnia, combriccola, comitiva, frotta, schiera; assembramento, capannello **3** (*di amici*) cerchia, giro, ambiente, entourage (*fr.*) **4** (*di studiosi, di tecnici ecc.*) squadra, équipe (*fr.*), team (*ingl.*) **5** associazione, club, circolo **6** (*in politica*) ala, corrente, fazione, frangia, schieramento **7** (*biologico*) categoria, classe, sistema **8** (*musicale*) band (*ingl.*), complesso.
guadagnàre *v.tr.* **1** ricavare, realizzare, prendere (*colloq.*) © perdere, rimetterci **2** ♧ (*una promozione, la stima ecc.*) conquistare, meritare; (*la simpatia*) accattivarsi © perdere **3** (*la riva, la meta ecc.*) raggiungere, conquistare ♦ *v.intr.* (*di aspetto e sim.*) migliorare, acquistare, guadagnarci.
guadàgno *s.m.* **1** profitto, reddito, ricavo, provento © perdita **2** ♧ interesse, vantaggio, utilità, tornaconto © danno, discapito, svantaggio.
guàio *s.m.* **1** disgrazia, malanno, sventura, avversità **2** contrattempo, fastidio, noia, problema, grana, rogna (*colloq.*), casino (*colloq.*), seccatura **3** danno, disastro, casino (*colloq.*), patatrac.
gualcìre *v.tr.* spiegazzare, stropicciare, sciupare.
guància *s.f.* gota.
guanciàle *s.m.* **1** cuscino **2** lardo, pancetta.
guardàre *v.tr.* **1** osservare, vedere; (*attentamente*) fissare, scrutare; (*il paesaggio*) ammirare, contemplare, rimirare **2** (*i conti e sim.*) considerare, controllare, analizzare, esaminare, verificare **3** badare, controllare, sorvegliare, vigilare ♦ *v.intr.* **1** (*alla salute, agli interessi ecc.*) fare attenzione, badare **2** (*di edifici, di finestre ecc.*) essere rivolto, affacciarsi, dare ♦ **guardarsi** *v.pr.* **1** osservarsi, rimirarsi **2** (*dalle cattive compagnie e sim.*) evitare, astenersi, rifuggire; stare in guardia, difendersi.
guàrdia *s.f.* **1** difesa, custodia, protezione, sorveglianza **2** guardiano, custode; (*colloq.*) agente, poliziotto; vigile **3** (*di livello, di segnale ecc.*) sicurezza.
guardiàno *s.m.* **1** custode, guardia, sorvegliante, vigilante (*sp.*) **2** agente di custodia, guardia carceraria, carceriere, secondino.
guardìna *s.f.* cella; carcere, prigione, galera.
guardìngo *agg.* attento, cauto, prudente, circospetto, sospettoso © avventato, imprudente, incauto, sconsiderato.
guardiòla *s.f.* **1** portineria **2** casotto, gabbiotto.
guardrail *s.m.invar.* (*ingl.*) barriera di protezione, barriera.
guarigióne *s.f.* ristabilimento, risanamento.
guarìre *v.tr.* **1** (*una persona*) curare, ristabilire **2** (*una malattia*) debellare, vincere, superare, sconfiggere **3** ♧ (*da un vizio, dalla paura ecc.*) liberare, redimere ♦ *v.intr.* **1** rimettersi, ristabilirsi, riprendersi, rifiorire © ammalarsi, peggiorare, aggravarsi **2** (*di ferita*) chiudersi, cicatriz-

zarsi, rimarginarsi **3** (*di malattia*) passare, scomparire © aggravarsi, peggiorare, acutizzarsi **4** ♧ (*da un vizio e sim.*) liberarsi, affrancarsi, riscattarsi.

guarnìre *v.tr.* **1** armare, fortificare, dotare, equipaggiare, munire © sguarnire, disarmare, privare **2** ornare, decorare, abbellire.

guarnizióne *s.f.* **1** decorazione, ornamento, rifinitura **2** (*di una pietanza*) contorno.

guastafèste *s.m.f.invar.* importuno, rompiscatole (*colloq.*), rompi (*gerg.*), scocciatore.

guastàre *v.tr.* **1** rovinare, danneggiare, sciupare; rompere, spaccare; (*colloq.; i denti*) cariare, rovinare; (*l'aria e sim.*) avvelenare, ammorbare, inquinare; consumare, corrodere **2** ♧ (*moralmente*) rovinare, corrompere, traviare **3** (*una festa e sim.*) rovinare, compromettere, turbare **4** (*un'amicizia, un rapporto ecc.*) incrinare, rompere, compromettere © rafforzare, consolidare ♦ **guastarsi** *v.pr.* **1** rovinarsi, danneggiarsi, sciuparsi; rompersi, spaccarsi; (*colloq.; di denti*) cariarsi **2** (*di alimenti*) andare a male, avariarsi, deteriorarsi, marcire © conservarsi, mantenersi **3** ♧ corrompersi, rovinarsi, traviarsi **4** (*di tempo atmosferico*) peggiorare, rannuvolarsi © migliorare, rasserenarsi **5** (*di rapporti, di amicizia ecc.*) incrinarsi, rovinarsi, spezzarsi © consolidarsi, rafforzarsi.

guàsto[1] *agg.* **1** rotto, scassato (*colloq.*), fuori uso; danneggiato, sciupato © funzionante, integro **2** (*di alimento*) andato a male, avariato, deteriorato, marcio © fresco, sano **3** (*moralmente*) corrotto, depravato, marcio © incorrotto, integro **4** (*colloq.*; *di dente*) cariato © buono, sano.

guàsto[2] *s.m.* **1** rottura, danno, danneggiamento; (*di un motore, di un aereo ecc.*) avaria **2** ♧ corruzione, degenerazione, degrado © integrità, onestà.

guazzabùglio *s.m.* caos, confusione, disordine, pasticcio, accozzaglia, miscuglio, groviglio.

guèrcio *agg.* strabico; cieco, orbo.

guèrra *s.f.* **1** conflitto, ostilità, lotta © pace **2** (*commerciale*) concorrenza **3** ♧ (*tra persone o gruppi*) conflitto, contrasto, discordia, lite, polemica, ostilità, scontro © accordo, armonia, concordia, pace.

guerrafondàio *s.m.* bellicista, militarista; interventista © pacifista, antimilitarista.

guerreggiàre *v.intr.* combattere, lottare; litigare, battagliare, disputare © collaborare, cooperare.

guerrésco *agg.* **1** bellico, marziale, militare **2** (*di carattere e sim.*) aggressivo, bellicoso, combattivo © pacifico, docile, mite.

guerrièro *s.m.* combattente, soldato, militare, cavaliere ♦ *agg.* (*di popolo, di spirito ecc.*) bellicoso, battagliero, combattivo, marziale © pacifico, docile, mite.

guerriglièro *agg., s.m.* partigiano, ribelle.

guìda *s.f.* **1** (*di un veicolo*) conduzione, comando, pilotaggio **2** (*di un paese, di un'azienda ecc.*) comando, direzione, conduzione, leadership (*ingl.*) **3** (*persona che guida*) capo, maestro, leader (*ingl.*); punto di riferimento **4** (*turistica*) accompagnatore, cicerone, tour leader (*ingl.*), hostess (*ingl.*) **5** (*libro*) manuale, prontuario, baedeker (*ted.*) **6** timone, volante **7** rotaia, corsia **8** tappeto, passatoia.

guidàre *v.tr.* **1** accompagnare, condurre, portare **2** ♧ avviare, indirizzare, educare, consigliare, sostenere, incanalare, instradare **3** (*un'azienda e sim.*) amministrare, dirigere, gestire; (*un popolo, una nazione ecc.*) governare, reggere; (*un esercito e sim.*) comandare, condurre **4** (*animali, veicoli e sim.*) condurre, portare.

guidatóre *s.m.* autista, conducente, conduttore, pilota.

guinzàglio *s.m.* catena, catenella.

guizzàre *v.intr.* **1** (*spec. di pesci*) saltare, balzare, scattare, schizzare **2** (*di persona*) divincolarsi, sgattaiolare, sgusciare, fuggire **3** (*di luce e sim.*) balenare, baluginare.

guìzzo *s.m.* **1** salto, scatto, balzo **2** bagliore, balenio, baluginio.

gùru *s.m.invar.* santone, maestro.

gùscio *s.m.* **1** (*di frutti, di semi*) buccia, scorza **2** (*dei molluschi e sim.*) conchiglia, valva; (*della tartaruga e sim.*) corazza, carapace **3** (*di protezione*) involucro, rivestimento.

gustàre *v.tr.* **1** assaggiare, assaporare, degustare, mangiare; apprezzare, gradire **2** ♧ (*uno spettacolo e sim.*) apprezzare, godersi, assaporare ♦ *v.intr.* (*colloq.*) piacere, aggradare, andare a genio © dispiacere, spiacere.

gùsto *s.m.* **1** palato **2** sapore, gustosità **3** piacere, soddisfazione, godimento **4** ♧ inclinazione, preferenza **5** ♧ buongusto, classe, eleganza, occhio, sensibilità **6** (*di un'epoca, di un ambiente*) stile, maniera, tendenza; moda, voga.

gustóso *agg.* **1** appetitoso, buono, delizioso, squisito, saporito, succulento © insipido, scipito; disgustoso, cattivo, schifoso **2** ♧ (*di scenetta, di storia ecc.*) piacevole, divertente, simpatico, spiritoso; piccante © noioso, palloso (*colloq.*), brutto, sgradevole.

h, H

habitat *s.m.invar.* (*lat.*) **1** ambiente, ecosistema **2** ♧ ambiente, milieu (*fr.*), mondo, spazio.
habitué *s.m.f.invar.* (*fr.*) frequentatore, aficionado (*sp.*), assiduo; cliente.
hacker *s.m.f.invar.* (*ingl.*) pirata informatico.
hall *s.f.invar.* (*ingl.*) atrio, ingresso, foyer (*fr.*).
hamburger *s.m.invar.* (*ingl.*) polpetta, svizzera.
hammam *s.m.invar.* (*ar.*) bagno turco.
handicap *s.m.invar.* (*ingl.*) **1** (*sport*) svantaggio, penalizzazione © (*sport*) vantaggio, abbuono **2** ♧ impedimento, inconveniente, limite, ostacolo, svantaggio **3** (*fisico, psichico*) menomazione, invalidità, disabilità.
handicappàto *agg., s.m.* diversamente abile, disabile, invalido ♦ *s.m.* diversamente abile, portatore di handicap.
hangar *s.m.invar.* (*ingl.*) capannone, aviorimessa, aerorimessa.
happening *s.m.invar.* (*ingl.*) evento, manifestazione, performance (*ingl.*), spettacolo.
hard *agg.invar.* (*ingl.*) (*di film, di musica ecc.*) duro, violento, pesante © soft.
hard disk *s.m.invar.* (*ingl.*; *inform.*) disco rigido, disco fisso © floppy disk.
hardware *s.m.invar.* (*ingl.*; *inform.*) © software.
hascisc *s.m.invar.* (*ar.*) cannabis, fumo (*gerg.*).
herpes *s.m.invar.* (*lat.*) erpete (*med.*); febbre (*colloq.*).
herpes zoster *s.m.invar.* (*lat.*) fuoco di sant'Antonio (*colloq.*).
hi-fi *s.m.invar.* (*ingl.*) **1** alta fedeltà **2** stereo, impianto stereo.
hinterland *s.m.invar.* (*ted.*) periferia, sobborgo, cintura, banlieue (*fr.*).
hippy *s.m.f. invar.* (*ingl.*) figlio dei fiori, fricchettone (*gerg.*), capellone (*colloq.*).
hit-parade *s.f.invar.* (*ingl.*) classifica, graduatoria.
hobby *s.m.invar.* (*ingl.*) svago, passione, passatempo.
homeless *s.m.f.invar.* (*ingl.*) barbone, senza tetto, vagabondo, clochard (*fr.*).
hostess *s.f.invar.* (*ingl.*) **1** assistente di volo **2** accompagnatrice, guida, interprete.
hotel *s.m.invar.* albergo.
humour *s.m.invar.* (*ingl.*) umorismo, spirito, senso dell'umorismo, comicità.
humus *s.m.invar.* (*lat.*) **1** terriccio **2** ♧ (*culturale, sociale ecc.*) ambiente, sostrato, retroterra, background (*ingl.*).

i, I

iàto *s.m.* interruzione, cesura, frattura; vuoto © continuità.

iattùra *s.f.* disgrazia, sventura, sfortuna, sfiga (*colloq.*) © fortuna.

ibèrico *agg.* spagnolo, ispanico.

ìbrido *agg.* **1** (*biol.*) bastardo **2** ♧ (*di stile*) eterogeneo, misto, disomogeneo © puro, schietto, omogeneo ♦ *s.m.* **1** (*biol.*) incrocio, meticcio **2** ♧ misto, miscuglio, incrocio, commistione.

icòna *s.f.* **1** (*di un'epoca, di un genere ecc.*) simbolo **2** (*nell'arte bizantina e russa*) immagine sacra **3** (*in semiologia*) segno.

iconografìa *s.f.* **1** (*di un periodo e sim.*) arte figurativa **2** (*di un personaggio*) rappresentazione, raffigurazione **3** (*in un libro*) illustrazioni, immagini, figure.

idèa *s.f.* **1** pensiero, nozione, concetto; forma, modello, archetipo **2** (*di qlco. che potrebbe succedere*) pensiero, possibilità, eventualità **3** (*di fare qlco. e sim.*) intenzione, progetto, proposta, proponimento; invenzione, pensata, trovata **4** (*riguardo a qlcu. o qlco.*) giudizio, opinione, parere, punto di vista **5** (*per un film, per un libro ecc.*) ispirazione, spunto **6** (*politica e sim.*) dottrina, pensiero, teoria, filosofia; (*spec. al pl.*) ideale, credo, fede, principio **7** (*quantità minima*) pizzico, poco, accenno **8** capriccio, ghiribizzo, fantasia.

ideàle *agg.* **1** immaginario, fantastico; illusorio, ipotetico, irreale, utopistico © reale, effettivo, vero **2** astratto, spirituale, teorico © concreto, materiale, sensibile, tangibile **3** (*di persona, di lavoro, di momento ecc.*) perfetto, esemplare, otttimale, adatto ♦ *s.m.* **1** (*di libertà, di giustizia ecc.*) idea **2** (*di uomo, di bellezza ecc.*) modello **3** massimo, meglio, ottimo, optimum (*lat.*) **4** aspirazione, sogno, desiderio, ambizione **5** fine, scopo, obiettivo.

idealìsta *s.m.f.* **1** © materialista, positivista **2** ingenuo, sognatore, utopista, visionario © realista, materialista.

idealizzàre *v.tr.* esaltare, mitizzare © sminuire, smitizzare.

ideàre *v.tr.* architettare, creare, escogitare, concepire, immaginare, inventare, progettare.

ideatóre *s.m.* autore, artefice, creatore, inventore; (*di un movimento, di una scuola ecc.*) padre, caposcuola, fondatore, ispiratore.

idèntico *agg.* uguale, medesimo, preciso, coincidente, conforme, pari, tale e quale © diverso, differente, distinto.

identificàre *v.tr.* **1** (*due concetti e sim.*) unificare, unire, fondere, assimilare, equiparare © distinguere, differenziare **2** (*la causa, il motivo ecc.*) individuare, accertare, appurare, verificare **3** (*una persona*) riconoscere, scoprire ♦ **identificarsi** *v.pr.* **1** (*con una persona*) immedesimarsi **2** (*di concetti di opinioni ecc.*) coincidere, corrispondere, collimare, convergere © differire, divergere.

identificazióne *s.f.* **1** (*di una persona*) riconoscimento **2** (*di due concetti e sim.*) assimilazione, unione, fusione © distinzione, differenziazione **3** (*di causa, di motivo ecc.*) accertamento, determinazione, individuazione **4** (*con una persona*) immedesimazione.

identità *s.f.* **1** (*di vedute e sim.*) uguaglianza, coincidenza, corrispondenza, concordanza © differenza, distinzione **2** (*di persona*) carattere, caratteristiche, natura, peculiarità, tratti.

ideologìa *s.f.* dottrina, fede, ideale, pensiero, sistema, teoria, visione.

ideològico *agg.* dottrinale; politico.

ideòlogo *s.m.* teorico; ispiratore, creatore.

idillìaco *agg.* **1** (*di poesia e sim.*) idillico, bucolico, pastorale **2** ♧ (*di atmosfera, di situazione ecc.*) calmo, sereno, tranquillo; (*di relazione e sim.*) romantico, sentimentale © tempestoso, tormentato, drammatico **3** ♧ ottimistico, positivo, utopistico © realistico, razionale.

idìllico *agg.* vedi **idillìaco**.

idìllio *s.m.* **1** (*nella letteratura greca e latina*) bucolica, egloga **2** ♧ amore, love story (*ingl.*) **3** ♧ serenità, tranquillità; armonia, accordo, intesa.

idiòma *s.m.* lingua, linguaggio; dialetto, parlata.

idiosincrasìa *s.f.* avversione, antipatia, insofferenza, intolleranza, ripugnanza © simpatia, inclinazione, predisposizione.

idiòta *agg., s.m.f.* stupido, cretino, imbecille, sciocco © intelligente, furbo, sveglio.

idiozìa *s.f.* **1** stupidità, imbecillità, scemenza, ottusità © intelligenza, furbizia, prontezza **2** (*frase, azione idiota*) stupidaggine, sciocchezza, scemenza, cretinata.

idolatràre *v.tr.* **1** adorare, venerare **2** ♧ amare, adorare, ammirare © odiare, detestare, disprezzare.

idolatrìa *s.f.* **1** feticismo; paganesimo **2** ♧ venerazione, adorazione, ammirazione, culto, passione © odio, disprezzo.

ìdolo *s.m.* **1** simulacro, feticcio; totem **2** ♧ beniamino, favorito, pupillo, mito.

idoneità *s.f.* disposizione, abilità, attitudine, capacità © incapacità, inettitudine, inidoneità.

idòneo *agg.* **1** (*di persona*) atto, adatto, capace, abile, portato © inadatto, inabile, incapace, inetto **2** (*di cosa*) adatto, adeguato, appropriato, conveniente © disadatto, inadatto, inadeguato.

idrànte *s.m.* **1** IPERON. presa d'acqua **2** lancia antincendio **3** (*automezzo*) autopompa.

idràulico *agg.* **1** idrico **2** (*di meccanismo e sim.*) ad acqua ♦ *s.m.* fontaniere.

ìdrico *agg.* idraulico.

idròfobo *agg.* **1** arrabbiato, rabbioso **2** ♧ (*colloq.*) rabbioso, furioso, infuriato, furibondo © calmo, tranquillo.

idrorepellènte *agg.* impermeabile, impermeabilizzato © assorbente, idrofilo.

ièlla *s.f.* (*colloq.*) sfortuna, sventura, malasorte, disgrazia, sciagura, sfiga (*colloq.*), scalogna © fortuna, successo, culo (*volg.*).

iellàto *agg.* (*colloq.*) sfortunato, scalognato, sciagurato, disgraziato, sfigato (*colloq.*) © felice, fortunato, prospero.

ieràtico *agg.* solenne, severo, grave, austero © dimesso, modesto, umile.

iettatóre *s.m.* beccamorto, menagramo, uccello del malaugurio.

iettatùra *s.f.* **1** malocchio, malaugurio **2** sfortuna, disgrazia, sventura.

igiène *s.f.* **1** (*del corpo e sim.*) pulizia **2** (*pubblica, sociale, scolare ecc.*) salute, sanità.

igiènico *agg.* **1** (*di norme, di condizioni ecc.*) sanitario **2** (*di clima, di vita ecc.*) salutare, sano; (*di ambiente e sim.*) pulito, incontaminato, asettico © nocivo, malsano; sporco, antigienico **3** ♧ (*colloq.*) consigliabile, opportuno, prudente.

ignàro *agg.* **1** inconsapevole, all'oscuro © consapevole, al corrente, informato **2** inesperto, impreparato © esperto, pratico, preparato.

ignàvia *s.f.* (*elev.*) pigrizia, indolenza, apatia, accidia (*elev.*) © attività, operosità, solerzia.

ignàvo *agg.* (*elev.*) indolente, pigro, ozioso, svogliato, accidioso (*elev.*).

ignòbile *agg.* meschino, spregevole, indegno, infame, turpe © nobile, degno, esemplare.

ignomìnia *s.f.* infamia, disonore, vergogna © onore, dignità, nobiltà, decoro.

ignominióso *agg.* **1** disonorevole, infamante, indegno, vergognoso © degno, dignitoso, onorevole, rispettabile **2** (*di persona*) ignobile, meschino, miserabile; disonorato, infamato © degno, nobile, onorevole.

ignorànte *agg., s.m.f.* **1** (*in una materia e sim.*) digiuno, impreparato © ferrato, preparato, competente **2** (*in una professione e sim.*) incapace, inesperto, incompetente © abile, esperto, provetto **3** (*senza cultura, istruzione ecc.*) analfabeta, illetterato, incolto © letterato, colto, istruito **4** (*colloq.*) maleducato, cafone, villano © educato, fine, garbato.

ignorànza *s.f.* **1** (*in una materia e sim.*) impreparazione, disinformazione © conoscenza, informazione **2** (*in una professione e sim.*) incapacità, inesperienza, incompetenza © esperienza, pratica, competenza **3** (*culturale e sim.*) analfabetismo, asinaggine, incultura, insipienza (*elev.*) **4** (*colloq.*) maleducazione, rozzezza, cafonaggine, scortesia © educazione, cortesia, finezza.

ignoràre *v.tr.* **1** © sapere, conoscere **2** (*una persona*) evitare, snobbare © considerare, notare **3** (*richieste, diritti ecc.*) trascurare, minimizzare, sottovalutare, eludere © badare, considerare, avere a cuore, interessarsi.

ignòto *agg.* sconosciuto, oscuro, ignorato, incognito; (*di autore*) anonimo © noto, conosciuto; celebre, famoso ♦ *s.m.* (*di persona*) sconosciuto © conoscente.

ìlare *agg.* allegro, contento, lieto, gaio © triste, malinconico.

ilarità *s.f.* allegria, buonumore, contentezza; riso, risata © depressione, malinconia, tristezza.

illazióne *s.f.* congettura, ipotesi, supposizione.

illécito *agg.* illegale, illegittimo, irregolare, proibito, vietato © legale, lecito, legittimo, regolare; ammesso, permesso ♦ *s.m.* abuso, illegalità, irregolarità.

illegàle *agg.* illecito, irregolare, illegittimo; proibito, vietato © lecito, legittimo, regolare; ammesso, permesso ♦ *s.m.* clandestino; abusivo.

illegalità *s.f.* **1** illiceità, illegittimità, irregolarità © legalità, liceità **2** (*azione illegale*) abuso, irregolarità, illecito (*dir.*).

illeggìbile *agg.* **1** indecifrabile, incomprensibile © leggibile, chiaro, comprensibile **2** ♧ (*di un libro, di un autore ecc.*) difficile, faticoso, noioso, pesante © piacevole, leggibile.

illegìttimo *agg.* **1** illecito, illegale © legittimo, lecito, legale **2** (*di richieste, di pretese ecc.*) ingiustificato, immotivato, infondato © legittimo, fondato, giusto **3** (*di figlio*) naturale, bastardo (*spreg.*) © legittimo.

illéso *agg.* incolume, indenne © ferito, leso.

illetteràto *agg., s.m.* analfabeta; ignorante, incolto © letterato, colto, istruito.

illibàto *agg.* integro, puro, casto, incontaminato, onesto © disonesto, corrotto, impuro **2** (*di persona*) vergine, puro.

illiberàle *agg.* autoritario, oppressivo, dispotico, antidemocratico © liberale, democratico, progressista, liberal (*ingl.*).

illimitàto *agg.* **1** (*di spazio, di tempo ecc.*) immenso, infinito, sconfinato, smisurato © limitato, finito, contato, misurato **2** (*di fiducia e sim.*) assoluto, incondizionato, totale, completo © limitato, minimo, relativo, ristretto.

illògico *agg.* assurdo, irragionevole, insensato, sconclusionato, strano, strampalato © logico, coerente, conseguente, razionale, sensato, ovvio.

illùdere *v.tr.* ingannare, incantare, imbrogliare © deludere, disilludere ♦ **illudersi** *v.pr.* sperare, sognare, ingannarsi, sbagliarsi © aprire gli occhi (*colloq.*), svegliarsi (*colloq.*), disilludersi.

illuminàre *v.tr.* **1** rischiarare, irradiare, fare luce © oscurare, ottenebrare, offuscare **2** ♧ (*il volto e sim.*) ravvivare, rischiarare © oscurare, offuscare **3** ♧ (*qlcu. su un problema, su una situazione ecc.*) informare, mettere al corrente, istruire, ragguagliare ♦ **illuminarsi** *v.pr.* **1** accendersi, brillare, risplendere, rischiararsi © spegnersi, oscurarsi, offuscarsi **2** ♧ (*di volto e sim.*) brillare, risplendere, ravvivarsi © incupirsi, oscurarsi, rabbuiarsi.

illuminàto *agg.* **1** rischiarato, irradiato; chiaro, luminoso © buio, oscuro, scuro **2** ♧ (*di persona, di governo ecc.*) saggio, sapiente; progressista, riformatore © ignorante, incolto; conservatore, reazionario.

illuminazióne *s.f.* **1** luce, luminosità © buio, oscurità **2** ♧ idea, intuizione, folgorazione.

illusióne *s.f.* **1** abbaglio, apparenza, inganno, visione **2** sogno, speranza, chimera, miraggio, utopia © delusione, disillusione, disincanto.

illusionìsmo *s.m.* magia, prestidigitazione.

illusionìsta *s.m.f.* prestigiatore, mago, prestidigitatore.

illùso *agg., s.m.* ingenuo, idealista, sognatore, utopista, visionario © deluso, disilluso, disincantato.

illusòrio *agg.* ingannevole, apparente, fallace, falso © vero, reale, autentico, sincero.

illustràre *v.tr.* **1** (*un libro e sim.*) ornare, decorare **2** (*una situazione e sim.*) spiegare, chiarire, esporre, presentare, trattare.

illustrazióne *s.f.* **1** figura, disegno, immagine, fotografia, vignetta **2** (*di un'attività, di un progetto ecc.*) spiegazione, descrizione, esposizione, presentazione.

illùstre *agg.* celebre, famoso, rinomato, importante, grande, insigne, eminente © sconosciuto, oscuro, ignoto, anonimo.

imbacuccàre *v.tr.* coprire, infagottare ♦ **imbacuccarsi** *v.pr.* infagottarsi, coprirsi, imbottirsi © scoprirsi, spogliarsi, svestirsi.

imballàggio *s.m.* **1** imballo, confezione, packaging (*ingl.*) **2** (*ciò con cui si imballa*) imballo, confezione, involucro, contenitore.

imballàre *v.tr.* avvolgere, confezionare, impacchettare © disimballare, sballare, aprire.

imbalsamàre *v.tr.* **1** mummificare **2** (*animali*) impagliare.

imbambolàrsi *v.pr.* incantarsi © scuotersi, svegliarsi.

imbambolàto *agg.* incantato, trasognato, attonito, intontito © attento, lucido, sveglio.

imbandìre *v.tr.* preparare, apparecchiare.

imbarazzànte *agg.* critico, delicato, difficile, fastidioso, spiacevole, scabroso © gradevole, piacevole.

imbarazzàre *v.tr.* **1** (*i movimenti*) impacciare, impedire, intralciare, ostacolare; (*lo stomaco*) appesantire **2** ♧ (*una persona*) mettere in imbarazzo, mettere a disagio, confondere, turbare, inibire (*psic.*) ♦ **imbarazzarsi** *v.pr.* confondersi, intimidirsi, vergognarsi, turbarsi.

imbarazzàto *agg.* **1** (*di movimento, di gesto*) goffo, impacciato, impedito © disinvolto, sciolto **2** ♧ (*di persona*) confuso, disorientato, intimidito, inibito, turbato © sicuro, disinvolto, spigliato **3** (*di stomaco*) appesantito, pesante.

imbaràzzo *s.m.* **1** intralcio, impaccio, impedimento **2** ♧ disagio, impaccio, vergogna, turbamento © disinvoltura, spigliatezza, sicurezza **3** (*di stomaco*) appesantimento, pesantezza.

imbarbariménto *s.m.* (*della società, della cultura ecc.*) regressione, degrado, decadimento © incivilimento, civilizzazione.

imbarbarìre *v.tr.* degradare, corrompere © civilizzare, affinare, dirozzare ♦ **imbarbarirsi** *v.pr.* (*della società, della cultura ecc.*) decadere, regredire, degenerare, corrompersi © avanzare, progredire, incivilirsi, civilizzarsi.

imbarcadèro *s.m.* molo, banchina, imbarco, pontile.

imbarcàre *v.tr.* **1** (*passeggeri, merci ecc.*) caricare © sbarcare, scaricare **2** ♧ (*in un'avventura, in* *un affare ecc.*) coinvolgere, trascinare **3** (*gerg.*; *una ragazza e sim.*) conquistare, abbordare, rimorchiare (*gerg.*) ♦ **imbarcarsi** *v.pr.* **1** salire, montare © sbarcare, scendere **2** ♧ (*in un'avventura, in un affare ecc.*) avventurarsi, cacciarsi, ficcarsi (*colloq.*), impelagarsi © uscire, liberarsi **3** (*di assi o travi*) incurvarsi, arcuarsi, deformarsi.

imbarcazióne *s.f.* barca, natante.

imbàrco *s.m.* **1** (*l'operazione*) © sbarco **2** (*luogo*) molo, banchina, imbarcadero, pontile.

imbastìre *v.tr.* **1** (*un orlo e sim.*) impunturare **2** ♧ (*un piano d'azione, un discorso ecc.*) abbozzare, delineare, buttare giù, impostare.

imbàttersi *v.pr.* incontrare, incrociare; incappare, incorrere © evitare, scansare, schivare.

imbattìbile *agg.* invincibile, insuperabile; impareggiabile, ineguagliabile, inarrivabile © battibile, vincibile.

imbavagliàre *v.tr.* zittire, far tacere; (*spec. la stampa*) censurare.

imbeccàre *v.tr.* ♧ (*una persona, un testimone ecc.*) suggerire, istruire, indottrinare.

imbecìlle *agg., s.m.f.* stupido, scemo, deficiente, cretino, idiota © intelligente, sveglio, furbo, perspicace.

imbèlle *agg.* **1** mite, pacifico © bellicoso, combattivo **2** debole, codardo, vile, pauroso, pavido, pusillanime (*elev.*) © coraggioso, audace, valoroso; forte, energico.

imbellettàrsi *v.pr.* truccarsi, pitturarsi (*colloq.*) © struccarsi.

imbèrbe *agg.* **1** (*di viso maschile e sim.*) glabro, sbarbato, liscio © peloso, barbuto, irsuto **2** ♧ immaturo, inesperto, ingenuo © maturo, esperto.

imbestialìrsi *v.pr.* arrabbiarsi, infuriarsi, irritarsi, andare in bestia (*colloq.*), montare su tutte le furie (*colloq.*), andare in collera © calmarsi, tranquillizzarsi, sbollire (*colloq.*).

imbianchìno *s.m.* pittore, decoratore.

imbizzarrìrsi *v.pr.* (*spec. di cavalli*) adombrarsi; spaventarsi © calmarsi, tranquillizzarsi.

imboccàre *v.tr.* **1** ♧ imbeccare, istruire, suggerire **2** (*una strada e sim.*) infilare, prendere ♦ *v.intr.* (*di presa, di tubo ecc.*) entrare, inserirsi.

imbócco *s.m.* entrata, ingresso, imboccatura © uscita, sbocco.

imbolsìre *v.intr.* ingrassare, appesantirsi; infiacchirsi, impigrirsi © dimagrire, snellirsi; rinvigorirsi, tonificarsi.

imbonitóre *s.m.* venditore ambulante; ciarlatano.

imboscàre *v.tr.* nascondere, occultare, celare © mostrare, esibire, ostentare ♦ **imboscarsi** *v.pr.* **1** nascondersi, rintanarsi; cacciarsi **2** (*scherz.*; *di coppia*) appartarsi, isolarsi, infrattarsi.

imboscàta *s.f.* **1** agguato, appostamento **2** ♧ tranello, trappola, insidia.

imboscàto *s.m.* **1** (*in tempo di guerra*) disertore **2** ♧ scansafatiche.

imbottigliaménto *s.m.* ♧ (*di traffico*) intasamento, ingorgo, paralisi, blocco © sblocco, scorrimento.

imbottìre *v.tr.* **1** (*un divano, un giaccone ecc.*) riempire, ovattare © svuotare **2** (*un panino*) farcire, riempire **3** ♧ (*di chiacchiere e sim.*) riempire; (*scherz., di cibo*) ingozzare, rimpinzare, riempire.

imbottìto *agg.* **1** (*di panino e sim.*) ripieno, farcito **2** ♧ (*di persona*) pieno, colmo, zeppo.

imbracàre vedi **imbragàre**.

imbragàre *v.tr.* imbrigliare IPERON. legare, stringere, cingere.

imbranàto *agg., s.m.* goffo, impacciato, impedito (*colloq.*), maldestro © disinvolto, spigliato.

imbrattàre *v.tr.* **1** sporcare, insudiciare, macchiare, impiastricciare © lavare, pulire, detergere **2** ♧ (*la reputazione e sim.*) infangare, disonorare, insudiciare, macchiare © onorare.

imbrigliàre *v.tr.* **1** bardare **2** ♧ (*le passioni, la fantasia ecc.*) frenare, tenere a freno, dominare, disciplinare, controllare © liberare, sciogliere, sbrigliare **3** ♧ (*un torrente, un fiume*) inalveare IPON. arginare, canalizzare, incanalare.

imbroccàre *v.tr.* **1** (*il bersaglio*) centrare, colpire, colpire nel segno © mancare, sbagliare **2** ♧ (*la risposta e sim.*) azzeccare, indovinare © sbagliare **3** ♧ (*colloq.*; *una ragazza*) abbordare, conquistare.

imbrogliàre *v.tr.* **1** (*una matassa*) ingarbugliare, aggrovigliare © sbrogliare, dipanare **2** ♧ (*una situazione, un argomento ecc.*) complicare, confondere, incasinare (*colloq.*) **3** ♧ (*una persona*) ingannare, truffare, raggirare, fottere (*colloq.*), inculare (*volg.*) **4** (*le vele*) ripiegare, chiudere ♦ **imbrogliarsi** *v.pr.* **1** aggrovigliarsi, ingarbugliarsi © sbrogliarsi, dipanarsi, districarsi **2** ♧ (*di situazione e sim.*) complicarsi, ingarbugliarsi, incasinarsi (*colloq.*) © appianarsi, risolversi, chiarirsi **3** ♧ (*di persona*) confondersi, perdere il filo, impappinarsi (*colloq.*), sbagliarsi.

imbròglio *s.m.* **1** guaio, impiccio, pasticcio, casino (*colloq.*) **2** truffa, inganno, raggiro, bidonata (*colloq.*), inculata (*volg.*).

imbroglióne *s.m.* truffatore, farabutto, impostore, mascalzone, furfante.

imbronciàrsi *v.pr.* corrucciarsi, immusonirsi, fare il broncio, fare il muso (*colloq.*) © rasserenarsi, rallegrarsi, distendersi, tranquillizzarsi.

imbronciàto *agg.* **1** (*di persona*) corrucciato, immusonito, indispettito, irritato, risentito © sereno, lieto, tranquillo **2** ♧ (*di cielo, di tempo e sim.*) nuvoloso, coperto, grigio, brutto.

imbrunìre *v.intr.* (*spec. del cielo*) incupire, oscurarsi; scurire, annottare © schiarire, albeggiare ♦ *s.m.* tramonto, crepuscolo © alba, aurora.

imbruttìre *v.tr.* e *intr.* peggiorare © migliorare, abbellire.

imbucàre *v.tr.* **1** (*una lettera e sim.*) impostare; mandare, spedire **2** (*colloq.*) nascondere, celare, imboscare (*colloq.*), riporre © tirare fuori ♦ **imbucarsi** *v.pr.* **1** (*di animale*) infilarsi, rintanarsi **2** (*gerg.*; *di persona*) nascondersi, rintanarsi, imboscarsi (*colloq.*).

imitàre *v.tr.* **1** (*un modello*) seguire, copiare, ricalcare, riprodurre © creare, inventare **2** (*la voce e sim.*) copiare, contraffare, scimmiottare (*colloq.*), fare il verso **3** (*una firma e sim.*) contraffare, falsificare.

imitatóre *s.m.* **1** (*di qlcu.*) discepolo, emulatore, emulo; (*spreg.*) pappagallo **2** (*di qlco.*) falsificatore, contraffattore.

imitazióne *s.f.* **1** copia, riproduzione **2** (*di voci, di rumori*) riproduzione, simulazione **3** (*di un quadro, di un gioiello ecc.*) copia, riproduzione, falso © originale **4** (*di una firma*) contraffazione, falsificazione; plagio © originale.

immacolàto *agg.* **1** bianco, candido, pulito © sporco, macchiato, nero **2** ♧ (*di persona, di coscienza ecc.*) puro, incontaminato, incorrotto, innocente, pulito © corrotto, immorale, sporco, impuro.

immagazzinàre *v.tr.* **1** (*merci e sim.*) stoccare; riporre, accatastare, ammassare **2** ♧(*esperienze, dati ecc.*) accumulare, raccogliere, concentrare © disperdere.

immaginàbile *agg.* **1** concepibile, prevedibile, presumibile © inimmaginabile, impensabile **2** ammissibile, plausibile © inammissibile, incredibile, assurdo.

immaginàre *v.tr.* **1** fantasticare, sognare; figurarsi, rappresentare **2** concepire, ideare, inventare, pensare **3** credere, pensare, presumere, ipotizzare, supporre **4** intuire, prevedere, presagire, sentire, sospettare.

immaginàrio *agg.* fantastico, ideale, illusorio, irreale, inventato © reale, vero, concreto ♦ *s.m.* (*psic.*) immaginazione, fantasia, inventiva.

immaginatìva *s.f.* inventiva, fantasia, immaginazione.

immaginatìvo *agg.* **1** (*di capacità*) creativo, inventivo **2** (*di persona*) creativo, originale, fantasioso, inventivo © concreto.

immaginazióne *s.f.* **1** fantasia, creatività, inventiva, estro **2** (*cosa immaginata*) fantasia, illusione, invenzione, sogno, chimera, castello in aria © realtà.

immàgine *s.f.* **1** figura, forma **2** disegno, figura, fotografia, illustrazione, riproduzione; effigie **3** ricordo, reminiscenza, sensazione, illusione, visione; fantasma, spettro **4** (*di persona che assomiglia a un'altra*) copia, ritratto **5** (*della salute, della felicità e sim.*) simbolo, emblema, incarnazione, personificazione **6** (*di un'azienda, di un personaggio ecc.*) aspetto, look (*ingl.*), stile, apparenza **7** (*nello scrivere o nel parlare*) metafora, traslato.

immalinconìre *v.tr.* deprimere, rattristare, incupire © rallegrare, sollevare ♦ *v.intr.* e **immalinconirsi** *v.pr.* deprimersi, intristirsi, rattristarsi, incupirsi © rallegrarsi, allietarsi.

immancàbile *agg.* inevitabile; certo, sicuro, ovvio, scontato © dubbio, incerto.

immàne *agg.* **1** (*di disastro e sim.*) spaventoso, terribile, enorme, gigantesco, orribile, tremendo **2** (*di fatica e sim.*) enorme, immenso, massacrante © leggero, piccolo.

immanènte *agg.* congenito, connaturato, insito, intrinseco; (*filos.*) trascendente © estrinseco, esteriore.

immangiàbile *agg.* incommestibile; disgustoso, nauseabondo, schifoso © commestibile, mangiabile; buono, appetitoso, delizioso.

immaterìàle *agg.* **1** incorporeo, spirituale © materiale, corporeo, sensibile **2** etereo, delicato, evanescente, incorporeo.

immatricolàre *v.tr.* iscrivere, registrare.

immatricolazióne *s.f.* iscrizione, registrazione.

immaturità *s.f.* **1** (*di frutto*) acerbità © maturità **2** ♧ (*di persona*) infantilismo, puerilità; inesperienza, sprovvedutezza © maturità, esperienza, saggezza.

immatùro *agg.* **1** (*di frutto*) acerbo, verde © maturo **2** ♧ (*di persona, di comportamento ecc.*) infantile, puerile; inesperto, giovane © maturo, adulto, saggio; esperto **3** (*di morte, di scomparsa e sim.*) precoce, prematuro © ritardato, tardivo.

immedesimàrsi *v.pr.* identificarsi, mettersi nei panni, compenetrarsi.

immediatézza *s.f.* **1** prontezza, rapidità, sollecitudine, tempestività, tempismo © ritardo, lentezza **2** ♧ franchezza, schiettezza, spontaneità © ambiguità, artificiosità, falsità

immediàto *agg.* **1** diretto © indiretto **2** pronto, rapido, veloce, sollecito, tempestivo © lento, tardivo **3** ♧ franco, schietto, spontaneo, sincero

© ambiguo, artificioso, falso **4** (*di reazione*) impulsivo, istintivo, spontaneo © controllato, mediato, pensato, studiato.

immemoràbile *agg.* remoto, lontano, passato, dimenticato © recente, attuale, moderno.

immèmore *agg.* (*elev.*) dimentico; ingrato, irriconoscente © memore; grato, riconoscente.

immensità *s.f.* **1** vastità, illimitatezza, sconfinatezza © limitatezza, piccolezza **2** (*enorme quantità*) infinità, mare, mondo, mucchio, oceano, sacco (*colloq.*).

immènso *agg.* **1** (*di spazio e sim.*) sconfinato, smisurato, enorme, illimitato © limitato, minuscolo **2** ♣ (*di dolore e sim.*) intenso, forte, profondo © superficiale.

immèrgere *v.tr.* **1** affondare, bagnare, sommergere, tuffare; inzuppare © estrarre, tirare fuori **2** (*un coltello*) infilare, introdurre, piantare, conficcare © estrarre, sfilare, tirare fuori ♦ **immergersi** *v.pr.* **1** (*nell'acqua e sim.*) tuffarsi, bagnarsi © emergere, riaffiorare, tornare a galla, venire a galla **2** (*nella nebbia e sim.*) addentrarsi, inoltrarsi, penetrare © emergere, venire fuori **3** ♣ (*nel lavoro e sim.*) dedicarsi, consacrarsi, sprofondarsi, tuffarsi.

immeritàto *agg.* ingiusto, immotivato, iniquo © giusto, meritato, equo, motivato.

immersióne *s.f.* tuffo, bagno © emersione, affioramento.

imméttere *v.tr.* **1** introdurre, infilare, inserire © emettere, estrarre, espellere **2** (*dati e sim.*) inserire, registrare **3** (*un prodotto e sim.*) lanciare, distribuire, mettere in circolazione © ritirare ♦ **immettersi** *v.pr.* entrare, inserirsi, introdursi; confluire, riversarsi © uscire.

immigràre *v.intr.* insediarsi, stanziarsi, trapiantarsi, trasferirsi © emigrare, espatriare.

immigràto *agg.*, *s.m.* © emigrato, emigrante.

immigrazióne *s.f.* © emigrazione, espatrio.

imminènte *agg.* prossimo, vicino © lontano, remoto, distante.

imminènza *s.f.* prossimità, vicinanza © distanza, lontananza.

immischiàre *v.tr.* coinvolgere, implicare ♦ **immischiarsi** *v.pr.* intromettersi, impicciarsi, ficcare il naso (*colloq.*) © disinteressarsi, fregarsene (*colloq.*).

immiserìre *v.tr.* impoverire, depauperare; indebolire © arricchire, impinguare ♦ **immiserirsi** *v.pr.* impoverirsi, rovinarsi © arricchirsi.

immissàrio *s.m.* affluente, confluente, tributario © emissario.

immissióne *s.f.* introduzione, inclusione, inserimento; entrata, ingresso © emissione, espulsione; fuoriuscita, uscita; prelievo.

immòbile *agg.* **1** fermo, fisso © mobile, trasportabile **2** statico, fisso, inerte © dinamico, mobile, mutevole ♦ *s.m.* IPON. edificio, casa, appartamento, fabbricato; terreno, podere, fondo © bene mobile.

immobiliàre *agg.* © mobiliare.

immobilìsmo *s.m.* inerzia, stasi; conservatorismo © dinamismo, efficientismo; progressismo.

immobilità *s.f.* **1** fissità, stabilità © mobilità, movimento **2** (*di una situazione e sim.*) immutabilità, invariabilità, stasi, staticità © dinamicità, mobilità, mutevolezza, variabilità.

immobilizzàre *v.tr.* **1** bloccare, fermare, fissare © liberare, sbloccare **2** (*un arto*) ingessare, bendare, steccare **3** ♣ arrestare, bloccare, fermare, paralizzare **4** (*un capitale*) investire © disinvestire, smobilizzare.

immodèstia *s.f.* presunzione, superbia, vanità © modestia, umiltà.

immodèsto *agg.* presuntuoso, superbo, vanitoso, gasato (*colloq.*), supponente © modesto, umile.

immolàre *v.tr.* **1** (*a una divinità*) offrire, sacrificare **2** ♣ (*a una causa e sim.*) offrire, consacrare, sacrificare, votare ♦ **immolarsi** *v.pr.* sacrificarsi, consacrarsi, dedicarsi, votarsi.

immondìzia *s.f.* spazzatura, rifiuti; sudiciume, sporcizia, lordura.

immóndo *agg.* **1** sudicio, sporco, lercio, sozzo; ripugnante, schifoso © pulito, lindo **2** ♣ abietto, corrotto, depravato, impuro, turpe © puro, pulito, incorrotto, onesto.

immoràle *agg.* **1** (*di persona*) corrotto, disonesto, depravato, dissoluto, vizioso © onesto, retto, puro, virtuoso **2** (*di spettacolo, di libro ecc.*) indecente, impudico, licenzioso, osceno, scandaloso, spinto © morale, castigato, morigerato.

immoralità *s.f.* **1** corruzione, degenerazione, depravazione, dissolutezza, disonestà, perversione, sconcezza © moralità, rettitudine, integrità **2** (*di uno spettacolo e sim.*) licenziosità, oscenità, volgarità, sconcezza.

immortalàre *v.tr.* **1** consacrare, eternare, perpetuare **2** (*scherz.*) raffigurare, rappresentare, ritrarre; fotografare.

immortàle *agg.* **1** eterno © mortale **2** (*di gloria e sim.*) perenne, eterno, infinito, intramontabile, perpetuo, imperituro (*elev.*) © temporaneo, passeggero, effimero, fugace.

immortalità *s.f.* **1** eternità © mortalità; caducità, precarietà, transitorietà **2** ♣ fama, gloria.

immotivàto *agg.* ingiustificato, infondato, illegittimo; ingiusto, immeritato; incomprensibile

© motivato, fondato, giustificato; giusto, meritato; comprensibile.
immùne *agg.* libero, privo, esente © incline, soggetto.
immunità *s.f.* **1** esenzione, esonero; franchigia, privilegio **2** impunità, impunibilità.
immunizzàre *v.tr.* **1** vaccinare **2** ♧ difendere, proteggere, preservare.
immusonìrsi *v.pr.* corrucciarsi, imbronciarsi, fare il broncio, fare il muso (*colloq.*) © rasserenarsi, rallegrarsi, distendersi, tranquillizzarsi.
immusonìto *agg.* corrucciato, imbronciato, indispettito, rabbuiato, risentito © sereno, lieto, tranquillo.
immutàbile *agg.* immodificabile, invariabile; eterno, fisso, stabile © mutabile, modificabile, variabile; mutevole, incostante, instabile.
immutabilità *s.f.* inalterabilità, invariabilità; eternità, fissità © instabilità, modificabilità, variabilità, volubilità.
impacciàre *v.tr.* **1** intralciare, ostacolare, impedire © agevolare, facilitare, favorire **2** ♧ disturbare, imbarazzare, intimidire, turbare, disorientare © aiutare, agevolare, incoraggiare ♦ **impacciarsi** *v.pr.* confondersi, imbarazzarsi, intimidirsi.
impacciàto *agg.* **1** impedito, ostacolato, intralciato © libero, agile **2** ♧ imbarazzato, incerto, insicuro, timido; goffo, maldestro © disinvolto, sciolto, spigliato.
impàccio *s.m.* **1** impedimento, intralcio, ostacolo, intoppo **2** imbarazzo, confusione, disagio, esitazione **3** fastidio, seccatura, grattacapo, guaio.
impadronìrsi *v.pr.* **1** impossessarsi, appropriarsi; (*di una città, di un territorio ecc.*) conquistare, occupare © abbandonare, perdere **2** prendere, rubare, sottrarre, incamerare **3** ♧ (*di una lingua, di una tecnica ecc.*) imparare, impossessarsi; padroneggiare.
impagàbile *agg.* **1** (*di cosa*) incalcolabile, inestimabile, immenso, prezioso © irrilevante, trascurabile **2** (*di persona e sim.*) impareggiabile, inimitabile; eccezionale, straordinario © comune, mediocre, ordinario.
impaginatóre *s.m.* grafico.
impagliàre *v.tr.* (*animali*) imbalsamare.
impalàto *agg.* ♧ immobile, fisso, rigido, impettito, ritto.
impalcatùra *s.f.* **1** (*edil.*) ponteggio, ponte **2** sostegno, telaio, intelaiatura, ossatura, scheletro **3** ♧ (*di una teoria e sim.*) struttura, ossatura, base.
impallidìre *v.intr.* **1** sbiancare, illividirsi © accendersi, arrossire, avvampare **2** ♧ allibire, sbalordire, sbigottire © rianimarsi, rinfrancarsi **3** (*di colore, di luce ecc.*) sbiadire, scolorirsi, offuscarsi © accendersi, illuminarsi **4** ♧ (*di fama, di sentimento ecc.*) sbiadire, affievolirsi, offuscarsi, diminuire © aumentare, accentuarsi.
impalpàbile *agg.* **1** (*di materiale e sim.*) inconsistente, impercettibile; fine, sottile © palpabile **2** ♧ indefinibile, vago, evanescente © chiaro, distinto, tangibile.
impantanàrsi *v.pr.* **1** (*nel fango*) bloccarsi, fermarsi, sprofondare **2** ♧ (*in una situazione difficile*) cacciarsi, invischiarsi, impegolarsi, impelagarsi, infognarsi (*colloq.*) © districarsi, liberarsi, uscire **3** ♧ arenarsi, bloccarsi, fermarsi.
impaperàrsi *v.pr.* impappinarsi, confondersi, imbrogliarsi, ingarbugliarsi.
impappinàrsi *v.pr.* vedi **impaperàrsi**.
imparàre *v.tr.* apprendere, acquisire; impadronirsi, impossessarsi; studiare © disimparare, dimenticare.
impareggiàbile *agg.* ineguagliabile, imbattibile, insuperabile; eccezionale, straordinario, unico © comune, mediocre, ordinario.
ìmpari *agg.* **1** diverso, differente; inferiore © pari, uguale, equivalente **2** (*di lotta, di armi ecc.*) disequilibrato, dispari © pari, equilibrato.
impartire *v.tr.* (*un ordine, una lezione ecc.*) dare, assegnare.
imparziàle *agg.* (*di giudizio e sim.*) equo, giusto, obiettivo, disinteressato, spassionato © parziale, fazioso, di parte, tendenzioso.
imparzialità *s.f.* equità, equanimità, obbiettività, neutralità, serenità © parzialità, faziosità, iniquità, partigianeria.
impasse *s.f.invar.* (*fr.*) intoppo, difficoltà; punto morto, vicolo cieco.
impassìbile *agg.* imperturbabile, indifferente, freddo, distaccato, insensibile; calmo, tranquillo, flemmatico © sensibile, emotivo, impressionabile; agitato, nervoso.
impassibilità *s.f.* imperturbabilità, indifferenza, freddezza, distacco, insensibilità; calma, tranquillità, flemma © sensibilità, emotività, impressionabilità; agitazione, nervosismo.
impastàre *v.tr.* amalgamare, mescolare, fondere, manipolare.
impàsto *s.m.* **1** impastatura **2** amalgama, miscela, mistura, pasta **3** ♧ (*di stile, di idee ecc.*) insieme, mescolanza, miscuglio, misto.
impàtto *s.m.* **1** urto, collisione, botta, scontro **2** ♧ (*con la realtà e sim.*) contatto, approccio **3** ♧ (*sull'ambiente e sim.*) influsso, influenza, effetto.
impaurìre *v.tr.* spaventare, intimidire, preoccupare; sgomentare, terrorizzare © rassicurare, tranquillizzare ♦ **impaurirsi** *v.pr.* spaventarsi, preoccuparsi; terrorizzarsi © calmarsi.

impàvido *agg.* coraggioso, intrepido, audace © pauroso, pavido (*elev.*), timoroso, fifone (*colloq.*).
impaziènte *agg.* **1** insofferente, intollerante © paziente, tollerante **2** ansioso, nervoso, smanioso © calmo, tranquillo.
impaziènza *s.f.* **1** insofferenza, intolleranza © pazienza, tolleranza, sopportazione **2** nervosismo, irrequietezza, smania © calma, pazienza, tranquillità.
impazzàre *v.intr.* **1** (*di evento e sim.*) imperversare, scatenarsi **2** (*di moda*) esplodere, furoreggiare **3** (*di salsa, di crema ecc.*) raggrumarsi, impazzire © amalgamarsi.
impazzìre *v.intr.* **1** ammattire, uscire di senno, dare i numeri © rinsavire, tornare in sé **2** ♧ (*per passione, desiderio e sim.*) innamorarsi, infatuarsi, appassionarsi, morire dietro (*colloq.*) **3** ♧ (*per qlco. di difficile soluzione*) arrovellarsi, diventare matto, scervellarsi **4** (*di strumento e sim.*) rompersi, dare i numeri (*colloq.*) **5** (*di salsa, di crema ecc.*) raggrumarsi, impazzare © amalgamarsi.
impeccàbile *agg.* perfetto, inappuntabile, ineccepibile, irreprensibile © criticabile, discutibile; imperfetto, manchevole.
impediménto *s.m.* ostacolo, intralcio, impaccio, impiccio; difficoltà, complicazione, imprevisto, contrattempo.
impedìre *v.tr.* **1** (*di fare qlco.*) negare, proibire, vietare © concedere, consentire, permettere **2** (*il passaggio e sim.*) bloccare, chiudere, ostacolare, ingombrare © liberare, sgombrare **2** (*i movimenti*) impacciare, intralciare, ostacolare © favorire, agevolare.
impegnàre *v.tr.* **1** (*oggetti preziosi*) dare in pegno © disimpegnare, riscattare **2** (*denaro*) investire; (*beni immobili*) ipotecare **3** (*di contratto e sim.*) obbligare, costringere, vincolare **4** (*di lavoro e sim.*) occupare, assorbire; (*energie e sim.*) adoperare, impiegare ♦ **impegnarsi** *v.pr.* **1** farsi carico, incaricarsi, obbligarsi, vincolarsi © disimpegnarsi, liberarsi, svincolarsi **2** (*nel fare qlco.*) dedicarsi, darsi da fare, sforzarsi, concentrarsi.
impegnatìvo *agg.* **1** vincolante, obbligante **2** (*di lavoro e sim.*) difficile, duro, faticoso, pesante © leggero, lieve, facile.
impegnàto *agg.* **1** (*di persona*) occupato, indaffarato, preso © libero, disponibile, disimpegnato **2** (*politicamente*) engagé (*fr.*), politicizzato © disimpegnato **3** (*sentimentalmente*) occupato, fidanzato, legato © libero, single (*ingl.*).
impégno *s.m.* **1** dovere, obbligo, promessa, legame, vincolo **2** compito, mansione, incarico; affare, faccenda **3** cura, scrupolo, accuratezza, dedizione, diligenza, fervore, premura, sollecitudine, solerzia, zelo © disinteresse, negligenza, noncuranza, trascuratezza **4** (*sociale, politico*) engagement (*fr.*) © disimpegno, qualunquismo.
impegolàrsi *v.pr.* (*in situazioni difficili e sim.*) invischiarsi, impantanarsi, infognarsi (*colloq.*).
impelagàrsi *v.pr.* vedi **impegolàrsi**.
impellènte *agg.* pressante, urgente, incalzante, stringente © prorogabile, rimandabile, rinviabile.
impenetràbile *agg.* **1** (*di fortezza, di difesa*) imprendibile, inattaccabile, inespugnabile © conquistabile, espugnabile **2** (*di foresta*) inaccessibile, inattraversabile © accessibile **3** ♧ (*di discorso e sim.*) incomprensibile, enigmatico, oscuro, indecifrabile © chiaro, comprensibile **4** (*di persona*) chiuso, enigmatico, misterioso, inafferabile © eloquente, espressivo **5** (*di avvenimento, di mistero ecc.*) oscuro, arcano, indecifrabile, insolubile, inspiegabile © chiaro, evidente, palese.
impenitènte *agg.* incorreggibile, accanito, incallito, ostinato, irriducibile © pentito.
impennàrsi *v.pr.* **1** (*di cavallo*) imbizzarrirsi © ammansirsi **2** ♧ (*di persona*) inalberarsi, reagire, arrabbiarsi, infuriarsi, seccarsi © calmarsi, placarsi, tranquillizzarsi.
impensàbile *agg.* inconcepibile, inimmaginabile, incredibile; assurdo, inaccettabile, inammissibile © concepibile, credibile, immaginabile, pensabile, possibile.
impensàto *agg.* imprevisto, inaspettato, inatteso, improvviso © atteso, previsto.
impensierìre *v.tr.* preoccupare, inquietare, turbare © rassicurare, tranquillizzare ♦ **impensierirsi** *v.pr.* preoccuparsi, agitarsi, inquietarsi; angosciarsi, crucciarsi © calmarsi, rasserenarsi.
imperànte *agg.* (*di moda, di opinione ecc.*) predominante, dilagante, prevalente, generale.
imperatìvo *agg.* autoritario, categorico, imperioso, perentorio, tassativo.
impercettìbile *agg.* **1** impercepibile, inavvertibile © percepibile, distinto **2** insignificante, trascurabile, irrisorio; minimo, lieve, microscopico © considerevole, ragguardevole, notevole.
imperdonàbile *agg.* ingiustificabile, intollerabile © comprensibile, giustificabile, perdonabile, scusabile.
imperfètto *agg.* **1** incompiuto, incompleto, insufficiente © perfetto, compiuto, finito **2** difettoso, impreciso, manchevole, carente © perfetto, preciso, impeccabile, inappuntabile.
imperfezióne *s.f.* **1** incompletezza, incompiu-

tezza © perfezione, completezza **2** difetto, imprecisione, falla, manchevolezza, pecca.
imperialìsmo *s.m.* espansionismo; colonialismo © antimperialismo.
imperialìsta *agg., s.m.f.* espansionista; colonialista © antimperialista.
imperióso *agg.* **1** (*di gesto, di tono e sim.*) autoritario, perentorio, tassativo **2** ♧ (*di desiderio, di bisogno ecc.*) impellente, pressante, urgente, incontrollabile, irrefrenabile.
imperitùro *agg.* eterno, immortale, perenne, perpetuo © fugace, fuggevole, effimero, momentaneo, passeggero, caduco.
imperìzia *s.f.* incompetenza, inesperienza, ignoranza © esperienza, competenza, preparazione.
impermalìrsi *v.pr.* risentirsi, offendersi, infastidirsi, indispettirsi, irritarsi, seccarsi, urtarsi.
impermeàbile *agg.* **1** idrorepellente, waterproof (*ingl.*) © permeabile, idrofilo **2** ♧ insensibile, indifferente, refrattario; impassibile, imperturbabile © sensibile ♦ *s.m.* IPON. cerata IPERON. soprabito.
imperniàre *v.tr.* **1** fissare, collegare **2** ♧ (*un ragionamento, una teoria ecc.*) fondare, basare, incentrare.
imperscrutàbile *agg.* oscuro, misterioso, indecifrabile, incomprensibile, insondabile © chiaro, evidente, comprensibile, trasparente.
impersonàle *agg.* **1** generico, indeterminato, indistinto © personale, determinato, specifico **2** comune, anonimo, banale, grigio, ordinario © caratteristico, particolare, personale, originale.
impersonàre *v.tr.* **1** incarnare, personificare, simboleggiare **2** (*di attori*) interpretare, rappresentare, recitare.
impertèrrito *agg.* indifferente, impassibile, imperturbabile © sensibile, emotivo.
impertinènte *agg.* insolente, sfacciato, maleducato, sfrontato, strafottente (*colloq.*) © educato, rispettoso, garbato.
impertinènza *s.f.* insolenza, sfacciataggine, maleducazione, impudenza © educazione, rispetto, riguardo.
imperturbàbile *agg.* impassibile, imperterrito, freddo, distaccato, insensibile; calmo, sereno, pacifico © eccitabile, emotivo, impressionabile, sensibile.
imperversàre *v.intr.* **1** (*di temporale, di epidemia ecc.*) infuriare, scatenarsi, infierire **2** ♧ (*scherz.*; *di moda, di canzone e sim.*) dilagare, dominare, imperare, impazzare.
impèrvio *agg.* **1** (*di un sentiero e sim.*) impraticabile, inaccessibile, inagibile © accessibile, agibile, transitabile **2** ♧ (*di un impresa e sim.*) difficile, arduo, ostico © facile, agevole.
ìmpeto *s.m.* **1** furia, foga, impetuosità, slancio, veemenza © calma, tranquillità, distacco **2** ♧ (*di passione, di sentimento e sim.*) impulso, slancio, esplosione, scoppio.
impettìto *agg.* diritto, dritto, eretto, rigido; gonfio, tronfio.
impetuóso *agg.* **1** (*di vento, di fiume ecc.*) furioso, violento © calmo, tranquillo **2** ♧ (*di persona*) impulsivo, istintivo, focoso, ardente, irruente © calmo, tranquillo, posato, riflessivo.
impiantàre *v.tr.* **1** installare, mettere © levare, togliere **2** (*un'azienda, un commercio e sim.*) avviare, aprire, fondare, istituire, mettere su (*colloq.*) © chiudere.
impiànto *s.m.* **1** installazione **2** (*di una società, di una ditta ecc.*) apertura, avviamento, costituzione, fondazione **3** (*di riscaldamento e sim.*) sistema, apparato **4** ♧ organizzazione, struttura, impostazione.
impiàstro *s.m.* **1** cataplasma, impacco **2** ♧ (*colloq.; di persona noiosa*) piaga (*colloq.*), lagna, piattola (*colloq.*), rompiballe (*volg*).
impicciàre *v.tr.* (*di cosa*) impedire, intralciare, ostacolare © agevolare, favorire ♦ **impicciarsi** *v.pr.* immischiarsi, intromettersi, interferire, ficcare il naso (*colloq.*) © disinteressarsi, fregarsene (*colloq.*), infischiarsene (*colloq.*).
impìccio *s.m.* **1** intralcio, ingombro, impedimento, intoppo, ostacolo **2** fastidio, grattacapo, guaio, noia, pasticcio, rogna (*colloq.*) seccatura.
impicciόne *agg., s.m.* ficcanaso, curiosone, invadente.
impiegàre *v.tr.* **1** adoperare, usare, utilizzare **2** (*denaro*) spendere, investire **3** (*tempo*) trascorrere, occupare, metterci **4** (*un dipendente*) assumere, occupare © licenziare, mandare via.
impiegàto *s.m.* colletto bianco, funzionario, burocrate.
impiègo *s.m.* **1** uso, utilizzazione, utilizzo **2** attività, lavoro, posto, occupazione.
impietosìre *v.tr.* commuovere, toccare, intenerire ♦ **impietosirsi** *v.pr.* commuoversi, intenerirsi © inasprirsi, indurirsi.
impietόso *agg.* crudele, disumano, spietato © pietoso, umano, compassionevole.
impietrìre *v.intr.* ♧ gelare, pietrificare, paralizzare, rimanere di sasso.
impigliàre *v.tr.* afferrare, avvolgere, trattenere, incagliare © liberare ♦ **impigliarsi** *v.pr.* agganciarsi © liberarsi, districarsi.
impigrìre *v.tr.* impoltronire, infiacchire, intorpidire ♦ *v.intr.* e **impigrirsi** *v.pr.* impoltronirsi, infiacchirsi © scuotersi, svegliarsi, spigrirsi.
impilàre *v.tr.* accatastare, affastellare.

implacàbile *agg.* **1** accanito, inesorabile, ostinato, irriducibile **2** (*di persona*) crudele, duro, spietato, feroce, disumano, terribile © pietoso, umano, compassionevole, clemente.
implicàre *v.tr.* **1** (*come conseguenza*) comportare, comprendere, sottintendere © escludere **2** (*in situazioni disoneste o rischiose*) coinvolgere, immischiare, trascinare.
implicazióne *s.f.* **1** connessione, rapporto; conseguenza, effetto, ripercussione **2** (*in situazioni disoneste o rischiose*) coinvolgimento © estraneità.
implìcito *agg.* sottinteso, indiretto, tacito, velato © esplicito, evidente, dichiarato, manifesto.
imploràre *v.tr.* supplicare, scongiurare.
implorazióne *s.f.* preghiera, supplica.
imponderàbile *agg.* imprecisabile, indefinibile, imprevedibile, indeterminabile © prevedibile, presumibile.
imponènte *agg.* **1** (*di un edificio e sim.*) enorme, grandioso, maestoso © piccolo, misero **2** (*di persona*) solenne, austero, grosso, massiccio.
imponènza *s.f.* **1** grandiosità, maestosità, monumentalità © piccolezza **2** (*di una persona*) solennità, austerità, dignità.
imponìbile *agg., s.m.* (*fin.*) tassabile.
impopolàre *agg.* **1** inviso, sgradito, malvisto © popolare, benvisto, gradito **2** sconosciuto, ignoto © popolare, noto.
impopolarità *s.f.* (*di un governo, di una legge ecc.*) © popolarità.
impórre *v.tr.* **1** © togliere, levare **2** (*un nome*) dare, assegnare **3** (*una legge*) stabilire, prescrivere; (*il silenzio, il rispetto ecc.*) ordinare, comandare, intimare **4** (*di situazione e sim.*) richiedere, esigere, comportare, volere ♦ **imporsi** *v.pr.* **1** farsi valere, comandare **2** affermarsi, avere successo, farsi strada **3** (*di provvedimento e sim.*) rendersi necessario, urgere, premere.
importànte *agg.* **1** (*di notizia, di affare ecc.*) notevole, rilevante, significativo © banale, insignificante, trascurabile **2** (*di persona*) autorevole, influente, potente; celebre, famoso, insigne © sconosciuto, oscuro, insignificante, qualsiasi ♦ *s.m.* essenziale, indispensabile.
importànza *s.f.* **1** interesse, rilievo, valore, peso © insignificanza, irrilevanza **2** (*di una persona*) autorevolezza, influenza, prestigio, peso © insignificanza, ininfluenza.
importàre *v.tr.* **1** (*econ.*) © esportare **2** (*una moda e sim.*) introdurre, divulgare © esportare ♦ *v.intr.* premere, stare a cuore, interessare ♦ *v.intr.impers.* **1** avere importanza, interessare **2** occorrere, essere necessario, servire.
importazióne *s.f.* **1** import (*ingl.*) © esportazione, export (*ingl.*) **2** (*di una moda e sim.*) introduzione © esportazione.
impòrto *s.m.* **1** prezzo, ammontare, costo, entità **2** cifra, somma.
importunàre *v.tr.* disturbare, infastidire, seccare, rompere (*colloq.*), molestare © lasciare in pace.
importùno *agg.* **1** irritante, molesto, noioso, seccante © discreto; piacevole **2** (*di richiesta, di discorso ecc.*) infelice, inopportuno, intempestivo © adatto, opportuno ♦ *s.m.* scocciatore, seccatore, rompiscatole (*colloq.*), rompicoglioni (*volg.*).
imposizióne *s.f.* **1** ordine, ingiunzione, comando, obbligo **2** (*fiscale*) imposta, tassa, tributo.
impossessàrsi *v.pr.* **1** prendere, impadronirsi, appropriarsi © cedere, dare, lasciare **2** (*di una città, di un territorio e sim.*) conquistare, occupare, prendere **3** ♧ (*di un mestiere, di una lingua ecc.*) imparare, apprendere, impadronirsi.
impossìbile *agg.* **1** (*di un progetto, di un sogno ecc.*) irrealizzabile, inattuabile, infattibile, assurdo, utopico © possibile, realizzabile, verosimile **2** (*di un concetto, di un testo ecc.*) difficile, ostico, astruso © facile, semplice, chiaro **3** (*di persona*) difficile, insopportabile, intrattabile © affabile **4** (*di una situazione e sim.*) insopportabile, intollerabile © sopportabile, tollerabile **5** (*di cibo*) disgustoso, immangiabile **6** (*di gusto, di vestito ecc.*) stravagante, bizzarro, strano, originale, strampalato © normale, comune.
impossibilità *s.f.* **1** (*di un accordo, di un progetto ecc.*) impraticabilità, inattuabilità, irrealizzabilità © possibilità, fattibilità, realizzabilità **2** (*di fare qlco.*) incapacità © possibilità, capacità, modo, opportunità.
impòsta[1] *s.f.* IPON. (*di finestra*) anta, battente, persiana, scuro.
impòsta[2] *s.f.* tassa, tributo, dazio.
impostàre[1] *v.tr.* porre le basi, impiantare, organizzare.
impostàre[2] *v.tr.* (*una lettera e sim.*) imbucare, spedire, inviare.
impostazióne *s.f.* (*di un'attività, di un lavoro ecc.*) organizzazione, avviamento, avvio, strutturazione.
impostóre *s.m.* imbroglione, ciarlatano, truffatore.
impostùra *s.f.* imbroglio, inganno, raggiro, frode.
impotènte *agg.* **1** (*di persona*) incapace, inadatto, inabile; debole, fiacco © adatto, capace; forte, vigoroso **2** inutile, vano, inefficace, inadeguato, sterile © utile, efficace, valido, adeguato, fruttuoso ♦ *agg., s.m.* (*di uomo*) © potente, virile.

impotènza *s.f.* **1** incapacità, inettitudine; debolezza, fiacchezza © capacità, abilità; potenza, forza, vigore **2** (*di leggi, di sforzi ecc.*) inefficacia, inadeguatezza, inutilità, vanità © efficacia, utilità, validità, potenza **3** (*sessuale*) © potenza, virilità.

impoveriménto *s.m.* depauperamento, immiserimento, indebolimento; sfruttamento, isterilimento © arricchimento; accrescimento, potenziamento, rafforzamento.

impoverìre *v.tr.* **1** depauperare, immiserire, mandare in rovina, rovinare, prosciugare, spogliare © arricchire, rimpinguare **2** (*un terreno*) sfruttare ♦ **impoverirsi** *v.pr.* immiserirsi, depauperarsi, rovinarsi, dissanguarsi, andare in rovina.

impraticàbile *agg.* **1** (*di strada, di terreno ecc.*) impercorribile, impervio, inaccessibile © praticabile, accessibile, agevole **2** (*di piano, di idea ecc.*) infattibile, irrealizzabile, impossibile © fattibile, praticabile, possibile, realizzabile.

impraticabilità *s.f.* **1** (*di una strada e sim.*) impercorribilità, inaccessibilità © praticabilità, accessibilità **2** (*di un piano di un'idea ecc.*) infattibilità, irrealizzabilità, impossibilità © fattibilità, praticabilità, possibilità.

impratichìre *v.tr.* addestrare, esercitare ♦ **impratichirsi** *v.pr.* impadronirsi (*di una materia*), prendere la mano (*colloq.*), fare esperienza; imparare, apprendere.

imprecàre *v.intr.* inveire, insultare, bestemmiare, maledire, smadonnare (*colloq.*).

imprecazióne *s.f.* maledizione, insulto, bestemmia, moccolo (*colloq.*).

imprecisàbile *agg.* indeterminabile, indefinibile; approssimativo, vago © determinabile, definibile, precisabile, definito, certo.

imprecisàto *agg.* incerto, indefinito, indeterminato © definito, determinato, stabilito.

imprecisióne *s.f.* **1** approssimazione, superficialità, pressapochismo © precisione, accuratezza, scrupolosità **2** inesattezza, imperfezione, svista, sbaglio.

imprecìso *agg.* generico, vago, confuso, indeterminato; approssimativo, sommario © preciso, esatto, accurato.

impregnàre *v.tr.* bagnare, intridere, imbevere, inzuppare; riempire, permeare, saturare ♦ **impregnarsi** *v.pr.* bagnarsi, intridersi, imbeversi; riempirsi, permearsi, saturarsi.

impreparàto *agg.* **1** © preparato, pronto **2** incompetente, inesperto, ignorante, sprovveduto © capace, esperto, preparato, ferrato.

impreparazióne *s.f.* **1** © preparazione **2** ignoranza, incompetenza, incapacità, inesperienza © preparazione, competenza, capacità.

imprésa *s.f.* **1** atto, azione, opera; iniziativa **2** (*colloq.*) difficoltà, prova © passeggiata, gioco da bambini **3** (*militare*) spedizione; (*spec. al pl.*) gesta **4** azienda, ditta, società, business (*ingl.*).

imprescindìbile *agg.* essenziale, indispensabile, obbligatorio, irrinunciabile © evitabile, trascurabile.

impresentàbile *agg.* improponibile; indecente, indecoroso, malridotto © presentabile, decente, decoroso.

impressionàbile *agg.* eccitabile, emotivo, sensibile, suggestionabile © imperturbabile, impassibile, freddo.

impressionànte *agg.* sconvolgente, scioccante, spaventoso; eccezionale, straordinario.

impressionàre *v.tr.* **1** commuovere, emozionare, toccare, turbare, sconvolgere, scioccare **2** colpire, sbalordire, stupire ♦ **impressionarsi** *v.pr.* commuoversi, emozionarsi, turbarsi, sconvolgersi, spaventarsi.

impressióne *s.f.* **1** (*di freddo, di dolore e sim.*) sensazione, percezione, senso **2** emozione, commozione, turbamento, shock (*ingl.*) **3** ribrezzo, repulsione, senso (*colloq.*) **4** idea, avviso, parere, opinione **5** intuizione, presentimento, sensazione.

imprèsso *agg.* stampato, inciso.

imprevedìbile *agg.* impensabile, inimmaginabile © prevedibile, immaginabile, pensabile.

imprevidènte *agg.* avventato, incauto, imprudente, sconsiderato © previdente, accorto, avveduto, prudente, lungimirante.

imprevìsto *agg.* inatteso, inaspettato, impensato © aspettato, atteso, previsto ♦ *s.m.* caso, accidente, contrattempo, contrarietà.

impreziosìre *v.tr.* abbellire, decorare, ornare.

imprigionàre *v.tr.* **1** incarcerare, recludere © liberare, rilasciare, scarcerare **2** (*un animale*) chiudere, ingabbiare, rinchiudere **3** ♧ bloccare, immobilizzare, intrappolare; paralizzare © liberare.

imprìmere *v.tr.* **1** segnare, marchiare, stampare **2** ♧ (*nella mente*) fissare, incidere, scolpire © cancellare, dimenticare **3** (*un movimento, un impulso ecc.*) dare, trasmettere.

improbàbile *agg.* incerto, dubbio, inverosimile, inattendibile © probabile, possibile, verosimile, certo, sicuro.

improbabilità *s.f.* incertezza, inattendibilità © probabilità, certezza, attendibilità.

ìmprobo *agg.* (*di lavoro*) duro, pesante, ingrato © facile, leggero, piacevole.

improduttìvo *agg.* infruttuoso, infecondo, sterile © produttivo, fecondo, fruttuoso.

imprónta *s.f.* **1** orma, traccia **2** ♧ (*di un artista*

e sim.) segno, stile, traccia, mano **3** (*tecn.*) calco, stampo, matrice; (*med.*) calco.
improntàre *v.tr.* (*il viso e sim.*) disporre, atteggiare; (*le parole e sim.*) caratterizzare.
impropèrio *s.m.* insulto, ingiuria, parolaccia.
impròprio *agg.* **1** (*di definizione, di termine*) inesatto, impreciso © proprio, appropriato, calzante **2** (*di abbigliamento e sim.*) inappropriato, inadatto, inopportuno, sconveniente © appropriato, adatto, adeguato.
improvvisàta *s.f.* sorpresa.
improvvisàto *agg.* **1** (*di discorso e sim.*) a braccio, estemporaneo © preparato, studiato, organizzato **2** (*di lavoro e sim.*) raffazzonato, abborracciato © curato, accurato.
improvvisazióne *s.f.* **1** (*di musica, di discorsi ecc.*) invenzione; estemporaneità © preparazione **2** (*di lavoro*) approssimazione, raffazzonamento, faciloneria © precisione, preparazione.
improvvìso *agg.* **1** brusco, immediato, fulmineo, repentino © lento, graduale **2** imprevisto, inatteso, insapettato © atteso, aspettato, previsto.
imprudènte *agg.* incauto, avventato, incosciente, sconsiderato, sventato; azzardato, pericoloso © prudente, cauto, accorto, previdente, riflessivo.
imprudènza *s.f.* avventatezza, incoscienza, leggerezza, sconsideratezza © prudenza, avvedutezza, accortezza, cautela.
impudènte *agg.* sfacciato, sfrontato, insolente, impertinente, spudorato © discreto, riguardoso.
impudènza *s.f.* sfacciataggine, sfrontatezza, insolenza, faccia tosta, ardire (*elev.*) © discrezione, ritegno.
impudicìzia *s.f.* indecenza, spudoratezza, sconcezza © pudicizia, decenza, pudore.
impudìco *agg.* indecente, osceno, licenzioso, spudorato © pudico, castigato, decente.
impugnàre[1] *v.tr.* afferrare, prendere, stringere, tenere; (*un'arma e sim.*) brandire © lasciare, mollare.
impugnàre[2] *v.tr.* (*una sentenza, un'opinione ecc.*) contestare, contraddire, confutare © accettare, approvare.
impugnatùra *s.f.* **1** presa **2** manico; (*di spada*) elsa; (*di pistola*) calcio.
impulsività *s.f.* istintività, impetuosità, irruenza, focosità © autocontrollo, equilibrio, pacatezza.
impulsìvo *agg.* istintivo, impetuoso, irriflessivo, avventato, focoso, precipitoso © controllato, equilibrato, pacato, riflessivo.
impùlso *s.m.* **1** spinta, propulsione © freno **2** ♧ spinta, stimolo, incentivo, incoraggiamento © freno **3** moto, impeto, slancio **4** inclinazione, tendenza, disposizione; voglia.
impunità *s.f.* immunità.
impuntàrsi *v.pr.* **1** (*di cavalli e sim.*) puntare i piedi, recalcitrare **2** ♧ ostinarsi, incaponirsi, intestardirsi, fissarsi © arrendersi, cedere **3** ♧ (*nel parlare*) balbettare, incespicare.
impurità *s.f.* **1** (*di una sostanza*) impurezza © purezza **2** ♧ (*morale*) corruzione, degenerazione, dissolutezza, immoralità, impudicizia © purezza, moralità.
impùro *agg.* **1** contaminato, infetto, inquinato; (*di liquido*) torbido; (*di cibo*) adulterato, sofisticato © incontaminato, puro; (*di liquido*) limpido **2** (*di persona, di animo ecc.*) corrotto, immorale, degenerato, depravato, dissoluto © puro, candido, immacolato.
imputàre *v.tr.* **1** (*la responsabilità e sim.*) attribuire, addebitare, addossare, ascrivere **2** (*dir.*) accusare, incolpare, incriminare **3** (*econ.*; *costi, spese ecc.*) attribuire, assegnare.
imputàto *s.m.* accusato.
imputazióne *s.f.* **1** (*di responsabilità*) addebito, attribuzione **2** (*dir.*) accusa, incriminazione **3** (*econ.*; *di costi, spese ecc.*) attribuzione, assegnazione.
imputridìre *v.intr.* marcire, putrefarsi, decomporsi, corrompersi, guastarsi.
impuzzolentìre *v.tr.* ammorbare, appestare © profumare, deodorare.
inabissàrsi *v.pr.* affondare, andare a fondo, colare a picco; sprofondare © emergere, venire a galla.
inabitàbile *agg.* (*di luogo*) inospitale, invivibile; (*di edificio*) inagibile © abitabile, ospitale, vivibile; agibile.
inaccessìbile *agg.* **1** (*di luogo*) irraggiungibile, impervio, impraticabile; (*di foresta e sim.*) impenetrabile © accessibile, raggiungibile **2** ♧ (*di persona*) inavvicinabile, intrattabile, scontroso, scostante © accessibile, abbordabile **3** (*di prezzo e sim.*) esorbitante, eccessivo, esagerato, folle, salato © accessibile, abbordabile, contenuto **4** (*di mistero, di teoria ecc.*) oscuro, incomprensibile, impenetrabile, complicato © chiaro, semplice, comprensibile.
inaccettàbile *agg.* **1** (*di proposta*) inammissibile, improponibile © accettabile, ragionevole, conveniente **2** (*di comportamento, di gesto ecc.*) inammissibile, ingiustificabile, intollerabile **3** (*di spiegazione e sim.*) incredibile, inverosimile, assurdo © credibile, plausibile, verosimile.
inacidìre *v.tr.* **1** acidificare **2** ♧ (*il carattere e sim.*) esasperare, inasprire © addolcire, calmare ♦ *v.intr.* e **inacidirsi** *v.pr.* **1** (*di bevanda e sim.*) diventare acido; andare a male **2** ♧ (*di persona*)

inasprirsi, inacerbirsi © addolcirsi, calmarsi, placarsi.
inadàtto *agg.* **1** (*di cosa*) inadeguato, inappropriato © adatto, adeguato, appropriato **2** (*di persona*) incapace, inabile, inetto, negato © adatto, capace, abile, dotato **3** (*di parole, di comportamento ecc.*) fuori luogo, inopportuno, infelice, sconveniente © adatto, adeguato, giusto.
inadeguatézza *s.f.* carenza, insufficienza, manchevolezza © adeguatezza, sufficienza, efficacia.
inadeguàto *agg.* **1** (*di strumento, di mezzo ecc.*) insufficiente, carente; inadatto, inappropriato, inefficace © sufficiente; adatto, appropriato, efficace **2** (*di paga, di guadagno ecc.*) insufficiente, scarso, misero, modesto © giusto, sufficiente, adeguato **3** (*di persona*) incapace, inetto, inadatto © capace, adatto, abile, adeguato.
inadempiènza *s.f.* inosservanza, inadempimento © adempienza, osservanza.
inaffidàbile *agg.* inattendibile, falso, infido © affidabile, fidato, sicuro, onesto.
inagìbile *agg.* impraticabile; inabitabile © agibile, abitabile; accessibile, praticabile.
inalàre *v.tr.* inspirare, aspirare, respirare © espirare.
inalazióne *s.f.* **1** inspirazione © espirazione **2** (*med.*) aerosol (*colloq.*), aerosolterapia, suffumigio.
inalberàre *v.tr.* (*una bandiera, una vela*) issare, innalzare, alzare © ammainare, calare ♦ **inalberarsi** *v.pr.* **1** (*di cavallo*) impennarsi **2** ♧ (*di persona*) arrabbiarsi, irritarsi, incazzarsi (*volg.*).
inalteràbile *agg.* **1** (*di materiale, di sostanza*) inattaccabile, incorruttibile © alterabile, attaccabile, corruttibile **2** (*di sentimenti e sim.*) costante, duraturo, immutabile, stabile © incostante, instabile, volubile.
inalteràto *agg.* **1** (*di materiale*) immutato, incorrotto, invariato, integro © alterato, corrotto, deteriorato **2** (*di convinzioni, di sentimenti ecc.*) costante, immutato, incrollabile, saldo.
inammissìbile *agg.* (*di proposta e sim.*) inaccettabile, improponibile; (*di contegno*) intollerabile, ingiustificabile © accettabile, ammissibile, possibile; giustificabile, tollerabile.
inamovìbile *agg.* **1** fisso, stabile © mobile, amovibile **2** (*burocr.*) intrasferibile © trasferibile, amovibile.
inanimàto *agg.* **1** inorganico © organico, animato, vivente **2** (*di corpo*) esanime, inerte; morto; privo di sensi, svenuto © vivo.
inappagàbile *agg.* irrealizzabile; inestinguibile, insaziabile; incontentabile; ingordo © realizzabile; appagabile, contentabile.
inappagàto *agg.* insoddisfatto, deluso, frustrato © appagato, realizzato, soddisfatto, contento.
inappellàbile *agg.* **1** (*di sentenza*) inoppugnabile, definitivo © appellabile, impugnabile **2** (*di decisione, di parere ecc.*) definitivo, indiscutibile, irrevocabile © dicutibile, modificabile, provvisorio, temporaneo.
inappetènte *agg.* disappetente © appetente.
inappetènza *s.f.* disappetenza © appetenza.
inappuntàbile *agg.* impeccabile, ineccepibile, perfetto; irreprensibile, incensurabile © biasimevole, criticabile, riprovevole; sciatto, trasandato.
inarcàre *v.tr.* piegare, curvare, flettere, incurvare © raddrizzare, distendere, tendere.
inaridìre *v.tr.* **1** seccare, asciugare, prosciugare © bagnare, irrigare **2** ♧ esaurire, impoverire, indebolire, spegnere © arricchire, rinvigorire ♦ *v.intr.* e **inaridirsi** *v.pr.* **1** asciugarsi, prosciugarsi, seccarsi, bruciarsi **2** ♧ esaurirsi, impoverirsi, indebolirsi, spegnersi © arricchirsi, rinvigorirsi.
inarrestàbile *agg.* irrefrenabile, sfrenato, incontentabile, irresistibile, travolgente © arrestabile, frenabile, controllabile.
inarrivàbile *agg.* **1** (*di luogo*) irraggiungibile, inaccessibile © raggiungibile, accessibile **2** ♧ (*di persona, di bravura ecc.*) impareggiabile, ineguagliabile, insuperabile, unico.
inaspettàto *agg.* inatteso, imprevisto, improvviso © atteso, previsto, preventivato.
inaspriménto *s.m.* (*di una pena, di una malattia ecc.*) acutizzazione, aggravamento, intensificazione © attenuazione, alleviamento, alleggerimento, diminuzione.
inasprìre *v.tr.* **1** (*un dolore e sim.*) acuire, aggravare, esacerbare © attenuare, alleviare, calmare, diminuire, mitigare **2** (*una persona*) esasperare, irritare, incattivire © addolcire, rasserenare.
inattaccàbile *agg.* **1** (*di fortezza e sim.*) imprendibile, inespugnabile © attaccabile, espugnabile, conquistabile **2** (*di materiale*) inalterabile, incorruttibile © alterabile, corruttibile **3** ♧ (*di persona, di reputazione ecc.*) inappuntabile, ineccepibile, irreprensibile © attaccabile **4** (*di testimonianza e sim.*) indiscutibile, inconfutabile © attaccabile, contestabile, confutabile.
inattendìbile *agg.* (*di notizia e sim.*) inaffidabile, improbabile, inconsistente, inverosimile, infido (*di persona*); falso © attendibile, affidabile, credibile, probabile.
inattéso *agg.* inaspettato, imprevisto © atteso, aspettato, previsto.
inattività *s.f.* inoperosità, inerzia, inazione; ozio © attività, azione, operosità.

inattìvo *agg.* **1** (*di persona*) inoperoso, inerte, ozioso © attivo, operoso **2** (*di apparecchiatura*) fermo, spento, disattivato © attivo, acceso **3** (*di vulcano*) spento © attivo **4** (*di capitale*) improduttivo, infruttifero © produttivo, fruttifero **5** (*chim.*) inerte.

inattuàbile *agg.* irrealizzabile, impossibile © attuabile, fattibile, realizzabile.

inattuàle *agg.* antiquato, superato, vecchio, anacronistico, out (*ingl.*), obsoleto © attuale, moderno, in (*ingl.*).

inaudìto *agg.* incredibile, inconcepibile, assurdo, pazzesco (*colloq.*), straordinario.

inauguràle *agg.* (*di cerimonia, di discorso ecc.*) iniziale, introduttivo.

inauguràre *v.tr.* **1** (*una mostra, uno stadio ecc.*) aprire; (*una nave*) varare **2** ♧ (*un'attività, un periodo ecc.*) aprire, avviare, iniziare, varare; fondare, istituire © chiudere, concludere, finire, terminare.

inaugurazióne *s.f.* **1** (*di una mostra, di uno stadio ecc.*) apertura, battesimo; (*di mostra d'arte*) vernice, vernissage (*fr.*); (*di una nave*) varo **2** (*di un'attività e sim.*) apertura, inizio, avvio © fine, conclusione.

inavvicinàbile *agg.* **1** (*di persona*) inabbordabile, irraggiungibile, scontroso, intrattabile © abbordabile, avvicinabile, socievole **2** (*di prezzo e sim.*) inaccessibile, caro, proibitivo, salato © abbordabile, accessibile, economico.

inazióne *s.f.* inattività, inoperosità, inerzia © azione, attività, operosità.

incagliàrsi *v.pr.* **1** (*di imbarcazione*) arenarsi © disincagliarsi **2** ♧ (*di trattativa e sim.*) bloccarsi, arenarsi, arrestarsi © sbloccarsi, procedere.

incalcolàbile *agg.* **1** incommensurabile © calcolabile, computabile **2** (*di danno, di vantaggio ecc.*) enorme, immenso, immane, inestimabile © modesto, limitato.

incallìto *agg.* ♧ (*di fumatore, di giocatore ecc.*) accanito, impenitente, incorreggibile, irriducibile.

incalzànte *agg.* **1** (*di problema, di questione ecc.*) urgente, pressante, impellente; improrogabile © prorogabile, procrastinabile **2** (*di richiesta e sim.*) assillante, insistente, pressante, ripetuto, ricorrente **3** (*di ritmo e sim.*) frenetico, febbrile, convulso, turbinoso, vertiginoso © calmo, lento, tranquillo.

incalzàre *v.tr.* **1** (*qlcu. che fugge*) inseguire, premere, braccare, tallonare **2** ♧ (*con richieste, domande ecc.*) assillare, bombardare, martellare, pressare, tempestare ♦ *v.intr.* **1** (*di esercito, di folla ecc.*) avanzare © retrocedere, ripiegare **2** ♧ (*di pericolo, di minaccia ecc.*) incombere, gravare, sovrastare **3** ♧ (*del tempo*) avanzare, passare ♦ **incalzarsi** *v.pr.* (*di eventi e sim.*) susseguirsi, succedersi.

incameràre *v.tr.* **1** espropriare, confiscare, sequestrare **2** assorbire, incorporare, inglobare, impadronirsi, impossessarsi.

incamminàre *v.tr.* avviare, indirizzare, guidare © distogliere ♦ **incamminarsi** *v.pr.* **1** avviarsi, muoversi, partire © arrestarsi, fermarsi **2** ♧ (*verso un obiettivo e sim.*) avviarsi, dirigersi, indirizzarsi © distogliersi, allontanarsi.

incanalàre *v.tr.* **1** (*le acque e sim.*) convogliare, canalizzare, imbrigliare **2** ♧ (*la folla, il traffico ecc.*) avviare, indirizzare, istradare © deviare.

incancellàbile *agg.* **1** indelebile © cancellabile **2** ♧ eterno, duraturo, imperituro, perpetuo © effimero, fugace.

incandescènte *agg.* **1** arroventato, rovente **2** ♧ (*di polemica, di atmosfera ecc.*) accalorato, acceso, infiammato, infuocato, rovente © calmo, tranquillo, pacato.

incantàre *v.tr.* **1** stregare, ammaliare **2** ♧ ammaliare, affascinare, sedurre, stregare; sorprendere, stupire, meravigliare **3** ingannare, raggirare, abbindolare ♦ **incantarsi** *v.pr.* **1** bloccarsi, imbambolarsi © scuotersi, svegliarsi **2** (*di meccanismo e sim.*) fermarsi, incepparsi.

incantàto *agg.* **1** magico, fatato, stregato **2** (*di paesaggio e sim.*) meraviglioso, incantevole, favoloso, fiabesco **3** (*di persona*) affascinato, ammirato, estatico, rapito, trasognato; imbambolato, intontito, assente.

incantésimo *s.m.* **1** magia, malia, sortilegio, stregoneria; fattura, maleficio **2** ♧ fascino, seduzione, incanto, charme (*fr.*).

incantévole *agg.* affascinante, meraviglioso, stupendo, delizioso, favoloso; (*di paesaggio e sim.*) magico, incantato, fiabesco © brutto, orribile, orrendo, spaventoso.

incànto[1] *s.m.* **1** incantesimo, magia, sortilegio; stregoneria; fattura, maleficio **2** ♧ (*di persona*) seduzione, fascino, charme (*fr.*) **3** (*di persona o cosa incantevole*) delizia, meraviglia, splendore, sogno © orrore, schifo.

incànto[2] *s.m.* asta.

incapàce *agg.* **1** (*di fare qlco.*) inadatto, inadeguato © capace, adatto, idoneo **2** inetto, inesperto © capace, abile, esperto ♦ *s.m.f.* buono a nulla, incompetente, inesperto, schiappa (*colloq.*).

incapacità *s.f.* inettitudine, incompetenza, imperizia © capacità, abilità, maestria.

incappàre *v.intr.* **1** (*in una persona*) imbattersi, incontrare, trovare **2** (*in una trappola, in una* *difficoltà ecc.*) incorrere, imbattersi, cadere, capitare © evitare, sfuggire.

incapricciàrsi *v.pr.* **1** (*nel volere qlco.*) fissarsi, impuntarsi, intestardirsi **2** (*di una persona*) invaghirsi, infatuarsi, innamorarsi.

incarceràre *v.tr.* imprigionare, arrestare © scarcerare, liberare, rilasciare.

incaricàre *v.tr.* affidare, delegare, commissionare, investire ♦ **incaricarsi** *v.pr.* accollarsi, addossarsi, impegnarsi, sobbarcarsi © dispensarsi, esimersi.

incaricàto *s.m.* addetto, delegato, inviato, preposto, rappresentante.

incàrico *s.m.* compito, incombenza, mansione, ruolo; missione, mandato.

incarnàre *v.tr.* rappresentare, impersonare, personificare, simboleggiare ♦ **incarnarsi** *v.pr.* **1** (*di Gesù*) farsi uomo **2** ♧ (*di concetto, di idea*) concretizzarsi, materializzarsi, realizzarsi.

incarnazióne *s.f.* personificazione, rappresentazione, simbolo, espressione, emblema.

incarognìrsi *v.pr.* **1** incattivirsi, abbruttirsi **2** accanirsi, ostinarsi.

incartaménto *s.m.* cartella, documentazione, dossier (*fr.*), fascicolo, pratica.

incartapecorìto *agg.* **1** (*spec. di pelle*) avvizzito, grinzoso, rugoso, vizzo © fresco, liscio **2** vecchio, decrepito, cadente © fresco, giovane, fiorente.

incartàre *v.tr.* impacchettare, confezionare © scartare, spacchettare.

incasinàre *v.tr.* **1** (*colloq.*) buttare all'aria, disordinare, scombussolare, scompigliare; confondere, imbrogliare © ordinare, sistemare, mettere a posto **2** (*colloq.*; *una persona*) inguaiare, invischiare ♦ **incasinarsi** *v.pr.* mettersi nei guai, inguaiarsi.

incasinàto *agg.* **1** (*colloq.*) disordinato, disorganizzato, scombussolato © ordinato, organizzato **2** (*colloq.*) difficile, complicato, pesante © facile, leggero.

incassàre *v.tr.* **1** (*merce*) imballare © sballare **2** (*un elettrodomestico e sim.*) inserire **3** (*una pietra*) montare, incastonare **4** (*denaro*) riscuotere © pagare, versare **5** (*un pugno e sim.*) ricevere, subire **6** ♧ (*insulti, offese ecc.*) sopportare, tollerare, ingoiare © ribellarsi, reagire.

incàsso *s.m.* **1** (*di una somma*) riscossione © pagamento **2** (*somma incassata*) introito, ricavo, entrata © pagamento, versamento.

incastonàre *v.tr.* (*una pietra preziosa*) montare, incassare.

incastràre *v.tr.* **1** inserire, introdurre, ficcare, infilare © disincastrare, sconficcare, svellere **2** unire, connettere © dividere, separare **3** ♧ (*una persona*) coinvolgere, intrappolare, inguaiare ♦ **incastrarsi** *v.pr.* **1** conficcarsi, entrare © uscire, liberare **2** adattarsi, connettersi **3** (*di meccanismo e sim.*) bloccarsi, incepparsi © sbloccarsi.

incàstro *s.m.* inserimento, connessione, innesto.

incatenàre *v.tr.* **1** legare © liberare, sciogliere **2** ♧ legare, costringere, vincolare © liberare ♦ **incatenarsi** *v.pr.* legarsi © liberarsi.

incattivìre *v.tr.* inasprire, esacerbare, esasperare, irritare © addolcire, mitigare, rabbonire ♦ **incattivirsi** *v.pr.* inasprirsi, inacidirsi, irritarsi © addolcirsi, rasserenarsi, rabbonirsi.

incàuto *agg.* imprudente, sconsiderato, avventato © cauto, prudente, accorto.

incavàto *agg.* **1** cavo, concavo © bombato, convesso **2** (*di viso, di guance*) scavato, scarno, smunto; (*di occhi*) infossato © paffuto, pieno; sporgente.

incàvo *s.m.* cavità, affossamento, incavatura, rientranza; scanalatura © prominenza, gobba.

incavolàrsi *v.pr.* (*colloq.*) arrabbiarsi, imbestialirsi, infuriarsi, incazzarsi (*volg.*) © calmarsi, rabbonirsi.

incazzàrsi *v.pr.* (*volg.*) arrabbiarsi, incavolarsi (*colloq.*), imbestialirsi, inalberarsi, infuriarsi, irritarsi © calmarsi, rabbonirsi.

incèdere[1] *v.intr.* avanzare, camminare.

incèdere[2] *s.m.* passo, andatura, portamento.

incendiàre *v.tr.* **1** bruciare, ardere, dare alle fiamme © spegnere **2** ♧ (*gli animi e sim.*) accendere, eccitare, infiammare © raffreddare, smorzare ♦ **incendiarsi** *v.pr.* **1** bruciare, andare a fuoco, prendere fuoco © spegnersi **2** ♧ (*di animi e sim.*) accendersi, eccitarsi, infiammarsi; accalorarsi, appassionarsi, entusiasmarsi © raffreddarsi, smorzarsi.

incèndio *s.m.* **1** fuoco, fiamme; rogo **2** ♧ (*di passioni*) ardore, fuoco, fervore, impeto.

incenerìre *v.tr.* **1** bruciare, ardere, carbonizzare **2** ♧ (*con un'occhiata*) fulminare, annientare.

incensàre *v.tr.* ♧ adulare, lodare, esaltare, celebrare, magnificare, portare alle stelle © criticare, denigrare, disprezzare.

incentivàre *v.tr.* **1** favorire, promuovere, sostenere, incrementare © frenare, disincentivare, bloccare **2** (*una persona*) incoraggiare, spronare, stimolare © scoraggiare.

incentìvo *s.m.* **1** stimolo, spinta, incitamento, incoraggiamento, impulso © freno, ostacolo **2** (*economico*) agevolazione, incentivazione, premio © disincentivo, disincentivazione.

incentràre *v.tr.* imperniare, basare, fondare, impostare.

inceppàre *v.tr.* bloccare, impedire, intralciare, frenare ♦ **incepparsi** *v.pr.* (*di armi, di meccanismo*) bloccarsi, fermarsi © funzionare.

incertézza *s.f.* **1** (*di una notizia e sim.*) dubbiosità © certezza **2** (*di persona*) esitazione, indecisione, insicurezza, titubanza, tentennamento © decisione, determinazione, sicurezza **3** (*del clima, di una situazione ecc.*) instabilità, variabilità, mutevolezza © stabilità, certezza.

incèrto *agg.* **1** (*di una notizia e sim.*) dubbio © certo, sicuro **2** vago, indefinito, indeterminato © sicuro, nitido, definito **3** (*di passo e sim.*) malfermo, malsicuro, vacillante © fermo, sicuro **4** (*di tempo*) variabile, instabile © stabile **5** (*di luce*) debole, fievole, fioco © vivido, forte, intenso **6** (*di persona*) dubbioso, indeciso, esitante, insicuro, titubante © sicuro, deciso, determinato, risoluto ♦ *s.m.* **1** precarietà © certezza, sicurezza **2** imprevisto, rischio.

incespicàre *v.intr.* **1** inciampare; urtare **2** ♧ (*nel parlare*) balbettare, impappinarsi.

incessànte *agg.* continuo, costante, ininterrotto © discontinuo, interrotto; saltuario, sporadico.

incètta *s.f.* accaparramento, raccolta.

inchièsta *s.f.* **1** ricerca, indagine, investigazione **2** (*giornalistica*) servizio, reportage (*fr.*), ricerca **3** (*demoscopica*) rilevazione, sondaggio.

inchinàre *v.tr.* chinare, piegare, abbassare, incurvare © sollevare, raddrizzare ♦ **inchinarsi** *v.pr.* **1** chinarsi, piegarsi © alzarsi, drizzarsi **2** ♧ (*a un principio, a un valore e sim.*) inginocchiarsi, onorare, ossequiare **3** ♧ (*al destino e sim.*) cedere, rassegnarsi, sottomettersi © opporsi, ribellarsi.

inchiodàre *v.tr.* **1** fissare, fermare © schiodare **2** ♧ bloccare, costringere, immobilizzare **3** (*colloq.*) frenare ♦ **inchiodarsi** *v.pr.* arrestarsi, bloccarsi, fermarsi © muoversi.

inchiodàto *agg.* fermo, fisso, immobile.

inciampàre *v.intr.* **1** incespicare, urtare **2** ♧ imbattersi, incappare **3** ♧ (*nel parlare*) balbettare, incespicare.

inciàmpo *s.m.* **1** ostacolo, sbarramento, impaccio **2** ♧ impedimento, contrattempo, ostacolo, intralcio.

incidentàle *agg.* **1** accidentale, casuale **2** secondario, marginale © principale, essenziale.

incidènte *s.m.* **1** imprevisto, inconveniente; infortunio, disgrazia, sciagura **2** (*tra veicoli*) scontro, sinistro **3** discussione, disputa.

incidènza *s.f.* peso, influsso, effetto, portata.

incìdere[1] *v.tr.* **1** tagliare, graffiare, segnare, solcare; (*legno*) intagliare; (*metalli*) cesellare **2** (*med.*) tagliare IPERON. operare **3** ♧ (*nella mente e sim.*) imprimere, fissare, stampare © cancellare **4** (*su disco e sim.*) registrare.

incìdere[2] *v.intr.* **1** (*di spese e sim.*) gravare, pesare, influire **2** (*di esperienza e sim.*) segnare, condizionare, influire.

incìnta *agg.f.* in stato interessante (*colloq.*), gravida.

incipiènte *agg.* iniziale, nascente, insorgente © avanzato.

ìncipit *s.m.invar.* (*lat.*) inizio, introduzione, attacco, prologo © chiusura, conclusione, chiusa, epilogo.

incisióne *s.f.* **1** segno, taglio, graffio, solco, intaglio **2** (*med.*) taglio **3** (*arte*) stampa, riproduzione IPON. acquaforte, calcografia, litografia, xilografia; fototipia, zincografia **4** (*su disco*) registrazione.

incisività *s.f.* forza, potenza, efficacia, vigore © debolezza, inefficacia.

incisìvo *agg.* **1** tagliente **2** ♧ (*di discorso, di stile ecc.*) chiaro, preciso, efficace, espressivo, vivo © debole, impreciso, inefficace, inespressivo.

incìso *s.m.* parentesi.

incitaménto *s.m.* invito, impulso, stimolo, esortazione, sprone © freno, dissuasione.

incitàre *v.tr.* spingere, esortare, sollecitare, spronare, stimolare © distogliere, dissuadere.

incivìle *agg.* **1** (*di popolo, di paese*) arretrato, barbaro, primitivo © civile, civilizzato, evoluto **2** (*di persona, di comportamento ecc.*) maleducato, volgare, cafone, villano © civile, educato, gentile, corretto ♦ *s.m.f.* cafone, maleducato, buzzurro, villano, zotico.

incivilménto *s.m.* **1** civilizzazione © imbarbarimento **2** (*di modi, di comportamento ecc.*) affinamento, dirozzamento, ingentilimento © abbrutimento, degradazione.

inciviltà *s.f.* **1** arretratezza, barbarie © civiltà **2** (*di persona, di comportamento ecc.*) maleducazione, volgarità, rozzezza, villania © civiltà, educazione **3** (*di atto*) insolenza, offesa, cafonaggine © gentilezza, cortesia.

inclemènte *agg.* **1** (*di giudizio e sim.*) inflessibile, implacabile, duro, severo, spietato © clemente, pietoso, indulgente **2** ♧ (*di tempo, di clima*) avverso, sfavorevole, rigido © clemente, favorevole, mite.

inclinàre *v.tr.* piegare, reclinare, flettere; abbassare © sollevare, raddrizzare ♦ *v.intr.* (*di persona, di carattere*) propendere, tendere ♦ **inclinarsi** *v.pr.* piegarsi, reclinarsi © raddrizzarsi.

inclinàto *agg.* obliquo, storto © dritto.

inclinazióne *s.f.* **1** pendenza **2** ♧ disposizione, tendenza, propensione, vocazione; simpatia, attrazione © avversione, antipatia, repulsione.

inclìne *agg.* propenso, disposto, favorevole © avverso, restio, contrario.
inclùdere *v.tr.* **1** (*in una lettera, in un plico ecc.*) introdurre, inserire, accludere, allegare © togliere, rimuovere **2** (*in una lista, in un conto ecc.*) comprendere, accogliere, ammettere, inserire, immettere © escludere, cancellare, depennare **3** comportare, implicare, presupporre, racchiudere.
inclusióne *s.f.* introduzione, inserimento © esclusione, eliminazione.
incoerènte *agg.* **1** (*di terreno, di materiale ecc.*) © coerente, compatto **2** ♧ contraddittorio, incongruente, illogico, irrazionale, sconclusionato © coerente, conseguente, logico, sensato.
incoerènza *s.f.* **1** (*di terreno, di materiale ecc.*) © coerenza, compattezza **2** ♧ contraddittorietà, incongruenza, illogicità © coerenza, congruenza, logica **3** (*affermazione, atto incoerente*) contraddizione, incongruenza, assurdità.
incògnita *s.f.* **1** enigma, mistero, interrogativo © sicurezza, certezza **2** (*spec. al pl.*) incerto, pericolo, rischio.
incollàre *v.tr.* attaccare, appiccicare, affiggere (*manifesti e sim.*) © staccare, scollare.
incolmàbile *agg.* (*di differenza, di distacco ecc.*) irrecuperabile, irrimediabile © recuperabile, colmabile.
incolóre *agg.* scialbo, banale, insignificante, insulso © interessante.
incolpàre *v.tr.* accusare, incriminare © discolpare, scagionare ♦ **incolparsi** *v.pr.* accusarsi © discolparsi, giustificarsi.
incólto *agg.* **1** (*di terreno*) abbandonato © coltivato **2** ♧ (*di barba e sim.*) trasandato, trascurato © curato **3** ♧ (*di persona*) ignorante, analfabeta, rozzo © colto, erudito, istruito.
incòlume *agg.* salvo, illeso, indenne, sano e salvo © ferito; (*di cosa*) danneggiato, lesionato.
incombènte *agg.* imminente, prossimo, vicino, sovrastante © lontano, remoto, distante.
incombènza *s.f.* incarico, compito, mandato, missione; faccenda, commissione.
incómbere *v.intr.* sovrastare, minacciare, pendere, gravare.
incominciàre *v.tr.* cominciare, iniziare, intraprendere, avviare © finire, concludere, terminare ♦ *v.intr.* cominciare, iniziare, aprirsi © chiudersi, concludersi, finire, terminare.
incommensuràbile *agg.* **1** (*di distanza e sim.*) incalcolabile © calcolabile, commensurabile, misurabile **2** ♧ enorme, immenso, infinito, smisurato © limitato, ridotto.
incomodàre *v.tr.* scomodare, disturbare, infastidire, seccare ♦ **incomodarsi** *v.pr.* disturbarsi, prendersi l'incomodo, scomodarsi.
incòmodo *agg.* scomodo, fastidioso © comodo, agevole ♦ *s.m.* disagio, disturbo, fastidio, noia, seccatura.
incomparàbile *agg.* **1** impareggiabile, unico, ineguagliabile, straordinario, eccezionale © comune, ordinario **2** inconfrontabile, imparagonabile © comparabile, paragonabile.
incompatìbile *agg.* inconciliabile, opposto, contrastante, discordante © compatibile, conciliabile.
incompatibilità *s.f.* inconciliabilità, contraddizione, contrasto, opposizione © compatibilità, tollerabilità.
incompetènte *agg., s.m.f.* impreparato, inesperto; incapace, inetto; ignorante © competente, preparato, esperto, bravo, capace, valido.
incompetènza *s.f.* inesperienza, impreparazione; incapacità, inettitudine; ignoranza © competenza, esperienza, preparazione; capacità, bravura.
incompiùto *agg.* incompleto, interrotto; carente, difettoso, imperfetto, lacunoso © compiuto, completo, terminato; perfetto.
inconplèto *agg.* incompiuto, interrotto; carente, difettoso, imperfetto, lacunoso © completo, concluso, finito; esauriente, perfetto.
incomprensìbile *agg.* **1** oscuro, complicato, difficile, indecifrabile; misterioso, enigmatico © chiaro, facile, comprensibile, trasparente **2** (*di comportamento e sim.*) inspiegabile, strano, insensato, assurdo © comprensibile, chiaro.
incomprensióne *s.f.* **1** incomunicabilità © comprensione, comunicabilità **2** (*spec. al pl.*) equivoco, malinteso, dissapore.
incomunicabilità *s.f.* **1** indescrivibilità, inesprimibilità © comunicabilità, descrivibilità **2** incomprensione © comprensione.
inconcepìbile *agg.* inimmaginabile, inspiegabile, incomprensibile © concepibile, comprensibile, credibile.
inconciliàbile *agg.* incompatibile, contrastante, discordante © conciliabile, compatibile.
inconcludènte *agg.* **1** (*di discorso e sim.*) inutile, vano, inefficace, improduttivo, sterile © **2** (*di persona*) incapace, inetto, buono a nulla (*colloq.*).
incondizionàto *agg.* totale, assoluto, pieno, intero, illimitato © condizionato, parziale, relativo, limitato.
inconfessàbile *agg.* (*di desiderio, di colpa ecc.*) ignobile, indegno, infame, disonesto, spregevole © confessabile, degno, onesto, decoroso.

inconfessàto *agg.* (*di desiderio, di amore ecc.*) segreto, nascosto, inespresso, intimo © dichiarato, palese.
inconfondìbile *agg.* caratteristico, particolare, unico, originale, tipico © comune, banale.
inconfutàbile *agg.* inattaccabile, incontestabile, inoppugnabile © confutabile, attaccabile, contestabile, criticabile.
incongruènte *agg.* incoerente, contradditorio, assurdo, illogico, insensato © coerente, congruente, logico, razionale, senzato.
inconsapévole *agg.* **1** ignaro, incosciente © consapevole, cosciente **2** (*di gesto e sim.*) involontario, meccanico, automatico, inconscio © consapevole, volontario, deliberato.
incònscio *agg.* involontario, istintivo, inconsapevole, meccanico, automatico © conscio, consapevole, volontario.
inconsistènte *agg.* **1** (*di materiale*) cedevole © resistente **2** ♧ (*di accusa, di prova ecc.*) debole, fragile, infondato, vano © fondato, solido, convincente.
inconsistènza *s.f.* **1** (*di materiale*) fragilità, cedevolezza © consistenza, solidità **2** ♧ (*di accusa, di prova ecc.*) debolezza, fragilità, infondatezza, inefficacia, nullità © consistenza, fondatezza, validità.
inconsuèto *agg.* insolito, anomalo, atipico, infrequente; strano, curioso © consueto, usuale, normale, comune.
inconsùlto *agg.* impulsivo, irriflessivo, imprudente, sconsiderato © prudente, ponderato, calcolato.
incontaminàto *agg.* intatto, integro, incorrotto, puro © contaminato, corrotto, impuro.
incontenìbile *agg.* irrefrenabile, inarrestabile, incontrollabile, prorompente © contenibile, controllabile.
incontentàbile *agg.* **1** (*di persona*) difficile, esigente, schizzinoso; capriccioso, viziato © accontentabile, contentabile, facile, adattabile **2** (*di desiderio e sim.*) inappagabile, insaziabile © appagabile.
incontestàbile *agg.* indiscutibile, indubbio, innegabile; certo, sicuro, evidente © contestabile, discutibile, confutabile, dubbio, incerto.
incontinènte *agg., s.m.f.* dissoluto, intemperante, sfrenato, sregolato, libertino © moderato, morigerato, parco, sobrio.
incontràre *v.tr.* **1** imbattersi, incappare, incrociare **2** vedere, trovare, conoscere **3** (*di moda, di film ecc.*) piacere, avere successo, furoreggiare **4** (*sport*) affrontare, sfidare ♦ **incontrarsi** *v.pr.* **1** trovarsi, vedersi **2** conoscersi **3** imbattersi, incrociare **4** (*sport*) affrontarsi, scontrarsi, battersi **5** (*di strade, di fiumi ecc.*) confluire, convergere **6** ♧ (*di caratteri e sim.*) andare d'accordo, concordare; intendersi, trovarsi; (*di idee, di opinioni ecc.*) coincidere, corrispondere © scontrarsi, dissentire; discordare, divergere.
incontrastàto *agg.* incontestato, indiscusso, sicuro © contrastato, controverso, dubbio.
incóntro *s.m.* **1** appuntamento, rendez-vous (*fr.*) **2** colloquio, riunione, convegno, meeting (*ingl.*) **3** (*sport*) partita, gara, competizione, match (*ingl.*) **4** (*di fiumi, di strade ecc.*) confluenza.
incontrollàbile *agg.* **1** (*di sentimento, di reazione ecc.*) inarrestabile, incontenibile, irrefrenabile, irreprimibile © controllabile, contenibile **2** (*di notizia e sim.*) inappurabile © controllabile, verificabile, appurabile.
incontrollàto *agg.* **1** (*di panico, di gesto ecc.*) involontario, impulsivo; istintitivo, spontaneo **2** (*di notizia e sim.*) incerto, infondato © certo, sicuro, fondato.
incontrovertìbile *agg.* indiscutibile, inconfutabile, incontestabile, innegabile; certo, sicuro, indubbio © contestabile, confutabile; dubbio, incerto.
inconveniènte *s.m.* **1** imprevisto, ostacolo, contrattempo; guaio, seccatura, grana (*colloq.*) **2** svantaggio, disagio © vantaggio.
incoraggiaménto *s.m.* incitamento, esortazione, spinta, stimolo © dissuasione, scoraggiamento; freno, ostacolo.
incoraggiànte *agg.* confortante, rassicurante © avvilente, deprimente, scoraggiante.
incoraggiàre *v.tr.* **1** confortare, rincuorare, rinfrancare © scoraggiare, demoralizzare, dissuadere **2** (*un'iniziativa e sim.*) favorire, appoggiare, sostenere © scoraggiare, avversare, osteggiare.
incorporàre *v.tr.* **1** (*materiali diversi*) amalgamare, fondere, miscelare; unire **2** ♧ (*in un complesso più vasto*) inserire, includere, introdurre © scorporare **3** (*imprese, beni ecc.*) annettere, includere, assorbire, incamerare, inglobare.
incórrere *v.intr.* (*in qlco. di spiacevole*) incappare, imbattersi, finire © sfuggire, evitare, scansare.
incorruttìbile *agg.* **1** (*di sostanza*) inalterabile, inattaccabile; duraturo © corruttibile, alterabile **2** ♧ (*di fede, di sentimento ecc.*) incrollabile, inattaccabile © effimero, fragile, labile **3** ♧ (*di persona*) integerrimo, onesto, retto © corruttibile, disonesto.
incosciènte *agg.* **1** esanime, privo di sensi, svenuto © cosciente **2** inconsapevole, inconscio;

involontario © consapevole, cosciente; volontario, intenzionale **3** (*di comportamento e sim.*) irresponsabile, imprudente, scriteriato © responsabile, prudente, avveduto ♦ *s.m.f.* irresponsabile, scriteriato, disgraziato, pazzo.

incosciènza *s.f.* irresponsabilità, leggerezza, imprudenza, sconsideratezza © responsabilità, prudenza, serietà.

incostànte *agg.* **1** mutevole, instabile, variabile © costante, invariabile **2** (*di rendimento e sim.*) discontinuo, irregolare © costante, regolare, stabile **3** (*di carattere e sim.*) volubile, lunatico, capriccioso, umorale © costante.

incostànza *s.f.* **1** instabilità, mutevolezza, variabilità © costanza, stabilità **2** (*di rendimento e sim.*) discontinuità, irregolarità © costanza, regolarità **3** (*di carattere e sim.*) volubilità, lunaticità © stabilità.

incredìbile *agg.* **1** inverosimile, assurdo, inconcepibile © credibile, verosimile **2** eccezionale, straordinario, formidabile, strabiliante, stupefacente, enorme, indescrivibile, allucinante (*colloq.*), portentoso.

incredulità *s.f.* **1** scetticismo, diffidenza; stupore © credulità **2** (*in campo religioso*) ateismo, miscredenza © fede.

incrèdulo *agg.* **1** scettico, diffidente; stupito © credulo; fiducioso **2** (*in campo religioso*) ateo, miscredente © credente, fedele.

incrementàre *v.tr.* aumentare, accrescere, moltiplicare, potenziare, sviluppare © diminuire, limitare, ridimensionare.

increménto *s.m.* accrescimento, aumento, rafforzamento, sviluppo; (*di prezzi*) maggiorazione, rincaro, salita, boom (*ingl.*) © calo, diminuzione, flessione, decremento.

increscióso *agg.* imbarazzante, fastidioso, spiacevole, seccante © piacevole, gradevole.

incriminàre *v.tr.* **1** accusare, imputare, incolpare © assolvere, discolpare, scagionare **2** colpevolizzare, criminalizzare.

incriminazióne *s.f.* accusa, imputazione, addebito © assoluzione, proscioglimento.

incrinàre *v.tr.* **1** IPERON. rompere **2** ♧ (*la fiducia, l'amicizia ecc.*) rovinare, compromettere, guastare, intaccare, pregiudicare © rafforzare, consolidare, rinsaldare, rinvigorire ♦ **incrinarsi** *v.pr.* **1** creparsi, fessurarsi **2** ♧ guastarsi, rovinarsi © rafforzarsi, consolidarsi, rinsaldarsi.

incrinatùra *s.f.* **1** crepa, fenditura, frattura **2** ♧ (*in un rapporto e sim.*) dissapore, screzio, dissidio, disaccordo, contrasto.

incrociàre *v.tr.* **1** (*le gambe e sim.*) accavallare **2** (*un fiume, una strada e sim.*) attraversare, intersecare, tagliare **3** (*qlcu. o qlco.*) incontrare, imbattersi **4** (*biol.*) accoppiare; innestare.

incrócio *s.m.* **1** intersezione, incontro **2** (*di strade*) bivio, crocevia, crocicchio **3** (*di animali o di piante*) ibrido, bastardo.

incrollàbile *agg.* **1** solido, stabile, resistente © pericolante, instabile, cadente **2** ♧ (*di fiducia, volontà ecc.*) saldo, fermo, irremovibile, tenace © instabile, vacillante, incostante, incerto.

incrostazióne *s.f.* **1** deposito, sedimento, concrezione **2** (*di madreperla, di pietre preziose ecc.*) rivestimento, decorazione.

incruènto *agg.* © cruento, sanguinoso.

incubazióne *s.f.* **1** (*di malattia*) latenza (*med.*) **2** ♧ (*di un progetto e sim.*) gestazione, maturazione.

ìncubo *s.m.* **1** brutto sogno **2** ♧ ossessione, tormento, assillo, angoscia, turbamento.

inculcàre *v.tr.* imprimere, infondere, instillare, trasfondere © estirpare, sradicare.

incuneàre *v.tr.* inserire, conficcare, infilare, incastrare © estrarre ♦ **incunearsi** *v.pr.* conficcarsi, ficcarsi, incastrarsi © sfilarsi.

incupìrsi *v.pr.* **1** (*di cielo*) oscurarsi, rabbuiarsi, scurirsi, ottenebrarsi © rischiararsi, illuminarsi **2** ♧ (*di persona, di sguardo ecc.*) intristirsi, immalinconirsi, rabbuiarsi, rannuvolarsi © illuminarsi, rasserenarsi.

incuràbile *agg.* **1** (*di malattia*) inguaribile, insanabile; mortale, letale © curabile, guaribile **2** (*di vizio e sim.*) incorreggibile, inguaribile.

incurànte *agg.* noncurante, sprezzante © attento, preoccupato.

incùria *s.f.* negligenza, noncuranza, trascuratezza, sciatteria © cura, attenzione, diligenza.

incuriosìre *v.tr.* attirare, interessare, intrigare, appassionare.

incursióne *s.f.* **1** (*aerea, armata*) attacco, irruzione, blitz (*ingl.*) **2** ♧ (*scherz.*) invasione, assalto.

incùtere *v.tr.* (*paura, rispetto e sim.*) provocare, suscitare, ispirare, infondere.

indaffaràto *agg.* affaccendato, impegnato, occupato, preso (*colloq.*) © libero.

indagàre *v.tr.* esaminare, ricercare, studiare, esplorare, sondare ♦ *v.intr.* investigare.

indàgine *s.f.* **1** esame, ricerca, studio, inchiesta; sondaggio **2** (*spec. al pl.*) inchiesta, investigazione.

indébito *agg.* **1** (*di pagamento*) © debito, dovuto **2** (*di onori e sim.*) ingiusto, immeritato; immotivato, ingiustificato **3** (*di azione, di guadagno ecc.*) illecito, illegittimo © lecito, legittimo.

indeboliménto *s.m.* **1** debilitazione, deperimento; sfinimento, spossatezza © rafforzamento, rinvigorimento **2** (*di vista, di udito ecc.*) abbassamento, calo, affievolimento © rafforzamento.

indebolìre *v.tr.* **1** fiaccare, debilitare, infiacchire, prostrare, sfinire © rinvigorire, irrobustire **2** (*di vista, di udito*) abbassarsi, calare, affievolirsi, diminuire © aumentare, rafforzarsi.

indecènte *agg.* **1** immorale, sconveniente, osceno, vergognoso © decente, dignitoso **2** (*di abito e sim.*) impresentabile, indecoroso, vergognoso © decente, decoroso, dignitoso.

indecènza *s.f.* **1** immoralità, oscenità, sconcezza © decenza, pudore **2** (*atto, espressione indecente*) vergogna, volgarità, oscenità, sconcezza.

indecifràbile *agg.* **1** (*di scrittura e sim.*) incomprensibile, illeggibile © comprensibile, decifrabile, leggibile **2** (*di persona*) enigmatico, misterioso, ambiguo, inafferrabile.

indecisióne *s.f.* incertezza, esitazione, insicurezza, titubanza © decisione, determinazione.

indecìso *agg.* **1** incerto, dubbioso, esitante, tentennante, titubante © deciso, determinato, risoluto **2** (*di tempo atmosferico*) incerto, instabile, variabile © stabile **3** (*di colore*) indefinito, indeterminato © definito **4** (*di questione, di problema ecc.*) aperto, in forse, in sospeso, pendente © chiuso, risolto.

indecoróso *agg.* indecente, disdicevole, scandaloso, sconveniente © decente, decoroso, dignitoso.

indefèsso *agg.* infaticabile, instancabile, perseverante © incostante.

indefinìbile *agg.* indeterminabile, imprecisabile © definibile, determinabile.

indefinìto *agg.* **1** (*di numero, di tempo*) imprecisato, indeterminato © determinato, preciso **2** (*di sensazione e sim.*) vago, indefinibile, indescrivibile © definibile, descrivibile.

indégno *agg.* **1** (*di persona*) immeritevole; abietto, infame, spregevole © degno, meritevole; dignitoso, nobile, onorevole **2** (*di azione, di comportamento ecc.*) vergognoso, ignobile, deplorevole, spregevole © degno, esemplare, lodevole.

indelèbile *agg.* **1** incancellabile, permanente © cancellabile **2** ♧ indimenticabile, durevole, duraturo, permanente © passeggero, fugace, momentaneo.

indemoniàto *agg., s.m.* **1** assatanato, invasato, posseduto **2** ♧ furioso, furibondo, indiavolato, imbestialito **3** ♧ (*di bambino, di ragazzino*) vivace, scalmanato, irrequieto, turbolento.

indènne *agg.* **1** illeso, incolume © ferito **2** (*da un contagio*) immune; incontaminato © contagiato, contaminato.

indennità *s.f.* indennizzo, rimborso, risarcimento.

indennizzàre *v.tr.* risarcire, rimborsare, rifondere.

indennìzzo *s.m.* risarcimento, rimborso, indennità.

inderogàbile *agg.* categorico, imprescindibile, perentorio, tassativo; (*di scadenza*) improrogabile © derogabile; prorogabile, differibile.

indescrivìbile *agg.* indicibile, inenarrabile; incredibile, pazzesco (*colloq.*) © descrivibile.

indeterminàto *agg.* **1** (*di numero, di tempo ecc.*) indefinito, imprecisato © definito, determinato **2** (*di ricordo, di colore ecc.*) vago, incerto, indistinto, impreciso © determinato, netto, distinto, preciso.

indiavolàto *agg.* **1** infuriato, indemoniato, furioso © calmo, tranquillo **2** (*di bambino, di ragazzino*) agitato, irrequieto, turbolento **3** (*di ritmo, di ballo ecc.*) frenetico, forsennato, scatenato **4** (*di rumore, di caldo ecc.*) insopportabile, terribile, infernale.

indicàre *v.tr.* **1** mostrare, additare **2** (*di orologio, di cartello ecc.*) segnare, segnalare **3** (*i prezzi e sim.*) precisare, specificare **4** (*un ristorante, una cura ecc.*) consigliare, suggerire, raccomandare; prescrivere **5** rivelare, denotare, mostrare **6** (*di vocabolo*) esprimere, designare.

indicatìvo *agg.* **1** (*di episodio, di atteggiamento ecc.*) rivelatore, significativo, tipico, sintomatico © insignificante **2** (*di costo, di cifra ecc.*) approssimativo, di massima, orientativo © esatto, preciso.

indicazióne *s.f.* **1** segnalazione, segnale **2** informazione, notizia, ragguaglio, precisazione **3** consiglio, istruzione, suggerimento; prescrizione.

ìndice *s.m.* **1** IPERON. dito **2** (*di uno strumento*) ago, lancetta, indicatore **3** (*di un libro*) sommario; rubrica; (*di una biblioteca*) catalogo, elenco, lista, inventario **4** ♧ (*di un fenomeno*) segno, segnale, indizio, spia, sintomo.

indietreggiàre *v.intr.* retrocedere, arretrare, ritirarsi, tirarsi indietro © avanzare, procedere.

indiféso *agg.* debole, disarmato, inerme, vulnerabile © forte, difeso, protetto.

indifferènte *agg.* **1** (*di persona*) insensibile, freddo, disinteressato © sensibile, interessato **2** uguale, identico © diverso, differente ♦ *s.m.f.* insensibile; apatico; menefreghista.

indifferènza *s.f.* disinteresse, noncuranza, distacco, insensibilità, impassibilità, menefreghismo © sensibilità, interesse, entusiasmo.

indifferenziato *agg.* indistinto, indiscriminato © differenziato, distinto, diversificato.

indìgeno *agg., s.m.* nativo, autoctono, aborigeno © straniero, forestiero.
indigènte *agg., s.m.f.* povero, bisognoso, misero © ricco, agiato, benestante.
indigènza *s.f.* povertà, bisogno, miseria © ricchezza, abbondanza, benessere.
indigèsto *agg.* **1** (*di cibo*) pesante, indigeribile **2** ♧ (*di persona, di spettacolo ecc.*) pesante, noioso, insopportabile, tedioso © gradevole, piacevole, leggero, simpatico.
indignàre *v.tr.* sdegnare, offendere, irritare ♦ **indignarsi** *v.pr.* sdegnarsi, irritarsi, offendersi.
indignazióne *s.f.* sdegno, risentimento, irritazione.
indimenticàbile *agg.* incancellabile, indelebile, memorabile, magnifico © cancellabile, dimenticabile.
indipendènte *agg.* **1** autonomo, libero, autosufficiente © dipendente, soggetto, subordinato **2** (*di fatto, di questione ecc.*) slegato, svincolato © dipendente, correlato, collegato, connesso.
indipendènza *s.f.* **1** autonomia, libertà, autosufficienza **2** (*di uno stato*) autonomia, sovranità © soggezione, subordinazione, oppressione.
indirètto *agg.* **1** obliquo, mediato © diretto, immediato **2** ♧ implicito, sottinteso, velato © diretto, esplicito, evidente.
indirizzàre *v.tr.* **1** (*in un luogo*) dirigere, mandare, inviare **2** ♧ avviare, introdurre, orientare, istradare © distogliere, sviare **3** (*la parola, il discorso ecc.*) rivolgere, volgere, dirigere **4** (*una lettera e sim.*) spedire, inviare, mandare ♦ **indirizzarsi** *v.pr.* **1** avviarsi, incamminarsi, dirigersi © allontanarsi **2** (*a una persona*) rivolgersi.
indirizzàrio *s.m.* rubrica.
indirìzzo *s.m.* **1** recapito **2** discorso, messaggio **3** direzione, orientamento, tendenza.
indisciplinàto *agg.* **1** (*di persona*) disubbidiente, ribelle, insubordinato © disciplinato, ubbidiente **2** (*di traffico, di vita ecc.*) disordinato, caotico, sregolato © ordinato, regolato.
indiscréto *agg.* invadente, sfacciato, importuno, indelicato, maleducato © discreto, delicato, educato, riservato.
indiscrezióne *s.f.* **1** indelicatezza, invadenza, maleducazione, sfacciataggine © discrezione, tatto, delicatezza **2** (*atto, comportamento indiscreto*) indelicatezza, sfacciataggine © delicatezza, cortesia **3** (*della stampa e sim.*) rivelazione, voce, pettegolezzo, gossip (*ingl.*).
indiscriminàto *agg.* generalizzato, indifferenziato, indistinto © particolare, distinto.
indiscutìbile *agg.* incontestabile, inconfutabile, indubbio, innegabile, inopinabile © discutibile, contestabile, controverso, opinabile.
indispensàbile *agg.* necessario, essenziale, fondamentale; obbligatorio © accessorio, secondario, marginale; facoltativo ♦ *s.m.* necessario, essenziale © superfluo.
indispettìre *v.tr.* irritare, infastidire, seccare, stizzire © calmare, rabbonire ♦ **indispettirsi** *v.pr.* irritarsi, infastidirsi, stizzirsi.
indisponènte *agg.* irritante, fastidioso, seccante © piacevole, simpatico.
indispórre *v.tr.* irritare, indispettire, contrariare © accattivarsi, blandire, allettare.
indisposizióne *s.f.* disturbo, malessere, malore, malattia, acciacco.
indispòsto *agg.* ammalato, malato © sano.
indissolùbile *agg.* indivisibile, inscindibile, inseparabile; definitivo, permanente © dissolubile, divisibile, scindibile.
indistìnto *agg.* vago, confuso, impreciso, indefinito; (*di luce*) debole, fievole, fioco © distinto, chiaro, preciso, nitido; (*di luce*) forte, vivo.
indistruttìbile *agg.* **1** solido, resistente; eterno © distruttibile, delicato, fragile **2** (*di sentimento, di fede ecc.*) incrollabile, saldo, duraturo © fragile, vacillante.
individuàle *agg.* **1** particolare, personale, singolo © collettivo, comune, generale **2** caratteristico, particolare, peculiare, specifico © comune, generale, universale **3** (*di gara, di sport*) © di squadra.
individualìsmo *s.m.* egoismo, egocentrismo, solipsismo © altruismo.
individualìsta *agg., s.m.f.* egoista, egocentrico © altruista.
individualità *s.f.* **1** singolarità, originalità, particolarità, specificità, unicità © genericità **2** (*di una persona*) carattere, personalità, temperamento.
individuàre *v.tr.* determinare, stabilire, scoprire, trovare, riconoscere, identificare.
indivìduo *s.m.* **1** persona, singolo, uomo **2** essere, organismo **3** (*spreg.*) tipo, tizio, tale.
indivisìbile *agg.* **1** inseparabile, inscindibile, indissolubile © divisibile, separabile **2** (*mat.*) © frazionabile, scomponibile.
indiziato *agg., s.m.* accusato, imputato.
indìzio *s.m.* segno, sintomo, indice, spia.
ìndole *s.f.* **1** carattere, natura, temperamento; tendenza, predisposizione, inclinazione **2** natura, specie.
indolènte *agg.* svogliato, pigro, poltrone (*colloq.*), apatico © attivo, laborioso, operoso.
indolenziménto *s.m.* intorpidimento, formicolio.
indolenzìto *agg.* dolorante, dolente, pesto.
indolóre *agg.* © doloroso.

indòmito *agg.* **1** indomabile, ribelle © docile, arrendevole **2** ♧ (*di temperamento, di animo ecc.*) coraggioso, fiero, invincibile © arrendevole, docile.
indossàre *v.tr.* infilare, mettere, infilarsi, mettersi © levarsi, sfilarsi, togliersi.
indossatrìce *s.f.* modella, mannequin (*fr.*), top model (*ingl.*).
indottrinàre *v.tr.* istruire, ammaestrare, catechizzare.
indovinàre *v.tr.* **1** (*il futuro, la sorte ecc.*) prevedere, predire, presagire, pronosticare; intuire **2** (*un evento e sim.*) immaginare, ipotizzare, presupporre **3** (*una risposta, un desiderio ecc.*) centrare, azzeccare, imbroccare © sbagliare.
indovinàto *agg.* azzeccato, giusto, felice © sbagliato, fallito.
indovinèllo *s.m.* enigma.
indovìno *s.m.* mago, chiaroveggente, stregone, veggente.
indùbbio *agg.* certo, sicuro, indiscusso, evidente, ovvio, palese, incontestabile, indiscutibile, inequivocabile, innegabile, palese © dubbio, incerto, discutibile, opinabile.
indugiàre *v.intr.* **1** tardare, temporeggiare © affrettarsi, muoversi, sbrigarsi **2** esitare, tentennare, titubare © decidersi, risolversi, sbrigarsi.
indùgio *s.m.* **1** ritardo, rallentamento, sosta, attesa, pausa © prontezza, sollecitudine, tempismo **2** esitazione, incertezza, tentennamento © certezza, decisione, sicurezza.
indulgènte *agg.* comprensivo, benevolo, accondiscendente © duro, severo, intransigente, inflessibile.
indulgènza *s.f.* comprensione, benevolenza, compassione, clemenza, tolleranza © durezza, severità, inclemenza, intransigenza.
indùlgere *v.intr.* **1** accondiscendere, acconsentire, assecondare © opporsi, contrastare, avversare **2** (*a vizi e sim.*) abbandonarsi, cedere © resistere.
induménto *s.m.* abito, vestito, capo.
indurìre *v.tr.* **1** rassodare, solidificare, pietrificare © ammollare, ammorbidire **2** ♧ inasprire, irrigidire © addolcire, commuovere, intenerire ♦ *v.intr* e **indurirsi** *v.pr.* **1** rassodarsi, solidificarsi, pietrificarsi © ammollarsi, ammorbidirsi **2** ♧ inasprirsi, irrigidirsi © addolcirsi, commuoversi, intenerirsi.
indùrre *v.tr.* **1** spingere, convincere, persuadere, invitare, incitare © dissuadere, distogliere, trattenere **2** (*a pensare e sim.*) portare, condurre ♦ **indursi** *v.pr.* decidersi, risolversi, convincersi.
indùstria *s.f.* **1** fabbrica, stabilimento, manifattura, azienda **2** produzione, lavorazione **3** (*raro*) operosità, ingegnosità, zelo © inattività, svogliatezza.
industriàle *agg.* © artigianale; fatto in casa ♦ *s.m.f.* imprenditore, produttore, fabbricante.
industriàrsi *v.pr.* **1** adoperarsi, affaccendarsi, prodigarsi © oziare, battere la fiacca (*colloq.*) **2** (*per vivere*) arrangiarsi, cavarsela.
industrióso *agg.* operoso, laborioso, attivo, intraprendente © pigro, apatico, indolente.
inebetìrsi *v.pr.* istupidirsi, intontirsi, rincretinirsi, rimbecillirsi, rincitrullirsi (*colloq.*), rintronarsi (*colloq.*), rincoglionirsi (*volg.*).
inebriàre *v.tr.* **1** ubriacare, dare alla testa **2** ♧ eccitare, entusiasmare, caricare, elettrizzare, stordire © deprimere, avvilire ♦ **inebriarsi** *v.pr.* **1** ubriacarsi, sbronzarsi (*colloq.*) **2** ♧ eccitarsi, entusiasmarsi, esaltarsi © deprimersi.
ineccepìbile *agg.* impeccabile, inappuntabile, perfetto © criticabile, discutibile.
inèdia *s.f.* digiuno; denutrizione; fame.
inèdito *agg.* **1** (*di poesia, di romanzo ecc.*) © edito, pubblicato **2** ♧ ignoto, sconosciuto © noto, risaputo **3** nuovo, insolito, originale, singolare © solito, vecchio, usuale.
ineffàbile *agg.* indescrivibile, indefinibile, indicibile, inesprimibile © descrivibile, esprimibile.
inefficàce *agg.* inutile, vano; inadatto, inadeguato, inappropriato © efficace, valido, utile; adatto, adeguato.
inefficàcia *s.f.* inutilità, vanità © efficacia, utilità.
inefficiènza *s.f.* **1** (*di una persona*) improduttività, incapacità © capacità, efficienza **2** (*di un ufficio, di una struttura ecc.*) disorganizzazione, lentezza © organizzazione, velocità **3** (*di un macchinario e sim.*) malfunzionamento © efficienza, funzionamento.
ineguagliàbile *agg.* impareggiabile, incomparabile, impagabile, unico © comune, ordinario.
ineluttàbile *agg.* inevitabile, inesorabile, fatale © evitabile.
ineluttabilità *s.f.* inevitabilità, inesorabilità, fatalità © evitabilità.
inequivocàbile *agg.* chiaro, evidente, esplicito, inconfondibile, indubbio, lampante, univoco © ambiguo, equivocabile, equivoco, incerto, dubbio.
inerènte *agg.* attinente, relativo, riguardante, concernente © estraneo.
inèrme *agg.* disarmato, indifeso; sprovveduto © armato, difeso.
inerpicàrsi *v.pr.* arrampicarsi, salire, scalare.
inèrte *agg.* **1** apatico, abulico, inattivo, inopero-

so, ozioso, pigro © attivo, laborioso, operoso **2** immobile, fermo, rigido.

inèrzia *s.f.* **1** inoperosità, indolenza, ozio, pigrizia, inattività, apatia, accidia (*elev.*), torpore © attività, laboriosità, operosità **2** (*fis.*) quiete © moto.

inesattézza *s.f.* **1** imprecisione, imperfezione, scorrettezza; infedeltà © esattezza, correttezza, precisione, rigore; fedeltà **2** errore, sbaglio, imprecisione, scorrettezza.

inesàtto *agg.* (*di informazione, di traduzione ecc.*) impreciso, errato, sbagliato, erroneo, infedele © esatto, preciso, corretto, giusto, fedele.

inesaurìbile *agg.* perenne, illimitato, inestinguibile, senza fine © esauribile, limitato, ridotto, esiguo.

inesistènte *agg.* apparente, fittizio, immaginario, irreale © esistente, reale, concreto, effettivo.

inesoràbile *agg.* **1** implacabile, inclemente, spietato, irremovibile; crudele, terribile © clemente, pietoso, comprensivo **2** ineluttabile, inevitabile, fatale © evitabile.

inesperiènza *s.f.* immaturità, ingenuità, semplicità, candore © esperienza, maturità, scaltrezza.

inespèrto *agg.* **1** impreparato, incompetente, sprovveduto © esperto, pratico, competente, ferrato **2** ingenuo, immaturo, semplice, candido © esperto, maturo, smaliziato, navigato, scafato (*colloq.*).

inesplicàbile *agg.* inspiegabile, incomprensibile, misterioso, oscuro © spiegabile, comprensibile, chiaro, evidente.

inespressìvo *agg.* insignificante, scialbo, spento, piatto; (*spec. di sguardo*) vitreo, vacuo © espressivo, eloquente, vivace; (*spec. di sguardo*) intenso, penetrante.

inestimàbile *agg.* incalcolabile; enorme, immenso, smisurato, straordinario © calcolabile, stimabile, valutabile; insignificante, modesto.

inestinguìbile *agg.* **1** (*di fuoco e sim.*) indomabile © estinguibile, domabile **2** ♧ (*di sete*) implacabileinsaziabile **3** ♧ (*di passione e sim.*) inesauribile, eterno, infinito, perenne © temporaneo, caduco (*elev.*), effimero.

inestricàbile *agg.* **1** aggrovigliato, ingarbugliato © districabile **2** ♧ (*di problema, di dubbio ecc.*) intricato, insolubile, complesso, complicato © districabile, risolvibile.

inettitùdine *s.f.* **1** incapacità, inabilità, incompetenza, imperizia © abilità, capacità, attitudine, competenza **2** goffaggine, incapacità, limitatezza, dappocaggine © bravura, valore.

inètto *agg.* **1** inadatto, inabile, inadeguato, negato © adatto, abile, adeguato **2** (*di impiegato, di medico ecc.*) incapace, incompetente, inesperto, cattivo © capace, bravo, buono, valido ♦ *s.m.* incapace, buono a nulla, brocco (*colloq.*), frana (*colloq.*), schiappa © asso, campione, mago, maestro.

inevitàbile *agg.* necessario, fatale, ineluttabile © evitabile, scongiurabile.

inèzia *s.f.* piccolezza, sciocchezza, bazzecola, cavolata (*colloq.*), cazzata (*volg.*), nonnulla.

infallìbile *agg.* **1** esatto, preciso, perfetto © fallibile, impreciso, imperfetto **2** (*di rimedio e sim.*) sicuro, certo, efficace © incerto, inefficace.

infamànte *agg.* disonorevole, vergognoso, turpe; denigratorio, diffamatorio © degno, onorevole.

infàme *agg.* **1** abietto, ignobile, spregevole, turpe, vergognoso © ammirevole, lodevole **2** (*di calunnia e sim.*) denigratorio, diffamatorio, infamante **3** (*colloq.*; *di tempo, di lavoro ecc.*) pessimo, orribile, schifoso, insopportabile ♦ *s.m.f.* **1** scellerato, sciagurato **2** spia, traditore.

infàmia *s.f.* **1** disonore, vergogna, ignominia, onta © gloria, merito, onore **2** (*azione, parola infame*) bassezza, cattiveria, empietà, malvagità, nefandezza, abiezione, scelleratezza, turpitudine **3** (*colloq.*) schifezza, porcheria, oscenità.

infangàre *v.tr.* **1** inzaccherare, imbrattare **2** ♧ disonorare, macchiare, sporcare, screditare © onorare, rispettare, stimare.

infantìle *agg.* **1** bambinesco, fanciullesco, puerile **2** (*riferito ad adulti*) immaturo, puerile (*spreg.*), sciocco, ingenuo © maturo, adulto.

infantilìsmo *s.m.* immaturità, puerilità © maturità.

infànzia *s.f.* **1** puerizia (*elev.*) **2** bambini.

infastidìre *v.tr.* disturbare, seccare, molestare, irritare, importunare ♦ **infastidirsi** *v.pr.* irritarsi, innervosirsi, seccarsi, stancarsi, stufarsi.

infaticàbile *agg.* **1** instancabile, indefesso **2** ♧ costante, entusiasta, perseverante, tenace.

infatuàrsi *v.pr.* innamorarsi, invaghirsi, incapricciarsi, perdere la testa, prendersi una cotta (*colloq.*).

infatuazióne *s.f.* entusiasmo, passione; capriccio, innamoramento, cotta (*colloq.*), sbandata.

infàusto *agg.* sfavorevole, nefasto, funesto, fatale; (*di prognosi*) mortale © fausto, fortunato, propizio, favorevole.

infecóndo *agg.* **1** (*di persona*) sterile © fecondo, fertile **2** (*di terreno e sim.*) sterile, infruttuoso, improduttivo © fecondo, fertile, produttivo **3** ♧ (*di ingegno, di fantasia ecc.*) sterile © fecondo, fertile, creativo **4** ♧ (*di discussione, di tentativo ecc.*) inutile, vano © proficuo, utile, fruttuoso.

infedéle *agg.* **1** falso, traditore, sleale, infido © fedele, leale, onesto, fido **2** (*di coniuge e sim.*) traditore, adultero, fedifrago © fedele, onesto **3** (*di traduzione, di resoconto ecc.*) inesatto, impreciso, inattendibile © fedele, attendibile, esatto, preciso, conforme ♦ *s.m.f.* (*relig.*) apostata, pagano © fedele, devoto.

infedeltà *s.f.* **1** tradimento, slealtà, disonestà **2** (*di un coniuge e sim.*) adulterio **3** (*di una traduzione, di un resoconto ecc.*) inattendibilità, imprecisione, inesattezza © attendibilità, fedeltà, precisione, esattezza.

infelìce *agg.* **1** triste, scontento, malinconico, afflitto, angustiato © felice, allegro, lieto **2** (*di infanzia, di vita ecc.*) triste, doloroso, sofferto, travagliato © felice, lieto, gioioso **3** (*di amore*) contrastato, ostacolato; sfortunato, tormentato © corrisposto, ricambiato, felice **4** (*di esito, di scelta ecc.*) negativo, sbagliato, sfortunato, mal riuscito © positivo, azzeccato, benriuscito **5** ♧ (*di clima, di tempo ecc.*) sfavorevole, avverso, brutto, cattivo © favorevole, propizio **6** ♧ (*di domanda, di battuta ecc.*) inopportuno, fuori luogo © felice, appropriato.

infelicità *s.f.* **1** tristezza, sofferenza, amarezza, malinconia; dolore, sventura, patimento © felicità, contentezza, gioia **2** (*di una scelta, di una frase ecc.*) inopportunità, intempestività, sconvenienza © opportunità, convenienza.

inferióre *agg.* **1** sottostante, di sotto, sotto © superiore, sovrastante, di sopra **2** minore © maggiore, superiore ♦ *s.m.f.* sottoposto, subordinato, dipendente © superiore, dirigente.

inferiorità *s.f.* dipendenza, soggezione, subordinazione © superiorità, supremazia.

infermità *s.f.* malattia, male, malanno; invalidità.

infèrmo *agg., s.m.* ammalato, malato, invalido.

infernàle *agg.* **1** demoniaco, diabolico, satanico © angelico, celestiale, paradisiaco **2** ♧ (*di caldo, di rumore ecc.*) terribile, tremendo, spaventoso, d'inferno, insopportabile © (*di caldo e sim.*) piacevole, gradevole, sopportabile; (*di rumore, di ritmo ecc.*) calmo tranquillo.

infèrno *s.m.* **1** (*cristiano*) regno delle tenebre, regno di Satana © paradiso, eden **2** (*pagano*) aldilà, inferi, oltretomba, regno dei morti **3** ♧ angoscia, incubo, sofferenza, tormento © gioia, paradiso, piacere.

inferocirsi *v.pr.* imbestialirsi, infuriarsi, andare in bestia, andare su tutte le furie © calmarsi, placarsi, rabbonirsi.

inferriàta *s.f.* griglia, grata, sbarre; cancello, cancellata.

infervorarsi *v.pr.* entusiasmarsi, accalorarsi, appassionarsi, eccitarsi, infiammarsi © raffreddarsi, intiepidirsi.

infestàre *v.tr.* **1** (*di insetti, di erbacce ecc.*) invadere; danneggiare, rovinare © disinfestare **2** ♧ diffondersi, invadere.

infestazióne *s.f.* © disinfestazione.

infettàre *v.tr.* **1** © disinfettare, sterilizzare **2** contagiare, contaminare, inquinare, intossicare © decontaminare, purificare **3** ♧ avvelenare, ammorbare, appestare, corrompere © purificare.

infettìvo *agg.* contagioso, epidemico.

infètto *agg.* **1** (*di ferita e sim.*) settico, suppurato **2** (*di ambiente, di acqua ecc.*) contaminato, inquinato, impuro © pulito, puro, disinfettato, sterile, asettico (*med.*) **3** ♧ corrotto, marcio, vizioso, depravato © puro, incontaminato, incorrotto.

infezióne *s.f.* **1** suppurazione © disinfezione, sterilizzazione **2** contagio, contaminazione **3** ♧ corruzione, depravazione © purezza, pulizia.

infiacchiménto *s.m.* indebolimento, debilitazione, stanchezza, spossatezza, sfinimento.

infiacchìre *v.tr.* fiaccare, debilitare, sfinire, spossare © rinvigorire, corroborare, tonificare.

infiammàbile *agg.* **1** combustibile © ignifugo, ininfiammabile **2** ♧ (*di persona*) eccitabile, focoso, irascibile, impetuoso, passionale © calmo, impassibile, imperturbabile, tranquillo.

infiammàre *v.tr.* **1** incendiare, accendere, dare fuoco, bruciare © spegnere, soffocare, estinguere, smorzare **2** ♧ (*il viso, le guance ecc.*) accendere, arrossare, avvampare © sbiancare, impallidire **3** ♧ (*di passione, di entusiasmo ecc.*) accendere, eccitare, entusiasmare © raffreddare, placare, smorzare **4** (*gli occhi e sim.*) irritare © disinfiammare ♦ **infiammarsi** *v.pr.* **1** incendiarsi, prendere fuoco © spegnersi, estinguersi **2** ♧ (*di viso, di guance ecc.*) accendersi, arrossarsi, avvampare © sbiancare, impallidire **3** ♧ (*d'amore, di desiderio ecc.*) accalorarsi, eccitarsi, entusiasmarsi, infervorarsi © calmarsi, placarsi, smorzarsi **4** (*di occhi e sim.*) arrossarsi, infiammarsi © disinfiammarsi, sfiammarsi.

infiammàto *agg.* **1** acceso, in fiamme © spento, estinto **2** ♧ (*di viso e sim.*) arrossato, rosso, congestionato © pallido, bianco **3** ♧ appassionato, eccitato, esaltato, infuocato © calmo, tranquillo **4** (*di occhi e sim.*) arrossato.

infiammazióne *s.f.* bruciore, irritazione, flogosi (*med.*).

inficiàre *v.tr.* **1** (*dir.*) invalidare © convalidare, ratificare **2** (*un ragionamento e sim.*) contraddire, confutare, smentire, invalidare © avvalorare, confermare, comprovare, suffragare.

infido *agg.* **1** (*di persona*) falso, ambiguo, inaffidabile, sleale © fidato, sincero, leale, affidabile **2** (*di mare, di terreno ecc.*) insidioso, pericoloso, malsicuro, rischioso © sicuro, tranquillo.

infierìre *v.intr.* **1** (*contro qlcu.*) accanirsi, incrudelire, inferocire; (*scherz.*) accanirsi **2** (*di epidemia, di tempesta ecc.*) imperversare, infuriare, scatenarsi.

infìggere *v.tr.* **1** conficcare, ficcare, piantare **2** ♧ (*nella mente*) imprimere, incidere, scolpire, stampare © cancellare.

infilàre *v.tr.* **1** introdurre © sfilare, togliere **2** (*una strada*) imboccare, prendere © lasciare **3** (*la giacca, le scarpe ecc.*) indossare, mettere, calzare © togliersi, levarsi **4** ♧ (*colloq.*) azzeccare, indovinare, centrare © sbagliare, fallire ♦ **infilarsi** *v.pr.* **1** introdursi, entrare; rifugiarsi, rintanarsi **2** intrufolarsi, infiltrarsi.

infiltràrsi *v.pr.* **1** (*di acqua, di fumo*) filtrare, penetrare, insinuarsi **2** ♧ (*di persona*) intrufolasi, insinuarsi, infilarsi.

infiltràto *s.m.* spia, informatore, talpa (*gerg.*).

infilzàre *v.tr.* **1** trafiggere, trapassare **2** (*le perle*) infilare © sfilare **3** (*un pugnale e sim.*) infilare, piantare, conficcare © sfilare **4** ♧ (*una serie di bugie, errori ecc.*) infilare, collezionare.

ìnfimo *agg.* **1** (*di rango e sim.*) umile, vile, spregevole © sommo, supremo **2** (*di merce, di qualità ecc.*) pessimo, scadente © ottimo, eccellente.

infingàrdo *agg.* **1** pigro, poltrone, scansafatiche © attivo, laborioso, industrioso **2** falso, doppio, subdolo © sincero, leale.

infinità *s.f.* **1** (*di spazio*) illimitatezza **2** (*grande quantità, moltitudine*) caterva, miriade, mare, mondo, mucchio, sacco (*colloq.*).

infinitesimàle *agg.* minuscolo, microsopico, impercettibile © enorme, immenso, gigantesco, smisurato.

infinìto *agg.* **1** illimitato © finito, limitato **2** immenso, smisurato, sconfinato, sterminato © esiguo, limitato, ridotto, scarso **3** (*di tempo, di pazienza ecc.*) eterno, inesauribile, interminabile © breve, ridotto ♦ *s.m.* **1** spazio, universo, cosmo.

infinocchiàre *v.tr.* (*colloq.*) ingannare, imbrogliare, abbindolare.

infischiàrsene *v.procompl.* (*colloq.*) disinteressarsi, fregarsene (*colloq.*), sbattersene (*volg.*), fottersene (*volg.*) © curarsi, interessarsi, occuparsi, prendersi cura.

inflazionàto *agg.* abusato, frusto, logoro, ripetuto, trito © nuovo, originale.

inflessìbile *agg.* duro, rigido, implacabile, irremovibile © elastico, flessibile, accondiscendente.

inflessibilità *s.f.* fermezza, rigidità, irremovibilità, severità © flessibilità, elasticità.

inflessióne *s.f.* (*della voce*) accento, cadenza, intonazione, pronuncia.

inflìggere *v.tr.* imporre, assegnare.

influènte *agg.* importante, rilevante; (*di persona*) autorevole, importante, potente © ininfluente.

influènza *s.f.* **1** azione, effetto, influsso, condizionamento © ininfluenza **2** (*di una persona*) autorità, importanza, peso, ascendente, autorevolezza, potere © ininfluenza **3** (*med.*) febbre influenzale.

influenzàbile *agg.* suggestionabile; malleabile, manovrabile, plasmabile.

influenzàre *v.tr.* condizionare, decidere, determinare, influire; manovrare, plagiare, suggestionare.

influìre *v.intr.* contare, determinare, incidere, influenzare; riflettersi, ripercuotersi.

inflùsso *s.m.* **1** azione, influenza, peso, efficacia **2** (*di una persona*) autorità, ascendente, potere, influenza, fascino.

infognàrsi *v.pr.* (*colloq.*) cacciarsi, impelagarsi, impegolarsi, impantanarsi, invischiarsi © liberarsi, uscire.

infondàto *agg.* ingiusto, ingiustificato, illegittimo, inconsistente, gratuito © fondato, giusto, legittimo.

infóndere *v.tr.* trasmettere, suscitare, ispirare © levare, togliere.

inforcàre *v.tr.* **1** (*il cavallo, la bicicletta*) montare, salire **2** (*gli occhiali*) mettere, mettersi, infilarsi.

informàle *agg.* **1** (*di incontro, di colloquio ecc.*) amichevole, confidenziale, ufficioso, rilassato © formale, ufficiale **2** (*di stile, di tono ecc.*) colloquiale, familiare, confidenziale © formale, affettato **3** (*di abbigliamento*) sportivo, casual (*ingl.*) © elegante, formale.

informàre *v.tr.* **1** ragguagliare, avvertire, avvisare, mettere al corrente **2** ♧ conformare, adeguare, ispirare, uniformare ♦ **informarsi** *v.pr.* consultarsi, documentarsi; chiedere, domandare; aggiornarsi.

informatizzàre *v.tr.* computerizzare.

informàto *agg.* a conoscenza, al corrente, aggiornato, documentato, aggiornato, preparato © disinformato, impreparato.

informatóre *s.m.* confidente, delatore, spia.

informazióne *s.f.* **1** © disinformazione **2** comunicazione, notizia, avviso, informativa (*burocr.*) **3** IPON. giornali, radio, televisione, stampa; mass media (*ingl.*), media.

infortùnio *s.m.* incidente, sinistro.

infradiciàrsi *v.pr.* **1** bagnarsi, inzupparsi © asciugarsi **2** imputridire, marcire, putrefarsi.

inframmezzàre *v.tr.* inserire, frapporre; intercalare, intervallare.

infràngere *v.tr.* **1** rompere, spezzare, spaccare, sfasciare, fracassare, frantumare, fare a pezzi, mandare in frantumi **2** ♧ (*un patto, un segreto ecc.*) violare, trasgredire, rompere © osservare, rispettare, mantenere, tenere fede **3** ♧ (*sogni, speranze ecc.*) deludere, tradire, disattendere, frustrare, distruggere © soddisfare, esaudire, appagare ♦ **infrangersi** *v.pr.* **1** rompersi, andare in pezzi, sfasciarsi, frantumarsi; (*di onde*) frangersi, sciabordare **2** ♧ (*di sogni, speranze ecc.*) sfumare, svanire, distruggersi, spegnersi.

infrangìbile *agg.* resistente, indistruttibile © fragile, delicato.

infrànto *agg.* **1** frantumato, rotto, sfasciato, spaccato, spezzato © intero, intatto, illeso, sano **2** ♧ (*di sogni, speranze ecc.*) deluso, frustrato, sfumato, spento, svanito; (*di cuore*) a pezzi, spezzato, affranto.

infrazióne *s.f.* inosservanza, violazione, trasgressione.

infreddatùra *s.f.* raffreddore.

infreddolìrsi *v.pr.* prendere freddo, congelarsi, intirizzirsi © riscaldarsi.

infruttìfero *agg.* **1** improduttivo, infecondo, sterile © fruttifero, fecondo, fertile **2** ♧ (*econ.*) morto © fruttifero, produttivo.

infruttuóso *agg.* **1** infruttifero **2** ♧ inutile, vano, inconcludente © utile, efficace, fruttuoso.

infuocàre *v.tr.* **1** arroventare © raffreddare **2** ♧ (*le guance, il cielo ecc.*) arrossare, infiammare **3** ♧ (*gli animi e sim.*) accendere, eccitare, entusiasmare, infiammare © calmare, frenare, raffreddare ♦ **infuocarsi** *v.pr.* **1** arroventarsi © raffreddarsi **2** ♧ (*di viso e sim.*) arrossire, avvampare © impallidire, sbiancare **3** ♧ (*di animi e sim.*) accendersi, eccitarsi, infervorarsi © calmarsi, placarsi, raffreddarsi.

infuocàto *agg.* **1** arroventato, bollente, rovente © freddo, raffreddato **2** ♧ (*di clima e sim.*) torrido, bollente, canicolare © freddo **3** ♧ (*di viso e sim.*) rosso, paonazzo © bianco, pallido **4** ♧ (*di animo, di sentimento ecc.*) appassionato, ardente, eccitato © calmo, tranquillo.

infuriàre *v.tr.* irritare, esasperare ♦ *v.intr.* (*di tempesta e sim.*) imperversare, scatenarsi © calmarsi, cessare ♦ **infuriarsi** *v.pr.* arrabbiarsi, adirarsi, andare su tutte le furie, imbestialirsi, incavolarsi (*colloq.*), incazzarsi (*volg.*) © calmarsi, placarsi.

infùso *s.m.* infusione; decotto, tisana.

ingabbiàre *v.tr.* rinchiudere, intrappolare © liberare.

ingaggiàre *v.tr.* **1** assumere, arruolare, assoldare, reclutare; scritturare (*artisti*) © licenziare, mandare via **2** (*un calciatore*) acquistare, comprare **3** (*una battaglia, un combattimento ecc.*) attaccare, incominciare, iniziare.

ingàggio *s.m.* **1** assunzione, reclutamento **2** compenso, retribuzione, rimunerazione, cachet (*fr.*).

ingannàre *v.tr.* **1** imbrogliare, truffare, raggirare, fregare (*colloq.*) **2** (*le speranze, la fiducia ecc.*) deludere, tradire; (*la vigilanza e sim.*) eludere ♦ **ingannarsi** *v.pr.* sbagliarsi, prendere un abbaglio, prendere un granchio (*colloq.*), errare.

ingannévole *agg.* fallace, falso, illusorio; menzognero, subdolo © vero, reale, concreto.

ingànno *s.m.* **1** frode, imbroglio, menzogna, raggiro, fregatura (*colloq.*), sotterfugio; tranello, trabocchetto, trappola **2** errore, sbaglio, abbaglio, cantonata, illusione.

ingarbugliàre *v.tr.* **1** aggrovigliare, imbrogliare © sbrogliare, districare **2** ♧ (*una faccenda e sim.*) complicare, confondere, imbrogliare © chiarire, sbrogliare ♦ **ingarbugliarsi** *v.pr.* **1** aggrovigliarsi, intricarsi, imbrogliarsi **2** ♧ complicarsi, confondersi © appianarsi, chiarirsi **3** ♧ (*nel parlare*) impappinarsi, confondersi.

ingegnàrsi *v.pr.* **1** adoperarsi, industriarsi, darsi da fare **2** affannarsi, arrabattarsi, arrangiarsi.

ingégno *s.m.* **1** intelligenza, prontezza, acume, capacità, genialità © stupidità, idiozia, imbecillità **2** (*poetico, musicale e sim.*) disposizione, inclinazione, predisposizione, tendenza **3** (*di persona*) cervello, mente, testa, cima (*colloq.*), genio **4** artificio, astuzia, espediente, trovata.

ingegnóso *agg.* **1** acuto, intelligente, perspicace, sottile © stupido, ottuso, deficiente **2** (*di macchina, di trovata ecc.*) intelligente, geniale.

ingeneràre *v.tr.* provocare, produrre, causare, determinare, suscitare, insinuare.

ingeneróso *agg.* avaro, tirchio, spilorcio, taccagno © generoso, altruista, magnanimo.

ingènte *agg.* grande, grosso, enorme, immenso, notevole, considerevole, rilevante, significante © insignificante, inconsistente, trascurabile.

ingenuità *s.f.* **1** candore, innocenza, naturalezza, spontaneità © malizia, astuzia, furbizia **2** inesperienza, sprovvedutezza, credulità, immaturità **3** (*atto, comportamento ingenuo*) sciocchezza, leggerezza, bambinata, sventatezza.

ingènuo *agg.* **1** innocente, candido, puro, semplice, sincero © malizioso, scaltro, furbo **2** inesperto, sprovveduto, credulone © accorto, avveduto, furbo, sveglio ♦ *s.m.* credulone, semplicione, pollo (*colloq.*) © dritto, furbo, filone (*colloq.*), volpe (*colloq.*).

ingerènza *s.f.* intromissione, interferenza, intrusione.

ingerìre *v.tr.* ingoiare, inghiottire, buttare giù, deglutire © rigettare, vomitare.

inghiottìre *v.tr.* **1** ingoiare, buttare giù, deglutire © rigettare, vomitare **2** ♧ (*le lacrime, la rabbia ecc.*) trattenere, frenare, reprimere, soffocare © manifestare, sfogare **3** ♧ (*di nebbia, di oscurità e sim.*) ingoiare, risucchiare, seppellire **4** ♧ (*offese, umiliazioni ecc.*) subire, sopportare, ingoiare, mandare giù.

ingigantìre *v.tr.* ingrandire, amplificare, esagerare, gonfiare, montare, pompare © ridimensionare, sminuire, minimizzzare, sgonfiare.

inginocchiàrsi *v.pr.* **1** genuflettersi **2** ♧ piegarsi, abbassarsi, prostrarsi, sottomettersi, umiliarsi.

ingiùngere *v.tr.* ordinare, intimare, imporre, comandare, diffidare (*dir.*).

ingiunzióne *s.f.* ordine, intimazione, comando, diffida (*dir.*).

ingiùria *s.f.* **1** offesa, insulto, affronto, oltraggio **2** (*espressione ingiuriosa*) insulto, improperio, parolaccia **3** ♧ (*del tempo*) danno, guasto, torto, lesione © beneficio, vantaggio.

ingiuriàre *v.tr.* insultare, offendere, oltraggiare, diffamare © lodare, elogiare.

ingiurióso *agg.* offensivo, oltraggioso, insolente, diffamatorio © elogiativo, complimentoso.

ingiustificàbile *agg.* inaccettabile, imperdonabile, inammissibile, intollerabile © giustificabile, ammissibile.

ingiustificàto *agg.* immotivato, infondato, gratuito © giustificato, fondato, motivato.

ingiustìzia *s.f.* **1** (*l'essere ingiusto*) illegalità, illegittimità, iniquità © giustizia, legalità, equità **2** (*atto ingiusto*) torto, offesa, abuso, sopruso.

ingiùsto *agg.* **1** (*di persona*) iniquo, parziale, scorretto © giusto, equo, obiettivo **2** (*di atto e sim.*) illecito, illegittimo, illegale © giusto, lecito, legittimo **3** (*di sospetto e sim.*) infondato, ingiustificato, illegittimo, immotivato, gratuito © giusto, legittimo, fondato, motivato.

inglobàre *v.tr.* assorbire, includere, incorporare © scorporare, separare.

ingoiàre *v.tr.* **1** inghiottire, mandare giù (*colloq.*), ingurgitare, trangugiare © sputare, vomitare **2** ♧ (*di offesa, di torto ecc.*) subire, sopportare, tollerare, mandare giù (*colloq.*) **3** ♧ (*di onde, di nebbia ecc.*) inghiottire, sommergere, risucchiare.

ingombrànte *agg.* **1** voluminoso © piccolo **2** ♧ invadente, fastidioso, pesante.

ingómbro[1] *agg.* intasato, intralciato, ostacolato; pieno, zeppo © sgombro, libero, vuoto.

ingómbro[2] *s.m.* **1** impaccio, intralcio, impedimento, ostacolo **2** volume, dimensione.

ingordìgia *s.f.* **1** avidità, voracità, ghiottoneria © misura, moderazione, frugalità **2** ♧ avidità, cupidigia, bramosia, fame, sete © disprezzo, rifiuto.

ingórdo *agg.* **1** goloso, famelico, vorace © moderato, frugale, parco **2** ♧ avido, bramoso, affamato, assetato, voglioso © incurante, sprezzante.

ingórgo *s.m.* ostruzione, otturazione, occlusione, intasamento; (*nel traffico*) blocco, congestione, intasamento © apertura; sblocco.

ingovernàbile *agg.* © governabile.

ingozzàre *v.tr.* riempire, rimpinzare.

ingranàre *v.tr.* (*la marcia*) mettere, inserire, innestare © disinnestare, togliere ♦ *v.intr.* **1** (*di marcia*) inserirsi, entrare © disinserirsi **2** ♧ (*di studio, di affari ecc.*) avviarsi, andare, funzionare, rendere.

ingrandiménto *s.m.* allargamento, ampliamento, espansione, sviluppo © riduzione, rimpicciolimento.

ingrandìre *v.tr.* **1** ampliare, allargare, estendere © ridurre, rimpicciolire, restringere **2** ♧ (*difficoltà, problemi ecc.*) esagerare, gonfiare, enfatizzare, ingigantire © minimizzare, ridimensionare, sgonfiare.

ingrassàre *v.tr.* **1** impinguare, ingozzare **2** (*un terreno*) concimare, fertilizzare **3** (*il motore e sim.*) lubrificare, oliare, ungere ♦ *v.intr.* **1** arrotondarsi, appesantirsi, imbolsire, mettere su chili (*colloq.*) © dimagrire, perdere chili, assottigliarsi, smagrire **2** ♧ arricchirsi, prosperare.

ingratitùdine *s.f.* © gratitudine, riconoscenza.

ingràto *agg.* **1** irriconoscente © grato, riconoscente **2** (*di compito, di lavoro ecc.*) sgradito, spiacevole, fastidioso, duro © facile, leggero, piacevole, gradito.

ingravidàre *v.tr.* fecondare, mettere incinta (*colloq.*).

ingraziàrsi *v.pr.* accattivarsi, guadagnarsi, propiziarsi; conquistare © inimicarsi, alienarsi.

ingrediènte *s.m.* elemento, componente, costituente (*chim.*).

ingrèsso *s.m.* **1** (*di un luogo*) entrata, accesso; porta, portone © uscita **2** (*di qlcu.*) entrata, apparizione, arrivo © uscita **3** anticamera, atrio, vestibolo, hall (*ingl.*).

ingrossàre *v.tr.* **1** aumentare, ingrandire, gonfiare © rimpicciolire, ridurre **2** (*di abito*) © dimagrire, snellire, assottigliare.

inguarìbile *agg.* **1** (*di malattia*) incurabile, insanabile © guaribile, curabile **2** ♧ (*di persona*) incorreggibile, accanito, incallito, impenitente, irriducibile.

ingurgitàre *v.tr.* inghiottire, mandar giù, ingoiare, trangugiare © vomitare, rigettare.

inibìre *v.tr.* **1** impedire, proibire, vietare, interdire © concedere, lasciare, permettere **2** (*psic.*) bloccare, frenare; intimidire; reprimere, castrare © disinibire, liberare.

inibìto *agg., s.m.* (*psic.*) bloccato, complessato, chiuso, insicuro, introverso, represso © disinibito, disinvolto, aperto, emancipato, sbloccato.

inibizióne *s.f.* **1** (*raro*) divieto, proibizione **2** (*psic.*) blocco, chiusura, complesso, repressione.

iniettàre *v.tr.* (*med.*) inoculare, infiltrare.

iniezióne *s.f.* **1** puntura, inoculazione; (*gerg.*; *di eroina e sim.*) buco, pera **2** ♧ (*di buonumore e sim.*) carica, dose.

inimicìzia *s.f.* antipatia, avversione, discordia, ostilità, rancore © amicizia, affetto.

inimitàbile *agg.* ineguagliabile, impareggiabile, incomparabile, senza pari; unico, straordinario.

inimmaginàbile *agg.* impensabile, incredibile, inconcepibile © immaginabile, prevedibile, probabile, ipotizzabile.

ininfluènte *agg.* insignificante, irrilevante, marginale, trascurabile © importante, fondamentale, influente.

ininterrótto *agg.* continuo, costante, incessante, non stop (*ingl.*); eterno, perenne, perpetuo © interrotto, discontinuo, intermittente.

iniquità *s.f.* **1** ingiustizia, parzialità © equità, giustizia, imparzialità **2** crudeltà, empietà, malvagità, perfidia, perversità, scelleratezza © bontaà, onestà, rettitudine **3** (*atto iniquo*) delitto, crimine, misfatto, nefandezza, malefatta.

inìquo *agg.* **1** ingiusto, parziale, fazioso © equo, giusto, imparziale, obiettivo **2** malvagio, maligno, crudele, empio, perfido © buono, retto, onesto.

iniziàle *agg.* primo, introduttivo, preliminare; embrionale; originario, primitivo © ultimo, finale, conclusivo, terminale ♦ *s.f.* **1** (*di una parola*) © finale **2** cifra, monogramma, sigla.

iniziàre *v.tr.* **1** cominciare, avviare, intraprendere © finire, concludere, terminare **2** (*qlcu. a una disciplina e sim.*) avviare, introdurre, indirizzare, instradare **3** (*qlcu. a una setta e sim.*) affiliare, ammettere ♦ *v.intr.* cominciare, incominciare, avere inizio © finire, smettere, terminare.

iniziatìva *s.f.* **1** idea, progetto, piano, proposta **2** attività, impresa **3** intraprendenza, dinamismo, ingegnosità © inerzia, indolenza.

inizìàto *s.m.* **1** (*a un culto, a una setta e sim.*) adepto, affiliato, seguace **2** (*a una disciplina e sim.*) specialista, esperto, addetto ai lavori © profano, dilettante.

inìzio *s.m.* avviamento, principio, partenza, apertura, attacco © fine, termine, conclusione, chiusura, compimento, cessazione.

innalzaménto *s.m.* elevazione, elevamento, sollevazione © abbassamento.

innalzàre *v.tr.* **1** alzare, elevare, sollevare; (*bandiera*) issare © abbassare, calare, tirare giù; ammainare **2** (*il livello, la temperatura ecc.*) aumentare, accrescere © abbassare, diminuire **3** costruire, erigere, edificare © abbattere, demolire **4** ♧ (*di rango, di grado ecc.*) elevare, promuovere © abbassare, degradare, retrocedere ♦ **innalzarsi** *v.pr.* **1** elevarsi, sollevarsi, alzarsi © abbassarsi, calare **2** (*di temperatura e sim.*) salire, aumentare © abbassarsi, calare **3** (*di monti e sim.*) ergersi, elevarsi, svettare.

innamoraménto *s.m.* amore, infatuazione, cotta (*colloq.*), sbandata (*colloq.*).

innamorarsi *v.pr.* **1** (*di una persona*) infatuarsi, invaghirsi, prendersi una cotta (*colloq.*), perdere la testa © disamorarsi **2** (*di una cosa*) appassionarsi, entusiasmarsi © disamorarsi.

innamoràto *agg.* **1** (*di una persona*) infatuato, invaghito, cotto (*colloq.*), preso (*colloq.*) **2** (*di una cosa*) appassionato, entusiasta, patito ♦ *s.m.* fidanzato, ragazzo, amore, filarino (*colloq.*), spasimante.

innàto *agg.* **1** congenito, connaturato, insito, intrinseco © acquisito **2** naturale, spontaneo, istintivo © innaturale.

innaturàle *agg.* **1** anomalo, anormale, insolito, strano © naturale, normale, solito **2** (*di gesto, di comportamento ecc.*) finto, artefatto, forzato, studiato © naturale, sincero, spontaneo.

innegàbile *agg.* inconfutabile, incontestabile; certo, evidente, manifesto © confutabile, contestabile, discutibile.

innervosìre *v.tr.* irritare, seccare, spazientire, esasperare © calmare, tranquillizzare, rabbonire ♦ **innervosirsi** *v.pr.* irritarsi, seccarsi, spazientirsi, esasperarsi © calmarsi, tranquillizzarsi, rabbonirsi.

innescàre *v.tr.* **1** (*una bomba*) attivare © disinnescare, disattivare **2** ♧ (*una reazione e sim.*) provocare, suscitare, dare il via, mettere in moto, avviare © disinnescare, fermare, arrestare.

innestàre *v.tr.* **1** (*med.*) trapiantare **2** (*mecc.*) inserire, introdurre; (*la marcia*) ingranare © disinnestare, disinserire, togliere **3** ♧ (*stili, temi ecc.*) inserire, introdurre.

innèsto *s.m.* **1** (*med.*) trapianto, inoculazione **2** (*mecc.*) collegamento, inserimento **3** ♧ inserimento, introduzione.

ìnno *s.m.* **1** (*relig.*) canto, salmo **2** (*lett.*) cantico, ode **3** ♧ esaltazione, celebrazione, lode.

innocènte *agg.* **1** incolpevole © colpevole, reo **2** candido, ingenuo, puro; onesto, retto © furbo, malizioso; corrotto, vizioso.

innocènza *s.f.* **1** © colpevolezza, colpa **2** candore, purezza, ingenuità; onestà, rettitudine © furbizia, malizia; corruzione, depravazione.

innòcuo *agg.* **1** (*di sostanza e sim.*) inoffensivo, atossico © nocivo, dannoso, pericoloso; tossico, velenoso **2** (*di animale*) inoffensivo, docile, mite, mansueto © pericoloso, aggressivo; (*di serpente e sim.*) velenoso **3** ♧ (*di persona*) buono, calmo, docile, pacifico © pericoloso, aggressivo **4** ♧ (*di scherzo e sim.*) inoffensivo, innocente, ingenuo © pericoloso, pesante.

innovàre *v.tr.* rinnovare, aggiornare, modernizzare, modificare © conservare, mantenere.

innovatìvo *agg.* progressista, rinnovatore; avanzato, all'avanguardia © conservatore, tradizionalista.

innovazióne *s.f.* novità, rinnovamento, cambiamento, mutamento, trasformazione © conservazione, reazione, status quo (*lat.*).

innumerévole *agg.* illimitato, infinito, incalcolabile © calcolabile, limitato.

inoffensìvo *agg.* **1** innocuo © pericoloso, nocivo, dannoso **2** (*di animale*) innocuo, docile, mite, mansueto © pericoloso, aggressivo **3** ♧ (*di persona*) buono, calmo, docile, pacifico © pericoloso, aggressivo, violento **4** ♧ inoffensivo, inetto **5** ♧ (*di frase e sim.*) innocuo, innocente, ingenuo © offensivo, pesante, grave

inoltràre *v.tr.* **1** (*una pratica, una domanda ecc.*) trasmettere, presentare, avviare **2** (*una lettera e sim.*) inviare, spedire, consegnare, recapitare © ricevere ♦ **inoltrarsi** *v.pr.* **1** avanzare, addentrarsi, spingersi © arretrare, arrestarsi, fermarsi **2** ♧ (*in studi, discipline ecc.*) procedere, proseguire, immergersi © regredire, retrocedere.

inoltràto *agg.* **1** (*di pratica e sim.*) avviato, inviato, trasmesso **2** (*delle stagioni*) avanzato, profondo, pieno; (*di notte*) alto, fondo, profondo.

inondàre *v.tr.* **1** allagare, sommergere © asciugare, prosciugare **2** (*di lacrime*) bagnare **3** ♧ (*di folla e sim.*) invadere, riversarsi, affollare **4** (*di merci e sim.*) riempire, invadere, sommergere, subissare **5** ♧ (*di baci e sim*) colmare, coprire, riempire.

inondazióne *s.f.* **1** allagamento, alluvione **2** ♧invasione, valanga, subisso.

inoperóso *agg.* **1** (*di persona*) inattivo, inerte; pigro, ozioso, indolente, poltrone, sfaccendato © operoso, attivo, laborioso, efficiente, solerte **2** (*di cosa*) improduttivo, inattivo, infruttuoso © produttivo, fruttuoso.

inopinàbile *agg.* impensabile, inconcepibile, imprevedibile; incredibile, strano, inaspettato © immaginabile, prevedibile.

inopportùno *agg.* fuori luogo, imbarazzante, inadatto, intempestivo © opportuno, adeguato, adatto, giusto, tempestivo.

inoppugnàbile *agg.* inconfutabile, incontestabile; certo, evidente, lampante © confutabile, contestabile, discutibile.

inorgànico *agg.* **1** minerale © organico **2** ♧ (*di progetto e sim.*) disorganico, disorganizzato, frammentario, incoerente, sconnesso © organico, coerente, organizzato, sistematico.

inorgoglìre *v.tr.* imbaldanzire, insuperbire ♦ **inorgoglirsi** *v.pr.* imbaldanzirsi, insuperbirsi © umiliarsi, mortificarsi.

inorridìre *v.tr.* spaventare, terrorizzare ♦ *v.intr.* agghiacciare, atterrirsi, spaventarsi.

inospitàle *agg.* **1** (*di persona*) scortese, sgarbato, scostante © ospitale, cortese, cordiale **2** (*di luogo*) desolato, ostile, selvaggio © ospitale, accogliente, comodo, confortevole.

inosservànza *s.f.* inadempienza, disubbidienza, trasgressione, violazione © osservanza, adempimento, rispetto.

input *s.m.invar.* (*ingl.*) **1** (*tecn.*, *inform.*) © output (*ingl.*) **2** ♧ (*di un'iniziativa e sim.*) avvio, impulso © conclusione, fine, termine.

inquadràre *v.tr.* **1** (*foto*) incorniciare **2** ♧ collocare, inserire, contestualizzare; (*un problema e sim.*) capire, focalizzare, mettere a fuoco.

inqualificàbile *agg.* riprovevole, biasimevole, spregevole, indegno, vergognoso.

inquietànte *agg.* **1** angosciante, preoccupante, grave, serio, delicato, critico © confortante, rassicurante, rasserenante **2** (*di persona*) conturbante.

inquietàre *v.tr.* agitare, preoccupare, allarmare, sconvolgere, turbare © calmare, confortare, rassicurare ♦ **inquietarsi** *v.pr.* **1** arrabbiarsi, irritarsi, seccarsi, spazientirsi © calmarsi, tranquillizzarsi **2** agitarsi, allarmarsi, preoccuparsi © rasserenarsi, rassicurarsi.

inquièto *agg.* **1** allarmato, ansioso, preoccupato, impensierito, turbato © calmo, sereno **2** agitato, irrequieto, smanioso © tranquillo **3** arrabbiato, infastidito, innervosito, seccato © calmo.

inquietùdine *s.f.* agitazione, ansia, apprensione, preoccupazione, nervosismo © tranquillità, serenità.

inquilìno *s.m.* affittuario, locatario (*dir.*), conduttore (*dir.*) © proprietario, padrone di casa, locatore (*dir.*).
inquinaménto *s.m.* **1** alterazione, avvelenamento, contaminazione, corruzione, degrado **2** ♧ corruzione, degrado, pervertimento **3** (*delle prove*) alterazione, manipolazione, manomissione.
inquinàre *v.tr.* **1** avvelenare, infettare, contaminare **2** ♧ corrompere, rovinare, traviare **3** (*le prove*) alterare, manipolare, manomettere.
inquisìre *v.tr.* indagare, investigare, esaminare.
inquisitóre *agg.* indagatore, investigatore; inquisitorio ♦ *s.m.* inquirente.
insabbiàre *v.tr.* **1** coprire di sabbia **2** ♧ arrestare, bloccare, fermare © sbloccare, sveltire, velocizzare **3** (*uno scandalo e sim.*) coprire, mettere a tacere, nascondere, occultare ♦ **insabbiarsi** *v.pr.* **1** (*di un natante*) arenarsi, incagliarsi **2** ♧ bloccarsi, fermarsi, arenarsi © sbloccarsi, procedere.
insaccàto *s.m.* salume.
insalàta *s.f.* **1** IPERON. verdura **2** ♧ miscuglio, mescolanza, accozzaglia, insieme, guazzabuglio.
insalùbre, insàlubre *agg.* malsano, nocivo, dannoso, pericoloso © salubre, sano, salutare, benefico.
insanàbile *agg.* **1** incurabile, inguaribile © sanabile, curabile, guaribile **2** ♧ (*di odio, di dolore ecc.*) inesorabile, implacabile, irriducibile, irrimediabile © placabile, sanabile.
insània *s.f.* **1** follia, pazzia, alienazione, demenza © lucidità, assennatezza, senno **2** (*atto insano*) follia, pazzia, insensatezza.
insàno *agg.* **1** (*di persona*) folle, matto, pazzo, demente, squilibrato © sano di mente, equilibrato, lucido **2** (*di gesto, di amore ecc.*) folle, sconsiderato, assurdo, insensato, dissennato © ragionevole, sensato, lucido, equilibrato.
insapóre *agg.* insipido, scipito © saporito.
insaporìre *v.tr.* condire, aromatizzare, speziare.
insaziàbile *agg.* **1** ingordo, goloso, vorace © sazio, satollo, soddisfatto **2** ♧ incontentabile, inappagabile © appagabile, contentabile.
insaziabilità *s.f.* **1** ingordigia, voracità, golosità **2** ♧incontentabilità, intemperanza, avidità © appagamento, moderazione, temperanza.
inscenàre *v.tr.* **1** (*uno spettacolo*) mettere in scena, allestire, rappresentare **2** ♧ (*una lite e sim.*) simulare **3** ♧ (*una protesta e sim.*) organizzare, preparare.
inscindìbile *agg.* indissolubile, indivisibile, inseparabile © scindibile, divisibile.
insediaménto *s.m.* **1** (*in una carica, in un ufficio ecc.*) ingresso, arrivo, avvento, presa di possesso © allontanamento, destituzione, esonero, licenziamento, rimozione **2** (*in un luogo*) stanziamento.
insediàre *v.tr.* (*in una carica, in un ufficio ecc.*) collocare © allontanare, congedare, destituire, licenziare, rimuovere ♦ **insediarsi** *v.pr.* **1** (*in una carica, in un ufficio ecc.*) prendere possesso © congedarsi, dimettersi, licenziarsi **2** (*in un luogo*) stabilirsi, installarsi, sistemarsi © andarsene, trasferirsi.
inségna *s.f.* **1** distintivo, simbolo, segno; stemma **2** bandiera, stendardo, gonfalone, vessillo **3** (*di negozio*) scritta, targa; (*stradale*) cartello, tabella.
insegnaménto *s.m.* **1** educazione, istruzione, addestramento, indottrinamento **2** (*ciò che viene insegnato*) ammaestramento, precetto, principio, lezione **3** (*l'attività*) docenza, magistero; cattedra.
insegnànte *s.m.f.* docente, maestro, professore, istruttore, educatore, pedagogo (*elev.*) INVER. allievo, studente, alunno, scolaro, discepolo (*elev.*).
insegnàre *v.tr.* **1** istruire, addestrare, ammaestrare, educare **2** (*una strada e sim.*) indicare, mostrare.
inseguiménto *s.m.* pedinamento, tallonamento, caccia © fuga.
inseguìre *v.tr.* **1** rincorrere, incalzare, pedinare, tallonare © fuggire, scappare **2** ♧ (*il successo, un sogno ecc.*) rincorrere, perseguire, vagheggiare **3** ♧ (*di rimorso, di incubo ecc.*) tormentare, perseguitare, assillare.
inseguitóre *s.m.* © fuggiasco, fuggitivo.
insenatùra *s.f.* baia, cala, rada, calanca, seno.
insensatézza *s.f.* **1** sventatezza, sconsideratezza, avventatezza, follia, idiozia, stoltezza © buonsenso, assennatezza, giudizio, senno **2** (*atto, discorso insensato*) stupidaggine, sciocchezza, fesseria, idiozia, bestialità.
insensàto *agg.* **1** irragionevole, avventato, scriteriato, sciocco © sensato, ragionevole, assennato, giudizioso **2** (*di discorso, di ragionamento ecc.*) assurdo, contraddittorio, illogico, incoerente, sconclusionato © sensato, logico, coerente, razionale.
insensìbile *agg.* **1** impercettibile, inavvertibile; leggero, lieve, trascurabile © percepibile, avvertibile; considerevole, rilevante, significativo **2** (*di persona*) impassibile, indifferente, imperturbabile © sensibile.
insensibilità *s.f.* (*di una persona*) indifferenza, freddezza, imperturbabilità © sensibilità.

inseparàbile *agg.* indivisibile, indissolubile, inscindibile © separabile, divisibile.
inseriménto *s.m.* **1** introduzione; incastro, innesto © estrazione **2** inclusione, introduzione © cancellazione, eliminazione, esclusione **3** (*di dati nel computer*) immissione **4** (*di una persona in un gruppo*) integrazione, adattamento, ambientamento © emarginazione, segregazione.
inserìre *v.tr.* **1** introdurre, infilare, mettere, incastrare © levare, togliere, estrarre, disinserire **2** (*la marcia*) innestare, ingranare © disinnestare **3** (*un nome in una lista*) includere, comprendere, aggiungere © escludere, eliminare, cancellare **4** (*dati nel computer*) immettere **5** (*un annuncio su un giornale*) pubblicare, stampare **6** (*la corrente, l'antifurto ecc.*) attaccare, collegare © disinserire, staccare **7** (*una persona in un gruppo*) integrare, accogliere © emarginare, escludere ♦ **inserirsi** *v.pr.* **1** innestarsi, incastrarsi; congiungersi, collegarsi © staccarsi, separarsi **2** (*in un ambiente, in un gruppo e sim.*) entrare, ambientarsi, integrarsi, introdursi; legare, socializzare © appartarsi, isolarsi, emarginarsi **3** (*in una discussione e sim.*) intervenire, partecipare, entrare **4** (*in graduatoria*) collocarsi, piazzarsi.
insèrto *s.m.* **1** (*burocr.*) cartella, fascicolo, incartamento, dossier, pratica **2** (*di giornale*) fascicolo, supplemento **3** (*in un film e sim.*) filmato, spezzone.
inserviènte *s.m.f.* facchino, uomo di fatica.
inserzióne *s.f.* **1** inserimento, introduzione, inclusione © esclusione, eliminazione, cancellazione **2** (*su un giornale*) annuncio, avviso; pubblicità.
insetticìda *agg., s.m.* IPON. moschicida, zanzaricida, DDT (*colloq.*).
insicurézza *s.f.* incertezza, indecisione, irresolutezza © sicurezza, certezza, fermezza.
insicùro *agg.* **1** (*di persona, di carattere ecc.*) incerto, indeciso, dubbioso © sicuro, certo, risoluto **2** (*di voce, di risposta ecc.*) incerto © certo, sicuro **3** (*di luogo, di strada ecc.*) pericoloso, malsicuro, insidioso © sicuro **4** (*di lavoro e sim.*) incerto, instabile, precario; provvisorio, temporaneo © sicuro, certo, stabile, continuativo, stabile.
insìdia *s.f.* **1** inganno, tranello, trabocchetto; trappola, rete; agguato, imboscata; complotto, cospirazione, intrigo, macchinazione, trama **2** ♧ pericolo, rischio, minaccia **3** ♧ tentazione, trappola, lusinga.
insidiàre *v.tr.* complottare, cospirare, macchinare, tramare, ordire; attentare, minacciare.
insidióso *agg.* **1** ingannevole, infido, subdolo © affidabile, fidato, leale **2** pericoloso, rischioso © sicuro, tranquillo.
insìgne *agg.* **1** (*di persona*) celebre, illustre, importante, famoso, rinomato, distinto, eccellente, eccelso, emerito, esimio © ignoto, oscuro, sconosciuto **2** (*di monumento, di opera e sim.*) straordinario, eccelso, esemplare, importante, rinomato, sommo © mediocre, insignificante.
insignificànte *agg.* **1** (*di opera*) banale, mediocre, trascurabile © importante, notevole **2** (*di persona*) banale, anonimo, grigio, insulso, ordinario © affascinante, attraente, interessante, originale **3** (*di sguardo, di volto ecc.*) inespressivo, scialbo © espressivo, eloquente **4** (*di danno, di dettaglio ecc.*) irrisorio, irrilevante, trascurabile © consistente, notevole, ragguardevole.
insindacàbile *agg.* indiscutibile, incontestabile, inoppugnabile © sindacabile, discutibile.
insinuànte *agg.* accattivante, carezzevole, lusinghiero, suadente.
insinuàre *v.tr.* **1** introdurre, infilare, inserire © estrarre, sfilare **2** ♧ suggerire, ispirare, istillare **3** alludere, dare a intendere ♦ **insinuarsi** *v.pr.* penetrare, entrare, introdursi, inserirsi, infiltrarsi © uscire, venire fuori, andarsene.
insinuazióne *s.f.* allusione, malignità, calunnia, maldicenza, pettegolezzo.
insìpido *agg.* **1** scipito, sciocco © saporito, gustoso **2** ♧ scialbo, banale, insulso, piatto.
insistènte *agg.* **1** (*di persona*) assillante, asfissiante, ossessionante; ostinato, cocciuto, caparbio © discreto, riservato **2** (*di richiesta*) continuo, pressante, ripetuto **3** (*di tosse, di pioggia ecc.*) continuo, incessante, persistente © passeggero, discontinuo, intermittente.
insistènza *s.f.* **1** cocciutaggine, ostinazione, perseveranza, tenacia; invadenza © discrezione, riserbo **2** (*di richiesta*) pressione, sollecitazione **3** (*di tosse, di pioggia ecc.*) continuità, persistenza © discontinuità, intermittenza.
insìstere *v.intr.* continuare, perseverare, ostinarsi, incaponirsi © cedere, rinunciare, smettere, mollare (*colloq.*); finirla, piantarla (*colloq.*).
ìnsito *agg.* **1** congentito, connaturato, innato, naturale, intrinseco © acquisito, indotto, mutuato **2** contenuto, implicito, incluso © esplicito.
insoddisfacènte *agg.* deludente, insufficiente © soddisfacente, sufficiente.
insoddisfàtto *agg.* scontento, deluso, frustrato © soddisfatto, appagato, contento.
insoddisfazióne *s.f.* scontentezza, malcontento, delusione.
insofferènte *agg.* impaziente, irrequieto, intollerante © calmo, paziente, tranquillo, tollerante.

insofferènza *s.f.* impazienza, irritazione, nervosismo, intolleranza, avversione © calma, pazienza, tranquillità, tolleranza.
insolazióne *s.f.* colpo di sole.
insolènte *agg.* sfacciato, impertinente, sfrontato, spudorato, maleducato; arrogante, offensivo, oltraggioso, strafottente © gentile, rispettoso, beneducato, garbato, ossequioso.
insolènza *s.f.* **1** impertinenza, sfacciataggine, maleducazione, sfrontatezza; arroganza, prepotenza **2** (*parola insolente*) impertinenza, oltraggio; insulto, ingiuria, offesa.
insòlito *agg.* inconsueto, inusuale, curioso, particolare, strano © solito, consueto, usuale.
insolùbile *agg.* **1** (*chim.*) © solubile **2** ♧ inspiegabile, inesplicabile, irrisolvibile, impenetrabile, inestricabile © chiaro, comprensibile, decifrabile, spiegabile, risolvibile.
insolùto *agg.* **1** irrisolto, inesplicato; aperto; misterioso, oscuro © spiegato, chiarito, risolto; chiuso **2** (*di debito*) non pagato, arretrato © onorato, pagato.
insònne *agg.* **1** sveglio, desto © addormentato **2** (*di notte*) in bianco.
insonnolìto *agg.* assonnato, sonnacchioso © sveglio, desto, vigile.
insopportàbile *agg.* **1** (*di situazione e sim.*) insostenibile, intollerabile, pesante, infernale, terribile, atroce © sopportabile, tollerabile **2** (*di dolore e sim.*) lancinante, atroce, straziante © sopportabile, lieve, leggero **3** (*di persona, di carattere*) antipatico, odioso, pesante, impossibile (*colloq.*), intrattabile © simpatico, piacevole, gradevole.
insopprimìbile *agg.* ineliminabile © eliminabile.
insorgènza *s.f.* manifestazione, comparsa © scomparsa.
insórgere *v.intr.* **1** ribellarsi, sollevarsi, rivoltarsi © piegarsi, sottomettersi **2** (*spec. di evento negativo*) manifestarsi, apparire, presentarsi, scatenarsi © scomparire, regredire.
insormontàbile *agg.* insuperabile, invincibile, invalicabile © superabile.
insórto *agg.* sopraggiunto, sopravvenuto, apparso © cessato, scomparso ♦ *s.m.* ribelle, rivoltoso; rivoluzionario, sovversivo.
insospettàbile *agg.* **1** (*di persona*) © sospettabile, sospetto **2** (*di fatto e sim.*) inatteso, imprevedibile, sorprendente.
insospettàto *agg.* **1** (*di persona, di comportamento*) © sospettabile, sospetto **2** (*di capacità, di qualità ecc.*) inaspettato, impensato © prevedibile, presumibile.
insostenìbile *agg.* **1** (*di situazione, di spesa ecc.*) insopportabile, intollerabile © sostenibile, sopportabile **2** (*di tesi, di accusa ecc.*) indifendibile, assurdo, fragile, inconsistente © sostenibile, convincente, difendibile.
insostituìbile *agg.* unico, prezioso © sostituibile.
insperàto *agg.* inaspettato, inatteso, imprevisto © atteso, aspettato, previsto.
inspiegàbile *agg.* incomprensibile, impenetrabile, inesplicabile, misterioso, oscuro © spiegabile, comprensibile.
inspiràre *v.tr.* aspirare, inalare © espirare.
inspirazióne *s.f.* © espirazione.
instàbile *agg.* **1** (*di un edificio e sim.*) pericolante, precario, traballante, vacillante, malsicuro © stabile, saldo, fermo **2** (*del tempo, di una situazione ecc.*) variabile, incostante, volubile © stabile, invariabile, immutabile **3** (*di persona, di carattere ecc.*) incostante, volubile, mutevole © coerente, perseverante, risoluto.
instabilità *s.f.* **1** (*di un edificio e sim.*) precarietà, insicurezza © stabilità, solidità **2** (*del tempo, di una situazione ecc.*) variabilità, incertezza, provvisorietà © stabilità, invariabilità, durevolezza **3** (*di persona, di carattere ecc.*) volubilità, incostanza, incoerenza © coerenza, costanza, fermezza.
installàre *v.tr.* **1** (*un impianto, un apparecchio ecc.*) montare, mettere, sistemare © smontare, disinstallare **2** alloggiare, sistemare ♦ **installarsi** *v.pr.* (*in una casa, in un luogo ecc.*) insediarsi, sistemarsi, piazzarsi, stabilirsi.
installazióne *s.f.* **1** impianto, montaggio, assemblaggio, messa in opera © smontaggio **2** impianto, attrezzatura **3** (*inform.*) caricamento © disinstallazione.
instancàbile *agg.* infaticabile, indefesso, solerte, tenace © indolente, svogliato; affaticato, spossato.
instauràre *v.tr.* istituire, costituire, fondare; dare avvio, inaugurare, iniziare © abolire, annullare, eliminare.
instradàre *v.tr.* **1** (*il traffico e sim.*) dirigere, incanalare **2** ♧ (*una persona*) avviare, guidare, indirizzare, iniziare, orientare.
insubordinàto *agg.* indisciplinato, disubbidiente, ribelle © ubbidiente, docile, sottomesso.
insubordinazióne *s.f.* disubbidienza, ribellione, indocilità © subordinazione, ubbidienza, sottomissione.
insuccèsso *s.m.* sconfitta, fallimento, fiasco, flop (*ingl.*), disastro, buco nell'acqua (*colloq.*) © successo, riuscita, trionfo, exploit (*fr.*).

insudiciàre *v.tr.* **1** sporcare, insozzare, macchiare, impiastricciare; (*di fango*) infangare, inzaccherare © pulire, lavare, detergere **2** ♧ infangare, disonorare, diffamare, calunniare, oltraggiare © onorare, rispettare.

insufficiènte *agg.* **1** inadeguato, mancante, manchevole, scarso, carente © sufficiente, bastante; abbondante, copioso (*elev.*), ricco **2** (*di persona*) inadatto, inadeguato, incapace © adatto, idoneo.

insufficiènza *s.f.* **1** difetto, mancanza, scarsità, carenza, penuria © sufficienza; abbondanza, ricchezza **2** inadeguatezza, incapacità, inettitudine © adeguatezza, idoneità.

insulàre *agg.* isolano © continentale.

insùlso *agg.* sciocco, scialbo, stupido; banale, insignificante, vuoto © intelligente, interessante; arguto, spiritoso.

insultàre *v.tr.* offendere, ingiuriare, oltraggiare © lodare, elogiare, encomiare.

insùlto *s.m.* offesa, ingiuria, oltraggio, affronto, insolenza © lode, elogio, encomio.

insuperàbile *agg.* **1** insormontabile, invalicabile © superabile, valicabile **2** (*di persona*) imbattibile, impareggiabile, ineguagliabile, eccezionale, straordinario, unico © mediocre, modesto, scadente.

insurrezióne *s.f.* ribellione, rivolta, sollevazione, sommossa, tumulto.

intaccàre *v.tr.* **1** incidere, graffiare, scalfire, solcare **2** (*di ruggine e sim.*) corrodere, attaccare, mangiare (*colloq.*) **3** ♧ (*l'onore, la reputazione ecc.*) ledere, danneggiare, incrinare, compromettere.

intagliàre *v.tr.* incidere, scolpire.

intàglio *s.m.* **1** (*l'arte dell'intagliare*) intagliatura, incisione **2** (*figura, decorazione intagliata*) incisione, rilievo **3** scalfittura, scanalatura, tacca.

intangìbile *agg.* **1** intoccabile, impalpabile © tangibile, toccabile **2** ♧ inviolabile, intoccabile.

intasaménto *s.m.* occlusione, ostruzione, ingorgo, otturazione; (*del traffico*) ingorgo, blocco, congestione.

intasàre *v.tr.* **1** ostruire, otturare, ingorgare, tappare © sturare, sgorgare, liberare **2** (*le vie della città e sim.*) ingombrare, ingorgare, congestionare; bloccare, fermare, ostruire © decongestionare, liberare, sbloccare.

intascàre *v.tr.* guadagnare, riscuotere, percepire © sborsare, spendere.

intàtto *agg.* **1** integro, immutato, inalterato, indenne © consumato, danneggiato, rotto **2** (*di luogo*) inesplorato, inviolato, incontaminato **3** ♧ (*di fede, di principio ecc.*) immutato, inalterato, fermo **4** (*di onore, di fama ecc.*) puro, incorrotto, integro, inviolato © macchiato, violato.

intavolàre *v.tr.* (*una discussione, una trattativa ecc.*) avviare, iniziare, aprire, cominciare © chiudere, concludere, terminare.

integràle *agg.* **1** intero, integro, completo, totale © parziale, incompleto, frammentario **2** (*di pane*) nero © bianco.

integralìsmo *s.m.* fondamentalismo; dogmatismo, massimalismo, ortodossia.

integrànte *agg.* costitutivo, essenziale, fondamentale © accessorio, complementare.

integràre *v.tr.* **1** completare; (*un testo, uno scritto ecc.*) arricchire, migliorare, perfezionare **2** (*una persona in una comunità, in una struttura ecc.*) inserire © escludere, emarginare, ghettizzare, isolare ♦ **integrarsi** *v.pr.* **1** inserirsi, ambientarsi, adattarsi © isolarsi, emarginarsi **2** (*rec.*) completarsi, compensarsi.

integratìvo *agg.* aggiuntivo, complementare, supplementare © fondamentale.

integrazióne *s.f.* **1** aggiunta, completamento; (*di spesa e sim.*) extra, maggiorazione, supplemento **2** (*di una persona*) inserimento © isolamento, emarginazione; (*razziale*) segregazione, ghettizzazione **3** (*di un territorio*) annessione **4** (*tra stati, tra aziende ecc.*) collaborazione, cooperazione.

integrità *s.f.* **1** completezza, interezza, globalità, totalità © parzialità, incompletezza, manchevolezza **2** ♧ onestà, rettitudine, moralità, incorruttibilità © disonestà, corruzione **3** (*di una donna*) illibatezza, verginità, purezza.

ìntegro *agg.* **1** completo, intero, integrale, totale, globale © parziale, incompleto, frammentario **2** (*nel fisico*) intatto, illeso, incolume, sano © consumato, danneggiato, rotto, rovinato **3** ♧ (*moralmente*) onesto, retto, probo, incorruttibile, integerrimo © disonesto, corrotto.

intelaiatùra *s.f.* **1** struttura, ossatura, armatura, impalcatura **2** ♧ (*di un romanzo, di un sistema ecc.*) struttura, ossatura, schema, architettura.

intellettìvo *agg.* intellettuale, mentale, razionale © irrazionale.

intellètto *s.m.* **1** intelligenza, mente, ragione, ingegno; pensiero, logica, raziocinio **2** (*di persona intelligente*) cervello, mente, testa, ingegno, talento © cretino, idiota, stupido.

intellettuàle *agg.* **1** intellettivo, mentale, razionale, concettuale **2** cerebrale, intellettualistico ♦ *s.m.f.* **1** studioso, letterato © ignorante, analfabeta (*spreg.*) **2** (*spec. al pl.*) intellighenzia.

intelligence *s.f.invar.* (*ingl.*) servizi segreti, spionaggio.

intelligènte *agg.* **1** ragionevole, razionale, pensante, raziocinante © irragionevole, irrazionale **2** acuto, perspicace, ingegnoso; (*colloq.*) pronto, sveglio **3** (*di sguardo e sim.*) vivo, sveglio, penetrante © ebete, ottuso **4** (*di domanda e sim.*) acuto, brillante, sottile © stupido, sciocco.

intelligènza *s.f.* **1** intelletto, ingegno, ragione, raziocinio, comprendonio (*colloq.*) **2** acutezza, acume, perspicacia, prontezza, sagacia © stupidità, ottusità, imbecillità **3** (*di una soluzione, di una decisione ecc.*) sensatezza, ingegnosità, sapienza **4** (*di persona*) cervello, mente, ingegno, genio, talento © idiota, cretino, stupido.

intemperànte *agg.* **1** eccessivo, esagerato, incontinente, smodato, sregolato © controllato, equilibrato, misurato, morigerato, sobrio, temperante **2** (*di comportamento*) aggressivo, violento, sfrenato, sregolato © controllato, moderato, pacato.

intemperànza *s.f.* **1** eccesso, esagerazione, sfrenatezza, smodatezza © equilibrio, controllo, misura, temperanza **2** (*atto, comportamento intemperante*) eccesso, abuso, sfrenatezza.

intempèrie *s.f.pl.* maltempo, tempaccio, cattivo tempo, perturbazione atmosferica © bel tempo, bello, sereno.

intempestìvo *agg.* **1** tardivo, fuori tempo © tempestivo, puntuale **2** fuori luogo, infelice, inopportuno © opportuno, pertinente.

intèndere *v.tr.* **1** (*un rumore e sim.*) udire, sentire, percepire, avvertire **2** (*una notizia e sim.*) apprendere, venire a sapere **2** comprendere, capire, afferrare © fraintendere, sbagliarsi, equivocare, travisare **3** (*testi, leggi e sim.*) interpretare, decifrare, spiegare **4** volere, desiderare, avere intenzione ♦ **intendersi** *v.pr.* **1** (*rec.*) accordarsi, convenire **2** (*rec.*) capirsi, comprendersi; andare d'accordo, legare **3** (*intendersela con qlcu.*) amoreggiare, filare (*colloq.*), flirtare **4** (*di arte, di musica ecc.*) essere competente, essere esperto, capirci, conoscere.

intendiménto *s.m.* **1** intenzione, proposito, intento; fine, scopo, obiettivo; desiderio, volontà **2** intelletto, intelligenza, intuito, raziocinio.

intenditóre *s.m.* competente, esperto, conoscitore, amatore, appassionato © incompetente, inesperto, profano.

intenerìre *v.tr.* **1** ammorbidire, ammollare © indurire, rassodare **2** ♧ commuovere, impietosire, toccare ♦ **intenerirsi** *v.pr.* **1** ammorbidirsi, ammollarsi © indurirsi, rassodarsi **2** ♧ commuoversi, impietosirsi © indurirsi.

intensificàre *v.tr.* aumentare, accrescere, incrementare, rafforzare; acuire, inasprire © diminuire, allentare, attenuare ♦ **intensificarsi** *v.pr.* aumentare, crescere, rafforzarsi; acuirsi, inasprirsi © diminuire, indebolirsi; ridursi, smorzarsi.

intensificazióne *s.f.* aumento, incremento, rafforzamento © diminuzione, attenuazione, calo, indebolimento.

intensità *s.f.* forza, energia, potenza, vigore, veemenza © debolezza, fiacchezza.

intensìvo *agg.* **1** (*di coltura*) © estensivo **2** (*di corso e sim.*) accelerato, rapido.

intènso *agg.* **1** (*di luce, di calore ecc.*) forte, grande, potente © debole, fiacco, blando **2** (*di colore e sim.*) carico, acceso, vivo, vivace, brillante © debole, blando, sbiadito, tenue **3** (*di desiderio, di dolore ecc.*) acuto, acceso, vivo, profondo, violento © debole, leggero **4** (*di sguardo*) profondo, penetrante, espressivo **5** (*di vita, di attività ecc.*) denso, movimentato, fitto; febbrile, frenetico, convulso © calmo, tranquillo, riposante.

intentàre *v.tr.* iniziare, promuovere.

intènto[1] *agg.* attento, assorto, concentrato, immerso, rivolto © disattento, distratto, deconcentrato, svagato.

intènto[2] *s.m.* intenzione, proposito, volontà, desiderio; fine, mira, obiettivo, scopo.

intenzionàle *agg.* volontario, consapevole, calcolato, deliberato, premeditato © involontario, inconsapevole; casuale, accidentale.

intenzionàto *agg.* determinato, deciso, risoluto © contrario, restio, alieno.

intenzióne *s.f.* idea, volontà, desiderio, proposito; obiettivo, scopo, fine, progetto.

interagìre *v.intr.* **1** influenzarsi; (*reciprocamento*) influire **2** (*chim.*) reagire.

interazióne *s.f.* influenza, reciprocità, scambievolezza.

intercalàre *v.tr.* inserire, frapporre, inframmezzare; costellare, punteggiare.

intercambiàbile *agg.* interscambiabile, sostituibile, commutabile © insostituibile.

intercapèdine *s.f.* interstizio; (*tra due pareti*) camera d'aria.

intercèdere *v.intr.* (*in favore di qlcu.*) intervenire, interporsi, mediare; perorare.

intercessióne *s.f.* (*in favore di qlcu.*) intervento, interessamento, mediazione.

intercettàre *v.tr.* **1** (*un aereo, una nave ecc.*) arrestare, bloccare, fermare **2** (*una lettera, una telefonata ecc.*) captare, cogliere.

intercórrere *v.intr.* **1** passare, esserci, frapporsi, interporsi **2** (*di rapporti e sim.*) esserci, esistere, sussistere.

interdétto *agg.* sconcertato, confuso, disorientato, sorpreso, sbigottito © impassibile, imperturbabile, indifferente, tranquillo.

interdipendènza *s.f.* rapporto, legame, correlazione, collegamento, nesso © indipendenza, autonomia.

interdìre *v.tr.* vietare, proibire, negare; (*l'accesso, il passaggio ecc.*) impedire, bloccare, chiudere, precludere © concedere, consentire, permettere, autorizzare.

interdizióne *s.f.* divieto, proibizione © autorizzazione, permesso.

interessaménto *s.m.* **1** interesse, attenzione, cura, sollecitudine, zelo © disinteresse, indifferenza, noncuranza **2** intercessione, intervento, appoggio, aiuto.

interessànte *agg.* **1** (*di film, di libro ecc.*) appassionante, avvincente, stimolante © noioso, banale, insulso, pesante **2** (*di persona*) affascinante, attraente, seducente © insignificante, anonimo, banale.

interessàre *v.tr.* **1** riguardare, toccare, concernere **2** attirare, incuriosire, appassionare, avvincere © annoiare, seccare, stancare, stufare **3** coinvolgere, riguardare, avvicinare, spingere © allontanare, disinteressare ♦ *v.intr.* importare, premere ♦ **interessarsi** *v.pr.* **1** appassionarsi, incuriosirsi **2** (*di politica, d'arte ecc.*) occuparsi, dedicarsi, coltivare **3** badare, curarsi, occuparsi, dedicarsi, prendersi cura © disinteressarsi, fregarsene (*colloq.*) **4** (*colloq.*) immischiarsi, impicciarsi, ficcare il naso © disinteressarsi, fregarsene (*colloq.*), sbattersene (*volg.*).

interessàto *agg.* **1** coinvolto, preso, appassionato © disinteressato, indifferente **2** calcolatore, avido, venale © disinteressato ♦ *s.m.* parte in causa.

interèsse *s.m.* **1** frutto, rendita, compenso, dividendo **2** (*al pl.*) affari, attività, faccende **3** utile, guadagno, profitto, tornaconto; vantaggio, convenienza © danno, perdita, svantaggio **4** (*per qlco., per qlcu.*) interessamento, attenzione, attrazione, curiosità, simpatia © disinteresse, indifferenza **5** (*spec. al pl.*) attitudine, inclinazione, propensione **6** (*di una notizia, di un evento ecc.*) importanza, rilevanza, rilievo, peso **7** (*di un libro, di uno spettacolo ecc.*) fascino, attrattiva.

interézza *s.f.* totalità, completezza, integrità, globalità © parzialità, incompletezza, manchevolezza.

interferènza *s.f.* **1** (*nelle telecomunicazioni*) disturbo **2** ♧ intromissione, ingerenza, intrusione, invadenza.

interferìre *v.intr.* **1** sovrapporsi, intersecarsi **2** ♧ intromettersi, immischiarsi, ficcare il naso (*colloq.*).

interiezióne *s.f.* (*ling.*) esclamazione.

interinàle *agg.* (*di lavoro e sim.*) provvisorio, temporaneo © fissso, stabile, determinato.

interióra *s.f.pl.* viscere; frattaglie, rigaglie (*di uccelli*).

interióre *agg.* **1** interno © esterno, esteriore **2** ♧ interno, intimo, profondo; spirituale © esteriore, esterno; materiale.

interiorità *s.f.* coscienza, intimità, profondo © esteriorità.

interiorizzàre *v.tr.* assimilare, assorbire, fare proprio, introiettare (*psic.*) © esternare, estrinsecare.

interlocutóre *s.m.* **1** parlante; conversatore **2** (*in una discussione, in una trattativa ecc.*) controparte.

interlocutòrio *agg.* (*di fase, di risposta ecc.*) provvisorio, aperto © definitivo.

interloquìre *v.intr.* **1** interrompere, intromettersi, intervenire **2** parlare, dialogare, discorrere, discutere © tacere.

intermediàrio *s.m.* mediatore, intermediatore; (*di affari finanziari*) broker (*ingl.*).

intermèdio *agg.* medio, mediano, mezzano, centrale © estremo, laterale, periferico.

intermèzzo *s.m.* **1** intervallo, pausa, sosta, break (*ingl.*) **2** scenetta, sketch (*ingl.*).

interminàbile *agg.* infinito, incessante, eterno; illimitato, sterminato © breve, corto; limitato.

intermittènte *agg.* alternato, discontinuo, saltuario; (*di luce*) lampeggiante © continuo, continuato, costante, ininterrotto.

internàre *v.tr.* **1** rinchiudere, imprigionare, incarcerare, relegare © liberare, mettere in libertà **2** (*in un ospedale psichiatrico*) rinchiudere, chiudere, ricoverare © dimettere.

internazionàle *agg.* **1** mondiale, sopranazionale © nazionale, interno **2** cosmopolita © nazionale.

intèrno *agg.* **1** interiore © esterno, esteriore **2** (*di politica, di commercio ecc.*) nazionale © estero **3** (*di trasporti*) nazionale © internazionale **4** (*di guerra e sim.*) civile, intestina **5** ♧ interiore, spirituale; intimo, profondo © esteriore, esterno, estrinseco ♦ *s.m.* **1** dentro © esterno, fuori **2** ♧ interiorità, profondo, intimo; coscienza **3** (*di una regione e sim.*) cuore, centro **4** (*cinem.*; *spec. al pl.*) © esterni.

intéro *agg.* **1** completo, integro, integrale © parziale, incompleto, frammentario **2** intatto, integro © a pezzi, rotto **3** (*di latte e sim.*) ©

scremato **4** (*di numero*) © decimale, frazionario **5** totale, pieno, assoluto ♦ *s.m.* tutto, totalità, globalità, insieme.

interpellànza *s.f.* (*parlamentare*) interrogazione.

interpellàre *v.tr.* consultare, sentire, rivolgersi; interrogare, domandare, chiedere.

interpórre *v.tr.* frapporre, frammezzare; introdurre, inserire © eliminare, togliere ♦ **interporsi** *v.pr.* **1** frapporsi, frammettersi **2** ♧ (*di persona*) intervenire, intromettersi, immischiarsi.

interposizióne *s.f.* **1** frapposizione, inserimento **2** ♧ intervento, intercessione, mediazione.

interpósto *agg.* frapposto, intramezzato © eliminato, tolto.

interpretàre *v.tr.* **1** (*un testo, una frase ecc.*) chiarire, spiegare, leggere, decifrare, commentare; capire, intendere **2** (*un comportamento, un fatto ecc.*) giudicare, stimare, valutare **3** (*i desideri, la volontà di qlcu.*) cogliere, comprendere, indovinare, intuire © equivocare, fraintendere, travisare **4** (*una parte*) impersonare, recitare **5** (*un brano musicale*) eseguire, suonare.

interpretazióne *s.f.* **1** spiegazione, chiarimento, illustrazione; commento, critica, lettura **2** (*di un attore*) rappresentazione, recita, recitazione **3** (*di un brano musicale*) esecuzione.

intèrprete *s.m.f.* **1** traduttore **2** (*di un'opera teatrale, di un brano musicale*) esecutore **3** (*di testi letterari e religiosi*) commentatore, critico, esegeta **4** portavoce, rappresentante.

interràre *v.tr.* **1** seppellire, sotterrare © disseppellire, dissotterrare **2** coprire, riempire, colmare © dragare.

interrelazióne *s.f.* rapporto, relazione, collegamento, correlazione, nesso © indipendenza, autonomia, separazione.

interrogàre *v.tr.* **1** domandare, chiedere; interpellare, consultare, sentire **2** (*un candidato*) esaminare © rispondere **3** ♧ (*il cuore, la coscienza ecc.*) esaminare, indagare, scrutare, sondare.

interrogatìvo *agg.* (*di sguardo, di gesto ecc.*) dubbioso; inquisitorio ♦ *s.m.* **1** domanda, quesito; dubbio, dilemma, perplessità **2** mistero, enigma, incognita, punto interrogativo, rebus.

interrogatòrio *s.m.* (*di un teste, di un imputato ecc.*) esame; terzo grado, inquisizione.

interrogazióne *s.f.* **1** domanda, quesito, interrogativo **2** (*parlamentare*) interpellanza **3** (*a scuola*) IPERON. esame, test.

interrómpere *v.tr.* **1** smettere, sospendere, bloccare, cessare © continuare, proseguire **2** (*il passaggio, la strada ecc.*) bloccare, sbarrare, ostruire; impedire, ostacolare **3** (*una persona*) interloquire, intromettersi, togliere la parola ♦ **interrompersi** *v.pr.* arrestarsi, bloccarsi, fermarsi, cessare © continuare, proseguire, ricominciare.

interruttóre *s.m.* (*elettr.*) pulsante, bottone.

interruzióne *s.f.* **1** arresto, blocco, cessazione, sospensione © continuazione, ripresa, avviamento **2** pausa, sosta, fermata, break (*ingl.*).

intersecàre *v.tr.* attraversare, tagliare, incrociare, traversare.

intersezióne *s.f.* incrocio, incontro.

interstìzio *s.m.* fessura, intercapedine.

intervàllo *s.m.* **1** (*spaziale*) spazio, distanza **2** (*temporale*) periodo, tempo, parentesi, arco **3** interruzione, pausa, sosta, break (*ingl.*); (*a scuola*) ricreazione.

intervenìre *v.intr.* **1** (*in una lite, in una discussione ecc.*) inserirsi, intromettersi; (*in favore di qlcu.*) agire, operare, adoperarsi, intercedere, interessarsi © disinteressarsi, fregarsene (*colloq.*) **2** (*a una cerimonia e sim.*) partecipare, presenziare © mancare, disertare **3** (*in un dibattito e sim.*) parlare, interloquire © tacere **4** (*chirurgicamente*) operare.

intervènto *s.m.* **1** azione, opera; (*in favore di qlcu.*) intercessione, interessamento © disinteresse **2** (*a una cerimonia e sim.*) presenza, partecipazione © assenza **3** (*in un dibattito e sim.*) discorso **4** (*med.*) operazione.

intervìsta *s.f.* **1** colloquio, conversazione, incontro **2** questionario, sondaggio, test.

intésa *s.f.* **1** accordo, patto; concordato, convenzione © conflitto **2** (*tra nazioni*) accordo, patto, alleanza; (*economica, militare*) trattato **3** (*tra persone*) accordo, affiatamento, armonia, collaborazione, unione © attrito, disarmonia

intestardìrsi *v.pr.* ostinarsi, impuntarsi, fissarsi, incaponirsi © rinunciare, cedere, arrendersi, recedere.

intestàre *v.tr.* **1** (*una lettera e sim.*) indirizzare **2** (*dir.*; *un bene e sim.*) assegnare, iscivere, registrare.

intestatàrio *s.m.* (*di una casa, di una società ecc.*) titolare, proprietario, padrone.

intestazióne *s.f.* **1** titolo, intitolazione, dicitura; (*di un giornale*) testata **2** (*di un bene e sim.*) assegnazione, registrazione.

intestìno[1] *s.m.* viscere, budello (*colloq.*).

intestìno[2] *agg.* (*di guerra, di lotta ecc.*) interno, civile.

intiepidìrsi *v.pr.* ♧ (*di sentimento e sim.*) affievolirsi, raffreddarsi, mitigarsi, attenuarsi © accendersi, scaldarsi, infiammarsi

intimàre *v.tr.* comandare, ordinare, imporre, ingiungere.

intimazióne *s.f.* **1** comando, ordine, imposizione, ingiunzione **2** notifica, notificazione.
intimidatòrio *agg.* minaccioso, minatorio, ostile, aggressivo © amichevole, bonario.
intimidazióne *s.f.* minaccia, avvertimento.
intimidìre *v.tr.* **1** imbarazzare, inibire © mettere a proprio agio **2** impaurire, intimorire, spaventare; minacciare © incoraggiare, rinfrancare, rassicurare, tranquillizzare.
intimità *s.f.* **1** confidenza, familiarità, dimestichezza © estraneità, soggezione, riserbo **2** privato, privacy (*ingl.*) **3** profondo, intimo.
ìntimo *agg.* **1** (*di significato, di pensiero ecc.*) profondo, nascosto, segreto, recondito © esteriore, palese, manifesto **2** (*di legame e sim.*) stretto, saldo **3** ♧ (*di amico, di amicizia*) stretto, fraterno **4** (*di relazione, di rapporto ecc.*) familiare, confidenziale; sessuale, carnale **5** (*di cena e sim.*) romantico **6** ♧ (*di cerimonia e sim.*) privato, riservato, esclusivo © pubblico ♦ *s.m.* **1** intimità **2** interiorità, coscienza, cuore, profondo **3** familiare, congiunto, parente **4** biancheria intima; lingerie (*fr.*).
intimorìre *v.tr.* impaurire, intimidire, spaventare © rassicurare, tranquillizzare, incoraggiare.
intìngere *v.tr.* bagnare, immergere, tuffare, inzuppare.
intìngolo *s.m.* **1** salsa, sugo, condimento **2** pietanza, vivanda, manicaretto.
intirizzìre *v.tr.* gelare, congelare ♦ **intirizzirsi** *v.pr.* gelarsi, congelarsi, irrigidirsi, intorpidirsi © scaldarsi, sciogliersi.
intitolàre *v.tr.* **1** (*un libro, un quadro ecc.*) titolare, chiamare, denominare **2** (*una via, una piazza a qlcu.*) dedicare, intestare; (*una chiesa*) consacrare.
intoccàbile *agg.* **1** intangibile © tangibile, toccabile **2** (*di principio, di diritto ecc.*) sacro, intangibile, inviolabile © violabile ♦ *s.m.f.* (*in India*) paria.
intolleràbile *agg.* **1** (*di azione, di atteggiamento ecc.*) inaccettabile, inammissibile; indecente © tollerabile, ammissibile **2** (*di caldo, di sete ecc.*) insopportabile, fastidioso © sopportabile, tollerabile **3** (*di dolore*) insopportabile, lancinante, terribile, feroce © sopportabile, tollerabile.
intollerànte *agg., s.m.f.* **1** intransigente, rigido; fanatico, settario © tollerante, aperto, comprensivo **2** insofferente, impaziente, smanioso © paziente, calmo, tranquillo **3** (*verso un alimento, un farmaco ecc.*) allergico.
intollerànza *s.f.* **1** intransigenza, fanatismo, settarismo © tolleranza, apertura **2** impazienza, insofferenza, smania © pazienza, calma, tranquillità **3** (*verso un alimento, un farmaco ecc.*) allergia.
intonàre *v.tr.* **1** (*uno strumento, la voce ecc.*) accordare **2** (*un inno, una canzone ecc.*) attaccare **3** (*una nota*) eseguire, modulare (*mus.*) **4** ♧ (*i colori, i vestiti ecc.*) abbinare, armonizzare, accordare ♦ **intonarsi** *v.pr.* (*di colori, di vestiti ecc.*) abbinarsi, armonizzarsi, accordarsi, sposarsi © stonare, stridere, contrastare
intonàto *agg.* **1** (*di strumento*) accordato © scordato, stonato **2** (*di voce, di persona*) © stonato **3** ♧ (*di colori, di vestiti ecc.*) accordato, armonizzato © disarmonico, discordante, stonato.
intònso *agg.* (*di libro, di pagina ecc.*) nuovo, intatto © usato, sciupato, rifilato, tagliato.
intontìre *v.tr.* instupidire, rimbecillire; confondere, inebetire, stordire ♦ **intontirsi** *v.pr.* instupidirsi, inebetirsi, rimbambirsi, rimbecillirsi.
intòppo *s.m.* **1** ostacolo, impedimento, impaccio, intralcio **2** difficoltà, problema, contrattempo.
intorpidìre *v.tr.* **1** (*una mano, una gamba ecc.*) atrofizzare, addormentare **2** ♧ (*la mente, l'ingegno ecc.*) addormentare, impigrire, offuscare, ottundere (*elev.*) © svegliare, destare ♦ **intorpidirsi** *v.pr.* **1** (*di mano, di gamba ecc.*) atrofizzarsi, addormentarsi **2** ♧ (*di mente, d'ingegno ecc.*) addormentarsi, impigrirsi, offuscarsi, ottundersi (*elev.*) © svegliarsi, destarsi.
intossicàre *v.tr.* **1** avvelenare © disintossicare ♦ **intossicarsi** *v.pr.* avvelenarsi © disintossicarsi.
intossicazióne *s.f.* avvelenamento © disintossicazione.
intraducìbile *agg.* **1** © traducibile **2** (*di sentimento e sim.*) indescrivibile, inesprimibile, ineffabile © descrivibile, esprimibile, traducibile.
intralciàre *v.tr.* impedire, ostacolare, rallentare © agevolare, facilitare.
intràlcio *s.m.* ostacolo, impedimento, intoppo; (*del traffico*) ingorgo, intasamento © agevolazione, facilitazione.
intrallazzàre *v.intr.* intrigare, armeggiare, brigare, trafficare, tramare, imbrogliare.
intrallàzzo *s.m.* intrigo, imbroglio, maneggio.
intramontàbile *agg.* (*di fama, di gloria*) immortale, duraturo, perenne, imperituro © passeggero, transitorio, temporaneo, effimero.
intransigènte *agg.* inflessibile, rigido, irremovibile, intollerante © accomodante, comprensivo, indulgente, tollerante.
intransigènza *s.f.* inflessibilità, rigidità, intolleranza, rigore © apertura, condiscendenza, tolleranza.
intransitàbile *agg.* impraticabile, inagibile © transitabile, praticabile, agibile.

intransitìvo *agg.* (*gramm.*) © transitivo.

intrappolàre *v.tr.* **1** catturare, imprigionare, acchiappare, prendere, bloccare; (*con un laccio*) accalappiare **2** ♧ imbrogliare, ingannare, raggirare, truffare.

intraprendènte *agg.* **1** ingegnoso, sveglio, volenteroso, attivo © pigro, indolente, incapace **2** (*in amore*) audace, ardito, disinvolto, sfacciato © timido, timoroso.

intraprendènza *s.f.* **1** iniziativa, ingegnosità © incapacità, pigrizia, inerzia **2** (*in amore*) audacia, impertinenza, disinvoltura © imbarazzo, timidezza, timore.

intraprèndere *v.tr.* cominciare, avviare, iniziare © finire, terminare, concludere, completare.

intrattàbile *agg.* **1** (*di persona*) irascibile, irritabile, collerico, scontroso, scorbutico, bisbetico © gentile, affabile, amabile, trattabile **2** (*di argomento, di problema ecc.*) difficile, complicato, arduo, scabroso, spinoso © facile, semplice, risolvibile **3** (*di prezzo*) fisso © trattabile, riducibile.

intrattenére *v.tr.* **1** divertire, interessare, dilettare, occupare, distrarre **2** (*rapporti, relazioni ecc.*) mantenere, avere, tenere ♦ **intrattenersi** *v.pr.* **1** (*con qlcu.*) fermarsi, restare, trattenersi; chiacchierare, parlare, dialogare **2** (*su un problema e sim.*) soffermarsi, fermarsi, insistere, dilungarsi © sorvolare.

intratteniménto *s.m.* **1** divertimento, svago **2** ricevimento, party (*ingl.*), festa.

intravedére *v.tr.* **1** scorgere **2** ♧ intuire, percepire, presagire, prevedere.

intrecciàre *v.tr.* **1** legare, unire (*in una treccia*); intessere, tessere; (*le dita*) incrociare **2** ♧ (*una relazione, un'amicizia ecc.*) allacciare, stringere ♦ **intrecciarsi** *v.pr.* **1** (*di fili, di corde e sim.*) aggrovigliarsi, intricarsi, arruffarsi, avvilupparsi © districarsi, sciogliersi, sbrogliarsi **2** ♧ (*di notizie, di informazioni ecc.*) accavallarsi, incrociarsi.

intréccio *s.m.* **1** intrico, groviglio, garbuglio, viluppo, nodo **2** ♧ (*di un romanzo, di un film ecc.*) trama, vicenda, azione, storia.

intrèpido *agg.* audace, coraggioso, impavido, valoroso © pavido, pauroso, vile.

intricàre *v.tr.* **1** aggrovigliare, ingarbugliare, intrecciare © districare, sbrogliare, sciogliere, dipanare **2** ♧ ingarbugliare, complicare, confondere ♦ **intricarsi** *v.pr.* **1** aggrovigliarsi, ingarbugliarsi, avvilupparsi, imbrogliarsi, arruffarsi (*di capelli*) © districarsi, sbrogliarsi, sciogliersi **2** ♧ ingarbugliarsi, complicarsi, confondersi.

intricàto *agg.* **1** aggrovigliato, ingarbugliato, intrecciato; (*di bosco e sim.*) fitto **2** ♧ (*di questione e sim.*) confuso, complicato, ingarbugliato, incasinato (*colloq.*), problematico, difficile; (*di discorso e sim.*) confusionario, caotico, sconnesso, farraginoso, sconnesso © semplice, piano, lineare.

intrìco *s.m.* groviglio, intreccio, nodo.

intrigànte *agg., s.m.f.* **1** intrallazzatore, faccendiere, maneggione, trafficone (*colloq.*) **2** curioso, ficcanaso, impiccione, invadente **3** (*di cosa, di persona*) affascinante, attraente, interessante, seducente © insignificante.

intrìgo *s.m.* **1** macchinazione, complotto, cospirazione, trama, manovra **2** guaio, pasticcio, imbroglio; (*amoroso*) tresca.

intrìnseco *agg.* connaturato, inerente, insito © estrinseco, esterno ♦ *s.m.* (*di un problema e sim.*) essenza, sostanza.

intrìso *agg.* **1** imbevuto, inzuppato, fradicio, grondante **2** ♧ permeato, pieno, pervaso.

intristìre *v.tr.* affliggere, immalinconire, avvilire, deprimere © rallegrare, rasserenare ♦ **intristirsi** *v.pr.* immalinconirsi, incupirsi © allietarsi, rallegrarsi.

introdótto *agg.* **1** (*in una materia e sim.*) esperto, pratico, competente © inesperto, incompetente, impreparato **2** (*in un ambiente*) inserito, integrato.

introdùrre *v.tr.* **1** infilare, ficcare, inserire, incastrare, immergere (*in un liquido*) © togliere, levare, estrarre, sfilare **2** (*merci e sim.*) importare © esportare **3** (*una nuova moda, un neologismo*) lanciare, diffondere, importare **4** (*una persona in un luogo*) accompagnare, condurre, presentare **5** (*un discorso*) cominciare, incominciare, avviare **6** (*a una disciplina e sim.*) avviare, guidare, iniziare, indirizzare © distogliere, allontanare, dissuadere ♦ **introdursi** *v.pr.* (*furtivamente*) entrare, penetrare, infilarsi, infiltrarsi.

introduttìvo *agg.* preliminare, propedeutico.

introduzióne *s.f.* **1** inserimento, immissione; (*di una merce*) importazione © estrazione; esportazione **2** (*in un ambiente e sim.*) presentazione **3** (*di una moda, di un'usanza ecc.*) adozione, diffusione, divulgazione © abolizione **4** (*di un libro, di un discorso ecc.*) premessa, prefazione, prologo, esordio © conclusione, epilogo **5** (*a una disciplina*) avviamento, guida, propedeutica (*elev.*).

intròito *s.m.* guadagno, incasso, entrata, rendita, ricavato © spesa, uscita.

introméttersi *v.pr.* **1** (*negli affari altrui*) immischiarsi, impicciarsi, ingerirsi, ficcare il naso **2** (*tra due persone che litigano*) interporsi, inserirsi, intervenire.

intromissióne *s.f.* **1** intrusione, invadenza, interferenza **2** mediazione, intervento, ingerenza.

introspettìvo *agg.* interiore.

introspezióne *s.f.* autoanalisi, analisi.

introvàbile *agg.* **1** irreperibile; raro © reperibile, rintracciabile; comune, diffuso **2** (*di persona*) irreperibile, scomparso; (*scherz.*) latitante, uccel di bosco © reperibile, rintracciabile.

introvèrso *agg.* chiuso, asociale © estroverso, aperto, espansivo, socievole.

intrufolàrsi *v.pr.* **1** introdursi, infilarsi, penetrare, entrare **2** ♧ (*negli affari altrui*) immischiarsi, impicciarsi, intromettersi.

intrusióne *s.f.* **1** inserimento, immissione, inserimento, inserzione **2** ♧ (*negli affari altrui*) intromissione, ingerenza, interferenza, invadenza.

intrùso *s.m.* estraneo, ficcanaso.

intuìre *v.tr.* **1** afferrare, cogliere, comprendere, rendersi conto, capire al volo **2** subodorare, presagire, presentire, prevedere.

intuitìvo *agg.* **1** (*di verità, di concetto ecc.*) comprensibile, evidente, lampante, palese **2** (*di persona*) pronto, sveglio, acuto, perspicace © lento, ottuso.

intùito *s.m.* **1** intuizione © analisi, studio, ragionamento, riflessione, calcolo **2** (*capacità di intuire*) perspicacia, prontezza; intelligenza, acume © lentezza, ottusità **3** (*colloq.*) fiuto, naso, sesto senso.

intuizióne *s.f.* **1** intuito © calcolo, ragionamento, riflessione, analisi, studio **2** (*idea geniale*) illuminazione, folgorazione, lampo di genio, ispirazione **3** (*capacità di intuire*) intuito, perspicacia, prontezza; intelligenza, acume © lentezza, ottusità.

inumàre *v.tr.* seppellire, sotterrare © esumare, disseppellire.

inumidìre *v.tr.* umettare IPERON. bagnare © asciugare; seccare.

inurbaménto *s.m.* urbanizzazione.

inurbàrsi *v.pr.* **1** urbanizzarsi **2** ♧ incivilirsi, dirozzarsi, ingentilirsi, educarsi, raffinarsi.

inùtile *agg.* vano, inefficace, sterile, gratuito, infruttuoso, superfluo © utile, efficace, fruttuoso, vantaggioso.

inutilizzàbile *agg.* inservibile, inutile; rovinato, sciupato; fuori uso © utilizzabile, riutilizzabile; intatto, integro.

invadènte *agg.* indiscreto, indelicato, petulante, ficcanaso, importuno © discreto, delicato.

invadènza *s.f.* indiscrezione, indelicatezza, petulanza © discrezione, tatto, delicatezza.

invàdere *v.tr.* **1** (*un territorio, un paese ecc.*) occupare, conquistare, usurpare © lasciare, abbandonare; ritirarsi **2** (*un luogo*) affollare, riempire, gremire, stipare © abbandonare, lasciare, sfollare **3** ♧ (*di acque*) allagare, inondare, sommergere; (*di malattia e sim.*) diffondersi, propagarsi **4** ♧ (*di sentimento e sim.*) impadronirsi, impossessarsi; pervadere.

invaghìrsi *v.pr.* innamorarsi, incapricciarsi, infatuarsi; (*di qlco.*) desiderare, bramare.

invalicàbile *agg.* insuperabile, insormontabile; intransitabile © superabile, sormontabile; transitabile.

invalidàre *v.tr.* **1** cancellare, annullare, inficiare (*dir.*) © convalidare, approvare **2** (*una tesi e sim.*) confutare, contraddire, inficiare © confermare, avvalorare.

invalidità *s.f.* **1** (*di persona*) inabilità IPERON. infermità © idoneità **2** handicap (*ingl.*), menomazione **3** (*dir.*) nullità © validità.

invàlido *agg.* **1** inabile, disabile, handicappato, menomato, infermo © abile, idoneo **2** (*dir.*) nullo © valido ♦ *s.m.* disabile, handicappato, menomato, infermo © abile, idoneo

invariàbile *agg.* costante, stabile, fisso, immutabile, inalterabile © variabile, mutevole, incostante, instabile.

invariabilità *s.f.* costanza, immutabilità, stabilità © variabilità, instabilità, mutevolezza.

invariàto *agg.* immutato, inalterato, intatto, costante © mutato, cambiato, variato.

invasàto *agg.*, *s.m.* **1** ossesso, indemoniato, assatanato, spiritato **2** fanatico, esaltato.

invasióne *s.f.* **1** occupazione, conquista; irruzione © abbandono, ritiro **2** assalto, afflusso, affollamento © abbandono, evacuazione.

invasóre *agg.*, *s.m.* occupante, conquistatore; aggressore.

invecchiàre *v.intr.* **1** (*di persona*) sfiorire, incanutire © ringiovanire, rifiorire **2** (*di prodotti alimentari*) stagionare, maturare **3** (*di pianta*) appassire **4** ♧ (*di moda, di tendenza e sim.*) declinare, tramontare, passare di moda © attualizzarsi, rinnovarsi, svecchiarsi ♦ *v.tr.* **1** (*il formaggio e sim.*) stagionare **2** © ringiovanire.

inveìre *v.intr.* (*contro qlcu.*) imprecare, scagliarsi, tuonare.

invelenìre *v.tr.* inasprire, esasperare, incattivire, esacerbare © calmare, placare ♦ **invelenirsi** *v.pr.* **1** arrabbiarsi, irritarsi, inviperirsi, infuriarsi © calmarsi, tranquillizzarsi **2** (*di un rapporto e sim.*) aggravarsi, acuirsi, inasprirsi.

invendùto *agg.* (*di merce e sim.*) giacente, rimanente © venduto.

inventàre *v.tr.* **1** ideare, concepire, creare; (*macchine e sim.*) progettare **2** (*con la fantasia*) immaginare.

inventariàre *v.tr.* catalogare, registrare, elencare.
inventàrio *s.m.* **1** elenco, lista, catalogo **2** (*il documento che contiene l'inventario*) registro, catalogo.
inventìva *s.f.* fantasia, immaginazione, invenzione, creatività, estro.
inventìvo *agg.* **1** (*di facoltà, di capacità ecc.*) creativo, immaginativo, ideativo **2** (*di mente e sim.*) creativo, fantasioso, estroso, originale, vivace.
inventóre *s.m.* ideatore, creatore.
invenzióne *s.f.* **1** ideazione, concepimento, creazione; idea, ritrovato, scoperta **2** (*l'atto di inventare*) fantasia, immaginazione, creatività, inventiva, estro **3** (*cosa non vera*) bugia, fandonia, falsità, palla (*colloq.*), frottola, balla (*colloq.*) © verità, vero **4** trovata, idea, stratagemma, espediente.
inverecóndo *agg.* **1** indecente, spudorato, osceno © casto, decente **2** impudico, sfacciato, sfrontato, insolente © discreto, riguardoso.
inverosimigliànza *s.f.* incredibilità, inattendibilità, improbabilità © credibilità, attendibilità.
inverosìmile *agg.* incredibile, assurdo, improbabile, inattendibile; inaudito, enorme, straordinario; fantasioso, immaginario.
inversióne *s.f.* capovolgimento, rovesciamento, ribaltamento.
invèrso *agg.* contrario, opposto, antitetico © uguale, identico, analogo.
invertìre *v.tr.* ribaltare, capovolgere, rivoltare; (*la marcia*) cambiare.
investigàre *v.tr.* e *intr.* indagare, cercare, esaminare, osservare, ricercare, esplorare.
investigatìvo *agg.* esplorativo; inquisitivo (*dir.*).
investigatóre *s.m.* **1** esploratore, indagatore, ricercatore **2** (*investigatore privato*) detective (*ingl.*), agente investigativo.
investigazióne *s.f.* indagine, ricerca, studio, inchiesta, esplorazione.
investiménto *s.m.* **1** (*di denaro*) impiego © disinvestimento **2** (*di un veicolo*) scontro, urto, collisione, cozzo.
investìre *v.tr.* **1** (*denaro*) impiegare © disinvestire **2** (*di un veicolo*) urtare, cozzare, colpire; mettere sotto, arrotare (*colloq.*) **3** (*con botte, insulti ecc.*) assalire, aggredire, scagliarsi, avventarsi **4** (*di una carica, di un titolo e sim.*) dare, conferire, concedere © togliere, revocare; esonerare **5** (*di un compito, di una responsabilità ecc.*) incaricare, affidare, delegare **6** (*tempo, energie ecc.*) usare, adoperare, spendere ♦ **investirsi** *v.pr.* **1** (*di un titolo e sim.*) appropriarsi, attribuirsi; (*di un'autorità*) valersi **2** (*di una parte, di un ruolo ecc.*) identificarsi, immedesimarsi, impersonarsi **3** (*di una responsabilità, di un onere ecc.*) farsi carico, addossarsi, accollarsi, assumersi.
investitùra *s.f.* (*di una carica, di un potere ecc.*) conferimento, attribuzione, assegnazione.
inveteràto *agg.* (*di vizio, di sentimento ecc.*) radicato, atavico, profondo © recente, nuovo.
invettìva *s.f.* **1** filippica, requisitoria **2** (*spec. al pl.*) insulto, offesa.
inviàre *v.tr.* mandare, spedire, indirizzare; inoltrare, trasmettere © ricevere.
inviàto *s.m.* **1** emissario; delegato, rappresentante **2** (*inviato speciale*) corrispondente, reporter (*ingl.*).
invìdia *s.f.* **1** gelosia, astio, livore, malevolenza © altruismo **2** ammirazione, rispetto, considerazione © disprezzo.
invidiàbile *agg.* desiderabile, appetibile, ambito; eccellente, straordinario.
invidióso *agg.* geloso.
invincìbile *agg.* **1** imbattibile, insuperabile **2** ♧ (*di sentimento, di passione ecc.*) inarrestabile, irrefrenabile, irresistibile © controllabile, frenabile **3** ♧ (*di ostacolo, di difficoltà ecc.*) insormontabile, insuperabile © superabile.
invìo *s.m.* **1** spedizione, trasmissione © ricevimento, ricezione **2** (*inform.*) enter (*ingl.*).
inviolàbile *agg.* **1** sacro, santo, sacrosanto **2** (*di foreste, di vette ecc.*) irraggiungibile, inarrivabile, inaccessibile.
inviolàto *agg.* **1** intatto, integro, incorrotto © contaminato, corrotto **2** (*di luogo*) incontaminato, vergine, inesplorato.
inviperìrsi *v.pr.* invelenirsi, arrabbiarsi, infuriarsi, incollerirsi © calmarsi, rabbonirsi.
invischiàre *v.tr.* (*qualcuno*) irretire, abbindolare, ingannare ♦ **invischiarsi** *v.pr.* (*in situazioni difficili*) impelagarsi, impegolarsi, intrigarsi © liberarsi, districarsi, sbrogliarsi.
invisìbile *agg.* **1** incorporeo, immateriale, spirituale © corporeo, materiale **2** impercettibile, indistinguibile © visibile.
invìso *agg.* malvisto, sgradito, detestato, impopolare, malaccetto © benaccetto, gradito.
invitànte *agg.* affascinante, allettante, attraente, seducente © indesiderabile, odioso, ripugnante.
invitàre *v.tr.* **1** chiamare, convocare, far venire **2** ordinare, ingiungere; chiedere, sollecitare, esortare **3** ♧ invogliare, allettare, stimolare.
invitàto *agg.*, *s.m.* ospite, convitato.
invìto *s.m.* **1** preghiera, richiesta; (*scritto*) IPERON.

biglietto **2** esortazione, incitamento, sollecitazione **3** ordine, ingiunzione **4** ♧ attrazione, richiamo, tentazione.

invivìbile *agg.* insopportabile; (*di casa, di ambiente ecc.*) inabitabile © vivibile; abitabile.

invocàre *v.tr.* **1** (*Dio, la Madonna e sim.*) implorare, supplicare; chiamare **2** (*aiuto, soccorso e sim.*) implorare, supplicare **3** ♧ (*la pace e sim.*) desiderare **4** (*una legge, una sentenza*) appellarsi.

invocazióne *s.f.* preghiera, supplica, implorazione; richiesta.

invogliàre *v.tr.* **1** indurre, stimolare, spingere, incitare © dissuadere, distogliere **2** allettare, attrarre, invitare, stuzzicare, tentare.

involàrsi *v.pr.* dileguarsi, sparire; allontanarsi.

involontàrio *agg.* accidentale, casuale, fortuito; (*dir.*; *di omicidio*) colposo, preterintenzionale © volontario, intenzionale, deliberato; (*dir.*) premeditato.

invòlto *s.m.* **1** pacco, fagotto, fardello **2** involucro, rivestimento

invòlucro *s.m.* rivestimento; contenitore, custodia, confezione; (*di frutto*) guscio.

involùto *agg.* (*di modo di esprimersi, di stile*) complicato, contorto, tortuoso, intricato; confuso, oscuro © chiaro, semplice.

involuzióne *s.f.* declino, decadenza, decadimento, regresso, regressione © evoluzione, progresso, sviluppo.

invulneràbile *agg.* **1** (*di eroe*) invincibile © vulnerabile **2** (*di difesa e sim.*) inattaccabile, imprendibile, inespugnabile © attaccabile, espugnabile.

inzaccheràre *v.tr.* infangare.

inzeppàre *v.tr.* **1** riempire, colmare, stipare **2** ♧ (*di errori e sim.*) disseminare, costellare, infarcire **3** (*di cibo*) riempire, rimpinzare.

inzuppàre *v.tr.* **1** ammollare, bagnare, impregnare; intingere, immergere **2** infradiciare, bagnare © asciugare ♦ **inzupparsi** *v.pr.* bagnarsi, infradiciarsi.

iperbòlico *agg.* eccessivo, esagerato © normale, contenuto, moderato.

ipercalòrico *agg.* (*di dieta e sim.*) © ipocalorico.

ipersensìbile *agg., s.m.f.* **1** emotivo, emozionabile © imperturbabile **2** suscettibile, permaloso, scontroso © sereno, tranquillo.

ipertròfico *agg.* **1** (*biol.*) © ipotrofico **2** ♧ eccessivo, sproporzionato, sovrabbondante.

ipnòtico *agg.* **1** (*di sguardo e sim.*) affascinante, incantevole, magnetico, seducente **2** (*di farmaco*) sonnifero.

ipnotizzàre *v.tr.* ♧ affascinare, incantare, ammaliare, sedurre.

ipocalòrico *agg.* © ipercalorico.

ipocrisìa *s.f.* doppiezza, falsità, ambiguità, simulazione © sincerità, lealtà, franchezza.

ipòcrita *agg.* doppio, falso, insincero © sincero, leale, franco, schietto ♦ *s.m.f.* simulatore, commediante (*spreg.*).

ipotèca *s.f.* garanzia.

ipotecàre *v.tr.* **1** impegnare, pignorare **2** ♧ assicurarsi, garantirsi.

ipòtesi *s.f.* **1** supposizione, congettura, teoria **2** caso, possibilità, eventualità, evenienza.

ipotètico *agg.* **1** supposto, presunto © sicuro, certo **2** eventuale, possibile © reale, effettivo, concreto.

ipotizzàre *v.tr.* supporre, congetturare; presumere, presupporre; immaginare, pensare, ritenere.

ìra *s.f.* **1** collera, rabbia, irritazione, stizza; indignazione, sdegno © calma, tranquillità **2** ♧ (*degli elementi naturali*) furia, violenza, veemenza.

iracóndo *agg.* **1** irascibile, collerico © calmo, tranquillo **2** (*di sguardo, di discorso ecc.*) rabbioso, collerico, astioso, furibondo © calmo, pacato, sereno.

irascìbile *agg.* collerico, iracondo, bilioso, fegatoso, irritabile, stizzoso © calmo, tranquillo, mite.

iràto *agg.* adirato, arrabbiato, irritato, sdegnato, stizzito © calmo, sereno, pacifico.

iridàto *agg.* **1** iridescente **2** variopinto, multicolore, policromo; cangiante © monocolore, monocromo **3** (*sport*; *di campione*) del mondo.

ìride *s.f.* arcobaleno.

iridescènte *agg.* iridato.

ironìa *s.f.* **1** sarcasmo, satira; umorismo **2** derisione, scherno, dileggio.

irònico *agg.* sarcastico, beffardo, canzonatorio, irrisorio; umoristico, satirico; caustico, pungente, graffiante, dissacrante, dissacratorio.

ironizzàre *v.intr.* deridere, prendere in giro, ridicolizzare, schernire.

irradiàre *v.tr.* **1** irraggiare **2** (*luce, calore*) diffondere, emanare, sprigionare **3** (*notizie per mezzo della radio o della televisione*) trasmettere, diramare, diffondere ♦ *v.intr.* diffondersi, emanare, sprigionarsi, propagarsi ♦ **irradiarsi** *v.pr.* **1** (*di vie, di strade*) irraggiarsi, dipartirsi, diramarsi **2** ♧ (*di gioia, di felicità ecc.*) sprigionarsi.

irradiazióne *s.f.* diffusione, propagazione.

irraggiungìbile *agg.* **1** (*di vetta, di luogo ecc.*) inarrivabile, inaccessibile © raggiungibile, accessibile **2** (*di sogno, di aspirazione*) irrealizzabile, inattuabile, inarrivabile © raggiungibile, realizzabile.

irragionévole *agg.* **1** irrazionale © ragionevole, razionale **2** incosciente, irresponsabile, scriteriato, dissennato © ragionevole, responsabile, avveduto, assennato **3** (*di comportamento, di discorso ecc.*) illogico, incoerente, insensato, incongruente © logico, ragionevole, coerente, sensato **4** (*di paure, di speranze ecc.*) assurdo, infondato, insensato, immotivato © ragionevole, motivato **5** (*di prezzo e sim.*) eccessivo, esagerato, spropositato © ragionevole, equo.

irrazionàle *agg.* **1** irragionevole **2** (*di comportamento e sim.*) illogico, assurdo, insensato, immotivato, folle; istintivo, animalesco © razionale, ragionevole, sensato **3** (*di soluzione e sim.*) antieconomico, svantaggioso © razionale, funzionale, vantaggioso.

irrazionalità *s.f.* **1** irragionevolezza, illogicità, incoerenza, insensatezza © razionalità, sensatezza **2** inadeguatezza, inefficienza © razionalità, funzionalità, praticità.

irreàle *agg.* immaginario, fantastico, ingannevole, fallace © reale, concreto, tangibile.

irrealizzàbile *agg.* impossibile, inattuabile, illusorio, chimerico © possibile, realizzabile, attuabile, fattibile.

irrecuperàbile *agg.* **1** inutilizzabile, inservibile (*di oggetto*) © recuperabile, utilizzabile **2** (*di svantaggio*) incolmabile, insanabile © recuperabile **3** (*di malattia*) incurabile, inguaribile © curabile, guaribile.

irrefrenàbile *agg.* (*di passione, di impulso ecc.*) inarrestabile, incontrollabile, incontenibile, insopprimibile, irreprimibile, prorompente; (*di pianto*) dirotto, convulso © frenabile, arrestabile, controllabile, dominabile.

irrefutàbile *agg.* (*di prova e sim.*) incontestabile, indiscutibile, ineccepibile, incontrovertibile, innegabile, inoppugnabile © confutabile, contestabile, discutibile.

irreggimentàre *v.tr.* **1** (*i soldati*) intruppare, inquadrare **2** ♧ inquadrare, disciplinare.

irregolàre *agg.* **1** (*di procedura, di elezione ecc.*) illegale, illegittimo, arbitrario © regolare, valido **2** (*di comportamento, di vita ecc.*) diverso, anomalo, anticonformista, anticonvenzionale, atipico © normale, regolare, comune, canonico, convenzionale **3** (*di viso ecc.*) disarmonico, sproporzionato © regolare, normale, proporzionato **4** (*di superficie e sim.*) ruvido, rugoso, scabro © regolare, liscio, levigato **5** (*di terreno e sim.*) accidentato, ondulato, sconnesso © piano, pianeggiante, agevole **6** (*di attività, di studio ecc.*) discontinuo, incostante, saltuario, variabile; (*di battito cardiaco*) aritmico © costante, regolare, stabile.

irregolarità *s.f.* **1** (*di una procedura, di un'elezione ecc.*) illegalità, illeggitimità © regolarità, legittimità, legalità **2** (*di comportamento, di vita ecc.*) anormalità, anomalia, diversità, atipicità © normalità, regola, norma, tipicità **3** (*di naso, di viso ecc.*) disarmonia, sproporzione © regolarità, armonia, proporzione **4** (*di una superficie*) ruvidezza, scabrosità; (*di un terreno*) asperità © regolarità, uniformità **5** (*di un'attività, di un fenomeno ecc.*) discontinuità, incostanza, variabilità; (*del battito cardiaco*) aritmia © regolarità, costanza, stabilità.

irremovìbile *agg.* ♧ (*di persona, di carattere ecc.*) fermo, rigido, deciso, determinato, duro, ostinato © accomodante, accondiscendente, conciliante; incerto, indeciso, insicuro.

irreparàbile *agg.* (*di danno, di errore ecc.*) irrimediabile, insanabile © rimediabile, riparabile, sanabile ♦ *s.m.* (*solo sing.*) inevitabile.

irreperìbile *agg.* introvabile © reperibile, rintracciabile.

irreprensìbile *agg.* inappuntabile, ineccepibile, inattacabile, perfetto; retto, onesto, integerrimo, esemplare © biasimevole, criticabile, deprecabile, scorretto; disonesto, corrotto.

irrequietézza *s.f.* agitazione, nervosismo, eccitazione, ansietà, apprensività, inquietudine © tranquillità, serenità.

irrequièto *agg.* agitato, inquieto, ansioso, eccitato, nervoso; (*di bambino*) vivace, esuberante, scatenato, tremendo (*colloq.*), pestifero © tranquillo, calmo, quieto.

irresistìbile *agg.* **1** (*di impulso, di passione ecc.*) inarrestabile, irrefrenabile, incontenibile, indomabile, impetuoso, violento, prorompente, travolgente © contenibile, controllabile, dominabile **2** (*di persona, di sguardo ecc.*) affascinante, seducente, attraente, conturbante, maliardo, sensuale.

irresolutézza *s.f.* indecisione, incertezza, titubanza, esitazione © decisione, risolutezza, fermezza.

irresolùto *agg.* indeciso, incerto, dubbioso, esitante, titubante © risoluto, deciso, determinato, fermo.

irrespiràbile *agg.* **1** (*di aria*) pesante, soffocante, viziato, asfissiante; nauseabondo, puzzolente, pestilenziale © respirabile **2** ♧ (*di ambiente, di situazione ecc.*) opprimente, insopportabile, invivibile, teso.

irresponsàbile *agg., s.m.f.* **1** innocente © responsabile, colpevole **2** incosciente, immaturo, scriteriato, sventato © responsabile, equilibrato, maturo, assennato, avveduto, giudizioso.

irretìre *v.tr.* abbindolare, raggirare, circuire, infinocchiare (*colloq.*), imbrogliare, truffare.
irreversìbile *agg.* **1** © reversibile **2** (*di malattia e sim.*) inguaribile, incurabile © guaribile.
irrevocàbile *agg.* **1** (*di sentenza e sim.*) inappellabile, inoppugnabile © revocabile **2** (*di decisione, di scelta ecc.*) definitivo, immodificabile, categorico © revocabile, modificabile, provvisorio.
irriconoscènte *agg.* ingrato © riconoscente, grato.
irriconoscìbile *agg.* © riconoscibile, identificabile, individuabile.
irrìdere *v.tr.* deridere, schernire, prendere in giro, sbeffeggiare, sfottere (*colloq.*), prendere per il culo (*volg.*).
irriducìbile *agg.* **1** (*di prezzo, di costo ecc.*) © riducibile **2** ♧ (*di persona, di carattere*) irremovibile, fermo, determinato, deciso, ostinato, risoluto, tenace; (*di avversario e sim.*) accanito, implacabile © indeciso, irresoluto, dubbioso, esitante; arrendevole, remissivo.
irriflessìvo *agg.* (*di persona, di carattere ecc.*) incosciente, irresponsabile, leggero, superficiale; impulsivo, impetuoso, precipitoso © riflessivo, assennato, prudente, ragionevole.
irrigàre *v.tr.* **1** bagnare, annaffiare © asciugare, seccare **2** (*di corso d'acqua*) attraversare, lambire.
irrigidiménto *s.m.* **1** (*di un arto, di un muscolo*) intorpidimento, rattrappimento **2** ♧ (*della disciplina, delle pene ecc.*) inasprimento © addolcimento, attenuazione.
irrigidìre *v.tr.* **1** intorpidire, rattrappire; (*dal freddo*) intirizzire, gelare, congelare © sciogliere, rilassare; scaldare, riscaldare **2** ♧ (*la disciplina, la pena ecc.*) inasprire, esacerbare © mitigare, addolcire, alleviare ♦ **irrigidirsi** *v.pr.* **1** intorpidirsi, rattrappirsi; (*dal freddo*) intirizzirsi, gelarsi, congelarsi © sciogliersi, rilassarsi; scaldarsi, riscaldarsi **2** (*di clima*) inasprirsi, raffreddarsi © addolcirsi, mitigarsi **3** (*sull'attenti*) immobilizzarsi, impalarsi **4** ♧ (*su posizioni, su decisioni ecc.*) impuntarsi, intestardirsi, incaparbirsi, incaponirsi © cedere, mollare, arrendersi.
irriguardóso *agg.* irrispettoso, sfacciato, insolente, sfrontato, offensivo; maleducato, sgarbato © rispettoso, educato, garbato, riguardoso.
irrilevànte *agg.* insignificante, marginale, secondario, trascurabile, inconsistente, irrisorio © rilevante, considerevole, notevole, essenziale, sostanziale.
irrilevànza *s.f.* inconsistenza, ininfluenza, marginalità, trascurabilità © rilevanza, importanza, peso, rilievo, valore, portata.
irrimediàbile *agg.* irreparabile, insanabile, irrecuperabile © rimediabile, recuperabile, riparabile, sanabile.
irrinunciàbile *agg.* indispensabile, imprescindibile © rinunciabile.
irripetìbile *agg.* **1** (*di momento, di esperienza ecc.*) unico, eccezionale, straordinario © ripetibile **2** (*di parole, di frasi ecc.*) impronunciabile, improferibile; volgare, indecente, osceno, sconcio © ripetibile, riferibile.
irrisióne *s.f.* derisione, scherno, dileggio, presa in giro, presa per il culo (*volg.*).
irrisòlto *agg.* insoluto, indeciso, aperto, pendente, sospeso © risolto, deciso, chiuso, concluso, definito.
irrisolvìbile *agg.* irresolubile, insolubile © risolvibile, risolubile.
irrisòrio *agg.* **1** (*di parole, di gesto ecc.*) canzonatorio, beffardo, ironico, derisorio **2** (*di cifra, di compenso ecc.*) insignificante, minimo, esiguo, modesto, ridicolo, risibile © considerevole, ingente, notevole, cospicuo, adeguato.
irrispettóso *agg.* insolente, sfacciato, offensivo, sgarbato © rispettoso, riguardoso, ossequioso.
irritàbile *agg.* **1** irascibile, collerico, bilioso, nervoso, rabbioso, stizzoso © calmo, sereno, tranquillo **2** (*di pelle e sim.*) sensibile, delicato.
irritànte *agg.* **1** (*di persona, di comportamento*) indisponente, fastidioso, antipatico, molesto, seccante © amabile, piacevole, simpatico **2** (*di sostanza*) irritativo, urticante.
irritàre *v.tr.* **1** innervosire, infastidire, indispettire, seccare, spazientire © calmare, rasserenare **2** (*la pelle, gli occhi ecc.*) infiammare, arrossare ♦ **irritarsi** *v.pr.* **1** arrabbiarsi, adirarsi, indispettirsi, inquietarsi, innervosirsi, spazientirsi, imbufalirsi, uscire dai gangheri (*colloq.*), incazzarsi (*volg.*) © tranquillizzarsi, calmarsi, placarsi, raddolcirsi **2** (*di pelle, di occhi ecc.*) infiammarsi, arrossarsi © sfiammarsi.
irritàto *agg.* **1** arrabbiato, contrariato, incazzato (*volg.*), risentito, indispettito © calmo, tranquillo, rasserenato **2** (*di pelle, di occhi ecc.*) infiammato, arrossato.
irritazióne *s.f.* **1** collera, rabbia, nervosismo, stizza © calma, serenità **2** (*di pelle, di occhi ecc.*) infiammazione, arrossamento, bruciore.
irriverènte *agg.* insolente, sfacciato, impudente, irrispettoso; maleducato, sgarbato © rispettoso, deferente, riverente; educato, garbato.
irrobustìre *v.tr.* fortificare, rinvigorire, tonificare, corroborare © indebolire, debilitare, fiaccare ♦ **irrobustirsi** *v.pr.* fortificarsi, rinvigorirsi,

tonificarsi, potenziarsi, temprarsi © indebolirsi, debilitarsi, deperire, infiacchirsi, rammollirsi.
irrómpere *v.intr.* fare irruzione; riversarsi; invadere **IPERON.** entrare, penetrare.
irroràre *v.tr.* bagnare, spruzzare; (*con antiparassitari*) disinfestare © asciugare.
irruènte *agg.* impetuoso, impulsivo, focoso, prorompente, travolgente; esuberante, vivace © calmo, tranquillo, pacato, posato, riflessivo.
irruènza *s.f.* impetuosità, istintività, impulsività, focosità © tranquillità, pacatezza, flemma.
irruzióne *s.f.* **1** incursione, assalto, attacco, invasione **2** (*di polizia*) blitz (*ted.*), raid (*ingl.*) **3** (*scherz.*) invasione, irruzione.
irsùto *agg.* peloso, villoso © glabro, liscio, levigato.
ìrto *agg.* **1** (*di peli, di capelli*) ispido, duro, drittto, diritto, ritto, pungente, setoloso © liscio, morbido, soffice **2** ♧ pieno, carico, denso, colmo, zeppo © privo, povero.
iscrìtto *agg., s.m.* socio, membro, aderente, tesserato; immatricolato, registrato.
iscrìvere *v.tr.* **1** (*in un registro, in un elenco ecc.*) registrare, segnare, includere, inserire **2** (*in un partito, in un gruppo ecc.*) ammettere, associare, affiliare, tesserare © cacciare, espellere, radiare **3** (*su pietra o altro materiale*) incidere, scolpire ♦ **iscriversi** *v.pr.* (*a un'organizzazione e sim.*) affiliarsi, aderire, tesserarsi © dimettersi, uscire.
iscrizióne *s.f.* **1** registrazione, catalogazione **2** (*a un'associazione e sim.*) affiliazione, associazione, adesione, tesseramento; (*all'università*) immatricolazione © espulsione, estromissione, radiazione **3** (*su pietra, su metallo ecc.*) incisione, graffito.
ìsola *s.f.* **1** **IPON.** atollo, banco **2** ♧ (*di pace e sim.*) oasi.
isolaménto *s.m.* **1** solitudine **2** emarginazione, segregazione, ghetto, ghettizzazione, esclusione © inserimento, integrazione.
isolàno *agg., s.m.* © continentale.
isolànte *agg.* coibente; insonorizzante © conduttivo, conduttore.
isolàre *v.tr.* **1** scindere, separare, staccare © unire, collegare, congiungere **2** ♧ (*una persona*) emarginare, escludere, ghettizzare, relegare, segregare © inserire, integrare **3** (*un virus e sim.*) individuare, identificare, riconoscere **4** (*acusticamente*) insonorizzare ♦ **isolarsi** *v.pr.* appartarsi, ritirarsi, rinchiudersi, rintanarsi © partecipare, socializzare, integrarsi.
isolàto *agg.* **1** (*di luogo*) appartato, solitario, fuori mano, remoto © affollato **2** (*di fenomeno, di caso ecc.*) unico, singolo, solo, particolare © frequente, diffuso, ricorrente, comune ♦ *s.m.* (*di persona*) solitario, emarginato © socievole, integrato.
ispessìre *v.tr.* **1** ingrossare; infittire, infoltire © assottigliare; sfoltire **2** (*di salsa, di liquido ecc.*) addensare, condensare, restringere © diluire, allungare ♦ **ispessirsi** *v.pr.* **1** ingrossarsi; infittirsi, infoltirsi © assottigliarsi; sfoltirsi, diradarsi **2** (*di salsa, di liquido ecc.*) addensarsi, condensarsi, rapprendersi © fluidificarsi.
ispettòre *s.m.* controllore.
ispezionàre *v.tr.* controllare, esaminare.
ispezióne *s.f.* controllo.
ìspido *agg.* **1** (*di peli, di capelli*) irto, diritto, dritto, ritto, duro, pungente © morbido, soffice **2** (*di mento, di viso*) irsuto © liscio, glabro, imberbe **3** ♧ (*di persona, di carattere*) rude, scorbutico, scontroso, scortese © gentile, cortese, garbato.
ispiràre *v.tr.* **1** (*un sentimento, un'impressione a qlcu.*) provocare, suscitare, mettere, causare, destare, incutere © spegnere, smorzare **2** (*opere, azioni ecc.*) guidare, indirizzare, orientare; indurre, suggerire, consigliare, dettare ♦ **ispirarsi** *v.pr.* (*a qlcu, a qlco.*) richiamarsi, rifarsi; derivare, risalire © allontanarsi, discostarsi.
ispiràto *agg.* (*di discorso, di tono ecc.*) appassionato, commosso, poetico © freddo, distaccato.
ispirazióne *s.f.* **1** (*artistica*) impulso, estro, afflato (*elev.*) **2** (*divina*) illuminazione **3** intuizione, illuminazione, folgorazione, lampo di genio **4** consiglio, impulso, suggerimento, spinta; esempio, modello **5** (*ideologica e sim.*) tendenza, indirizzo, orientamento.
israelìtico *agg.* ebraico, ebreo, giudaico, semita.
issàre *v.tr.* sollevare, innalzare, alzare © calare, ammainare (*la bandiera*) ♦ **issarsi** *v.pr.* arrampicarsi, sollevarsi.
istantàneo *agg.* immediato, fulmineo, repentino, subitaneo, tempestivo © lento, graduale, ritardato.
istànte *s.m.* attimo, momento, minuto, secondo, lampo © anno, secolo, eternità, vita.
istànza *s.f.* **1** insistenza, pressione, sollecitazione **2** (*spec. al pl.*) esigenza, necessità, bisogno, richiesta, rivendicazione **3** appello, petizione, preghiera **4** (*dir.*) ricorso.
istèrico *agg.* **1** (*psic.*) nevrotico **2** (*di risata, di tono ecc.*) nervoso, convulso **3** (*di persona*) nervoso, nevrotico, nevrastenico; collerico, irascibile, irritabile © calmo, tranquillo, pacato ♦ *s.m.* nevrastenico, nevrotico.
isterìsmo *s.m.* **1** (*psic.*) isteria **2** nervosismo,

eccitazione, isteria © calma, tranquillità **3** scatto, scenata, crisi.
istigàre *v.tr.* incitare, aizzare, accendere, fomentare, spingere, sobillare © calmare, sedare, raffreddare, spegnere.
istigatóre *agg., s.m.* incitatore, provocatore, sobillatore, fomentatore © pacificatore.
istigazióne *s.f.* incitamento, fomentazione, sobillazione, spinta, stimolo © dissuasione.
istillàre *v.tr.* **1** versare **2** ♧ infondere, ispirare.
istintìvo *agg.* **1** (*di gesto e sim.*) naturale, spontaneo, innato; automatico, inconsapevole, incontrollato, involontario © artefatto, innaturale, forzato; consapevole, volontario, intenzionale **2** (*di persona, di carattere*) impulsivo, impetuoso, irriflessivo, focoso, passionale, viscerale © razionale, pacato, riflessivo, freddo, compassato.
istìnto *s.m.* **1** impulso, pulsione **2** inclinazione, disposizione, propensione, tendenza **3** carattere, indole, natura, temperamento.
istituìre *v.tr.* **1** fondare, creare, costituire, impiantare © abolire, abrogare, sopprimere **2** (*un confronto, un parallelo ecc.*) stabilire, porre **3** (*un erede*) nominare, designare.
istitùto *s.m.* **1** ente, organismo, organizzazione, istituzione **2** scuola, istituto di istruzione; (*di università*) dipartimento **3** (*della famiglia, del matrimonio*) istituzione.
istitutóre *s.m.* **1** fondatore, creatore, iniziatore, promotore **2** precettore, educatore, insegnante.
istituzionalizzàre *v.tr.* riconoscere, formalizzare, ufficializzare, legittimare, sancire.
istituzióne *s.f.* **1** fondazione, creazione, instaurazione, costituzione © abolizione, annullamento, soppressione **2** (*del matrimonio, della famiglia*) istituto **3** (*spec. al pl.*) principi, lineamenti, nozioni **4** (*struttura*) ente, organismo, istituto **5** (*colloq.*) consuetudine, tradizione.
istradàre *v.tr.* vedi **instradàre**.
istrióne *s.m.* **1** (*spec. spreg.*) commediante, teatrante, gigione (*gerg.*) **2** ♧ commediante, esibizionista, teatrante.
istruìre *v.tr.* **1** educare, formare, preparare, erudire (*elev.*) **2** (*i soldati e sim.*) addestrare, esercitare **3** (*qlcu. su cosa dire o fare*) consigliare, suggerire, avvertire, imbeccare (*colloq.*) **4** (*una pratica, un processo ecc.*) preparare ♦ **istruirsi** *v.pr.* **1** apprendere, imparare, studiare; impratichirsi **2** informarsi.
istruìto *agg.* **1** colto, dotto, erudito, educato, sapiente © ignorante, analfabeta, incolto, illetterato **2** informato, al corrente, aggiornato, edotto (*elev.*) © disinformato.
istruttìvo *agg.* educativo, formativo, edificante (*elev.*) © diseducativo.
istruttóre *s.m.* (*sportivo*) maestro, insegnante, allenatore INVER. allievo.
istruzióne *s.f.* **1** educazione, formazione, preparazione, ammaestramento **2** (*scolastica*) insegnamento **3** cultura, erudizione, conoscenza, sapere **4** direttiva, disposizione, ordine, incarico **5** (*spec. al pl.*) spiegazione, avvertenza.
istupidìre *v.tr.* intontire, rimbambire, rimbecillire, rincretinire © svegliare.
ìter *s.m.invar.* (*lat.*) prassi, procedura, trafila, formalità.
iterazióne *s.f.* ripetizione, replica.
itinerànte *agg.* viaggiante © stabile.
itineràrio *s.m.* percorso, cammino, tragitto, tracciato; giro; (*di nave, di aereo*) rotta.

j, J

jeep *s.m.invar.* (*ingl.*) camionetta, campagnola; fuoristrada.
jet *s.m.invar.* (*ingl.*) aereo a reazione, aviogetto, reattore.
jet-set *s.m.invar.* (*ingl.*) alta società, high society (*ingl.*), bel mondo, élite (*fr.*), crema.
jihad *s.m.f.invar.* (*ar.*) guerra santa.
jogging *s.m.invar.* (*ingl.*) corsa, footing (*ingl.*).
jolly *s.m.invar.* (*ingl.*) **1** (*nel gioco delle carte*) matta **2** tuttofare, factotum.
junior *agg.invar.* (*lat.*) giovane, minore © senior (*lat.*) maggiore, anziano, vecchio.

k, K

kafkiàno *agg.* allucinante, assurdo, angosciante.
kamikàze *agg.invar.* (*giapp.*) suicida.
kaputt *agg.invar.* (*ted.*) distrutto, rovinato, perduto, andato, spacciato, morto.
kermesse *s.f.invar.* (*fr.*) **1** sagra, fiera **2** manifestazione, evento, avvenimento.
killer *s.m.f.* (*ingl.*) **1** sicario **2** assassino, omicida ♦ *agg.invar.* assassino, omicida; mortale, letale.
kindergarten *s.m.invar.* (*ted.*) asilo infantile, asilo.
kit *s.m.invar.* (*ingl.*) set (*ingl.*).
kitsch *agg.invar.* (*ted.*) di cattivo gusto, pacchiano © di buon gusto, elegante, raffinato ♦ *s.m.* cattivo gusto © buon gusto, eleganza, raffinatezza.
know-how *s.m.invar.* (*ingl.*) conoscenza, competenza, esperienza, capacità, professionalità.

l, L

làbbro *s.m.* **1** (*al pl.*) bocca **2** bordo, margine, orlo.
làbile *agg.* **1** fugace, fuggevole, passeggero, effimero, transitorio © durevole, duraturo, eterno, costante, stabile **2** (*di memoria*) debole, corto, cattivo © buono, ferreo **3** (*di persona, di carattere ecc.*) instabile, debole, fragile © stabile.
labirìnto *s.m.* **1** (*di strade, di uffici ecc.*) dedalo, garbuglio, groviglio, intrico, meandro **2** ♧ ginepraio, pasticcio, guaio, imbroglio, intrigo.
laboratòrio *s.m.* **1** (*di analisi, di fisica ecc.*) gabinetto **2** (*artigianale*) bottega, officina, studio; (*di sartoria, di scultura ecc.*) atelier (*fr.*).
laboriosità *s.f.* **1** (*di una ricerca e sim.*) difficoltà, complessità **2** (*di una persona*) operosità, impegno, attività, industriosità, solerzia © pigrizia, indolenza, inoperosità, inerzia.
laborióso *agg.* **1** (*di un'indagine, di un compito ecc.*) difficile, complesso, faticoso, impegnativo © facile, leggero, semplice **2** attivo, operoso, industrioso, solerte © pigro, indolente, inattivo, apatico.
làcca *s.f.* **1** smalto, smalto per unghie **2** (*per i capelli*) fissatore.
laccàre *v.tr.* smaltare, verniciare.
lacchè *s.m.* **1** (*in passato*) servitore, valletto, servo, domestico **2** (*spreg.*) tirapiedi, galoppino, scagnozzo, portaborse; leccapiedi, leccaculo (*volg.*), lecchino.
làccio *s.m.* **1** corda, cordoncino, legaccio, nastro **2** ♧ vincolo, legame, catena.
lacerànte *agg.* **1** (*di dolore e sim.*) acuto, atroce, lancinante, vivo, profondo **2** (*di rumore*) assordante, stridente, stridulo.
laceràre *v.tr.* **1** strappare, stracciare, fare a brandelli, fare a pezzi, squarciare **2** ♧ (*l'aria, i timpani ecc.*) squarciare, straziare, tormentare.
lacerazióne *s.f.* squarcio, strappo; (*della cute*) ferita, taglio, graffio, escoriazione.
làcero *agg.* **1** (*di abito*) strappato, rotto, sbrindellato; consumato, consunto, cencioso, liso, logoro **2** (*di persona*) cencioso.
laconicità *s.f.* concisione, brevità, essenzialità, stringatezza © prolissità, verbosità.
lacònico *agg.* **1** (*di persona*) conciso, stringato, essenziale, di poche parole © loquace, prolisso, logorroico **2** (*di un testo e sim.*) asciutto, breve, telegrafico, sintetico, stringato © esteso, lungo, diffuso, ridondante.
làcrima *s.f.* **1** (*di pianto*) luccicone, goccia **2** (*di rugiada, di resina ecc.*) goccia, stilla (*elev.*).
lacrimàre *v.intr.* **1** piangere **2** sgocciolare, colare; trasudare.
lacrimévole *agg.* pietoso, penoso; commovente, patetico, sentimentale, strappalacrime, toccante; triste © allegro, divertente.
lacrimóso *agg.* lacrimevole, patetico, sentimentale, strappalacrime © allegro, buffo, comico.
lacùna *s.f.* mancanza, carenza, difetto, vuoto, deficienza, insufficienza.
lacunóso *agg.* incompleto, carente, insufficiente, scarso © completo, esauriente.
làdro *s.m.* **1** IPERON. delinquente, malfattore IPON. borseggiatore, rapinatore, scippatore **2** disonesto, farabutto, mascalzone, furfante, imbroglione, filibustiere © galantuomo, onestuomo **3** strozzino, profittatore, usuraio.
ladrocìnio *s.m.* vedi **latrocìnio**.
ladronerìa *s.f.* furto, latrocinio, ruberia.
lady *s.f.invar.* (*ingl.*) signora, dama.
lager *s.m.invar.* (*ted.*) campo di concentramento, campo di sterminio.
làgna *s.f.* **1** lamento, piagnisteo, pianto greco, litania; brontolio, mugolio **2** ♧ (*cosa o persona noiosa*) pizza, palla (*colloq.*), noia, rottura (*colloq.*), rottura di scatole (*colloq.*); (*discorso noioso*) solfa, tiritera, cantilena.
lagnànza *s.f.* lamentela, protesta, reclamo, rimostranza.
lagnàrsi *v.pr.* **1** lamentarsi, gemere, piagnucolare, frignare **2** lamentarsi, reclamare, protestare.
lagnóso *agg.* **1** (*di persona*) lamentoso, piagnucoloso **2** (*di libro, film ecc.*) noioso, pesante, monotono, barboso (*colloq.*).
laicizzàre *v.tr.* secolarizzare.
làico *agg.* **1** © religioso, ecclesiastico **2** (*di scuola, di pensiero ecc.*) laicista, anticlericale, aconfessionale, secolare © clericale, confessionale ♦ *s.m.* **1** © prete, religioso, sacerdote, ecclesiastico **2** (*di frate, di suora ecc.*) secolare © regolare.

làido *agg.* **1** sporco, sudicio, lurido © pulito, immacolato **2** brutto, orrendo, schifoso, mostruoso, repellente © bello, delizioso **3** ♧ immorale, schifoso, sconcio, turpe, degenerato, depravato, ignobile, spregevole © degno, onesto, retto.
lambiccàrsi *v.pr.* (*il cervello*) scervellarsi, arrovellarsi, spremersi le meningi.
lambìre *v.tr.* **1** (*lievemente*) leccare **2** ♧ (*di fiamme, di acque ecc.*) sfiorare, toccare.
lamèlla *s.f.* lamina, scaglia, sfoglia.
lamentàre *v.tr.* piangere, deplorare ♦ **lamentarsi** *v.pr.* **1** gemere, piangere **2** lagnarsi, brontolare, recriminare, protestare, reclamare.
lamentèla *s.f.* lamento, lagnanza, reclamo, recriminazione, rimostranza.
laménto *s.m.* **1** gemito, pianto, piagnucolio **2** lagnanza, lamentela, reclamo, recriminazione, rimostranza.
lamentóso *agg.* **1** (*di tono, di voce ecc.*) triste, malinconico, mesto, accorato, lacrimoso **2** (*di persona*) lagnoso, piagnucoloso.
lamièra *s.f.* banda, latta, bandone.
làmina *s.f.* lastra, piastra, sfoglia, lamella.
làmpada *s.f.* lume, luce; lampadina.
lampànte *agg.* evidente, chiaro, palese, inequivocabile, inconfutabile © dubbio, incerto, oscuro, confutabile.
lampeggiaménto *s.m.* lampo, bagliore, balenio.
lampeggiàre *v.intr.* folgorare, brillare, risplendere, luccicare, sfolgorare.
lampeggiatóre *s.m.* (*dell'automobile e sim.*) freccia, indicatore di direzione.
lampióne *s.m.* fanale, lanterna.
làmpo *s.m.* **1** baleno, fulmine, folgore, saetta **2** bagliore, balenio, lampeggiamento, scintillio, sfavillio, luccichio **3** ♧ attimo, istante, momento, secondo © eternità, secolo, vita **4** (*animale o persona molto veloce*) fulmine, saetta, freccia, scheggia, bolide © lumaca, tartaruga ♦ *s.f.invar.* zip, cerniera.
làna *s.f.* **1** (*di ovini, caprini ecc.*) pelo, vello **2** (*di fiori, di foglie ecc.*) lanugine, peluria.
lància[1] *s.f.* asta, giavellotto.
lància[2] *s.f.* scialuppa IPERON. barca, natante.
lanciàre *v.tr.* **1** gettare, tirare, buttare, scagliare, **2** (*un'auto*) spingere, accelerare © frenare, rallentare **3** ♧ (*un'accusa, un insulto ecc.*) indirizzare, rivolgere, dirigere **4** ♧ (*un prodotto, una moda ecc.*) diffondere, divulgare, introdurre, pubblicizzare ♦ **lanciarsi** *v.pr.* **1** gettarsi, buttarsi, precipitarsi; (*nel vuoto, nell'acqua ecc.*) saltare, tuffarsi **2** ♧ (*in un'attività*) buttarsi, fiondarsi.
lancinànte *agg.* pungente, lacerante, straziante, atroce, terribile, violento © leggero, lieve, debole.
làncio *s.m.* **1** tiro, getto **2** (*nel calcio*) passaggio, tiro, servizio **3** ♧ (*di un prodotto e sim.*) promozione, propaganda, pubblicità, battage (*fr.*); (*di una moda*) introduzione, diffusione.
lànguido *agg.* **1** debole, fiacco, molle; esausto, sfinito, spossato © energico, vigoroso **2** ♧ (*di sguardo, di voce ecc.*) dolce, morbido; struggente; sdolcinato, svenevole, melenso © duro, fresco, brusco.
languìre *v.intr.* **1** indebolirsi, consumarsi, sfinirsi; sciuparsi, sfiorire © fortificarsi, rinforzarsi; rifiorire **2** ♧ (*d'amore, di desiderio ecc.*) struggersi, consumarsi, logorarsi, tormentarsi **2** (*di fiamma, di conversazione ecc.*) affievolirsi, calare, esaurirsi, smorzarsi, spegnersi © aumentare, animarsi.
languóre *s.m.* **1** debolezza, fiacchezza, sfinimento, esaurimento, prostrazione; apatia, indolenza © energia, forza, vigore **2** ♧ (*di sguardo, di voce ecc.*) dolcezza, tenerezza; svenevolezza **3** (*spec. al pl.*) svenevolezza, smanceria, sdolcinatezza **4** (*allo stomaco*) acquolina, fame.
lantèrna *s.f.* **1** IPERON. lampada, lume **2** faro.
lanùgine *s.f.* peluria.
lapalissiàno *agg.* evidente, ovvio, lampante, palese, indiscutibile, indubbio © incerto, oscuro, confuso.
lapidàre *v.tr.* **1** IPERON. uccidere, giustiziare; linciare **2** ♧ attaccare, diffamare, infangare, distruggere, screditare.
lapidàrio *agg.* **1** ♧ (*di stile, di risposta ecc.*) incisivo, epigrafico, conciso, telegrafico; sentenzioso, solenne © ampolloso, prolisso, ridondante, verboso.
làpide *s.f.* pietra tombale, pietra sepolcrale; (*commemorativa*) lastra; stele, cippo.
làpis *s.m.invar.* matita.
lapsus *s.m.invar.* (*lat.*) strafalcione, svarione, papera (*colloq.*); svista, distrazione IPERON. errore, sbaglio.
làrdo *s.m.* **1** (*di maiale*) grasso; strutto **2** (*di persona*) grasso, ciccia (*colloq.*), adipe (*med.*).
largheggiàre *v.intr.* donare, regalare, dispensare; prodigarsi © lesinare, risparmiare.
larghézza *s.f.* **1** (*geom.*) © lunghezza, altezza **2** ampiezza, grandezza, estensione, vastità © strettezza, angustia **3** ♧ generosità, magnanimità, prodigalità © avarizia, parsimonia, tirchieria **4** ♧ (*di mezzi, di particolari ecc.*) abbondanza, dovizia, profusione © scarsezza, penuria **5** ♧ (*di idee, di vedute ecc.*) ampiezza, apertura, elasticità © chiusura, limitatezza, ristrettezza.

làrgo *agg.* **1** ampio, vasto, esteso, spazioso; (*di abito*) ampio, comodo, abbondante © stretto, angusto, piccolo; (*di abito*) piccolo, stretto, attillato **2** ♧ (*di margine ecc.*) abbondante, consistente, cospicuo, sostanzioso © piccolo esiguo **3** ♧ generoso, prodigo, munifico © avaro, gretto, meschino **4** (*di vedute, di mente ecc.*) aperto, ampio © chiuso, limitato **5** (*di senso, di significato*) ampio, estensivo, lato © letterale, proprio, stretto ♦ *s.m.* **1** larghezza **2** mare aperto, alto mare **3** slargo, spiazzo, piazzetta.

làrva *s.f.* ♧ (*persona magra ed emaciata*) scheletro, spettro, fantasma, cadavere.

larvàto *agg.* velato, celato, mascherato, indiretto, nascosto © esplicito, manifesto, palese.

lasciapassàre *s.m.invar.* salvacondotto, passi (*burocr.*), pass (*ingl.*) IPERON. permesso.

lasciàre *v.tr.* **1** (*la presa, il volante ecc.*) allentare, mollare, liberare © tenere, trattenere, bloccare, stringere **2** (*la famiglia, il lavoro, un paese ecc.*) abbandonare, piantare, mollare (*colloq.*); (*la moglie, il marito ecc.*) rompere, separarsi, dividersi **3** (*qlco. in un posto*) dimenticare, scordare; perdere © prendere, portare; ritrovare **4** (*un luogo*) abbandonare, andarsene, allontanarsi © ritornare, tornare; restare **5** (*l'impiego, gli studi ecc.*) abbandonare, interrompere, smettere, piantare, mollare (*colloq.*) © continuare, proseguire **6** (*i pensieri, le preoccupazioni, i contrasti ecc.*) lasciar andare, lasciar perdere, mettere da parte, accantonare **7** (*qlco. a qlcu.*) dare, consegnare, affidare; regalare, donare; (*con testamento*) donare **8** (*tenere da parte*) conservare, serbare, riservare **9** (*libertà e sim.*) accordare, concedere © negare, rifiutare **10** (*seguito da infinito o da che e congiuntivo*) permettere, consentire, ammettere ♦ **lasciarsi** *v.pr.* separarsi, dividersi, piantarsi, mollarsi (*colloq.*) © riappacificarsi, riavvicinarsi, rimettersi insieme.

lascìvia *s.f.* dissolutezza, impudicizia, licenziosità, lussuria © castigatezza, morigeratezza.

lascìvo *agg.* dissoluto, depravato, licenzioso, impudico © casto, morigerato, pudico.

lassatìvo *agg.* purgante, purgativo © astringente ♦ *s.m.* purga, purgante.

lassìsmo *s.m.* permissivismo, indulgenza, tolleranza © intolleranza, intransigenza.

lassìsta *agg.* permissivo, indulgente, tollerante © intollerante, intransigente.

làsso *s.m.* (*di tempo*) periodo, arco, spazio, intervallo.

làstra *s.f.* **1** lamiera, piastra, lamina, foglio; (*commemorativa*) lapide **2** (*colloq.*) radiografia, raggi (*colloq.*).

lastricàre *v.tr.* pavimentare, selciare.

lastricàto *s.m.* lastrico, selciato IPERON. pavimentazione.

làstrico *s.m.* **1** lastricato, selciato IPERON. pavimentazione **2** ♧ (*finire, ridursi sul lastrico*) in rovina, in miseria.

latènte *agg.* nascosto, inespresso, occulto, segreto, recondito; potenziale, quiescente (*elev.*) © chiaro, esplicito, palese, manifesto.

latènza *s.f.* (*di un virus e sim.*) incubazione.

lateràle *agg.* **1** (*di strada e sim.*) secondario © principale **2** ♧ collaterale, secondario, marginale © principale, centrale, essenziale.

latifondìsta *s.m.f.* proprietario terriero, possidente.

latin lover *s.m.invar.* (*ingl*) dongiovanni, donnaiolo, casanova, seduttore, playboy (*ingl.*), tombeur de femmes (*fr.*).

latitànte *agg.* **1** clandestino, alla macchia; (*dir.*) contumace **2** ♧ assente, inattivo, inefficiente © presente, partecipe, attivo ♦ *s.m.f.* fuggiasco, fuggitivo, uccel di bosco, contumace (*dir.*).

latitànza *s.f.* **1** clandestinità **2** ♧ assenza, inattività, inefficienza © presenza, efficienza.

latitùdine *s.f.* INVER. longitudine.

làto[1] *s.m* **1** fianco, parte; (*di un edificio*) ala; (*di una nave*) fiancata, bordo; (*di un monte*) costa, fianco, versante **2** ♧ aspetto, profilo; punto di vista, prospettiva.

làto[2] *agg.* (*di senso, di significato*) ampio, esteso © proprio, stretto.

latóre *s.m.* (*di lettere e sim.*) portatore, corriere, messaggero.

latrìna *s.f.* **1** bagno, cesso (*colloq.*), gabinetto, WC **2** ♧ (*luogo molto sporco*) fogna, stalla, immondezzaio, cesso, letamaio, porcile.

latrocìnio *s.m.* ladreria, ruberia; truffa, frode.

lattànte *agg., s.m.f.* **1** neonato, poppante © svezzato **2** ♧ (*scherz.*) giovane, immaturo, sbarbatello, pivello.

làtte *s.m.* (*di vegetale*) succo, sugo.

làtteo *agg.* (*di colore*) bianco, candido, niveo, immacolato © nero, scuro.

lattiginóso *agg.* opalescente, opalino, alabastrino, perlaceo; biancastro, bianchiccio.

làurea *s.f.* dottorato.

laureàndo *s.m.* dottorando.

laureàrsi *v.pr.* addottorarsi (*raro*).

laureàto *s.m.* dottore.

làuro *s.m.* alloro.

làuto *agg.* abbondante, ricco, copioso, sontuoso © scarso, misero, insufficiente.

lavàbo *s.m.* acquaio, lavandino, lavello.

lavàggio *s.m.* bagno, abluzione, lavatura.

lavanderìa *s.f.* tintoria, lavasecco.
lavapiàtti *s.m.f.invar.* sguattero ♦ *s.f.invar.* (*elettrodomestico*) lavastoviglie.
lavàre *v.tr.* **1** pulire, detergere; sciacquare, risciacquare © sporcare, insudiciare **2** ♧ (*un'offesa e sim.*) cancellare; (*i peccati, una colpa ecc.*) riscattare, purificare ♦ **lavarsi** *v.pr.* pulirsi, sciacquarsi, detergersi © sporcarsi, insudiciarsi.
lavastovìglie *s.f.invar.* lavapiatti.
lavàta *s.f.* sciacquata.
lavatìvo *s.m.* fannullone, pelandrone, pigrone, poltrone, scansafatiche, scioperato © lavoratore, sgobbone, stacanovista.
lavatrìce *s.f.* lavabiancheria.
lavèllo *s.m.* acquaio.
lavorànte *s.m.f.* aiutante, garzone; bracciante; operaio.
lavoràre *v.intr.* **1** operare, agire; faticare, sudare, sgobbare (*colloq.*), darsi da fare © oziare, poltrire **2** (*di macchina, di impianto ecc.*) funzionare, andare, camminare © fermarsi, bloccarsi **3** ♧ (*di nascosto*) manovrare, intrallazzare, tramare ♦ *v.tr.* (*un materiale*) modellare, trasformare, trattare; (*la pasta*) impastare; (*la terra*) coltivare, arare, zappare.
lavoratìvo *agg.* (*di giorno*) feriale © festivo.
lavoràto *agg.* trattato, raffinato, rifinito; (*di terra*) coltivato © grezzo, greggio; (*di terra*) incolto.
lavoratóre *s.m.* **1** (*spec. al pl.*) operaio; maestranze, manodopera **2** (*chi lavora molto*) sgobbone, stacanovista © fannullone, perdigiorno.
lavorazióne *s.f.* **1** (*di un materiale*) tattamento; (*di un prodotto*) fabbricazione, produzione, realizzazione, fattura; (*di un terreno*) coltivazione **2** (*di un film, di un libro ecc.*) preparazione, elaborazione.
lavorìo *s.m.* **1** attività, lavoro; operosità **2** (*dell'acqua e sim.*) azione **3** ♧ (*attività nascosta*) macchinazione, maneggio, manovra, intrigo.
lavóro *s.m.* **1** affare, compito, faccenda, attività, impegno **2** attività, occupazione, impiego, incarico, mestiere, professione **3** (*il risultato*) opera, prodotto; (*artistico, letterario ecc.*) opera d'arte, creazione, opera, composizione, componimento **4** (*al pl.*; di *bonifica, di scavo ecc.*) attività; opera **5** ♧ (*colloq.*) guaio, pasticcio, imbroglio, casino (*colloq.*), grana (*colloq.*).
lazzaróne *s.m.* **1** delinquente, furfante, farabutto, mascalzone **2** fannullone, scansafatiche.
làzzo *s.m.* battuta, frizzo, motto, gag (*ingl.*).
leader *s.m.invar.* (*ingl.*) **1** capo, guida, capofila, dirigente **2** (*sport*) capoclassifica, primo © ultimo ♦ *agg.* (*di azienda e sim.*) modello, di punta, di spicco.
leadership *s.f.invar.* (*ingl.*) comando, guida, direzione, controllo.
leàle *agg.* **1** sincero, franco, onesto, corretto; fedele, fidato © sleale, falso, doppio, ambiguo; infedele, infido **2** (*di combattimento, di gioco ecc.*) corretto, onesto, pulito © sleale, scorretto, sporco.
lealtà *s.f.* onestà, sincerità, correttezza; fedeltà, devozione © slealtà, disonestà, scorrettezza; infedeltà.
leccapièdi *s.m.f.invar.* (*spreg.*) adulatore, leccaculo (*volg.*), lecchino, ruffiano.
leccàre *v.tr.* **1** lambire **2** ♧ (*una persona*) adulare, blandire (*elev.*), ingraziarsi, arruffianarsi (*colloq.*), lisciare (*colloq.*) ♦ **leccarsi** *v.pr.* **1** (*di animali*) lisciarsi **2** ♧ (*di persona*) agghindarsi, abbellirsi, adornarsi, bardarsi (*colloq.*).
leccornìa *s.f.* prelibatezza, delicatezza, boccone, squisitezza, ghiottoneria © schifezza.
lécito *agg.* consentito, concesso, permesso; legale, legittimo; (*di domanda e sim.*) giusto, ragionevole, corretto © illecito, vietato, proibito; ingiusto, irragionevole.
lèdere *v.tr.* **1** danneggiare, lesionare, colpire, ferire **2** ♧ (*la reputazione e sim.*) offendere, infamare, infangare; danneggiare, nuocere, rovinare © favorire, servire, avvantaggiare.
léga *s.f.* **1** alleanza, confederazione, unione, coalizione **2** (*spreg.*) banda, clan, combriccola, cosca, gang (*ingl.*).
legàccio *s.m.* laccio, stringa, corda, cordoncino.
legàle *agg.* **1** giuridico; giudiziario **2** lecito, legittimo; regolare; consentito, permesso © illegale, illecito; irregolare; proibito, vietato ♦ *s.m.f.* avvocato **IPON.** procuratore, patrocinatore.
legalità *s.f.* legittimità © illegalità, illegittimità.
legalizzàre *v.tr.* **1** legittimare, regolarizzare; (*le droghe e sim.*) liberalizzare **2** (*una firma, un certificato ecc.*) autenticare.
legàme *s.m.* **1** (*sentimentale, di parentela ecc.*) relazione, rapporto, unione, nodo, vincolo; amore, affetto; (*in senso negativo*) catena, impegno, obbligo, vincolo **2** (*tra due cose, tra due avvenimenti ecc.*) rapporto, nesso, relazione, collegamento, connessione, correlazione, interdipendenza, interrelazione **3** (*non com.*) legatura, allacciatura, laccio, corda.
legàre *v.tr.* **1** annodare, allacciare, stringere, chiudere © slegare, slacciare, sciogliere **2** (*una cosa a un'altra*) attaccare, fissare, fermare, assicurare; (*con catene*) incatenare © slegare, staccare; separare, disgiungere **3** ♧ unire, accomunare; (*in matrimonio*) sposare, congiungere, unire © dividere, separare ♦ *v.intr.* **1** ♧ andare

d'accordo, fare amicizia, armonizzare, familiarizzare, simpatizzare **2** ♧ (*di colori, di abiti ecc.*) abbinarsi, accordarsi, adattarsi, armonizzare, sposarsi © stonare, stridere, fare a pugni.

legàto[1] *agg.* **1** (*nel muoversi, nell'esprimersi ecc.*) impacciato, goffo © sciolto, spigliato, disinvolto **2** ♧ affezionato, attaccato, unito © distaccato, indifferente.

legàto[2] *s.m.* **1** (*stor.*) ambasciatore, messo **2** (*della Santa Sede*) nunzio apostolico, ambasciatore, rappresentante.

legàto[3] *s.m.* (*dir.*) lascito, eredità.

legatùra *s.f.* **1** allacciatura, nodo **2** corda, fune, laccio **3** (*di un libro*) rilegatura **4** (*mus.*) legato.

legazióne *s.f.* **1** (*rappresentanza diplomatica*) delegazione, ambasciata, deputazione **2** (*l'incarico, la missione*) ambasceria, ambasciata.

legènda *s.f.invar.* didascalia, leggenda, tabella IPERON. spiegazione.

légge *s.f.* **1** norma, regola, principio **2** (*di un organo legislativo*) decreto, disposizione, delibera, provvedimento **3** (*di uno stato*) ordinamento, diritto, costituzione, legislazione; legalità **4** (*autorità giudiziaria*) giustizia, magistratura **5** (*scienza giuridica*) giurisprudenza **6** (*facoltà universitaria*) giurisprudenza **7** (*di un'arte, di una disciplina ecc.*) regola, principio, precetto **8** (*di comportamento e sim.*) principio, regola, norma, codice.

leggènda *s.f.* **1** favola, fiaba, mito, saga **2** epopea, epos **3** ♧ invenzione, frottola, bugia, storia, fandonia © realtà, verità **4** legenda, didascalia.

leggendàrio *agg.* **1** fantastico, favoloso, mitico, mitologico © storico, vero **2** straordinario, eccezionale, meraviglioso, favoloso, grandioso; indimenticabile, memorabile, mitico.

lèggere *v.tr.* **1** (*frettolosamente*) sfogliare, scorrere; (*tutto d' un fiato*) divorare; (*svogliatamente*) leggiucchiare **2** (*a voce alta*) esporre, pronunciare; (*una poesia*) recitare **3** interpretare, spiegare, analizzare **4** (*la musica, un diagramma ecc.*) interpretare, decifrare **5** ♧ capire, comprendere, intuire, scoprire; (*il futuro*) prevedere, predire.

leggerézza *s.f.* **1** levità (*elev.*) **2** (*di movimento e sim.*) agilità, elasticità, scioltezza © goffaggine, rigidità, pesantezza **3** (*di cibi*) digeribilità © pesantezza **4** ♧ fatuità, frivolezza; incostanza, volubilità; faciloneria, superficialità; irresponsabilità, avventatezza © serietà, profondità; costanza, fermezza; attenzione, accuratezza; responsabilità, saggezza **5** (*di azione leggera*) imprudenza, incoscienza.

leggèro *agg.* **1** lieve © pesante, grave **2** (*di tessuto e sim.*) fine, sottile © pesante **3** (*di cibo*) digeribile © pesante, indigesto **4** (*di movimento, di passo ecc.*) agile, sciolto, spedito, svelto © impacciato **5** ♧ (*di lavoro, di esame ecc.*) facile, semplice, agevole © difficile, duro, faticoso **6** (*di vento, di pioggia ecc.*) debole, lieve © forte, violento, intenso **7** ♧ piccolo, lieve, moderato, trascurabile © grande, considerevole **8** ♧ (*di persona, di comportamento ecc.*) frivolo, incostante, superficiale © serio, avveduto, responsabile.

leggiadrìa *s.f.* bellezza, grazia, armonia, eleganza © bruttezza, rozzezza.

leggiàdro *agg.* bello, aggraziato, armonioso, elegante © brutto, rozzo.

leggìbile *agg.* comprensibile, chiaro, decifrabile © illeggibile, indecifrabile, incomprensibile.

legióne *s.f.* **1** (*mil.*) corpo, milizia **2** ♧ folla, massa, moltitudine, schiera.

legislazióne *s.f.* **1** (*di uno stato, di un regime politico ecc.*) diritto, legge, ordinamento, giurisprudenza **2** (*del lavoro, scolastica ecc.*) normativa, regolamento.

legittimàre *v.tr.* **1** (*un figlio*) riconoscere © disconoscere **2** formalizzare, legalizzare, regolarizzare, ufficializzare; (*burocr.*) ratificare, convalidare © invalidare, inficiare **3** ♧ giustificare, scusare, autorizzare.

legìttimo *agg.* **1** lecito, legale, regolare © illegittimo, illecito, illegale, irregolare **2** (*di dubbio, di desiderio ecc.*) giustificato, lecito, fondato, motivato, sacrosanto © ingiustificato, infondato.

légna *s.f.* ciocchi, ceppi; fascina.

legnaiòlo *s.m.* taglialegna, boscaiolo.

legnàme *s.m.* legno.

legnàre *v.tr.* (*colloq.*) **1** bastonare, picchiare, pestare, menare (*colloq.*) **2** ♧ sconfiggere, battere, sbaragliare, stracciare (*colloq.*).

legnàta *s.f.* **1** bastonata, manganellata, mazzata **2** ♧ sconfitta, batosta, stangata © vittoria.

légno *s.m.* **1** (*da lavoro*) legname; (*da ardere*) legna **2** (*pezzo di legno*) ceppo, ciocco; bastone, mazza, randello **3** ♧ (*elev.*) nave, barca.

legnóso *agg.* **1** ligneo **2** (*di carne*) duro, fibroso, stopposo © tenero, morbido **3** (*di lineamenti, di volto e sim.*) duro, spigoloso, angoloso © dolce, morbido **4** ♧ rigido, duro, impacciato, goffo © sciolto, flessuoso, agile.

lémbo *s.m.* **1** estremità, margine, bordo **2** pezzetto, pezzo, striscia; (*di terra*) fazzoletto.

léna *s.f.* energia, forza, vigore; entusiasmo, impegno, fervore, zelo © debolezza, stanchezza, lentezza; pigrizia.

lenìre *v.tr.* calmare, attenuare, mitigare, placare,

sedare © accrescere, accentuare, aggravare, inasprire.

lenitìvo *agg., s.m.* calmante, analgesico, antidolorifico.

lènte *s.f.* (*spec. al pl.*) occhiali; lenti a contatto.

lentézza *s.f.* calma, tranquillità, pacatezza, flemma; indolenza, pigrizia © rapidità, velocità; fretta, furia; energia, dinamismo, sollecitudine, zelo.

lènto *agg.* **1** calmo, tranquillo, placido; indolente, pigro © rapido, svelto, veloce, attivo, dinamico, pronto, scattante **2** (*di nodo, di fune ecc.*) allentato © stretto, teso ♦ *s.m.* (*ballo*) slow (*ingl.*).

lèrcio *agg.* **1** sporco, sudicio © pulito **2** ♧ sordido, immondo, turpe.

lerciùme *s.m.* sporcizia, sudiciume.

lesinàre *v.tr.* e *intr.* risparmiare, economizzare © sprecare, buttare, scialacquare, scialare.

lesióne *s.f.* **1** (*di un organo, di un tessuto ecc.*) ferita, lacerazione, taglio **2** danno, rottura, danneggiamento; (*in una struttura muraria*) fenditura, crepa.

lessàre *v.tr.* bollire IPERON. cuocere.

lèssico *s.m.* **1** vocabolario; (*di una scienza, di una disciplina ecc.*) terminologia, linguaggio; gergo **2** vocabolario, dizionario; (*spec. di linguaggi specialistici*) glossario.

lésso *agg.* lessato, bollito ♦ *s.m.* bollito.

lèsto *agg.* pronto, rapido, svelto, scattante, veloce; abile, destro, agile, sciolto © lento; calmo, tranquillo, pigro, tardo.

letàle *agg.* mortale, fatale, micidiale; (*di malattia*) incurabile, fulminante © vitale, benefico; curabile, guaribile.

letamàio *s.m.* **1** concimaia **2** ♧ porcile, immondezzaio, stalla, cesso (*colloq.*), merdaio (*colloq.*).

letàme *s.m.* **1** stallatico, stabbio IPERON. concime, fertilizzante **2** sporcizia, immondizia, lerciume, luridume.

letàrgo *s.m.* **1** (*med.*) letargia **2** inerzia, apatia, pigrizia, indolenza, torpore © attività, dinamicità, operosità.

letìzia *s.f.* allegria, gioia, felicità, contentezza; giubilo, tripudio © tristezza, infelicità, pena.

lèttera *s.f.* **1** (*di un alfabeto*) carattere, segno, grafema (*ling.*) **2** (*in tipografia*) carattere **3** (*di una legge, di un testo*) senso letterale, senso stretto © senso lato **4** missiva, epistola (*elev.*); comunicazione, messaggio; (*al pl.*) posta, corrispondenza **5** (*di un autore*) epistolario **6** (*al pl.*) studi umanistici, letteratura © scienze.

letteràle *agg.* **1** (*di senso, di significato*) proprio, stretto; ristretto © lato, ampio, estensivo; figurato, metaforico, traslato **2** (*di traduzione, di citazione ecc.*) fedele, esatto, preciso, puntuale © approssimativo, inesatto, impreciso.

letteràrio *agg.* **1** umanistico **2** (*di parola, di stile ecc.*) colto, elevato, dotto.

letteràto *s.m.* **1** umanista, uomo di lettere **2** erudito, colto, dotto; autore, scrittore.

letteratùra *s.f.* **1** lettere, belle lettere (*raro*) **2** (*di un argomento, di un autore*) bibliografia; produzione letteraria **3** ♧ (*spreg.*) retorica.

lettièra *s.f.* letto, giaciglio; (*per i gatti*) sabbia.

lètto *s.m.* **1** talamo (*elev.*), giaciglio (*spreg.*) **2** (*di un corso d'acqua*) alveo **3** (*di foglie, di ghiaia, d'insalata ecc.*) strato, fondo.

lettóre *s.m.* **1** (*spec. al pl.*) pubblico **2** (*televisivo, radiofonico*) annunciatore, speaker (*ingl.*) **3** (*dispositivo elettronico*) decodificatore, riproduttore.

lettùra *s.f.* **1** (*rapida e sommaria*) letta, passata, scorsa, sguardo, occhiata **2** libro, scritto, testo, opera, pubblicazione **3** ♧ (*di un fatto, di un fenomeno ecc.*) interpretazione, commento, analisi, spiegazione.

lèva[1] *s.f.* **1** asta, sbarra **2** ♧ stimolo, impulso, incentivo, spinta.

lèva[2] *s.f.* **1** arruolamento, reclutamento; servizio militare, naia (*gerg.*) **2** (*insieme delle persone di una stessa generazione*) classe, generazione.

levànte *agg.* © calante ♦ *s.m.* oriente, est © occidente, ovest, ponente.

levàre *v.tr.* **1** alzare, sollevare, tirare su © abbassare, calare, tirare giù **2** togliere, portare via, rimuovere, spostare; (*un dente*) estrarre, cavare (*colloq.*) **3** (*una tassa, un divieto ecc.*) cancellare, togliere, abolire, annullare © introdurre ♦ **levarsi** *v.pr.* **1** alzarsi, sollevarsi, tirarsi su © abbassarsi, chinarsi, piegarsi **2** (*di sole*) sorgere, alzarsi, nascere © calare, tramontare **3** (*dal letto*) alzarsi, svegliarsi, destarsi © andare a letto, coricarsi, sdraiarsi **4** (*da un luogo*) allontanarsi, togliersi, farsi da parte, scansarsi, spostarsi © accostarsi, avvicinarsi.

levatrìce *s.f.* ostetrica, mammana (*region.*)

levatùra *s.f.* **1** (*di una persona*) livello, valore, statura, dignità, calibro **2** (*di una cosa*) livello, qualità, importanza, portata, rilevanza, rilievo.

levigàre *v.tr.* **1** (*una superficie*) lisciare, limare **2** ♧ (*un testo, un'opera ecc.*) rifinire, limare, perfezionare.

lezióne *s.f.* **1** insegnamento, spiegazione; (*privata*) ripetizione **2** dissertazione, trattazione **3** ♧ esempio, insegnamento, modello, ispirazione **4** richiamo, rimprovero; castigo, punizione.

leziosàggine *s.f.* **1** affettazione, posa; civetteria, leziosità © naturalezza, semplicità, spontaneità **2** (*atto, discorso lezioso*) moina, sdolcinatezza, smanceria, vezzo.

lezióso *agg.* affettato, artificioso, forzato; caramelloso, melenso, sdolcinato © semplice, spontaneo, fresco, naturale.

lézzo *s.m.* puzza, puzzo, tanfo, fetore © profumo, aroma, fragranza.

liberàle *agg.* **1** generoso, magnanimo, prodigo; altruista © avaro, tirchio, spilorcio **2** aperto, democratico, progressista, tollerante, liberal (*ingl.*) © antiliberale, antidemocratico, conservatore, illiberale, chiuso, intollerante **3** (*econ., polit.*) liberista, liberistico, liberoscambista ♦ *s.m.f.* liberista, liberoscambista.

liberalìsmo *s.m.* **1** (*econ., polit.*) liberismo **2** democrazia, apertura, progressismo, tolleranza © antidemocraticità, chiusura, conservatorismo, intolleranza.

liberalità *s.f.* generosità, prodigalità, magnanimità © avarizia, grettezza, parsimonia, tirchieria.

liberalizzàre *v.tr.* **1** (*i commerci, i mercati ecc.*) © monopolizzare, controllare **2** (*polit.*) deregolamentare; svincolare, agevolare; (*le droghe, l'aborto ecc.*) legalizzare © proibire, vietare.

liberàre *v.tr.* **1** (*da lacci*) sciogliere, slegare © legare, incatenare **2** (*da schiavitù*) affrancare, emancipare © asservire, sottomettere, schiavizzare **3** (*un detenuto*) rilasciare, scarcerare, mettere in libertà **4** sgombrare, svuotare, togliere © ingombrare, occupare **5** (*da obblighi, da compiti ecc.*) esentare, esimere, esonerare, sciogliere, sollevare © impegnare, obbligare, vincolare **6** (*un meccanismo e sim.*) sbloccare © bloccare, fermare **7** ♧ (*la fantasia, l'entusiasmo ecc.*) esprimere, manifestare, sfogare © trattenere, frenare, reprimere, soffocare **8** (*calore, gas ecc.*) emettere, produrre, sprigionare ♦ **liberarsi** *v.pr.* **1** (*da un vincolo, da un legame ecc.*) affrancarsi, sciogliersi, svincolarsi; sbarazzarsi, disfarsi © impegnarsi, sobbarcarsi, accollarsi **2** (*dei vestiti*) spogliarsi, svestirsi **3** (*eufem.*) andare di corpo, liberare l'intestino, evacuare (*med.*).

liberatòrio *agg.* (*elev.*) catartico, liberatore, purificatore.

liberazióne *s.f.* **1** affrancamento, riscatto; (*della donna*) emancipazione © asservimento, sottomissione **2** (*di un detenuto e sim.*) rilascio, scarcerazione © arresto, cattura, imprigionamento **3** (*da una sofferenza, da una pena ecc.*) conforto, sollievo © oppressione, angoscia, carico **4** (*da un obbligo e sim.*) esenzione, esonero, svincolo © costrizione, obbligo, impegno **5** (*di gas e sim.*) sprigionamento, uscita, fuoriuscita.

liberìsmo *s.m.* liberalismo, liberoscambismo © protezionismo; dirigismo, interventismo.

lìbero *agg.* **1** affrancato, emancipato © schiavo, asservito, sottomesso, assoggettato **2** © prigioniero, carcerato, detenuto **3** sciolto, slegato © bloccato, legato, impedito **4** (*di persona, di mentalità ecc.*) autonomo, indipendente; aperto, elastico © dipendente; chiuso, rigido, ottuso **5** (*da impegni e sim.*) disponibile, svincolato; disoccupato © impegnato, vincolato; affaccendato, indaffarato **6** (*da tasse, obblighi ecc.*) dispensato, esonerato, esente, franco (*comm.*) © soggetto, gravato **7** (*di nazione*) autonomo, indipendente, sovrano © oppresso, sottomesso, occupato **8** (*di appartamento, di camera ecc.*) disponibile, vuoto © occupato, prenotato, riservato **9** (*di ingresso, di parcheggio ecc.*) gratuito, gratis; consentito, permesso © a pagamento; vietato, chiuso **10** (*di atteggiamento e sim.*) audace, disinvolto, disinibito; maleducato, volgare © conformista; inibito; educato **11** (*di traduzione*) © letterale **12** (*di tema, di argomento ecc.*) a scelta, a piacere, facoltativo © obbligatorio **13** (*di strada, di passaggio ecc.*) sgombro © ingombro, bloccato, ostruito **14** (*di linea telefonica e sim.*) © occupato.

libertà *s.f.* **1** © schiavitù, servitù **2** © prigionia, carcere, reclusione **3** (*di un popolo, di una nazione ecc.*) autonomia, indipendenza, autodeterminazione © sottomissione, oppressione **4** (*di pensare, di agire ecc.*) diritto, opportunità, permesso, facoltà, licenza © divieto, proibizione, interdizione **5** (*da vincoli, da obblighi ecc.*) autonomia, indipendenza © obbligo, vincolo **6** (*da impegni, dal lavoro e sim.*) pausa, intervallo; permesso, vacanza **7** (*nel modo di comportarsi, di parlare ecc.*) anticonformismo; audacia, impudenza, sfrontatezza; licenza © conformismo; riguardo, discrezione, prudenza, scrupolo.

libertìno *agg.* depravato, dissoluto, libidinoso, lussurioso, spregiudicato, vizioso © casto, castigato, pudico, morigerato ♦ *s.m.* donnaiolo, seduttore, dongiovanni, casanova, playboy (*ingl.*).

libìdine *s.f.* **1** desiderio, voglia, appetito, eccitazione; lussuria, voluttà **2** ♧ (*di potere e sim.*) brama, bramosia, sete, smania © indifferenza, disinteresse **3** (*gerg.*) meraviglia, figata (*volg.*), ganzata (*gerg.*), sballo (*gerg.*).

libidinóso *agg.* dissoluto, lascivo, lussurioso, osceno, peccaminoso, vizioso, voglioso © casto, morigerato, pudico.

libìdo *s.f.invar.* (*psic.*) desiderio, attrazione sessuale, eros.

libràrsi *v.pr.* volteggiare IPERON. volare.
librétto *s.m.* **1** opuscolo, fascicolo **2** (*di appunti, spese ecc.*) taccuino, bloc-notes, blocchetto; (*di indirizzi*) rubrica **3** (*di un'opera musicale*) testo.
lìbro *s.m.* **1** opera, pubblicazione, testo, tomo, volume **2** (*di un'opera, spec. classica*) parte, sezione; canto **3** (*dei conti*) registro.
liceità *s.f.* legittimità, legalità © illiceità, illegittimità.
licènza *s.f.* **1** (*di fare qualcosa*) permesso, autorizzazione, beneplacito, diritto © divieto, proibizione, veto **2** (*di pesca, di guida, edilizia ecc.*) autorizzazione, concessione, patente, brevetto **3** congedo, permesso **4** (*elementare, media ecc.*) diploma, titolo **5** abuso, arbitrio, libertà, eccesso; audacia, sfrontatezza, spudoratezza © ordine, disciplina.
licenziaménto *s.m.* allontanamento, esonero, radiazione, benservito © assunzione, ingaggio; riammissione, riassunzione.
licenziàre *v.tr.* **1** (*un dipendente*) allontanare, cacciare, mandare via, destituire, dimissionare © assumere, prendere; riassumere, reintegrare **2** (*un ospite*) congedare, mandare via © accogliere, ricevere **3** (*un libro, un'opera*) pubblicare, dare alle stampe **4** (*scol.*) diplomare; promuovere © bocciare.
licenzióso *agg.* dissoluto, immorale, indecente, lascivo, lussurioso, scostumato, vizioso; (*di spettacolo e sim.*) audace, piccante, osceno, scabroso, osé (*fr.*), volgare, scurrile © casto, castigato, morigerato.
lìdo *s.m.* **1** litorale, costa, riva; spiaggia **2** (*elev.*) paese, regione, territorio.
lièto *agg.* **1** allegro, beato, felice © triste, infelice, scontento **2** (*di notizia, di ricordo ecc.*) bello, dolce, piacevole, allegro; (*di giorno, di evento*) fausto, fortunato, gioioso © brutto, spiacevole, triste, amaro, doloroso; infausto, sfortunato.
liève *agg.* **1** leggero © pesante, grave **2** (*di compito, di lavoro ecc.*) facile, leggero, semplice, comodo © difficile, duro, complesso, faticoso, pesante **3** ♧ (*di difetto, di differenza ecc.*) leggero, modesto, piccolo, impercettibile © importante, serio, grave **4** ♧ (*di rumore e sim.*) debole, sottile, tenue, impercettibile © forte, alto, squillante.
lievitàre *v.intr.* **1** (*di pasta, di pane ecc.*) crescere, gonfiare, fermentare © afflosciarsi, sgonfiarsi **2** ♧ (*di malcontento, di malumore ecc.*) aumentare, crescere, montare, salire © calare, diminuire **3** (*di prezzo*) aumentare, rincarare, salire © diminuire, scendere, crollare.
lìgio *agg.* fedele, devoto; rispettoso, ubbidiente © nemico, ostile; ribelle, disubbidiente, insofferente, irrispettoso.
lignàggio *s.m.* dinastia, casata, discendenza, stirpe, sangue.
lillipuziàno *agg.* minuscolo, microscopico © gigantesco, enorme, ciclopico, mastodontico ♦ *s.m.* nano, pigmeo, soldo di cacio, tappo © gigante, colosso, marcantonio.
limaccióso *agg.* fangoso, melmoso; denso, torbido, opaco © limpido, trasparente, chiaro, pulito.
limàre *v.tr.* **1** lisciare, levigare **2** ♧ (*uno scritto, un testo*) rifinire, perfezionare, migliorare, raffinare © sgrossare, buttare giù, abbozzare.
lìmbo *s.m.* ♧ incertezza, sospensione, vaghezza.
limitàre[1] *s.m.* **1** ingresso, porta, entrata, soglia **2** (*del bosco, di un luogo ecc.*) margine, limite, confine © centro, cuore, mezzo.
limitàre[2] *v.tr.* **1** delimitare, definire; circondare, cingere, chiudere, recintare **2** ♧ (*una persona*) frenare, condizionare, influenzare **3** (*le spese, i consumi ecc.*) contenere, frenare, ridurre, tagliare © aumentare, accrescere ♦ **limitarsi** *v.pr.* (*nelle spese, nel bere ecc.*) contenersi, controllarsi, frenarsi, regolarsi © eccedere, esagerare.
limitatézza *s.f.* **1** piccolezza, ristrettezza © ampiezza, larghezza, abbondanza **2** (*di mezzi e sim.*) carenza, penuria, povertà © ricchezza, abbondanza **3** (*di vedute e sim.*) angustia, grettezza, meschinità © ampiezza, larghezza, apertura.
limitatìvo *agg.* restrittivo, riduttivo © estensivo.
limitàto *agg.* **1** contenuto, circoscritto, definito © illimitato, abbondante **2** (*di mezzi e sim.*) esiguo, scarso, modesto, ridotto © abbondante, ampio, notevole **3** (*di persona*) lento, mediocre, stupido, ottuso © intelligente, pronto, sveglio **4** (*nel bere, nelle spese ecc.*) controllato, misurato, moderato, parco © eccessivo, incontrollato, sfrenato.
limitazióne *s.f.* **1** contenimento, restrizione, riduzione, freno © ampliamento, incremento, allargamento **2** condizione, limite, clausola, riserva, vincolo.
lìmite *s.m.* **1** delimitazione, demarcazione; barriera, sbarramento **2** bordo, confine, margine, estremità **3** ♧ confine, culmine, livello, fine **4** (*di spesa e sim.*) tetto, plafond (*fr.*) **5** contenimento, riduzione, freno, restrizione © aumento, crescita, espansione.
limìtrofo *agg.* adiacente, confinante, attiguo; prossimo, vicino © separato, staccato; lontano, distante.

limpidézza *s.f.* **1** (*di acqua, di aria*) trasparenza, chiarezza, purezza, nitidezza (*di cielo*) © opacità, torbidezza; (*di cielo*) nuvolosità, offuscamento **2** ♧ (*di suono e sim.*) chiarezza, nitidezza **3** ♧ (*di sguardo*) lucentezza, luminosità, splendore **4** ♧ (*di comportamento, di persona*) chiarezza, franchezza, sincerità, trasparenza © ambiguità, falsità, ipocrisia.

lìmpido *agg.* **1** (*di acqua, di aria*) trasparente, chiaro, cristallino, puro, nitido (*di cielo*) © opaco, torbido; (*di cielo*) nuvoloso, offuscato **2** ♧ (*di suono e sim.*) chiaro, nitido © cavernoso, roco **3** ♧ (*di sguardo*) luminoso, splendente © cupo, fosco **4** ♧ (*di comportamento, di persona*) chiaro, franco, sincero, trasparente © ambiguo, falso, ipocrita **5** (*di ragionamento, di discorso ecc.*) chiaro, lucido, lineare © confuso, oscuro, contorto, nebuloso.

linciàggio *s.m.* **1** esecuzione **2** ♧ (*morale*) persecuzione, diffamazione, denigrazione.

linciàre *v.tr.* **1** IPERON. uccidere **2** ♧ denigrare, diffamare, perseguitare, distruggere.

lìndo *agg.* **1** lustro, immacolato, pulito © sporco, sudicio **2** (*di persona*) curato, ordinato © disordinato, sciatto **3** ♧ (*di coscienza e sim.*) puro, integro.

lìnea *s.f.* **1** riga, tratto, segno, segmento **2** (*nei termometri*) decimo **3** (*di un oggetto, di una struttura ecc.*) contorno, profilo, sagoma; aspetto, forma, configurazione; (*del corpo umano*) conformazione, corpo, figura, fisico, silhouette (*fr.*) **4** (*di un abito*) taglio, stile, foggia **5** ♧ (*politica, economica ecc.*) indirizzo, orientamento, impostazione, tendenza, strategia **6** (*di cose o persone allineate*) fila, riga, schiera; serie, successione **7** (*mil.*) schieramento, fronte **8** (*comm.; di prodotti*) serie, set (*ingl.*) **9** (*ferroviaria, aerea ecc.*) servizio, collegamento; percorso, tragitto, tratta **10** (*elettrica, telefonica*) rete; (*del telefono*) collegamento, comunicazione, contatto **11** (*di parentela*) discendenza, successione **12** (*tip.*) riga; allineamento.

lineaménti *s.m.pl.* **1** fattezze, tratti, sembianze; fisionomia **2** ♧ (*di una disciplina e sim.*) basi, elementi, fondamenti, principi.

lineàre *agg.* **1** rettilineo, retto; diritto © curvo, torto, tortuoso; piegato, storto **2** ♧ chiaro, lucido, logico, coerente © contorto, confuso, oscuro, illogico, incoerente.

lìnfa *s.f.* ♧ nutrimento, energia, sostanza.

lìngua *s.f.* **1** (*di terra*) striscia, fascia, lembo **2** linguaggio, idioma, parlata IPON. dialetto, gergo, vernacolo (*elev.*) **3** (*di un settore specialistico*) linguaggio, gergo.

linguàccia *s.f.* **1** boccaccia, smorfia **2** (*di persona*) pettegolo, malalingua.

linguàggio *s.m.* **1** lingua, parola, favella **2** (*sistema linguistico*) lingua, parlata, idioma **3** (*colloquiale, volgare, letterario ecc.*) espressione, stile; lessico **4** (*di un gruppo, di un ambiente ecc.*) gergo, parlata, slang (*ingl.*), argot (*fr.*) **5** (*sistema di comunicazione*) codice **6** (*della musica, della pittura ecc.*) lingua; (*dei fiori, dei colori ecc.*) significato.

liniménto *s.m.* unguento, balsamo, pomata; frizione.

liquàme *s.m.* (*delle fognature*) scarico, scolo; putridume, marciume.

liquefàre *v.tr.* **1** sciogliere, fondere, fluidificare, squagliare © condensare, addensare, indurire, solidificare **2** ♧ sperperare, dilapidare, buttare, perdere © accumulare, risparmiare, economizzare ♦ **liquefarsi** *v.pr.* sciogliersi, fondersi, squagliarsi © condensarsi, addensarsi, indurirsi, solidificarsi.

liquidàre *v.tr.* **1** calcolare, quantificare, accertare; (*un danno*) risarcire, indennizzare, pagare **2** (*econ.*) monetizzare **3** (*una merce*) svendere **4** ♧ (*una questione, un affare ecc.*) risolvere, concludere **5** (*un avversario*) battere, superare, vincere, eliminare **6** (*una persona*) allontanare, mandare via, sbarazzarsi; uccidere, ammazzare, eliminare.

liquidazióne *s.f.* **1** (*di un debito, dei danni ecc.*) pagamento, saldo **2** (*di un lavoratore dipendente*) TFR, trattamento di fine rapporto **3** (*di merci*) svendita, saldo.

lìquido *agg.* **1** (*fis.*) fluido © solido; gassoso, aeriforme **2** fuso, liquefatto, sciolto © solido; rappreso, denso **3** (*di denaro*) contante ♦ *s.m.* **1** fluido **2** denaro, contante.

lìrica *s.f.* **1** poesia **2** melodramma, opera lirica.

lìrico *agg.* **1** patetico, sentimentale **2** poetico **3** operistico, melodrammatico ♦ *s.m.* poeta.

lisciàre *v.tr.* **1** levigare, limare, rasare; (*il legno*) scartavetrare, piallare **2** ♧ (*un lavoro, uno scritto ecc.*) rifinire, ritoccare, limare **3** ♧ (*una persona*) adulare, lusingare, blandire ♦ **lisciarsi** *v.pr.* **1** (*di animali*) leccarsi, pulirsi **2** ♧ (*di persona*) agghindarsi, farsi bello, azzimarsi.

lìscio *agg.* **1** levigato, lisciato, rasato; pari, piano, regolare © ruvido, irregolare **2** (*di pelle*) morbido, vellutato; (*di uomo*) glabro, imberbe © grinzoso, rugoso; barbuto, irsuto **3** (*di capelli*) dritto © riccio, mosso, crespo, ondulato **4** ♧ (*di affare, di situazione ecc.*) facile, semplice, agevole © difficile, complesso, problematico **5** (*di bevanda alcolica*) puro © con ghiaccio, on the rocks (*ingl.*) **6** (*di caffè*) © corretto.

lìso *agg.* consumato, consunto, logoro, frusto © nuovo, intatto, integro.
lìsta *s.f.* **1** striscia, fascia; (*di legno*) stecca, listello; (*di metallo*) barra **2** elenco, nota, catalogo **3** (*dei cibi*) menu (*fr.*), carta.
listìno *s.m.* prezzario, tariffario; catalogo.
litanìa *s.f.* **1** giaculatoria **IPERON.** preghiera, invocazione, supplica **2** ♧ (*di lamentele e sim.*) cantilena, solfa, tiritera; lamentela, piagnisteo; (*di nomi, di parole ecc.*) serie, sequela.
lìte *s.f.* **1** litigio, diverbio, alterco, discussione, polemica, scontro; (*violenta*) rissa, zuffa © accordo, armonia, pace, riconciliazione **2** (*dir.*) causa, contenzioso, controversia, vertenza.
litigàre *v.intr.* bisticciare, battibeccare, discutere; azzuffarsi, attaccare briga; rompere, troncare © fare pace, riconciliarsi, riappacificarsi.
litìgio *s.m.* lite, diverbio, alterco, discussione, polemica, scontro © accordo, armonia, pace.
litigióso *agg.* aggressivo, polemico, rissoso © pacifico, accomodante, tranquillo.
litoràle *agg.* costiero, litoraneo ♦ *s.m.* costa, riva, marina, riviera; spiaggia © entroterra, interno.
litoràneo *agg.* costiero, litorale, rivierasco © interno.
liturgìa *s.f.* (*relig.*) cerimonia, rito, rituale, culto.
livellaménto *s.m.* **1** appianamento, pareggiamento, spianamento **2** ♧ (*dei prezzi, dell'istruzione ecc.*) appiattimento, parificazione, uniformazione © differenziazione.
livellàre *v.tr.* **1** spianare, pareggiare, uniformare **2** ♧ (*i prezzi, gli stipendi ecc.*) equiparare, parificare, uniformare © differenziare, diversificare.
livèllo *s.m.* **1** altezza, quota; altitudine **2** ♧ (*culturale, sociale ecc.*) grado, condizione, stato; (*di vita*) standard, tenore.
lìvido *agg.* **1** bluastro, violaceo; (*di cielo*) grigio, plumbeo; (*di volto*) pallido, terreo; cianotico **2** ♧ (*di sguardo e sim.*) astioso, rancoroso © benevolo, benigno ♦ *s.m.* botta, ammaccatura, ecchimosi (*med.*), ematoma (*med.*).
livóre *s.m.* rancore, astio, odio, malanimo, ostilità © benevolenza, affetto.
livrèa *s.f.* **1** divisa **2** (*degli uccelli*) piumaggio.
locàle[1] *agg.* **1** indigeno, del posto, autoctono; tipico, caratteristico, nostrano © esotico, straniero **2** circoscritto, limitato © generale, universale **3** (*med.*; *di malattia*) endemico; (*di anestesia*) parziale **4** (*di treno*) regionale, a breve percorrenza ♦ *s.m.f.* (*spec. al pl.*) indigeno, nativo, autoctono © forestiero, straniero.
locàle[2] *s.m.* **1** ambiente, camera, stanza, vano **2** (*pubblico*) esercizio, ritrovo **IPON.** bar, ristorante, caffè, discoteca.
località *s.f.* (*montana, marina, turistica ecc.*) luogo, posto; regione, zona; centro, paese.
localizzàre *v.tr.* **1** individuare, scoprire, trovare; riconoscere, identificare **2** (*un'epidemia e sim.*) circoscrivere, isolare © diffondere, estendere.
locànda *s.f.* pensione; trattoria, osteria.
locandìna *s.f.* manifesto, volantino, cartellone, affiche (*fr.*).
locatàrio *s.m.* affittuario, inquilino © locatore, proprietario.
locatóre *s.m.* proprietario, padrone © locatario, affittuario.
locazióne *s.f.* affitto, pigione.
locomotóre *s.m.* locomotrice, elettromotrice.
locomozióne *s.f.* **1** (*med.*) deambulazione, movimento **2** trasporto.
lodàre *v.tr.* **1** approvare, applaudire, ammirare, apprezzare, tessere le lodi; elogiare, celebrare, decantare, osannare © criticare, biasimare, condannare, deplorare; insultare, offendere **2** (*il Signore, la Madonna ecc.*) adorare, celebrare, glorificare.
lòde *s.f.* **1** complimento, elogio, encomio, plauso © critica, condanna, osservazione, rimprovero **2** esaltazione, glorificazione, omaggio © detrazione, denigrazione, oltraggio, offesa **3** (*relig.*) adorazione, celebrazione, glorificazione; canto, inno, preghiera.
lodévole *agg.* ammirevole, encomiabile, meritevole © condannabile, criticabile, riprovevole, spregevole.
lòggia *s.f.* portico, porticato, loggiato; (*chiusa con vetri*) veranda.
loggiàto *s.m.* portico, porticato, loggia.
loggióne *s.m.* galleria, piccionaia (*colloq.*).
lògica *s.f.* **1** rigore, coerenza, logicità, consequenzialità © illogicità, incoerenza, assurdità **2** ragione, raziocinio, razionalità **3** (*modo di ragionare*) ragionamento, modo di pensare.
logicità *s.f.* coerenza, logica, rigore © illogicità, incoerenza.
lògico *agg.* **1** (*di conclusione, di conseguenza ecc.*) naturale, normale, ovvio, inevitabile © assurdo, illogico **2** (*di ordine, di discorso ecc.*) coerente, rigoroso, lucido, razionale © illogico, incoerente, contraddittorio **3** (*di persona*) razionale © irrazionale.
logoraménto *s.m.* usura, deterioramento, consunzione, degrado, logorio; (*psichico e sim.*) esaurimento, stress.
logorànte *agg.* duro, pesante, faticoso, massacrante, snervante, stressante © leggero, lieve, rilassante, riposante.

logoràre *v.tr.* **1** consumare, deteriorare, sciupare, usurare **2** ♧ affaticare, stancare, esaurire, snervare, stressare ♦ **logorarsi** *v.pr.* **1** consumarsi, sciuparsi, deteriorarsi **2** ♧ affaticarsi, stancarsi, esaurirsi, snervarsi, stressarsi.

lógoro *agg.* **1** (*di tessuto, di vestito ecc.*) consumato, consunto, frusto, liso, sdrucito © nuovo, integro **2** (*di persona*) sfinito, spossato **3** (*di idee, di moda ecc.*) abusato, scontato, sorpassato, vecchio, trito e ritrito © nuovo, fresco, originale.

logorròico *agg.* loquace, prolisso, verboso © conciso, laconico, sintetico, telegrafico; taciturno.

longilìneo *agg.* alto, snello, sottile, slanciato © basso, tarchiato, tracagnotto, tozzo.

lontanànza *s.f.* **1** distanza © vicinanza **2** mancanza, assenza, separazione © presenza, vicinanza.

lontàno *agg.* **1** (*nello spazio*) distante, remoto, discosto © vicino, prossimo; adiacente, attiguo, limitrofo **2** (*nel tempo*) remoto, passato © prossimo, attuale, recente, vicino **3** ♧ (*in senso ideale*) estraneo, distante, alieno © vicino **4** ♧ (*di ricordo, di immagine ecc.*) vago, incerto, confuso, sfuocato © certo, chiaro, preciso, vivo **5** ♧(*di opinioni e sim.*) diverso, divergente, distante, discordante © simile, vicino, affine **6** ♧ (*di persona*) distaccato, distante, assente © presente, partecipe.

look *s.m.invar.* (*ingl.*) aspetto, apparenza, immagine; stile.

loquàce *agg.* ciarliero, chiacchierone; logorroico © silenzioso, taciturno; laconico.

lórdo *agg.* **1** lurido, sudicio, sozzo © pulito, lindo, immacolato **2** ♧ corrotto, abbietto, turpe, sordido © onesto, puro **3** (*di peso, di stipendio ecc.*) © netto.

lordùra *s.f.* sporcizia, sudiciume, luridezza, sozzeria © pulizia, nettezza.

lósco *agg.* **1** (*di sguardo*) torvo, bieco, fosco, minaccioso © amichevole, benigno **2** ♧ ambiguo, equivoco, sospetto © onesto, pulito.

lòtta *s.f.* **1** combattimento, scontro; zuffa, rissa; battaglia, guerra © pace, concordia **2** (*sociale, politica ecc.*) contrasto, conflitto, scontro **3** (*tra persone*) lite, contrasto, dissidio, disaccordo © armonia, intesa **4** (*sport*) combattimento, gara, sfida **5** ♧ (*contro il cancro, contro la droga ecc.*) battaglia, campagna.

lottàre *v.intr.* **1** battersi, affrontarsi, combattere, scontrarsi **2** picchiarsi, fare a botte, accapigliarsi, azzuffarsi **3** (*per uno scopo*) battersi, combattere, adoperarsi, impegnarsi **4** (*sport*) combattere, gareggiare, misurarsi.

lotterìa *s.f.* IPERON. sorteggio, estrazione.

lottizzàre *v.tr.* **1** dividere, frazionare, ripartire © unire, unificare, accorpare **2** ♧ (*incarichi, funzioni pubbliche ecc.*) spartire.

lottizzazióne *s.f.* **1** divisione, frazionamento, suddivisione © fusione, accorpamento **2** ♧ spartizione.

lòtto *s.m.* **1** parte, porzione, fetta, frazione; quota; (*di terreno*) appezzamento **2** (*di merce*) partita, stock (*ingl.*) **3** lotteria, estrazione.

lùbrico, **lubrìco** *agg.* **1** (*elev.*) sdrucciolevole, scivoloso; viscido, sgusciante **2** osceno, impudico, indecente, scabroso, sconcio © casto, pudico.

lubrificàre *v.tr.* ingrassare, ungere, oliare.

luccicànte *agg.* luminoso, brillante, splendente, scintillante, sfavillante © offuscato, opaco, appannato, spento.

luccicàre *v.intr.* brillare, risplendere, sfavillare, scintillare.

luccichìo *s.m.* brillio, balenio, scintillio, sfavillio, sfolgorio.

lùce *s.f.* **1** luminosità, chiarore, giorno © buio, oscurità, notte **2** (*artificiale, elettrica ecc.*) illuminazione; lampada, lume **3** elettricità, corrente, energia elettrica **4** (*spec. al pl.*; *di veicoli*) fanale, fanalino, faro **5** ♧ angolatura, prospettiva, ottica, punto di vista **6** ♧ (*della verità, della civiltà ecc.*) fiaccola, faro; esempio, insegnamento, guida; fede, speranza **7** (*di una finestra, di una porta*) vano **8** (*tecn.*) apertura, bocca, orifizio.

lucènte *agg.* luminoso, chiaro, splendente, scintillante, sfavillante © opaco, offuscato, appannato, cupo, spento.

lucentézza *s.f.* luminosità, splendore, brillantezza © opacità, oscurità.

lucidàre *v.tr.* lustrare, tirare a lucido (*colloq.*).

lucidità *s.f.* **1** chiarezza, acutezza; coerenza, rigore © confusione; incoerenza **2** controllo, autocontrollo, freddezza, calma © emotività.

lùcido *agg.* **1** brillante, lucente, lustro, risplendente © opaco, offuscato, appannato **2** ♧ (*di discorso e sim.*) chiaro, lineare © confuso **3** ♧ (*di mente e sim.*) acuto, perspicace © lento, ottuso **4** presente, cosciente; calmo © addormentato, intontito ♦ *s.m.* **1** lucentezza, brillantezza **2** lucidante, cera, crema.

lucràre *v.tr.* guadagnare, speculare, realizzare © perdere, rimetterci.

lucratìvo *agg.* fruttifero, fruttuoso, redditizio © improduttivo, infruttuoso.

lùcro *s.m.* guadagno, profitto; convenienza, vantaggio © perdita, deficit, passivo.

lucróso *agg.* vedi **lucratìvo**.

luculliàno *agg.* (*di pranzo, di banchetto ecc.*)

abbondante, sontuoso, ricco, raffinato © povero, semplice, misero, frugale, sobrio.
ludìbrio *s.m.* beffa, burla, derisione, scherno.
lùdico *agg.* (*di attività*) ricreativo; spensierato © educativo, impegnato
lùgubre *agg.* funereo, tetro, triste, cupo; buio © allegro, lieto, gioioso, sereno; luminoso.
lùme *s.m.* **1** lampada **2** chiarore, luce, barlume © buio, oscurità **3** ♧ (*spec. al pl.*) consiglio, suggerimento, parere.
lumicìno *s.m.* lumino, lampada votiva.
luminàre *s.m.* autorità, celebrità, nome, personalità.
luminescènte *agg.* luminoso, fosforescente, scintillante, splendente.
lumìno *s.m.* lampada votiva.
luminosità *s.f.* **1** chiarore, luce, splendore, lucentezza © opacità **2** (*del cielo*) limpidezza, nitidezza © buio, grigiore **3** ♧ (*di sorriso e sim.*) radiosità, serenità.
luminóso *agg.* **1** brillante, lucente, radioso, splendente, scintillante; (*di stanza, di giornata ecc.*) chiaro, illuminato © opaco, offuscato; buio, oscuro **2** ♧ (*di sorriso e sim.*) gioioso, radioso, sereno **3** ♧ (*di prova, di verità ecc.*) chiaro, evidente, inequivocabile © incerto, dubbio **4** ♧ (*di esempio, di qualità ecc.*) straordinario, eccellente, mirabile, esemplare; (*di idea, di trovata ecc.*) brillante, geniale, folgorante, ingegnoso.
lùna *s.f.* **1** IPERON. satellite **2** mese lunare, lunazione.
lùna park *s.m.invar.* parco di divertimenti, giostre (*colloq.*).
lunàtico *agg.* capriccioso, incostante, instabile, mutevole, umorale; bizzarro, stravagante © normale; costante, coerente, equilibrato.
lungàggine *s.f.* lentezza, ritardo, indugio, perdita di tempo © rapidità, sveltezza.
lunghézza *s.f.* **1** estensione **2** (*di tempo*) durata © brevità, rapidità.
lungimirànte *agg.* accorto, assennato, avveduto, previdente © miope, avventato, incauto.
lungimirànza *s.f.* accortezza, avvedutezza, oculatezza, saggezza © miopia, avventatezza.
lùngo *agg.* **1** esteso © breve, corto **2** (*di capelli, di barba*) fluente © corto **3** (*di persona*) alto, allampanato, longilineo © basso **4** (*nel tempo*) durevole, duraturo; infinito, interminabile © breve, corto **5** (*di persona*) lento, tardo © svelto, pronto.
luògo *s.m.* **1** parte, posto **2** regione, zona, area, territorio; località, città, paese **3** sede **4** (*di un'opera*) passo, brano, passaggio, punto **5** ♧ modo, momento, occasione, opportunità.
lùrido *agg.* **1** sporco, sudicio, lercio © pulito, immacolato **2** ♧ abietto, sordido, spregevole, turpe © onesto, puro.
lusìnga *s.f.* **1** adulazione, incensamento, vezzeggiamento; complimento, gentilezza, moina; fascino, attrattiva, seduzione; insidia **2** (*elev.*) illusione, chimera, miraggio.
lusingàre *v.tr.* **1** adulare, allettare, affascinare, blandire, lisciare (*colloq.*); illudere, tentare © deludere, disilludere **2** soddisfare, gratificare © umiliare.
lusinghièro *agg.* **1** allettante, seducente, invitante **2** appagante, gratificante, soddisfacente © avvilente, mortificante, sconfortante.
lussazióne *s.f.* lussatura (*med.*), slogatura (*colloq.*), dislocazione (*med.*).
lùsso *s.m.* **1** fasto, sfarzo, magnificenza, opulenza, pompa, ricchezza, sontuosità © semplicità, sobrietà, umiltà, modestia, povertà **2** agio, comodità, comfort (*ingl.*) **3** capriccio, di più, sfizio, surplus (*fr.*).
lussuóso *agg.* fastoso, sfarzoso, ricco, elegante, principesco, sontuoso © semplice, sobrio, povero, modesto.
lussureggiànte *agg.* **1** rigoglioso, verdeggiante, fiorente, florido © secco, spoglio **2** ♧ ricco, pieno, abbondante © povero, spoglio, disadorno.
lussùria *s.f.* desiderio, concupiscenza, lascivia, libidine, sensualità, voluttà © castità, pudicizia, purezza.
lussurióso *agg.* lascivo, libidinoso, sensuale, voluttuoso © casto, pudico, puro.
lustràre *v.tr.* lucidare, tirare a lucido (*colloq.*).
lustrìno *s.m.* **1** paillette (*fr.*) **2** ♧ fronzolo, ornamento, orpello.
lùstro[1] *agg.* lucente, brillante, scintillante, splendente © opaco, appannato, offuscato ♦ *s.m.* **1** lucentezza, brillantezza, splendore © opacità **2** ♧ fama, onore, prestigio.
lùstro[2] *s.m.* quinquennio.
lùtto *s.m.* **1** dolore, cordoglio **2** morte, perdita; sciagura, disgrazia.
luttuóso *agg.* doloroso, funesto, tragico, tritste © allegro, gioioso, festoso, felice.

m, M

màcabro *agg.* funereo, funebre, lugubre; orrido, raccapricciante © allegro, felice, lieto.
maccherònico *agg.* (*di lingua*) scorretto, sgrammaticato, storpiato © corretto, puro.
màcchia[1] *s.f.* **1** chiazza, patacca (*colloq.*), frittella; schizzo, sbavatura, sbaffo; (*della pelle*) chiazza, voglia (*colloq.*), neo, angioma (*med.*) **2** ♧ colpa, peccato, onta (*elev.*).
màcchia[2] *s.f.* boscaglia, sottobosco, fratta, sterpaio.
macchiàre *v.tr.* **1** sporcare, imbrattare, impataccare (*colloq.*), impiastricciare, chiazzare, insudiciare, sbaffare, sbrodolare © pulire, smacchiare **2** ♧ disonorare, infangare, diffamare; corrompere ♦ **macchiarsi** *v.pr.* **1** sporcarsi, imbrattarsi, impataccarsi (*colloq.*), impiastricciarsi, chiazzarsi, insudiciarsi, sbrodolarsi © pulirsi, lavarsi **2** ♧ disonorarsi, infangarsi.
macchiàto *agg.* **1** sporco, imbrattato, sudicio sozzo © pulito, smacchiato **2** (*di superficie colorata*) macchiettato, screziato **3** (*di mantello di animale*) maculato, pezzato **4** ♧ disonorato, infangato.
macchiétta *s.f.* (*persona buffa, stravagante*) caricatura, burlone, sagoma (*colloq.*).
màcchina *s.f.* **1** apparecchio, apparecchiature, congegno, dispositivo; impianto, macchinario; strumento **2** (*per anton.*) automobile, auto, vettura, autovettura **3** ♧ (*di persona*) robot, automa **4** ♧ (*burocratica, dello stato, della giustizia ecc.*) apparato, organismo, organizzazione.
macchinàre *v.tr.* architettare, organizzare, ordire; complottare, cospirare, tramare.
macchinàrio *s.m.* macchina, apparecchiatura, impianto, dispositivo, meccanismo.
macchinazióne *s.f.* complotto, congiura, cospirazione, trama; imbroglio, intrigo, raggiro.
macchinóso *agg.* complesso, complicato, contorto, tortuoso © semplice, lineare.
macedònia *s.f.* **1** insalata di frutta **2** ♧ (*spec. spreg.*) ammasso, miscuglio, accozzaglia.
macellàre *v.tr.* **1** (*animali*) ammazzare, abbattere **2** ♧ massacrare, squartare, trucidare.
macèllo *s.m.* **1** mattatoio **2** macellazione **3** ♧ carneficina, massacro, strage, sterminio **4** ♧ (*colloq.*) guaio, disatro, rovina **5** ♧ (*colloq.*) caos, confusione, casino (*colloq.*), disordine.
maceràre *v.tr.* **1** (*un cibo*) marinare **2** ♧ consumare, logorare; tormentare, affliggere ♦ **macerarsi** *v.pr.* ♧ tormentarsi, affliggersi, angosciarsi, rodersi, struggersi, torturarsi.
macèria *s.f.* (*spec. al pl.*) rovina, rudere, resto.
machiavèllico *agg.* astuto, furbo, scaltro, spregiudicato © sincero, leale, ingenuo, semplice.
macìgno *s.m.* masso, sasso, pietra, roccia.
macilènto *agg.* scarno, smunto, emaciato, pelle e ossa, scheletrico © robusto, in carne, paffuto, florido.
macinàre *v.tr.* **1** polverizzare, triturare, sminuzzare, tritare **2** ♧ (*cibo*) divorare, ingurgitare, sbafarsi; (*denaro, beni ecc.*) spendere, dilapidare, mangiarsi (*colloq.*) **3** ♧ rimuginare.
macinìno *s.m.* **1** macinacaffè, macinapepe **2** ♧ (*automobile vecchia*) catorcio, bagnarola.
maciullàre *v.tr.* spappolare, stritolare.
macroscòpico *agg.* **1** © microscopico **2** ♧ (*di errore e sim.*) evidente, enorme, madornale © microscopico, insignificante, trascurabile.
maculàto *agg.* (*di pelo di animale*) chiazzato, screziato.
màdido *agg.* umido, bagnato; sudato, umidiccio; fradicio, zuppo © asciutto.
madornàle *agg.* enorme, gigantesco, colossale, macroscopico, spropositato © minuscolo, minimo, insignificante, microscopico.
màdre *s.f.* **1** mamma (*colloq.*), genitrice (*elev.*) INVER. figlia, figlio **2** (*tecn.*) forma, matrice, modello **3** ♧ (*di ricevuta*) matrice © figlia **4** ♧ causa, origine, impulso.
madrelìngua *s.f.* lingua madre, lingua materna.
madrepàtria *s.f.* patria, paese d'origine © estero.
maestosità *s.f.* grandiosità, imponenza; dignità, nobiltà, regalità © modestia, umiltà.
maestóso *agg.* grandioso, imponente, nobile, regale, solenne © modesto, umile.
maèstra *s.f.* **1** insegnante INVER. allievo, alunno, scolaro **2** ♧ guida, esempio, modello.
maestrànze *s.f.pl.* operai, lavoratori, manodopera © padroni, padronato.
maestrìa *s.f.* **1** abilità, capacità, bravura, peri-

zia, sapienza © incapacità, imperizia **2** astuzia, scaltrezza © ingenuità, stupidità.

maèstro *s.m.* **1** insegnante, docente; (*di ballo, di nuoto ecc.*) istruttore INVER. allievo, alunno, scolaro **2** ideatore, fondatore INVER. discepolo, seguace **3** guida, esempio, modello **4** esperto, professionista © principiante **5** direttore d'orchestra **6** (*di vento*) maestrale ♦ *agg.* **1** (*di strada e sim.*) principale, maggiore © secondario, minore **2** abile, esperto, provetto © incapace, inetto, inesperto.

màfia *s.f.* **1** cosa nostra, onorata società IPON. camorra, 'ndrangheta, sacra corona unita **2** clan, cosca, combriccola, consorteria, cricca.

magàgna *s.f.* **1** difetto, imperfezione, neo, pecca **2** acciacco, malanno **3** ♧ colpa, difetto, vizio, fallo.

magazzìno *s.m.* **1** deposito, rimessa **2** (*spec. al pl.*) grande magazzino, supermercato.

maggiorànza *s.f.* **1** maggior parte, prevalenza, preponderanza © minoranza **2** (*in parlamento*) © minoranza, opposizione.

maggioràre *v.tr.* aumentare, alzare, gonfiare © ridurre, calare, abbassare.

maggiorazióne *s.f.* aumento, rialzo, rincaro © calo, riduzione, diminuzione, ribasso.

maggiordòmo *s.m.* **1** maître (*fr.*) **2** maestro di palazzo.

maggióre *agg.* **1** superiore © minore, inferiore **2** (*per importanza, fama ecc.*) principale, preminente, massimo **3** (*di figlio*) grande, primo © minore, piccolo ♦ *s.m.f.* **1** (*di figlio*) primogenito © minore **2** (*in una scala gerarchica*) superiore, capo © inferiore **3** (*elev.*; *spec. al pl.*) antenato, avo.

maggiorènne *agg., s.m.f.* © minorenne, minore.

maggiorènte *s.m.* (*spec. al pl.*) autorità, notabile, magnate.

maggioritàrio *agg.* prevalente, preponderante, predominante © minoritario.

magìa *s.f.* **1** stregoneria IPERON. occultismo IPON. negromanzia **2** incantesimo, fattura, maleficio, sortilegio **3** ♧ fascino, incanto, suggestione.

màgico *agg.* **1** incantato, fatato, stregato **2** ♧ straordinario, prodigioso **3** ♧ incantevole, affascinante, favoloso, suggestivo.

magistèro *s.m.* **1** insegnamento, ammaestramento **2** (*elev.*) bravura, capacità, maestria.

magistràle *agg.* **1** eccellente, magnifico, straordinario, eccezionale © insignificante, mediocre, pessimo **2** (*di tono e sim.*) severo, grave, solenne.

magistràto *s.m.* giudice; (*al pl.*) magistratura.

magistratùra *s.f.* potere giudiziario; magistrati.

màglia *s.f.* **1** intreccio, punto **2** pullover, golf, maglione; cardigan (*ingl.*); felpa; polo **3** (*sport*) casacca **4** (*indumento intimo*) maglietta, canottiera **5** (*di una catena*) anello.

magliétta *s.f.* T-shirt (*ingl.*); (*della salute*) canottiera.

maglióne *s.m.* maglia, pullover, golf.

màgma *s.m.* **1** IPON. lava **2** ♧ caos, confusione, disordine, coacervo.

magnanimità *s.f.* generosità, grandezza d'animo, liberalità, nobiltà © grettezza, meschinità.

magnànimo *agg.* generoso, prodigo, liberale © gretto, meschino.

magnàte *s.m.* industriale, finanziere, pezzo grosso, papavero, big (*ingl.*).

magnète *s.m.* calamita.

magnètico *agg.* **1** (*fis.*) magnetizzato © amagnetico **2** ♧ (*di sguardo e sim.*) ipnotico, irresistibile, seducente © ripugnante, repellente.

magnetìsmo *s.m.* **1** (*fis.*) attrazione **2** ♧ attrattiva, fascino, seduzione, charme (*fr.*).

magnetizzàre *v.tr.* **1** (*fis.*) calamitare © smagnetizzare **2** ♧ affascinare, avvincere, incantare, sedurre.

magnificàre *v.tr.* celebrare, esaltare, lodare, elogiare © denigrare, criticare, screditare.

magnìfico *agg.* **1** bellissimo, splendido, meraviglioso; grandioso, favoloso, eccezionale, fantastico © brutto, orrendo; misero, mediocre **2** generoso, liberale, munifico, prodigo, magnanimo © avaro, tirchio, taccagno, spilorcio, gretto.

magniloquènte *agg.* (*di stile e sim.*) ampolloso, enfatico, prolisso, retorico, ridondante © conciso, essenziale, scarno, stringato.

magniloquènza *s.f.* (*spec. spreg.*) ampollosità, prolissità, ridondanza, verbosità, enfasi © concisione, stringatezza, asciuttezza, laconicità.

màgo *s.m.* **1** stregone, indovino, veggente **2** prestigiatore, illusionista **3** guaritore **4** ♧ maestro, genio, artista.

màgra *s.f.* **1** (*di un fiume e sim.*) secca © piena **2** ♧ scarsezza, penuria, ristrettezza, crisi, carestia © abbondanza, ricchezza, profusione **3** (*colloq.*) brutta figura, figuraccia, gaffe (*fr.*) © figura, figurone.

magrézza *s.f.* **1** asciuttezza, gracilità, esilità, secchezza, snellezza © grassezza, floridezza, corpulenza, obesità, adipe, adiposità **2** (*di terreno*) aridità, improduttività, infertilità, sterilità © fecondità, fertilità, produttività **3** ♧ (*di risultato, di guadagno ecc.*) insufficienza, esiguità, scarsità, penuria.

màgro *agg.* **1** secco, sottile, asciutto, snello; emaciato, scheletrico, smunto, sottopeso (*med.*) ©

grasso, rotondo, corpulento, florido; (*med.*) sovrappeso **2** (*di cibo*) leggero, light (*ingl.*) © grasso **3** (*di terreno*) improduttivo, sterile, infecondo © fertile, produttivo **4** ♧ (*di risultato, di guadagno ecc.*) scarso, esiguo, insufficiente, povero, inconsistente, insignificante © ricco, abbondante, consistente, cospicuo, lauto **5** ♧ (*di figura e sim.*) meschino, misero.

maiàle *s.m.* **1** porco, suino **2** ♧ (*di persona*) sporco, sporcaccione, sudicione.

maître *s.m.invar.* (*fr.*) **1** direttore di sala, capocameriere, maître d'hôtel (*fr.*) **2** maggiordomo.

maîtresse *s.f.* (*fr.*) (*di bordello*) tenutaria, mezzana, ruffiana.

maiùscolo *agg.* grande (*colloq.*) © minuscolo, piccolo (*colloq.*).

make-up *s.m.invar.* (*ingl.*) trucco, maquillage (*fr.*).

malaccòrto *agg.* imprudente, avventato, sconsiderato, sprovveduto © accorto, prudente, avveduto.

malaféde *s.f.* ipocrisia, doppiezza, disonestà, slealtà © buonafede, lealtà, correttezza.

malagràzia *s.f.* **1** maleducazione, scortesia, cafonaggine, villania © educazione, garbo, gentilezza **2** goffaggine, ineleganza © grazia, eleganza, garbo.

malalìngua *s.f.* pettegolo, linguaccia, maldicente, calunniatore, diffamatore.

malandàto *agg.* **1** malconcio, malmesso, malridotto, consumato, rovinato; (*di indumento*) frusto, liso, logoro © integro, intatto **2** (*di persona, di salute ecc.*) malridotto, acciaccato, malato, malaticcio © sano, in forma.

malandrìno *s.m.* **1** bandito, brigante, furfante, malvivente; farabutto, mascalzone, canaglia, filibustiere **2** ♧ (*scherz.*) birbone, birba, briccone, discolo ♦ *agg.* (*di sguardo e sim.*) malizioso, birichino, sbarazzino.

malànimo *s.m.* antipatia, avversione, rancore, astio, risentimento, ostilità © benevolenza.

malànno *s.m.* **1** malattia, acciacco, accidente, indisposizione **2** guaio, disgrazia, sventura.

malàto *agg.* **1** ammalato, infermo © sano **2** (*di mente*) pazzo, folle **3** ♧ (*d'amore, di gelosia e sim.*) ossessionato, sconvolto, pazzo ♦ *s.m.* ammalato, infermo.

malattìa *s.f.* **1** infermità, male, patologia; acciacco, malanno, malessere **2** ♧ difetto, vizio **3** ♧ fissazione, mania, ossessione.

malauguràto *agg.* **1** infausto, funesto, nefasto © fortunato, propizio, di buon augurio **2** sfortunato, disgraziato, deprecabile spiacevole © fortunato, auspicabile.

malaugùrio *s.m.* maledizione © benedizione.

malavìta *s.f.* delinquenza, criminalità.

malcapitàto *agg., s.m.* disgraziato, infelice, sfortunato, sventurato © fortunato.

malcóncio *agg.* **1** malandato, malridotto, malmesso, rovinato, vecchio; (*di indumento*) liso, logoro © integro, nuovo **2** (*di salute, di persona ecc.*) malridotto, malaticcio, malato © sano.

malcontènto *s.m.* insoddisfazione, irritazione, malumore, scontentezza © soddisfazione

malcostùme *s.m.* corruzione, disonestà, immoralità © onestà, integrità.

maldèstro *agg.* incapace, inesperto; goffo, imbranato (*colloq.*) © esperto, capace; sciolto, disinvolto.

maldicènte *agg., s.m.f.* malalingua, pettegolo, linguaccia; calunniatore, diffamatore.

maldicènza *s.f.* **1** calunnia, diffamazione, denigrazione © elogio, lode **2** pettegolezzo, chiacchiera, malignità.

maldispósto *agg.* prevenuto, ostile, contrario, sfavorevole © bendisposto, favorevole.

màle[1] *avv.* **1** ingiustamente, inopportunamente, scorrettamente © bene, correttamente, giustamente **2** in malo modo, maleducatamente, sgarbatamente, scortesemente © bene, educatamente, gentilmente **3** negativamente, sfavorevolmente © bene, positivamente **4** imperfettamente, da cani, malamente, orribilmente © bene, perfettamente, attentamente, a regola d'arte.

màle[2] *s.m.* **1** disonestà, ingiustizia, peccato, vizio © bene, onestà, giustizia, virtù **2** danno, disgrazia, guaio, inconveniente, sventura **3** (*fisico*) dolore, sofferenza; fitta **4** malattia, malanno, malessere, disturbo, indisposizione **5** (*spirituale*) pena, angoscia, sofferenza, tormento **6** (*di droga e sim.*) piaga, peste, flagello, cancro, cancrena.

maledétto *agg.* **1** disgraziato, dannato, malaugurato, sciagurato © benedetto, propizio, felice **2** (*colloq.*) fastidioso, molesto, fottuto (*volg.*) **3** terribile, atroce, spaventoso, insopportabile ♦ *s.m.* (*spec. come ingiuria*) disgraziato, sciagurato, fetente, bastardo (*volg.*), figlio di puttana (*volg.*).

maledìre *v.tr.* **1** condannare, dannare, rinnegare © benedire **2** bestemmiare, imprecare © benedire.

maledizióne *s.f.* **1** dannazione, condanna, scomunica, anatema © benedizione **2** imprecazione, bestemmia **3** ♧ disgrazia, sciagura, catastrofe, rovina, castigo di Dio © benedizione, fortuna, manna.

maleducàto *agg., s.m.* sgarbato, scortese, villano, cafone, insolente, incivile, screanzato © educato, beneducato, cortese, civile, corretto.

maleducazióne *s.f.* scortesia, cafonaggine, cattive maniere, villania, ignoranza © buona educazione, cortesia, buone maniere, bon ton (*fr.*).
maleficio *s.m.* fattura, malocchio, magia, iettatura, sortilegio, stregoneria.
malèfico *agg.* cattivo, dannoso, nocivo, pericoloso © benefico, buono.
maleodorànte *agg.* puzzolente, fetido, pestilenziale © profumato, fragrante, odoroso.
malèssere *s.m.* **1** indisposizione, malore, malattia **2** disagio, inquietudine, turbamento, angoscia © serenità, pace, tranquillità.
malevolènza *s.f.* avversione, malanimo, astio, rancore, odio © benevolenza, simpatia.
malèvolo *agg.* maldisposto, ostile, avverso © benevolo, bendisposto.
malfamàto *agg.* (*di un locale, di un quartiere ecc.*) equivoco, mal frequentato.
malfàtto *agg.* **1** (*di lavoro e sim.*) grossolano, imperfetto, rozzo © benfatto, accurato, preciso **2** (*di persona, di corpo ecc.*) deforme, sproporzionato, goffo © aggraziato, benfatto, proporzionato.
malfattóre *s.m.* delinquente, farabutto, furfante, malvivente, mascalzone © galantuomo, onestuomo.
malférmo *agg.* **1** instabile, insicuro, vacillante © fermo, saldo, stabile **2** (*di voce e sim.*) debole, insicuro, tremante © fermo, sicuro **3** (*di salute*) delicato, cagionevole.
malfidàto *agg.* **1** diffidente, sospettoso © fiducioso **2** infido, malfido, sleale © fidato.
malformazióne *s.f.* anomalia, imperfezione, difetto, deformità.
malgàrbo *s.m.* rozzezza, scortesia, villania, maleducazione © garbo, cortesia, gentilezza.
malìa *s.f.* **1** incantesimo, maleficio, fattura, sortilegio, stregoneria **2** ♧ fascino, incanto, seduzione.
maliàrda *s.f.* **1** maga, strega, fattucchiera **2** ♧ (*donna affascinante*) seduttrice, circe, ammaliatrice, femme fatale (*fr.*), vamp (*ingl.*).
maliàrdo *agg.* (*di occhio, sguardo ecc.*) seducente, affascinante, incantatore.
malignàre *v.intr.* sparlare, spettegolare, dire peste e corna (*colloq.*).
malignità *s.f.* **1** cattiveria, malvagità, ostilità © bontà, benevolenza **2** pettegolezzo, insinuazione, maldicenza, cattiveria.
malìgno *agg.* **1** malizioso malevolo, cattivo, malvagio, perfido; acido, velenoso, ostile © benevolo, buono, benigno **2** (*di malattia e sim.*) incurabile, inguaribile © benigno, curabile ♦ *s.m.* (*per anton.*) diavolo, demonio, Satana, Lucifero.
malinconìa *s.f.* tristezza, infelicità, nostalgia, uggia, tedio; malumore © allegria, contentezza.
malincònico *agg.* triste, infelice, depresso, cupo, mesto; nostalgico, struggente © allegro, contento, felice, gioioso.
malintenzionàto *agg.* maldisposto, malevolo, ostile © benintenzionato, bendisposto, benevolo.
malintéso *agg.* equivocato, frainteso ♦ *s.m.* incomprensione, equivoco, fraintendimento, qui pro quo (*lat.*).
malìzia *s.f.* **1** malignità, cattiveria, disonestà © bontà **2** © candore, ingenuità, innocenza, purezza **3** astuzia, furbizia, scaltrezza **4** trucco, accorgimento, espediente, astuzia.
malizióso *agg.* **1** maligno, malevolo © buono, benevolo **2** (*di discorso e sim.*) allusivo, insinuante **3** (*di sguardo e sim.*) vivace, vispo, furbo; ammiccante, provocante.
malleàbile *agg.* **1** (*di materiale*) duttile, modellabile, plasmabile © rigido **2** ♧ (*di persona*) docile, arrendevole, duttile, flessibile, remissivo © duro, rigido, inflessibile, ostinato, testardo.
mallòppo *s.m.* (*gerg.*) refurtiva, bottino.
malmenàre *v.tr.* **1** picchiare, pestare, battere, menare (*colloq.*) **2** maltrattare, strapazzare.
malmésso *agg.* **1** malandato, malridotto, in cattive condizioni, rovinato; (*di indumento*) liso, logoro, frusto © intatto, integro, in buone condizioni, nuovo **2** (*di persona, di vestito*) sciatto, dimesso, trasandato © elegante, curato **3** (*di persona in cattive condizioni di salute*) malandato, malridotto, malaticcio, sciupato © sano, in forma.
malòcchio *s.m.* iattura, iettatura, sfortuna.
malóra *s.f.* rovina, fallimento, sfacelo, disastro.
malóre *s.m.* malessere, indisposizione, mancamento, svenimento.
malridótto *agg.* **1** malandato, malconcio; rovinato, sciupato, consumato; (*di vestito*) logoro, liso, sdrucito © nuovo, intatto, integro **2** (*di persona in cattive condizioni di salute*) malandato, male in arnese (*colloq.*), malaticcio © sano, in forma.
malsàno *agg.* **1** (*di aspetto e sim.*) cagionevole, malaticcio, malandato © sano **2** (*di clima, di ambiente ecc.*) nocivo, dannoso, insalubre © sano, salubre, salutare **3** ♧ immorale, vizioso, morboso, torbido © sano, innocente.
maltrattaménto *s.m.* (*spec. al pl.*) violenza, percossa, sevizia, angheria, vessazione; ingiuria, insulto, offesa.
maltrattàre *v.tr.* **1** strapazzare, bistrattare; picchiare, malmenare, pestare; (*a parole*) insultare, offendere © trattare bene, rispettare **2** (*un oggetto*) sciupare, rovinare.

malumóre *s.m.* **1** cattivo umore, umore nero (*colloq.*), nervosismo, scontentezza © buonumore, serenità **2** (*spec. al pl.*) incomprensione, dissapore, disaccordo, malinteso © intesa, comprensione **3** insoddisfazione, malcontento, tensione © soddisfazione, tranquillità.

malvàgio *agg.* **1** cattivo, crudele, feroce, perfido, maligno, scellerato, spietato, disumano, brutale, nefando, infame © buono, giusto, mite, nobile, onesto, umano, virtuoso **2** (*colloq.*; *di idea e sim.*) brutto, pessimo, cattivo © buono, bello.

malvagità *s.f.* cattiveria, crudeltà, ferocia, perfidia, spietatezza, brutalità, disumanità; (*di un'azione*) efferatezza, atrocità © bontà, bonarietà, mitezza, umanità.

malvìsto *agg.* sgradito, indesiderato, inviso, odiato © benvisto, benvoluto, gradito.

malvivènte *s.m.* delinquente, bandito, criminale, malfattore.

màmma *s.f.* (*colloq.*) madre, genitrice (*elev.*) **INVER.** figlia, figlio.

mammèlla *s.f.* seno, poppa (*colloq.*), tetta (*colloq.*).

management *s.m.invar.* (*ingl.*) **1** direzione, amministrazione, gestione **2** dirigenti, capi.

manager *s.m.f.invar.* (*ingl.*) **1** dirigente, direttore **2** (*di un artista e sim.*) agente, impresario.

manageriàle *agg.* direttivo, direzionale, dirigenziale.

manàta *s.f.* **1** colpo, botta, pacca **2** (*quantità*) manciata, pugno.

mancaménto *s.m.* malore, malessere, svenimento.

mancànza *s.f.* **1** assenza, carenza, deficienza, insufficienza, penuria, scarsità © abbondanza, ricchezza **2** colpa, errore, negligenza **3** difetto, lacuna, pecca.

mancàre *v.intr.* **1** scarseggiare, difettare © abbondare, sovrabbondare; avere, possedere **2** (*di tempo o spazio*) distare, intercorrere **3** venire meno; svenire, perdere i sensi © riaversi, rinvenire **4** (*eufem.*) scomparire, morire **5** (*a un obbligo, a una promessa ecc.*) venire meno, sottrarsi © rispettare, onorare, mantenere **6** sbagliare, errare, fallire **7** (*spec. in frasi negative*) tralasciare, trascurare; omettere ♦ *v.tr.* (*il bersaglio e sim.*) sbagliare, fallire © azzeccare, centrare.

manche *s.f.invar.* (*fr.*) prova, turno, eliminatoria; (*nelle carte*) mano, giro, partita.

manchevolézza *s.f.* **1** difetto, carenza, imperfezione © perfezione, completezza **2** scortesia, scorrettezza, sgarbo © correttezza, cortesia.

mància *s.f.* extra, buonamano (*raro*).

manciàta *s.f.* pugno, manata.

mancìno *agg.* **1** sinistro © destro **2** ♧ sleale, scorretto.

mandànte *s.m.f.* mandatario, emissario; (*di un delitto*) committente.

mandàre *v.tr.* **1** inviare, spedire, indirizzare © ricevere **2** (*un suono, una luce ecc.*) emettere, emanare **3** (*odore, fumo ecc.*) emanare, esalare.

mandàta *s.f.* **1** spedizione, invio **2** (*di chiave*) giro.

mandàto *s.m.* **1** incarico **2** (*dir.*) ordine, ingiunzione **3** (*dir.*) delega, procura.

mandìbola *s.f.* mascella.

màndria *s.f.* **1** branco, armento **2** (*spreg.*) banda, branco, gruppo, orda, torma, squadra.

mandriàno *s.m.* bovaro, vaccaro **IPON.** (*maremmano*) buttero; (*nordamericano*) cow-boy (*ingl.*); (*argentino*) gaucho (*sp.*).

maneggévole *agg.* comodo, pratico, semplice © scomodo, ingombrante.

maneggiàre *v.tr.* **1** adoperare, usare **2** (*la creta, la cera ecc.*) lavorare, modellare, manipolare, trattare **3** ♧ (*denaro e sim.*) amministrare, manovrare.

manéggio *s.m.* **1** (*spec. al pl.*) manovra, intrallazzo, intrigo, trama **2** (*equit.*) galoppatoio.

maneggióne *s.m.* intrallazzatore, faccendiere, imbroglione, trafficone.

manésco *agg.* violento, attaccabrighe, rissoso © mite, pacifico.

manfòrte *s.f.* aiuto, appoggio, sostegno.

manganèllo *s.m.* mazza, randello; (*della polizia*) sfollagente.

mangeréccio *agg.* commestibile, mangiabile © immangiabile, non commestibile, incommestibile.

mangiàre[1] *v.tr.* **1** nutrirsi, alimentarsi, cibarsi; (*con avidità o abbondantemente*) abbuffarsi, banchettare, divorare, imbottirsi, spazzolare (*colloq.*), rimpinzarsi, strafogarsi (*colloq.*); (*a piccoli bocconi*) mangiucchiare, piluccare, sbocconcellare, spilluzzicare **2** (*consumare un pasto*) pranzare, cenare; pasteggiare **3** (*di topi e sim.*) rosicchiare; (*di ruggine e sim.*) corrodere; (*di motore e sim.*) consumare; (*di zanzare e sim.*) pungere **4** ♧ (*le parole*) saltare, omettere, smozzicare (*colloq.*) **5** ♧ (*i risparmi e sim.*) dilapidare, dissipare, consumare, sperperare **6** rubare, grattare (*colloq.*), arricchirsi **7** (*negli scacchi e sim.*) prendere, eliminare.

mangiàre[2] *s.m.* cibo, pietanza, vivanda, pasto, alimento, desinare (*elev.*).

mangiàta *s.f.* abbuffata, scorpacciata, indigestione.

mangiatóia *s.f.* **1** greppia, trogolo (*per maiali*) **2** (*scherz.*) tavola, mensa **3** ♧ (*spreg.*) mangeria, ruberia, mangia mangia.

mangìme *s.m.* (*per uccelli*) becchime; (*per bovini*) foraggio, biada; (*per maiali*) pastone.

mangióne *s.m.* buona forchetta, ghiottone, golosone.

mangiucchiàre *v.tr.* spilluzzicare, piluccare, sbocconcellare.

manìa *s.f.* **1** fissazione, idea fissa, fisima, chiodo fisso, paranoia (*colloq.*) **2** capriccio, ghiribizzo, pallino **3** abitudine, ticchio, vezzo.

maniacàle *agg.* **1** maniaco **2** morboso, ossessivo, insano, smodato.

manìaco *agg., s.m.* **1** (*psic.*) folle, pazzo, squilibrato; (*sessuale*) pervertito **2** fissato, fanatico; appassionato, patito.

mànica *s.f.* ♧ (*spreg.*; *di incompetenti e sim.*) gruppo, banda, branco, accozzaglia.

manicarétto *s.m.* ghiottoneria, squisitezza, prelibatezza, leccornia.

manichìno *s.m.* **1** fantoccio; burattino, marionetta, pupazzo **2** ♧ damerino, figurino, dandy (*ingl.*).

mànico *s.m.* impugnatura, maniglia (*di valigia*), bastone (*di scopa*).

manicòmio *s.m.* **1** ospedale psichiatrico **2** ♧ gabbia di matti, bolgia; caos, confusione, disordine, babele.

manièra *s.f.* **1** modo; costume, foggia, uso **2** (*spec. al pl.*) modi; educazione **3** (*di un pittore e sim.*) stile, scuola, tecnica.

manieràto *agg.* **1** affettato, artificioso, studiato, lezioso © naturale, spontaneo **2** (*di un artista, di un'opera d'arte ecc.*) convenzionale, di maniera.

manierìsmo *s.m.* artificiosità, convenzionalismo © naturalezza, semplicità.

manifattùra *s.f.* **1** lavorazione, fabbricazione **2** fabbrica, stabilimento.

manifestànte *s.m.f.* dimostrante.

manifestàre *v.tr.* dimostrare, esprimere, esternare, palesare © nascondere, celare ♦ *v.intr.* dimostrare, scendere in piazza ♦ **manifestarsi** *v.pr.* mostrarsi, rivelarsi, apparire; (*spec. di malattia*) insorgere, sopraggiungere © scomparire.

manifestazióne *s.f.* **1** espressione, dimostrazione, rivelazione; (*di una malattia*) insorgenza © scomparsa **2** dimostrazione, corteo; meeting (*ingl.*) **3** evento, spettacolo.

manifestìno *s.m.* volantino.

manifèsto[1] *agg.* chiaro, evidente, palese; noto, notorio; visibile, tangibile © nascosto, latente; misterioso, segreto; ambiguo, velato, tacito.

manifèsto[2] *s.m.* **1** cartellone, locandina; avviso, cartello; poster (*ingl.*), affiche (*fr.*) **2** (*di un movimento politico, culturale ecc.*) programma.

manìglia *s.f.* manico, presa.

manigóldo *s.m.* farabutto, furfante, mascalzone, delinquente © galantuomo, onestuomo.

manipolàre *v.tr.* **1** (*la creta e sim.*) impastare, maneggiare, modellare; lavorare, trattare **2** (*med.*) massaggiare **3** (*il vino e sim.*) adulterare, sofisticare **4** ♧ (*una notizia e sim.*) alterare, addomesticare, contraffare, distorcere, rielaborare, rimaneggiare **5** ♧ condizionare, influenzare, manovrare.

manipolazióne *s.f.* **1** adulterazione, contraffazione, falsificazione; (*di cibo*) adulterazione, sofisticazione **2** (*med.*) massaggio.

manìpolo *s.m.* (*di uomini, di soldati*) gruppo, drappello.

maniscàlco *s.m.* fabbro.

mànna *s.f.* **1** ♧ benedizione, fortuna, provvidenza **2** prelibatezza, squisitezza.

mannàia *s.f.* **1** scure **2** ghigliottina.

mannequin *s.f.invar.* (*fr.*) modella, indossatrice.

màno *s.f.* **1** ♧ tocco, stile, impronta **2** (*di vernice, ecc.*) strato, passata **3** (*nel gioco delle carte*) giro, girata, manche (*fr.*) **4** (*colloq.*; *al pl.*) manicure.

manodòpera *s.f.* lavoratori, forza lavoro.

manométtere *v.tr.* **1** alterare, manipolare; (*una serratura e sim.*) danneggiare, forzare **2** ♧ offendere, violare, profanare.

manomissióne *s.f.* alterazione, manipolazione; (*di una serratura e sim.*) forzatura, scasso.

manòpola *s.f.* **1** pomello, pomolo **2** impugnatura **3** muffola.

manoscrìtto *agg.* © dattiloscritto, stampato ♦ *s.m.* **1** (*di un autore*) originale, autografo **2** (*paleogr.*) codice.

manovàle *s.m.f.* garzone, operaio.

manovèlla *s.f.* leva, manopola.

manòvra *s.f.* **1** (*di macchina e sim.*) movimento, spostamento **2** (*mil.*) operazione, esercitazione **3** (*nel calcio*) azione **4** ♧ complotto, intrigo, intrallazzo, maneggio, macchinazione.

manovràre *v.tr.* **1** azionare, guidare, condurre **2** ♧ guidare, dirigere, influenzare, manipolare ♦ *v.intr.* ♧ tramare, brigare, macchinare.

manovratóre *s.m.* guidatore, conducente.

manrovèscio *s.m.* schiaffo, ceffone, sberla.

mansàrda *s.f.* sottotetto, soffitta, solaio.

mansióne *s.f.* compito, incarico, carica, funzione, ufficio.

mansuèto *agg.* **1** (*di animale*) docile, innocuo, inoffensivo; domestico © aggressivo, feroce, selvatico **2** (*di persona*) dolce, mite, pacifico, tranquillo © aggressivo, violento, nervoso.

mansuetùdine *s.f.* **1** (*di animale*) docilità, mitezza © aggressività, ferocia **2** (*di persona*) dolcezza, arrendevolezza, mitezza, bonarietà © aggressività, prepotenza, rissosità.

mantèllo *s.m.* **1** cappa, manto, mantella; cappotto, soprabito, pastrano **2** (*di neve e sim.*) strato, coltre, tappeto **3** (*dei mammiferi*) manto, pelame, pelo, pelliccia.

mantenére *v.tr.* **1** conservare, tenere © perdere, lasciare, cedere **2** (*una promessa e sim.*) rispettare, tener fede, onorare, osservare © tradire; mancare, venir meno; rimangiare **3** sostentare, sfamare, farsi carico **4** finanziare, sostenere, sovvenzionare ♦ **mantenersi** *v.pr.* **1** sostentarsi, nutrirsi; vivere, campare **2** (*in forma e sim.*) conservarsi, tenersi, tenersi **3** (*di tempo atmosferico e sim.*) restare, rimanere, persistere.

manteniménto *s.m.* **1** conservazione, difesa, protezione, salvaguardia **2** (*di una promessa e sim.*) rispetto, osservanza **3** sostentamento, alimentazione, nutrimento.

mànto *s.m.* **1** IPERON. mantello **2** (*di neve e sim.*) strato, coltre **3** ♧ apparenza, veste **4** (*di animale*) mantello, pelame.

manuàle[1] *agg.* **1** (*di lavoro*) fisico; artigianale © intellettuale **2** (*di comandi*) a mano © automatico.

manuàle[2] *s.m.* guida, prontuario, trattato, vademecum.

manufàtto *agg.* artigianale, fatto a mano © industriale ♦ *s.m.* prodotto, manifattura.

manutenzióne *s.f.* mantenimento, conservazione; gestione.

mànzo *s.m.* vitellone.

màppa *s.f.* **1** carta topografica, carta geografica, cartina, carta, pianta **2** ♧ (*di un fenomeno sociale e sim.*) quadro.

mappamóndo *s.m.* globo terrestre; planisfero.

maquillage *s.m.invar.* (*fr.*) trucco, make-up (*ingl.*).

marachèlla *s.f.* birbonata, birichinata, ragazzata.

maràsma *s.m.* crisi, confusione, disordine, caos, anarchia, casino (*colloq.*).

màrca *s.f.* **1** marchio, etichetta, contrassegno **2** marchio, firma, griffe (*fr.*); ditta, casa, azienda **3** contromarca.

marcàre *v.tr.* **1** contrassegnare, segnare; bollare, marchiare, timbrare **2** sottolineare, evidenziare **3** (*un dato, una misura ecc.*) misurare, rilevare.

marcàto *agg.* **1** segnato, bollato **2** accentuato, pronunciato, evidente © vago, indistinto, indefinito.

marcatùra *s.f.* bollatura, timbratura; bollo.

marchiàre *v.tr.* **1** contrassegnare, segnare, etichettare **2** ♧ bollare, etichettare.

marchingégno *s.m.* **1** arnese, aggeggio; congegno, meccanismo **2** ♧ espediente, trucco, stratagemma, trovata.

màrchio *s.m.* **1** segno, marca, etichettatura, stampigliatura **2** ♧ segno, impronta, caratteristica **3** (*di un prodotto commerciale*) marca.

màrcia *s.f.* **1** cammino, camminata, scarpinata (*colloq.*) **2** corteo, manifestazione, sfilata **3** (*mecc.*) rapporto **4** (*di un meccanismo, di una macchina ecc.*) funzionamento, regime.

marciàre *v.intr.* **1** camminare, avanzare, procedere © fermarsi, arrestarsi **2** (*di veicolo*) andare, procedere, viaggiare **3** (*di meccanismo e sim.*) funzionare, andare © bloccarsi.

màrcio *agg.* **1** putrido, guasto, andato a male © fresco **2** (*di legno*) fradicio **3** (*colloq.*) infetto, purulento; (*di dente*) cariato, guasto **4** ♧ corrotto, immorale, depravato, vizioso ♦ *s.m.* **1** marciume, putridume; pus, materia **2** ♧ corruzione, degenerazione, disonestà, marciume © onestà, integrità.

marcìre *v.intr.* **1** andare a male, avariarsi, deteriorarsi, decomporsi, imputridire **2** (*di ferita*) imputridire, suppurare **3** (*di legno e sim.*) infradiciarsi, bagnarsi **4** ♧ consumarsi, languire.

marciùme *s.m.* **1** marcio, putridume **2** ♧ corruzione, degenerazione, immoralità, marcio © onestà, integrità.

màre *s.m.* **1** (*di sabbia*) distesa **2** ♧ marea, fiume, moltitudine.

marèa *s.f.* ♧ mare, fiume, mucchio, montagna, valanga, moltitudine, caterva, casino (*colloq.*).

mareggiàta *s.f.* burrasca, tempesta © bonaccia.

marétta *s.f.* ♧ agitazione, fermento, nervosismo, tensione © calma, quiete, pace.

marginàle *agg.* **1** periferico © centrale **2** ♧ secondario, collaterale, di secondo piano, irrilevante, trascurabile © centrale, essenziale, principale, sostanziale.

màrgine *s.m.* **1** bordo, contorno; ciglio, orlo; confine, estremità, limite **2** (*di un foglio e sim.*) bordo, contorno, marginatura **3** ♧ (*di tempo, di guadagno ecc.*) disponibilità **4** (*di azione*) possibilità, spazio.

marijuana *s.f.invar.* (*sp.*) canapa indiana, cannabis (*bot.*), erba (*gerg.*).

marìna *s.f.* **1** costa, litorale, riva, spiaggia **2** flotta **3** marina militare.

marinàio *s.m.* marittimo; mozzo; navigante, navigatore, lupo di mare.

marinàre *v.tr.* **1** macerare **2** ♧ (*la scuola*) saltare, bigiare (*lomb.*), fare forca (*tosc.*).

marinarésco *agg.* marinaro; navale, marittimo, nautico.

marìno *agg.* marinaro, marinaresco; marittimo, nautico.
marionétta *s.f.* **1** burattino, pupo **2** ♧ (*di persona senza volontà*) burattino, fantoccio, pedina.
maritàre *v.tr.* (*una donna*) sposare, accasare, sistemare ⧫ **maritarsi** *v.pr.* sposarsi.
marìto *s.m.* coniuge, consorte, sposo **INVER.** moglie.
marìttimo *agg.* marino, marinaro, marinaresco; navale, nautico ⧫ *s.m.* marinaio; portuale.
market *s.m. invar.* (*ingl.*) supermercato, supermarket (*ingl.*), mercato.
marmàglia *s.f.* **1** gentaglia, teppa, plebaglia **2** (*scherz.*) banda, combriccola, ciurma.
marmellàta *s.f.* confettura, composta.
marmòcchio *s.m.* bambino, moccioso.
maróso *s.m.* onda, cavallone, flutto (*elev.*).
marpióne *s.m.* (*colloq.*) furbo, dritto.
marróne *s.m.* castagna ⧫ *agg.* castano, bruno, testa di moro.
marsìna *s.f.* frac (*fr.*); coda di rondine.
martellànte *agg.* insistente, ossessivo, persistente; fastidioso, seccante.
martellàre *v.tr.* **1 IPERON.** battere, percuotere **2** ♧ affliggere, angosciare, tormentare, torturare **3** (*di domande e sim.*) incalzare, bombardare, tempestare ⧫ *v.intr.* battere, pulsare.
martellàta *s.f.* ♧ colpo; bastonata, legnata, mazzata; batosta, disgrazia.
martèllo *s.m.* **1** maglio, mazza, mazzuolo **2** (*della porta*) battente, batacchio, battiporta; (*della campana*) batacchio, battaglio **3** ♧ assillo, ossessione, tormento.
màrtire *s.m.f.* **1** (*relig.*) testimone della fede **2** (*di guerra*) caduto **3** ♧ vittima, perseguitato.
martìrio *s.m.* **1** (*relig.*) sacrificio, supplizio, tortura, tormento **2** ♧ sofferenza, dolore, pena, tormento **3** ♧ noia, fastidio, tormento, tortura.
martirizzàre *v.tr.* **1** torturare, seviziare, martoriare, tormentare **2** ♧ affliggere, angosciare, assillare, tormentare, mettere in croce.
marziàle *agg.* **1** bellico, guerresco; militare **2** ♧ (*di passo, di atteggiamento ecc.*) energico, fiero, militaresco.
marziàno *agg., s.m.* **1** alieno, extraterrestre, ufo **2** (*colloq.*) eccentrico, strano, anticonformista, stravagante.
mascalzonàta *s.f.* bricconata, canagliata, carognata, cattiveria.
mascalzóne *s.m.* canaglia, delinquente, farabutto, furfante, lazzarone.
mascèlla *s.f.* mandibola.
màschera *s.f.* **1 IPON.** mascherina **2** costume, travestimento **3** ♧ finzione, apparenza, immagine **4** ♧ (*teatr.*) personaggio **5** (*nei cinema e nei teatri*) inserviente.
mascheràre *v.tr.* **1** travestire, camuffare **2** coprire, nascondere, celare, dissimulare © mostrare, scoprire **3** ♧ (*la rabbia, l'odio e sim.*) dissimulare, nascondere © mostrare, esprimere, rivelare ⧫ **mascherarsi** *v.pr.* **1** vestirsi in maschera, travestirsi **2** ♧ fingersi, camuffarsi, spacciarsi © rivelarsi, svelarsi, palesarsi, gettare la maschera.
mascheràta *s.f.* buffonata, carnevalata, pagliacciata.
maschìle *agg.* maschio, mascolino, virile © femminile, femmineo, donnesco, muliebre ⧫ *s.m.* © femminile.
maschilìsmo *s.m.* antifemminismo, sessismo, fallocrazia.
maschilìsta *agg., s.m.f.* antifemminista, fallocratico, sessista.
màschio *s.m.* **1** (*biol.*) © femmina **2** uomo; ragazzo; bambino © femmina; donna; ragazza; bambina ⧫ *agg.* **1** maschile, mascolino, virile © femminile, femmineo **2** forte, vigoroso © debole, effeminato.
mascolìno *agg.* maschile, maschio, virile © femminile, effeminato, femmineo.
mascotte *s.f.invar.* (*fr.*) portafortuna.
masnàda *s.f.* gruppo, banda, ciurma.
masochìsmo *s.m.* **1** (*psic.*) © sadismo **2** autolesionismo.
masochìsta *s.m.f.* **1** (*psic.*) © sadico **2** autolesionista.
màssa *s.f.* **1** volume **2** mucchio, quantità, cumulo, caterva, moltitudine; blocco **3** (*sociol.*) collettività, popolo © individuo, singolo **4** folla, moltitudine **5** maggioranza © minoranza.
massacrànte *agg.* duro, faticoso, estenuante, sfibrante, snervante © leggero, rilassante, riposante.
massacràre *v.tr.* **1** ammazzare, uccidere, sterminare, trucidare **2** picchiare, battere, pestare **3** ♧ stremare, logorare, sfiancare, estenuare **4** ♧ rovinare, sciupare, danneggiare.
massàcro *s.m.* **1** eccidio, strage, carneficina, bagno di sangue, ecatombe **2** ♧ disastro, sfacelo, rovina.
massaggiàre *v.tr.* strofinare, frizionare, sfregare, manipolare (*med.*).
massaggiatóre *s.m.* massoterapista.
massàggio *s.m.* frizione, strofinamento, manipolazione (*med.*); massoterapia.
massàia *s.f.* casalinga, donna di casa.
masserìa *s.f.* fattoria, podere, tenuta.
masserìzie *s.f.pl.* suppellettili, mobili, mobilia.

massìccio *agg.* **1** (*di oro, di legno*) pieno **2** (*di edificio e sim.*) solido, resistente **3** (*di persona*) grosso, robusto, imponente, corpulento © magro, sottile, esile, snello **4** ♧ (*di partecipazione e sim.*) imponente, ingente, grande, importante © inconsistente, trascurabile, piccolo ♦ *s.m.* montagna.

massificàre *v.tr.* uniformare, livellare, standardizzare, appiattire, spersonalizzare © diversificare, differenziare, personalizzare.

massificazióne *s.f.* livellamento, appiattimento, uniformazione, standardizzazione © diversificazione, differenziazione.

màssima *s.f.* **1** regola, principio, norma **2** aforisma, detto, motto; proverbio, sentenza.

massimalìsmo *s.m.* estremismo, intransigenza, radicalismo; dogmatismo, integralismo © minimalismo, moderatismo.

màssimo *agg.* assoluto, estremo, sommo, supremo © minimo, infimo ♦ *s.m.* apice, vetta, vertice, top (*ingl.*) sommo; optimum (*lat.*), maximum (*lat.*), ideale, non plus ultra (*lat.*) © minimo.

mass media *s.m.pl.* media, mezzi di comunicazione, mezzi di comunicazione di massa **IPON.** radio, stampa, televisione.

màsso *s.m.* roccia, pietra, macigno, sasso.

masticàre *v.tr.* **1** triturare; mordicchiare **2** ♧ biascicare, borbottare, farfugliare; (*una lingua*) biascicare.

mastodòntico *agg.* enorme, gigantesco, colossale, immane, immenso, smisurato, sproporzionato © minuscolo, minuto, microscopico.

masturbazióne *s.f.* autoerotismo, onanismo (*med.*); (*volg.*) sega, pippa, pugnetta.

matàssa *s.f.* intrico, groviglio, imbroglio, viluppo.

match *s.m.invar.* (*ingl.*) incontro, gara, partita.

matemàtica *s.f.* **IPON.** aritmetica, geometria, algebra.

matemàtico *agg.* **1** aritmetico **2** ♧ esatto, preciso, rigoroso, assoluto, inconfutabile.

matèria *s.f.* **1** sostanza **2** argomento, soggetto, contenuto **3** (*d'insegnamento e sim.*) disciplina **4** occasione, motivo, causa, pretesto.

materiàle *agg.* **1** sensibile **2** concreto, reale, corporeo, tangibile © immateriale, spirituale, astratto, incorporeo **3** effettivo, concreto **4** rozzo, grossolano, volgare © fine, raffinato ♦ *s.m.* **1** materia, sostanza, elemento **2** attrezzatura, strumenti, strumentazione **3** dati, notizie, documenti.

materialìsmo *s.m.* **1** pragmatismo, realismo © idealismo, spiritualismo **2** edonismo, epicureismo.

materialità *s.f.* **1** concretezza, corporeità, fisicità © immaterialità, astrattezza **2** grossolanità, rozzezza, prosaicità, volgarità © finezza, educazione, gentilezza, raffinatezza.

materializzàre *v.tr.* concretizzare, realizzare ♦ **materializzarsi** *v.pr.* **1** apparire, comparire; (*di fantasma e sim.*) incarnarsi © smaterializzarsi, scomparire **2** realizzarsi, concretizzarsi, prendere corpo.

maternità *s.f.* **1** gravidanza, parto **2** (*reparto ospedaliero*) ostetricia **3** © paternità.

matèrno *agg.* **1** **INVER.** filiale **2** ♧ affettuoso, dolce, comprensivo, premuroso **3** (*di parentela*) © paterno.

matrìce *s.f.* **1** forma, modello, stampo **2** (*di bollette, assegni ecc.*) madre **3** ♧ origine, radice, causa, fonte, provenienza.

matrìcola *s.f.* **1** **IPON.** registro, ruolo, albo; numero di matricola **2** novellino, principiante, pivello, recluta © vecchio, veterano, anziano.

matrimoniàle *agg.* **1** coniugale; nuziale **2** (*di letto, lenzuola ecc.*) a due piazze, doppio, grande.

matrimònio *s.m.* nozze, sposalizio © separazione, divorzio.

mattatóio *s.m.* macello.

mattatóre *s.m.* (*teatr.*) protagonista, primo attore.

mattìna *s.f.* mattino © pomeriggio, sera.

mattinàta *s.f.* **1** mattina, mattino **2** (*di spettacolo e sim.*) matinée (*fr.*).

mattìno *s.m.* mattina, mattinata.

màtto *agg., s.m.* **1** folle, pazzo, squilibrato, malato di mente, psicopatico, alienato (*psic.*) © sano di mente, savio **2** bizzarro, stravagante, balzano, bislacco, irrazionale © misurato, razionale ♦ *agg.* **1** (*del tempo*) instabile, variabile © stabile **2** ♧ (*di sentimento, di desiderio ecc.*) enorme, folle, incontenibile, straordinario **3** (*di oro, di gioiello ecc.*) falso © autentico.

mattóne *s.m.* **1** **IPERON.** laterizio **2** ♧ (*di cosa o persona noiosa*) palla (*colloq.*), rottura (*colloq.*), noia, pizza (*colloq.*), seccatura.

mattonèlla *s.f.* piastrella, maiolica, pianella.

mattutìno *agg.* antimeridiano.

maturàre *v.intr.* **1** (*di persona*) crescere, svilupparsi; migliorare **2** (*di formaggio, di prosciutto ecc.*) stagionarsi, invecchiare **3** ♧ (*di situazione e sim.*) svilupparsi, evolversi **4** (*di pustola, di ascesso*) suppurare ♦ *v.tr.* (*una decisione, un progetto ecc.*) concepire, elaborare, sviluppare.

maturazióne *s.f.* **1** (*di un frutto*) maturità © acerbità **2** (*di formaggi e sim.*) stagionatura **3** ♧ (*di una persona*) crescita, sviluppo, maturità **4** (*di una pustola, di un ascesso*) suppurazione.

maturità *s.f.* **1** (*di frutto*) maturazione © acerbità **2** età adulta **3** ♧ equilibrio, responsabilità, saggezza © immaturità, infantilismo, avventatezza **4** esame di maturità; diploma.
matùro *agg.* **1** (*di frutto*) © acerbo; verde **2** (*di persona*) adulto **3** ♧ equilibrato, saggio, assennato, responsabile © immaturo, infantile, irresponsabile **4** (*di decisione, di giudizio ecc.*) attento, meditato, serio © improvvisato, superficiale **5** (*di situazione, di tempi ecc.*) adatto, opportuno © immaturo, inadatto, inopportuno **6** (*di formaggio*) stagionato; (*di vino*) invecchiato.
mausolèo *s.m.* sepolcro, tomba.
màzza *s.f.* bastone, randello, clava.
mazzàta *s.f.* **1** bastonata, legnata, randellata **2** ♧ colpo, batosta, botta, legnata, débâcle (*fr.*).
mazzétta *s.f.* bustarella, tangente.
màzzo[1] *s.m.* (*di fiori*) fascio.
màzzo[2] *s.m.* (*volg.*) deretano, sedere, posteriore, culo (*volg.*).
meàndro *s.m.* **1** (*dei fiumi*) ansa, curva, tortuosità **2** ♧ (*spec. al pl.*) tortuosità, intrico, groviglio.
meccànica *s.f.* **1** IPERON. fisica **2** (*di un orologio, di un motore*) meccanismo **3** ♧ dinamica, processo, sviluppo, svolgimento.
meccànico *agg.* **1** automatico © manuale **2** ♧ automatico, inconscio, involontario © volontario ♦ *s.m.* operaio, tecnico.
meccanìsmo *s.m.* **1** dispositivo, apparecchio **2** funzionamento, meccanica **3** ♧ funzionamento, meccanica, processo, sistema.
meccanizzàre *v.tr.* automatizzare; computerizzare, robotizzare.
mecenàte *s.m.f.* protettore, sponsor (*ingl.*).
mèche *s.f.invar.* (*fr.*) colpi di sole, colpi di luce, riflessi.
medàglia *s.f.* distintivo, onorificenza, decorazione.
medésimo *agg.* stesso, identico, uguale © altro, diverso, differente, distinto.
mèdia *s.m.pl.* mass media.
medianico *agg.* paranormale, extrasensoriale.
mediàno *agg.* medio, intermedio, centrale ♦ *s.m.* (*nel calcio*) centrocampista.
mediàre *v.tr.* conciliare, comporre ♦ *v.intr.* interporsi.
mediàto *agg.* indiretto, interposto © immediato, diretto.
mediatóre *s.m.* intermediario.
mediazióne *s.f.* intercessione, intermediazione.
medicaménto *s.m.* farmaco, medicina.
medicàre *v.tr.* **1** disinfettare, sterilizzare; bendare, fasciare **2** ♧ alleviare, lenire, mitigare.
medicìna *s.f.* **1** farmaco, medicinale, medicamento, rimedio **2** ♧ cura, rimedio, balsamo, panacea, sollievo, conforto, toccasana.
medicinàle *agg.* curativo, terapeutico ♦ *s.m.* farmaco, medicina.
mèdico *s.m.* dottore, clinico; (*dell'ospedale*) camice bianco ♦ *agg.* medicinale, terapeutico.
mèdio *agg.* **1** mediano, intermedio, centrale **2** comune, normale, regolare **3** (*di persona*) insignificante, mediocre, ordinario.
mediòcre *agg.* **1** (*di guadagno, di risultato ecc.*) piccolo, scarso, modesto, insignificante, magro © ottimo, ricco, eccellente, straordinario **2** (*di cosa*) scadente, ordinario **3** (*di persona*) incapace, inetto, limitato © dotato, brillante, eccellente ♦ *s.m.f.* inetto, incapace, mezzacalzetta (*colloq.*) © genio, campione, talento.
mediocrità *s.f.* **1** inettitudine, inefficienza © abilità, eccellenza, genialità **2** banalità, grigiore, piattezza © originalità, singolarità, eccezionalità **3** (*di persona*) inetto, incapace, mezzacalzetta (*colloq.*) © genio, campione, talento.
meditabóndo *agg.* assorto, pensoso, pensieroso © spensierato, svagato.
meditàre *v.tr.* **1** considerare, pensare, ponderare, riflettere, lambiccarsi il cervello **2** preparare, progettare, architettare, tramare ♦ *v.intr.* pensare, riflettere, studiare.
meditàto *agg.* **1** ponderato, pensato, soppesato, valutato, maturato © estemporaneo, precipitoso, superficiale **2** preparato, architettato, progettato © improvvisato, spontaneo.
meditazióne *s.f.* **1** riflessione, considerazione, ponderazione, valutazione **2** (*spirituale, religiosa*) contemplazione, raccoglimento.
mèdium *s.m.f.invar.* sensitivo.
meeting *s.m.invar.* (*ingl.*) congresso, convegno, raduno, incontro, riunione.
megalomanìa *s.f.* mania di grandezza.
megèra *s.f.* strega, arpia.
mélange *s.m.invar.* (*fr.*) mescolanza, miscuglio, misto, mistura.
melènso *agg.* **1** (*di persona*) tardo, lento, ottuso © acuto, sveglio **2** (*di discorso e sim.*) insulso, insignificante, vuoto, sciocco **3** (*di atteggiamento*) caramelloso, mieloso, mellifluo, lezioso, stucchevole.
mellìfluo *agg.* **1** sdolcinato, lezioso, svenevole; falso, ambiguo, ipocrita © franco, sincero, schietto **2** (*di atteggiamento*) caramelloso, mieloso, melenso, lezioso, stucchevole.
mélma *s.f.* **1** fanghiglia, fango, limo **2** corruzione, sfacelo, abiezione **3** feccia, marmaglia.
melmóso *agg.* fangoso, torbido, limaccioso © chiaro, limpido, trasparente.

melodìa *s.f.* **1** motivo, aria **2** (*di suoni, di voci ecc.*) armonia, musicalità.
melodióso *agg.* armonioso, melodico, musicale, dolce, soave.
melodrammàtico *agg.* ♧ teatrale, enfatico, esagerato, passionale © controllato, misurato, pacato.
melting pot *s.m.invar.* (*ingl.*) mescolanza, miscuglio, commistione.
membràna *s.f.* **1** pellicola **2** (*anat.*) cuticola, pannicolo, foglietto, lamina.
mèmbro *s.m.* **1** IPON. arto, estremità **2** pene, fallo, cazzo (*volg.*), uccello (*volg.*) **3** componente; iscritto, associato, affiliato, socio.
memoràbile *agg.* storico, epico, mitico, indimenticabile, straordinario, solenne.
memoràndum *s.m.* (*lat.*) **1** promemoria, appunto, nota, memoria **2** block-notes, notes, taccuino.
memòria *s.f.* **1** mente, testa **2** ricordo, reminescenza, rievocazione © oblio, dimenticanza **3** (*al pl.*) autobiografia, confessioni, diario, memoriale **4** documento, testimonianza, traccia **5** annotazione, appunto, promemoria **6** (*di un computer*) RAM.
memoriàle *s.m.* **1** autobiografia, confessioni, memorie **2** rapporto, relazione, resoconto **3** istanza, domanda, petizione, supplica.
memorizzàre *v.tr.* **1** imparare a memoria, mandare a memoria, ricordare, ritenere © dimenticare, scordare **2** (*inform.*) registrare, archiviare.
ménage *s.m.invar.* (*fr.*) **1** andamento domestico **2** routine (*fr.*), quotidianità, tran tran.
menagràmo *s.m.f.invar.* iettatore, gufo (*colloq.*).
menàre *v.tr.* **1** (*raro*) condurre, portare, guidare **2** (*la coda*) muovere, agitare **3** (*colpi, bastonate e sim.*) dare, assestare, mollare (*colloq.*) **4** (*colloq.*) picchiare, battere, malmenare ♦ **menarsi** *v.pr.* picchiarsi, darsele, azzuffarsi, venire alle mani.
menàta *s.f.* (*colloq.*) lagna, lamentela; noia, seccatura, solfa, rottura di scatole (*colloq.*).
mendàce *agg.* bugiardo, menzognero, falso © veritiero, sincero.
mendicànte *s.m.f.* accattone, barbone, clochard (*fr.*).
mendicàre *v.tr.* **1** chiedere l'elemosina, elemosinare, questuare (*raro*) **2** invocare, supplicare, elemosinare.
menefreghìsmo *s.m.* disinteresse, indifferenza, noncuranza © cura, impegno, interesse.
menefreghìsta *agg., s.m.f.* indifferente, noncurante, negligente © interessato, impegnato.
menomàre *v.tr.* danneggiare, ledere.
menomàto *agg.* invalido, handicappato, disabile, diversamente abile.
menomazióne *s.f.* danno, lesione, mutilazione, handicap (*ingl.*).
mènsa *s.f.* **1** tavola, tavolo **2** cibo, pasto **3** refezione (*a scuola*), refettorio (*in convento*) **4** (*relig.*) altare.
mensìle *s.m.* IPERON. periodico.
mensilità *s.f.* mensile, mese IPERON. stipendio, salario.
mentàle *agg.* **1** intellettuale, intellettivo; psichico, psicologico © fisico, materiale **2** (*di calcolo e sim.*) interiore.
mentalità *s.f.* modo di pensare, pensiero, forma mentis (*lat.*), concezione, visione, modo di vedere.
ménte *s.f.* **1** ragione, intelligenza; psiche **2** cervello, intelligenza, ingegno **3** pensiero, attenzione **4** intenzione, pensiero, proposito, volontà **5** memoria **6** (*di persona*) cervello, genio, testa **7** (*di un'organizzazione e sim.*) cervello, capo, boss (*ingl.*) © braccio.
mentecàtto *s.m.* **1** matto, pazzo, squilibrato, folle, demente © sano di mente **2** (*come ingiuria*) idiota, imbecille, cretino, scimunito.
mentìre *v.intr.* dire bugie, raccontare balle (*colloq.*); ingannare, fingere © dire la verità.
ménto *s.m.* bazza (*scherz.*).
menù *s.m. invar.* **1** carta, lista **2** vivande, cibi.
menzionàre *v.tr.* nominare, citare, ricordare © dimenticare, tacere, trascurare.
menzióne *s.f.* citazione, riferimento, cenno, allusione, parola.
menzógna *s.f.* bugia, frottola, palla (*colloq.*), favola, balla (*colloq.*), storia, fandonia © verità.
menzognèro *agg.* bugiardo, falso, insincero; ingannevole, fallace © veritiero, sincero, franco.
meravìglia *s.f.* **1** stupore, sbalordimento, sbigottimento; emozione, sorpresa **2** (*di cosa o persona*) bellezza, incanto, favola, splendore, capolavoro © orrore, schifo, bruttura.
meravigliàre *v.tr.* stupire, sbalordire, sorprendere ♦ **meravigliarsi** *v.pr.* stupirsi, sbalordirsi, sorprendersi, allibire, strabiliarsi, trasecolare.
meraviglióso *agg.* stupendo, magnifico, splendido, incantevole, favoloso, stupefacente, strabiliante © orribile, brutto, schifoso, ripugnante.
mercànte *s.m.* commerciante, negoziante, venditore, bottegaio INVER. cliente, acquirente, compratore.
mercanteggiàre *v.intr.* contrattare, trattare, negoziare.
mercantìle *agg.* commerciale ♦ *s.m.* cargo.
mercanzìa *s.f.* merci, articoli, prodotti.

mercàto *s.m.* **1** emporio, fiera, bazar, supermercato **2** commercio, traffico; scambio, compravendita; borsa **3** ♧ caos, confusione, baraonda, bolgia.

mèrce *s.f.* **1** prodotto, articolo, mercanzia **2** ♧ bene, valore, ricchezza.

mercenàrio *agg.* **1** a pagamento © gratuito, gratis, volontario **2** (*spreg.*) prezzolato, venduto, veniale, interessato © disinteressato ♦ *s.m.* **1** soldato di ventura **2** salariato.

mèrda *s.f.* (*volg.*) **1** escremento, cacca (*colloq.*), popò (*infant.*), feci; (*di animali*) sterco **2** ♧ (*volg.*; *di cosa*) porcheria, schifezza; (*di persona*) bastardo, carogna, figlio di puttana (*volg.*), stronzo (*volg.*) **3** (*colloq.*) difficoltà, pasticci, guai, casini (*volg.*), cacca (*colloq.*) **4** (*inter.*) cazzo (*volg.*), cavoli (*colloq.*), porca puttana (*volg.*), accidenti.

merènda *s.f.* spuntino.

meridionàle *agg.* australe © settentrionale, nordico, boreale, artico ♦ *s.m.f.* terrone (*spreg.*) © settentrionale, polentone (*spreg.*).

meridióne *s.m.* sud, mezzogiorno © settentrione, nord.

meritàre *v.tr.* **1** © demeritare **2** valere **3** acquistare, conquistare, guadagnare, procurare © alienarsi.

meritàto *agg.* giusto, dovuto; guadagnato, sudato © ingiusto, immotivato, infondato.

meritévole *agg.* **1** degno © indegno, immeritevole **2** (*ass.*) lodevole, encomiabile, meritorio © indegno, biasimevole, spregevole.

mèrito *s.m.* **1** dote, qualità, valore, pregio, virtù © demerito, colpa, difetto, torto **2** (*di una questione e sim.*) centro, sostanza, nocciolo, contenuto, succo.

meritòrio *agg.* lodevole, encomiabile, meritevole © indegno, biasimevole, spregevole.

mèrlo *s.m.* ♧ (*di persona*) stupido, sciocco, pollo, credulone, allocco, sprovveduto, tordo.

mesàta *s.f.* (*colloq.*) mensile, mensilità IPERON. stipendio, salario, paga.

méscere *v.tr.* (*spec. vino*) versare, servire.

meschinità *s.f.* **1** (*d'animo, di spirito ecc.*) grettezza, bassezza; avarizia, spilorceria © grandezza, generosità, nobiltà **2** povertà, miseria, insufficienza, limitatezza, ristrettezza © ricchezza, abbondanza.

meschìno *agg.* **1** (*di compenso, di risultato ecc.*) insufficiente, misero, scarso © ricco, abbondante **2** (*di idee, di sentimenti ecc.*) gretto, limitato, piccino © generoso, aperto, nobile **3** (*raro*) disgraziato, infelice, misero © sfortunato, sventurato.

méscita *s.f.* osteria, cantina (*region.*), bottiglieria, enoteca, degustazione.

mescolànza *s.f.* **1** miscuglio, miscela, potpourri (*fr.*) **2** (*di cibi, di bevande ecc.*) intruglio, mistura, amalgama, cocktail (*ingl.*), mix (*ingl.*) **3** (*di persone*) miscuglio, guazzabuglio, varietà; (*di etnie*) melting pot (*ingl.*).

mescolàre *v.tr.* **1** combinare, unire, amalgamare, miscelare, mischiare © dividere, separare **2** (*la pasta, il caffè ecc.*) girare, rimescolare; agitare, sbattere **3** (*carte, documenti ecc.*) mischiare, disordinare, confondere, incasinare (*colloq.*), scompigliare ♦ **mescolarsi** *v.pr.* **1** unirsi, mischiarsi, fondersi © separarsi, dividersi **2** (*di fogli e sim.*) confondersi, mischiarsi.

mescolàta *s.f.* mischiata, rimescolata, rimestata.

mescolìo *s.m.* confusione, rimescolio.

mése *s.m.* **1** (*raro*) mesata **2** mensile, mensilità, mesata (*colloq.*) IPERON. stipendio, salario, paga; affitto, canone.

messaggèro *s.m.* ambasciatore, inviato, emissario; nunzio (*elev.*).

messaggìno *s.m.* (*colloq.*) messaggio, SMS.

messàggio *s.m.* **1** comunicazione, avviso, notizia; (*tramite Internet*) mail, e-mail; (*tramite telefono cellulare*) messaggino (*colloq.*), SMS **2** (*di un'autorità*) discorso, appello **3** ♧ insegnamento, pensiero, ammaestramento.

mèsse *s.f.* **1** (*spec. al pl.*) mietitura; raccolto **2** ♧ marea, infinità, quantità, mucchio, caterva.

messìa *s.m.invar.* **1** Salvatore, Redentore, Cristo **2** ♧ salvatore, liberatore.

messinscèna *s.f.* **1** (*di uno spettacolo teatrale*) rappresentazione, allestimento; regia **2** scenografia **3** ♧ scena, sceneggiata, commedia, farsa; finzione, montatura © realtà.

mésso *s.m.* **1** messaggero **2** fattorino, commesso, usciere.

mestière *s.m.* **1** lavoro, occupazione, impiego; professione, arte **2** esperienza, pratica, abilità, competenza, maestria © inesperienza, incompetenza, incapacità.

mestìzia *s.f.* tristezza, malinconica, sconforto, infelicità, avvilimento © allegria, gioia, letizia, felicità.

mèsto *agg.* **1** triste, malinconico, afflitto, abbattuto, addolorato, amareggiato, infelice © allegro, contento, felice, gioioso **2** (*di luogo, di atmosfera ecc.*) triste, lugubre, cupo, funereo © allegro, festoso.

méstolo *s.m.* mestola, ramaiolo, cucchiaione.

mestruazióne *s.f.* ciclo, ciclo mestruale, flusso, flusso mestruale, mestruo, cose (*colloq.*), marchese (*colloq.*).

mèstruo *s.m.* vedi **mestruazióne**.
mèta *s.f.* **1** destinazione © punto di partenza **2** ♧ scopo, fine, intenzione, obiettivo, mira, traguardo.
metà *s.f.* **1** mezzo **2** ♧ (*scherz.*) coniuge; moglie; marito.
metabolizzàre *v.tr.* (*un'esperienza e sim.*) elaborare, assimilare, fare proprio.
metafisico *agg.* **1** astratto, intellettuale; difficile, oscuro, astruso © chiaro, evidente, facile, comprensibile.
metàfora *s.f.* **1** (*ret.*) traslato, tropo **2** ♧ immagine, figura, simbolo.
metafòrico *agg.* figurato, simbolico, traslato © letterale.
metamòrfosi *s.f.* mutamento, trasformazione, cambiamento, mutazione, trasfigurazione.
metempsicòsi *s.f.invar.* reincarnazione.
metìccio *s.m.* mezzosangue, sanguemisto **IPON.** creolo, mulatto.
meticolóso *agg.* **1** (*di persona*) preciso, coscienzioso, pignolo, scrupoloso © impreciso, pasticcione, superficiale **2** (*di lavoro*) accurato, dettagliato, minuzioso, scrupoloso © approssimativo, impreciso, sciatto, superficiale.
metodicità *s.f.* regolarità, sistematicità.
metòdico *agg.* **1** (*di studio, di lavoro ecc.*) regolare, sistematico; accurato, preciso, scientifico © saltuario, incostante; approssimativo, disordinato, superficiale **2** (*di persona*) preciso, meticoloso, pignolo © impreciso, disordinato, superficiale **3** abitudinario, consuetudinario, regolare © disordinato, sregolato.
mètodo *s.m.* **1** procedimento, sistema, tecnica; metodologia, approccio **2** (*spec. al pl.*) modo, maniera, sistema **3** organizzazione, ordine, regolarità, sistematicità **4** (*di una disciplina*) manuale **5** (*di analisi e sim.*) procedimento, metodologia, modalità.
metodologìa *s.f.* metodo, sistema, approccio.
mètro *s.m.* **1** misura **2** ♧ (*di giudizio, di valutazione*) misura, criterio, principio ♦ *s.f.* (*colloq.*) metropolitana, metró.
metró *s.m.invar.* metropolitana, metro.
metròpoli *s.f.* **1** **IPON.** megalopoli **2** capitale.
metropolitàna *s.f.* metro, metró; sotterranea.
méttere *v.tr.* **1** collocare, porre, posare, sistemare, posizionare © togliere, levare **2** (*in un discorso e sim.*) aggiungere, includere **3** applicare, attaccare; (*un quadro e sim.*) appendere; (*una firma*) apporre; (*il telefono e sim.*) installare **4** (*un indumento*) indossare, infilare, infilarsi © levare, togliere, sfilare **5** (*allegria, fiducia, paura ecc.*) infondere, incutere, ispirare, provocare **6** (*energia, tempo ecc.*) dare, impegnare, impiegare, dedicare **7** (*foglie, radici ecc.*) buttare, gettare **8** supporre, ipotizzare **9** (*una tassa, un divieto ecc.*) imporre ♦ **mettersi** *v.pr.* **1** porsi, collocarsi, sistemarsi © levarsi, togliersi **2** (*con qlcu.*) aggregarsi, unirsi, schierarsi; fidanzarsi © separarsi **3** (*con la prep. a e l'infinito*) iniziare, cominciare, incominciare © finire, smettere **4** (*in costume, in abito elegante ecc.*) vestirsi **5** (*la maglia, le scarpe ecc.*) infilare, indossare; calzare © levarsi, sfilarsi, togliersi.
mezzàdro *s.m.* colono.
mezzanìno *s.m.* ammezzato, piano rialzato.
mezzàno *agg.* medio, intermedio, mediano ♦ *s.m.* ruffiano, protettore.
mèzzo *agg.* **1** metà © intero **2** medio, intermedio © laterale, periferico **3** incompleto, parziale © intero, completo ♦ *s.m.* **1** metà © totalità, intero **2** centro, nucleo, cuore © periferia, margine **3** modo, maniera, espediente, strumento, tramite **4** veicolo **5** (*al pl.*) denaro, averi, soldi, disponibilità, patrimonio, ricchezza **6** capacità, dote, potere.
mezzogiórno *s.m.* **1** dodici, mezzodì © mezzanotte **2** sud, meridione © nord, settentrione.
mezzosàngue *s.m.f.invar.* **1** (*di cavallo*) © purosangue **2** (*di persona*) meticcio, sanguemisto **IPON.** creolo, mulatto.
mezzùccio *s.m.* espediente, sotterfugio, escamotage (*fr.*).
miagolàre *v.intr.* ♧ (*di persona*) lamentarsi, piangere, frignare.
miagolìo *s.m.* miagolamento, miao miao.
miàsma *s.m.* fetore, lezzo.
micidiàle *agg.* **1** mortale, letale, mortifero (*elev.*) **2** (*anche scherz.*) insopportabile, intollerabile, pesante, fastidioso, tremendo © piacevole, gradevole, benefico.
mìcio *s.m.* (*colloq.*) gatto **IPERON.** felino.
micragnóso *agg.* tirchio, avaro, taccagno © generoso.
mìcrobo *s.m.* **1** germe, bacillo, batterio **2** ♧ (*di persona*) meschino, miserabile, nullità, pusillanime.
microcòsmo *s.m.* © macrocosmo.
micròfono *s.m.* (*del telefono*) cornetta, ricevitore.
microscòpico *agg.* minuscolo, infinitesimale; invisibile, impercettibile © enorme, immenso, gigantesco, macroscopico.
midollìno *s.m.* vimini.
mielàto *agg.* **1** dolce **2** ♧ caramelloso, melenso, mellifluo, lezioso, sdolcinato, stucchevole © brusco, rude, ruvido.

mielóso *agg.* **1** dolciastro, zuccheroso **2** ♣ caramelloso, melenso, mellifluo, lezioso, sdolcinato, stucchevole © brusco, rude, ruvido.

miètere *v.tr.* **1** falciare **IPERON.** tagliare **2** ♣ uccidere, sterminare, falcidiare **3** ♣ (*successi, vittorie ecc.*) conquistare, guadagnare, ottenere, raccogliere.

mietitóre *s.m.* falciatore.

mietitùra *s.f.* falciatura; raccolto.

miglioraménto *s.m.* **1** perfezionamento; miglioria; abbellimento; risanamento, bonifica **2** progresso, evoluzione; sviluppo, potenziamento © peggioramento, degrado, deterioramento.

miglioràre *v.tr.* perfezionare, correggere; restaurare, abbellire; potenziare, sviluppare; ottimizzare © peggiorare; danneggiare, deteriorare, rovinare ♦ *v.intr.* **1** crescere, progredire, evolversi © peggiorare, regredire **2** (*in salute*) rimettersi, ristabilirsi, rifiorire © peggiorare, aggravarsi **3** (*di situazione*) avanzare, progredire, evolversi © peggiorare.

miglióre *agg.* © peggiore.

migliorìa *s.f.* miglioramento, potenziamento, perfezionamento, restauro © deterioramento, degrado.

migràre *v.intr.* emigrare; espatriare, trasferirsi © rimpatriare.

migrazióne *s.f.* emigrazione, espatrio, esodo; spostamento, trasferimento.

miliardàrio *agg., s.m.* milionario, straricco, facoltoso © povero, pezzente, squattrinato.

miliàrdo *s.m.* **1** bilione **2** (*iperb.*) montagna, mucchio, sacco, valanga, infinità, casino (*colloq.*).

milionàrio *agg., s.m.* ricco, facoltoso, multimilionario, plurimilionario, miliardario.

milióne *s.m.* **1** mille migliaia **2** (*iperb.*) montagna, mucchio, sacco, valanga, infinità, casino (*colloq.*).

militànte *agg., s.m.f.* (*di un partito e sim.*) attivista.

militàre[1] *agg.* militaresco, bellico, guerresco, marziale (*elev.*) © civile, borghese ♦ *s.m.* soldato, milite (*elev.*) © civile, borghese.

militàre[2] *v.intr.* **1** combattere **2** (*in un'organizzazione, in un partito ecc.*) aderire, appartenere, essere iscritto; partecipare, impegnarsi **3** ♣ sostenere, appoggiare, avvalorare © confutare, demolire.

militarésco *agg.* duro, severo, rigido, autoritario © pacifico, permissivo.

militarìsmo *s.m.* bellicismo © antimilitarismo.

militarìsta *agg., s.m.f.* bellicista, guerrafondaio; interventista © antimilitarista, pacifista.

militarizzàre *v.tr.* armare, fortificare, munire © disarmare, smilitarizzare, sguarnire.

militarizzazióne *s.f.* mobilitazione © smilitarizzazione, smobilitazione.

milìzia *s.f.* (*spec. al pl.*) truppe, forze, esercito.

millantàre *v.tr.* vantare, ostentare.

millantatóre *agg., s.m.* fanfarone, spaccone, gradasso, sbruffone, vanaglorioso.

millanterìa *s.f.* **1** boria, presunzione, vanagloria, vanteria © semplicità, umiltà **2** spacconata, bravata, fanfaronata.

millèsimo *agg., s.m.* ennesimo, centesimo, milionesimo ♦ *s.m.* (*di un vino*) anno, annata.

mimàre *v.tr.* imitare, scimmiottare, parodiare; fare il verso.

mimètico *agg.* **1** imitativo **2** mimetizzato.

mimetizzàre *v.tr.* mascherare, camuffare; nascondere, occultare © rivelare, mostrare ♦ **mimetizzarsi** *v.pr.* **1** (*di soldati*) camuffarsi **2** (*di animali*) adattarsi **3** ♣ confondersi, nascondersi.

mimetizzazióne *s.f.* mascheramento, camuffamento; occultamento.

mìmica *s.f.* espressività, gestualità.

mìmico *agg.* gestuale.

mìmo *s.m.* **1** pantomimo **2** arte mimica.

mìna *s.f.* (*di matita*) grafite.

minàccia *s.f.* **1** intimidazione, avvertimento, avviso, monito **2** ♣ pericolo, rischio.

minacciàre *v.tr.* **1** intimidire, spaventare, intimorire **2** ♣ compromettere, minare, pregiudicare **3** ♣ incombere, sovrastare.

minacciόso *agg.* **1** intimidatorio, minatorio; (*spec. di sguardo*) aggressivo, cupo, bieco, fosco, ostile © amichevole, bonario, benevolo, gentile **2** ♣ pericoloso, rischioso; spaventoso, terrificante © rassicurante, tranquillizzante.

minàre *v.tr.* **1** © (*mil.*) sminare, bonificare **2** ♣ insidiare, indebolire, minacciare; logorare, compromettere, pregiudicare © rafforzare, rinforzare, rinvigorire.

minatòrio *agg.* intimidatorio, minaccioso, ostile, aggressivo © amichevole, benevolo, gentile, rassicurante.

minèstra *s.f.* **1** brodo, minestrone, zuppa; (*spreg.*) brodaglia **2** primo, primo piatto **3** ♣ noia, palla (*colloq.*), roba, solfa.

minestróne *s.m.* **1** (*di verdure*) zuppa, minestra, brodo, pappa **2** ♣ miscuglio, mistura, guazzabuglio.

mingherlìno *agg.* magro, esile, gracile, sottile, smilzo © grosso, corpulento.

miniatóre *s.m.* **1** miniaturista **2** ♣ cesellatore.

miniaturìsta *s.m.f.* miniatore.

minimizzàre *v.tr.* ridimensionare, sminuire,

sdrammatizzare, sgonfiare © ingigantire, esagerare, amplificare, drammatizzare, gonfiare.
mìnimo *agg.* minuscolo, microscopico, infinitesimale, esiguo, irrisorio, trascurabile © massimo, enorme, grande, smisurato ♦ *s.m.* minimum © massimo.
ministèro *s.m.* **1** dicastero **2** gabinetto; governo **3** compito, missione, ufficio **4** sacerdozio.
minìstro *s.m.* (*del culto*) sacerdote.
minorànza *s.f.* **1** © maggioranza, prevalenza **2** (*in parlamento*) opposizione © maggioranza.
minoràto *agg., s.m.* invalido, mutilato, handicappato, portatore di handicap, disabile, diversamente abile; (*mentale*) ritardato, subnormale © normale, sano.
minóre *agg.* **1** inferiore © maggiore, superiore **2** secondario, irrilevante, marginale, accessorio © maggiore, principale, primario **3** (*di figlio*) cadetto, ultimogenito © maggiore **4** junior © maggiore, senior ♦ *s.m.f.* **1** (*di figlio*) cadetto, ultimogenito © maggiore, primogenito **2** minorenne © maggiorenne.
minorènne *agg., s.m.f.* minore © maggiorenne.
minoritàrio *agg.* © predominante, prevalente, preponderante.
minùscolo *agg.* **1** (*di carattere, di stile ecc.*) piccolo (*colloq.*) © maiuscolo, grande (*colloq.*) **2** piccolo, microscopico, invisibile © enorme, immenso, gigantesco **3** ♧ insignificante, minimo, secondario, trascurabile © importante, immenso, macroscopico.
minùta *s.f.* brutta, brutta copia © bella, bella copia.
minuterìa *s.f.* ninnoli, chincaglieria.
minùto[1] *agg.* **1** piccolo, minuscolo, microscopico © grande, grosso, enorme **2** (*di pioggia, di sabbia ecc.*) fine, sottile **3** (*di persona*) delicato, esile, gracile; (*di lineamenti*) fine © grosso, corpulento, robusto; rozzo **4** ♧ (*di particolare e sim.*) insignificante, irrilevante, trascurabile © importante, rilevante **5** ♧ (*di resoconto e sim.*) minuzioso, preciso, dettagliato, particolareggiato © sommario.
minùto[2] *s.m.* **1** primo **2** ♧ momento, istante, attimo.
minùzia *s.f.* (*spec. al pl.*) inezia, nonnulla, bazzecola, sciocchezza, quisquilia; particolare, dettaglio.
minuziosità *s.f.* meticolosità, scrupolosità, accuratezza, precisione, cura © faciloneria, negligenza, trascuratezza, imprecisione, sciatteria; superficialità.
minuzióso *agg.* **1** (*di persona*) scrupoloso, meticoloso, puntiglioso, accurato © impreciso, superficiale, approssimativo **2** (*di lavoro, di descrizione ecc.*) preciso, accurato, dettagliato, particolareggiato, completo © impreciso, generico, approssimativo, superficiale.
mìope *agg., s.m.f.* **1** (*med.*) IPERON. ametrope © ipermetrope, presbite **2** ♧ imprevidente, inavveduto, ottuso © acuto, accorto, avveduto, lungimirante.
miopìa *s.f.* **1** (*med.*) IPERON. ametropia © ipermetropia, presbiopia **2** ♧ imprevidenza, inavvedutezza, ottusità © acutezza, acume, avvedutezza, lungimiranza.
mìra *s.f.* **1** bersaglio, obiettivo, segno **2** ♧ fine, meta, scopo; aspirazione, ambizione, proposito; disegno, progetto, piano.
miràbile *agg.* ammirevole; magnifico, meraviglio, straordinario, stupefacente, sbalorditivo.
mirabìlia *s.f.pl.* meraviglie, miracoli.
mirabolànte *agg.* straordinario, strabiliante, stupefacente, meraviglioso, prodigioso.
miràcolo *s.m.* prodigio, portento.
miracolóso *agg.* **1** prodigioso, portentoso **2** fantastico, fenomenale, incredibile, strabiliante, straordinario © comune, normale **3** ♧ (*di rimedio e sim.*) straordinario, fenomenale, portentoso, prodigioso.
miràggio *s.m.* **1** allucinazione, visione, illusione ottica **2** ♧ illusione, sogno, chimera, utopia © realtà.
miràre *v.intr.* **1** (*a un bersaglio*) puntare, prendere la mira **2** ♧ (*a un risultato e sim.*) puntare, tendere, aspirare, ambire, desiderare; (*elev.*) anelare, agognare.
miràto *agg.* indirizzato, finalizzato, diretto, rivolto, teso, volto.
mirìade *s.f.* infinità, moltitudine, marea, mucchio, sacco, caterva, valanga.
misantropìa *s.f.* **1** © altruismo, filantropia, umanitarismo **2** scontrosità, asocialità, ombrosità, ruvidezza, ritrosia © affabilità, amabilità, socievolezza.
misàntropo *agg., s.m.* **1** (*psic.*) misantropico © filantropo, filantropico **2** scontroso, scostante, asociale, ombroso, ruvido, solitario, selvatico © affabile, amabile, socievole.
miscèla *s.f.* **1** mescolanza, miscuglio, mistura **2** ♧ miscuglio, combinazione, misto, amalgama, coacervo, combinazione, cocktail (*ingl.*), intruglio, mistura, mix (*ingl.*).
miscelàre *v.tr.* mescolare, mischiare © separare, dividere.
miscellànea *s.f.* **1** (*di scritti*) raccolta **2** accozzaglia, miscuglio, misto, miscela, pot-pourri (*fr.*), mix (*ingl.*).

mìschia *s.f.* **1** rissa, zuffa, tumulto, tafferuglio, bagarre (*fr.*) **2** ♧ contrasto, discussione, lite, scontro, disputa.

mischiàre *v.tr.* mescolare, combinare, unire, amalgamare, impastare; confondere, disordinare © separare, dividere.

misconóscere *v.tr.* negare, rinnegare, ignorare, disconoscere; sminuire, sottovalutare © riconoscere

miscredènte *agg. s.m.f.* **1** ateo, irreligioso, agnostico, eretico © credente, religioso, fedele, devoto **2** sacrilego, blasfemo.

miscùglio *s.m.* mescolanza, miscela, insieme, accozzaglia, amalgama, coacervo, intruglio, mistura, mix (*ingl.*), pot-pourri (*fr.*), cocktail (*ingl.*); (*di persone*) mescolanza, varietà, eterogeneità; (*di etnie*) melting pot (*ingl.*).

mise *s.f.invar.* (*fr.*) abbigliamento; vestito, abito, indumento.

miseràbile *agg.* **1** (*di vita, di condizioni ecc.*) misero, miserando, povero, disgraziato, sfortunato © felice, fortunato **2** (*di persona, di comportamento ecc.*) spregevole, ignobile, indegno, infame, vergognoso **3** (*di stipendio e sim.*) povero, esiguo, scarso, insignificante, irrisorio © ricco, abbondante, considerevole, notevole ♦ *s.m.f.* disgraziato, sciagurato, pezzente, poveraccio, morto di fame.

miserévole *agg.* infelice, misero, pietoso, penoso, miserando © felice, fortunato.

misèria *s.f.* **1** povertà, indigenza, bisogno, necessità © abbondanza, ricchezza, agiatezza, lusso **2** ♧ (*somma, cifra irrisoria*) fesseria, nonnulla, sciocchezza **3** (*morale*) bassezza, grettezza, meschinità **4** (*al pl.*) pene, affanni, sventure.

misericòrdia *s.f.* pietà, clemenza; grazia, perdono © crudeltà, cattiveria, spietatezza.

misericordióso *agg.* pietoso, compassionevole, caritatevole, clemente © crudele, duro, implacabile, spietato.

mìsero *agg.* **1** disgraziato, infelice, sventurato © beato, felice, fortunato **2** povero, bisognoso, indigente **3** (*di compenso, di pasto*) scarso, insufficiente, inadeguato, inconsistente © ricco, abbondante, notevole **4** ♧ (*di figura*) ignobile, meschino, spregevole ♦ *s.m.* disgraziato, sciagurato, pezzente, poveraccio, morto di fame.

misfàtto *s.m.* delitto, crimine; nefandezza, scelleratezza.

mìssile *s.m.* razzo.

missionàrio *s.m.* **1** (*relig.*) evangelizzatore, predicatore **2** ♧ divulgatore, predicatore, sostenitore.

missióne *s.f.* **1** incarico, compito, mandato **2** delegazione, deputazione **3** (*di un funzionario e sim.*) trasferta **4** ♧ vocazione, sacerdozio.

missìva *s.f.* lettera, epistola, scritto.

mister *s.m.invar.* (*ingl.*) (*gerg.*; *nel calcio*) allenatore.

misterióso *agg.* **1** oscuro, incomprensibile, inspiegabile, enigmatico, strano © chiaro, comprensibile **2** (*di incontro e sim.*) segreto, nascosto **3** (*di linguaggio*) incomprensibile, criptico, arcano, enigmatico **4** (*di personaggio e sim.*) sconosciuto © conosciuto **5** (*di persona, di comportamento*) sospetto, ambiguo, sfuggente © chiaro, trasparente.

mistèro *s.m.* **1** segreto, arcano, enigma, rebus **2** (*teol.*) dogma.

misticìsmo *s.m.* mistica; ascesi, contemplazione.

mìstico *agg.* **1** ascetico, contemplativo, spirituale **2** ♧ (*di amore e sim.*) puro, spirituale © fisico, sensuale ♦ *s.m.* asceta; eremita, anacoreta.

mistificàre *v.tr.* (*la verità, i fatti*) falsificare, alterare, contraffare, distorcere © demistificare.

mistificatóre *s.m.* ciarlatano, imbroglione, impostore.

mistificazióne *s.f.* **1** inganno, imbroglio, raggiro, impostura, turlupinatura **2** (*della realtà, dei fatti ecc.*) falsificazione, distorsione, alterazione, manipolazione.

mìsto *agg.* **1** mescolato, mischiato, miscelato, amalgamato, unito © diviso, distinto, separato **2** complesso, composto, eterogeneo, variegato © omogeneo, puro, uniforme **3** (*di scuola e sim.*) promiscuo ♦ *s.m.* miscuglio, mescolanza, miscela, mix (*ingl.*), composto, amalgama, cocktail (*ingl.*), pot-pourri (*fr.*); (*disordinato*) accozzaglia, guazzabuglio, congerie.

mistùra *s.f.* mescolanza, miscela, miscuglio, misto.

misùra *s.f.* **1** misurazione, rilevazione **2** dimensione, grandezza, estensione, proporzioni **IPON.** altezza, larghezza, lunghezza, profondità **3** (*di abito*) taglia **4** ♧ livello, grado, proporzione **5** ♧ metro, criterio, canone, riferimento **6** ♧ controllo, equilibrio, moderazione; limite, freno **7** (*spec. al pl.*) provvedimento, disposizione, ordine **8** (*mus.*) battuta.

misuràre *v.tr.* **1** rilevare, calcolare **2** (*un abito e sim.*) provare **3** ♧ valutare, considerare **4** ♧ (*le spese e sim.*) contenere, controllare, limitare, moderare, regolare © sprecare **5** (*le parole*) moderare, pesare, soppesare, ponderare ♦ *v.intr.* (*avere una data misura*) estendersi, svilupparsi ♦ **misurarsi** *v.pr.* **1** contenersi, controllarsi, frenarsi, moderarsi © esagerare, eccedere **2** (*in una *gara e sim.*) cimentarsi, confrontarsi, competere, battersi, lottare.

misuràto *agg.* **1** (*di prezzo e sim.*) contenuto, moderato, limitato, modico © smisurato, eccessivo **2** (*di tono, di parole ecc.*) equilibrato, pacato, ponderato, prudente, controllato © avventato, incontrollato **3** (*di persona*) moderato, equilibrato, sobrio, morigerato © eccessivo, sfrenato, sregolato.

mìte *agg.* **1** (*di persona, di carattere ecc.*) buono, dolce, gentile, remissivo © duro, cattivo, severo, intollerante, spietato **2** (*di sentenza, di pena ecc.*) benevolo, clemente, indulgente © severo, duro, inclemente **3** (*di animale*) docile, mansueto **4** (*di clima*) dolce, temperato **5** (*di prezzo e sim.*) moderato, contenuto © eccessivo, esagerato.

mitézza *s.f.* **1** dolcezza, gentilezza, moderazione, remissività © durezza, crudeltà, asprezza **2** indulgenza, clemenza, benevolenza © intransigenza **3** (*di clima*) dolcezza.

mìtico *agg.* **1** leggendario, favoloso, mitologico **2** ♧ irreale, illusorio, utopistico © reale, vero, realistico **3** (*gerg.*) eccezionale, straordinario, fantastico, bestiale (*colloq.*), ganzo (*gerg.*).

mitigàre *v.tr.* calmare, attenuare, alleggerire, lenire, ridurre, sedare, temperare © acuire, accrescere, aumentare, inasprire.

mitizzàre *v.tr.* idealizzare © smitizzare.

mìto *s.m.* **1** favola, leggenda **2** ♧ sogno, miraggio, fantasia.

mitològico *agg.* favoloso, leggendario, mitico © reale, storico.

mitòmane *agg.*, *s.m.f.* visionario, millantatore.

mìtra *s.m.invar.* fucile mitragliatore, mitraglietta, moschetto automatico.

mitragliàre *v.tr.* ♧ (*qlcu. di domande*) tempestare, bombardare, martellare, incalzare.

mitragliatrìce *s.f.* **1** mitraglia **2** (*scherz.*) chiacchierone, macchinetta (*colloq.*).

mittènte *s.m.f.* © destinatario, ricevente.

mnemònico *agg.* (*di apprendimento, di studio e sim.*) meccanico.

mòbile *agg.* **1** amovibile, rimovibile, trasferibile, trasportabile © fisso, inamovibile **2** instabile, traballante © fermo, fisso, saldo **3** (*di animo e sim.*) incostante, mutevole, volubile © costante **4** (*di ingegno e sim.*) agile, duttile, versatile, vivace © lento, tranquillo ♦ *s.m.* mobilia.

mobìlia *s.f.invar.* mobili, arredamento, suppellettili, masserizie.

mobiliàre *agg.* © immobiliare.

mobilità *s.f.* **1** dinamicità, trasferibilità © immobilità, fissità, staticità **2** (*di ingegno e sim.*) agilità, elasticità, duttilità, prontezza, vivacità © lentezza, ottusità **3** ♧ (*di idee e sim.*) incostanza, instabilità, volubilità © coerenza.

mobilitàre *v.tr.* **1** (*mil.*) chiamare alle armi, arruolare; schierare, mettere in campo © smobilitare **2** (*l'opinione pubblica e sim.*) coinvolgere, interessare, scuotere, sensibilizzare **3** ♧ (*le energie, le risorse ecc.*) impegnare, impiegare, utilizzare.

mobilitazióne *s.f.* **1** (*mil.*) chiamata alle armi; schieramento, spiegamento © smobilitazione **2** ♧ (*dell'opinione pubblica e sim.*) appello, invito; impegno, partecipazione, coinvolgimento, interessamento © disinteresse, disimpegno.

moccióso *s.m.* (*di bambino*) marmocchio; (*di adulto*) bambinone.

mòda *s.f.* **1** costume, usanza; abitudine, consuetudine; tendenza, voga, trend (*ingl.*) **2** (*nell'abbigliamento*) stile, foggia, gusto; fashion (*ingl.*), look (*ingl.*) **3** abbigliamento.

modalità *s.f.* **1** modo, maniera **2** procedura, prassi.

modèlla *s.f.* indossatrice, mannequin (*fr.*), top model (*ingl.*).

modellàre *v.tr.* **1** (*un materiale*) lavorare, plasmare; (*una statua e sim.*) formare, foggiare IPON. scolpire **2** ♧ adattare, adeguare, conformare, improntare.

modèllo *s.m.* **1** esemplare, originale; archetipo **2** ♧ (*da imitare*) esempio, guida, ideale, maestro **3** indossatore **4** (*industriale*) prototipo **5** (*in sartoria*) cartamodello **6** (*in fonderia*) forma, matrice, stampo **7** (*di abito, di scarpe ecc.*) disegno, linea, foggia **8** riproduzione, modellino, plastico **9** (*burocr.*) modulo, prestampato.

moderàre *v.tr.* (*la velocità, le spese ecc.*) contenere, limitare, frenare, ridurre; (*le parole*) misurare © alzare, aumentare, accrescere ♦ **moderarsi** *v.pr.* contenersi, controllarsi, limitarsi, regolarsi, trattenersi © esagerare, eccedere, lasciarsi andare, scatenarsi.

moderàto *agg.* **1** (*di spesa, di prezzo ecc.*) contenuto, misurato, controllato © eccessivo, smodato **2** (*di persona, di atteggiamento ecc.*) equilibrato, misurato, morigerato, pacato, sobrio © eccessivo, sregolato, smodato ♦ *s.m.* conservatore, centrista © estremista, oltranzista.

moderazióne *s.f.* **1** (*di prezzi, di pretese ecc.*) misura, regola, limitazione; parsimonia, modestia © eccesso, esagerazione **2** (*di vita, di costumi ecc.*) sobrietà, equilibrio, temperanza © smodatezza, sregolatezza, intemperanza **2** (*di giudizi e sim.*) indulgenza, mitezza, tolleranza © intransigenza, intolleranza.

modernità *s.f.* **1** contemporaneità © antichità **2** (*di idee e sim.*) attualità, novità © inattualità.
modernizzàre *v.tr.* rinnovare, aggiornare, attualizzare, innovare, rimodernare, svecchiare.
modèrno *agg.* **1** nuovo, recente, attuale, contemporaneo © vecchio, antico **2** attuale, aggiornato, innovativo, in (*ingl.*), up to date (*ingl.*) © passato, superato, sorpassato, out (*ingl.*) **3** (*di persona*) aperto, evoluto © antiquato, all'antica, conservatore ♦ *s.m.* attualità, contemporaneità, modernità © passato, antico.
modèstia *s.f.* **1** umiltà © immodestia, presunzione, superbia, altezzosità **2** pudore, riserbo, riservatezza, ritegno © impudenza, sfacciataggine, sfrontatezza **3** (*nel vivere, nel vestire ecc.*) moderazione, parsimonia, semplicità, umiltà © eccesso, esagerazione, smoderatezza, opulenza **4** (*di mezzi e sim.*) scarsità, esiguità, mediocrità © abbondanza, ricchezza.
modèsto *agg.* **1** umile © immodesto, presuntoso, superbo **2** pudico, riservato © sfrontato, impudente **3** (*di abito, di casa ecc.*) semplice, umile, dimesso © ricco, elegante, lussuoso **4** (*di spesa, di pretese*) moderato, contenuto, modico © eccessivo, esorbitante **5** (*di risultato, di capacità ecc.*) limitato, mediocre, scarso © eccellente, brillante, straordinario.
mòdico *agg.* (*di prezzo, di costo ecc.*) modesto, contenuto, basso © alto, elevato, eccessivo, esorbitante.
modìfica *s.f.* cambiamento, variazione, trasformazione.
modificàre *v.tr.* cambiare, correggere, trasformare, variare © conservare, mantenere.
mòdo *s.m.* **1** maniera **2** abitudine, stile, costume, usanza, uso **3** mezzo, metodo, maniera, sistema; espediente; procedimento, procedura **4** possibilità, opportunità, occasione **5** limite, misura, regola.
modulàre[1] *v.tr.* **1** (*un suono, un canto ecc.*) variare **2** ♧ regolare, proporzionare, variare.
modulàre[2] *agg.* (*spec. di mobili*) componibile.
mòdulo *s.m.* **1** modello, stampato; scheda, formulario, questionario **2** ♧ modello, canone **3** (*di un mobile, di una cucina ecc.*) elemento.
mògio *agg.* abbattuto, avvilito, giù, giù di morale © allegro, pimpante, vivace.
móglie *s.f.* coniuge, consorte, sposa, signora, metà (*scherz.*), donna (*colloq.*) INVER. marito.
moìna *s.f.* smanceria, leziosità, sdolcinatura, vezzo; carezza, coccola (*colloq.*).
molàre *v.tr.* levigare; affilare, arrotare.
mòle *s.f.* **1** dimensione, grandezza, volume, proporzioni; (*di persona*) taglia, stazza **2** massa, quantità **3** ♧ (*di lavoro e sim.*) mucchio, sacco, montagna, quantità.
molestàre *v.tr.* infastidire, disturbare, importunare, scocciare, seccare, rompere (*colloq.*), rompere le scatole (*colloq.*).
molèstia *s.f.* fastidio, disturbo, noia, seccatura, rottura (*colloq.*), bega.
molèsto *agg.* fastidioso, irritante, noioso, seccante, scocciante © gradevole, piacevole.
mòlla *s.f.* **1** ♧ stimolo, impulso, incentivo, motivazione, spinta **2** (*al pl.*) pinze.
mollàre *v.tr.* **1** (*la presa, un cavo ecc.*) allentare, lasciare © tenere, reggere **2** ♧ (*il fidanzato, la moglie ecc.*) abbandonare, lasciare, piantare, scaricare (*colloq.*) **3** ♧ (*un ceffone e sim.*) dare, appioppare, affibbiare, allungare (*colloq.*) © prendere, ricevere ♦ *v.intr.* cedere, rinunciare, smettere, finirla (*colloq.*) ♦ **mollarsi** *v.pr.* (*colloq.*) lasciarsi, piantarsi, rompere © mettersi insieme.
mòlle *agg.* **1** cedevole, flessibile, morbido, tenero, soffice; tenero © duro, rigido; consistente, solido, sodo **2** ♧ (*di persona, di carattere*) debole, fiacco, moscio, smidollato © fermo, deciso, energico, forte **3** bagnato, fradicio, intriso, zuppo © asciutto ♦ *s.m.* morbido © duro.
molleggiàto *agg.* (*di andatura, di passo ecc.*) elastico, flessuoso, sciolto © rigido, impacciato, legato.
mollézza *s.f.* **1** morbidezza, cedevolezza, flessibilità © durezza, rigidità **2** ♧ (*di carattere e sim.*) debolezza, fiacchezza; languore © energia, forza, decisione **3** (*al pl.*) comodità, lusso, agi, piaceri.
mòlo *s.m.* banchina, pontile; imbarcadero IPERON. approdo, attracco.
moltéplice *agg.* **1** composto, multiplo, plurimo © semplice, singolo **2** (*spec al pl.*) numeroso, molto, parecchio, svariato, vario © solo, unico.
molteplicità *s.f.* complessità, pluralità, varietà, diversità © unicità, semplicità.
moltiplicàre *v.tr.* **1** (*gli sforzi, le richieste ecc.*) accrescere, aumentare, incrementare © ridurre, diminuire; dividere **2** (*un'attività, i guadagni ecc.*) ingrandire, espandere, sviluppare © ridurre, diminuire ♦ **moltiplicarsi** *v.pr.* **1** proliferare, riprodursi **2** aumentare, accrescersi, crescere © calare, diminuire, ridursi.
moltiplicazióne *s.f.* **1** aumento, accrescimento, incremento © riduzione, calo **2** (*mat.*) prodotto.
moltitùdine *s.f.* **1** marea, esercito, miriade, infinità, caterva, mucchio, sacco (*colloq.*), fiumana **2** folla, massa, ressa, calca.
mólto *agg.* **1** tanto, parecchio © poco, scarso **2**

troppo, eccessivo ♦ *pron.indef.* (*al pl.*) molte persone, tanti, vari © poche persone, pochi, nessuno.
momentàneo *agg.* temporaneo, passeggero, provvisorio, effimero, transitorio © duraturo, permanente, costante, definitivo.
moménto *s.m.* **1** attimo, istante, minuto, secondo; lampo, baleno © eternità, secolo, vita **2** periodo, fase, tempo, tappa, stadio **3** circostanza, occasione, situazione.
mònaca *s.f.* suora, religiosa, sorella.
monacàle *agg.* **1** monastico, religioso © secolare, mondano, laico **2** ♧ austero, semplice, sobrio, frugale.
mònaco *s.m.* religioso, fratello, frate, padre.
monàrca *s.m.* re, sovrano, regnante; imperatore, principe.
monarchìa *s.f.* regno; impero, principato.
monastèro *s.m.* convento, abbazia, badia, certosa, eremo.
monàstico *agg.* claustrale, conventuale, monacale © secolare.
mónco *agg.* **1** mutilato, mozzato, tronco **2** ♧ (*di parola, di lavoro ecc.*) incompleto, mozzo, tronco, carente, lacunoso © completo, intero.
moncóne *s.m.* **1** moncherino, troncone **2** (*di un oggetto*) mozzicone, spezzone.
mondanità *s.f.* **1** laicità; secolarità © spiritualità **2** fatuità, frivolezza, futilità © serietà, austerità **3** alta società, jet set (*ingl.*), bel mondo.
mondàno *agg.* **1** terreno, secolare; laico © celeste, spirituale; religioso **2** fatuo, frivolo, futile, salottiero © austero, severo.
mondàre *v.tr.* **1** pulire **2** sbucciare, pelare **3** ♧ purificare, liberare.
mondiàle *agg.* **1** internazionale, universale **2** ♧ (*gerg.*) straordinario, eccezionale, spaziale (*gerg.*), mitico (*gerg.*).
móndo *s.m.* **1** universo, cosmo, creato **2** astro, pianeta, corpo celeste **3** terra, globo, globo terrestre **4** vita, esistenza; realtà **5** umanità, uomini, genere umano **6** società **7** ceto, classe, ambiente, gruppo **8** (*di sentimenti, di pensieri ecc.*) regno, sfera **9** ♧ quantità.
monéta *s.f.* **1** denaro, soldi, valuta **2** spiccioli, spicci.
monetàrio *agg.* valutario.
mònito *s.m.* richiamo, rimprovero, ammonimento, avvertimento; esempio, insegnamento.
monitor *s.m.invar.* (*ingl.*) schermo, video.
monitoràggio *s.m.* osservazione, controllo; rilevazione.
monogamìa *s.f.* © poligamia.
monografia *s.f.* scritto, saggio, studio, ricerca.
monogràmma *s.m.* iniziali, sigla, cifre.
monolìngue *agg.* © multilingue, plurilingue, poliglotta.
monolìtico *agg.* compatto, unitario, unanime.
monòlogo *s.m.* soliloquio © dialogo, colloquio.
monomanìa *s.f.* fissazione, idea fissa.
monopòlio *s.m.* **1** esclusiva, privativa (*dir.*); (*econ.*) trust (*ingl.*) **2** ♧ privilegio, prerogativa.
monopolizzàre *v.tr.* **1** © liberalizzare **2** ♧ (*l'attenzione e sim.*) attirare, catturare, accentrare.
monotonìa *s.f.* **1** uniformità **2** noia, grigiore, piattume © varietà, colore, vivacità.
monòtono *agg.* **1** uniforme, piatto, monocorde **2** noioso, pesante palloso (*colloq.*) © vario, multiforme, vivace.
monoùso *agg.invar.* usa e getta.
mónta *s.f.* (*spec. di buoi e cavalli*) accoppiamento.
montàggio *s.m.* assemblaggio.
montàgna *s.f.* **1** monte, catena montuosa, massiccio **2** ♧ (*grande quantità*) mucchio, cumulo, mare, sacco (*colloq.*), casino (*colloq.*), valanga.
montàno *agg.* montanaro, alpestre, alpino.
montàre *v.intr.* **1** salire © scendere, smontare **2** (*di acqua, di marea ecc.*) alzarsi, crescere © calare, abbassarsi **3** (*di panna, di chiara d'uovo*) gonfiarsi, crescere © smontarsi ♦ *v.tr.* **1** (*le scale*) salire © scendere **2** (*un cavallo*) cavalcare **3** (*la panna, la chiara d'uovo*) sbattere, montare a neve, frullare **4** (*una notizia e sim.*) gonfiare, ingigantire, enfatizzare © sgonfiare, ridimensionare **5** (*una persona contro qualcuno*) aizzare, sobillare **6** (*di animali*) coprire; (*volg.*; *di persona*) fottere (*volg.*), chiavare (*volg.*), scopare (*volg.*) **7** (*un mobile*) assemblare © smontare **8** (*una pietra preziosa*) incastonare **9** (*uno spettacolo*) allestire, mettere in scena, mettere in piedi (*colloq.*).
montàto *agg.* **1** (*di panna e sim.*) sbattuto, frullato **2** ♧ (*di persona*) pieno di sé, gasato (*colloq.*), tronfio.
montatùra *s.f.* **1** montaggio, assemblaggio © smontaggio **2** (*di un oggetto*) cornice, struttura, telaio **3** ♧ esagerazione, messinscena, bluff.
mónte *s.m.* **1** montagna, rilievo, collina **2** ♧ mucchio, caterva, catasta, montagna, sacco (*colloq.*).
montuóso *agg.* montagnoso © pianeggiante.
monumentàle *agg.* imponente, enorme, grandioso, maestoso, colossale © piccolo, misero.
monuménto *s.m.* **1** opera architettonica IPON. statua, stele, tempio **2** (*spec. al pl.*) resti, vestigia **3** ♧ (*di un personaggio, di un'epoca ecc.*) testimonianza, documento.

moràle *agg.* **1** etico **2** (*di persona, di comportamento ecc.*) giusto, buono, onesto, retto, irreprensibile © immorale, amorale, corrotto, disonesto, vizioso **3** casto, castigato, decente © immorale, indecente, osceno **4** ideale, interiore, spirituale © fisico, materiale, reale ♦ *s.f.* **1** (*filos.*) etica **2** moralità, costume **3** (*di una favola e sim.*) insegnamento, senso, significato ♦ *s.m.* stato d'animo, spirito, umore.

moralìsmo *s.m.* perbenismo, puritanesimo; intransigenza © lassismo, permissivismo.

moralìsta *s.m.f.* bacchettone, bigotto, perbenista, puritano.

moralità *s.f.* **1** onestà, integrità, rettitudine © immoralità, depravazione **2** morale, costume.

moralizzàre *v.tr.* purificare, redimere © corrompere, guastare.

moratòria *s.f.* dilazione, proroga, rinvio; sospensione.

morbidézza *s.f.* **1** sofficità, cedevolezza, mollezza, tenerezza; delicatezza, finezza; levigatezza © durezza, solidità; ruvidezza, scabrosità **2** ♧ (*di carattere e sim.*) arrendevolezza, cedevolezza, docilità, remissività © fermezza, inflessibilità, testardaggine.

mòrbido *agg.* **1** soffice, tenero; delicato, liscio, vellutato; molle, cedevole © duro; ruvido, scabro **2** (*di linee, di colori ecc.*) armonioso, dolce, leggero © duro **3** ♧ (*di carattere e sim.*) arrendevole, malleabile, conciliante, docile © duro, rigido, inflessibile ♦ *s.m.* molle © duro.

mòrbo *s.m.* **1** malattia, male; epidemia, contagio **2** ♧ male, piaga, peste, flagello.

morbóso *agg.* ♧ (*di sentimento, di atteggiamento ecc.*) insano, folle, malsano, maniacale, patologico; eccessivo, esagerato, sproporzionato; anormale © sano, moderato, equilibrato.

mordàce *agg.* aspro, pungente, graffiante, caustico, sarcastico, sferzante, tagliente.

mordènte *agg.* aspro, pungente, tagliente ♦ *s.m.* **1** ♧ combattività, grinta, determinazione, aggressività, carattere, energia **2** (*di un discorso e sim.*) efficacia, forza, incisività, vigore © inefficacia, debolezza **3** (*tecn.*) fissatore, colorante.

mòrdere *v.tr.* **1** morsicare, addentare **2** (*colloq.*; *di insetti*) pungere, beccare, pizzicare **3** ♧ intaccare, corrodere **4** ♧ far presa, aderire.

morìa *s.f.* strage, sterminio, epidemia, pestilenza, falcidia.

moribóndo *agg., s.m.* morente, agonizzante © nascente, nascituro.

morigeràto *agg.* **1** retto, onesto, puro; casto, pudico © corrotto, disonesto; impudico, dissoluto, libertino **2** austero, frugale, parco, sobrio © sfrenato, sregolato.

morìre *v.intr.* **1** mancare, andare all'altro mondo, andarsene, scomparire, esalare l'ultimo respiro, passare a miglior vita, andare al Creatore, trapassare © nascere, venire alla luce **2** ♧ (*di fame, di sete*) soffrire, patire **3** ♧ (*di rabbia, d'invidia ecc.*) scoppiare, schiattare, crepare (*colloq.*) **4** ♧ estinguersi, finire, terminare © sorgere, fiorire, svilupparsi **5** affievolirsi, spegnersi, scomparire, svanire © accendersi, riaccendersi.

mormoràre *v.intr.* **1** (*di corso d'acqua*) gorgogliare, mormoreggiare; (*di fronde, di foglie*) frusciare, stormire **2** bisbigliare, sussurrare **3** brontolare, lamentarsi, protestare, reclamare **4** malignare, spettegolare, sparlare ♦ *v.tr.* bisbigliare, borbottare, sussurrare.

mormorìo *s.m.* **1** (*di corso d'acqua*) gorgoglio, sciabordio; (*di fronde, di foglie*) fruscio, fremito **2** bisbiglio, brusio, cicalio, sussurrio.

mòro *agg.* bruno, scuro © biondo.

moróso *agg.* inadempiente.

mòrsa *s.f.* **1** IPON. morsetto **2** ♧ presa, stretta.

morsicàre *v.tr.* **1** mordere, addentare **2** (*colloq.*; *di insetti*) mordere, pungere, pizzicare.

mòrso *s.m.* **1** morsicatura **2** boccone, pezzo, tozzo **3** ♧ strazio, tormento, tarlo **4** ♧ (*della fame*) crampo, fitta, spasimo **5** (*del cavallo*) freno.

mortàle *agg.* **1** © immortale, eterno **2** umano **3** (*di ferita, di veleno ecc.*) letale, micidiale © innocuo **4** (*di lotta e sim.*) aspro, feroce, accanito, spietato **5** (*di nemico e sim.*) acerrimo, giurato, irriducibile **6** (*di dolore, di noia ecc.*) insopportabile, atroce, profondo, tremendo **7** (*di silenzio e sim.*) funereo, funesto ♦ *s.m.f.* essere umano, uomo © immortale.

mortalità *s.f.* **1** © immortalità **2** © natalità **3** (*di veleno e sim.*) letalità.

mòrte *s.f.* **1** fine, decesso, scomparsa © nascita, vita **2** ♧ fine, caduta, distruzione, declino, rovina, tramonto © inizio, alba, nascita, principio, rinascita.

mortìfero *agg.* **1** mortale, letale, micidiale **2** nocivo, deleterio, malefico.

mortificànte *agg.* avvilente, umiliante © esaltante, entusiasmante.

mortificàre *v.tr.* **1** (*una persona*) ferire, offendere, umiliare, avvilire © esaltare, gratificare **2** (*la carne e sim.*) castigare, punire; reprimere **3** sminuire, svilire © valorizzare **4** (*med.*) necrotizzare ♦ **mortificarsi** *v.pr.* **1** punirsi, fare penitenza **2** vergognarsi, dispiacersi, avvilirsi.

mortificazióne *s.f.* umiliazione, vergogna © gratificazione.

mòrto *agg.* **1** defunto, deceduto, estinto, scomparso © vivo, vivente; nato **2** ♣ (*di persona*) distrutto, sfinito, esausto, stremato © fresco, riposato, in forma **3** ♣ spento, inerte, moscio © dinamico, vitale **4** ♣ (*di città e sim.*) desolato, inanimato, spento © animato, frequentato, vivace **5** (*di capitale*) improduttivo, infruttifero © fruttifero, produttivo, redditizio ♦ *s.m.* defunto, estinto; cadavere, salma, corpo.

mortòrio *s.m.* (*di luogo, di festa ecc.*) noia, barba (*colloq.*), palla (*colloq.*), pizza (*colloq.*), lagna, strazio.

móscio *agg.* **1** (*di cosa*) floscio, molle, flaccido © duro, sodo, tonico, turgido **2** ♣ (*di carattere e sim.*) arrendevole, cedevole, debole, remissivo © deciso, determinato, energico **3** ♣ (*di persona*) abbattuto, avvilito, depresso, mogio © allegro, pimpante, vivace.

mòssa *s.f.* **1** gesto, movimento, movenza **2** ♣ azione, passo, decisione, iniziativa **3** ♣ partenza, avvio, spunto **4** (*di una pedina degli scacchi e sim.*) spostamento.

mòsso *agg.* **1** (*di mare*) agitato, grosso © calmo, liscio, piatto **2** (*di capelli*) ondulato, riccio © liscio **3** (*di paesaggio*) irregolare, vario © uniforme, piatto **4** (*di ritmo e sim.*) vivace, veloce, agitato © lento **5** (*di fotografia e sim.*) sfuocato © a fuoco, nitido.

móstra *s.f.* **1** esposizione, expo (*fr.*), rassegna, fiera, salone **2** (*di negozio*) vetrina, vetrinetta **3** (*di prodotti*) campionario, show-room (*ingl.*) **4** sfoggio, ostentazione.

mostràre *v.tr.* **1** esporre © nascondere **2** (*carte, documenti e sim.*) esibire, porgere, presentare, produrre **3** (*una strada, l'uscita ecc.*) indicare, additare, segnare, segnalare **4** (*il funzionamento e sim.*) spiegare, illustrare, dimostrare **5** (*affetto, entusiasmo, interesse ecc.*) esprimere, dimostrare, manifestare © nascondere; mascherare **6** fingere, simulare, fare finta, dare a intendere ♦ **mostrarsi** *v.pr.* apparire, presentarsi, farsi vedere; affacciarsi © nascondersi, celarsi, scomparire.

móstro *s.m.* **1** (*delle fiabe*) orco, babau, uomo nero **2** ♣ (*persona brutta*) orrore, aborto, cesso (*colloq.*), scorfano **3** ♣ (*persona malvagia*) belva, bestia, bruto **4** ♣ (*persona eccezionale*) fenomeno, portento, prodigio, dio.

mostruóso *agg.* **1** deforme, abnorme © normale **2** orrendo, orribile, raccapricciante, spaventoso © bello, splendido, incantevole **3** ♣ crudele, feroce, malvagio; animalesco, bestiale **4** ♣ eccezionale, incredibile, prodigioso, straordinario.

motivàre *v.tr.* **1** causare, determinare, provocare, ingenerare, originare **2** (*una scelta, un comportamento ecc.*) spiegare, giustificare **3** (*una persona a fare qlco.*) stimolare, spingere, incentivare, stimolare; incitare, incoraggiare © demotivare, disincentivare.

motivàto *agg.* **1** giustificato, spiegato; fondato, legittimo, ragionevole © immotivato, ingiustificato; gratuito, illegittimo **2** (*di persona*) convinto, stimolato, incentivato © demotivato.

motivazióne *s.f.* **1** causa, motivo; giustificazione, spiegazione **2** (*psicol.*) stimolo, incentivo, molla.

motìvo *s.m.* **1** causa, movente, motivazione, ragione **2** occasione, fonte **3** (*musicale*) aria, melodia **4** tema, filo conduttore, leitmotiv (*ted.*).

mòto[1] *s.m.* **1** movimento © immobilità, staticità **2** attività, movimento, esercizio fisico, esercizio © sedentarietà **3** (*d'impazienza, di stizza*) gesto, atto, movimento, mossa, scatto **4** ♣ (*dell'animo, di pietà ecc.*) impeto, impulso, slancio **5** agitazione, rivolta, tumulto, sommossa.

mòto[2] *s.f.invar.* motocicletta.

motociclétta *s.f.* moto.

motociclìsta *s.m.f.* centauro.

motocìclo *s.m.* IPON. motocicletta, scooter (*ingl.*).

motóre *s.m.* **1** propulsore **2** ♣ impulso, causa, movente, stimolo.

motorìno *s.m.* ciclomotore, scooter (*ingl.*), motoscooter (*ingl.*), motoretta.

motrìce *s.f.* locomotiva, locomotore.

mottéggio *s.m.* **1** canzonatura, presa in giro, scherzo **2** battuta, facezia, frizzo, lazzo.

mòtto *s.m.* **1** battuta, facezia, freddura, spiritosaggine **2** massima, proverbio, detto; insegna, slogan.

movènte *s.m.* impulso, spinta, stimolo; causa, motivo, motivazione, ragione.

movènza *s.f.* **1** gesto, movimento **2** ♣ (*di uno scritto, di un discorso ecc.*) stile, tono, andamento; (*di un canto, di una voce ecc.*) modulazione.

movimentàre *v.tr.* animare, rallegrare, ravvivare, vivacizzare © spegnere, smorzare.

movimentàto *agg.* animato, vivace; agitato, turbolento © calmo, tranquillo.

moviménto *s.m.* **1** moto, spostamento **2** gesto, mossa, atto, movenza **3** (*di persone, di traffico ecc.*) circolazione, animazione, viavai, traffico **4** (*politico, sindacale ecc.*) organizzazione **5** (*artistico, culturale, letterario ecc.*) scuola, corrente, filone, tendenza.

mozióne *s.f.* richiesta, proposta.

mozzafiàto *agg.invar.* (*di film, di gara ecc.*) impressionante, emozionante, sbalorditivo, stupefacente, strabiliante.

mozzàre *v.tr.* tagliare, troncare, recidere.
mozzicóne *s.m.* pezzo, moncone; (*di sigaretta*) cicca; (*di candela*) moccolo.
mózzo[1] *agg.* mozzato, reciso, tronco.
mózzo[2] *s.m.* marinaio.
mùcca *s.f.* vacca.
mùcchio *s.m.* **1** ammasso, cumulo, catasta, pila **2** ♧ (*grande quantità*) fiume, mare, marea, montagna, sacco (*colloq.*), casino (*colloq.*).
mùco *s.m.* (*med.*) **1** catarro, espettorato (*med.*) **2** (*colloq.*) candela, moccio, moccolo.
mugghiàre *v.intr.* **1** (*dei buoi*) muggire **2** (*di persona*) urlare **3** ♧ (*di mare, di vento*) rumoreggiare, rombare, ululare.
muggìre *v.intr.* **1** (*dei buoi*) mugghiare **2** (*di persona*) urlare **3** ♧ (*di mare, di vento*) rumoreggiare, rombare, ululare.
mugolàre *v.intr.* **1** (*di animali*) guaire, uggiolare **2** (*di persona*) gemere, lamentarsi ♦ *v.tr.* bisbigliare, borbottare, sussurrare.
mugugnàre *v.intr.* brontolare, mormorare.
mugùgno *s.m.* brontolio, borbottio.
mulàtto *agg., s.m.* creolo, meticcio.
mulinàre *v.tr.* **1** roteare, girare **2** architettare, tramare ♦ *v.intr.* **1** roteare, turbinare **2** ♧ fantasticare, fare castelli in aria.
mulinèllo *s.m.* gorgo, risucchio, vortice.
mùlo *s.m.* (*di persona*) caparbio, ostinato, testardo.
mùlta *s.f.* (*uso corrente*) contravvenzione, ammenda, sanzione, penale (*dir.*).
multàre *v.tr.* fare la multa.
multicolóre *agg.* variopinto, policromo © monocolore, monocromo, uniforme.
multiètnico *agg.* multirazziale; cosmopolita, internazionale.
multifórme *agg.* **1** vario, eterogeneo, molteplice, variegato © uniforme **2** (*di ingegno e sim.*) eclettico, poliedrico, versatile.
multilìngue *agg.* poliglotta © monolingue.
mùltiplo *agg.* molteplice.
multirazziàle *agg.* vedi **multiètnico**.
multiùso *agg.invar.* (*di oggetto, di strumento ecc.*) milleusi, pluriuso.
mummificàre *v.tr.* imbalsamare ♦ **mummificarsi** *v.pr.* ♧ incartapecorirsi; fossilizzarsi © rinnovarsi, modernizzarsi, aggiornarsi.
mùngere *v.tr.* ♧ spremere, sfruttare.
municipàle *agg.* comunale, civico.
municìpio *s.m.* comune.
munificènza *s.f.* generosità, larghezza, prodigalità © avarizia, tirchieria.
munìfico *agg.* generoso, largo, liberale, magnanimo, prodigo © avaro, gretto, meschino, spilorcio, tirchio.
munìre *v.tr.* **1** armare, fortificare, guarnire © disarmare, sguarnire **2** dotare, fornire, attrezzare, equipaggiare © privare ♦ **munirsi** *v.pr.* fornirsi, dotarsi, attrezzarsi © privarsi, rinunciare.
munìto *agg.* **1** fortificato © sguarnito **2** dotato, corredato, fornito, equipaggiato © privo, sprovvisto, mancante.
muòvere *v.tr.* **1** spostare, spingere, trasportare, rimuovere; agitare, scuotere, dondolare **2** (*un'accusa, un rimprovero ecc.*) rivolgere, formulare **3** (*guerra a qlcu.*) avviare, cominciare **4** (*un tranello*) tendere **5** (*una causa*) intentare **6** (*qlcu. a fare qlco.*) indurre, spingere, persuadere, istigare © dissuadere, distogliere ♦ *v.intr.* **1** (*verso un luogo*) avviarsi, dirigersi, partire, procedere **2** (*di ragionamento, di discorso ecc.*) ♧ cominciare, partire, nascere, derivare, prendere le mosse; basarsi, fondarsi ♦ **muoversi** *v.pr.* **1** avviarsi, incamminarsi © fermarsi, arrestarsi **2** allontanarsi, spostarsi **3** affrettarsi, sbrigarsi, darsi una mossa (*colloq.*) **4** ♧ entrare in azione, agire **5** ♧ (*a favore di qlcu.*) intervenire, adoperarsi, darsi da fare, impegnarsi **6** ♧ (*a pietà e sim.*) commuoversi.
muràglia *s.f.* mura, cinta, baluardo, bastione.
muràre *v.tr.* **1** (*un'apertura*) chiudere **2** (*una cassaforte*) incassare **3** costruire, edificare ♦ **murarsi** *v.pr.* ♧ rinchiudersi, isolarsi, ritirarsi.
muratóre *s.m.* IPERON. edile.
mùro *s.m.* **1** muratura; parete **2** ♧ (*di nebbia, di odio, di silenzio ecc.*) barriera.
muscolatùra *s.f.* muscoli.
mùscolo *s.m.* **1** muscolatura **2** ♧ (*spec. al pl.*) forza, robustezza, vigore, prestanza **3** cozza, mitilo.
muscolóso *agg.* forte, robusto, prestante, vigoroso, erculeo (*elev.*), nerboruto (*elev.*).
musèo *s.m.* IPON. galleria, gipsoteca, pinacoteca.
mùsica *s.f.* **1** composizione, componimento; esecuzione **2** (*mus.*) spartito, partitura **3** (*colloq.*) banda, fanfara **4** ♧ solfa, storia, minestra; tiritera, ritornello.
musicàle *agg.* armonioso, melodioso, dolce © disarmonico, aspro.
musicalità *s.f.* armonia, armoniosità, melodia, melodiosità, sonorità, dolcezza © disarmonia.
musicassétta *s.f.* cassetta, nastro, tape (*ingl.*).
musicìsta *s.m.f.* **1** compositore **2** esecutore, interprete.
mùso *s.m.* **1** (*di animale*) grugno **2** (*spreg.*) viso, faccia, volto, ceffo (*spreg.*) **3** broncio, muso lungo **4** (*di un'automobile e sim.*) davanti, parte anteriore © retro, dietro.
musóne *s.m.* scontroso, orso, brontolone © simpaticone, compagnone.

musulmàno *agg., s.m.* islamico, maomettano.
mùta *s.f.* **1** (*di pelo, di piume ecc.*) mutazione, muda **2** tuta subacquea.
mutaménto *s.m.* cambiamento, modificazione, variazione, trasformazione, metamorfosi.
mutànde *s.f.pl.* calzoncini, slip; (*da uomo*) boxer (*ingl.*); (*da donna*) mutandina, perizoma, tanga.
mutàre *v.tr.* cambiare, modificare, sostituire, trasformare ♦ *v.intr.* cambiare, modificarsi, trasformarsi.
mutazióne *s.f.* alterazione, cambiamento, trasformazione; metamorfosi.
mutévole *agg.* **1** variabile, mutabile © immutabile, invariabile, stabile **2** (*di umore e sim.*) incostante, imprevedibile, capriccioso, volubile © costante, deciso, fermo.
mutilàre *v.tr.* **1** (*un arto*) amputare, tagliare **2** ♧ (*un film, un articolo ecc.*) accorciare, ridurre, tagliare.
mutilàto *agg.* **1** (*di arto e sim.*) amputato, mozzato, mozzo **2** ♧ incompleto, ridotto ♦ *s.m.* invalido, minorato.
mutilazióne *s.f.* **1** amputazione, taglio; menomazione **2** ♧ (*di un film, di uno scritto ecc.*) taglio, riduzione, impoverimento.
mùtilo *agg.* **1** monco, troncato © intero, intatto, integro **2** ♧ (*di un testo e sim.*) incompleto, lacunoso © completo, integro.
mutìsmo *s.m.* silenzio; reticenza © loquacità, parlantina, logorrea.
mùto *agg.* **1** mutolo (*raro*) **2** silenzioso, taciturno, zitto © ciarliero, loquace, logorroico **3** ammutolito, attonito, sbigottito **4** (*di film*) © sonoro **5** (*di sentimento*) inespresso; tacito © espresso, dichiarato.
mùtua *s.f.* assistenza previdenza sociale.
mutuàre *v.tr.* prendere, derivare, ricavare, trarre.
mùtuo¹ *agg.* reciproco, vicendevole, scambievole.
mùtuo² *s.m.* IPERON. prestito.

n, N

nabàbbo *s.m.* (*scherz.*) riccone, miliardario.
nadìr *s.m.* (*astr.*) © zenit.
nàfta *s.f.* gasolio; olio combustibile.
nàia *s.f.* (*gerg.*) servizio militare, leva, servizio di leva.
naïf *agg.invar.* (*fr.*) **1** (*di artista, di pittore ecc.*) istintivo, primitivo © manierato, raffinato **2** (*di persona*) ingenuo, candido, semplice, genuino.
nàno *agg.* piccolo, basso, piccoletto © gigantesco, enorme ♦ *s.m.* omino, ometto, piccoletto, tappo, pigmeo, soldo di cacio, nanerottolo (*spreg.*) © gigante, colosso, corazziere (*scherz.*).
napoletàno *agg.* partenopeo.
narcisìsmo *s.m.* vanità, autocompiacimento, egocentrismo © modestia, umiltà.
narcisìsta *s.m.f.* vanitoso, narciso, egocentrico © modesto, umile, semplice.
narcòtico *agg.* anestetico, sedativo, soporifero, tranquillante © eccitante, stimolante ♦ *s.m.* sonnifero, anestetico, ipnotico (*farm.*), sedativo, calmante; allucinogeno, droga © eccitante, stimolante.
narcotizzàre *v.tr.* **1** anestetizzare, addormentare (*colloq.*) © svegliare, risvegliare **2** ♧ addormentare, drogare, intontire, stordire © eccitare, scuotere.
narràre *v.tr.* raccontare, dire, riferire, spiegare.
narratìva *s.f.* prosa, fiction (*ingl.*) IPON. romanzo, racconto, novella.
narratóre *s.m.* IPERON. scrittore IPON. novelliere, romanziere, prosatore.
narrazióne *s.f.* racconto, eposizione, descrizione IPON. romanzo, novella, favola, fiaba.
nàscere *v.intr.* **1** (*di uomini, di animali*) venire al mondo, venire alla luce © morire, andare all'altro mondo, spegnersi, spirare; (*eufem.*) andarsene, scomparire **2** (*di pianta e sim.*) spuntare, germogliare, attecchire; (*di fiore*) sbocciare, fiorire ③ morire, seccarsi **3** (*di denti, peli, capelli*) spuntare, crescere © cadere **4** (*del sole e sim.*) sorgere, spuntare, levarsi, apparire © calare, scendere, tramontare **5** (*di corso d'acqua*) scaturire, sgorgare © sfociare **6** ♧ avere origine, derivare, originarsi; insorgere, manifestarsi © finire, terminare, cessare, estinguersi.
nàscita *s.f.* **1** parto, lieto evento, venuta al mondo, natività (*lett.*) © morte, decesso, scomparsa **2** famiglia, condizione, classe, ceto, estrazione, stirpe **3** ♧ (*di un fenomeno, di un sentimento ecc.*) inizio, principio, origine, esordio © fine, termine, cessazione, morte.
nascóndere *v.tr.* **1** celare, coprire, occultare © mostrare, scoprire **2** ♧ (*un sentimento, uno stato d'animo ecc.*) dissimulare, celare, eludere (*elev.*), sottacere, tacere © esprimere, manifestare, comunicare, dimostrare, rivelare, svelare ♦
nascondersi *v.pr.* rifugiarsi, rintanarsi, imboscarsi © mostrarsi, rivelarsi, scoprirsi.
nascondìglio *s.m.* rifugio, covo, tana, buco, nido.
nascondìno *s.m.* rimpiattino.
nascósto *agg.* **1** coperto, riparato, invisibile, celato, occulto © visibile, evidente, palese, scoperto **2** ♧ (*di qualità, di dote ecc.*) celato, segreto, recondito, inespresso, inconfessato © chiaro, evidente, esplicito, palese, scoperto.
nàso *s.m.* **1** fiuto, odorato, olfatto **2** ♧ intuito, istinto, fiuto, perspicacia.
nàstro *s.m.* **1** fettuccia, passamano **2** (*colloq.*) cassetta, audiocassetta, musicassetta.
natàle *agg.* originario, nativo, natio ♦ *s.m.* (*al pl.*) nascita, origine, famiglia, discendenza.
natalità *s.f.* nascita © mortalità.
natànte *s.m.* **1** IPON. imbarcazione, barca **2** galleggiante, zattera, chiatta.
nàtica *s.f.* gluteo, chiappa, mela (*region.*); (*al pl.*) sedere, culo (*volg.*), didietro, deretano.
natìvo *agg.* **1** originario, natale, natio © forestiero, straniero **2** (*di qualità*) naturale, congenito, innato, insito © acquisito ♦ *s.m.* indigeno, autoctono, aborigeno © forestiero, straniero, immigrato.
nàto *agg.* generato, partorito, venuto al mondo © morto, defunto ♦ *s.m.* figlio, bambino.
natùra *s.f.* **1** universo, mondo, creato, cosmo **2** animo, carattere, indole, personalità, temperamento **3** (*di una cosa*) genere, qualità, sostanza, tipo **4** (*di un luogo geografico*) paesaggio, territorio, ambiente.
naturàle *agg.* **1** normale, ordinario, usuale, con-

sueto, comune, ovvio © innaturale, inconsueto, anormale, insolito, straordinario **2** (*di qualità, di istinti ecc.*) innato, insito, congenito, connaturato © acquisito, indotto **3** (*di cibo*) genuino, puro © alterato, adulterato, contraffatto, sofisticato **4** (*di acqua*) liscia © gassata, frizzante **5** (*di comportamento e sim.*) spontaneo, semplice, immediato, sincero, schietto © innaturale, forzato, artefatto, studiato **6** (*di morte*) © violenta **7** (*di parto*) fisiologico © indotto.

naturalézza *s.f.* **1** normalità, regolarità © anormalità, irregolarità **2** spontaneità, semplicità, disinvoltura, spigliatezza © affettazione, artificiosità.

naturìsmo *s.m.* nudismo.

naturìsta *s.m.f.* nudista.

naufragàre *v.intr.* **1** (*di nave*) affondare, colare a picco, inabissarsi © emergere, affiorare **2** ♧ (*di un progetto e sim.*) fallire, andare a monte, saltare © riuscire, vincere, trionfare, affermarsi.

naufràgio *s.m.* **1** affondamento **2** ♧ (*di un'iniziativa e sim.*) fallimento, insuccesso, rovina © riuscita, trionfo, affermazione.

nàusea *s.f.* **1** voltastomaco **2** ♧ disgusto, ripugnanza, ribrezzo, schifo **3** ♧ fastidio, noia, tedio.

nauseabóndo *agg.* nauseante, disgustoso, stomachevole, ripugnante, rivoltante, vomitevole © appetitoso, gustoso, gradevole.

nauseànte *agg.* **1** disgustoso, ripugnante, stomachevole, rivoltante, schifoso © appetitoso, gustoso, gradevole **2** ♧ (*di persona, di comportamento ecc.*) fastidioso, irritante, noioso © gradevole.

nauseàre *v.tr.* disgustare, stomacare, ripugnare © piacere.

nàutico *agg.* vedi **navàle**.

navàle *agg.* marinaro, marinaresco, marittimo, nautico.

nàve *s.f.* bastimento, piroscafo IPERON. imbarcazione, natante.

navétta *s.f.* **1** (*tess.*) spola **2** (*spaziale*) shuttle (*ingl.*).

navigànte *agg.*, *s.m.f.* navigatore, marinaio.

navigàre *v.intr.* **1** (*di un mezzo nautico*) andare per mare, veleggiare; (*di aeromobili*) volare; viaggiare **2** ♧ destreggiarsi, barcamenarsi ♦ *v.tr.* attraversare, percorrere.

navigàto *agg.* **1** (*di marinaio*) veterano **2** ♧ (*di persona*) esperto, sveglio, scafato, svelto, vissuto © inesperto, candido, ingenuo, semplice.

navigatóre *s.m.* **1** navigante, marinaio **2** (*inform.*; *in rete*) internauta.

navigazióne *s.f.* traversata IPERON. percorso, viaggio.

nazionàle *agg.* statale, interno © internazionale, estero, straniero.

nazionalìsmo *s.m.* **1** patriottismo **2** campanilismo; sciovinismo © cosmopolitismo.

nazionalìsta *agg.*, *s.m.f.* patriota, sciovinista (*spreg.*) © cosmopolita.

nazionalìstico *agg.* nazionalista, patriottico © internazionalistico.

nazionalità *s.f.* **1** cittadinanza **2** nazione; gente, razza, stirpe.

nazionalizzàre *v.tr.* statalizzare © privatizzare.

nazionalizzazióne *s.f.* statalizzazione © privatizzazione.

nazionalsocialìsmo *s.m.* nazismo.

nazionalsocialìsta *agg.*, *s.m.f.* nazista, hitleriano.

nazióne *s.f.* **1** popolo, gente, stirpe **2** stato, paese, patria.

naziskin *s.m.f.invar.* (*ingl.*) skinhead (*ingl.*).

nazìsmo *s.m.* nazionalsocialismo.

nazìsta *s.m.f.* nazionalsocialista.

nébbia *s.f.* **1** bruma, caligine, foschia **2** ♧ offuscamento, appannamento, confusione, nebulosità, fumosità © chiarezza, lucidità, trasparenza.

nebbióso *agg.* **1** brumoso, caliginoso, velato © chiaro, limpido, sereno, terso **2** ♧ (*di discorso, di pensiero ecc.*) nebuloso, confuso, oscuro, vago, fumoso © chiaro, trasparente.

nebulizzàre *v.tr.* vaporizzare, polverizzare © condensare.

nebulizzatòre *s.m.* vaporizzatore, spray (*ingl.*), atomizzatore, polverizzatore.

nebulóso *agg.* **1** (*di cielo*) nebbioso, fosco, caliginoso, velato; nuvoloso, rannuvolato © sereno, limpido, terso, trasparente; sereno **2** ♧ (*di ricordo, di discorso ecc.*) confuso, oscuro, vago, generico, impreciso, indistinto © chiaro, comprensibile, evidente, lucido.

necessàrio *agg.* indispensabile, essenziale, obbligatorio, determinante, vitale, imprescindibile; utile, opportuno © superfluo, secondario, facoltativo, marginale ♦ *s.m.* indispensabile, fabbisogno, occorrente © superfluo, surplus (*fr.*), eccesso.

necessità *s.f.* **1** bisogno, esigenza **2** inevitabilità, ineluttabilità, fatalità © casualità, caso **3** miseria, bisogno, povertà, penuria © abbondanza, ricchezza, benessere, lusso.

necessitàre *v.tr.* richiedere, esigere ♦ *v.intr.* occorrere, servire, urgere.

necròforo *s.m.* becchino.

necrologìa *s.f.* necrologio.

necrològio *s.m.* annuncio funebre, necrologia; commemorazione; (*giorn.*, *gerg.*) coccodrillo.

necròsi, **nècrosi** *s.f.invar.* cancrena.
nefandézza *s.f.* **1** efferatezza, scelleratezza, malvagità **2** atrocità, crimine, barbarie **3** calunnia, menzogna, infamia, diffamazione.
nefàndo *agg.* **1** abominevole, infame, turpe, scellerato; mostruoso, orribile © apprezzabile, lodevole **2** (*di persona*) malvagio, scellerato, spregevole, indegno © nobile, onesto.
nefàsto *agg.* malaugurato, infelice, funesto, luttuoso, maledetto, sciagurato © fausto, felice, fortunato, favorevole, propizio.
negàre *v.tr.* **1** contestare, contraddire, confutare; smentire, ritrattare, sconfessare © affermare, confermare, ammettere, asserire **2** (*ass.*) dire di no © affermare, assentire, dire di sì **3** (*un favore, la grazia ecc.*) respingere, rifiutare, ricusare © concedere, consentire, dare, dispensare.
negatìvo *agg.* **1** © affermativo, positivo **2** (*di parere e sim.*) contrario, sfavorevole, ostile, avverso © positivo, favorevole **3** (*di persona, di atteggiamento*) distruttivo © positivo, costruttivo **4** (*mat.*) © positivo ♦ *s.m.* (*fotogr.*) negativa, negativo fotografico © positiva, positivo.
negàto *agg.* (*di persona*) inadatto, incapace © portato, adatto, capace, dotato.
negazióne *s.f.* **1** rifiuto, diniego, no; ritrattazione, smentita, sconfessione © affermazione, asserzione, sì; consenso, accordo **2** ♧ contrario, opposto © conferma, affermazione.
neghittóso *agg.* indolente, pigro, svogliato © attivo, dinamico, operoso.
neglètto *agg.* **1** (*di luogo, di monumento ecc.*) dimenticato, abbandonato, trascurato © curato **2** (*di abbigliamento e sim.*) misero, semplice, sciatto, trasandato, trascurato © curato, elegante, raffinato, ricercato.
negligènte *agg.* **1** indolente, pigro, noncurante; disattento, distratto, disordinato © diligente, attivo, dinamico, operoso; attento, preciso **2** sciatto, trasandato, trascurato © curato.
negligènza *s.f.* **1** incuria, noncuranza, svogliatezza, pigrizia © diligenza, cura, impegno **2** (*nell'abbigliamento e sim.*) sciatteria, trascuratezza © cura, attenzione **3** (*nel comportamento*) disattenzione, distrazione, leggerezza, mancanza, trascuratezza **4** (*dir.*) omissione.
negoziànte *s.m.f.* commerciante, esercente, venditore, rivenditore; bottegaio.
negoziàre *v.tr.* **1** (*una merce, il prezzo ecc.*) contrattare, trattare, mercanteggiare **2** (*la pace, un accordo e sim.*) discutere, trattare ♦ *v.intr.* **1** commerciare, trafficare **2** (*in politica*) trattare.
negoziàto *s.m.* trattativa, negoziazione, patteggiamento; patto, trattato.
negoziatóre *s.m.* intermediario, mediatore; (*finanziario*) broker; (*in politica*) inviato, incaricato.
negoziazióne *s.f.* trattativa, negoziato, contrattazione, patteggiamento.
negòzio *s.m.* **1** (*locale*) bottega, esercizio, rivendita, spaccio **2** affare, business (*ingl.*), operazione, negoziazione, traffico IPON. acquisto, vendita.
negrièro *s.m.* **1** schiavista **2** ♧ sfruttatore, aguzzino, oppressore, tiranno.
négro *agg.* (*spreg.*) nero © bianco, giallo, pellerossa ♦ *s.m.* nero.
negromànte *s.m.f.* mago, stregone, indovino.
negromanzìa *s.f.* magia, stregoneria, occultismo.
nèmesi *s.f.invar.* punizione, vendetta.
nemìco *agg.* **1** (*di persona*) ostile, avverso, contrario, malevolo, maldisposto © amico, benevolo, bendisposto, benigno, favorevole **2** (*di esercito e sim.*) avversario © alleato, amico **3** (*di evento, di sorte ecc.*) avverso, sfavorevole, contrario © favorevole, amico, propizio **4** ♧ nocivo, dannoso, deleterio © benefico, salutare, utile ♦ *s.m.* avversario, rivale, antagonista © amico, alleato.
nènia *s.f.* **1** cantilena, ninnananna **2** ♧ piagnucolio, lagna, tiritera.
nèo *s.m.* **1** nevo (*med.*), macchia, voglia **2** ♧ difetto, imperfezione, pecca © qualità, pregio.
neòfita *s.m.f.* **1** proselito **2** principiante, novellino (*spreg.*) © veterano.
neonàto *s.m.* lattante, poppante, bebè, baby (*ingl.*) ♦ *agg.* nuovo, recente © antico, vecchio.
neoplasìa *s.f.* tumore, cancro.
nepotìsmo *s.m.* favoritismo, clientelismo.
nèrbo *s.m.* **1** frusta, scudiscio, sferza **2** ♧ forza, energia, potenza, robustezza, vigore, tempra; fermezza, polso, grinta © debolezza, fiacchezza, gracilità; insicurezza, mollezza **3** ♧ efficacia, incisività, vigore, vivacità © debolezza, fiacchezza, inefficacia **4** ♧ (*delle truppe, della società ecc.*) nucleo, perno, punto di forza, forte © punto debole, debole.
nerborùto *agg.* forte, possente, massiccio © debole, gracile.
néro *agg.* **1** (*di colore*) corvino © bianco **2** scuro, bruno, moro; abbronzato © chiaro, bianco; pallido **3** (*di pane*) integrale © bianco **4** sudicio, sporco © bianco, pulito, candido **5** ♧ (*di periodo e sim.*) triste, infelice, sfortunato, difficile, funesto © fortunato, lieto **6** (*di pensieri, di umore ecc.*) triste, malinconico, pessimista © allegro, felice, ottimista **7** (*di persona*) arrabbiato, furioso, imbufalito, incazzato (*volg.*) © calmo,

sereno, tranquillo **8** (*di romanzo*) dell'orrore, horror (*ingl.*), noir (*fr.*) **9** ♣ (*di fondi e sim.*) illegale, sporco; (*di mercato*) clandestino; (*di lavoro e sim.*) sommerso **10** fascista, neofascista; di destra © rosso, di sinistra ♦ *s.m.* **1** (*colore*) © bianco **2** negro © bianco **3** (*in contabilità*) attivo © rosso, passivo.

nervosìsmo *s.m.* irritabilità, suscettibilità, nervoso (*colloq.*), agitazione, tensione, elettricità © calma, serenità, tranquillità.

nervóso *agg.* **1** agitato, irrequieto, irritabile, teso © calmo, disteso, sereno, tranquillo **2** scattante, rapido, energico **3** ♣ (*di stile letterario*) asciutto, conciso, essenziale, immediato, stringato © debole, fiacco, prolisso ♦ *s.m.* (*colloq.*) nervosismo, malumore.

nèsso *s.m.* connessione, collegamento, correlazione, legame, rapporto, relazione.

net *s.m.invar.* (*ingl.*) (*nel tennis*) rete, colpo nullo.

nèttare[1] *s.m.* **1** (*mitol.*) ambrosia **2** succo di frutta **3** ♣ squisitezza, prelibatezza.

nettàre[2] *v.tr.* pulire, ripulire © sporcare, insudiciare.

nettézza *s.f.* **1** pulizia © sporcizia, sudiciume **2** precisione, esattezza, nitidezza © imprecisione, vaghezza.

nétto *agg.* **1** pulito, lindo, terso; limpido (*di cielo*) © sporco, sudicio **2** nitido, chiaro, distinto, preciso © confuso, incerto, vago, indistinto **3** ♣ (*di rifiuto, di risposta ecc.*) secco, deciso, fermo, energico, categorico © esitante, indeciso, tentennante **4** ♣ (*di vittoria e sim.*) completo, totale, assoluto **5** (*di peso, di importo*) © lordo.

netturbìno *s.m.* spazzino, operatore ecologico.

network *s.m.invar.* (*ingl.*) **1** (*telecom.*) rete; televisione **2** (*inform.*) rete.

neutràle *agg.* neutro, imparziale, equidistante; indifferente © parziale, di parte, fazioso; partecipe.

neutralità *s.f.* **1** (*polit.*) neutralismo © interventismo **2** imparzialità, equidistanza; indifferenza © parzialità, faziosità, partigianeria.

neutralizzàre *v.tr.* annullare, bloccare, impedire, vanificare.

nèutro *agg.* **1** (*di colore, di sapore ecc.*) indefinito, imprecisato, vago © distinto, preciso, netto **2** (*di genere*) asessuato, indifferenziato **3** neutrale, imparziale © parziale, fazioso **4** (*chim.*) © acido, basico.

néve *s.f.* **1** IPON. nevischio **2** (*gerg.*) cocaina.

nevìschio *s.m.* IPERON. neve.

nevóso *agg.* innevato.

nevràlgico *agg.* ♣ (*di punto, di questione ecc.*) critico, cruciale, delicato © marginale, secondario.

nevrastenìa *s.f.* eccitabilità, irritabilità, nervosismo, tensione.

nevrastènico *agg.* nervoso, irritabile, isterico, nevrotico © calmo, tranquillo.

nevròsi *s.f.* nervosismo, ansia, isteria, irritabilità, eccitabilità, ossessione.

nevròtico *agg.* nervoso, ansioso, agitato, irritabile, isterico, nevrastenico © calmo, sereno, tranquillo, disteso, pacifico.

nìcchia *s.f.* **1** cavità, incavo, vano; (*nei cimiteri*) loculo, tabernacolo, edicola **2** (*econ.*) segmento di mercato **3** (*ecologica*) habitat.

nicchiàre *v.intr.* esitare, indugiare, tentennare, tergiversare, traccheggiare © decidersi.

nidiàta *s.f.* **1** covata **2** ♣ (*di bambini*) figliolanza, prole.

nìdo *s.m.* **1** (*di animale*) tana, covo **2** ♣ famiglia, casa, focolare **3** asilo nido, asilo; (*in ospedale*) nursery (*ingl.*) **4** (*spreg.*; *di delinquenti*) covo, nascondiglio, rifugio.

night-club *s.m.invar.* (*ingl.*) locale notturno.

ninnanànna *s.f.* cantilena, nenia; filastrocca.

nìnnolo *s.m.* **1** giocattolo, balocco **2** gingillo, soprammobile; (*spreg.*) carabattola, chincaglieria, paccottiglia.

nippònico *agg.* giapponese.

nitidézza *s.f.* **1** pulizia, nettezza © sporcizia, sudiciume **2** ♣ chiarezza, precisione, limpidezza, linearità, comprensibilità © confusione, incomprensibilità, nebulosità.

nìtido *agg.* **1** lindo, netto, pulito; lucente, splendente © sporco, sudicio; opaco **2** (*di cielo, di acqua e sim.*) limpido, chiaro, trasparente, terso © sporco, torbido, scuro, cupo **3** ♣ (*di ricordo e sim.*) definito, distinto, netto, preciso © nebuloso, vago, impreciso **4** (*di stile, di discorso e sim.*) chiaro, pulito, lineare, preciso, accurato, elegante © confuso, nebuloso, trasandato, sciatto.

nitóre *s.m.* (*elev.*) nitidezza.

nìveo *agg.* bianco, candido, immacolato.

nòbile *agg.* **1** aristocratico, patrizio; blasonato, titolato © plebeo **2** ♣ elegante, fine, distinto, signorile © volgare, grossolano, rozzo **3** ♣ (*di animo, di cuore ecc.*) generoso, magnanimo © indegno, meschino **4** (*di metallo*) prezioso; (*di gas*) raro ♦ *s.m.f.* **1** aristocratico, patrizio; blasonato, titolato © plebeo **2** (*al pl.*) aristocrazia, nobiltà.

nobiliàre *agg.* aristocratico, nobile, patrizio, signorile © plebeo, popolare.

nobilitàre *v.tr.* elevare, innalzare © abbrutire, degradare, svilire.

nobiltà *s.f.* **1** aristocrazia, blasone **2** aristocrazia, patriziato © plebe, volgo, borghesia **3** ♣ distinzione, signorilità, eleganza, classe, raffina-

tezza © volgarità **4** (*d'animo e sim.*) generosità, magnanimità © grettezza, meschinità.
nòcciolo *s.m.* **1** (*di un frutto*) osso **2** ♧ (*di un problema e sim.*) fulcro, centro, cuore, nucleo.
nocività *s.f.* dannosità, pericolosità © innocuità.
nocìvo *agg.* dannoso, deleterio, lesivo, micidiale, pericoloso; (*di cibo*) tossico, velenoso, mortale © benefico, salutare; innocuo.
nodàle *agg.* centrale, cruciale, basilare, essenziale, fondamentale © marginale, secondario.
nòdo *s.m.* **1** annodatura, legatura **2** ♧ legame, rapporto, relazione, vincolo, unione **3** groviglio, intreccio, garbuglio, viluppo **4** ♧ difficoltà, problema, impedimento, intoppo, ostacolo **5** ♧ centro, cuore, fulcro, nocciolo, nucleo **6** (*di una vicenda, di una storia ecc.*) intreccio, trama **7** (*di un albero*) nodosità **8** (*stradale, ferroviario*) crocevia, incrocio, snodo **9** miglio marino.
nodòso *agg.* **1** bitorzoluto © liscio **2** (*di mano e sim.*) magro, ossuto.
no global *agg.invar.* (*ingl.*) antiglobalizzazione.
nòia *s.f.* **1** tedio, monotonia, uggia; insofferenza, insoddisfazione © piacere, divertimento **2** fastidio, disagio, disturbo, guaio, grana (*colloq.*), rogna (*colloq.*), seccatura © gioia, piacere **3** (*di persona o cosa*) palla (*colloq.*), pizza (*colloq.*), barba, mortorio, scocciatura **4** disgusto, avversione, insofferenza, ribrezzo © simpatia.
noióso *agg.* **1** tedioso, monotono, barboso, palloso (*colloq.*), uggioso, soporifero © interessante, avvincente, coinvolgente **2** fastidioso, seccante, molesto, scocciante, sgradevole © gradevole, piacevole ♦ *s.m.* seccatore, scocciatore, rompiscatole (*colloq.*), rompipalle (*volg.*), rompi (*colloq.*).
noleggiàre *v.tr.* affittare.
noléggio *s.m.* **1** (*il noleggiare*) affitto, locazione, nolo **2** (*il prezzo per il noleggio*) canone, affitto.
nòlo *s.m.* vedi **noléggio**.
nòmade *agg.* **1** (*antropol.*) © stanziale **2** (*di vita e sim.*) girovago, vagabondo, errante, ramingo © sedentario, fisso, stabile, stanziale ♦ *s.m.f.* **1** zingaro, gitano, zigano **2** ♧ giramondo, vagabondo.
nóme *s.m.* **1** (*gramm.*) sostantivo **2** appellativo, denominazione **3** nome di battesimo; (*burocr.*) generalità **4** titolo, pseudonimo, soprannome, appellativo **5** famiglia, casata, stirpe **6** ♧ autorità, luminare, personalità **7** ♧ reputazione, fama, nomea.
nomèa *s.f.* fama, reputazione, nome.
nomenclatùra *s.f.* (*ling.*) terminologia.
nomìgnolo *s.m.* soprannome, appellativo.
nòmina *s.f.* designazione, assegnazione, incarico, destinazione.
nominàle *agg.* fittizio, ipotetico, virtuale; teorico © reale, effettivo, vero, autentico.
nominàre *v.tr.* **1** indicare, chiamare, dire **2** denominare, battezzare, intitolare **3** menzionare, citare, rammentare, ricordare © tacere,ignorare, tralasciare **4** (*direttore, capo e sim.*) eleggere, designare, incaricare, fare (*colloq.*) © sospendere, rimuovere, esautorare.
nomination *s.f.invar.* (*ingl.*) candidatura.
nominatìvo *agg.* intestato; personale ♦ *s.m.* nome, generalità (*burocr.*).
nonchalance *s.f.invar.* (*fr.*) indifferenza, noncuranza, distacco, disinvoltura © entusiasmo, trasporto, partecipazione.
noncurànte *agg.* **1** (*del pericolo e sim.*) incurante, indifferente, sprezzante © sensibile, attento **2** disattento, negligente, sbadato, trascurato © attento, diligente, zelante.
noncurànza *s.f.* **1** indifferenza, disinteresse, distacco, freddezza © attenzione, interesse, partecipazione **2** disattenzione, incuria, negligenza, sciatteria, trascuratezza © attenzione, cura, zelo.
nònno *s.m.* **1** avo (*raro*) INVER. nipote **2** (*al pl.*) antenati, avi, padri © discendenti, successori **3** (*nel gergo militare*) anziano, veterano © recluta.
nonnùlla *s.m.invar.* niente, nulla, sciocchezza, bazzecola, inezia, quisquilia.
non plus ultra *loc.s.m.invar.* (*lat.*) massimo, top (*ingl.*); apice, colmo, vertice © minimo.
non-profit *agg.invar.* (*ingl.*; *di ente, di associazione ecc.*) senza fini di lucro.
no profit *agg.invar.* vedi **non profit**.
nonsènso *s.m.* controsenso, paradosso, nonsense (*ingl.*); assurdità, idiozia, sciocchezza.
non stop *loc.agg.invar.* (*ingl.*) continuo, continuativo, ininterrotto; (*di volo*) senza scalo © interrotto.
non udènte *loc.agg.* sordo.
non vedènte *loc.agg.* cieco.
nonviolènto *agg., s.m.* pacifista, gandhiano.
nonviolènza *s.f.* pacifismo © violenza.
nòrd *s.m.invar.* settentrione, tramontana © sud, meridione, mezzogiorno ♦ *agg.invar.* settentrionale, boreale © sud, meridionale.
nòrma *s.f.* **1** legge, principio, regola, criterio, modello, parametro; metodo, sistema **2** (*dir.*) disposizione, direttiva, legge, prescrizione **3** (*d'uso, di funzionamento*) avvertenza, istruzione, indicazione, consiglio, suggerimento **4** abitudine, consuetudine, prassi, costume, moda, uso, usanza, tradizione © eccezione, anomalia **5** ordine, normalità, regolarità **6** (*ling.*) standard, uso.

normàle *agg.* regolare, usuale, comune, consueto, ordinario, standard © anormale, anomalo, atipico, inconsueto, eccezionale, speciale, straordinario.
normalità *s.f.* **1** norma, prassi, regola, consuetudine, uso, abitudine; ordine © anormalità, anomalia, eccezionalità; disordine **2** regolarità, quotidianità © eccezionalità, irregolarità.
normalizzàre *v.tr.* **1** regolare, ordinare, regolamentare, regolarizzare © disordinare, scombussolare, sovvertire **2** uniformare, conformare, standardizzare © differenziare.
normalizzazióne *s.f.* regolarizzazione, regolamentazione © sovvertimento.
normatìva *s.f.* regolamento, regolamentazione, legislazione, ordinamento.
normatìvo *agg.* dispositivo, prescrittivo.
nostalgìa *s.f.* desiderio, rimpianto; rammarico.
nostàlgico *agg.* **1** malinconico, triste, mesto **2** conservatore, reazionario; neofascista.
nostràno *agg.* **1** locale, autoctono © straniero, esotico, forestiero **2** casalingo, casereccio, genuino, originale © esotico, straniero.
nòta *s.f.* **1** appunto, annotazione, promemoria; (*a un testo*) commento, spiegazione, postilla **2** (*nei giornali*) trafiletto **3** avviso, comunicazione, comunicato, messaggio **4** elenco, lista; conto, fattura, parcella **5** giudizio, valutazione **6** (*musicale*) suono **7** ♧ (*di fantasia, di allegria ecc.*) tocco **8** ♧ considerazione, menzione, rilievo.
nòta bène *loc.s.m.invar.* avvertenza, richiamo, poscritto.
notàbile *agg.* importante, notevole, considerevole, ragguardevole, rilevante, significativo; insigne, pregevole © insignificante, trascurabile, irrilevante ♦ *s.m.* autorità, personalità, maggiorente, pezzo grosso.
notàre *v.tr.* **1** accorgersi, osservare, vedere, rilevare, constatare © ignorare **2** considerare, evidenziare, sottolineare © tacere, tralasciare, trascurare **3** segnare, registrare, annotare © cancellare, cassare.
nòtes *s.m.invar.* taccuino, bloc-notes, blocco.
notévole *agg.* **1** importante, esemplare, degno di nota, rilevante, considerevole, pregevole, significativo, apprezzabile © mediocre, irrilevante, scadente, spregevole **2** (*di quantità e sim.*) consistente, considerevole, cospicuo, rilevante, ragguardevole © irrilevante, insignificante, piccolo, trascurabile.
notìfica *s.f.* comunicazione, avviso, notificazione.
notificàre *v.tr.* **1** (*dir.*) comunicare, trasmettere **2** denunciare, dichiarare © nascondere, tacere.
notìzia *s.f.* **1** informazione, aggiornamento, nuova, novità, ragguaglio **2** comunicazione, comunicato, annuncio; (*su un argomento riservato*) rivelazione, voce; (*sensazionale*) colpo (*giorn.*), scoop (*ingl.*) **3** (*elev.*) conoscenza, competenza, cognizione, nozione.
notiziàrio *s.m.* **1** bollettino IPON. gazzettino, giornale radio, telegiornale, tigì (*colloq.*) **2** (*medico e sim.*) bollettino.
nòto *agg.* **1** conosciuto, risaputo, pubblico, notorio © sconosciuto, ignoto **2** famoso, celebre, popolare, rinomato © sconosciuto, anonimo, oscuro.
notorietà *s.f.* celebrità, popolarità, fama, prestigio, nomea, reputazione © anonimato, oscurità.
notòrio *agg.* **1** noto, risaputo, conosciuto, pubblico © oscuro, sconosciuto **2** chiaro, evidente, manifesto, palese © oscuro, sconosciuto **3** rinomato, proverbiale © sconosciuto.
nottàmbulo *s.m.* viveur (*fr.*).
nottàta *s.f.* notte.
nòtte *s.f.* **1** nottata © giorno, giornata **2** buio © luce **3** ♧ decadenza, tenebra, buio © luce, splendore.
nottùrno *agg.* **1** © giornaliero, diurno **2** (*di animali*) © diurno.
novèlla *s.f.* **1** racconto, storia **2** (*elev.*) notizia, annuncio.
novellière *s.m.* scrittore, narratore.
novellìno *agg.* inesperto, principiante, pivello, di primo pelo © esperto, pratico, navigato, scafato (*colloq.*) ♦ *s.m.* principiante, novizio, pivello © veterano.
novèllo *agg.* **1** (*di frutta, verdura e sim.*) nuovo, fresco, primaticcio © stagionato **2** (*di sposi*) fresco, nuovo **3** (*elev.*) nuovo, redivivo.
nòvero *s.m.* categoria, gruppo, classe, elenco.
novità *s.f.* **1** attualità, modernità, originalità **2** invenzione, innovazione; cambiamento, trasformazione **3** notizia, news (*ingl.*), nuova.
novìzio *s.m.* **1** neofita, catecumeno **2** apprendista, principiante, novellino, inesperto, pivello © esperto, maestro, veterano.
nozióne *s.f.* **1** conoscenza, cognizione, consapevolezza, idea, percezione **2** (*spec. al pl.*; *di una disciplina e sim.*) basi, elementi, rudimenti, fondamenti.
nòzze *s.f.pl.* matrimonio, sposalizio.
nuance *s.f.invar.* (*fr.*) sfumatura, gradazione, tonalità, tono.
nùbe *s.f.* **1** nuvola IPON. cumulo, cirro, nembo **2** (*di fumo, di polvere ecc.*) accumulo, nuvola, velo.
nubifràgio *s.m.* temporale, acquazzone, diluvio, uragano, tempesta.

nùbile *agg., s.f.* single (*ingl.*), signorina, ragazza, zitella (*spreg.*) © coniugata, sposata.
nùca *s.f.* collo, collottola (*colloq.*).
nucleàre *agg.* atomico ♦ *s.m.* energia atomica, energia nucleare.
nùcleo *s.m.* **1** centro, cuore, nocciolo, fulcro, nodo, fondamento, essenza, perno, sostanza **2** (*di un congegno e sim.*) nocciolo, cuore **3** (*di persone*) gruppo, squadra, reparto, équipe (*fr.*), pool (*ingl.*), staff (*ingl.*), team (*ingl.*); (*di polizia*) reparto, sezione.
nudìsmo *s.m.* naturismo.
nudìsta *s.m.f.* naturista.
nùdo *agg.* **1** denudato, scoperto, spogliato, svestito; (*di piede*) scalzo © coperto, vestito; calzato **2** spoglio, disadorno, povero, brullo (*di terreno*) © pieno, ricco, florido, ornato **3** ♧ (*di verità e sim.*) schietto, semplice **4** ♧ (*di stile e sim.*) essenziale, scarno, sintetico, sobrio © elaborato, sofisticato.
nùgolo *s.m.* sciame, frotta, massa, moltitudine.
nullaòsta *s.m.invar.* permesso, autorizzazione, consenso, benestare, beneplacito © veto, divieto.
nullafacènte *s.m.f.* fannullone, perdigiorno, ozioso, sfaccendato, vagabondo © lavoratore.
nullatenènte *agg., s.m.f.* povero, indigente, bisognoso, squattrinato, spiantato © benestante, ricco, abbiente.
nullificàre *v.tr.* annullare, vanificare.
nullità *s.f.* **1** vanità, inconsistenza, inefficacia, inutilità © validità, valore, consistenza, utilità **2** (*persona di nessun valore*) niente, nulla, incapace, fallito, perdente, zero (*colloq.*) **3** (*cosa di nessun valore*) sciocchezza, stupidaggine, bazzecola, inezia **4** (*dir.*) invalidità, illegittimità, illegalità © validità, legittimità.
nùllo *agg.* **1** inefficace, ininfluente, irrilevante © valido **2** (*dir.*) illegittimo © legittimo, valido **3** (*di incontro sportivo*) pari.
nùme *s.m.* **1** (*nella mitologia classica*) dio, divinità **2** ♧ autorità, nome, personalità.
numeràre *v.tr.* IPERON. segnare, contrassegnare.
numèrico *agg.* **1** (*di differenza e sim.*) quantitativo **2** (*tecn.*) digitale.
nùmero *s.m.* **1** cifra **2** (*di persone, di cose ecc.*) quantità, quantitativo **3** (*di amici e sim.*) gruppo, insieme, novero, categoria, schiera **4** (*di vestito, di scarpe*) taglia, misura **5** (*di un giornale o di un periodico*) copia, edizione, pubblicazione **6** (*in uno spettacolo*) scenetta, sketch (*ingl.*), esibizione **7** (*al pl.*) qualità, doti, requisiti, capacità, potenzialità.
numeróso *agg.* **1** grande, abbondante, copioso, consistente, cospicuo, considerevole, folto, nutrito, ragguardevole, rilevante, apprezzabile © piccolo, scarso, esiguo, limitato, ridotto, irrilevante **2** (*al pl.*) molti, parecchi, tanti; mucchio, sacco (*colloq.*), caterva, folla © pochi.
nùnzio *s.m.* inviato, messo, messaggero, portavoce, ambasciatore, legato.
nuòcere *v.intr.* danneggiare, ledere © giovare, favorire, aiutare.
nuòra *s.f.* INVER. suocera, suocero.
nuotàre *v.intr.* **1** galleggiare; (*nell'aria*) fluttuare **2** ♧ (*nell'oro, nel lusso ecc.*) sguazzare.
nuòva *s.f.* notizia, novità.
nuòvo *agg.* **1** fresco, recente, ultimo © vecchio, antico, antiquato, obsoleto (*elev.*) **2** attuale, moderno; innovativo © vecchio, tradizionale, consueto, obsoleto **3** (*di anno e sim.*) prossimo, venturo, entrante © scorso, passato **4** rinnovato, rifatto, modificato © immutato, solito **5** altro, diverso, ulteriore, successivo **6** novello, redivivo, altro ♦ *s.m.* novità, modernità, innovazione © vecchio, tradizione.
nurse *s.f.invar.* (*ingl.*) **1** bambinaia, governante; tata (*colloq.*), baby-sitter (*ingl.*); balia **2** infermiera.
nursery *s.f.invar.* (*ingl.*) asilo nido, nido, asilo.
nutrìce *s.f.* balia.
nutriènte *agg.* sostanzioso, energetico, nutritivo.
nutriménto *s.m.* **1** alimentazione **2** alimento, cibo; pane.
nutrìre *v.tr.* **1** alimentare, cibare, sfamare; riempire, saziare; (*un neonato*) allattare **2** ♧ (*spiritualmente*) arricchire, alimentare, educare **3** ♧ (*un sentimento*) alimentare, coltivare, provare, sentire ♦ **nutrirsi** *v.pr.* alimentarsi, cibarsi, saziarsi; mangiare © digiunare.
nutritìvo *agg.* nutriente, energetico, sostanzioso.
nutrìto *agg.* **1** florido, fiorente, in carne, pasciuto © denutrito, malnutrito, patito (*colloq.*) **2** ♧ (*di gruppo, di numero ecc.*) considerevole, fitto, folto, numeroso, ragguardevole © esiguo, piccolo, modesto, scarso.
nutrizióne *s.f.* **1** alimentazione; dieta, regime alimentare **2** alimentazione, alimento, cibo.
nùvola *s.f.* **1** nube IPON. cumulo, cirro, nembo **2** (*di fumo, di polvere ecc.*) accumulo, nube, velo **3** ♧ (*di persone, di insetti ecc.*) moltitudine, frotta, stormo, sciame.
nuvolóso *agg.* coperto, brutto, nuvolo © sereno, terso, bello ♦ *s.m.* brutto tempo © sereno, bel tempo.
nuziàle *agg.* matrimoniale, coniugale, sponsale (*elev.*).

o, O

òasi *s.f.* **1** (*ecologica*) riserva naturale **2** ♧ (*di silenzio, di pace ecc.*) isola **3** ♧ pausa, sollievo, tregua.

obbediènte *agg.* disciplinato, rispettoso, docile, remissivo, sottomesso © disobbediente, indisciplinato.

obbediènza *s.f.* rispetto, osservanza, disciplina, sottomissione © disobbedienza, ribellione, rifiuto, insubordinazione, trasgressione.

obbedìre *v.intr.* **1** (*a una persona*) assecondare, ascoltare, adeguarsi, dare retta, dare ascolto; (*a un ordine*) adempiere, assoggettarsi, piegarsi, sottomettersi, sottostare © disobbedire **2** ♧ (*a uno stimolo*) rispondere **3** (*alle leggi, alle regole ecc.*) attenersi, sottostare, adempiere, ottemperare, sottomettersi; osservare, rispettare © disobbedire, contravvenire, violare, infrangere, ribellarsi, trasgredire.

obbiettàre *v.tr.* vedi **obiettàre**.

obbiettìvo *s.m.* vedi **obiettìvo**.

obbligàre *v.tr.* **1** impegnare, vincolare © disimpegnare **2** costringere, forzare, imporre, indurre ♦ **obbligarsi** *v.pr.* **1** impegnarsi, vincolarsi © disimpegnarsi, svincolarsi **2** costringersi, forzarsi, imporsi **3** impegnarsi © sdebitarsi, ricambiare.

obbligàto *agg.* **1** tenuto, vincolato, impegnato, costretto © libero **2** grato, riconoscente © ingrato, irriconoscente **3** (*di percorso, di scelta ecc.*) obbligatorio, forzoso, coatto; necessario, doveroso © libero, facoltativo, opzionale.

obbligatòrio *agg.* **1** forzoso, coatto, obbligato © facoltativo, libero, spontaneo, volontario **2** necessario, indispensabile, di rigore © libero, facoltativo.

obbligazióne *s.f.* **1** impegno, dovere, debito, obbligo, onere **2** titolo di credito.

òbbligo *s.m.* **1** impegno, vincolo, dovere, obbligazione, onere **2** (*di riconoscenza*) debito **3** costrizione, imposizione, coercizione, necessità © libertà, facoltà.

obbròbrio *s.m.* **1** disonore, vergogna, infamia, ignominia © gloria, onore **2** bruttura, orrore, mostruosità, schifezza © bellezza, meraviglia, splendore.

obbrobrióso *agg.* **1** vergognoso, disonorevole, infame © onorevole, degno, decoroso **2** orrendo, orribile, mostruoso © bello, meraviglioso, stupendo.

oberàre *v.tr.* (*di lavoro, di impegni e sim.*) sovraccaricare, caricare, gravare © sollevare, alleggerire, sgravare.

oberàto *agg.* (*di lavoro, di debiti e sim.*) sovraccarico, carico, gravato © liberato, sollevato.

obesità *s.f.* grassezza, adiposità (*med.*), corpulenza, pinguedine © magrezza.

obèso *agg.* grasso, sovrappeso, corpulento, pingue © magro, asciutto, secco, snello; denutrito.

obiettàre *v.tr.* opporre, replicare, rispondere, eccepire, dire; osservare, notare, rilevare © approvare, assentire, concordare, convenire.

obiettività *s.f.* imparzialità, equità, oggettività © parzialità, faziosità, soggettività.

obiettìvo *agg.* imparziale, disinteressato, oggettivo, equo, spassionato © parziale, fazioso, soggettivo, tendenzioso ♦ *s.m.* **1** (*fot.*) lente **2** (*mil.*) bersaglio **3** scopo, fine, intenzione, mira, proposito, traguardo.

obiezióne *s.f.* critica, osservazione, appunto; replica, confutazione © approvazione, adesione.

obitòrio *s.m.* camera mortuaria, morgue (*fr.*).

oblazióne *s.f.* contributo, donazione, offerta, obolo; beneficenza, elemosina.

obliàre *v.tr.* (*elev.*) dimenticare, scordare © ricordare, rammentare.

oblìo *s.m.* (*elev.*) dimenticanza; oscurità, anonimato © memoria, ricordo.

oblìquo *agg.* **1** inclinato, diagonale, sbieco, trasversale © diritto, retto **2** ♧ ambiguo, indiretto © diretto **3** ♧ (*di sguardo*) bieco, torvo, storto **4** ♧ (*di discorso, di manovra ecc.*) ambiguo, subdolo, falso, sleale © onesto, schietto, franco, sincero.

obliteràre *v.tr.* (*un biglietto, un francobollo e sim.*) annullare, timbrare, convalidare.

oblò *s.m.* (*nelle navi*) finestrino, portellino.

oblùngo *agg.* allungato, bislungo.

obnubilaménto *s.m.* (*elev.*; *spec. mentale*) annebbiamento, offuscamento, appannamento, confusione © lucidità.

òbolo *s.m.* offerta, elemosina, carità; donazione, elargizione.
obsolèto *agg.* antiquato, vecchio, sorpassato, superato, datato, disusato © attuale, moderno, nuovo, recente.
occasionàle *agg.* **1** casuale, fortuito, accidentale; imprevisto, inaspettato; raro © abituale, frequente, fisso; previsto **2** (*di lavoro, di impiego e sim.*) temporaneo, saltuario © fisso, continuativo, stabile.
occasióne *s.f.* **1** avvenimento, circostanza, situazione, caso **2** (*circostanza favorevole*) opportunità, possibilità, chance (*fr.*) **3** motivo, pretesto, appiglio **4** (*di merce*) affare, offerta
occhiàli *s.m.pl.* lenti.
occhiàta *s.f.* sguardo; (*a un giornale, a un libro ecc.*) letta, scorsa, sbirciata.
occhieggiàre *v.tr.* adocchiare ♦ *v.intr.* apparire, spuntare, fare capolino.
occhièllo *s.m.* **1** asola **2** (*nei giornali*) soprattitolo.
òcchio *s.m.* **1** (*med.*) bulbo oculare, pupilla **2** sguardo, vista **3** ♧ gusto, senso estetico **4** ♧ fiuto, intuito, acume © miopia, ottusità **5** ♧ attenzione **6** espressione, faccia, viso, volto.
occidènte *s.m.* ovest, ponente © oriente, est, levante.
occlùdere *v.tr.* ostruire, otturare, chiudere, intasare, bloccare © stasare, sturare, aprire, liberare.
occlusióne *s.f.* ostruzione, otturazione, ingorgo, intasamento, blocco, impedimento © sblocco.
occorrènte *s.m.* necessario, essenziale, indispensabile; fabbisogno © superfluo.
occorrènza *s.f.* **1** necessità, bisogno, esigenza **2** caso, circostanza, evenienza, occasione.
occórrere *v.intr.* **1** servire, necessitare **2** accadere, succedere, capitare.
occultàre *v.tr.* nascondere, celare; coprire © manifestare, esporre, esibire, rivelare, svelare.
occultìsmo *s.m.* scienze occulte IPON. magia, parapsicologia, spiritismo.
occùlto *agg.* **1** misterioso, invisibile, sotterraneo, indecifrabile, inesplicabile, arcano © conosciuto, chiaro, manifesto **2** (*di motivazione, di causa ecc.*) nascosto, recondito, segreto © chiaro, esplicito, evidente ♦ *s.m.* occultismo.
occupàre *v.tr.* **1** (*un luogo*) impadronirsi, impossessarsi; (*militarmente*) conquistare, invadere; sottomettere © liberare, abbandonare; ritirarsi **2** (*una casa*) abitare, alloggiare, dimorare © lasciare, evacuare **3** (*uno spazio*) prendere, tenere **4** ♧ (*una carica*) ricoprire, coprire **5** (*dare lavoro a qlcu.*) impiegare **6** (*il tempo*) passare, trascorrere, impiegare **7** (*la mente*) riempire, affollare; impegnare, assorbire; divertire, intrattenere ♦ **occuparsi** *v.pr.* **1** (*di politica, di arte ecc.*) interessarsi, dedicarsi, darsi © disinteressarsi, fregarsene (*colloq.*) **2** (*dei fatti altrui*) impicciarsi, immischiarsi © fregarsene (*colloq.*) **3** (*di una persona, della casa ecc.*) prendersi cura, badare, curare, accudire © trascurare, disinteressarsi **4** impiegarsi © licenziarsi, dimettersi.
occupàto *agg.* **1** (*di spazio, di posto ecc.*) preso, impegnato © libero, vuoto, disponibile **2** (*di persona*) impegnato, indaffarato, affaccendato, preso (*colloq.*) © libero, disponibile ♦ *s.m.* impiegato © disoccupato.
occupazióne *s.f.* **1** (*militare*) conquista, invasione; presa © liberazione, ritiro **2** (*di un luogo*) insediamento © abbandono, evacuazione **3** lavoro, impiego © disoccupazione **4** attività, impegno; affare, faccenda; hobby (*ingl.*), passatempo, svago.
oceànico *agg.* ♧ immenso, enorme, gigantesco, infinito © piccolo, limitato, scarso.
ocèano *s.m.* **1** mare **2** ♧ (*di persone, di cose*) mare, massa, distesa, immensità, infinità, vastità.
oculatézza *s.f.* accortezza, avvedutezza, attenzione, cautela, prudenza, lungimiranza © avventatezza, leggerezza, incoscienza, imprudenza, sconsideratezza.
oculàto *agg.* **1** (*di persona*) accorto, avveduto, cauto, prudente, lungimirante, previdente © avventato, imprudente, incauto, sconsiderato **2** (*di scelta e sim.*) ponderato, assennato, ragionevole, saggio © avventato, imprudente.
oculìsta *s.m.f.* oftalmologo.
oculìstica *s.f.* oftalmologia.
òde *s.f.* (*elev.*) canto, carme, lirica.
odiàre *v.tr.* detestare, disprezzare; aborrire, deprecare © adorare, amare, apprezzare, prediligere ♦ **odiarsi** *v.pr.* detestarsi © amarsi.
odièrno *agg.* attuale, corrente, contemporaneo, moderno © antico, passato, vecchio.
òdio *s.m.* **1** (*verso qlcu.*) disprezzo, animosità, astio, avversione, ostilità, rancore, antipatia © amore, affetto, amicizia, simpatia **2** (*verso qlco.*) avversione, ripugnanza, repulsione, intolleranza © amore, simpatia, predilezione.
odióso *agg.* **1** detestabile, disprezzabile, abominevole © adorabile, amabile **2** sgradevole, antipatico, insopportabile, spiacevole, fastidioso © gradito, gradevole, simpatico.
odissèa *s.f.* vicissitudini, peripezie, avventure, traversie.
odontoiàtra *s.m.f.* dentista.

odoràre *v.tr.* **1** annusare, fiutare **2** ♧ (*un affare, una manovra e sim.*) fiutare, intuire, annusare, subodorare, sospettare ♦ *v.intr.* profumare, sapere.
odoràto *s.m.* olfatto, naso (*colloq.*), fiuto.
odóre *s.m.* **1** esalazione; (*buono*) profumo, aroma, fragranza, effluvio; (*cattivo*) puzzo, fetore, tanfo, olezzo (*scherz.*) **2** ♧ sentore, puzza; indizio, segno **3** (*al pl.*) erbe aromatiche.
odoróso *agg.* profumato, aromatico, balsamico; fragrante © puzzolente, maleodorante, fetido, pestifero.
off *agg.invar.* (*ingl.*) **1** chiuso, spento © on (*ingl.*), aperto, acceso **2** (*di teatro, di fenomeno culturale*) alternativo, underground (*ingl.*) © tradizionale, convenzionale.
offèndere *v.tr.* **1** oltraggiare **2** (*la suscettibilità, la sensibilità ecc.*) ferire, urtare, colpire © rispettare **3** (*la giustizia, la morale, il pudore ecc.*) violare, oltraggiare, trasgredire, contravvenire © rispettare, osservare **4** (*la vista, un organo ecc.*) ledere, lesionare, danneggiare, ferire ♦ **offendersi** *v.pr.* **1** aversene a male, prendersela, risentirsi **2** ingiuriarsi, insultarsi © rispettarsi.
offensìva *s.f.* attacco, aggressione, assalto.
offensìvo *agg.* **1** (*di parola, di gesto e sim.*) ingiurioso, oltraggioso, insolente, irriverente, pesante, lesivo © inoffensivo, innocuo; rispettoso, educato **2** (*di armi, di manovra ecc.*) d'attacco © difensivo.
offèrta *s.f.* **1** (*di aiuto, di lavoro ecc.*) proposta, promessa © domanda, richiesta **2** (*della propria vita*) dono, sacrificio **3** (*in denaro*) elemosina, obolo, donazione **4** (*di un prodotto*) promozione, lancio **5** (*econ.*) © domanda.
offésa *s.f.* **1** oltraggio, ingiuria, insulto © complimento **2** (*di una legge e sim.*) violazione, trasgressione **3** danno **4** attacco, aggressione © difesa.
offéso *agg.* **1** risentito, indispettito, irritato, seccato **2** (*di una parte del corpo*) colpito, leso, ferito © integro.
officiàre *v.tr.* e *intr.* celebrare.
officìna *s.f.* **1** (*di un artigiano*) bottega, laboratorio **2** (*industriale*) fabbrica, industria, stabilimento **3** (*di un artista*) laboratorio, atelier (*fr.*).
off-limits *loc.agg.invar.* (*ingl.*) proibito, vietato © permesso.
off-line *loc.agg.invar.* (*ingl.*; *inform.*) fuori linea © on-line (*ingl.*).
offrìre *v.tr.* **1** dare, promettere, proporre, porgere © negare, rifiutare **2** (*il caffè, il cinema ecc.*) pagare; regalare; (*una bevanda e sim.*) servire © accettare, ricevere **3** (*una somma di denaro*) proporre © negare **4** (*un pretesto, un'occasione ecc.*) dare, fornire, presentare **5** (*la propria vita*) dare, dedicare; sacrificare, votare ♦ **offrirsi** *v.pr.* **1** (*di persone*) farsi avanti, proporsi © rifiutarsi **2** (*di vista, di spettacolo ecc.*) presentarsi, manifestarsi; (*di occasione e sim.*) capitare, presentarsi.
offuscaménto *s.m.* **1** (*dell'aria, del cielo ecc.*) oscurarmento, rannuvolamento © illuminazione, rasserenamento **2** ♧ (*della vista, della mente ecc.*) annebbiamento, ottenebramento, obnubilamento © schiarimento; lucidità.
offuscàre *v.tr.* **1** (*l'aria, il cielo ecc.*) oscurare, annebbiare, rannuvolare, scurire © rischiarare, schiarire, illuminare **2** ♧ (*la fama, l'immagine di qlcu.*) oscurare, appannare, sminuire © esaltare, celebrare, magnificare **3** ♧ (*la vista, la mente ecc.*) annebbiare, ottenebrare © schiarire.
oftalmologìa *s.f.* oculistica.
oftalmòlogo *s.m.* oculista.
oggettivàre *v.tr.* **1** (*un sentimento e sim.*) estrinsecare, esprimere **2** (*un concetto, un'idea ecc.*) concretizzare, realizzare © astrarre.
oggettivazióne *s.f.* **1** (*di un sentimento e sim.*) estrinsecazione, espressione **2** (*di un concetto, di un'idea ecc.*) concretizzazione, materializzazione, realizzazione © astrazione.
oggettività *s.f.* **1** (*filos.*) realtà esterna © soggettività **2** obiettività, imparzialità, equanimità © parzialità, soggettività.
oggettìvo *agg.* **1** effettivo, reale, concreto, esterno (*filos.*) © soggettivo, astratto, ipotetico **2** obiettivo, imparziale, giusto, spassionato © soggettivo, parziale, fazioso, tendenzioso.
oggètto *s.m.* **1** (*filos.*) © soggetto **2** cosa, coso (*colloq.*), arnese, aggeggio, roba (*colloq.*) **3** (*di un desiderio, di una ricerca ecc.*) fine, scopo, meta, obiettivo **4** bersaglio, destinatario,vittima **5** (*di un discorso e sim.*) argomento, soggetto, contenuto, tema.
òggi *avv.* adesso, ora, attualmente, oggigiorno, al giorno d'oggi, oggidì © ieri, in passato, una volta, un tempo; domani, in futuro ♦ *s.m.* presente © ieri, passato; domani, avvenire, futuro.
ok *inter.* (*ingl.*) bene, d'accordo, okay ♦ *s.m.invar.* autorizzazione, assenso, approvazione; permesso, beneplacito.
okay *inter.* vedi **ok**.
oleificio *s.m.* frantoio.
olezzàre *v.intr.* profumare IPERON. odorare, sapere © puzzare.
olézzo *s.m.* **1** (*elev.*) profumo **2** (*iron.; scherz.*) odore, puzza, puzzo, fetore, tanfo.
olfàtto *s.m.* odorato, fiuto, naso (*colloq.*).

oliàre *v.tr.* ungere, lubrificare.
oligarchìa *s.f.* **1** © democrazia **2** (*economica, industriale ecc.*) aristocrazia, élite (*fr.*).
olimpìade *s.f.* giochi olimpici.
olìmpico *agg.* **1** olimpionico **2** ♧ (*di calma, di carattere ecc.*) sereno, calmo, imperturbabile, distaccato, serafico © agitato, inquieto, nervoso.
olimpiònico *agg.* olimpico.
olìmpo *s.m.* ♧ aritocrazia, élite (*fr.*), gotha, crema, fior fiore, palmarès (*fr.*).
òlio *s.m.* **1** lubrificante **2** IPERON. dipinto, quadro, tela **3** essenza.
olocàusto *s.m.* **1** (*stor.*) sacrificio **2** shoah (*ebr.*) **3** ♧ sacrificio, martirio.
oltraggiàre *v.tr.* offendere, ingiuriare, insultare © rispettare, onorare.
oltràggio *s.m.* offesa, insulto, ingiuria, affronto; violenza, sopruso © complimento, elogio, rispetto.
oltraggióso *agg.* offensivo, ingiurioso; insolente, impudente © rispettoso.
oltranzìsta *agg., s.m.f.* estremista, radicale, massimalista, intransigente © moderato.
oltremondàno *agg.* ultraterreno, soprannaturale © terreno.
oltrepassàre *v.tr.* **1** passare, superare, varcare; (*una catena montuosa*) valicare; (*mar.*) doppiare **2** ♧ (*il limite, la misura e sim.*) passare, superare, trascendere.
oltretómba *s.m.invar.* aldilà, regno dei morti, ade, inferi.
omaggiàre *v.tr.* ossequiare, riverire, onorare.
omàggio *s.m.* **1** onore, ossequio, devozione **2** (*al pl.*; *in formule di cortesia*) rispetti, ossequi, saluti **3** offerta, dono, regalo, pensiero, presente.
ombelìco *s.m.* **1** (*anat.*) onfalo **2** ♧ centro, cuore © esterno, periferia.
ómbra *s.f.* **1** oscurità, buio, tenebre; penombra, semioscurità © luce **2** figura, profilo, sagoma **3** macchia, alone, traccia **4** fantasma, spettro, spirito **5** ♧ apparenza, illusione, miraggio, sogno, utopia **6** ♧ (*di tristezza, di rimpianto ecc.*) velo, accenno **7** (*minima quantità*) pizzico, goccio, velo **8** ♧ dubbio, sospetto, timore.
ombreggiàre *v.tr.* fare ombra.
ombrèllo *s.m.* **1** paracqua, parapioggia **2** parasole **3** (*aereo, atomico ecc.*) scudo, protezione.
ombróso *agg.* **1** ombreggiato © assolato, soleggiato **2** ♧ (*di cavalli*) bizzoso, bizzarro © calmo, docile, mansueto **3** ♧ (*di persona*) permaloso, suscettibile, irritabile, scontroso; diffidente, chiuso, sospettoso © affabile, aperto, cordiale, espansivo.
omelìa *s.f.* predica, sermone.
omeopatìa *s.f.* (*med.*) © allopatia.
omeopàtico *agg.* (*med.*) © allopatico.
omertà *s.f.* silenzio, reticenza, complicità, acquiescenza.
ométtere *v.tr.* **1** tralasciare, trascurare, dimenticare; sorvolare, glissare, lasciar correre © soffermarsi, includere **2** (*intenzionalmente*) nascondere, celare, tacere © rivelare.
omicìda *s.m.f.* assassino, uccisore, killer (*ingl.*) ♦ *agg.* assassino, mortale.
omicìdio *s.m.* delitto, assassinio, uccisione.
omissióne *s.f.* dimenticanza, lacuna, salto, mancanza, omissis (*lat.*).
omissis *s.m.invar.* (*lat.*) omissione, lacuna.
omogeneità *s.f.* **1** compattezza, uniformità © disomogeneità, eterogeneità, varietà **2** affinità, coerenza, consonanza © differenza, difformità.
omogèneo *agg.* affine, simile, analogo; organico, uniforme © disomogeneo, eterogeneo; disorganico.
omologàre *v.tr.* **1** (*una delibera, un prodotto ecc.*) riconoscere, convalidare, confermare, approvare, ratificare © invalidare, inficiare, annullare, respingere **2** (*un primato e sim.*) riconoscere, convalidare © invalidare **3** ♧ (*i gusti e sim.*) uniformare, conformare, appiattire © differenziare, diversificare.
omologàto *agg.* regolare, a norma © irregolare, non conforme.
omologazióne *s.f.* convalida, ratifica, riconoscimento, approvazione © invalidazione, annullamento.
omòlogo *agg.* **1** corrispondente, equivalente, identico; analogo, affine, simile © diverso, differente **2** ♧ armonico, concorde © disarmonico, discorde.
omosessuàle *agg., s.m.f.* gay (*ingl.*), omosex © eterosessuale.
on *agg.invar.* (*ingl.*) acceso, in funzione, attivo © off (*ingl.*), spento, disattivo.
onanìsmo *s.m.* masturbazione.
ónda *s.f.* **1** cavallone, flutto, ondata, maroso **2** ♧ piega, increspatura, ondulazione **3** ♧ (*di persone*) massa, flusso, ondata **4** ♧ (*di sentimenti, pensieri e sim.*) accesso, moto, ondata, vortice.
ondàta *s.f.* **1** onda, cavallone, flutto **2** ♧ marea, mucchio, sacco, valanga **3** ♧ (*di entusiasmo, di rabbia ecc.*) onda, accesso, attacco, ventata **4** ♧ (*di scioperi, di manifestazioni* ecc.) serie, sequela, sfilza.
ondeggiaménto *s.m.* **1** dondolio, fluttuazione, oscillazione © immobilità, fissità, stasi **2** ♧ esitazione, incertezza, indecisione, titubanza © decisione, determinazione, forza.

ondeggiàre *v.intr.* **1** dondolare, fluttuare, beccheggiare, oscillare **2** (*di bandiera e sim.*) sventolare **3** (*di folla*) agitarsi **4** (*di persona*) barcollare, vacillare; ancheggiare, sculettare **5** ♧ esitare, tentennare, titubare, vacillare.

ondulàto *agg.* **1** increspato, mosso, irregolare © liscio, piano **2** (*di capelli*) mosso, riccio, crespo © liscio.

ondulatòrio *agg.* (*di terremoto*) © sussultorio.

ònere *s.m.* obbligo, impegno, responsabilità, peso, carico © sgravio, alleggerimento.

oneróso *agg.* pesante, gravoso, duro, faticoso, difficile, arduo; costoso © leggero, lieve, agevole.

onestà *s.f.* **1** lealtà, correttezza, integrità, rettitudine, probità © disonestà, scorrettezza, slealtà **2** (*di costumi*) irreprensibilità, pudicizia, morigeratezza, rispettabilità © impudicizia, licenziosità **3** (*di un lavoratore, di uno studioso ecc.*) coscienziosità, rigore, scrupolo, serietà © negligenza, trascuratezza **4** obiettività, serietà, trasparenza.

onèsto *agg.* **1** giusto, retto, corretto, leale, bravo, integerrimo © disonesto, corrotto, scorretto, sleale **2** casto, pudico, morigerato, virtuoso © impudico, lascivo, licenzioso **3** (*di lavoratore*) coscienzioso, rigoroso, scrupoloso; (*di lavoro*) decoroso, dignitoso **4** (*di prezzo, di richiesta ecc.*) giusto, adeguato, equo; legittimo **5** (*di giudizio e sim.*) obiettivo, equilibrato, imparziale, sincero ♦ *s.m.* galantuomo, onestuomo © disonesto, furfante, mascalzone.

onìrico *agg.* irreale, immaginario, fantastico, fiabesco © reale.

on-line *loc.agg.invar.* (*ingl.*; *inform.*) in linea © off-line (*ingl.*), fuori linea.

onorabilità *s.f.* dignità, onore, decoro, rispettabilità © indegnità, spregevolezza.

onoràre *v.tr.* **1** omaggiare, ossequiare, riverire © disonorare, insultare, offendere **2** celebrare, glorificare, magnificare © disonorare, offendere **3** (*un impegno, una promessa ecc.*) mantenere, rispettare; tenere fede © venire meno, mancare **4** (*una cambiale, un debito ecc.*) pagare, estinguere, saldare ♦ **onorarsi** *v.pr.* fregiarsi, gloriarsi, vantarsi.

onoràrio[1] *agg.* ad honorem (*lat.*), honoris causa (*lat.*), onorifico.

onoràrio[2] *s.m.* compenso, paga, retribuzione, rimunerazione, parcella.

onoratézza *s.f.* vedi **onorabilità**.

onoràto *agg.* **1** (*di professione e sim.*) dignitoso, decoroso, rispettabile, degno, stimato, riverito, onorevole © disonorevole, infamante **2** (*di morte*) onorevole, glorioso; eroico © disonorevole, inglorioso, infamante.

onóre *s.m.* **1** dignità, prestigio, decoro, buon nome, onorabilità, rispettabilità © disonore, vergogna **2** (*di una donna*) onestà, purezza, castità, verginità © impudicizia, spudoratezza **3** considerazione, stima **4** gloria, fama, prestigio, vanto © disonore, vergogna, onta **5** (*spec. al pl.*) omaggio, ossequio **6** (*al pl.*) grado, carica, incarico.

onorévole *agg.* **1** degno, onorabile, rispettabile; encomiabile, lodabile © disonorevole, vergognoso **2** (*di comportamento, di professione ecc.*) decoroso, dignitoso, onorato, rispettabile, stimato © disonorevole, ignominioso ♦ *s.m.f.* deputato.

onorificènza *s.f.* riconoscimento IPON. titolo, decorazione, carica.

ónta *s.f.* **1** disonore, vergogna, ignominia (*elev.*) © onore, gloria **2** offesa, affronto, insulto, oltraggio, vilipendio.

opàco *agg.* **1** © trasparente, cristallino **2** sbiadito, spento © lucido, lucente, brillante **3** ♧ (*di sguardo, di intelligenza ecc.*) ottuso, spento, inespressivo, vacuo, vuoto © intelligente, vivace, acuto, luminoso **4** (*di prestazione sportiva*) mediocre © brillante.

òpera *s.f.* **1** (*dell'uomo, del vento ecc.*) attività, azione, lavoro **2** risultato, effetto, frutto, prodotto **3** costruzione, edificio, struttura **4** (*letteraria, artistica ecc.*) creazione, produzione, lavoro; libro, pubblicazione, testo, volume; (*teatrale*) pièce (*fr.*) **5** opera lirica, melodramma **6** (*di beneficienza*) istituto, ente.

operàio *s.m.* IPERON. lavoratore, salariato IPON. bracciante, manovale; (*al pl.*) maestranze, tute blu; classe lavoratrice, proletariato ♦ *agg.* (*di classe, di lotta ecc.*) popolare, proletario.

operàre *v.tr.* **1** compiere, effettuare, eseguire, fare, produrre, realizzare; conseguire, ottenere **2** (*al cuore, al fegato ecc.*) intervenire, aprire (*colloq.*) ♦ *v.intr.* **1** agire, fare, lavorare **2** (*di farmaco e sim.*) agire.

operatìvo *agg.* **1** pratico, concreto, pragmatico © teorico **2** (*di piano e sim.*) d'azione, strategico **3** (*di progetto, di fase*) esecutivo **4** (*di impianto, di fabbrica ecc.*) attivo, in funzione, funzionante © inattivo, disattivato.

operàto *s.m.* attività, azione, lavoro, opera; comportamento, condotta.

operatóre *s.m.* **1** addetto, lavoratore **2** (*addetto al funzionamento di macchine, impianti ecc.*) tecnico, addetto; (*cinematografico, televisivo*) cameraman (*ingl.*) **3** (*commerciale, di borsa e sim.*) agente.

operazióne *s.f.* **1** atto, azione, opera, procedimento **2** (*militare, commerciale ecc.*) manovra, strategia; campagna **3** (*chirurgica*) intervento.
operosità *s.f.* laboriosità, industriosità, alacrità © pigrizia, indolenza, oziosità.
operóso *agg.* laborioso, attivo, fattivo, industrioso, instancabile, zelante © pigro, indolente, ozioso.
opinàbile *agg.* discutibile, contestabile, confutabile, criticabile © certo, indiscutibile, incontestabile.
opinióne *s.f.* **1** idea, convinzione, giudizio, parere, pensiero, posizione, punto di vista, ottica **2** stima, considerazione.
opinionìsta *s.m.* **1** (*di giornale*) editorialista, columnist (*ingl.*), fondista **2** opinion-leader (*ingl.*), opinion-maker (*ingl.*).
oppórre *v.tr.* **1** contrapporre **2** (*barricate, ostacoli e sim.*) frapporre, ergere, innalzare © rimuovere **3** ♧ contestare, obiettare ♦ **opporsi** *v.pr.* **1** resistere; contrastare, affrontare; ribellarsi, sollevarsi © arrendersi, cedere **2** contrastare, contrapporsi, ostacolare, osteggiare; contestare, disapprovare, condannare © appoggiare, favorire, agevolare; approvare, acconsentire **3** (*a ingiustizie, a soprusi ecc.*) ribellarsi, reagire, protestare, combattere © accettare, subire, adattarsi, adeguarsi.
opportunìsmo *s.m.* camaleontismo, doppiogiochismo, funambolismo, trasformismo.
opportunìsta *s.m.f.* doppiogiochista, trasformista; calcolatore, profittatore, paraculo (*volg.*).
opportunità *s.f.* **1** (*di una scelta, di una decisione ecc.*) convenienza, utilità, necessità, pertinenza **2** occasione, possibilità, chance (*fr.*).
opportùno *agg.* adeguato, adatto, appropriato, conveniente, idoneo, giusto, debito, dovuto; necessario, indispensabile; favorevole, vantaggioso © inopportuno, inadatto, inadeguato, sfavorevole.
oppositóre *s.m.* avversario, antagonista, rivale, nemico, oppugnatore © amico, fautore, sostenitore, alleato, sodale.
opposizióne *s.f.* **1** resistenza, reazione, rifiuto, ostilità © appoggio **2** (*in politica*) minoranza © maggioranza **3** conflitto, contrasto, contrapposizione, incompatibilità, antitesi © accordo, armonia, consonanza.
oppósto *agg.* **1** davanti, antistante, di fronte, dirimpetto **2** ♧ (*di idee e sim.*) contrastante, contrario, divergente, diverso, antitetico © simile, uguale ♦ *s.m.* contrario, inverso.
oppressióne *s.f.* **1** dominio, schiavitù, tirannia, soggezione © libertà, indipendenza **2** ♧ angoscia, ansia, pena, peso, soffocamento © calma, pace, tranquillità; liberazione, sollievo.
oppressìvo *agg.* **1** (*di regime e sim.*) autoritario, dispotico, dittatoriale, tirannico © democratico, liberale, tollerante **2** (*di educazione e sim.*) asfissiante, duro, inflessibile, rigido © elastico, tollerante **3** (*di caldo, di atmosfera ecc.*) opprimente, soffocante, insopportabile © sopportabile.
opprèsso *agg.* **1** (*di popolo*) schiavo, servo © libero **2** (*di animo, di cuore ecc.*) abbattuto, affranto, angosciato, afflitto, turbato, tormentato © leggero, sereno, tranquillo ♦ *s.m.* diseredato, sfruttato, perseguitato © oppressore.
oppressóre *s.m.* dittatore, despota, tiranno, sopraffattore © oppresso.
opprimènte *agg.* **1** (*di educazione e sim.*) oppressivo, asfissiante, soffocante, rigido © elastico, tollerante **2** (*di caldo, di aria ecc.*) afoso, soffocante, irrespirabile © sopportabile **3** (*di amtosfera, di situazione ecc.*) pesante, insopportabile; deprimente © allegro, sereno, disteso.
opprìmere *v.tr.* **1** (*di peso, di carico ecc.*) appesantire, gravare, schiacciare, soffocare © alleggerire **2** perseguitare, tiranneggiare, vessare, tormentare; schiacciare, calpestare **3** ♧ angosciare, deprimere, ossessionare **4** (*di afa, di caldo ecc.*) soffocare, estenuare.
oppugnàre *v.tr.* controbattere, confutare, contraddire © confermare, approvare.
optàre *v.intr.* scegliere, preferire, decidere © scartare, rifiutare.
optimum *s.m.invar.* (*lat.*) ideale, massimo, non plus ultra (*lat.*), top (*ingl.*).
optional *s.m.invar.* (*ingl.*) accessorio.
opulènto *agg.* **1** abbondante, ricco, considerevole, cospicuo, ragguardevole © povero, misero **2** (*di città, di società ecc.*) ricco, fiorente, florido, prosperoso © povero **3** (*di donna, di forme ecc.*) abbondante, formoso, giunonico, prosperoso © magro, secco, asciutto **4** (*di terreno*) fertile, fecondo, ricco, rigoglioso © magro, infecondo, improduttivo **5** ♧ (*di stile e sim.*) ampolloso, pomposo, enfatico, ridondante © semplice, essenziale, sobrio.
opulènza *s.f.* **1** ricchezza, abbondanza, lusso, pompa, sfarzo © miseria, povertà **2** ♧ (*di stile e sim.*) ampollosità, ridondanza, enfasi © sobrietà, semplicità, stringatezza.
opùscolo *s.m.* libretto, fascicolo, pieghevole, dépliant (*fr.*), folder (*ingl.*).
opzionàle *agg.* facoltativo, discrezionale, libero © obbligatorio.
opzióne *s.f.* scelta, possibilità, alternativa.
óra *s.f.* momento, istante, periodo; tempo.
oràcolo *s.m.* **1** profezia, predizione, responso,

vaticinio, divinazione **2** ♧ (*iron., scherz.*) risposta, sentenza **3** (*di persona*) profeta, vate, sibilla.
oràle *agg.* **1** (*med.*) boccale **2** verbale © scritto ♦ *s.m.* (*di esame*) colloquio © scritto.
oràrio *agg.* **1** (*di direzione*) © antiorario ♦ *s.m.* **1** (*di partenza, di apertura ecc.*) ora; (*di lavoro*) periodo **2** (*ferroviario e sim.*) prospetto, tabella, tabellone.
oratóre *s.m.* declamatore, retore; parlatore; conferenziere.
oratòria *s.f.* eloquenza, arte del parlare, arte del dire; retorica.
oratòrio *agg.* (*di stile, di tono ecc.*) retorico, enfatico, declamatorio, ampolloso © semplice, sobrio, lineare, piano.
orazióne *s.f.* **1** preghiera **2** (*discorso pubblico*) arringa, concione (*elev.*), allocuzione.
òrbita *s.f.* **1** traiettoria; percorso, tragitto **2** ♧ ambito, campo; (*economica, politica*) zona d'influenza **3** cavità oculare.
orbitàre *v.intr.* ruotare, girare.
òrbo *agg., s.m.* **1** cieco, non vedente © vedente **2** guercio **3** (*elev.*) privo, privato, mancante, orfano © fornito, provvisto.
orchèstra *s.f.* **1** orchestrali IPON. filarmonica, band (*ingl.*) **2** (*scherz.*) baccano, chiasso.
orchestràre *v.tr.* **1** (*mus.*) strumentare, arrangiare **2** ♧ organizzare, predisporre, allestire, coordinare.
órcio *s.m.* anfora, coppo, giara.
òrco *s.m.* **1** (*nelle fiabe*) babau, uomo nero; mangiabambini **2** (*persona orrenda che incute paura*) mostro, bestia.
òrda *s.f.* (*scherz., spreg.*) folla, massa, branco, moltitudine, masnada, torma, accozzaglia.
ordìgno *s.m.* **1** congegno, dispositivo, meccanismo, strumento **2** bomba **3** ♧ aggeggio, arnese, trappola, diavoleria.
ordinaménto *s.m.* **1** disposizione, ordine, organizzazione, sistemazione, assetto, sistema, struttura; classificazione **2** (*giuridico, scolastico ecc.*) regolamento, normativa, regolamentazione; legge, legislazione.
ordinànza *s.f.* **1** disposizione, provvedimento, ordine; decreto **2** (*mil.*) prescrizione, regolamento.
ordinàre *v.tr.* **1** disporre, sistemare, catalogare, classificare, mettere a posto © disordinare, scombinare, scompigliare, buttare all'aria **2** (*i cassetti, gli armadi e sim.*) sistemare, mettere a posto, riordinare, rassettare, riassettare © mettere in disordine, disordinare, buttare all'aria **3** (*il traffico e sim.*) regolare, disciplinare, normalizzare, sistemare © sovvertire, disordinare **4** comandare, disporre, imporre, decretare, intimare **5** (*una cura, una medicina ecc.*) prescrivere **6** (*una merce, un lavoro ecc.*) commissionare, richiedere © disdire **7** (*in bar, ristoranti e sim.*) chiedere, comandare **8** (*un sacerdote*) consacrare ♦ **ordinarsi** *v.pr.* disporsi, schierarsi.
ordinàrio *agg.* **1** comune, normale, consueto, solito, usuale, abituale, tradizionale © straordinario, eccezionale, inusuale, anomalo **2** (*di biglietto, di tariffa e sim.*) intero, normale © ridotto **3** (*di scarso valore, di qualità scadente*) comune, dozzinale, grossolano, mediocre, rozzo, scadente, volgare © raffinato, elegante, fine, chic (*fr.*), pregiato, prezioso ♦ *s.m.* **1** norma, consuetudine, normalità © straordinario, insolito **2** professore ordinario **3** vescovo.
ordinatìvo *s.m.* (*di merce e sim.*) ordine, ordinazione, richiesta, commessa.
ordinatàrio *s.m.* (*banc.*) IPERON. beneficiario.
ordinàto *agg.* **1** (*di casa, di stanza ecc.*) a posto, in ordine, rassettato, sistemato © disordinato, sottosopra, in disordine, incasinato (*colloq.*) **2** (*di persona*) preciso, meticoloso, metodico, sistematico; curato © disordinato, impreciso, arruffone, pasticcione, incasinato (*colloq.*); sciatto, trasandato, trascurato **3** (*di vita e sim.*) regolare, abitudinario, regolato © disordinato, caotico, sregolato **4** (*di sistema, di discorso ecc.*) regolato, organico, coerente, equilibrato, sistematico, strutturato © disordinato, confuso, incoerente, caotico.
ordinazióne *s.f.* (*di merce*) commissione, ordine, ordinativo, commessa; (*in bar, ristoranti*) consumazione.
órdine *s.m.* **1** disposizione, sistemazione, assetto, collocazione © disordine, caos, confusione, macello (*colloq.*), casino (*colloq.*) **2** (*alfabetico, cronologico ecc.*) sistema, metodo, criterio, ordinamento, successione, ripartizione **3** (*degli argomenti, delle cifre ecc.*) successione, disposizione, sequenza **4** metodo, organicità, sistematicità © disordine, incoerenza **5** disciplina, ubbidienza © disordine, anarchia **6** (*di posto e sim.*) fila, serie **7** grado, livello, qualità, categoria, rango **8** ambito, settore, sfera, campo **9** (*degli avvocati, dei medici ecc.*) associazione, corporazione **10** comando, direttiva, disposizione, mandato, diktat (*ted.*) **11** (*religioso*) congregazione, corporazione **12** (*di merce*) richiesta, ordinativo, commessa.
ordìre *v.tr.* **1** IPERON. tessere **2** ♧ (*l'intreccio di un romanzo e sim.*) schizzare, tracciare, abbozzare, delineare, tratteggiare **3** ♧ (*una congiura e sim.*) organizzare, preparare, architettare, orchestrare; cospirare, tramare, macchinare.

ordìto *s.m.* **1** orditura **2** ♧ (*di un romanzo, di un film*) trama, intreccio; canovaccio, schema.
orécchia *s.f.* **1** orecchio **2** (*di una pagina, di un un quaderno ecc.*) orecchio, piega, piegatura.
orecchiànte *s.m.f.* dilettante, inesperto © esperto, competente.
orecchìno *s.m.* pendente, buccola, cerchietto, clip (*ingl.*).
orécchio *s.m.* **1** orecchia, padiglione auricolare (*anat.*) **2** udito **3** ♧ (*mus.*) sensibilità, disposizione, inclinazione **4** ♧ (*di una pagina e sim.*) orecchia, piega, piegatura.
orecchióni *s.m.pl.* (*colloq.*) parotite (*med.*).
oréfice *s.m.f.* gioielliere.
oreficerìa *s.f.* **1** arte orafa **2** gioielli, ori **3** (*negozio*) gioielleria.
orfanotròfio *s.m.* brefotrofio.
orgànico *agg.* **1** © inorganico **2** (*di funzione, di malattia ecc.*) fisico, corporeo, costituzionale **3** ♧ (*di discorso, di progetto ecc.*) coerente, omogeneo, armonico, equilibrato, sistematico, strutturato © disorganico, disarmonico, disordinato ♦ *s.m.* (*di un'azienda, di un ufficio e sim.*) personale, dipendenti.
organigràmma *s.m.* IPERON. struttura, organizzazione.
organìsmo *s.m.* **1** essere vivente **2** corpo, costituzione, fisico **3** ♧ sistema, organizzazione, struttura.
organizzàre *v.tr.* **1** disporre, coordinare, predisporre, preparare, pianificare, programmare; dirigere, guidare, amministrare © disorganizzare, disordinare, scombinare, sconvolgere **2** (*una festa, una mostra ecc.*) curare, preparare, realizzare, allestire, mettere in piedi (*colloq.*) © improvvisare ♦ **organizzarsi** *v.pr.* **1** disporsi, predisporsi, prepararsi **2** associarsi, unirsi, costituirsi.
organizzàto *agg.* **1** ordinato, preparato, pianificato, programmato, regolato © disorganizzato, disordinato, caotico, improvvisato **2** (*di gruppo, di ufficio ecc.*) coordinato, preparato, formato, strutturato © disorganizzato, disordinato, scoordinato.
organizzatóre *agg.*, *s.m.* coordinatore, animatore, promotore; (*di una mostra*) curatore.
organizzazióne *s.f.* **1** coordinamento, gestione, pianificazione, programmazione © disorganizzazione **2** (*di una festa, di una mostra ecc.*) preparazione, allestimento **3** (*di un'azienda e sim.*) impianto, ordinamento, assetto, struttura **4** (*politica, sportiva e sim.*) associazione, istituzione, organismo, ente.
òrgano *s.m.* **1** (*di un motore*) componente, meccanismo, parte **2** (*di controllo, di vigilanza ecc.*) istituto, organismo, struttura **3** ♧ (*di un partito, di un'associazione ecc.*) giornale, rivista, pubblicazione **4** (*mus.*) armonium.
orgàsmo *s.m.* **1** piacere, godimento, climax (*fisiol.*) **2** agitazione, ansia, eccitazione, nervosismo, smania © calma, quiete, tranquillità.
òrgia *s.f.* **1** ammucchiata, baccanale, partouze (*fr.*) **2** bagordo, baldoria, gozzoviglia, abbuffata **3** ♧ (*di sensazioni, di colori ecc.*) eccesso, abbondanza, profluvio.
orgóglio *s.m.* **1** superbia, presunzione, alterigia, boria, spocchia © umiltà, modestia, semplicità **2** dignità, amor proprio, fierezza © servilismo **3** soddisfazione, vanto, compiacimento **4** (*riferito a cosa o persona*) vanto, gloria, onore © vergogna, disonore.
orgogliόso *agg.* **1** presuntuoso, superbo, altezzoso, borioso, spocchioso, pieno di sé, tronfio © umile, modesto, semplice **2** (*di qlco., di qlcu.*) contento, fiero, soddisfatto © insoddisfatto, scontento.
orientàle *agg.* **1** est © occidentale, ovest **2** asiatico, levantino © occidentale.
orientaménto *s.m.* **1** posizione, orientazione © disorientamento **2** ♧ indirizzo, tendenza, ispirazione, inclinazione.
orientàre *v.tr.* **1** IPERON. collocare, posizionare, disporre © disorientare **2** (*un'antenna, un faro e sim.*) dirigere, puntare, rivolgere **3** ♧ dirigere, indirizzare, incanalare, istradare, guidare © allontanare, distogliere ♦ **orientarsi** *v.pr.* **1** orizzontarsi © disorientarsi, perdere l'orientamento **2** ♧ capire, raccapezzarsi © confondersi, disorientarsi **3** ♧ indirizzarsi, avviarsi, propendere, tendere.
orientatìvo *agg.* indicativo.
orientàto *agg.* **1** esposto **2** ♧ diretto, indirizzato, rivolto, mirato.
orïènte *s.m.* **1** est, levante © occidente, ovest, ponente **2** Asia © Occidente.
orifizio *s.m.* **1** foro, buco **2** (*anat.*) meato, dotto, rima.
originàle *agg.* **1** originario, iniziale, primitivo, primordiale © attuale, odierno **2** (*di documento, di manoscritto ecc.*) autentico, autografo © falso, apocrifo, contraffatto **3** (*di prodotto e sim.*) autentico, genuino, naturale © falso, fasullo, imitato **4** (*di idea e sim.*) nuovo, inedito, personale, particolare © comune, ordinario, banale, abusato, conformista, copiato **5** (*di persona, di gusti ecc.*) strano, bizzarro, eccentrico, stravagante, anticonformista © comune, normale, ordinario, conformista ♦ *s.m.* **1** modello, prototipo, campione; manoscritto © copia, riproduzio-

ne; traduzione **2** anticonformista, eccentrico, pazzoide, svitato **3** (*di documento e sim.*) autografo © copia, falso, apocrifo.

originalità *s.f.* **1** (*di un prodotto e sim.*) autenticità, genuinità © contraffazione, imitazione **2** (*di un'opera, di un'idea ecc.*) novità, freschezza, singolarità © normalità, ordinarietà **3** stranezza, stravaganza, eccentricità, bizzarria © normalità, banalità, conformismo **4** (*di cosa*) curiosità, bizzarria, stravaganza.

originàre *v.tr.* provocare, causare, produrre, determinare, generare, ingenerare, suscitare ♦ **originarsi** *v.pr.* avere origine, nascere, derivare, prodursi, scaturire.

originàrio *agg.* **1** nativo, oriundo, autoctono © straniero, forestiero **2** primitivo, primordiale, iniziale © attuale, odierno **3** (*di paese e sim.*) natale, nativo, natio **4** (*di opera, di manoscritto ecc.*) autentico, originale, autografo © falso, contraffatto, apocrifo **5** (*di bellezza, di virtù ecc.*) congenito, innato © acquisito.

orìgine *s.f.* **1** principio, nascita, inizio, esordio, genesi, punto di partenza; albori, primordi © fine, conclusione, termine **2** causa, motivo, motore, radice, ragione, matrice **3** famiglia, nascita, estrazione, casata, stirpe, razza **4** provenienza **5** (*di una parola*) etimo, etimologia, derivazione.

origliàre *v.intr.* orecchiare IPERON. ascoltare; spiare.

orìna *s.f.* vedi **urìna**.

orinàre *v.intr.* fare pipì (*colloq.*), pisciare (*volg.*), mingere (*fisiol.*) ♦ *v.tr.* pisciare (*volg.*).

oriùndo *agg.*, *s.m.* originario.

orizzontàle *agg.* **1** (*rispetto a un piano*) parallelo © verticale, dritto, perpendicolare, ortogonale **2** piano, piatto © verticale, dritto.

orizzontàre *v.tr.* posizionare, collocare, orientare, dirigere © disorientare ♦ **orizzontarsi** *v.pr.* **1** orientarsi © perdersi, perdere l'orientamento **2** ♧ raccapezzarsi, capire © confondersi.

orizzónte *s.m.* **1** (*della scienza, della tecnica ecc.*) limite, meta, prospettiva, scopo **2** (*politico, culturale e sim.*) panorama, quadro, prospettiva **3** (*di una persona*) ideali, interessi, aspirazioni.

órlo *s.m.* **1** bordo, labbro, margine, estremità, ciglio **2** (*di un vestito e sim.*) orlatura, bordo; bordatura, balza.

órma *s.f.* **1** impronta, traccia **2** ♧ (*spec. al pl.*) insegnamento, segno, traccia, testimonianza.

ormeggiàre *v.tr.* (*mar.*) ancorare, attraccare © disancorare, disormeggiare ♦ **ormeggiarsi** *v.pr.* ancorarsi, gettare l'ancora, mollare gli ormeggi © salpare, levare l'ancora.

orméggio *s.m.* **1** (*azione*) ancoraggio, approdo; (*il posto in cui si ormeggia*) approdo, pontile **2** (*al pl.*) IPON. cavi, catene, ancore.

ornamentàle *agg.* decorativo.

ornaménto *s.m.* **1** abbellimento, decorazione, decoro © deturpamento, imbruttimento **2** (*ciò che serve a ornare*) decorazione, addobbo, decoro, guarnizione, fregio, fronzolo **3** (*di uno scritto e sim.*) infiorettatura, fioritura, fronzolo, orpello.

ornàre *v.tr.* **1** abbellire, decorare, addobbare, agghindare; impreziosire, ingioiellare; miniare © deturpare, imbruttire **2** (*un discorso e sim.*) impreziosire, infiorettare, arricchire **3** (*di un titolo, di un'onorificenza e sim.*) decorare, fregiare, insignire ♦ **ornarsi** *v.pr.* abbellirsi, adornarsi, agghindarsi, azzimarsi.

òro *s.m.* **1** (*al pl.*) gioielli **2** soldi, quattrini, averi **3** (*colore*) IPERON. giallo ♦ *agg.invar.* dorato, ambrato, giallo oro; (*di capelli*) biondo.

orpèllo *s.m.* (*spec. al pl.*) fronzolo.

orrèndo *agg.* **1** orribile, orripilante, raccapricciante, ripugnante, disgustoso, spaventoso, terribile, terrificante, abominevole © stupendo, magnifico, splendido, incantevole **2** (*di delitto e sim.*) atroce, mostruoso, efferato, raccapricciante, spietato **3** (*iperb.*) pessimo, brutto, schifoso, repellente, ripugnante, sgradevole © stupendo, bello, delizioso, incantevole.

orrìbile *agg.* vedi **orrèndo**.

òrrido *agg.* **1** orribile, orripilante, raccapricciante, ripugnante, disgustoso, spaventoso, terribile, terrificante, abominevole © stupendo, magnifico, splendido, incantevole **2** (*spec. di luogo*) aspro, selvaggio, ostile, inospitale © ameno, ridente, paradisiaco ♦ *s.m.* **1** macabro, mostruoso **2** forra, gola, burrone, precipizio.

orripilànte *agg.* vedi **orrèndo**.

orróre *s.m.* **1** ribrezzo, raccapriccio, ripugnanza, spavento, terrore **2** avversione, rifiuto **3** (*spec. al pl.*) atrocità, efferatezza, violenza, ferocia, spietatezza **4** (*cosa molto brutta*) schifo, mostruosità, porcheria, oscenità, schifezza; (*persona molto brutta*) mostro.

órso *s.m.* **1** IPERON. plantigrado **2** ♧ (*di persona poco socievole*) asociale, burbero, misantropo, musone © compagnone, buontempone.

ortodossìa *s.f.* **1** (*cattolica, marxista ecc.*) fede, ideologia, credo © eterodossia, eresia **2** adesione, conformità, osservanza © dissenso, dissidenza, eterodossia, deviazionismo (*polit.*) **3** (*relig.*) eresia, scisma.

ortodòsso *agg.* **1** credente, osservante © eterodosso, eretico **2** (*rispetto a idee, principi ecc.*)

fedele, allineato © dissidente **3** (*di chiesa, di rito ecc.*) orientale, greco-ortodosso, bizantino, scismatico ♦ *s.m.* (*relig.*) greco-ortodosso.

osannàre *v.tr.* celebrare, esaltare, lodare, incensare, magnificare © criticare, fischiare ♦ *v.intr.* inneggiare, applaudire, plaudire.

osàre *v.tr.* **1** tentare, provare, azzardarsi, ardire © temere **2** permettersi.

oscenità *s.f.* **1** (*l'essere osceno*) indecenza, sconcezza, impudicizia, volgarità © pudicizia, verecondia, castità **2** (*atto, gesto osceno*) volgarità, sconcezza, scurrilità, porcheria, trivialità **3** (*cosa molto brutta*) orrore, obbrobrio, mostruosità, schifo, schifezza, pugno in un occhio © meraviglia, capolavoro.

oscèno *agg.* **1** indecente, sconcio, licenzioso, scandaloso, scurrile; erotico, pornografico, porno © castigato, casto, pudico **2** orribile, orrendo, brutto, schifoso, tremendo © stupendo, delizioso, incantevole, bello.

oscillàre *v.intr.* **1** dondolare, ciondolare, fluttuare, ondeggiare, tremolare, vibrare, vacillare **2** ♧ (*di temperatura, di prezzi e sim.*) variare, fluttuare © stabilizzarsi **3** ♧ (*tra due alternative*) esitare, tentennare, vacillare, altalenare © decidersi, risolversi.

oscillazióne *s.f.* **1** dondolamento, dondolio, fluttuazione, ondeggiamento, vacillazione, vibrazione © stabilizzazione **2** ♧ (*della temperatura, dei prezzi e sim.*) variazione, fluttuazione © stabilizzazione **3** ♧ incertezza, esitazione © decisione, risolutezza.

oscuraménto *s.m.* offuscamento, ottenebramento, annebbiamento, appannamento, buio © rischiaramento, illuminazione.

oscurantìsmo *s.m.* **1** (*stor.*) © illuminismo **2** conservazione, immobilismo, reazionarismo (*polit.*) © progressismo, modernismo.

oscuràre *v.tr.* **1** offuscare, ottenebrare, scurire © rischiarare, illuminare **2** eclissare, coprire **3** ♧ (*di fama, di merito ecc.*) eclissare, superare, offuscare © esaltare, lodare ♦ **oscurarsi** *v.pr.* **1** offuscarsi, ottenebrarsi, scurirsi © rischiararsi, illuminarsi **2** (*in volto*) rabbuiarsi, incupirsi, accigliarsi, corrucciarsi © illuminarsi, rasserenarsi, rischiararsi.

oscurità *s.f.* **1** buio, notte, ombra, scuro, tenebre © luce, chiarore, luminosità, splendore **2** ♧ (*di un testo, di una frase ecc.*) incomprensibilità, inaccessibilità, astrusità, fumosità © chiarezza, comprensibilità, accessibilità, leggibilità **3** ♧ (*di un artista e sim.*) anonimato © fama, notorietà **4** ♧ ignoranza, disinformazione © conoscenza, informazione.

oscùro *agg.* **1** scuro, buio, tenebroso © chiaro, luminoso, illuminato, lucente **2** (*spec. di cielo*) caliginoso, plumbeo, fosco © sereno, limpido, azzurro **3** ♧ (*di un testo, di una frase ecc.*) incomprensibile, inaccessibile, ambiguo, astruso, ermetico, enigmatico, nebuloso © chiaro, comprensibile, accessibile, leggibile, semplice **4** (*di destino e sim.*) incerto, sfavorevole © luminoso, brillante **5** (*di periodo, di età ecc.*) buio, triste © felice, fortunato **6** (*di persona, di autore ecc.*) anonimo, sconosciuto, ignoto © celebre, famoso, conosciuto, noto **7** (*di volto, di espressione e sim.*) cupo, accigliato, corrucciato, pensieroso, torvo © allegro, lieto, sereno ♦ *s.m.* buio, notte, ombra, oscurità, tenebre © chiaro, chiarore, luce.

osé *agg.* (*fr.*) audace, ardito, spinto, scandaloso © castigato, casto, morigerato.

osmòsi *s.f.* (*fra culture, popoli diversi ecc.*) compenetrazione, fusione, scambio.

ospedàle *s.m.* nosocomio; policlinico; clinica, casa di cura.

ospedalizzàre *v.tr.* ricoverare.

ospitàle *agg.* **1** (*di persona*) accogliente, caloroso, cordiale, gentile © inospitale, scortese **2** (*di luogo*) accogliente, comodo, confortevole, caldo © inospitale, freddo, scomodo.

ospitalità *s.f.* **1** cortesia, cordialità, gentilezza © inospitalità **2** accoglienza, alloggio, asilo, rifugio.

ospitàre *v.tr.* **1** (*persone*) accogliere, alloggiare, invitare, ricevere **2** ♧ (*di museo, di mostra e sim.*) contenere, accogliere, raccogliere, possedere **3** (*articoli e sim.*) pubblicare, accogliere.

òspite *s.m.f.* **1** invitato, convitato **2** ospitante, padrone di casa, anfitrione (*elev.*); albergatore **3** (*biol.*) parassita ♦ *agg.* **1** ospitante **2** ospitato.

ospìzio *s.m.* ricovero; (*per anziani*) casa di riposo, gerontocomio, gerocomio (*raro*).

ossatùra *s.f.* **1** (*del corpo*) scheletro **2** (*di una costruzione, di un edificio*) struttura, telaio, armatura **3** ♧ (*di un romanzo e sim.*) trama, schema, struttura.

ossequiàre *v.tr.* riverire, onorare © offendere, insultare.

ossèquio *s.m.* **1** rispetto, riguardo, deferenza, riverenza © irriverenza, insolenza, disprezzo **2** (*spec. al pl.*) omaggi.

ossequióso *agg.* deferente, rispettoso, riguardoso; cerimonioso, complimentoso © insolente, irriguardoso, sprezzante.

osservànte *agg., s.m.f.* **1** (*delle regole, delle leggi ecc.*) ligio, obbediente, rispettoso, ottemperante © inosservante, disubbidiente, inadem-

piente, ribelle, trasgressore **2** (*relig.*) ortodosso, professante, praticante IPERON. fedele, devoto, credente.
osservànza *s.f.* **1** (*delle leggi, delle norme ecc.*) rispetto, ubbidienza, ottemperanza (*elev.*) © disubbidienza, inadempienza, trasgressione; disprezzo **2** (*relig.*) ortodossia.
osservàre *v.tr.* **1** guardare, contemplare, ammirare; (*con attenzione*) esaminare, scrutare, studiare, analizzare; (*con insistenza*) fissare; (*di nascosto*) spiare, sbirciare **2** notare, rilevare, constatare; obiettare, replicare, contestare **3** (*la disciplina, le leggi ecc.*) rispettare, seguire © trasgredire, violare **4** (*il silenzio, la parola data e sim.*) mantenere, rispettare © violare, infrangere, disattendere.
osservatóre *s.m.* **1** scrutatore, indagatore, investigatore; contemplatore **2** (*in congressi, convegni ecc.*) inviato, delegato; partecipante.
osservazióne *s.f.* **1** contemplazione, visione **2** (*di un fenomeno, di una questione ecc.*) esame, analisi, indagine, ricerca, studio **3** considerazione, giudizio, riflessione, commento, annotazione **4** rimprovero, richiamo; appunto, critica, obiezione © complimento, apprezzamento, approvazione, elogio.
ossessionànte *agg.* **1** angosciante, assillante, opprimente, ossessivo © piacevole **2** (*di rumore, di suono e sim.*) fastidioso, insopportabile, intollerabile.
ossessionàre *v.tr.* **1** tormentare, angosciare, perseguitare **2** assillare, infastidire, esasperare, rompere (*colloq.*), seccare, tormentare.
ossessióne *s.f.* **1** (*psicol.*) psicosi, paranoia **2** mania, fobia, idea fissa, fissazione, incubo, assillo, angoscia, tormento.
ossessìvo *agg.* **1** (*di pensiero e sim.*) angosciante, assillante, maniacale, morboso **2** (*di musica, di rumore ecc.*) insistente, fastidioso, esasperante, martellante, insopportabile.
ossèsso *agg., s.m.* **1** indemoniato, invasato, posseduto, tarantolato **2** (*per la rabbia e sim.*) furioso, agitato, furibondo, indiavolato, infuriato, scalmanato © calmo, sereno, tranquillo.
ossidàrsi *v.pr.* arrugginire, arrugginirsi.
ossigenàre *v.tr.* **1** (*i capelli*) schiarire, decolorare **2** ♧ (*un'attività economica, un'azienda ecc.*) aiutare, incrementare, sollevare ♦ **ossigenarsi** *v.pr.* ritemprarsi.
ossìgeno *s.m.* **1** aria pura, aria buona **2** ♧ aiuto, finanziamento, soldi, denaro, soccorso.
òsso *s.m.* **1** (*al pl.*) ossatura **2** (*al pl.*; *di un cadavere*) spoglie, resti **3** (*di un frutto*) nocciolo.
ossùto *agg.* **1** scarno, secco, scheletrico; macilento, emaciato, patito © grasso **2** (*di volto*) angoloso, scavato; (*di mani*) nodoso © grasso, florido, paffuto.
ostacolàre *v.tr.* impedire, proibire, vietare; ostruire, fermare, sbarrare, intralciare; disturbare, ritardare, boicottare © aiutare, agevolare, facilitare, favorire, assecondare ♦ **ostacolarsi** *v.pr.* intralciarsi, danneggiarsi © favorirsi, agevolarsi, aiutarsi.
ostàcolo *s.m.* **1** impedimento, intoppo, impaccio, intralcio; barriera, sbarramento; contrarietà, difficoltà, contrattempo, scoglio; boicottaggio, sabotaggio © aiuto, agevolazione **2** (*sport*) barriera.
ostàggio *s.m.* sequestrato, rapito INVER. sequestratore, rapitore.
òste *s.m.* cantiniere, vinaio, taverniere; albergatore, locandiere, trattore.
osteggiàre *v.tr.* **1** (*una persona*) avversare, contrastare, combattere, attaccare © aiutare, favorire, incoraggiare **2** (*un progetto e sim.*) avversare, contrastare, intralciare © agevolare, favorire, promuovere.
ostèllo *s.m.* locanda.
ostentàre *v.tr.* **1** esporre, esibire, mettere in mostra, sbandierare, sfoggiare © nascondere, celare **2** (*un sentimento, un atteggiamento e sim.*) fingere, affettare, simulare.
ostentazióne *s.f.* **1** sfoggio, esibizione, mostra, sbandieramento, vanto **2** (*di sentimenti e sim.*) esagerazione, affettazione, posa © modestia, riservatezza **3** lusso sfarzo, pompa, sontuosità.
osterìa *s.f.* cantina, bottiglieria, enoteca, mescita; trattoria, bistrot (*fr.*); (*spreg.*) bettola, taverna.
ostètrica *s.f.* levatrice.
ostetrìcia *s.f.* ginecologia, maternità (*colloq.*).
òstia *s.f.* **1** (*nella religione cattolica*) particola **2** (*per uso dolciario o farmaceutico*) cialda, cachet (*fr.*).
òstico *agg.* difficile, duro, complesso, arduo, insopportabile, ingrato, spiacevole, sgradevole © facile, semplice, piacevole, gradevole.
ostìle *agg.* **1** (*di persona*) avverso, contrario, nemico; malevolo, maldisposto, prevenuto © amico, amichevole, bendisposto, favorevole **2** (*di sguardo*) cattivo, bieco, minaccioso, torvo © amichevole, benevolo, benigno.
ostilità *s.f.* **1** avversione, inimicizia, malanimo, odio © affetto, amicizia, favore, benevolenza **2** (*al pl.*) guerra.
ostinàrsi *v.pr.* insistere, intestardirsi, impuntarsi, fissarsi, accanirsi, perseverare, persistere ©

cedere, arrendersi, rinunciare, abbandonare, demordere, desistere, lasciar perdere.
ostinatézza *s.f.* ostinazione.
ostinàto *agg.* **1** caparbio, testardo, cocciuto, testone (*colloq.*), zuccone (*colloq.*) © docile, arrendevole, accomodante, flessibile **2** tenace, fermo, costante, determinato, imperterrito, perseverante © incostante, volubile **3** (*di fumatore e sim.*) accanito, incorreggibile, incallito, irriducibile **4** ♧ (*di tosse, di pioggia ecc.*) insistente, persistente © passeggero, momentaneo.
ostinazióne *s.f.* **1** caparbietà, cocciutaggine, testardaggine, pervicacia, protervia © docilità, arrendevolezza, cedevolezza **2** costanza, tenacia, insistenza, fermezza, perseveranza © debolezza, incostanza.
ostracìsmo *s.m.* **1** (*stor.*) esilio, bando **2** ♧ (*nei confronti di una persona*) esclusione, allontanamento, emarginazione; (*nei confronti di una proposta e sim.*) boicottaggio, opposizione, ostruzionismo.
ostruìre *v.tr.* chiudere, bloccare, impedire, ingombrare, ingorgare, otturare, tappare, turare © liberare, sbloccare, stappare, sturare ♦ **ostruirsi** *v.pr.* chiudersi, bloccarsi, intasarsi, otturarsi, tapparsi © disintasarsi, liberarsi, sbloccarsi, stapparsi.
ostruzióne *s.f.* **1** blocco, sbarramento, ostacolo, impedimento, intasamento, occlusione © sblocco, stasamento **2** ♧ impedimento, intralcio, ostruzionismo.
ostruzionìsmo *s.m.* opposizione, boicottaggio © accordo, appoggio, sostegno.
ottemperànza *s.f.* obbedienza, osservanza, ossequio © disubbidienza, inosservanza, trasgressione, violazione, inottemperanza (*dir.*).
ottemperàre *v.intr.* obbedire, osservare, adempiere, conformarsi, attenersi © disubbidire, contravvenire, venire meno, infrangere, trasgredire, violare.
ottenebraménto *s.m.* **1** oscuramento, offuscamento © rischiaramento, illuminazione **2** ♧ (*della vista, della mente e sim.*) annebbiamento, appannamento, obnubilazione (*elev.*) © schiarimento; lucidità.
ottenebràre *v.tr.* **1** oscurare, offuscare © rischiarare, illuminare **2** ♧ (*la vista, la mente e sim.*) annebbiare, appannare, confondere © schiarire ♦ **ottenebrarsi** *v.pr.* **1** offuscarsi, oscurarsi, rabbuiarsi © rischiararsi, illuminarsi, schiarirsi **2** ♧ (*di vista, di mente e sim.*) offuscarsi, appannarsi, annebbiarsi, confondersi, obnubilarsi (*elev.*) © schiarirsi.
ottenebràto *agg.* (*di vista, di mente e sim.*) annebbiato, appannato, offuscato, confuso, stordito, obnubilato (*elev.*).
ottenére *v.tr.* **1** conquistare, conseguire, conquistarsi, raggiungere, procacciarsi, procurarsi; (*un premio*) vincere © perdere **2** (*un prodotto*) ricavare, estrarre, produrre, trarre.
ottenìbile *agg.* conseguibile, raggiungibile, ricavabile © irraggiungibile, irrealizzabile.
otteniménto *s.m.* conseguimento.
òttica *s.f.* ♧ punto di vista, prospettiva, angolatura, approccio, modo di vedere.
òttico *agg.* visivo ♦ *s.m.* optometrista, occhialaio (*colloq.*).
ottimàle *agg.* ideale, adatto, migliore, perfetto © peggiore, pessimo.
ottimìsta *agg., s.m.f.* positivo, fiducioso © pessimista, negativo, disfattista.
ottimìsmo *s.m.* © pessimismo.
òttimo *agg.* eccezionale, magnifico, eccellente, perfetto, splendido, straordinario, eccelso; (*di cibo e sim.*) squisito, prelibato, raffinato © pessimo, mediocre, modesto, scadente, infimo, deludente ♦ *s.m.* massimo, ideale, optimum (*lat.*), top (*ingl.*) ♦ *inter.* bene, benissimo, perfetto.
ottocentésco *agg.* (*spreg.; di idee, di mentalità ecc.*) antiquato, vecchio, sorpassato, superato, retrogrado © moderno, attuale, nuovo, innovativo.
ottùndere *v.tr.* ♧ (*la mente, i sensi ecc.*) addormentare, indebolire, intorpidire, offuscare, obnubilare (*elev.*) © svegliare, destare, acuire, stimolare.
ottundiménto *s.m.* ♧ (*della mente, dei sensi ecc.*) intorpidimento, indebolimento, istupidimento, offuscamento, obnubilamento (*elev.*), torpore © lucidità, chiarezza, presenza.
otturàre *v.tr.* **1** turare, tappare, ostruire, chiudere, ingorgare, intasare, occludere © liberare, sbloccare, stappare, stasare **2** (*un dente*) piombare (*colloq.*) ♦ **otturarsi** *v.pr.* intasarsi, ostruirsi, ingorgarsi © sturarsi, stapparsi.
otturazióne *s.f.* **1** occlusione, intasamento, ingorgo, blocco © sblocco, apertura **2** (*di un dente*) piombatura (*colloq.*), intarsio (*med.*).
ottusità *s.f.* imbecillità, stupidità, idiozia, lentezza, torpore © acume, acutezza, prontezza, intelligenza, sagacia.
ottùso *agg.* **1** arrotondato, smussato, spuntato © appuntito, acuminato **2** (*geom.*) © acuto **3** ♧ (*di persona*) lento, limitato, stupido, sciocco, tardo, tonto © sveglio, intelligente, pronto, acuto, perspicace.
out *s.m.invar.* (*ingl.*) vecchio, antiquato, sorpas-

sato, superato, fuori moda, démodé (*fr.*) © attuale, nuovo, moderno, in (*ingl.*), up to date (*ingl.*).

outdoor *agg.invar* (*ingl.*; *sport*) © indoor (*ingl.*).

outlet *s.m.invar.* (*ingl.*) spaccio, spaccio aziendale.

output *s.m.invar.* (*ingl.*; *inform.*) © input (*ingl.*).

ouverture *s.f.* (*fr.*) sinfonia.

ovàle *agg.* ellittico, ovoidale.

ovàtta *s.f.* bambagia; cotone, cotone idrofilo.

ovattàre *v.tr.* (*un suono e sim.*) attutire, attenuare, affievolire, smorzare © accentuare, amplificare, intensificare.

ovattàto *agg.* (*di suono e sim.*) attutito, fievole, flebile, smorzato, tenue © amplificato.

ovazióne *s.f.* acclamazione, applauso © fischi.

overdose *s.f.invar.* (*ingl.*) **1** (*med.*) iperdosaggio **2** ♧ (*scherz.*) eccesso, esagerazione.

òvest *s.m.* ponente, occidente © est, levante, oriente ♦ *agg.invar.* occidentale © est, orientale.

ovìno *agg.* pecorino ♦ *s.m.* IPON. pecora, capra.

ovviàre *v.intr.* rimediare, riparare, porre rimedio.

ovvietà *s.f.* **1** evidenza, logica, chiarezza, comprensibilità © assurdità, illogicità **2** banalità, luogo comune © originalità.

òvvio *agg.* **1** evidente, logico, chiaro, lampante, naturale, lapalissiano © illogico, assurdo, incomprensibile **2** banale, risaputo, scontato © originale, particolare.

oziàre *v.intr.* poltrire, stare con le mani in mano, gingillarsi; bighellonare, ciondolare © lavorare, fare, agire, darsi da fare, sgobbare, sudare.

òzio *s.m.* **1** inattività, inoperosità, inazione, pigrizia, poltroneria, accidia (*elev.*), inerzia, scioperatezza © attività, operosità, dinamismo, laboriosità, alacrità, zelo **2** riposo, vacanza, tempo libero, relax (*ingl.*) **3** (*al pl.*) comodità, mollezze, agi.

oziosità *s.f.* **1** inattività, inoperosità, ozio © attività, operosità, dinamismo **2** (*di una domanda, di un discorso ecc.*) inutilità, futilità, vacuità © importanza, utilità, opportunità.

ozióso *agg.* **1** pigro, fannullone, poltrone, accidioso (*elev.*), inerte, sfaticato, svogliato © attivo, laborioso, operoso, dinamico, solerte **2** ♧ (*di un discorso, di una domanda ecc.*) inutile, superfluo, vano, futile © importante, necessario, utile, indispensabile.

p, P

pacatézza *s.f.* calma, equilibrio, serenità, tranquillità, flemma, placidità © agitazione, furia, nervosismo, inquietudine, tensione.
pacàto *agg.* calmo, sereno, tranquillo, equilibrato, quieto; misurato, posato, riflessivo © agitato, nervoso, arrabbiato, teso.
pàcca *s.f.* (*colloq.*) manata; colpo, botta, pugno; schiaffo, ceffone, sberla, manrovescio.
pacchétto *s.m.* **1** involto, cartoccio; confezione **2** (*di proposte, di offerte ecc.*) complesso, insieme **3** (*di lettere, di carte e sim.*) plico, mazzetto.
pàcchia *s.f.* (*colloq.*) cuccagna, fortuna, benedizione, manna © sfortuna.
pacchiàno *agg.* di cattivo gusto, vistoso, volgare, kitsch (*ted.*) © fine, raffinato, chic (*fr.*).
pàcco *s.m.* **1** confezione, involto, collo; (*di documenti e sim.*) plico **2** ♧ (*gerg.*) fregatura, bidone (*gerg.*), bidonata (*gerg.*), inganno.
paccottìglia *s.f.* ciarpame, cianfrusaglie, robaccia, scarto.
pàce *s.f.* **1** © guerra, conflitto, belligeranza (*dir.*) **2** (*atto che sancisce la fine di una guerra*) accordo, trattato; (*provvisorio*) tregua, armistizio, cessate il fuoco; (*tra persone*) accordo, pacificazione, riconciliazione **3** (*nella vita pubblica e nei rapporti tra le persone*) armonia, concordia, accordo, intesa, unione © conflitto, contrasto, attrito, discordia, dissidio, rivalità **4** (*interiore*) serenità, quiete, tranquillità, benessere, equilibrio © ansia, turbamento, tormento **5** calma, riposo, silenzio, respiro, sollievo, relax, tregua © confusione, baccano, chiasso, casino (*colloq.*), trambusto.
pachidèrma *s.m.* **1** IPON. elefante, ippopotamo, rinoceronte **2** ♧ (*persona grossa e pesante*) elefante, ippopotamo.
pacificàre *v.tr.* **1** conciliare, riconciliare, rappacificare © dividere, inimicare, sobillare **2** ♧ (*gli animi e sim.*) calmare, rasserenare, tranquillizzare, placare © eccitare, irritare, istigare, aizzare, fomentare ♦ **pacificarsi** *v.pr.* **1** riconciliarsi, rappacificarsi, fare pace **2** ♧ placarsi, rasserenarsi, calmarsi © tormentarsi.
pacificazióne *s.f.* rappacificazione, riconciliazione, pace © rottura, contrasto, disaccordo.
pacìfico *agg.* **1** calmo, sereno, tranquillo, quieto, mite, bonario, placido; (*di animale*) docile, mansueto © aggressivo, nervoso, bellicoso, irascibile, rissoso, violento **2** (*di politica, di intenzioni ecc.*) pacifista, nonviolento © guerrafondaio **3** ♧ ovvio, evidente, certo, incontestabile © discutibile, dubbio, opinabile.
pacifismo *s.m.* nonviolenza, antimilitarismo © militarismo, bellicismo.
pacifista *agg., s.m.f.* nonviolento, antimilitarista; gandhiano © guerrafondaio, militarista, bellicista.
pacioccóne *agg., s.m.* bonaccione, tranquillo, mite, pacifico, cuorcontento (*colloq.*), pacioso.
packaging *s.m.invar.* (*ingl.*) imballaggio, confezione.
padèlla *s.f.* tegame.
padiglióne *s.m.* **1** (*di un complesso ospedaliero, fieristico ecc.*) reparto, settore, stand (*ingl.*) **2** (*di edificio*) palazzina **3** (*mil.*) tenda **4** (*in un parco*) chiosco.
pàdre *s.m.* **1** papà (*colloq.*), babbo (*colloq.*) INVER. figlio **2** ♧ guida, maestro, modello, padre spirituale **3** (*spec. al pl.*) antenati, nonni, avi, progenitori INVER. discendenti, posteri **4** (*relig.*; *con iniziale maiuscola*) Dio, Creatore, Signore **5** ♧ (*di una disciplina, di una scuola di pensiero ecc.*) fondatore, iniziatore, precursore, promotore; inventore, scopritore **6** ♧ (*dei vizi, delle virtù ecc.*) causa, fonte, principio, origine, radice **7** (*di un ordine religioso*) sacerdote, frate, prete, reverendo.
padretèrno *s.m.* **1** Dio, Creatore, Signore, Onnipotente **2** ♧ dio, boss (*ingl.*), superuomo.
padrìno *s.m.* **1** compare, santolo INVER. figlioccio **2** (*in un duello*) secondo **3** (*di una cosca mafiosa*) boss (*ingl.*), capomafia.
padronànza *s.f.* **1** (*di una disciplina e sim.*) competenza, conoscenza, abilità, maestria, professionalità © ignoranza **2** (*di sé, dei propri nervi ecc.*) dominio, controllo, autocontrollo, self-control (*ingl.*).
padróne *s.m.* **1** proprietario, possessore, detentore, titolare **2** (*di casa*) proprietario, locatore (*dir.*) INVER. inquilino, affittuario, locatario (*dir.*),

conduttore (*dir.*) **3** datore di lavoro, capo, principale, titolare, imprenditore, boss (*scherz.*) INVER. dipendente, sottoposto **4** (*della città, del paese ecc.*) dominatore, signore; sovrano, despota, tiranno INVER. servo, schiavo **5** (*di un mestiere, di una lingua ecc.*) esperto, specialista, conoscitore © ignorante, inesperto, dilettante.

padroneggiàre *v.tr.* **1** (*i propri nervi e sim.*) dominare, controllare, frenare, reprimere **2** (*un argomento, una lingua ecc.*) conoscere, possedere, dominare.

paesàggio *s.m.* **1** panorama, vista, veduta, scenario, visuale **2** territorio, ambiente.

paesàno *agg.* **1** campagnolo, contadino, rustico © cittadino, urbano **2** casereccio, naturale, semplice, alla buona © elaborato, sofisticato ♦ *s.m.* **1** contadino, campagnolo © cittadino **2** compaesano, conterraneo © forestiero, straniero.

paése *s.m.* **1** territorio, regione, area, zona **2** stato, nazione; patria, madrepatria **3** villaggio, borgo, località, luogo, posto.

paffùto *agg.* grassoccio, pienotto, rotondetto, cicciotto, grassottello © magro, scarno, secco, mingherlino.

pàga *s.f.* salario, stipendio, compenso, retribuzione; (*di un libero professionista*) onorario, parcella.

pagaménto *s.m.* versamento, esborso, corresponsione, erogazione; (*di un debito e sim.*) saldo, estinzione, liquidazione.

paganésimo *s.m.* **1** idolatria, politeismo © monoteismo **2** (*concezione del mondo e sim.*) immanentismo (*filos.*); agnosticismo, materialismo © religiosità, misticismo.

pagàno *agg.* **1** (*relig.*) idolatra, politeista © monoteista **2** ateo, miscredente, agnostico **3** (*di concezione, di pensiero ecc.*) immanentistico (*filos.*); paganeggiante, materialistico, agnostico, ateo © mistico, trascendentistico ♦ *agg., s.m.* gentile © cristiano.

pagàre *v.tr.* **1** (*una somma di denaro per qlco.*) spendere, versare, dare, sborsare, scucire (*colloq.*); (*un debito*) liquidare, onorare, saldare © ricevere, incassare, riscuotere **2** (*una persona*) retribuire, remunerare, stipendiare; (*illecitamente*) corrompere, comprare, ungere (*gerg.*); (*un danno e sim.*) rimborsare, rifondere, ripagare **3** (*da bere e sim.*) offrire **4** ♧ (*gli errori e sim.*) scontare, espiare **5** (*un favore, un torto ecc.*) contraccambiare, ricambiare, ripagare.

pàgina *s.f.* **1** facciata, foglio, cartella **2** brano, passo, pezzo **3** ♧ (*di storia e sim.*) episodio, avvenimento, fatto, impresa, vicenda **4** (*bot.*) faccia, lato.

pàglia *s.f.* **1** stelo, fuscello, stoppia **2** (*per il bestiame*) strame ♦ *agg.invar.* (*di colore*) paglierino, giallino IPERON. biondo, giallo.

pagliacciàta *s.f.* buffonata, carnevalata, farsa.

pagliàccio *s.m.* **1** clown (*ingl.*), buffone IPON. augusto, toni, zanni **2** ♧ (*spreg.*) fantoccio, burattino, ciarlatano.

pàgo *agg.* soddisfatto, contento, appagato; (*di cibo*) sazio, satollo © insoddisfatto, scontento, inappagato.

paillette *s.f.invar.* (*fr.*) lustrino.

paiòlo *s.m.* caldaia, calderone, marmitta, pentolone.

pàla *s.f.* **1** badile, vanga **2** (*del mulino a vento*) braccio, ala.

paladìno *s.m.* **1** (*stor.*) cavaliere, conte palatino, pari **2** ♧ (*della libertà, degli oppressi ecc.*) difensore, sostenitore, propugnatore, protettore, tutore.

palandràna *s.f.* **1** vestaglia **2** (*scherz.*) pastrano, mantello.

palàta *s.f.* **1** badilata **2** (*dei rematori*) remata, vogata.

palàto *s.m.* ♧ gusto, sensibilità.

palazzìna *s.f.* villino, villetta.

palàzzo *s.m.* **1** reggia, palazzo reale, corte **2** edificio, caseggiato, fabbricato, immobile, stabile; condominio.

pàlco *s.m.* **1** assito, solaio; (*di un mobile e sim.*) mensola, asse, scaffale **2** (*per concerti, premiazioni e sim.*) podio, tribuna **3** (*nei teatri*) palcoscenico, scena; palchetto.

palcoscènico *s.m.* **1** palco **2** ♧ teatro, arte teatrale.

palesàre *v.tr.* manifestare, mostrare, esprimere, rivelare, esternare © nascondere, tacere, mascherare ♦ **palesarsi** *v.pr.* manifestarsi, rivelarsi, scoprirsi, svelarsi © scomparire, celarsi.

palése *agg.* chiaro, evidente, esplicito, manifesto, noto, pubblico, notorio, risaputo, lampante © ignoto, oscuro, segreto, sconosciuto, ambiguo, velato, criptico.

palèstra *s.f.* **1** (*attività ginnica*) ginnastica **2** ♧ (*di vita, di idee e sim.*) officina, fucina, crogiolo, fabbrica.

palétto *s.m.* **1** piolo, picchetto **2** chiavistello, catena, catenaccio, spranga.

palingènesi *s.f.* (*elev.*) rigenerazione, rinascita, risurrezione, rinnovamento.

palinsèsto *s.m.* **1** (*filol.*) codice, manoscritto **2** (*di una rete radiotelevisiva*) programmazione, scaletta.

palizzàta *s.f.* steccato, stecconata, staccionata IPERON. recinzione, recinto.

pàlla *s.f.* **1** sfera, globo, boccia **2** (*da calcio e sim.*) pallone; (*da tennis*) pallina; (*da biliardo*) bilia **3** (*di arma da fuoco*) colpo, pallottola, proiettile **4** (*colloq.*) bugia, frottola, storia, invenzione, panzana © verità, vero **5** (*volg.*; *spec. al pl.*) testicolo, coglione (*volg.*) **6** ♧ (*colloq.*; *persona noiosa*) noioso, rompipalle (*volg.*), rompiscatole, pizza (*colloq.*), seccatore, scocciatore.

pallacanèstro *s.f.* basket (*ingl.*)

pallavólo *s.f.* volley (*ingl.*), volley-ball (*ingl.*).

palliatìvo *agg., s.m.* **1** (*med.*) lenitivo, analgesico, calmante, antidolorifico, sedativo **2** ♧ (*di rimedio, di soluzione ecc.*) lenitivo.

pàllido *agg.* **1** (*di viso*) bianco, smorto, esangue, cereo, cinereo, cadaverico, terreo © roseo, colorito, rubicondo **2** (*di colore, di luce ecc.*) tenue, scialbo, smorto, sbiadito © acceso, forte, intenso, vivo **3** ♧ (*di ricordo, di idea ecc.*) vago, debole, confuso, indistinto, evanescente © chiaro, deciso, preciso, nitido.

pallìno *s.m.* **1** (*delle bocce, del biliardo*) boccino **2** (*spec. al pl.*) piombino **3** (*al pl.*; *su stoffa e sim.*) pois (*fr.*) **4** ♧ mania, fissazione, fisima, chiodo fisso, ossessione **5** (*per la matematica e sim.*) attitudine, talento, disposizione, bernoccolo, inclinazione.

pallóne *s.m.* **1** (*per giocare*) palla **2** (*gioco del pallone*) calcio, football (*ingl.*) **3** aerostato, mongolfiera.

pallóre *s.m.* bianchezza, candore © rossore, colorito.

pallóso *agg.* (*colloq.*) noioso, pesante, monotono, barboso; (*di persona*) fastidioso, assillante, molesto, pedante, rompiscatole (*colloq.*), rompicoglioni (*volg.*), rompipalle (*volg.*).

pallòttola *s.f.* proiettile, colpo.

palmàre *agg.* (*inform.*) palm top (*ingl.*).

palmarès *s.m.invar.* (*fr.*) **1** (*in un concorso e sim.*) classifica, graduatoria **2** gotha, élite (*fr.*), olimpo, crema, fior fiore.

pàlmo *s.m.* **1** (*misura*) spanna **2** (*region.*; *della mano*) palma.

pàlo *s.m.* **1** asta, pertica; (*della bandiera*) pennone; (*della luce*) traliccio, pilone **2** ♧ (*gerg.*) sentinella, guardia.

palpàbile *agg.* **1** concreto, materiale, tangibile © impalpabile, immateriale **2** ♧ evidente, chiaro, manifesto, ovvio, tangibile © dubbio, incerto, oscuro, discutibile.

palpàre *v.tr.* **1** tastare, toccare **2** accarezzare, toccare, palpeggiare; allungare le mani.

palpitànte *agg.* fremente, vibrante, pulsante, tremante; emozionato, commosso.

palpitàre *v.intr.* **1** (*del cuore e sim.*) battere, pulsare, martellare **2** ♧ (*per un'emozione, un sentimento ecc.*) fremere, vibrare, trepidare; emozionarsi, commuoversi, turbarsi © calmarsi.

palpitazióne *s.f.* **1** batticuore, tachicardia (*med.*) **2** ♧ (*per una forte emozione*) affanno, agitazione, ansia; emozione, commozione, turbamento.

pàlpito *s.m.* **1** battito, pulsazione **2** ♧ fremito, brivido, sussulto; emozione, agitazione, turbamento.

paltò *s.m.* cappotto, soprabito, pastrano, paletot (*fr.*).

palùde *s.f.* **1** acquitrino, lama, pantano **2** ♧ inerzia, immobilismo, impasse (*fr.*).

paludóso *agg.* acquitrinoso, palustre, pantanoso; (*di acqua*) stagnante.

palùstre *agg.* acquitrinoso, paludoso, pantanoso.

panacèa *s.f.* toccasana.

pànca *s.f.* sedile, banco, panchina.

pancétta *s.f.* **1** (*colloq.*) ventre, addome **2** ventresca, bacon (*ingl.*), rigatino (*region.*).

panchìna *s.f.* panca, sedile, banco.

pància *s.f.* **1** ventre, addome; (*scherz.*) pancetta, trippa; (*di donna incinta*) pancione **2** ♧ (*di un recipiente e sim.*) rotondità.

pandemònio *s.m.* baccano, frastuono, caos, baraonda, confusione, finimondo, tumulto, macello (*colloq.*), casino (*colloq.*). © calma, pace, quiete, silenzio.

pàne *s.m.* **1** pagnotta **2** cibo, nutrimento, pasto, mangiare; sostentamento, sussistenza **3** ♧ (*spirituale*) alimento, nutrimento, cibo **4** (*di burro, di argilla ecc.*) panetto.

panegìrico *s.m.* esaltazione, lode, apologia, elogio, celebrazione; adulazione, incensamento, sviolinata © condanna, biasimo.

panetterìa *s.f.* forno, panificio.

panettière *s.m.* fornaio, panificatore.

pànfilo *s.m.* yacht (*ingl.*).

pànico *s.m.* paura, spavento, terrore; sgomento, sconcerto, smarrimento © coraggio, animo.

panière *s.m.* cesto, cesta, cestino, canestro, cestello, gerla.

panifìcio *s.m.* forno, panetteria.

panìno *s.m.* (*imbottito*) sandwich (*ingl.*), tramezzino.

pànna *s.f.* **1** crema, fior di latte **2** (*di colore*) latte, avorio.

panne *s.f.invar.* (*fr.*) avaria, guasto, rottura.

pannéggio *s.m.* drappeggio.

pannèllo *s.m.* **1** (*decorativo, di protezione ecc.*) riquadro **2** (*di una macchina e sim.*) pulsantiera **3** (*dei comandi*) quadro.

pànno *s.m.* **1** pezza, straccio, cencio, strofinaccio **2** (*al pl.*) indumenti, vestiti, bucato.

panoràma *s.m.* **1** veduta, vista, visuale, paesaggio, scenario **2** ♧ (*politico, economico ecc.*) quadro, panoramica, visione; carrellata, resoconto.

panoràmica *s.f.* **1** veduta, colpo d'occhio, sguardo **2** quadro, panorama, visione; carrellata, resoconto **3** (*cinem.*) ripresa panoramica.

panoràmico *agg.* ampio, vasto, generale, completo, complessivo, d'insieme © limitato, parziale, ristretto, angusto, settoriale.

pantaloncìno *s.m.* (*spec. al pl.*) calzoncini, shorts (*ingl.*), bermuda.

pantalóni *s.m.pl.* calzoni, brache.

pantàno *s.m.* **1** fango, fanghiglia, melma, mota; palude **2** ♧ imbroglio, ginepraio, pasticcio, guazzabuglio.

panteìsmo *s.m.* © monoteismo.

pantèra *s.f.* **1** leopardo **2** (*automobile della polizia*) volante.

pantòfola *s.f.* ciabatta, pianella, babbuccia.

pantofolàio *agg., s.m.* pigro, indolente, pigrone, casalingo; pacifico, tranquillo © mondano, viveur (*fr.*), uomo di mondo.

pantomìma *s.f.* **1** (*teatr.*) pantomimo, mimo **2** ♧ messinscena, commedia, sceneggiata, simulazione, finzione.

panzàna *s.f.* frottola, fandonia, bugia, menzogna, storia, palla (*colloq.*), bufala (*region.*), invenzione, fanfaronata, storiella © verità, vero.

panzer *s.m.invar.* (*ted.*) **1** IPERON. carro armato **2** ♧ (*di persona*) caterpillar, carro armato, bulldozer (*ingl.*)

paonàzzo *agg.* violaceo; (*di viso, di pelle*) arrossato, congestionato, in fiamme.

pàpa *s.m.* pontefice, Santo Padre, Sua Santità, sommo pontefice, Vicario di Cristo.

papà *s.m.* (*colloq.*) babbo, padre INVER. figlio.

papàbile *agg.* eleggibile, favorito, possibile © sfavorito.

papàle *agg.* pontificio, pontificale, apostolico, papalino.

papàvero *s.m.* ♧ (*persona importante e influente*) pezzo grosso, pezzo da novanta, grosso calibro, big (*ingl.*), boss (*ingl.*), notabile, magnate.

pàpera *s.f.* **1** oca, papero **2** ♧ (*spreg.*; *di donna*) oca, sciocca, stupida **3** ♧ errore, sbaglio, sproposito, strafalcione, lapsus.

paperback *s.m.invar.* (*ingl.*) tascabile, libro tascabile, livre de poche (*fr.*), pocket (*ingl.*).

papillon *s.m.invar.* (*fr.*) cravattino, farfalla, farfallino.

papìro *s.m.* ♧ (*scherz.*) documento, scritto, atto.

pàppa *s.f.* **1** (*spreg.*) brodaglia, intruglio, sbobba **2** (*nel linguaggio infantile*) cibo, mangiare.

pappagàllo *s.m.* (*di persona*) copione (*colloq.*).

pappagòrgia *s.f.* doppio mento.

pappamòlle *s.m.f.invar.* rammollito, smidollato.

pappàre *v.tr.* divorare, trangugiare, ingollare, fare fuori (*colloq.*).

pappòne *s.m.* (*gerg.*) protettore, ruffiano, magnaccia.

parà *s.m.* paracadutista.

paràbola[1] *s.f.* **1** (*fis.*) traiettoria **2** ♧ (*di un fenomeno e sim.*) corso, decorso, andamento; evoluzione **3** (*colloq.*) antenna parabolica.

paràbola[2] *s.f.* racconto, apologo, allegoria.

paracadutìsta *s.m.f.* parà.

paradìgma *s.m.* esempio, modello.

paradigmàtico *agg.* esemplare.

paradisìaco *agg.* **1** celeste, eterno, divino; ultraterreno © infernale **2** ♧ incantevole, meraviglioso, celestiale, divino.

paradìso *s.m.* **1** regno dei cieli, regno di Dio, cielo © inferno **2** ♧ (*luogo molto bello e tranquillo*) eden © inferno, incubo.

paradossàle *agg.* **1** assurdo, illogico, insensato, contraddittorio; incredibile, inverosimile, pazzesco (*colloq.*) © normale, logico, sensato **2** bizzarro, stravagante, eccentrico.

paradòsso *s.m.* assurdità, contraddizione, controsenso, incongruenza, nonsenso.

parafrasàre *v.tr.* **1** mettere in prosa **2** spiegare, commentare, interpretare **3** (*spreg.*) imitare, copiare, riprodurre.

paràfrasi *s.f.* **1** versione in prosa **2** commento, spiegazione, interpretazione.

paràggi *s.m.pl.* dintorni, pressi, vicinanze, adiacenze.

paragonàre *v.tr.* **1** confrontare, comparare, raffrontare, rapportare, mettere a confronto **2** accostare, accomunare, avvicinare, assimilare, uguagliare ♦ **paragonarsi** *v.pr.* confrontarsi, misurarsi.

paragóne *s.m.* **1** confronto, comparazione, raffronto **2** esempio, modello, riferimento **3** affinità, somiglianza, equivalenza, parallelismo.

paràgrafo *s.m.* capoverso; a capo, comma (*dir.*).

paràlisi *s.f.* **1** (*med.*) paresi **2** ♧ arresto, blocco, sospensione, interruzione; stasi, stallo, stagnazione.

paralìtico *agg., s.m.* IPON. (*med.*) paraplegico, tetraplegico, poliomielitico.

paralizzàre *v.tr.* **1** ♧ (*il traffico e sim.*) arrestare, bloccare, fermare, interrompere, intralciare,

sospendere © sbloccare, liberare **2** ♧ (*una persona*) raggelare, pietrificare, immobilizzare.
parallelìsmo *s.m.* ♧ rapporto, relazione, corrispondenza, analogia, simmetria; confronto, paragone.
parallèlo *agg.* **1** (*di strada*) adiacente **2** ♧ (*di fatti, di fenomeni ecc.*) contemporaneo, coincidente, concomitante; analogo, simile, corrispondente © diverso, differente, opposto ♦ *s.m.* **1** (*geogr.*) © meridiano **2** ♧ confronto, paragone, raffronto, accostamento.
paralùme *s.m.* abat-jour (*fr.*).
paramèdico *agg.* parasanitario ♦ *s.m.* operatore sanitario, parasanitario IPON. infermiere, fisioterapista.
paràmetro *s.m.* misura, metro, criterio; norma, principio, regola.
paranòia *s.f.* **1** (*psic.*) delirio, psicosi **2** ♧ (*colloq.*) depressione, cattivo umore, crisi; (*al pl.*) mania, fissazione, ossessione.
paranòico *agg.* (*psic.*) psicopatico ♦ *agg., s.m.* pazzo, folle, maniaco, fissato.
paranormàle *agg., s.m.* occulto.
parapètto *s.m.* ringhiera, balaustra, muretto.
parapìglia *s.m.invar.* confusione, caos, baraonda, finimondo, casino (*colloq.*), scompiglio, macello (*colloq.*), subbuglio.
parapiòggia *s.m.invar.* ombrello.
paràre *v.tr.* **1** (*un colpo, un pugno ecc.*) scansare, evitare, schivare; (*una palla*) bloccare, fermare; deviare, respingere **2** (*dal sole, dalla luce ecc.*) riparare, proteggere **3** (*a festa, a lutto ecc.*) addobbare, decorare, guarnire ♦ *v.intr.* (*a uno scopo*) tendere, mirare ♦ **pararsi** *v.pr.* **1** (*dal vento, dalla pioggia ecc.*) difendersi, ripararsi **2** (*davanti a qlcu. all'improvviso*) presentarsi, apparire.
parasóle *s.m.invar.* ombrellino.
parassìta *agg.* parassitario ♦ *s.m.* ♧ (*di persona*) sanguisuga, scroccone, mangiaufo, sbafatore, mantenuto.
parassitàrio *agg.* ♧ improduttivo, inutile © produttivo, utile.
paràta[1] *s.f.* (*sport.*) presa.
paràta[2] *s.f.* (*spec. militare*) rassegna, rivista, sfilata.
parcèlla *s.f.* **1** compenso, conto, onorario, competenze, notula **2** (*raro; di terreno*) particella, appezzamento, fondo.
parcellizzàre *v.tr.* frazionare, frammentare, dividere; lottizzare.
parcheggiàre *v.tr.* posteggiare.
parchéggio *s.m.* posteggio; sosta, stazionamento.
pàrco[1] *s.m.* **1** (*naturale, marino ecc.*) riserva, area protetta **2** giardino **3** (*spec. per veicoli*) deposito, rimessa.
pàrco[2] *agg.* **1** (*nel mangiare, nel bere*) moderato, controllato, equilibrato, misurato, sobrio, frugale © ingordo, sfrenato, sregolato, vorace **2** (*nello spendere*) misurato, moderato, oculato, parsimonioso © generoso, munifico, spendaccione (*colloq.*), largo.
pareggiàre *v.tr.* **1** livellare, spianare **2** (*un bilancio, i conti ecc.*) bilanciare, controbilanciare, equiparare, equilibrare **3** (*qlcu. in qlco.*) uguagliare **4** (*una partita e sim.*) fare pari ♦ *v.intr.* fare pari ♦ **pareggiarsi** *v.pr.* equivalersi.
paréggio *s.m.* **1** (*sport*) parità, pari, patta **2** (*nella contabilità e sim.*) bilanciamento, equiparazione, perequazione.
parentàdo *s.m.* **1** (*scherz.*) parentela, parenti, famiglia, familiari **2** casato, stirpe.
parènte *s.m.f.* **1** familiare, congiunto, consanguineo; (*acquisito*) affine (*dir.*) **2** ♧ (*cosa molto simile*) sorella, compagna © nemica.
parentèla *s.f.* **1** consanguineità, sangue; (*acquisita*) affinità (*dir.*) **2** famiglia, familiari, parenti, congiunti **3** ♧ (*tra cose*) affinità, analogia, attinenza, comunanza, similitudine, vicinanza.
parèntesi *s.f.* **1** digressione, divagazione, inciso (*gramm.*) **2** ♧ intervallo, pausa, interruzione, break (*ingl.*).
parére[1] *v.intr.* **1** sembrare, apparire **2** assomigliare, somigliare, sembrare **3** credere, pensare, giudicare, ritenere **4** (*colloq.*) volere, piacere, desiderare.
parére[2] *s.m.* **1** giudizio, opinione, idea, punto di vista, ottica **2** consiglio, suggerimento, indicazione; (*professionale*) consulenza.
paréte *s.f.* **1** muro; (*interno*) divisorio, tramezzo **2** lato, superficie.
pàri *agg.* **1** uguale, identico, equivalente, corrispondente, equipollente (*burocr.*) **2** (*di numero*) © dispari ♦ *s.m.* **1** (*di numero*) © dispari **2** (*per condizione sociale, cultura ecc.*) simile; (*stor.*) nobile, signore **3** (*nel parlamento inglese*) lord (*ingl.*) **4** parità, uguaglianza, pareggio, patta.
pària *s.m.f.invar.* **1** (*in India*) intoccabile **2** ♧ emarginato, diseredato, reietto.
parificàre *v.tr.* pareggiare, equiparare, bilanciare, livellare, uguagliare © differenziare, distinguere, diversificare, sbilanciare.
parìglia *s.f.* coppia, paio; accoppiata.
parità *s.f.* **1** uguaglianza, equivalenza, equipollenza (*burocr.*) © disparità, differenza, disuguaglianza **2** (*sport*) pareggio, pari, patta.
paritàrio *agg.* paritetico, egualitario.

paritètico *agg.* vedi **paritàrio**.
parlamentàre[1] *v.intr.* trattare, contrattare, negoziare, patteggiare.
parlamentàre[2] *agg.* (*scherz.*) diplomatico, formale, protocollare ♦ *s.m.f.* IPON. deputato, senatore.
parlaménto *s.m.* camere IPON. senato, camera dei deputati.
parlànte *agg.* **1** ♧ (*di sguardo e sim.*) espressivo, vivo **2** ♧ (*di prova e sim.*) evidente, lampante, chiaro, ovvio, indiscutibile, incontestabile © dubbio, incerto **3** (*ling.*) locutore.
parlantìna *s.f.* chiacchiera, loquacità; logorrea, prolissità, verbosità.
parlàre *v.intr.* **1** comunicare, dire, esprimersi IPON. (*a voce bassa*) bisbigliare, mormorare, confabulare, sussurrare; (*a voce alta*) gridare, urlare, sbraitare, strillare; (*esprimendo malumore*) brontolare, borbottare, bofonchiare © tacere, zittirsi, ammutolirsi **2** conversare, chiacchierare, discorrere, discutere, fare quattro chiacchiere **3** (*in pubblico*) intervenire, prendere la parola; predicare **4** (*di cose non conosciute*) divulgare, diffondere, riferire; (*di segreti*) confessare, spifferare (*gerg.*), svelare **5** (*di luoghi, di persone ecc.*) ricordare, evocare **6** (*di un argomento*) esprimersi, intervenire, prendere posizione **7** (*di un film, di un libro ecc.*) raccontare, trattare **8** (*a gesti, con gli occhi ecc.*) comunicare, esprimersi ♦ *v.tr.* (*una lingua*) usare, conoscere, esprimersi.
parlàta *s.f.* lingua, idioma, dialetto; accento, cadenza, inflessione.
parlàto *agg.* **1** orale © scritto **2** (*di film*) sonoro © muto.
parlatóre *s.m.* chiacchierone (*scherz.*), oratore.
parlottàre *v.intr.* bisbigliare, borbottare, mormorare, confabulare, sussurrare.
parlottìo *s.m.* bisbiglio, borbottio, brusio, mormorio, chiacchiericcio, chiacchierio, cicaleccio, cicalio.
parodìa *s.f.* imitazione, caricatura, satira.
parodiàre *v.tr.* fare il verso, imitare; ironizzare, ridicolizzare.
paròla *s.f.* **1** voce, vocabolo, termine; espressione **2** (*spec. al pl.*) frase, discorso, ragionamento, affermazione **3** insegnamento, consiglio, suggerimento **4** (*al pl.*) chiacchiere, ciance, frottole; lusinghe, promesse **5** (*facoltà di parlare*) linguaggio, favella **6** promessa, impegno, assicurazione, giuramento.
parolàccia *s.f.* insulto, ingiuria, malaparola; oscenità, sconcezza, volgarità; bestemmia, imprecazione.
parolàio *s.m.* chiacchierone, fanfarone, spaccone.
parossìsmo *s.m.* **1** (*med.*) apice, culmine, acme, accesso **2** ♧ (*di un sentimento e sim.*) esasperazione, estremizzazione, esacerbazione.
parossìstico *agg.* **1** (*med.*) critico, culminante, acuto **2** ♧ (*di sentimento e sim.*) intenso, acuto, forte, violento, esasperato, esacerbato, incontrollato © debole, blando, lieve, moderato.
parotìte *s.f.* (*med.*) orecchioni (*colloq.*), gattoni (*colloq.*).
parquet *s.m.invar.* (*fr.*) parchè; assito, tavolato.
parròcchia *s.f.* **1** chiesa **2** ♧ comunità, parrocchiani **3** giro, gruppo, congrega.
pàrroco *s.m.* curato.
parrùcca *s.f.* toupet (*fr.*), parrucchino.
parrucchière *s.m.* coiffeur (*fr.*), acconciatore, hair-stylist (*ingl.*); (*per uomo*) barbiere.
parruccóne *s.m.* (*spreg.*) codino, conservatore, reazionario © progressista.
parsimònia *s.f.* moderazione, misura, frugalità, economia, sobrietà; avarizia, spilorceria, taccagneria © liberalità, prodigalità; spreco, sciupio, sperpero.
parsimonióso *agg.* parco, moderato, frugale, sobrio; risparmiatore, economo, misurato, oculato © eccessivo, smodato, sfrenato; generoso, munifico, prodigo.
pàrte *s.f.* **1** pezzo, frazione, porzione, quota; (*di un insieme*) elemento, componente, sezione, settore © tutto, insieme, globalità **2** zona, regione, luogo, territorio; lato, versante; direzione, senso, verso, provenienza **3** (*di un disco, di una moneta*) faccia, facciata **4** fazione, partito, gruppo **5** avversario, nemico, rivale **6** (*dir.*) contraente **7** (*teatr.*) personaggio, ruolo **8** compito, funzione, dovere, responsabilità; incarico, incombenza.
partecipànte *agg., s.m.f.* presente, convenuto; (*a una gara*) concorrente; (*a un congresso*) congressista, convegnista.
partecipàre *v.intr.* **1** prendere parte, assistere, intervenire, presenziare © mancare; disertare **2** collaborare, contribuire; aderire © esimersi, sottrarsi **3** (*a utili e sim.*) condividere, aver parte **4** (*al lutto, alla gioia ecc.*) condividere, associarsi ♦ *v.tr.* comunicare, annunciare, informare; esprimere, manifestare.
partecipazióne *s.f.* **1** presenza, adesione, intervento; collaborazione, contributo **2** ♧ (*emotiva*) coinvolgimento, interessamento © disinteresse, distacco, indifferenza **3** (*a un'azione criminosa*) complicità **4** annuncio, comunicazione, avviso; biglietto.
partécipe *agg.* compartecipe, partecipante © estraneo.

parteggiàre *v.intr.* appoggiare, favorire, sostenere, simpatizzare, tifare © contrastare, opporsi, ostacolare, avversare.
partènza *s.f.* **1** separazione, distacco; congedo, commiato © arrivo, venuta; ritorno, rientro **2** ♧ (*di un'attività e sim.*) inizio, principio, apertura, avviamento © fine, termine, chiusura **3** (*di una gara di corsa*) via, start (*ingl.*).
particèlla *s.f.* **1** atomo, corpuscolo, granello, molecola **2** (*dir.*) fondo, appezzamento, parcella.
particolàre *agg.* **1** specifico, peculiare; caratteristico, proprio, distintivo, tipico © generale, complessivo, comune, universale **2** speciale, eccezionale, straordinario, strano, fuori del comune, insolito © comune, normale, qualunque ♦ *s.m.* dettaglio, caratteristica, particolarità, peculiarità © insieme, complesso, generalità.
particolareggiàto *agg.* dettagliato, minuzioso, puntiglioso © generico, sintetico, sommario.
particolarìsmo *s.m.* **1** favoritismo, parzialità, partigianeria, settarismo **2** (*verso la propria città*) campanilismo, municipalismo.
particolarità *s.f.* **1** singolarità, stranezza, eccezionalità, unicità; anomalia, irregolarità © normalità, regolarità **2** dettaglio, sfumatura, tratto **3** carattere, attributo, proprietà, peculiarità.
partigiàno *s.m.* **1** fautore, promotore, sostenitore **2** resistente, antifascista; combattente, guerrigliero ♦ *agg.* **1** fautore, promotore, sostenitore **2** di parte, fazioso, settario © imparziale, neutrale.
partìre *v.intr.* **1** allontanarsi, andarsene, mettersi in moto, mettersi in viaggio, mettersi in cammino, avviarsi © arrivare, giungere; restare, rimanere; ritornare **2** (*di auto, di motore ecc.*) mettersi in moto, avviarsi © bloccarsi **3** ♧ cominciare, iniziare, avere inizio, avere origine, provenire, prendere le mosse © arrivare, finire, chiudersi, terminare **4** ♧ (*colloq.*; *di apparecchio, di meccanismo e sim.*) rompersi, guastarsi **5** ♧ (*colloq.*) ubriacarsi, sbronzarsi **6** ♧ (*colloq.*) innamorarsi, perdere la testa, prendersi una cotta.
partìta *s.f.* **1** incontro, gara, competizione **2** (*di merce*) blocco, carico, lotto, stock (*ingl.*).
partìto *s.m.* **1** parte, fazione, gruppo, schieramento, associazione **2** decisione, alternativa, opzione, soluzione **3** stato, condizione.
partitùra *s.f.* spartito.
partizióne *s.f.* suddivisione, spartizione, ripartizione.
partner *s.m.f.invar.* (*ingl.*) **1** (*in un gioco, in uno spettacolo ecc.*) compagno, spalla **2** (*in un rapporto amoroso*) compagno IPON. convivente; fidanzata, fidanzato; amante; moglie, marito **3** (*negli affari e sim.*) collaboratore, socio © avversario, nemico.
pàrto *s.m.* ♧ creazione, opera, prodotto.
partorìre *v.tr.* **1** dare alla luce, mettere al mondo, generare, procreare; (*di animali*) figliare, fare **2** ♧ (*spec. scherz.*) creare, concepire, ideare, inventare, produrre.
part time *agg.invar.*, *s.m.invar.* tempo parziale © full time (*ingl.*), tempo pieno.
party *s.m.invar.* (*ingl.*) festa, ricevimento, intrattenimento.
parure *s.f.invar.* (*fr.*) completo, insieme, abbinamento.
parvènza *s.f.* **1** (*elev.*) apparenza, aspetto **2** accenno, somiglianza, traccia, velo.
parziàle *agg.* **1** incompleto, limitato, ridotto, riduttivo © completo, intero, totale, complessivo, globale **2** (*di risultato e sim.*) provvisorio © definitivo, finale **3** fazioso, di parte, partigiano, settario © imparziale, equo, equanime.
parzialità *s.f.* faziosità, partigianeria, settarismo © imparzialità, obiettività, oggettività.
pasciùto *agg.* florido, grassottello, in carne, pienotto, rotondetto © patito, smunto.
pàscolo *s.m.* pastura, prato; alpeggio, alpe; erba, fieno, foraggio
passàbile *agg.* accettabile, decente, discreto, sopportabile, tollerabile © inaccettabile, insopportabile.
passàggio *s.m.* **1** transito, attraversamento; trasferimento, spostamento **2** apertura, varco; cammino, strada; passo, valico **3** ♧ (*da una condizione a un'altra*) mutamento, cambiamento, trasformazione; (*di proprietà*) trasferimento, successione (*dir.*) **4** movimento, andirivieni, viavai, flusso **5** ♧ (*di un'opera*) passo, brano, pezzo.
passànte *s.m.* pedone.
passàre *v.intr.* **1** circolare, muoversi, transitare © fermarsi, sostare, trattenersi **2** (*di liquido*) scorrere, defluire, fluire **3** (*attraverso un luogo, un'apertura ecc.*) penetrare, entrare, infilarsi, introdursi, insinuarsi **4** (*da un luogo a un altro*) spostarsi, trasferirsi **5** (*del tempo*) trascorrere, fluire **6** (*di bufera e sim.*) cessare, finire, terminare; (*di rabbia e sim.*) sbollire, calmarsi, placarsi **7** ♧ (*di rapporto e sim.*) esserci, intercorrere, esistere **8** ♧ apparire, figurare, sembrare ♦ *v.tr.* **1** (*un fiume, un monte ecc.*) oltrepassare, superare, attraversare, valicare; (*un ostacolo*) saltare, scavalcare **2** (*attraverso un'apertura, un foro*) infilare, introdurre, inserire © levare, togliere, estrarre **3** (*con una spada e sim.*) trafig-

gere, trapassare **4** (*oggetti, cose ecc.*) dare, porgere; cedere **5** (*una notizia e sim.*) comunicare, trasmettere **6** spostare, trasferire, trasportare **7** (*le vacanze e sim.*) trascorrere **8** (*situazioni difficili, esperienze dolorose ecc.*) affrontare, subire, soffrire **9** (*agli esami*) ammettere, promuovere © bocciare, respingere **10** (*la cera, una crema ecc.*) applicare, spalmare, stendere **11** (*un cibo in padella*) scottare, saltare, ripassare; (*un cibo in un liquido*) bagnare, immergere, inzuppare.

passàta *s.f.* **1** (*al pavimento e sim.*) pulita **2** (*di vernice*) mano **3** (*al giornale*) scorsa, letta, sbirciata **4** (*di pomodoro*) salsa, conserva, sugo **5** (*minestra di verdura*) passato, crema.

passatèmpo *s.m.* divertimento, svago, hobby (*ingl.*).

passàto *agg.* **1** trascorso, andato, lontano, concluso, finito; anteriore, precedente, scorso, ultimo **2** (*di civiltà e sim.*) antico © moderno **3** (*di bellezza*) sfiorito, appassito, avvizzito © fresco, fiorente **4** (*di verdura, di frutta*) andato a male, guasto, marcio © fresco ♦ *s.m.* **1** ieri © presente, oggi; domani, futuro **2** (*di verdura*) crema, passata.

passeggèro *agg.* momentaneo, transitorio, temporaneo, provvisorio; effimero, fugace, fuggevole © duraturo, permanente, stabile, eterno, perenne ♦ *s.m.* viaggiatore.

passeggiàre *v.intr.* andare a spasso, camminare, fare quattro passi, gironzolare, bighellonare, andare su e giù.

passeggiàta *s.f.* **1** camminata **2** passeggio, strada, viale.

passéggio *s.m.* **1** passeggiata **2** passaggio, viavai **3** (*luogo dove si passeggia*) passeggiata, strada, viale.

passerèlla *s.f.* **1** ponte, ponticello, passaggio **2** palco, pedana **3** esibizione, sfilata.

passìbile *agg.* (*di variazione e sim.*) soggetto, suscettibile; (*di denuncia e sim.*) condannabile, punibile.

passionàle *agg.* **1** emotivo, impulsivo, istintivo, irrazionale © razionale **2** appassionato, romantico, sentimentale © freddo, indifferente, insensibile.

passióne *s.f.* **1** entusiasmo, ardore, impeto, slancio, trasporto; febbre, fuoco, furore, smania; amore, desiderio © distacco, freddezza, indifferenza **2** inclinazione, interesse, predisposizione **3** attaccamento, dedizione **4** parzialità, spirito di parte, faziosità **5** dolore, pena, sofferenza, tormento.

passività *s.f.* **1** apatia, indolenza, indifferenza © attività, dinamismo **2** (*econ.*) passivo © attivo.

passìvo *agg.* **1** arrendevole, apatico, inattivo © attivo, dinamico, reattivo **2** (*econ.*) © attivo ♦ *s.m.* (*econ.*) perdita, deficit, disavanzo © attivo.

pàsso[1] *s.m.* **1** andatura, camminata, incedere, portamento; (*spec. al pl.*) traccia, orma, impronta; calpestio, scalpiccio **2** (*di danza*) movimento, figura, movenza **3** ♧ decisione, iniziativa, mossa, risoluzione **4** (*di un libro, di un discorso*) brano, pezzo, passaggio, stralcio, pagina.

pàsso[2] *s.m.* **1** passaggio, transito **2** apertura, via, accesso, varco **3** valico, colle, forcella, sella.

password *s.f.invar.* (*ingl.*) parola d'accesso, chiave d'accesso.

pàsta *s.f.* **1** pastasciutta **2** pasticcino, dolce **3** impasto **4** ♧ animo, natura, indole, carattere.

pastasciùtta *s.f.* pasta.

pasteggiàre *v.intr.* mangiare; cenare, pranzare.

pastìcca *s.f.* vedi **pastìglia**.

pasticcère *s.m.* vedi **pasticcière**.

pasticcerìa *s.f.* **1** dolci, paste, dolciumi **2** IPON. confetteria.

pasticciàre *v.tr.* **1** sbagliare; combinare guai, confondersi **2** macchiare, sporcare, imbrattare, impiastricciare, insudiciare.

pasticcière *s.m.* IPON. confettiere, cioccolatiere, caramellaio.

pasticcìno *s.m.* pasta, dolce, dolcetto, pastina.

pastìccio *s.m.* **1** sformato, timballo **2** ♧ garbuglio, imbroglio, guazzabuglio, pastrocchio **3** ♧ guaio, grana, seccatura, imbroglio, intrico; inganno, inghippo, truffa.

pasticcióne *s.m.* confusionario, arruffone, casinista (*colloq.*); incapace, incompetente, buono a nulla.

pastìglia *s.f.* **1** (*farmaco*) pasticca, compressa; cachet (*fr.*); pillola, confetto **2** (*dolce*) confetto, caramella, bonbon (*fr.*).

pàsto *s.m.* **1** refezione IPON. colazione, pranzo, cena **2** cibo, alimento, nutrimento.

pastóia *s.f.* **1** fune **2** ♧ impedimento, ostacolo, intoppo; legame, vincolo.

pastoràle *agg.* **1** bucolico, agreste, campestre, idillico **2** episcopale, vescovile.

pastóre *s.m.* **1** IPON. capraio, pecoraio **2** ♧ capo, guida, leader (*ingl.*); sacerdote, vescovo.

pastóso *agg.* **1** morbido, tenero, molle © duro, solido, compatto, consistente **2** ♧ (*di voce, di sapore e sim.*) caldo, gradevole, morbido, vellutato © duro, aspro.

pastràno *s.m.* cappotto, paltò.

pastùra *s.f.* **1** pascolo **2** fieno, foraggio **3** (*elev.*) alimento, cibo, pane.

patàcca *s.f.* **1** (*scherz.*) medaglia, decorazione **2** (*colloq.*) falso, cianfrusaglia **3** ♧ (*d'unto*) macchia, chiazza.

patatràc *s.m.* crollo, disastro, rovina, fallimento, crac, tracollo.
patèma *s.m.* ansia, pena, afflizione, preoccupazione, angoscia, tormento © sollievo, conforto.
patentàto *agg.* **1** abilitato **2** ♧ autentico, matricolato.
patènte[1] *agg.* chiaro, esplicito, evidente, incontestabile, indiscutibile, manifesto, palese © dubbio, incerto, ambiguo.
patènte[2] *s.f.* **1** autorizzazione, concessione, licenza, permesso, nullaosta; brevetto **2** (*scherz.*) titolo, qualifica.
pateràcchio *s.m.* imbroglio, intrigo, raggiro, pastrocchio.
paternàle *s.f.* rimprovero, ramanzina, ammonimento, ammonizione, filippica (*colloq.*), lavata di capo, predicozzo.
paternità *s.f.* **1** (*di un'opera, di un'invenzione ecc.*) attribuzione **2** (*di un reato*) colpa; responsabilità.
patèrno *agg.* **1** (*di parentela*) © materno **2** ♧ affettuoso, buono, comprensivo, dolce, tenero, sollecito, premuroso, protettivo © duro, freddo, severo.
patètico *agg.* **1** commovente, toccante, lacrimevole, penoso, struggente **2** (*spreg.*) languido, sdolcinato, melenso, svenevole **3** (*di comportamento e sim.*) penoso, ridicolo, pietoso.
pàthos *s.m.invar.* **1** (*di un'opera artistica e sim.*) drammaticità **2** emozione, sentimento, passione, trasporto © freddezza.
patìbolo *s.m.* **1** IPON. forca, ghigliottina **2** pena capitale.
patiménto *s.m.* pena, dolore, sofferenza, strazio, tormento © gioia, piacere, contentezza.
pàtina *s.f.* **1** (*di colore, di vernice ecc.*) strato, velo, pellicola, film (*ingl.*) **2** ♧ (*di tristezza e sim.*) velo, ombra **3** ♧ apparenza.
patinàto *agg.* **1** (*di carta e sim.*) liscio, lucido © ruvido **2** ♧ elegante, curato, rileccato (*colloq.*)
patio *s.m.* (*sp.*) cortile, corte.
patìre *v.tr.* **1** provare, sentire, soffrire, subire, sopportare; passare, attraversare **2** sopportare, tollerare ♦ *v.intr.* **1** soffrire, penare, tribolare © godere, gioire **2** (*per un'offesa e sim.*) addolorarsi, affliggersi, soffrire **3** (*di cosa*) guastarsi, deteriorarsi, sciuparsi.
patìto *agg.* deperito, magro, malnutrito, scarno, scavato, smunto, sofferente, sciupato © sano, fiorente, florido, in carne ♦ *s.m.* appassionato, fanatico, fissato; amante, cultore, maniaco; ammiratore, tifoso, fan (*ingl.*).
patologìa *s.f.* **1** (*med.*) nosologia **2** malattia, male, affezione **3** ♧ (*di un ente, di un organismo ecc.*) problema, crisi, male, malattia.
patològico *agg.* **1** (*med.*) nosologico © fisiologico **2** ♧ abnorme, anormale, irregolare; strano, assurdo © normale, regolare; fisiologico.
pàtos *s.m.invar.* vedi **pàthos**.
pàtria *s.f.* **1** madrepatria; paese, terra, nazione **2** ♧ (*dell'arte e sim.*) culla.
patriàrca *s.m.* **1** capofamiglia, padre **2** (*eccl.*) vescovo, arcivescovo.
patriarcàle *agg.* **1** © matriarcale **2** tradizionale; austero, severo, sobrio.
patriarcàto *s.m.* © matriarcato.
patrimònio *s.m.* **1** sostanze, beni, ricchezze, proprietà, averi; capitale **2** ♧ (*culturale, artistico ecc.*) bagaglio, eredità, retaggio; retroterra, sostrato, background (*ingl.*).
patriòttico *agg.* nazionalistico © antipatriottico.
patrìzio *agg.*, *s.m.* nobile, aristocratico, blasonato, titolato © plebeo, popolano; borghese.
patrocinàre *v.tr.* **1** (*dir.*) difendere, assistere © accusare **2** (*un'iniziativa e sim.*) promuovere, sostenere, appoggiare, aiutare, favorire; difendere, proteggere © avversare, contrastare, ostacolare.
patrocinatóre *s.m.* **1** (*dir.*) avvocato, difensore, legale, patrocinante © (*dir.*) accusa **2** avvocato, protettore, paladino, promotore, sostenitore; (*di artisti*) mecenate.
patrocìnio *s.m.* **1** (*dir.*) difesa, assistenza **2** aiuto, difesa, protezione, sostegno, appoggio.
patronàto *s.m.* appoggio, protezione, tutela.
patròno *s.m.* **1** (*santo*) protettore **2** (*dir.*) avvocato, legale, difensore **3** fautore, promotore, sostenitore.
pàtta *s.f.* parità, pareggio, pari.
patteggiaménto *s.m.* trattativa, contrattazione, negoziazione, compromesso.
patteggiàre *v.tr.* trattare, contrattare, negoziare ♦ *v.intr.* **1** trattare, contrattare, negoziare **2** scendere a patti, venire a patti, accordarsi.
pàttino[1] *s.m.* schettino.
pattìno[2] *s.m.* moscone; (*a pedali*) pedalò.
pàtto *s.m.* **1** accordo, intesa, contratto, trattato, concordato, convenzione; alleanza, coalizione **2** condizione, clausola, riserva.
pattùglia *s.f.* **1** drappello, squadra, manipolo, gruppo **2** (*di polizia*) autopattuglia, volante **3** (*mil.*; *d'assalto*) commando (*ingl.*).
pattugliaménto *s.f.* perlustrazione, sorveglianza, ricognizione.
pattugliàre *v.tr.* perlustrare, sorvegliare; battere, esplorare.
pattuìre *v.tr.* concordare, contrattare, trattare; decidere, stabilire.

pattùme *s.f.* spazzatura, immondizia, rifiuti.

pattumièra *s.f.* portaimmondizie, portaspazzatura.

paùra *s.f.* **1** spavento, fifa (*colloq.*), strizza (*colloq.*); panico, terrore, sgomento; (*psic.*) fobia **2** timore, preoccupazione, apprensione, agitazione; ansia, angoscia, inquietudine, batticuore © calma, tranquillità **3** incertezza, esitazione, indecisione, titubanza © decisione, sicurezza.

pauróso *agg.* **1** timoroso, fifone (*colloq.*); codardo, vile, pusillanime; impaurito, spaventato, atterrito, terrorizzato; ansioso, agitato, angosciato © coraggioso, audace, ardito, intrepido; calmo, sereno, tranquillo **2** (*che incute paura*) spaventoso, impressionante, agghiacciante, terrificante; terribile, orrendo, raccapricciante **3** (*di numero, di quantità ecc.*) sbalorditivo, incredibile, esagerato, fenomenale, impressionante © modesto, insignificante.

pàusa *s.f.* intervallo, interruzione, sosta, break (*ingl.*).

paventàre *v.tr.* (*elev.*) temere, preoccuparsi, avere paura.

pavesàre *v.tr.* addobbare, ornare.

pàvido *agg.* pauroso, timoroso, fifone (*colloq.*); vile, codardo, pusillanime © coraggioso, audace, ardito, temerario.

pavimentàre *v.tr.* lastricare, asfaltare.

pavimentazióne *s.f.* (*di una strada*) fondo stradale, manto stradale; (*di una casa*) pavimento, impiantito.

paviménto *s.m.* pavimentazione, impiantito; (*di assi*) assito, tavolato.

pavoneggiàrsi *v.pr.* vantarsi, darsi arie, gloriarsi, gonfiarsi.

pazientàre *v.intr.* portare pazienza, aspettare; sopportare © impazientirsi, spazientirsi, innervosirsi, scalpitare.

paziènte *agg.* **1** tollerante, calmo, tranquillo, comprensivo, conciliante © impaziente, insofferente **2** (*di lavoro e sim.*) preciso, accurato, attento, certosino, minuzioso © affrettato, approssimativo, superficiale **3** (*di animale*) docile, mansueto ♦ *s.m.f.* malato, ammalato; (*in ospedale*) degente, ricoverato.

pazièenza *s.f.* **1** sopportazione, rassegnazione, tolleranza; calma, pacatezza © impazienza, insofferenza, intolleranza; ansia **2** (*in attività, lavori ecc.*) costanza, perseveranza; attenziose, precisione, diligenza © incostanza, discontinuità; fretta, approssimazione, imprecisione.

pazzerèllo *agg.* bizzarro, capriccioso, stravagante, originale; (*di clima*) imprevedibile, mutevole, variabile.

pazzésco *agg.* **1** assurdo, irragionevole, insensato © logico, ragionevole, sensato **2** ♧ enorme, incredibile, straordinario, allucinante, inverosimile © normale.

pazzìa *s.f.* **1** follia, demenza, squilibrio, psicopatia © assennatezza, normalità **2** (*azione o cosa da pazzi*) follia, assurdità, stravaganza, stranezza, stramberia; capriccio, ghiribizzo.

pàzzo *agg., s.m.* **1** folle, matto, demente, malato di mente, psicopatico, squilibrato © sano di mente, normale **2** (*di gesto, di comportamento ecc.*) insensato, sconsiderato, irragionevole, scriteriato © assennato, ragionevole, sensato **3** strano, bizzarro, stravagante, pazzoide, eccentrico, originale © normale, serio.

pazzòide *agg., s.m.f.* **1** strano, strambo, bizzarro, eccentrico, strampalato, originale **2** (*scherz.*) pazzerellone, burlone, giocherellone, sconclusionato, svitato.

pècca *s.f.* difetto, vizio, imperfezione, mancanza, neo © dote, qualità, pregio, virtù.

peccaminóso *agg.* immorale, depravato, vizioso, tentatore © innocente, puro, sano.

peccàre *v.intr.* **1** sbagliare, mancare, errare; trasgredire **2** difettare, mancare.

peccàto *s.m.* **1** colpa, errore, mancanza, sbaglio, fallo; male **2** (*di un popolo, di una civiltà ecc.*) vizio, corruzione, degenerazione.

peccatóre *s.m.* **1** colpevole, pecorella smarrita (*relig.*) © innocente **2** (*scherz.*) libertino, vizioso © morigerato.

péce *s.f.* catrame.

pècora *s.f.* **1** IPERON. ovino **2** ♧ (*di persona*) debole, vile, codardo, vigliacco, pavido, pauroso, fifone (*colloq.*) © leone; coraggioso, audace, temerario.

pecoróne *s.m.* debole, vigliacco, codardo, pavido, timido © audace, ribelle, temerario.

peculàto *s.m.* (*dir.*) IPERON. furto, ruberia, latrocinio, malversazione (*dir.*).

peculiàre *agg.* particolare, caratteristico, specifico, distintivo, tipico, precipuo © comune, generale, universale.

peculiarità *s.f.* caratteristica, proprietà, qualità, particolarità, prerogativa, specificità, tipicità © generalità, universalità.

pecùnia *s.f.* (*scherz.*) denaro.

pecuniàrio *agg.* finanziario, monetario.

pedàggio *s.m.* IPERON. tassa, tributo.

pedagogìa *s.f.* scienza dell'educazione; didattica; educazione, formazione.

pedagògico *agg.* didattico; educativo, formativo.

pedagògo *s.m.* (*elev.*) precettore, educatore, maestro, insegnante.

pedàna *s.f.* piattaforma; poggiapiedi; palco, podio.
pedànte *agg., s.m.f.* pignolo, meticoloso, cavilloso, minuzioso, puntiglioso, scrupoloso; noioso, pesante, saccente, saputello (*spreg.*).
pedanterìa *s.f.* pignoleria, meticolosità, puntigliosità; saccenteria.
pedàta *s.f.* **1** calcio **2** impronta, orma, traccia, pesta.
pederàsta *s.m.* omosessuale, gay (*ingl.*).
pedèstre *agg.* scadente, scialbo, insignificante, mediocre, banale © pregevole, valido, originale.
pedicure *s.m.f.* (*fr.*) callista, podologo.
pediàtrico *agg.* infantile.
pedigree *s.m.invar.* (*ingl.*) albero genealogico, genealogia.
pedìna *s.f.* **1** (*della dama e sim.*) pezzo **2** ♧ burattino, fantoccio, marionetta; strumento.
pedinàre *v.tr.* seguire, tallonare, stare alle costole, stare alle calcagna.
pedìssequo *agg.* anonimo, banale, passivo, impersonale.
pedóne *s.m.* passante.
peggioraménto *s.m.* **1** aggravamento, deterioramento, inasprimento; decadenza, regressione © miglioramento, progresso **2** (*di una malattia e sim.*) aggravamento, acutizzazione, recrudescenza © miglioramento, ripresa.
peggioràre *v.tr.* aggravare, deteriorare, inasprire © migliorare ♦ *v.intr.* **1** aggravarsi, deteriorarsi, inasprirsi, degenerare © migliorare **2** (*di malato*) aggravarsi © migliorare, riprendersi, rimettersi.
pégno *s.m.* **1** acconto, anticipo, cauzione, caparra **2** ♧ (*d'amore, di stima ecc.*) segno, testimonianza, prova, dimostrazione.
pelandróne *s.m.* scansafatiche, fannullone, buono a nulla, perditempo, perdigiorno, sfaticato © lavoratore, sgobbone.
pelàre *v.tr.* **1** spelare; (*un pollo e sim.*) spennare **2** (*colloq.*) radere, rapare **3** (*le patate e sim.*) sbucciare **4** ♧ (*una persona*) spelare, spennare, salassare, spolpare.
pelàta *s.f.* calvizie, chierica.
pelàto *agg.* **1** calvo, rapato, tosato © peloso, irsuto, villoso **2** (*di frutto e sim.*) sbucciato.
pellàme *s.m.* pelli.
pèlle *s.f.* **1** cute, epidermide; carnagione, incarnato, colorito **2** ♧ (*colloq.*) vita, pellaccia (*colloq.*) **3** pellame **4** buccia, scorza.
pelleróssa *s.m.f.* indiano, nativo americano; amerindio.
pellìccia *s.f.* mantello, pelame, vello (*elev.*), pelo.
pellìcola *s.f.* **1** (*anat.*) membrana, pelle **2** strato, patina, film (*ingl.*), velo; rivestimento **3** (*cinem.*) film.
pellirόssa *s.m.f.* vedi **pelleróssa**.
pélo *s.m.* **1** (*dell'uomo*) villo (*raro*); (*al pl.*) lanugine; (*del cavallo*) crine, (*del maiale*) setola **2** (*di animale*) pelliccia, manto, mantello **3** ♧ (*dell'acqua*) superficie **4** ♧ (*piccola quantità*) idea, nonnulla.
pelóso *agg.* irsuto, ispido, villoso © glabro; rasato; imberbe.
pelùria *s.f.* lanugine; (*di vegetali*) filamenti.
péna *s.f.* **1** (*dir.*) penalità, sanzione **2** castigo, penitenza, punizione; condanna © premio, ricompensa **3** dolore, sofferenza, croce, martirio, tormento; preoccupazione, ansia, angoscia, cruccio © gioia, felicità, piacere **4** pietà, compassione, commiserazione.
penàle *agg.* (*dir.*) giudiziario, giuridico ♦ *s.f.* multa, contravvenzione, penalità, ammenda, sanzione.
penalizzàre *v.tr.* danneggiare, punire, sfavorire, svantaggiare; discriminare © favorire, agevolare, avvantaggiare.
penàre *v.intr.* **1** patire, soffrire, tribolare, angosciarsi, tormentarsi, angustiarsi **2** faticare, stentare, affannarsi, sforzarsi, darsi pena.
pencolàre *v.intr.* **1** oscillare, penzolare; (*di persona*) barcollare, traballare, ondeggiare, vacillare **2** ♧ tentennare, esitare, dubitare.
pendàglio *s.m.* ciondolo, pendente; medaglione.
pendènte *agg.* **1** penzolante, sospeso, pendulo, cascante; inclinato, sbilenco **2** ♧ (*di questione e sim.*) in sospeso, aperto, irrisolto, indeciso © chiuso, concluso, definito ♦ *s.m.* ciondolo, pendaglio; (*al pl.*) IPERON. orecchini.
pendènza *s.f.* **1** inclinazione, dislivello; discesa, pendio, declivio **2** ♧ (*dir.*) controversia, vertenza, contesa, lite.
pèndere *v.intr.* **1** penzolare, ciondolare, pencolare; dondolare, oscillare **2** ♧ (*di minaccia e sim.*) incombere, gravare, sovrastare **3** (*di pavimento e sim.*) inclinarsi, piegarsi, declinare **4** ♧ inclinare, propendere, tendere **5** (*dir.*; *di causa, di vertenza ecc.*) continuare, protrarsi © concludersi, chiudersi.
pendìce *s.f.* (*spec. al pl.*) china, pendio, declivio.
pendìo *s.m.* pendenza, costa, discesa, china, declivio, fianco, pendice.
pèndola *s.f.* orologio a pendolo, pendolo.
pène *s.m.* membro, fallo, asta, pisello (*colloq.*), pistolino (*infant.*); (*volg.*) cazzo, fava, uccello, minchia, verga.

penetrànte *agg.* **1** intenso, acuto, pungente **2** ♧ acuto, intelligente, profondo © superficiale, insignificante, spento, vuoto.

penetràre *v.intr.* introdursi, insinuarsi, ficcarsi, addentrarsi © uscire ♦ *v.tr.* **1** trapassare, attraversare; bucare, perforare **2** ♧ capire, cogliere, comprendere, conoscere, decifrare.

penetraziόne *s.f.* **1** introduzione, inserimento, compenetrazione **2** ♧ acume, perspicacia, intelligenza, intuizione, profondità.

penitènza *s.f.* **1** punizione, castigo, pena, sacrificio, privazione **2** (*relig.*) confessione **3** (*spec. ai bambini*) punizione, castigo; lezione; (*nei giochi infantili*) penalità.

penitenziàrio *agg.* carcerario ♦ *s.m.* carcere, prigione, galera, gattabuia (*colloq.*).

pennàcchio *s.m.* ciuffo.

pennellàre *v.tr.* spennellare, pitturare.

pennellàta *s.f.* passata, tratto, tocco.

pennóne *s.m.* **1** asta **2** (*mar.*) antenna **3** bandiera, insegna, vessillo.

penómbra *s.f.* semioscurità.

penóso *agg.* **1** faticoso, doloroso, pesante **2** triste, commovente, toccante, struggente.

pensàre *v.intr.* **1** meditare, riflettere, ragionare, considerare; spremersi le meningi, scervellarsi, rompersi la testa **2** immaginare, sognare, fantasticare **3** provvedere, badare, preoccuparsi **4** giudicare, valutare ♦ *v.tr.* **1** inventare, concepire, ideare, progettare, escogitare **2** considerare, esaminare, vagliare **3** ricordare, ripensare, rievocare, rammentare **4** credere, giudicare, ritenere, presumere **5** volere, programmare, decidere, avere intenzione, ripromettersi, prefiggersi.

pensàta *s.f.* idea, soluzione, trovata.

pensierìno *s.m.* (*piccolo dono*) regalo, omaggio, presente.

pensièro *s.m.* **1** intelletto, intelligenza, ragione; mente, cervello **2** idea, opinione, parere, giudizio; (*di un pensatore, di una scuola ecc.*) dottrina, concezione, orientamento, posizione, punto di vista, teoria **3** ansia, preoccupazione, angoscia, cruccio, inquietudine, timore **4** attenzione, cura, riguardo, gentilezza, delicatezza **5** dono, regalo, pensierino, presente, cadeau (*fr.*).

pensieróso *agg.* pensoso, assorto, concentrato, meditabondo, sovrappensiero; preoccupato, serio; silenzioso, taciturno © spensierato, sereno, tranquillo.

pènsile *agg.* appeso; pendente; sospeso; (*di giardino*) sopraelevato.

pensilìna *s.f.* tettoia.

pensionàto *s.m.* **1** (*per studenti*) casa dello studente, collegio, convitto **2** (*per anziani*) ricovero, casa di riposo, ospizio.

pensióne *s.f.* **1** pigione, retta **2** albergo, locanda, hotel.

pensóso *agg.* pensieroso, assorto, concentrato, meditabondo, sovrappensiero; preoccupato, serio © spensierato, sereno, tranquillo.

pentiménto *s.m.* **1** rimorso, ravvedimento, contrizione **2** rammarico, rimpianto, ripensamento, cambiamento.

pentìrsi *v.pr.* **1** ravvedersi, redimersi **2** rammaricarsi, rimpiangere, dolersi **3** cambiare, ricredersi, correggersi.

pentìto *agg.* dispiaciuto, rammaricato, contrito, compunto ♦ *s.m.* collaboratore di giustizia © irriducibile.

péntola *s.f.* pignatta (*colloq.*) IPON. padella, tegame, casseruola, marmitta.

penùria *s.f.* insufficienza, mancanza, scarsità, scarsezza © abbondanza, ricchezza, profusione.

pepàto *agg.* **1** forte, piccante **2** ♧ pungente, mordace, arguto, provocatorio, sferzante, vivace.

perbène *agg.invar.* onesto, corretto, ammodo, raccomandabile © disonesto, scorretto, maleducato ♦ *avv.* con cura, come si deve, a dovere, accuratamente, alla perfezione.

perbenìsmo *s.m.* conformismo © anticonformismo.

percentuàle *s.f.* **1** quantità, livello, tasso **2** compenso, provvigione, quota.

percepìre *v.tr.* **1** cogliere, avvertire, captare, intuire, provare, sentire, udire **2** (*lo stipendio e sim.*) ricevere, riscuotere, incassare.

percettìbile *agg.* avvertibile, percepibile; © impercettibile, inavvertibile.

percettìvo *agg.* sensoriale, sensitivo.

percezióne *s.f.* **1** sensazione **2** sensazione, intuizione, presentimento.

percorrènza *s.f.* percorso, tratto, tragitto, viaggio.

percórrere *v.tr.* **1** (*una strada e sim.*) transitare, passare, fare; prendere, imboccare **2** (*un territorio e sim.*) attraversare, girare; viaggiare; visitare, esplorare.

percórso *s.m.* **1** tragitto, cammino, itinerario, strada **2** ♧ (*burocratico e sim.*) iter, strada, via **3** (*sport*) circuito, pista, tracciato.

percòssa *s.f.* colpo, botta IPON. sberla, ceffone, schiaffo, pugno; calcio, pedata.

percuòtere *v.tr.* battere, picchiare, colpire, pestare, malmenare, menare (*colloq.*).

perdènte *agg., s.m.f.* **1** (*in una gara, in una guerra ecc.*) battuto, vinto, sconfitto © vincitore, vincente **2** ♧ (*nella vita, nella carriera ecc.*) fallito, deluso, insoddisfatto © vincente.

pèrdere *v.tr.* **1** smarrire; dimenticare, lasciare © trovare, ritrovare, recuperare **2** sciupare, sprecare, buttare via, dissipare © sfruttare, impiegare, utilizzare **3** (*denaro*) spendere, rimetterci © guadagnare, vincere **4** (*la guerra e sim.*) © vincere ♦ *v.intr.* **1** diminuire, scemare © aumentare, crescere **2** soccombere © vincere, trionfare ♦ **perdersi** *v.pr.* **1** smarrirsi; ♧ confondersi, disorientarsi, perdere il filo **2** dileguarsi, dissolversi, sfumare, svanire.

pèrdita *s.f.* **1** smarrimento © ritrovamento, recupero, rinvenimento **2** ♧ (*di tempo, di denaro ecc.*) spreco, dispendio, sperpero, scialo **3** (*di una persona*) abbandono, separazione; (*eufem.*) morte **4** (*di gas e sim.*) fuoriuscita, fuga, dispersione, versamento **5** calo, decremento, diminuzione © guadagno, incremento **6** sconfitta, disfatta © vittoria, trionfo **7** (*econ.*) rimessa © guadagno.

perditèmpo *s.m.f.invar.* scansafatiche, fannullone, scioperato, sfaccendato, sfaticato.

perdizióne *s.f.* **1** corruzione, peccato, vizio, rovina, depravazione **2** (*relig.*) dannazione © salvezza, redenzione.

perdonàre *v.tr.* **1** dimenticare, scordare © condannare **2** (*una persona*) scusare; graziare, amnistiare © condannare, punire **3** comprendere, giustificare, scusare © condannare.

perdóno *s.m.* **1** clemenza, grazia, misericordia © condanna, castigo, punizione **2** (*dir.*) grazia, indulto, amnistia; condono, sanatoria © condanna, punizione **3** (*relig.*) assoluzione, remissione **4** (*in frasi di cortesia*) scusa.

perduràre *v.intr.* **1** continuare, persistere, seguitare, permanere © cessare, finire, terminare **2** (*nell'errore e sim.*) insistere, persistere; ostinarsi, impuntarsi, accanirsi, intestardirsi.

perdùto *agg.* **1** perso, smarrito © ritrovato, recuperato, rinvenuto **2** ♧ (*di persona*) disorientato, sbigottito, smarrito; andato, perso, rovinato, spacciato; (*moralmente*) dissoluto, corrotto, depravato, traviato.

peregrinàre *v.intr.* errare, vagabondare, vagare; viaggiare.

peregrìno *agg.* originale, strano, singolare, fuori del comune © comune, ordinario.

perènne *agg.* **1** eterno, perpetuo, permanente, immortale, imperituro (*elev.*), incancellabile, indimenticabile © passeggero, temporaneo, effimero, fugace, fuggevole, caduco **2** continuo, ininterrotto, fisso © discontinuo, intermittente, saltuario.

perentòrio *agg.* **1** improrogabile, inderogabile, tassativo **2** categorico, autorevole, deciso, indiscutibile, imperioso, risoluto.

perequàre *v.tr.* uguagliare, equiparare, parificare, livellare © sperequare, diversificare, differenziare.

perfettìbile *agg.* perfezionabile, migliorabile, correggibile.

perfètto *agg.* **1** completo, totale, assoluto © imperfetto, incompiuto **2** eccellente, ottimo, impeccabile, esemplare, inappuntabile © mediocre, scadente, pessimo, difettoso, imperfetto.

perfezionaménto *s.m.* **1** miglioramento, rifinitura **2** specializzazione.

perfezionàre *v.tr.* **1** completare, concludere, terminare, ultimare **2** migliorare, affinare ♦ **perfezionarsi** *v.pr.* **1** migliorarsi, affinarsi, progredire; correggersi **2** (*in una disciplina*) specializzarsi.

perfezióne *s.f.* compiutezza, completezza; massimo, apice, vertice, ottimo, non plus ultra, optimum (*lat.*), top (*ingl.*).

perfezionìsmo *s.m.* cura, precisione, accuratezza, minuziosità, scrupolosità, pignoleria © approssimazione, faciloneria, leggerezza, pressappochismo, sciatteria, superficialità.

perfezionìsta *agg., s.m.f.* meticoloso, scrupoloso; pignolo, pedante © pasticcione, pressappochista.

perfidia *s.f.* **1** cattiveria, malvagità, slealtà, malignità, disonestà, falsità, malafede © bontà, onestà **2** (*azione perfida*) crudeltà, malvagità, bassezza, nefandezza © bontà, gentilezza.

pèrfido *agg.* malvagio, crudele, cattivo, maligno, malefico, abietto; sleale, subdolo, falso, infido.

perforàre *v.tr.* bucare, forare, traforare; trapanare, trivellare.

performance *s.f.invar.* (*ingl.*) **1** impresa, prestazione, prova **2** (*spett.*) numero, esibizione, interpretazione **3** (*di un prodotto commerciale*) successo, affermazione **4** (*di un prodotto finanziario*) resa, rendimento, risultato **5** (*teatr.*) happening (*ingl.*), improvvisazione.

pergamèna *s.f.* **1** cartapecora **2** documento, manoscritto.

pericolànte *agg.* cadente, fatiscente, diroccato, in rovina; instabile, traballante © sicuro, solido, stabile.

perìcolo *s.m.* **1** rischio, minaccia, azzardo, insidia **2** (*colloq.*) probabilità, caso, possibilità, evenienza, eventualità.

pericolóso *agg.* **1** (*di una situazione e sim.*) rischioso, a rischio, arrischiato, azzardato; insidioso, malsicuro, infido © sicuro, tranquillo **2** dannoso, deleterio, fatale, nocivo, rovinoso; (*di alimento*) tossico, velenoso.

perièlio *s.m.* (*astr.*) © afelio.

periferìa *s.f.* (*spec. di una città*) sobborgo, cintura, hinterland (*ted.*) © centro.

perifèrico *agg.* **1** suburbano, decentrato, extraurbano © centrale, urbano **2** ♧ secondario, marginale, laterale, accessorio © centrale principale.

perìfrasi *s.f.* (*ling.*) giro di parole, circonlocuzione (*ling.*).

perìmetro *s.m.* confine, margine; giro, circonferenza, circuito.

periodicità *s.f.* **1** ricorrenza, regolarità, sistematicità © discontinuità, saltuarietà **2** frequenza.

periòdico *agg.* ricorrente, regolare, sistematico © saltuario ♦ *s.m.* IPERON. pubblicazione, rivista, giornale IPON. quotidiano, settimanale, mensile.

perìodo *s.m.* **1** momento, tempo, ciclo, fase; epoca, età, era **2** frase **3** (*fis.*) ciclo.

peripezìa *s.f.* (*spec. al pl.*) vicissitudine, disavventura, caso, avventura, traversia.

pèriplo *s.m.* circumnavigazione.

perìto *agg.* capace, competente, pratico © inesperto, incapace ♦ *s.m.* consulente; esperto, specialista, tecnico.

perìzia *s.f.* **1** abilità, bravura, competenza, destrezza, maestria **2** accertamento, esame, ispezione, indagine; (*di un bene*) stima, valutazione.

perizòma *s.m.* tanga.

pèrla *s.f.* **1** ♧ (*di persona*) amore, gioiello, tesoro **2** (*scherz.*) errore, strafalcione, sproposito **3** (*di medicinali e sim.*) capsula ♦ *agg.invar.* (*di colore*) madreperlaceo, perlaceo, perlato.

perlàceo *agg.* madreperlaceo, perlato, iridescente, opalescente, opalino.

perlustràre *v.tr.* ispezionare, setacciare, battere; pattugliare; frugare, rovistare.

perlustrazióne *s.f.* ricognizione, esplorazione.

permalóso *agg.*, *s.m.* suscettibile; insofferente, intrattabile, irritabile, ombroso, scontroso.

permanènte *agg.* durevole, stabile, duraturo fisso © provvisorio, temporaneo, saltuario, discontinuo.

permanènza *s.f.* **1** (*di un fenomeno e sim.*) persistenza, continuità, durata © scomparsa **2** (*in un luogo*) residenza, soggiorno, sosta © passaggio, transito.

permeàbile *agg.* © impermeabile.

permeàre *v.tr.* **1** impregnare, intridere; inzuppare **2** ♧ pervadere, penetrare, compenetrare.

perméssso *s.m.* **1** autorizzazione, consenso, licenza, facoltà, beneplacito, benestare, nulla osta **2** (*a militari, a lavoratori*) congedo, licenza **3** (*documento*) autorizzazione, lasciapassare, salvacondotto, visto.

perméttere *v.tr.* autorizzare, ammettere, consentire; sopportare, tollerare © vietare, proibire ♦ **permettersi** *v.pr.* **1** concedersi, consentirsi **2** osare, ardire, azzardarsi, prendersi la libertà.

permissivìsmo *s.m.* lassismo; tolleranza © intransigenza, severità.

permissìvo *agg.* comprensivo, compiacente, conciliante, indulgente, tollerante © severo, rigido, inflessibile, intransigente.

pèrmuta *s.f.* baratto, scambio, cambio.

perniciόso *agg.* pericoloso, nocivo, dannoso, deleterio, rischioso, rovinoso © benefico, positivo, benigno.

pèrno *s.m.* fulcro, essenza, centro, cardine, nucleo, nodo, nocciolo, sostegno, riferimento.

pernottàre *v.intr.* dormire, passare la notte.

peroràre *v.tr.* sostenere, difendere, appoggiare, favorire, patrocinare, promuovere © avversare, ostacolare, osteggiare.

perorazióne *s.f.* (*di una causa e sim.*) appoggio, difesa, sostegno; (*parte finale di un'orazione*) conclusione, epilogo.

perpendicolàre *agg.* a piombo, verticale © orizzontale.

perpetràre *v.tr.* commettere, compiere.

perpetuàre *v.tr.* **1** consacrare, immortalare **2** prolungare, protrarre; tramandare ♦ **perpetuarsi** *v.pr.* continuare, durare, mantenersi © cessare, finire, terminare.

perpètuo *agg.* **1** continuo, ininterrotto, costante, permanente © discontinuo, occasionale, saltuario **2** perenne, eterno, duraturo, permanente, immortale © breve, passeggero, temporaneo.

perplessità *s.f.* esitazione, incertezza, titubanza; confusione, imbarazzo, sconcerto © sicurezza, certezza, determinazione, risolutezza.

perplèsso *agg.* incerto, dubbioso, indeciso, titubante; confuso, imbarazzato © certo, sicuro, deciso, risoluto.

persecuzióne *s.f.* **1** oppressione, maltrattamento, sopraffazione, sopruso, tortura **2** ♧ incubo, tormento, ossessione.

perseguìre *v.tr.* cercare, inseguire; prefiggersi, prefissarsi, aspirare.

perseguitàre *v.tr.* **1** opprimere, affliggere, torturare, tormentare, vessare **2** ♧ tormentare, molestare, infastidire, importunare, ossessionare, rompere le scatole (*colloq.*).

perseverànza *s.f.* fermezza, ostinazione, tenacia, accanimento, caparbietà, impegno.

perseveràre *v.intr.* insistere, persistere, continuare, seguitare; ostinarsi, accanirsi, incaponirsi © cedere, lasciare, rinunciare, smettere, mollare.

persistènte *agg.* continuo, incessante, insistente, permanente, tenace © passeggero, effimero, momentaneo, transitorio.

persistènza *s.f.* continuità, durevolezza, permanenza; insistenza, ostinazione, tenacia © intermittenza, saltuarietà.

persìstere *v.intr.* **1** (*di persona*) insistere, ostinarsi, perseverare © cedere, lasciare, smettere **2** (*di cosa*) continuare, permanere, perdurare, protrarsi © cessare, finire, terminare.

pèrso *agg.* **1** smarrito, sparito, scomparso **2** (*di tempo, di fatica ecc.*) perduto, sprecato, inutile **3** (*di sguardo e sim.*) confuso, disorientato, spaesato, smarrito.

persóna *s.f.* **1** essere, individuo, soggetto, essere umano, uomo **2** (*aspetto fisico*) corpo, fisico, figura, corporatura, fattezze, personale **3** (*teatr.*) personaggio.

personàggio *s.m.* **1** personalità, autorità, celebrità, grande, big (*ingl.*), potente, vip (*ingl.*), star (*ingl.*) **2** (*di un'opera teatrale, cinematografica ecc.*) protagonista, figura **3** (*colloq.*) tipo, elemento, soggetto, individuo.

personal computer *s.m.invar.* (*ingl.*) PC, elaboratore, calcolatore IPON. portatile, laptop (*ingl.*).

personàle *agg.* **1** caratteristico, particolare, proprio, tipico, peculiare, soggettivo © comune, generale, pubblico, universale **2** (*di parere e sim.*) individuale, soggettivo **3** (*di questione e sim.*) privato, intimo, confidenziale, riservato © pubblico, ufficiale ♦ *s.m.* **1** figura, fisico, corporatura, aspetto, presenza, fattezze, persona **2** (*di un'azienda e sim.*) dipendenti, organico; addetti **3** (*di una casa e sim.*) domestici ♦ *s.f.* (*di un artista*) mostra, esposizione.

personalità *s.f.* **1** carattere, indole, natura, temperamento **2** autorità, celebrità, grande, big (*ingl.*), potente, vip (*ingl.*), star (*ingl.*).

personificàre *v.tr.* rappresentare, impersonare, incarnare, raffigurare, simboleggiare.

personificazióne *s.f.* **1** rappresentazione, espressione, figurazione, raffigurazione **2** immagine, esempio vivente, incarnazione.

perspicàce *agg.* **1** intelligente, acuto, sveglio, brillante, sagace © stupido, lento, tardo, ottuso **2** (*di politica e sim.*) intelligente, lungimirante, accorto, avveduto, oculato © miope, avventato.

perspicàcia *s.f.* **1** acutezza, acume, prontezza, intuito, fiuto, sagacia © ottusità, stupidità **2** (*di politica e sim.*) intelligenza, lungimiranza, accortezza, oculatezza © miopia, avventatezza.

perspìcuo *agg.* chiaro, evidente, lampante © incomprensibile, oscuro.

persuadére *v.tr.* convincere, indurre, spingere, esortare © dissuadere, distogliere ♦ **persuadersi** *v.pr.* convincersi, capacitarsi, rendersi conto.

persuasióne *s.f.* **1** convinzione, convincimento © dissuasione **2** certezza, convinzione, idea © dubbio, incertezza, perplessità.

persuasìvo *agg.* convincente, probante; efficace, accattivante © dissuasivo.

persuàso *agg.* certo, sicuro, convinto, deciso, risoluto © incerto, dubbioso, insicuro.

persuasóre *s.m.* istigatore, fomentatore, sobillatore.

pèrtica *s.f.* **1** asta, bastone, canna, palo, stecca, stanga **2** ♧ (*persona molto alta*) spilungone, stanga, stangone.

pertinàce *agg.* ostinato, cocciuto, caparbio, determinato, tenace, insistente, irremovibile © arrendevole, docile, incostante, volubile.

pertinàcia *s.f.* tenacia, ostinazione, caparbietà, testardaggine © arrendevolezza, incostanza, volubilità.

pertinènte *agg.* attinente, inerente, relativo, collegato, concernente, riguardante © estraneo, avulso.

pertùgio *s.m.* fessura, buco, foro.

perturbàre *v.tr.* turbare, sconvolgere, scombussolare, sovvertire, rivoluzionare ♦ **perturbarsi** *v.pr.* (*di tempo atmosferico*) peggiorare, guastarsi © migliorare, rimettersi.

perturbazióne *s.f.* **1** (*politica, sociale*) confusione, caos, disordine, agitazione, sconvolgimento © pace, tranquillità, stabilità **2** (*dell'animo e sim.*) turbamento, sconvolgimento, scombussolamento, confusione © calma, serenità, tranquillità **3** (*atmosferica*) maltempo, cattivo tempo, brutto tempo, brutto (*colloq.*).

pervàdere *v.tr.* invadere, permeare, diffondersi, spargersi.

pervenìre *v.intr.* **1** giungere, arrivare © partire, andare **2** ♧ (*a un accordo, a uno scopo ecc.*) ottenere, raggiungere, conquistare, conseguire.

perversióne *s.f.* degenerazione, corruzione; (*spec. sessuale*) deviazione, traviamento.

perversità *s.f.* **1** cattiveria, malvagità, perfidia © bontà, mitezza **2** degenerazione, depravazione, corruzione.

pervèrso *agg.* **1** malvagio, cattivo, crudele, perfido, turpe © buono, mite **2** ♧ corrotto, depravato, degenerato, vizioso © onesto, retto, morigerato.

pervertìre *v.tr.* corrompere, traviare, guastare, rovinare, fuorviare, depravare © redimere.

pervertìto *s.m.* depravato, degenerato, corrotto, debosciato, vizioso.

pesànte *agg.* **1** ponderoso, grave, gravoso © leggero, lieve **2** (*di cibi*) indigesto © digeribile, leggero **3** (*di aria, di clima ecc.*) afoso, opprimente, soffocante, irrespirabile © puro, fresco **4** (*di sonno*) profondo © leggero **5** (*di occhi*) assonnato, insonnolito; (*di testa*) greve **6** ♧ (*di ambiente, di atmosfera ecc.*) opprimente, soffocante, teso © sereno, rilassato **7** ♧ (*di movimento e sim.*) goffo, impacciato, sgraziato © agile, aggraziato, disinvolto, sciolto **8** ♧ (*di struttura, di edificio ecc.*) massiccio, tozzo © slanciato, snello **9** ♧ (*di stile*) ampolloso, ridondante, enfatico, pomposo © semplice, sobrio, conciso **10** ♧ (*di colpo*) duro, forte, violento © leggero **11** ♧ (*di libro, di film ecc.*) noioso, palloso (*colloq.*) © leggero, divertente **12** ♧ (*di persona*) fastidioso, noioso, importuno, molesto, seccante **13** ♧ (*di gioco e sim.*) duro, maschio; scorretto, falloso © corretto **14** ♧ (*di lavoro, di compito ecc.*) difficile, arduo, impegnativo; faticoso © leggero, facile **15** ♧ (*di accusa*) grave, serio; offensivo, oltraggioso **16** ♧ (*di battuta e sim.*) volgare, grossolano, greve, osceno, triviale © delicato, elegante, raffinato.

pesantézza *s.f.* **1** peso, gravosità © leggerezza **2** (*dell'aria*) afosità © leggerezza **3** (*di atmosfera, di clima ecc.*) oppressione, tensione © serenità **4** ♧ (*di stile*) ampollosità, pomposità, ridondanza, enfasi © semplicità, sobrietà, concisione **5** (*di linguaggio, di modi ecc.*) volgarità, grossolanità, sconcezza, oscenità © eleganza, delicatezza, raffinatezza.

pesàre *v.tr.* **1** (*un pacco, una persona* ecc.) misurare **2** ♧ valutare, soppesare, vagliare, esaminare, considerare, ponderare, analizzare; (*le parole*) misurare, dosare ♦ *v.intr.* **1** appoggiare, premere; reggersi, sostenersi **2** ♧ (*di responsabilità e sim.*) costare, ricadere, gravare **3** ♧ (*di pericolo, di minaccia ecc.*) incombere, sovrastare, pesare **4** ♧ contare, influire, incidere; influenzare.

pescàre *v.tr.* **1** IPERON. prendere, catturare **2** (*un oggetto dall'acqua*) ripescare, recuperare, raccogliere **3** ♧ (*una carta dal mazzo*) scegliere, tirare su (*colloq.*) **4** ♧ trovare, scovare, reperire **5** ♧ (*una persona*) sorprendere, cogliere, beccare (*colloq.*).

péso *s.m.* **1** pesantezza © leggerezza **2** carico, fardello, soma, zavorra **3** ♧ fatica, affanno, angoscia, preoccupazione **4** ♧ obbligo, responsabilità, onere **5** ♧ influenza, importanza, rilievo, valore.

pessimìsmo *s.m.* sfiducia, negatività; disfattismo, catastrofismo © ottimismo, fiducia, positività.

pessimìsta *agg., s.m.f.* disfattista, catastrofico, sfiduciato, nero, negativo © ottimista, positivo, fiducioso.

pèssimo *agg.* orribile, orrendo, terribile, tremendo © ottimo, eccellente, perfetto.

pestàggio *s.m.* colluttazione, rissa, zuffa.

pestàre *v.tr.* **1** (*l'erba*) calpestare, schiacciare; (*l'uva*) pigiare **2** (*il pepe e sim.*) triturare, sminuzzare, frantumare **3** (*colloq.*; *una persona*) picchiare, battere, colpire, legnare (*colloq.*), malmenare, menare (*colloq.*).

pèste *s.f.* **1** (*med.*) pestilenza **2** ♧ (*sociale, morale e sim.*) male, piaga, rovina, sciagura, sventura, flagello, morbo **3** ♧ (*bambino vivace*) birbone, birbante, terremoto © angelo.

pesticìda *s.m.* anticrittogamico, antiparassitario.

pestìfero *agg.* **1** pestilenziale **2** ♧ (*di aria e sim.*) puzzolente, fetido, mefitico, nauseabondo, putrido © fragrante, profumato **3** (*di persona*) tremendo, terribile, indemoniato, scalmanato © calmo, tranquillo, pacifico.

pestilènza *s.f.* **1** (*med.*) peste **2** ♧(*sociale, morale e sim.*) male, rovina, sciagura **3** ♧ fetore, puzzo, puzza.

pésto *agg.* **1** ammaccato, contuso, gonfio, livido **2** (*di buio*) fitto, profondo, completo.

petizióne *s.f.* istanza, raccolta di firme.

péto *s.m.* (*volg.*) scorreggia (*volg.*), aria (*colloq.*), flatulenza (*med.*)

pettegolàre *v.intr.* vedi **spettegolàre**.

pettegolézzo *s.m.* chiacchiera, diceria, maldicenza.

pettégolo *agg., s.m.* chiacchierone, linguacciuto, lingua, linguaccia, maldicente.

pettinàre *v.tr.* ravviare; acconciare, aggiustare, sistemare © spettinare, arruffare.

pettinatrìce *s.f.* parrucchiera, coiffeuse (*fr.*).

pettinatùra *s.f.* acconciatura IPON. piega, messa in piega, permanente, taglio.

pètto *s.m.* **1** costato; (*colloq.*) cuore, polmoni; seno, mammelle, poppe, tette (*colloq.*) **2** ♧ animo, cuore.

petulànte *agg.* **1** invadente, indiscreto, indelicato © discreto, educato **2** noioso, fastidioso, molesto, seccante.

petulànza *s.f.* insistenza, invadenza.

pèzza *s.f.* **1** panno, straccio, pezzuola **2** toppa, rattoppo.

pezzàto *agg.* chiazzato, screziato.

pezzènte *s.m.f.* **1** mendicante, accattone, straccione **2** avaro, spilorcio, taccagno, tirchio © munifico, liberale.

pèzzo *s.m.* **1** parte, porzione, frazione; frammento, scheggia **2** (*di una macchina e sim.*) elemento, componente **3** (*da collezione*) esemplare **4** (*di un'opera musicale, letteraria ecc.*) brano, passo; (*di giornale*) articolo **5** (*di strada*) tratto.

piacére[1] *v.intr.* andare a genio, aggradare, gustare (*colloq.*), garbare (*region.*); amare; soddisfare, appagare © dispiacere, spiacere, disgustare; odiare, detestare.

piacére[2] *s.m.* **1** godimento, gioia, delizia, diletto, gaudio (*elev.*); appagamento, soddisfazione, voluttà © dispiacere, disgusto **2** (*in formule di cortesia*) gioia, onore **3** favore, cortesia, servizio **4** divertimento, spasso, svago, diletto © noia.

piacévole *agg.* gradevole, divertente, delizioso, amabile, attraente, simpatico © spiacevole, sgradito.

piacevolézza *s.f.* gradevolezza, grazia, amabilità, simpatia © spiacevolezza, sgradevolezza.

piàga *s.f.* **1** ulcera, ulcerazione IPERON. ferita, lesione **2** ♧ (*della corruzione, della droga ecc.*) male, flagello, sciagura, rovina, disgrazia, maledizione **3** ♧ (*scherz.*) noia, palla, impiastro, barba, pizza, piagnone.

piaggerìa *s.f.* (*elev.*) adulazione, incensamento, servilismo; lusinga, sviolinata (*colloq.*).

piagnistèo *s.m.* lamento, lagna, piagnucolio, pianto.

piagnóne *s.m.* lagnone, piagnucolone.

piagnucolàre *v.intr.* frignare, mugolare.

piagnucolóso *agg.* lamentoso, lagnoso.

pianeggiànte *agg.* piano, piatto, spianato © montuoso, ondulato.

pianèlla *s.f.* pantofola, ciabatta, babbuccia.

pianeròttolo *s.m.* ballatoio.

pianéta *s.m.* corpo celeste, astro.

piangènte *agg.* (*di voce e sim.*) lacrimoso, rotto, spezzato.

piàngere *v.intr.* **1** versare lacrime, lacrimare © ridere **2** gemere, lamentarsi, brontolare, mugugnare **3** soffrire, patire, penare ♦ *v.tr.* **1** (*lacrime*) versare **2** compiangere, commiserare, compatire **3** (*errori e sim.*) crucciarsi, dolersi, rammaricarsi, dispiacersi.

pianificàre *v.tr.* organizzare, predisporre, programmare, progettare, regolamentare.

pianificazióne *s.f.* organizzazione, programmazione, controllo.

piàno[1] *agg.* **1** piatto © concavo; convesso **2** spianato, liscio, levigato © ruvido, irregolare **3** (*di terreno*) pianeggiante **4** ♧ semplice, chiaro, comprensibile, lineare © difficile, incomprensibile, oscuro, contorto **5** (*di stile*) semplice, disadorno, asciutto © ampolloso, ridondante, ricercato ♦ *avv.* **1** adagio, lentamente © rapidamente **2** sottovoce, a bassa voce, sommessamente © forte, alto.

piàno[2] *s.m.* **1** superficie **2** pianura, piana **3** ♧ livello, grado, registro **4** ♧ punto di vista **5** (*cinem.*) inquadratura.

piàno[3] *s.m.* **1** disegno, progetto; pianta, planimetria **2** ♧ disegno, progetto, programma, proposito, intenzione, strategia, tattica.

piàno[4] *s.m.* pianoforte.

piànta *s.f.* **1** IPERON. vegetale IPON. albero, arbusto, cespuglio, fiore, erba **2** (*di scarpa*) suola **3** (*di un edificio*) planimetria, cartina, piantina; disegno, progetto **4** (*di un'area geografica*) cartina, piantina, mappa, carta topografica.

piantagióne *s.f.* coltivazione, coltura.

piantàre *v.tr.* **1** seminare, impiantare © sradicare, abbattere **2** conficcare, ficcare, infiggere © divellere, sradicare, strappare **3** ♧ collocare, porre, piazzare © togliere, rimuovere **4** smetterla, finirla © continuare, insistere ♦ **piantarsi** *v.pr.* **1** conficcarsi **2** (*colloq.*) fermarsi, stabilirsi, piazzarsi, sistemarsi © andarsene, partire.

piantàto *agg.* **1** coltivato © incolto **2** (*di corporatura, di fisico*) piazzato; massiccio, robusto, solido © gracile, esile, smilzo **3** (*di persona*) fermo, impettito, impalato.

pianterréno *s.m.* pianoterra.

piànto *s.m.* **1** lacrime © riso, sorriso **2** dolore, afflizione, pena; tristezza, malinconia © gioia, felicità.

piantonàre *v.tr.* sorvegliare, vigilare, controllare.

piantóne *s.m.* **1** (*mil.*) sentinella, guardia **2** sorvegliante, custode.

pianùra *s.f.* piana © altura, monte, rilievo.

piàstra *s.f.* (*spec. di metallo*) lastra, lamina, placca.

piastrèlla *s.f.* mattonella.

piàtto *agg.* **1** pianeggiante, piano; uniforme, regolare © montuoso, irregolare, accidentato **2** (*di oggetto*) appiattito, schiacciato, piano © concavo, convesso **3** ♧ banale, scialbo, monotono, insulso © interessante, originale ♦ *s.m.* **1** IPERON. stoviglia IPON. scodella, fondina (*region.*) **2** porzione, portata, razione **3** vivanda, pietanza **4** (*nei giochi d'azzardo*) posta, banco.

piàzza *s.f.* **1** piazzale; largo, spiazzo, slargo **2** (*econ.*) mercato **3** pubblico, folla; opinione pubblica; gente **4** (*in un letto*) posto **5** (*mil.*) piazzaforte, fortezza, fortificazione.

piazzafòrte *s.f.* cittadella, fortezza, fortificazione, piazza, roccaforte.

piazzàle *s.m.* piazza, largo, slargo, spiazzo.

piazzaménto *s.m.* posto, posizione.

piazzàre *v.tr.* **1** collocare, mettere, porre, sistemare; piantare, impiantare, installare © levare, togliere, spostare **2** (*una merce*) vendere, collocare, smerciare ♦ **piazzarsi** *v.pr.* **1** collocarsi, mettersi, piantarsi, sistemarsi, piantare le tende (*colloq.*) **2** (*in una gara*) classificarsi.

piazzàta *s.f.* scenata, scena madre, sparata; lite, litigio, bagarre (*fr.*).

piazzàto *agg.* **1** (*nel lavoro e sim.*) sistemato, arrivato **2** (*fisicamente*) robusto, piantato, massiccio, solido © gracile, smilzo, esile.

piazzìsta *s.m.f.* rappresentante, commesso viaggiatore.

piazzòla *s.f.* slargo, spiazzo; area di sosta.

piccànte *agg.* **1** forte, pungente; pepato **2** ♧ (*di battuta e sim.*) arguto, caustico, mordace, pungente, sferzante, tagliente **3** ♧ (*di storiella, di linguaggio ecc.*) audace, spinto, erotico, osé (*fr.*), licenzioso, scollacciato © castigato.

piccàrsi *v.pr.* **1** impuntarsi, intestardirsi, incaponirsi **2** pretendere, credere, presumere, ritenere **3** offendersi, impermalosirsi, risentirsi, aversela a male, adombrarsi, urtarsi.

picchettàre *v.tr.* **1** (*una tenda*) fissare, piantare **2** (*una fabbrica*) presidiare.

picchétto *s.m.* paletto, piolo.

picchiàre *v.tr.* **1** (*una persona*) battere, colpire, percuotere, malmenare, pestare, menare (*colloq.*); mettere le mani addosso **2** (*contro qlco.*) urtare, battere, sbattere, cozzare ♦ *v.intr.* (*alla porta e sim.*) bussare, battere ♦ **picchiarsi** *v.pr.* prendersi a botte, fare a botte, pestarsi (*colloq.*), venire alle mani, azzuffarsi, accapigliarsi.

picchiàta *s.f.* **1** colpo, battuta **2** (*di un aeroplano*) tuffo.

picchiàto *agg.* (*di persona*) pazzerello, pazzerellone, mattoide, bizzarro, singolare, curioso, stravagante, strambo, strampalato.

piccinerìa *s.f.* meschinità, grettezza, piccolezza © grandezza, signorilità.

piccìno *agg.* **1** piccolo, minuto © grande, grosso **2** ♧ gretto, meschino; (*di mentalità*) ristretto, limitato © generoso; aperto, di ampie vedute ♦ *s.m.* **1** bambino, piccolo, bimbo; neonato, bebè **2** (*di animale*) cucciolo, piccolo.

picciòlo *s.m.* peduncolo, gambo, pedicello.

piccionàia *s.f.* **1** colombaia **2** soffitta, sottotetto, abbaino **3** ♧ (*nel teatro*) loggione.

piccióne *s.m.* colombo.

pìcco *s.m.* **1** (*di un monte*) cima, guglia, pizzo vetta **2** ♧ apice, acme, vertice.

piccolézza *s.f.* **1** minutezza © grandezza, grossezza, larghezza **2** ♧ (*cosa di poca importanza*) inezia, sciocchezza, bazzecola, stupidaggine, nonnulla, cazzata (*volg.*), cavolata (*colloq.*), minuzia, quisquilia.

pìccolo *agg.* **1** piccino, minuto © grande, grosso **2** (*di statura*) basso © alto **3** (*di lunghezza*) corto © lungo **4** (*di larghezza, di estensione*) stretto, angusto © ampio, largo, spazioso **5** (*di numero*) scarso, modesto, limitato, esiguo © abbondante, considerevole, notevole **6** (*di dolore*) lieve, leggero, debole © intenso, forte, acuto **7** (*di periodo di tempo*) breve, limitato © lungo **8** (*di errore e sim.*) lieve, trascurabile, insignificante, modesto, di poco conto © grave, serio, madornale, macroscopico **9** (*di condizione economica, sociale*) modesto, mediocre, semplice © elevato **10** (*di età*) giovane © grande, adulto, maturo, vecchio **11** ♧ (*d'animo*) meschino, gretto, misero © generoso, magnanimo **12** ♧ (*di mentalità*) limitato, ristretto © aperto, liberale ♦ *s.m.* **1** bambino, bimbo, piccino; neonato bebè **2** (*di animale*) cucciolo.

picnìc *s.m.invar.* merenda, colazione, pranzo al sacco; gita, scampagnata.

pidòcchio *s.m.* ♧ (*persona spilorcia e gretta*) avaro, tirchio, taccagno, pezzente, pidocchioso.

piède *s.m.* **1** estremità **2** (*di un mobile*) gamba; base, sostegno, appoggio, zoccolo; basamento, piedestallo.

piedistàllo *s.m.* base, sostegno, appoggio, piede, basamento, zoccolo.

pièga *s.f.* **1** curva, curvatura, ansa, gomito **2** (*su stoffa o carta*) piegatura, ripiegatura; gualcitura, grinza, sgualcitura **3** (*di capelli*) pettinatura, acconciatura, messa in piega **4** (*della pelle*) ruga, grinza **5** ♧ (*di un evento e sim.*) andamento, corso, direzione, verso, andazzo, svolgimento, evoluzione **6** (*della coscienza, dell'animo ecc.*) intimo, profondo, fondo.

piegaménto *s.m.* flessione.

piegàre *v.tr.* **1** curvare, flettere, incurvare © raddrizzare, distendere **2** (*un tessuto, una carta*) ripiegare © stendere, spiegare, aprire **3** (*la testa*) inclinare, reclinare, chinare, abbassare © alzare **4** ♧ (*un avversario e sim.*) sottomettere, soggiogare, vincere, domare, umiliare **5** ♧ (*una persona*) convincere, spingere, indurre, persuadere ♦ *v.intr.* svoltare, deviare, voltare, curvare ♦ **piegarsi** *v.pr.* **1** incurvarsi, inclinarsi; abbassarsi, chinarsi © raddrizzarsi, drizzarsi; alzarsi, sollevarsi **2** ♧ cedere, arrendersi, sottomettersi, abbassare il capo, umiliarsi © resistere, opporsi.

pieghévole *agg.* **1** (*di oggetto, di materiale ecc.*) elastico, flessibile, cedevole, plastico ©

rigido, duro **2** (*di sedia, di bicicletta ecc.*) ripiegabile ♦ *s.m.* dépliant (*fr.*), folder (*ingl.*).
pièna *s.f.* **1** inondazione, fiumana, straripamento © magra **2** ♣ foga, impeto, veemenza **3** (*di persone*) folla, calca, ressa, pienone, affollamento.
pienézza *s.f.* interezza, completezza, totalità.
pièno *agg.* **1** colmo, ripieno, carico, stracolmo, zeppo, saturo © vuoto **2** (*di locale*) affollato, gremito, sovraffollato, strapieno, zeppo © vuoto, sgombro, deserto **3** (*di debiti, di impegni ecc.*) carico, sovraccarico, colmo, oberato © libero, privo **4** (*colloq.*) sazio, satollo, strapieno © digiuno, affamato, vuoto **5** (*di materiale*) compatto, massiccio © vuoto, leggero **6** (*di persona*) rotondo, florido, cicciottello, grassottello © smunto **7** (*di giorno, di notte ecc.*) avanzato, inoltrato; fondo, profondo ♦ *s.m.* **1** culmine, colmo, apice; (*della bellezza, della giovinezza ecc.*) pienezza, rigoglio, fiore **2** (*di carburante*) rifornimento **3** (*in un locale e sim.*) pienone, folla, affollamento, ressa.
pietà *s.f.* misericordia, commiserazione, compassione, compatimento; comprensione, carità, clemenza.
pietànza *s.f.* cibo, piatto, portata, vivanda; secondo.
pietóso *agg.* **1** commovente, patetico, toccante **2** (*colloq.*) brutto, orrendo, disgustoso; meschino **3** caritatevole, compassionevole, misericordioso.
piètra *s.f.* **1** sasso, ciottolo **2** masso, macigno, roccia.
pietrificàto *agg.* impietrito, di sasso, paralizzato, gelato; (*per lo stupore*) attonito, esterrefatto, sbigottito, di pietra, di sale.
pìgia pìgia *s.m.invar.* (*colloq.*) calca, folla affollamento, confusione, ressa.
pigiàre *v.tr.* **1** schiacciare, premere, calcare, comprimere, pressare **2** (*di folla*) spingere, premere, affollarsi, accalcarsi.
pigióne *s.f.* affitto, locazione, canone.
pigliàre *v.tr.* prendere, afferrare, acciuffare, agguantare © lasciare, mollare.
pìglio *s.m.* **1** (*del viso*) espressione, sguardo, cipiglio **2** atteggiamento, modi.
pigménto *s.m.* colore, colorante.
pignolerìa *s.f.* meticolosità, minuziosità, pedanteria, puntigliosità; rigore, fiscalismo, fiscalità © faciloneria, approssimazione, leggerezza, pressappochismo.
pignòlo *agg., s.m.* meticoloso, pedante, puntiglioso; rigoroso, fiscale © facilone, pressappochista.
pignoraménto *s.m.* sequestro © spignoramento, dissequestro.
pignoràre *v.tr.* sequestrare, espropriare, confiscare.
pigolàre *v.intr.* **1** cinguettare, cantare **2** ♣ (*di persona*) lamentarsi, lagnarsi, piagnucolare.
pigolìo *s.m.* **1** pio pio **2** ♣ piagnucolio.
pigrìzia *s.f.* indolenza, svogliatezza, apatia, poltroneria; fiacca, inerzia, flemma, lentezza, mollezza, torpore © dinamicità, alacrità, attivismo, laboriosità, operosità, zelo.
pìgro *agg.* **1** indolente, svogliato, ozioso, sfaticato, sfaccendato, poltrone, accidioso (*elev.*), neghittoso (*elev.*) © attivo, dinamico, laborioso, operoso, zelante **2** ♣ (*di ingegno, di mente e sim.*) tardo, lento, inerte, ottuso, addormentato © pronto, sveglio, vivace.
pìla *s.f.* **1** mucchio, catasto, cumulo **2** (*elettr.*) batteria; torcia, torcia elettrica.
pilàstro *s.m.* **1** pilone, sostegno **2** ♣ base, fondamento, sostegno, colonna, cardine, fulcro, perno.
pìllola *s.f.* **1** confetto, capsula; pastiglia, pasticca, compressa, cachet (*fr.*) **2** anticoncezionale, antifecondativo, contraccettivo **3** ♣ (*amara*) dispiacere, amarezza, colpo, boccone amaro.
pilóne *s.m.* pilastro, sostegno; traliccio.
pilòta *s.m.f.* **1** (*di aereo*) aviatore **2** (*di veicolo*) autista, conducente, conduttore, guidatore, manovratore (*di treno*); (*di gara*) corridore ♦ *agg.invar.* (*dopo un sostantivo*) guida, modello; sperimentale.
pilotàre *v.tr.* **1** guidare, condurre, portare (*colloq.*); manovrare, dirigere **2** ♣ guidare, manovrare, condizionare, influenzare.
piluccàre *v.tr.* mangiucchiare, sbocconcellare, spilluzzicare, rosicchiare, spizzicare; assaggiare © divorare, trangugiare.
pimpànte *agg.* allegro, lieto, festoso, vivace, esuberante, brillante, vivo, vispo © mogio, avvilito, triste, abbacchiato.
pinacotèca *s.f.* galleria, museo.
ping-pong *s.m.* tennis da tavolo.
pìngue *agg.* **1** grasso, florido, grassoccio, obeso, panciuto © magro, asciutto, ossuto, snello, secco **2** (*di terreno*) fertile, fecondo, grasso, ricco, produttivo, ubertoso © sterile, arido **3** ♣ (*di guadagno e sim.*) ricco, abbondante, lauto, copioso, sostanzioso © magro, povero, scarso, modesto, esiguo.
pinguèdine *s.f.* grassezza, adiposità, obesità © magrezza.
pinnàcolo *s.m.* **1** guglia **2** (*di una montagna*) picco, guglia IPERON. cima, vetta.

pìnza *s.f.* **1** (*spec. al pl.*) molla, tenaglia, tenaglie **2** (*nei crostacei*) chela.
pinzatrìce *s.f.* cucitrice, spillatrice.
pìo *agg.* **1** devoto, fedele, osservante, religioso © empio, blasfemo **2** pietoso, caritatevole, buono, compassionevole, misericordioso © cattivo, crudele, impietoso **3** ♧ (*di desiderio, di illusione ecc.*) vano, impossibile, irrealizzabile, irraggiungibile © reale, possibile, realizzabile.
piòggia *s.f.* **1** precipitazione **IPON.** acquerugiola, acquazzone, nubifragio, temporale **2** ♧ (*di insulti, di domande ecc.*) raffica, valanga, bombardamento, martellamento, sequela, subisso, grandine.
piòlo *s.m.* paletto, picchetto; (*di scala*) gradino.
piombàre[1] *v.intr.* **1** cadere, cascare, precipitare **2** (*nel sonno, nella disperazione ecc.*) sprofondare, precipitare **3** ♦ *v.tr.* ♧ gettare.
piombàre[2] *v.tr.* **1** sigillare, saldare, chiudere, fissare, impiombare © spiombare **2** (*un dente*) otturare, impiombare.
piómbo *s.m.* **1** piombino, sigillo **2** peso, zavorra **3** (*d'arma da fuoco*) proiettile, pallottola, palla **4** (*tip.*) composizione.
pionière *s.m.* **1** colonizzatore; avventuriero, esploratore **2** ♧ anticipatore, antesignano, precursore, precorritore © epigono, seguace.
piovàsco *s.m.* acquazzone, rovescio **IPERON.** pioggia, precipitazione.
piòvere *v.intr.impers.* diluviare, scrosciare; piovigginare ♦ *v.intr.* **1** (*cadere dall'alto*) precipitare, piombare, cadere **2** ♧ arrivare, capitare, succedere.
piòvra *s.f.* **1** polpo **2** ♧ (*persona avida*) approfittatore, sanguisuga, parassita, strozzino, vampiro **3** ♧ mafia.
pipì *s.f.* (*colloq.*) piscia (*volg.*), piscio (*volg.*), acqua (*colloq.*), urina.
piramidàle *agg.* (*di struttura, di organizzazione ecc.*) gerarchico, verticistico.
piràta *s.m.* **1** bucaniere, corsaro, filibustiere **2** ♧ ladrone, ladro, bandito, brigante; furfante, canaglia ♦ *agg.invar.* (*di radio, di registrazioni ecc.*) clandestino, abusivo.
piraterìa *s.f.* **1** filibusteria **2** ♧ ruberia, estorsione, furto, latrocinio **3** ♧ (*editoriale*) plagio.
piroétta *s.f.* giravolta, capriola.
piròscafo *s.m.* nave a vapore.
pirotècnico *agg.* ♧ vivace, effervescente, scintillante, spumeggiante © piatto, monotono, scialbo, normale.
pisciàre *v.intr.* (*volg.*) orinare, fare pipì (*colloq.*), mingere (*med.*).
pisèllo *s.m.* (*colloq.*) membro, fallo, pene; (*infant.*) pisellino, pistolino; (*volg.*) cazzo, minchia, uccello, verga.
pisolìno *s.m.* (*colloq.*) sonnellino, riposino, dormitina, pisolo (*colloq.*), siesta (*sp.*).
pìsta *s.f.* **1** traccia, orma, impronta **2** sentiero, mulattiera **3** circuito, percorso, tracciato; (*nell'automobilismo*) autodromo; (*nel ciclismo*) velodromo **4** (*del circo*) arena **5** (*magnetica, sonora*) banda, traccia, colonna, canale.
pistóne *s.m.* stantuffo.
pitoccherìa *s.f.* avarizia, spilorceria.
pitòcco *s.m.* **1** mendicante, accattone, barbone, straccione **2** ♧ avaro, spilorcio, pezzente, pidocchio, taccagno, tirchio.
pittóre *s.m.* **1** **IPERON.** artista **IPON.** paesaggista, ritrattista **2** imbianchino, decoratore.
pittorésco *agg.* **1** caratteristico, folcloristico, suggestivo, originale **2** ♧ (*di linguaggio e sim.*) vivace, colorito, espressivo © inespressivo, monotono, impersonale.
pittùra *s.f.* **1** quadro, dipinto **IPON.** affresco, tela, miniatura **2** ♧ descrizione, rappresentazione, quadro **3** vernice, tinta, colore; verniciatura, imbiancatura, tinteggiatura.
pitturàre *v.tr.* **1** verniciare, tinteggiare, imbiancare **2** dipingere.
piùma *s.f.* penna; piumaggio.
pìva *s.f.* cornamusa, zampogna.
pivèllo *s.m.* inesperto, principiante, novellino, dilettante © esperto, veterano.
pìzza *s.f.* **1** focaccia, schiacciata **2** (*cinem.*) pellicola, bobina **3** ♧ (*colloq.*) noia, barba, palla, piaga, lagna.
pizzicàgnolo *s.m.* salumiere.
pizzicàre *v.tr.* **1** (*di insetto*) pungere, beccare, mordere **2** (*di tessuto*) grattare, prudere, pungere **3** ♧ (*sul fatto*) cogliere, sorprendere, beccare (*colloq.*), pescare (*colloq.*) **4** punzecchiare, stuzzicare ♦ *v.intr.* **1** (*di occhi e sim.*) bruciare, prudere **2** (*di cibo*) bruciare; (*di bevanda*) frizzare **3** (*di disinfettante e sim.*) bruciare ♦ **pizzicarsi** *v.pr.* punzecchiarsi, battibeccare, stuzzicarsi.
pizzicherìa *s.f.* salumeria.
pìzzico *s.m.* **1** pizzicotto **2** (*piccola quantità*) presa, punta; briciolo, granello, minuzzolo **3** (*d'insetto*) puntura, morso.
pizzicóre *s.m.* **1** prurito **2** ♧ capriccio, voglia, desiderio.
pizzicòtto *s.m.* pizzico, pizzicata.
pìzzo *s.m.* **1** (*di monte*) picco, guglia, pinnacolo **2** barbetta, barba **3** merletto, trina **4** (*gerg.*) tangente.
placàre *v.tr.* **1** calmare, tranquillizzare, acquie-

tare, rabbonire, sedare © eccitare, aizzare **2** (*un dolore, una pena ecc.*) attenuare, calmare, lenire, mitigare, smorzare © acuire, esacerbare, inasprire, esasperare **3** (*la fame, la sete ecc.*) soddisfare, estinguere, spegnere, saziare ♦ **placarsi** *v.pr.* calmarsi, attenuarsi, rasserenarsi, tranquillizzarsi © agitarsi, eccitarsi, alterarsi, inquietarsi, arrabbiarsi, innervosirsi.

plàcca *s.f.* **1** lamina, lastra, piastra **2** piastrina, distintivo **3** targa, targhetta.

placcàre *v.tr.* **1** rivestire, ricoprire, laminare **2** (*sport*) bloccare, fermare, afferrare.

placet *s.m.invar.* (*lat.*) permesso, consenso, approvazione, beneplacito, benestare, nullaosta © opposizione, rifiuto, veto.

plàcido *agg.* calmo, tranquillo, pacifico, sereno, pacato, serafico, imperturbabile © nervoso, ansioso, irrequieto, inquieto, nervoso.

plagiàre *v.tr.* **1** copiare, imitare; scopiazzare © inventare, creare **2** (*una persona*) soggiogare, sottomettere, influenzare.

plàgio *s.m.* **1** imitazione, copiatura **2** (*dir.*; *di una persona*) assoggettamento; condizionamento, influenza.

planetàrio *agg.* **1** (*della Terra*) terrestre **2** internazionale, mondiale, universale, globale.

planisfèro *s.m.* mappamondo.

plasmàre *v.tr.* **1** modellare, foggiare, lavorare **2** ♧ formare, educare.

plasticità *s.f.* plasmabilità © rigidezza.

plàstico *agg.* **1** plasmabile, modellabile, malleabile; cedevole, flessibile © rigido, duro, resistente **2** (*di chirurgia*) estetico, ricostruttivo **3** (*di posa, di atteggiamento ecc.*) statuario, scultoreo **4** (*nell'arte*) rilevato, in rilievo ♦ *s.m.* **1** (*arch.*) modello, diorama **2** (*chim.*) IPERON. esplosivo.

platèa *s.f.* uditorio IPERON.sala, pubblico, spettatori.

plateàle *agg.* **1** pubblico **2** (*di gesto e sim.*) spettacolare, teatrale, ostentato, evidente © discreto, riservato, misurato, controllato.

platònico *agg.* **1** (*di amore*) ideale, intellettuale, spirituale; puro, casto, elevato © carnale, materiale, passionale **2** (*di desiderio e sim.*) irrealizzabile, utopistico, inappagabile, inesaudibile © concreto, realizzabile.

plausìbile *agg.* accettabile, ammissibile, attendibile, credibile, realistico; convincente, persuasivo © assurdo, impossibile, incredibile, inaccettabile, inverosimile.

plàuso *s.m.* approvazione, consenso, apprezzamento, lode, elogio, encomio © biasimo, disapprovazione.

playboy *s.m.invar.* (*ingl.*) dongiovanni, donnaiolo, casanova, seduttore, conquistatore, latin lover (*ingl.*), tombeur de femmes (*fr.*).

plèbe *s.f.* **1** (*stor.*) © patriziato **2** volgo, popolino, massa, folla (*spreg.*) © alta società, jet-set (*ingl.*).

plebèo *agg.* **1** (*stor.*) © patrizio **2** popolano, proletario © nobile, aristocratico **3** (*spreg.*) volgare, rozzo, incivile, rustico, triviale © elegante, raffinato, fine ♦ *s.m.* cafone, bifolco, buzzurro, villano © gentiluomo, signore.

plebiscitàrio *agg.* **1** referendario **2** ♧ unanime, generale, universale © limitato, parziale.

plebiscìto *s.m.* referendum.

plenàrio *agg.* (*di riunione e sim.*) generale.

plenilùnio *s.m.* luna piena © novilunio, luna nuova.

pleonàstico *agg.* superfluo, ridondante, sovrabbondante, inutile © necessario.

pletòrico *agg.* sovrabbondante, eccessivo.

plìco *s.m.* busta, pacchetto.

plotóne *s.m.* gruppo, drappello.

plùmbeo *agg.* **1** (*di cielo*) livido, cupo, fosco; nuvoloso, coperto, grigio © azzurro, sereno, limpido **2** ♧ (*di atmosfera e sim.*) cupo, opprimente, pesante, asfissiante, soffocante © sereno, disteso, rilassato; allegro, vivace, gioioso.

pluràle *agg.*, *s.m.* © singolare.

pluralità *s.f.* molteplicità, varietà, quantità.

plurilìngue *agg.* multilingue, poliglotta.

plùrimo *agg.* vario, molteplice, multiplo © solo, unico, singolo, semplice.

pneumàtico *agg.* (*di martello, di fucile ecc.*) ad aria compressa ♦ *s.m.* copertone, gomma; (*di bicicletta*) tubolare.

pochézza *s.f.* **1** (*di mezzi*) scarsità, esiguità, insufficienza, povertà © abbondanza, quantità, profusione **2** ♧ (*intellettuale, morale ecc.*) limitatezza, mediocrità, ristrettezza, povertà © acutezza, finezza, grandezza.

pocket *agg.invar.*, *s.m.invar.* (*ingl.*) tascabile.

pòco *agg.indef.* **1** piccolo, limitato, scarso, insufficiente, inadeguato © molto, numeroso, parecchio, tanto **2** (*di tempo*) breve, corto, ristretto © lungo **3** (*di somma di denaro*) piccolo, esiguo, modesto, minimo © elevato, ingente, grande **4** (*di luce*) fioco, tenue © intenso.

podére *s.m.* terreno; fondo; tenuta, possedimento.

poderóso *agg.* **1** forte, potente, vigoroso, possente, formidabile © debole, fiacco **2** ♧ (*di intelligenza e sim.*) pronto, vivace, potente © lento, tardo.

pòdio *s.m.* pedana, palco, tribuna.

podìsmo *s.m.* corsa di fondo, marcia; footing (*ingl.*), jogging (*ingl.*).
podìsta *s.m.f.* corridore, marciatore, maratoneta.
poesìa *s.f.* **1** IPON. lirica, elegia, epica © prosa **2** verso, rima, metrica **3** ♧ ispirazione, romanticismo © realismo, prosaicità **4** ♧ immaginazione, illusione, sogno, fantasia © realtà, concretezza.
poèta *s.m.* **1** rimatore, versificatore, verseggiatore **2** ♧ romantico, sentimentale; sognatore, idealista © cinico; materialista.
poetàre *v.intr.* rimare, verseggiare, versificare.
poeticità *s.f.* liricità, lirismo, poesia.
poètico *agg.* **1** (*di opera, di linguaggio ecc.*) © in prosa, prosastico **2** ♧ sensibile, delicato, tenero, romantico, sentimentale © prosaico, materialista **3** ♧ (*di paesaggio e sim.*) suggestivo, romantico.
poggiàre *v.tr.* appoggiare, posare, porre ♦ *v.intr.* fondarsi, basarsi.
pòggio *s.m.* collina, colle, altura, monticello.
pois *s.m.invar.* (*fr.*) pallino.
polàre *agg.* **1** artico, antartico **2** (*di temperatura, di clima ecc.*) rigido, gelido, glaciale © torrido, rovente.
polarizzàre *v.tr.* **1** (*l'attenzione e sim.*) attrarre, calamitare, attirare, catalizzare © allontanare, distogliere **2** (*energie, sforzi ecc.*) canalizzare, incanalare, convogliare; indirizzare, orientare.
polèmica *s.f.* **1** discussione, disputa, controverisa, contrasto, diatriba (*elev.*); contrasto, rissa **2** provocazione, contestazione.
polèmico *agg.* **1** (*di spirito, di persona*) battagliero, combattivo, bellicoso © docile, mite, mansueto, arrendevole **2** provocatorio, litigioso © conciliante.
polemizzàre *v.intr.* **1** discutere, questionare, contendere, litigare, battagliare **2** provocare.
polièdrico *agg.* **1** (*di persona, di intelligenza ecc.*) eclettico, multiforme, versatile © monotono **2** ♧ (*di interessi, di vita ecc.*) molteplice, vario, variegato © uniforme, monotono.
polifunzionàle *agg.* (*di struttura e sim.*) polivalente, multifunzione; multiuso.
polìgamo *agg.*, *s.m.* © monogamo.
poliglòtta *agg.*, *s.m.f.* multilingue, plurilingue © monolingue, monoglottico (*ling.*).
pòlipo *s.m.* **1** (*nell'uso corrente*) polpo **2** (*med.*) tumore benigno.
politeìsmo *s.m.* paganesimo © monoteismo.
politeìsta *agg.*, *s.m.f.* politeistico, pagano © monoteista.
polìtica *s.f.* **1** (*di un partito, di un sindacato ecc.*) strategia, tattica **2** ♧ astuzia, accortezza, diplomazia, furbizia, scaltrezza; prudenza, tatto © avventatezza, imprudenza, ingenuità.
politicizzàre *v.tr.* **1** ideologizzare **2** sensibilizzare, coinvolgere.
polìtico *agg.* **1** (*di movimento, di associazione ecc.*) © apolitico **2** pubblico © privato, personale ♦ *s.m.* uomo politico, statista; (*spreg.*) politicante, politichino.
polivalènte *agg.* polifunzionale, plurivalente IPON. bivalente, trivalente, tetravalente © monovalente.
polizìa *s.f.* **1** forza pubblica, forze dell'ordine, forze di polizia **2** questura, commissariato **3** (*colloq.*) volante.
poliziésco *agg.* **1** (*di governo, di metodo ecc.*) autoritario, antidemocratico, repressivo, violento, arbitrario **2** (*di racconto, di romanzo ecc.*) giallo, thriller (*ingl.*), noir (*fr.*).
poliziòtto *s.m.* **1** agente, guardia di pubblica sicurezza; (*colloq.*, *spreg.*) celerino, piedipiatti, sbirro, questurino **2** ♧ gendarme, cerbero.
pólla *s.f.* sorgente, fonte.
póllo *s.m.* **1** pollastro **2** ♧ stupido, scemo, citrullo, fesso, grullo, semplicione, sprovveduto, tontolone © furbo, dritto (*colloq.*), volpe (*colloq.*).
pòlo *s.m.* **1** estremo, capo, estremità **2** ♧ centro, fulcro **3** ♧ (*industriale e sim.*) centro **4** ♧ (*in politica*) alleanza, coalizione.
pólpa *s.f.* **1** carne, ciccia (*colloq.*) © osso **2** (*di un frutto*) mesocarpo **3** ♧ sostanza, essenza, cuore, succo, nocciolo, nodo, nucleo.
polpóso *agg.* carnoso, succoso © secco.
polsìno *s.m.* **1** (*della camicia*) polso **2** gemello.
pólso *s.m.* **1** battito, pulsazione **2** ♧ autorità, carattere, fermezza, energia, nerbo, vigore © debolezza, fiacchezza, rilassatezza **3** (*della camicia*) polsino.
poltìglia *s.f.* **1** pappa, intruglio **2** fango, fanghiglia, melma, limo.
poltrìre *v.intr.* dormire, sonnecchiare, dormicchiare; stare in ozio, oziare, stare con le mani in mano, stare in panciolle, grattarsi (*colloq.*) © lavorare, darsi da fare.
poltróna *s.f.* **1** (*in teatro*) posto; abbonamento **2** ♧ carica, posizione, incarico, ruolo.
poltróne *s.m.* pigro, pigrone, fannullone, perditempo, perdigiorno, vagabondo, lavativo, scansafatiche, sfaccendato, scioperato © lavoratore, sgobbone, stacanovista.
poltronerìa *s.f.* pigrizia, poltronaggine, indolenza, svogliatezza, scioperataggine © laboriosità, operosità, zelo.
pólvere *s.f.* pulviscolo; polverone.

polverièra *s.f.* santabarbara.
polverizzàre *v.tr.* **1** (*un materiale*) macinare, frantumare, sminuzzare, sbriciolare, triturare ♧ distruggere, annientare, sconfiggere, fare a pezzi, sbaragliare **2** (*un liquido*) nebulizzare, atomizzare, vaporizzare ♦ **polverizzarsi** *v.pr.* **1** disgregarsi, frammentarsi, sgretolarsi **2** ♧ sparire, scomparire, volatilizzarsi.
polveróne *s.m.* **1** polvere **2** ♧ caos, confusione, pandemonio.
polveróso *agg.* **1** impolverato © pulito, spolverato **2** ♧ vecchio, antiquato, stantio © giovane, fresco, nuovo.
pomàta *s.f.* crema, unguento.
pomèllo *s.m.* **1** zigomo **2** pomo, pomolo; manopola; (*di porta, cassetto e sim.*) maniglia, impugnatura.
pomeridiàno *agg.* IPON. postprandiale (*elev.*) © antimeridiano, mattutino.
pomerìggio *s.m.* dopopranzo.
pómo *s.m.* **1** (*raro*) mela **2** pomello, pomolo; (*di porta, cassetto e sim.*) maniglia, impugnatura.
pómpa[1] *s.f.* **1** gonfiatore, gonfiatoio **2** (*di carburante*) distributore.
pómpa[2] *s.f.* **1** fasto, sfarzo, lusso © semplicità, sobrietà **2** sfoggio, ostentazione, esibizione.
pompàre *v.tr.* **1** gonfiare © sgonfiare **2** (*un liquido*) aspirare, estrarre, risucchiare **3** ♧ (*energie, risorse ecc.*) prosciugare, esaurire, assorbire **4** (*una notizia e sim.*) ingrandire, esagerare, amplificare, ingigantire, enfatizzare © smontare, sgonfiare, ridimensionare.
pompière *s.m.* vigile del fuoco.
pompóso *agg.* **1** fastoso, sfarzoso, lussuoso, sontuoso © semplice, sobrio, modesto **2** (*di atteggiamento e sim.*) presuntuoso, borioso, altezzoso, spocchioso, tronfio, vanitoso © modesto, umile **3** (*di stile, di linguaggio ecc.*) ampolloso, enfatico, magniloquente, roboante © semplice, misurato, sobrio, conciso.
ponderàre *v.tr.* considerare, valutare, soppesare, vagliare; pensare, riflettere, ragionare.
ponderatézza *s.f.* riflessività, equilibrio, saggezza, oculatezza, assennatezza © avventatezza, impetuosità, incoscienza, leggerezza.
ponderàto *agg.* **1** attento, meditato, calcolato © avventato, sconsiderato, incosciente, leggero **2** (*di persona*) riflessivo, posato, assennato, giudizioso © leggero, superficiale, sconsiderato, incosciente.
ponderazióne *s.f.* considerazione, riflessione, meditazione; giudizio, equilibrio, oculatezza, saggezza © avventatezza, leggerezza.
ponderóso *agg.* **1** pesante, grave © leggero **2** ♧ (*di compito, di lavoro ecc.*) duro, pesante, impegnativo © agevole, lieve.
ponènte *s.m.* ovest, occidente © levante, est, oriente.
pónte *s.m.* **1** IPON. passerella; cavalcavia, viadotto **2** ♧ collegamento, congiunzione, unione; (*di persona*) intermediario, tramite **3** (*in edilizia*) impalcatura, ponteggio, castello **4** (*in odontoiatria*) protesi.
pontéfice *s.m.* papa, sommo pontefice, Santo Padre, Sua Santità.
pontéggio *s.m.* impalcatura, palco, castello.
pontificàre *v.intr.* (*scherz.*) sentenziare, sputare sentenze, montare in cattedra.
pontificàto *s.m.* papato.
pontifìcio *agg.* papale, pontificale, apostolico; papalino.
pontìle *s.m.* IPON. molo, banchina, imbarcadero IPERON. approdo.
pool *s.m.invar.* (*ingl.*) gruppo, squadra, équipe (*fr.*).
popolàno *agg., s.m.* plebeo © nobile, aristocratico, patrizio.
popolàre[1] *v.tr.* **1** (*un luogo*) abitare, insediarsi, occupare © spopolare, abbandonare **2** affollare, riempire, gremire.
popolàre[2] *agg.* **1** (*di governo*) democratico © antipopolare, antidemocratico **2** (*di fenomeno e sim.*) di massa © escusivo, elitario, d'élite **3** (*di quartiere*) proletario, operaio © d'élite **4** (*di attore, di persona ecc.*) celebre, famoso, conosciuto; amato, benvoluto © impopolare; sconosciuto, ignoto.
popolarità *s.f.* **1** fama, celebrità, notorietà © impopolarità **2** favore, consenso, simpatia, successo, risonanza © critica, biasimo, insuccesso, disapprovazione.
popolàto *agg.* abitato, popoloso; (*di locale e sim.*) affollato, frequentato © abbandonato, deserto, disabitato.
popolazióne *s.f.* **1** popolo, abitanti, cittadini, cittadinanza **2** nazione, popolo; razza, genti **3** (*boschiva, ittica ecc.*) flora, fauna.
popolìno *s.m.* (*spreg.*) plebe, volgo, popolo.
pòpolo *s.m.* **1** nazione, gente; razza **2** cittadini, cittadinanza, abitanti **3** massa; proletariato.
popolóso *agg.* abitato, popolato © abbandonato, deserto, disabitato, spopolato.
póppa[1] *s.f.* (*di una nave*) © prua, prora.
póppa[2] *s.f.* mammella, tetta (*colloq.*).
poppànte *s.m.f.* **1** lattante, neonato, bebè **2** ♧ immaturo, novellino, sbarbatello, pivello © esperto, veterano.
poppàre *v.tr., v.intr.* succhiare.

poppatóio *s.m.* biberon.

porcàio *s.m.* **1** (*luogo molto sporco*) stalla, fogna, cloaca, cesso (*colloq.*), letamaio, mondezzaio **2** ♧ (*ambiente corrotto*) fogna, letamaio.

porcellìno *s.m.* maialino.

porcherìa *s.f.* **1** sudiciume, sporcizia, luridume, schifezza, sozzeria © pulizia **2** ♧ (*cibo, bevanda disgustosi*) schifo, schifezza, veleno © bontà, ghiottoneria, prelibatezza **3** (*cosa brutta, fatta male*) schifo, orrore, oscenità, cacata (*volg.*), stronzata (*volg.*) © capolavoro, meraviglia **4** ♧ (*azione disonesta, spregevole*) bassezza, carognata, colpo basso, mascalzonata, vigliaccata **5** ♧ (*espressione, azione volgare*) oscenità, scurrilità, sconcezza, volgarità, maialata (*colloq.*).

porcìle *s.m.* **1** porcilaia **2** ♧ (*luogo sudicio*) stalla, fogna, cesso (*colloq.*), letamaio, immondezzaio.

pòrco *s.m.* **1** maiale; (*di sesso femminile*) scrofa, troia (*colloq.*) **2** ♧ (*di persona*) sudicione, sporcaccione, maiale.

pòrgere *v.tr.* **1** dare, offrire, passare, tendere, allungare (*colloq.*) © prendere, togliere, ritirare **2** (*ascolto, aiuto ecc.*) dare, concedere, prestare © negare, rifiutare.

pòrno *agg.invar.* pornografico.

pornografìa *s.f.* porno, hard-core (*ingl.*).

pornogràfico *agg.* osceno, per adulti, porno, a luci rosse, erotico; scandaloso, spinto, sconcio, osé (*fr.*), sexy (*ingl.*).

poróso *agg.* spugnoso; permeabile.

pórre *v.tr.* **1** mettere, collocare, posare, sistemare © levare, togliere **2** (*l'attenzione*) fissare; (*gli occhi e sim.*) mettere, posare, rivolgere **3** (*le basi, le premesse ecc.*) stabilire, fissare **4** (*una questione e sim.*) sollevare, impostare, presentare **5** (*una domanda*) rivolgere ♦ **porsi** *v.pr.* **1** mettersi, collocarsi **2** (*un obiettivo e sim.*) proporsi.

pòrro *s.m.* (*colloq.*) verruca (*med.*).

pòrta *s.f.* **1** uscio, ingresso, apertura, soglia, accesso **2** (*nel calcio*) rete **3** (*di un armadio*) sportello, anta, battente **4** (*di aereo, di nave ecc.*) portello; (*di automobile*) portiera.

portabagàgli *s.m.invar.* **1** facchino; portatore **2** (*per biciclette e sim.*) portapacchi **3** (*colloq.*) bagagliaio, baule, cofano.

portabandièra *s.m.f.invar.* **1** portainsegna, alfiere **2** ♧ (*di un'idea, di un movimento ecc.*) leader (*ingl.*), capo, guida; precursore, antesignano, pioniere.

portàbiti *s.m.* attaccapanni, gruccia, appendiabiti, ometto, stampella.

portafòglio *s.m.* **1** portacarte, portadocumenti **2** ♧ ministero.

portafortùna *s.m.invar.* amuleto, talismano.

portafrùtta *s.m.invar.* fruttiera.

portàle *s.m.* (*di chiesa e sim.*) porta, portone.

portalèttere *s.m.f.invar.* postino.

portaménto *s.m.* **1** atteggiamento, stile; andatura, incedere **2** atteggiamento, comportamento, condotta.

portamonéte *s.m.invar.* borsellino.

portànte *agg.* **1** (*di muro*) maestro, di sostegno © divisorio **2** basilare, cardinale.

portapàcchi *s.m.invar.* portabagagli.

portàre *v.tr.* **1** spostare, trasportare **2** (*una lettera, un pacco ecc.*) consegnare, recapitare, recare, dare © ricevere **3** ♧ (*danno, fortuna ecc.*) arrecare, causare, produrre **4** ♧ (*prove, esempi ecc.*) addurre, presentare, esibire **5** (*qlcu. in un luogo*) condurre, accompagnare **6** ♧ spingere, indurre **7** sorreggere, sostenere, reggere, tenere **8** (*un capo d'abbigliamento e sim.*) indossare **9** ♧ (*un sentimento*) provare, nutrire, covare ♦ **portarsi** *v.pr.* **1** recarsi, andare; trasferirsi, spostarsi **2** (*raro*) comportarsi.

portaritràtti *s.m.invar.* portafotografie; cornice.

portàta *s.f.* **1** piatto, vivanda, pietanza **2** (*di carico*) capacità, capienza **3** ♧ (*di un fenomeno, di un evento ecc.*) ampiezza, respiro, proporzione; importanza, valore, peso.

portàtile *agg.* trasportabile; da viaggio; (*di computer*) laptop (*ingl.*).

portàto *agg.* **1** (*per lo studio, per la musica ecc.*) predisposto, incline, tagliato © negato **2** (*di abito*) usato © nuovo ♦ *s.m.* (*elev.*) conseguenza, risultato, effetto, prodotto.

portatóre *s.m.* **1** trasportatore **2** facchino, portabagagli; sherpa (*tibet.*) **3** (*di notizie*) latore, messaggero, corriere.

portavóce *s.m.f.invar.* (*di qlcu.*) interprete; (*del governo*) rappresentante.

portèllo *s.m.* **1** portoncino; porta **2** (*di armadio e sim.*) sportello, anta, battente, imposta.

portènto *s.m.* **1** prodigio, miracolo, meraviglia **2** ♧ (*di persona o cosa dotata di qualità straordinarie*) fenomeno, genio, prodigio, campione, asso, cannonata (*colloq.*), mostro.

portentóso *agg.* prodigioso, miracoloso, straordinario, strepitoso, stupefacente, sbalorditivo.

porticàto *s.m.* loggiato, colonnato; portico.

pòrtico *s.m.* loggia; porticato.

portièra *s.f.* **1** (*di un autoveicolo*) sportello, porta **2** portinaia, custode.

portière *s.m.* portinaio, custode, usciere; (*d'albergo*) concierge (*fr.*).

portinàio *s.m.* vedi **portière**.
portinerìa *s.f.* guardiola.
pòrto *s.m.* **1** scalo **2** ♧ rifugio, riparo; termine, meta, conclusione.
porzióne *s.f.* **1** parte, quota, aliquota, dose, tranche (*fr.*), segmento, settore **2** (*di cibo*) parte, piatto, razione, dose; (*di torta e sim.*) fetta, pezzo, trancio.
pòsa *s.f.* **1** sistemazione, collocazione **2** (*raro*) sosta, pausa, riposo **3** (*fotogr.*) esposizione **4** ♧ (*di una persona*) atteggiamento, aria, contegno.
posacénere *s.m.* portacenere.
posàre *v.tr.* **1** appoggiare, mettere, deporre, porre, depositare © alzare, levare, togliere, sollevare **2** ♧ (*lo sguardo su qlcu. o qlco.*) fermare, fissare, rivolgere © levare, distogliere ♦ *v.intr.* **1** appoggiare, sostenersi, reggersi **2** (*di ragionamento e sim.*) poggiare, basarsi, fondarsi **3** (*di liquido*) depositare **4** ♧ (*di persona*) atteggiarsi, darsi arie (*colloq.*), recitare ♦ **posarsi** *v.pr.* **1** (*di neve e sim.*) fermarsi, depositarsi **2** (*di uccelli*) appollaiarsi, fermarsi **3** (*di impurità*) depositarsi, sedimentare **4** ♧ (*di sguardo, di attenzione ecc.*) fissarsi, fermarsi, rivolgersi, volgersi.
posàta *s.f.* IPON. coltello, forchetta, cucchiaio.
posàto *agg.* calmo, riflessivo, equilibrato, misurato, pacato; avveduto, ragionevole, giudizioso © impulsivo, irriflessivo, sconsiderato, sventato.
poscrìtto *s.m.* post scriptum (*lat.*), P.S., postilla, giunta.
positivìsta *s.f.* realista, pragmatista © idealista, sognatore, visionario.
positività *s.f.* **1** utilità, efficacia, validità © negatività **2** (*di mentalità e sim.*) concretezza, praticità, realismo.
positìvo *agg.* **1** reale, concreto, effettivo, accertato, sicuro © irreale, astratto, immaginario **2** (*di evento, di esperienza ecc.*) favorevole, felice, buono, utile, vantaggioso © negativo, infelice, sfavorevole, svantaggioso **3** (*di risposta*) affermativo © negativo **4** (*di persona*) pratico, concreto, realista; costruttivo, ottimista © idealista, sognatore; negativo, disfattista, pessimista.
posizionàre *v.tr.* collocare, disporre, sistemare.
posizióne *s.f.* **1** collocazione, sistemazione, ubicazione; posto, luogo, sito **2** ♧ (*economica, sociale*) stato, condizione, situazione **3** (*in una graduatoria, in una gerarchia ecc.*) grado, piazzamento, posto **4** postura **5** ♧ giudizio, idea, punto di vista, opinione, impostazione.
pospórre *v.tr.* **1** © anteporre, preporre **2** ♧ subordinare, sottomettere © anteporre, preferire, privilegiare **3** (*nel tempo*) posticipare, rimandare, rinviare, ritardare, differire, prorogare.
possedére *v.tr.* **1** avere, detenere, disporre **2** ♧ (*una lingua, una materia ecc.*) dominare, padroneggiare, conoscere **3** ♧ (*sessualmente*) prendere, scopare (*volg.*), fottere (*volg.*).
possediménto *s.m.* **1** (*il possedere*) possesso, possessione **2** (*spec. al pl.*; *le cose, le terre possedute*) dominio, possesso, possedimento, proprietà **3** (*spec. al pl.*) colonie.
possedùto *agg.* invasato, assatanato, indemoniato.
possènte *agg.* **1** forte, potente, robusto, imponente, massiccio, muscoloso, vigoroso © debole, delicato, fragile, fiacco **2** (*di stile, di scritto e sim.*) potente, espressivo, efficace, incisivo © debole, inefficace.
possessìvo *agg.* **1** accentratore, dominatore **2** (*di amore e sim.*) esclusivo; geloso.
possèsso *s.m.* **1** proprietà, possedimento **2** (*di droga, di armi ecc.*) detenzione **3** ♧ (*di una lingua e sim.*) padronanza, dominio, conoscenza **4** (*spec. al pl.*) possedimento, proprietà; beni, terreni.
possessóre *s.m.* proprietario, padrone, detentore.
possìbile *agg.* **1** fattibile, realizzabile, attuabile, praticabile © impossibile, irrealizzabile **2** potenziale, eventuale **3** pensabile, concepibile, immaginabile © inconcepibile, inimmaginabile **4** (*di spiegazione e sim.*) ragionevole, plausibile, accettabile, verosimile © impossibile, improbabile, inconcepibile, inverosimile ♦ *s.m.* © impossibile.
possibilità *s.f.* **1** caso, eventualità, ipotesi; speranza, chance (*fr.*) © impossibilità, impraticabilità **2** facoltà, capacità, mezzo, modo **3** (*al pl.*) mezzi, risorse.
possidènte *s.m.f.* proprietario terriero; latifondista.
pòsta *s.f.* **1** servizio postale **2** corrispondenza; lettere **3** ufficio postale **4** giocata, puntata.
postazióne *s.f.* (*mil.*) avamposto, caposaldo.
postbèllico *agg.* © prebellico, anteguerra.
posteggiàre *v.tr.* parcheggiare; fermarsi, sostare, stazionare.
posteggiatóre *s.m.* parcheggiatore; custode, guardiano.
postéggio *s.m.* parcheggio; sosta, stazionamento.
poster *s.m.invar.* (*ingl.*) manifesto, affiche (*fr.*).
posterióre *agg.* successivo, seguente © anteriore, antecedente, precedente.
posterità *s.f.* posteri © antenati, avi.

pòstero *s.m.* (*spec. al pl.*) discendenti, posterità © antenati, avi.
postìccio *agg.* finto, artificiale © vero.
posticipàre *v.tr.* rinviare, rimandare, ritardare, differire, prorogare © anticipare, accelerare.
postìlla *s.f.* **1** nota, annotazione, commento, richiamo, glossa, chiosa **2** ♧ osservazione, precisazione, puntualizzazione, considerazione.
postillàre *v.tr.* **1** (*un libro, un documento e sim.*) annotare, commentare, chiosare **2** ♧ commentare, precisare.
postìno *s.m.* portalettere.
pósto *s.m.* **1** (*di un oggetto*) collocazione, posizione, sede, vano **2** spazio **3** (*nei teatri e sim.*) sedile, poltrona; (*a scuola*) banco **4** (*di lavoro*) impiego, lavoro, occupazione, carica, ruolo **5** luogo, località, zona, sito; paese, regione **6** ambiente, locale, locale pubblico.
postrìbolo *s.m.* bordello, casa chiusa, casa d'appuntamenti, casa di tolleranza, casino (*volg.*).
post scriptum *loc.s.m.invar.* (*lat.*) codicillo, poscritto, postilla, nota bene; appendice.
postulànte *s.m.f.* questuante, mendicante.
postulàre *v.tr.* **1** chiedere, domandare, richiedere, supplicare **2** richiedere, esigere, imporre, implicare, presupporre **3** (*filos.*) ammettere, ipotizzare.
postulàto *s.m.* assioma, teorema; principio.
pòstumo *agg.* **1** tardivo **2** post mortem (*lat.*) ♦ *s.m.* **1** (*spec. al pl.*; *di una malattia e sim.*) conseguenza, strascico © prodromo, sintomo **2** (*di un avvenimento*) effetto, ripercussione © annuncio, avvisaglia.
potàbile *agg.* **1** (*di acqua*) bevibile © imbevibile **2** ♧ (*colloq.*) accettabile, decente, passabile © indecente, orribile.
potabilizzàre *v.tr.* rendere potabile, depurare.
potàre *v.tr.* **1** (*agr.*) IPON. cimare, rimondare, svettare **2** ♧ tagliare, sfrondare, accorciare, ridurre.
potènte *agg.* **1** autorevole, importante, influente © impotente, ininfluente **2** forte, robusto, energico, possente, vigoroso © debole, gracile, mingherlino **3** (*sessualmente*) © impotente **4** (*di colpo, di schiaffo ecc.*) violento, forte, pesante; (*di voce*) stentoreo, altisonante, forte © flebile, debole **5** (*di rimedio*) efficace, valido © debole, inefficace ♦ *s.m.* grande, magnate; boss (*ingl.*), pezzo grosso, padrino.
potènza *s.f.* **1** autorità, potere, forza, influenza, prestigio © impotenza, ininfluenza **2** forza, vigore, energia © debolezza, fiacchezza, fragilità **3** (*sessuale*) © impotenza **4** (*di vento, di voce ecc.*) intensità, forza; (*di colpo e sim.*) forza, violenza © debolezza **5** (*di un rimedio*) efficacia, forza, validità © inefficacia, debolezza.
potenziàle *agg.* **1** possibile, in potenza, in fieri; astratto, virtuale © reale, vero, concreto **2** eventuale, ipotetico © reale, effettivo ♦ *s.m.* forza, mezzi, capacità, disponibilità, risorse, potenzialità.
potenzialità *s.f.* **1** (*di una persona*) doti, qualità, risorse, facoltà, predisposizione **2** (*di un'azienda e sim.*) mezzi, disponibilità, possibilità, risorse **3** (*di uno strumento*) caratteristica, proprietà, peculiarità, requisito.
potenziaménto *s.m.* **1** (*del fisico*) irrobustimento, rafforzamento © indebolimento **2** ♧ crescita, incremento, espansione, sviluppo, rafforzamento © indebolimento, impoverimento, depotenziamento.
potenziàre *v.tr.* **1** (*il fisico*) irrobustire, fortificare, rafforzare, rinvigorire, corroborare © indebolire, debilitare **2** (*un edificio e sim.*) rinforzare, consolidare © indebolire **3** ♧ aumentare, sviluppare, accrescere, ingrandire, incrementare © indebolire, ridurre, limitare.
potére[1] *v.intr.* **1** (*seguito dal verbo all'infinito*) essere in grado, riuscire; permettersi; osare, avere l'ardire **2** convenire, essere permesso, occorrere; (*spec. in frasi negative*) dovere **3** ottenere **4** valere.
potére[2] *s.m.* **1** possibilità, capacità, facoltà; mezzo, modo; autorità, diritto **2** (*soprannaturale*) forza, potenza, virtù **3** (*di persona*) influsso, influenza, ascendente, peso; (*di cosa*) effetto, efficacia **4** dominio, preda, balia, pugno **5** capacità, proprietà © incapacità.
potestà *s.f.* potere, possibilità, capacità, facoltà; dominio, mano, pugno.
pot-pourri *s.m.invar.* (*fr.*) **1** miscuglio, mescolanza; accozzaglia, groviglio, intrico, disordine, pasticcio **2** ♧ (*letterario, musicale ecc.*) miscellanea, zibaldone; selezione, antologia.
pòvero *agg.* **1** bisognoso, indigente, misero, disagiato, meschino, miserabile, spiantato, nullatenente (*dir.*) © facoltoso, ricco, agiato, abbiente **2** insufficiente, carente, limitato, scarso © abbondante, ricco, dotato, fornito **3** (*di casa e sim.*) misero, modesto, umile, dimesso, squallido © elegante, ricco, lussuoso, sfarzoso **4** (*di terreno*) arido, brullo, improduttivo © ricco, fertile, fecondo, fruttifero **5** (*di stile e sim.*) semplice, disadorno, scarno, spoglio; inefficace, debole © elegante, raffinato, ricco; lezioso, ridondante; efficace, incisivo **6** (*di persona infelice*) disgraziato, misero, sfortunato, sventurato **7** (*di paese,*

di regione ecc.) sottosviluppato, depresso © ricco, sviluppato, industrializzato ♦ *s.m.* mendicante, accattone, pezzente, nullatenente.

povertà *s.f.* **1** miseria, indigenza, ristrettezza, bisogno © ricchezza, benessere, agiatezza, opulenza, abbondanza **2** (*di risorse e sim.*) scarsezza, limitatezza, insufficienza, penuria © abbondanza, ricchezza.

poveruòmo *s.m.* povero diavolo, disgraziato, povero cristo.

pozióne *s.f.* **1** bevanda **2** (*magica*) filtro.

pózza *s.f.* **1** pozzanghera **2** (*di sangue e sim.*) lago, guazzo.

pozzànghera *s.f.* pozza.

pózzo *s.m.* **1** fonte, sorgente **2** scavo **3** buca, fosso, cavità **4** (*colloq.*; *di soldi e sim.*) montagna, mucchio, sacco, barca, marea, infinità, monte, casino (*colloq.*), pacco (*colloq.*).

pragmàtico *agg.* pratico, concreto, effettivo, realistico © idealistico, astratto, teorico, utopistico ♦ *s.m.* (*di persona*) pratico, concreto, realista © idealista, sognatore, utopista.

pragmatìsmo *s.m.* realismo, concretezza, praticità © idealismo, utopismo.

prammàtica *s.f.* regola, norma, prassi, procedura; consuetudine, usanza, uso.

prànzo *s.m.* **1** colazione, seconda colazione IPERON. pasto; mezzogiorno, mezzodì **2** banchetto, convivio.

pràssi *s.f.* **1** IPERON. pratica © teoria **2** procedura, norma, pratica, usanza, uso, costume.

pràtica *s.f.* **1** attuazione, azione, realizzazione © teoria **2** consuetudine, uso, procedura, regola, usanza **3** esperienza, competenza, capacità, conoscenza, bravura, abilità, maestria © imperizia, inesperienza, incapacità **4** (*in un mestiere, una professione ecc.*) tirocinio, apprendistato, praticantato **5** (*di documenti*) incartamento, fascicolo, protocollo, dossier; iter (*lat.*).

praticàbile *agg.* **1** possibile, attuabile, fattibile, realizzabile; accettabile © impraticabile, inattuabile, impossibile, irrealizzabile; inaccettabile, improponibile **2** (*di strada*) percorribile, transitabile, agibile © impraticabile, inagibile, intransitabile **3** (*di luogo*) accessibile, agibile, raggiungibile © impraticabile, inaccessibile, inagibile.

praticànte *agg.* osservante, ortodosso ♦ *s.m.f.* apprendista, tirocinante; esordiente, novellino.

praticàre *v.tr.* **1** (*una professione, uno sport*) esercitare, fare **2** (*un massaggio e sim.*) eseguire, fare **3** (*una persona*) frequentare, avere a che fare; (*un luogo, un ambiente ecc.*) frequentare, bazzicare **4** (*una religione*) confessare, professare **5** fare, effettuare, realizzare, operare, compiere.

praticità *s.f.* **1** concretezza, senso pratico **2** comodità, funzionalità, semplicità d'uso, razionalità.

pràtico *agg.* **1** concreto, reale, operativo, sperimentale, empirico © teorico, astratto **2** (*di persona, di mentalità e sim.*) concreto, positivo, pragmatico, realista © idealista, sognatore, teorico **3** (*di oggetto*) funzionale, semplice, efficiente © scomodo, inefficiente **4** (*di persona*) esperto, competente, capace, padrone, sicuro, ferrato © incapace, inesperto, incompetente.

preàmbolo *s.m.* **1** presentazione, introduzione, prefazione, premessa, prologo © conclusione, epilogo **2** (*spec. al pl.*) cerimonie, preliminari.

preannunciàre *v.tr.* **1** annunciare, precedere, preavvertire, preludere, anticipare **2** (*il futuro*) prevedere, profetizzare, predire, pronosticare.

preannùncio *s.m.* **1** preavviso, avvertimento, anticipo, anticipazione **2** (*di un evento futuro*) predizione, presagio, profezia, pronostico.

preavvìso *s.m.* avviso, avvertimento, preavvertimento.

precarietà *s.f.* incertezza, instabilità, insicurezza, provvisorietà, transitorietà © stabilità, certezza, sicurezza, durevolezza.

precàrio *agg.* **1** incerto, insicuro, instabile, fragile © sicuro, saldo, stabile **2** (*di salute*) cagionevole, delicato, debole © buono, di ferro **3** provvisorio, passeggero, temporaneo, transitorio © fisso, sicuro, definitivo, stabile **4** (*dir.*; *di incarico*) revocabile © irrevocabile ♦ *s.m.* supplente, sostituto.

precauzionàle *agg.* preventivo, cautelativo, prudenziale.

precauzióne *s.f.* **1** attenzione, cautela, prudenza, circospezione © avventatezza, imprudenza **2** misura, provvedimento, accorgimento, riguardo, contromisura.

precedènte *agg.* **1** antecedente, anteriore, preesistente, pregresso © successivo, seguente, susseguente **2** passato, scorso, trascorso © futuro, venturo ♦ *s.m.* antecedente, antefatto, trascorso © conseguenza.

precedènza *s.f.* **1** (*nel tempo*) anteriorità © posteriorità **2** priorità, preferenza, prelazione (*dir.*).

precèdere *v.tr.* **1** (*nel tempo*) precorrere, prevenire, anticipare, preannunciare © seguire, succedere, susseguire **2** (*nello spazio*) andare avanti © seguire, succedere **3** ♧ (*in qualità, in importanza ecc.*) superare, sorpassare © seguire.

precettàre *v.tr.* (*soldati*) richiamare alle armi; (*lavoratori in sciopero*) costringere, obbligare.

precètto *s.m.* **1** (*di legge, di disciplina e sim.*)

norma, principio, regola, comandamento, prescrizione **2** (*morale*) insegnamento, ammaestramento **3** (*mil.*) intimazione, ordine, ingiunzione.
precettóre *s.m.* istitutore, pedagogo **IPERON.** insegnante, maestro.
precipitàre *v.intr.* **1** cadere, cascare, piombare, abbattersi, rovinare, schiantarsi **2** ♧ (*in rovina e sim.*) cadere, sprofondare, piombare **3** ♧ (*di situazione e sim.*) peggiorare, aggravarsi, deteriorarsi, guastarsi © migliorare **4** (*di eventi e sim.*) incalzarsi, susseguirsi, succedersi **5** (*chim.*) depositarsi, sedimentare, posare ♦ *v.tr.* **1** scaraventare, scagliare, gettare, buttare **2** (*gli eventi e sim.*) accelerare, affrettare, sollecitare © rallentare, frenare, ritardare ♦ **precipitarsi** *v.pr.* **1** (*dall'alto*) gettarsi, lanciarsi, buttarsi **2** ♧ (*a casa, al telefono ecc.*) affrettarsi, accorrere, fiondarsi, scapicollarsi, catapultarsi © indugiare, attardarsi.
precipitazióne *s.f.* **1** fretta, furia, impazienza © calma, flemma **2** impulsività, impeto, avventatezza, leggerezza © riflessione, discernimento, ponderazione **3** (*atmosferica*) **IPON.** pioggia, neve **4** (*chim.*) deposito, precipitato, posa, sedimento.
precipitóso *agg.* **1** (*di torrente e sim.*) violento, impetuoso, furioso © lento, tranquillo, calmo **2** ♧ (*nel decidere, nell'agire ecc.*) impulsivo, impaziente, irruente, frettoloso, avventato © calmo, tranquillo, assennato, equilibrato, posato, riflessivo **3** ♧ (*di decisione e sim.*) affrettato, avventato, sconsiderato, prematuro © meditato, ragionato.
precipìzio *s.m.* **1** baratro, abisso, burrone, dirupo, voragine **2** ♧ (*morale e sim.*) abisso, perdizione, rovina.
precìpuo *agg.* (*elev.*) **1** principale, primario, essenziale, preminente, prioritario © secondario, marginale **2** caratteristico, proprio, peculiare, distintivo, singolare, tipico, specifico © comune, generale, generico.
precisàre *v.tr.* determinare, indicare, specificare, definire, chiarire, puntualizzare © confondere, abbozzare, accennare, generalizzare.
precisazióne *s.f.* chiarimento, spiegazione, delucidazione, indicazione, puntualizzazione; rettifica, rettificazione.
precisióne *s.f.* **1** esattezza, correttezza, perfezione, puntualità © inesattezza, scorrettezza, imperfezione **2** accuratezza, cura, meticolosità, scrupolosità, diligenza © imprecisione, approssimazione, disordine, confusione, negligenza, sciatteria.
precìso *agg.* **1** esatto, corretto, giusto © inesatto, scorretto, sbagliato **2** (*di persona*) attento, ordinato, accurato, coscienzioso, diligente, meticoloso, scrupoloso; puntuale © impreciso, disordinato, disattento, confusionario, pasticcione; ritardatario **3** (*di lavoro e sim.*) accuratoordinato, inappuntabile © impreciso, inesatto, trascurato **4** (*di traduzione, di resoconto ecc.*) letterale, testuale, fedele, puntuale © impreciso, approssimativo **5** (*di linguaggio, di parola ecc.*) appropriato, proprio **6** (*di contorno, di tratto e sim.*) chiaro, netto, distinto, nitido © impreciso, incerto, generico, confuso, vago **7** identico, uguale, pari, tale e quale, sputato (*colloq.*), spiccicato (*region.*) © diverso, differente.
preclùdere *v.tr.* bloccare, impedire, chiudere, vietare, interdire © permettere, consentire.
preclusióne *s.f.* **1** impedimento, divieto, ostacolo **2** ♧ preconcetto, pregiudizio, prevenzione.
precòce *agg.* **1** (*di frutto*) prematuro, primaticcio © tardivo **2** ♧ (*di avvenimento e sim.*) prematuro © tardo, tardivo.
preconcètto *agg.* (*di idea, di opinione ecc.*) precostituito, prevenuto © obiettivo, libero, oggettivo ♦ *s.m.* pregiudizio, preclusione, prevenzione; tabù © obiettività.
precórrere *v.tr.* anticipare, prevenire, precedere, preludere © seguire, succedere.
precursóre *agg., s.m.* anticipatore, antesignano, pioniere © erede, continuatore, discepolo, epigono.
prèda *s.f.* **1** bottino, refurtiva; (*di guerra*) spoglie **2** ♧ vittima.
predàre *v.tr.* razziare, saccheggiare, spogliare, depredare; rubare.
predatóre *agg.* (*di animali, di uccelli ecc.*) rapace ♦ *s.m.* predone, razziatore; pirata.
predecessóre *s.m.* **1** (*in una carica e sim.*) © successore **2** (*spec. al pl.*) antenato, avo © discendente; erede.
predestinàre *v.tr.* predeterminare, preordinare, prestabilire; destinare, designare.
predestinàto *agg., s.m.* **1** (*di persona*) designato, destinato, prescelto; (*relig.*) eletto **2** (*di evento*) prestabilito, fissato, preordinato.
predeterminàre *v.tr.* destinare, preordinare, prestabilire.
predétto *agg.* suddetto, sopraddetto, sopraccitato, anzidetto.
prèdica *s.f.* **1** omelia, sermone **2** ♧ (*colloq.*) ramanzina, paternale, predicozzo; sgridata, lavata di capo, partaccia; rimprovero, ammonimento.
predicàre *v.tr.* **1** annunciare, diffondere, insegnare, spiegare, divulgare, propagare **2** (*la pace,*

l'amore ecc.) raccomandare, esortare, invitare, insegnare.

predicàto *s.m.* (*gramm.*) verbo.

predicatóre *s.m.* **1** oratore sacro **2** (*di pace, di tolleranza ecc.*) diffusore, divulgatore, sostenitore, banditore.

predicòzzo *s.m.* ramanzina, paternale, sgridata.

predilètto *agg.*, *s.m.* preferito, amato, adorato, caro, diletto © antipatico, detestato, odioso ♦ *s.m.* idolo, favorito, preferito, beniamino, pupillo, protetto, cocco (*colloq.*).

predilezióne *s.f.* preferenza, simpatia, debole, amore, passione © antipatia, odio, avversione.

predilìgere *v.tr.* preferire, privilegiare, anteporre; propendere, avere un debole © detestare, odiare, scartare.

predìre *v.tr.* prevedere, preannunciare, presagire, profetizzare, pronosticare.

predispórre *v.tr.* **1** disporre, preparare, organizzare, ordinare, approntare, programmare, sistemare **2** (*l'organismo, lo spirito ecc.*) inclinare, preparare, disporre ♦ **predisporsi** *v.pr.* prepararsi, apprestarsi, accingersi.

predisposizióne *s.f.* **1** preparazione, disposizione, organizzazione, allestimento, approntamento **2** inclinazione, attitudine, talento, propensione, vocazione © avversione, idiosincrasia.

predizióne *s.f.* previsione, profezia, presagio.

predominànte *agg.* **1** (*per importanza, valore ecc.*) principale, dominante, imperante, prevalente, preponderante, vincente © secondario, perdente **2** (*per quantità*) maggiore, maggioritario, superiore, prevalente, preponderante © minoritario, raro.

predominàre *v.intr.* **1** (*per potenza, forza ecc.*) dominare, prevalere, sovrastare, emergere, eccellere, primeggiare **2** (*per numero, frequenza ecc.*) prevalere, sopravanzare.

predomìnio *s.m.* **1** (*culturale, economico ecc.*) egemonia, primato, preponderanza, superiorità, supremazia © dipendenza **2** (*numerico, quantitativo ecc.*) prevalenza, preponderanza © inferiorità.

predóne *s.m.* brigante, ladrone, predatore; pirata, corsaro, filibustiere.

preesistènte *agg.* precedente, anteriore, antecedente, passato, primitivo © posteriore, seguente; futuro.

prefazióne *s.f.* introduzione, presentazione, premessa, prologo, preambolo © postfazione; conclusione, epilogo.

preferènza *s.f.* simpatia, predilezione, propensione, inclinazione; (*in senso negativo*) parzialità, favoritismo.

preferenziàle *agg.* (*di trattamento e sim.*) di preferenza, di favore.

preferìbile *agg.* migliore, conveniente, consigliabile © peggiore, sconsigliabile.

preferìre *v.tr.* prediligere, favorire, privilegiare, prescegliere, propendere, optare © scartare, subordinare.

preferìto *agg.* favorito, prediletto © detestato, disprezzato ♦ *s.m.* beniamino, pupillo, cocco (*colloq.*).

prefiggere *v.tr.* fissare, stabilire, prefissare, prestabilire, determinare ♦ **prefiggersi** *v.pr.* proporsi, prefissarsi, ripromettersi.

prefiguràre *v.tr.* prevedere, preconizzare, precorrere, anticipare.

prefissàre *v.tr.* fissare, stabilire, decidere, determinare, prestabilire ♦ **prefissarsi** *v.pr.* proporsi, prefiggersi, ripromettersi.

pregàre *v.tr.* **1** (*una divinità*) implorare, scongiurare, supplicare, invocare **2** chiedere, domandare, invitare, esortare; supplicare.

pregévole *agg.* pregiato, prezioso, di valore, di qualità, eccellente, fine, di classe; (*di persona*) eccellente, valido, esemplare, lodevole, meritevole, encomiabile © mediocre, scadente, di poco conto; spregevole, disprezzabile.

preghièra *s.f.* **1** (*a una divinità*) orazione, invocazione, supplica **2** (*a una persona*) richiesta, domanda, implorazione, supplica, raccomandazione.

pregiàto *agg.* **1** prezioso, pregevole, di valore, di qualità, eccellente, fine, di classe © mediocre, comune, pessimo, dozzinale, ordinario, scadente **2** (*in formule di cortesia*) stimato.

prègio *s.m.* **1** (*qualità positiva*) dote, qualità, valore, merito, virtù © difetto, demerito, neo **2** considerazione, stima, credito, fama, prestigio © discredito, disistima.

pregiudicàre *v.tr.* compromettere, danneggiare, guastare, minare, ostacolare © aiutare, favorire, facilitare.

pregiudicàto *s.m.* © incensurato (*dir.*).

pregiudiziévole *agg.* dannoso, nocivo, pericoloso, deleterio © vantaggioso, proficuo.

pregiudìzio *s.m.* **1** preconcetto, preclusione, prevenzione © apertura **2** credenza, superstizione, convinzione **3** danno, detrimento, svantaggio © vantaggio, giovamento.

prégna *agg.f.* (*di animale femmina*) gravida; (*colloq.*; *di donna*) incinta, gravida.

prégno *agg.* pieno, impregnato, saturo, colmo.

pregnànte *agg.* ♧ (*di linguaggio, di discorso ecc.*) efficace, incisivo, significativo © debole, inadeguato, inefficace, vuoto.

pregrèsso *agg.* anteriore, precedente, antecedente, passato © seguente, successivo.

preistòrico *agg.* **1** primitivo, antidiluviano, primordiale **2** ♧ (*scherz.*) antiquato, vecchio, sorpassato, superato, antidiluviano, fossile, da museo © moderno, nuovo, attuale, giovane.

prelazióne *s.f.* **1** (*dir.*) preferenza, opzione **2** (*raro*) preferenza, precedenza, priorità.

prelevaménto *s.m.* (*di denaro*) prelievo, ritiro © versamento, deposito.

prelevàre *v.tr.* **1** prendere, portare via, ritirare; asportare, rimuovere © dare, consegnare, depositare **2** (*una somma di denaro*) ritirare, prendere © versare, depositare **3** (*una persona*) arrestare, fermare, prendere, catturare, rapire © lasciare, liberare, rilasciare.

prelibatézza *s.f.* squisitezza, ghiottoneria, leccornia, raffinatezza, delizia © schifezza, porcheria.

prelibàto *agg.* ottimo, eccellente, delizioso, squisito, gustoso, succulento, sopraffino © cattivo, schifoso, disgustoso, ripugnante.

prelièvo *s.m.* **1** (*di denaro*) prelevamento, ritiro © deposito **2** (*di dati*) prelevamento © immissione **3** (*med.*; *di organi e sim.*) espianto, asportazione, ablazione.

preliminàre *agg.* preparatorio, introduttivo, propedeutico © conclusivo, finale, ultimo ♦ *s.m.* preparazione, preambolo, preludio, premessa, prologo © finale, epilogo.

prelùdere *v.intr.* annunciare, anticipare, preannunciare.

prelùdio *s.m.* **1** (*mus.*) introduzione, ouverture (*fr.*) **2** (*di un discorso, di uno scritto ecc.*) introduzione, esordio, premessa, prambolo **3** ♧ (*di eventi e sim.*) premessa, presupposto, annuncio, anticipo, avvisaglia, indizio.

prematrimoniàle *agg.* preconiugale, prenuziale.

prematùro *agg.* **1** precoce © tardivo **2** (*di decisione, di intervento ecc.*) affrettato, frettoloso, intempestivo, precipitoso.

premeditàre *v.tr.* progettare, preparare, organizzare, architettare; ordire, tramare.

premeditàto *agg.* progettato, preparato, programmato, meditato, intenzionale (*dir.*) © preterintenzionale (*dir.*), colposo (*dir.*).

prèmere *v.tr.* **1** (*una cosa*) schiacciare, comprimere, pigiare, spingere **2** (*di truppe e sim.*) incalzare, inseguire; chiudere, stringere © retrocedere, ritirarsi, ripiegare ♦ *v.intr.* **1** forzare, pesare **2** ♧ insistere, spingere, sollecitare, fare pressione **3** ♧ importare, interessare, stare a cuore.

preméssa *s.f.* **1** prefazione, introduzione, presentazione, preambolo **2** presupposto, condizione, precedente, requisito © conseguenza, conclusione, esito.

preméttere *v.tr.* anteporre, preporre.

premiàre *v.tr.* compensare, ricompensare; gratificare © rimproverare, punire, castigare.

premier *s.m.invar.* (*ingl.*) primo ministro, capo del governo, presidente del consiglio; (*in Germania e Austria*) cancelliere.

preminènte *agg.* principale, primario, prevalente; considerevole, importante, notevole, autorevole © secondario, marginale, minore.

preminènza *s.f.* **1** superiorità, supremazia, predominio, primato © inferiorità **2** importanza, peso, rilevanza, priorità © inferiorità, marginalità.

prèmio *s.m.* **1** (*in una gara*) trofeo **IPON.** coppa, medaglia **2** ricompensa, compenso, riconoscimento © rimprovero, castigo, punizione **3** (*cinematografico, letterario, musicale*) concorso, festival, competizione **4** (*di produzione*) gratifica, incentivo, bonus **5** (*in denaro*) vincita; compenso ♦ *agg.invar.* regalo, omaggio; gratis.

premonitóre *agg.* **1** anticipatore, preannunciatore **2** profetico, divinatorio, premonitorio.

premonizióne *s.f.* **1** presagio, presentimento, sentore **2** predizione, profezia, divinazione.

premunìre *v.tr.* **1** (*una fortezza e sim.*) armare, fortificare, guarnire, munire **2** fornire, attrezzare, provvedere © privare, sguarnire **3** preparare, predisporre; difendere, proteggere, cautelare, salvaguardare ♦ **premunirsi** *v.pr.* **1** cautelarsi, assicurarsi, difendersi, salvaguardarsi, tutelarsi **2** (*di qlco.*) fornirsi, provvedersi, armarsi, munirsi.

premùra *s.f.* **1** fretta, urgenza © calma, flemma **2** attenzione, cura, riguardo, sollecitudine, zelo; gentilezza, affetto, amorevolezza, tenerezza © indifferenza, disinteresse, noncuranza, trascuratezza.

premuràrsi *v.pr.* badare, curarsi, provvedere, preoccuparsi, interessarsi, farsi carico © disinteressarsi, trascurare.

premuróso *agg.* attento, gentile, affettuoso, amoroso, tenero, cortese, sollecito, zelante © indifferente, disinteressato, sgarbato, noncurante.

prèndere *v.tr.* **1** afferrare, pigliare, acchiappare, agguantare, acciuffare © lasciare, mollare, buttare **2** (*un ladro e sim.*) arrestare, catturare, fermare © lasciare, liberare, rilasciare **3** (*un animale*) catturare; (*un cane*) accalappiare; (*con il fucile e sim.*) abbattere, colpire; (*un pesce*) pescare © liberare **4** (*un bersaglio e sim.*) centrare, colpire, azzeccare © mancare, fallire **5** (*un *treno e sim.*) usare, utilizzare, servirsi **6** (*un premio, un dono ecc.*) ricevere, ottenere **7** (*denaro e sim.*) ricevere, percepire, guadagnare, incassare © spendere, dare, perdere **8** (*una città, una fortezza ecc.*) conquistare, occupare, invadere, impadronirsi © abbandonare **9** (*una cosa*) acquistare, comperare, procurarsi © vendere **10** ♧ (*una persona*) affascinare, ammaliare, conquistare, colpire, sedurre **11** (*sessualmente*) possedere, scopare (*volg.*), fottere (*volg.*) **12** (*di sentimento e sim.*) pervadere, afferrare, assalire **13** (*un dipendente*) assumere © licenziare, mandare via **14** (*una strada, un sentiero ecc.*) imboccare, percorrere **15** (*una decisone e sim.*) abbracciare, adottare, scegliere © scartare **16** (*un indirizzo scolastico, professionale ecc.*) intraprendere, scegliere, indirizzarsi, orientarsi © lasciare, scartare **17** (*una malattia*) contrarre, beccarsi (*colloq.*) **18** (*una medicina e sim.*) assumere, ingerire ♦ **prendersi** *v.pr.* **1** afferrarsi, appigliarsi **2** litigare, azzuffarsi **3** (*una responsabilità e sim.*) assumersi **4** (*un raffreddore e sim.*) buscarsi, beccarsi (*colloq.*).

prenotàre *v.tr.* fissare, riservare, fermare, impegnare.

prenotàto *agg.* riservato, occupato, impegnato, preso.

preoccupànte *agg.* allarmante, inquietante, grave, serio, pesante; pericoloso, rischioso © tranquillo, rassicurante, rasserenante, tranquillizzante.

preoccupàre *v.tr.* allarmare, inquietare, impensierire, turbare, dare da pensare © calmare, rassicurare, confortare, tranquillizzare ♦ **preoccuparsi** *v.pr.* **1** allarmarsi, inquietarsi, impensierirsi, angosciarsi, affliggersi, turbarsi, stare in pensiero, stare in pena © calmarsi, tranquillizzarsi **2** badare, pensare, occuparsi, curarsi © disinteressarsi, fregarsene (*colloq.*), trascurare, infischiarsene (*colloq.*), sbattersene (*volg.*).

preoccupàto *agg.* allarmato, spaventato, turbato, ansioso, angosciato © calmo, tranquillo, sereno.

preoccupazióne *s.f.* **1** ansia, pensiero, angoscia, pena, apprensione, assillo; guaio, fastidio, problema, cruccio, peso **2** cura, interesse, pensiero, occupazione.

preordinàre *v.tr.* predisporre, disporre, ordinare, organizzare, mettere a punto, prestabilire.

preparàre *v.tr.* **1** predisporre, apprestare, allestire, approntare, organizzare **2** (*la cena e sim.*) cucinare; (*una torta*) cuocere; (*la tavola*) apparecchiare, imbandire **3** (*per una gara*) allenare, addestrare **4** ♧ (*di destino, di futuro e sim.*) tenere in serbo, riservare, destinare ♦ **prepararsi** *v.pr.* **1** (*a fare qlco.*) accingersi, apprestarsi, disporsi, predisporsi, organizzarsi **2** (*per una gara*) allenarsi; (*per un esame*) studiare **3** (*stare per arrivare*) annunciarsi, avvicinarsi, preannunciarsi, profilarsi, prospettarsi.

preparatìvo *s.m.* (*spec. al pl.*) preparazione, organizzazione, allestimento.

preparàto *agg.* **1** pronto, predisposto, approntato **2** (*di un professionista e sim.*) capace, competente, esperto, ferrato, qualificato; aggiornato, informato © impreparato, incapace, incompetente; disinformato, ignorante ♦ *s.m.* prodotto; (*farm.*) preparazione, farmaco, sostanza.

preparatòrio *agg.* preliminare, introduttivo, iniziale.

preparazióne *s.f.* **1** allestimento, organizzazione, predisposizione, **2** esperienza, competenza, professionalità; cultura, sapere **3** (*sport*) allenamento, addestramento, training (*ingl.*).

preponderànte *agg.* maggiore, superiore; predominante, prevalente, preminente, dominante, imperante.

preponderànza *s.f.* **1** (*di numero*) prevalenza, maggioranza, superiorità © minoranza, inferiorità **2** (*di importanza e sim.*) primato, predominio, preminenza, superiorità, supremazia © secondarietà, subalternità.

prepórre *v.tr.* **1** anteporre, premettere © posporre **2** ♧ anteporre, preferire, prediligere **3** (*a una carica*) assegnare, delegare; investire.

prepósto *agg.* addetto, assegnato, delegato, incaricato.

prepotènte *agg.* **1** (*di persona*) aggressivo, arrogante, autoritario, dispotico, prevaricatore, tracotante © mite, arrendevole, sottomesso **2** (*di bisogno, di impulso, di desiderio ecc.*) irresistibile, irrefrenabile, imperioso, impellente, incontrollabile, urgente, violento © debole, leggero, lieve.

prepotènza *s.f.* **1** (*di persona*) arroganza, aggressività, tracotanza; (*di gesto, di atto*) violenza, abuso, angheria, ingiustizia, sopraffazione **2** (*di un desiderio, di una passione ecc.*) forza, intensità, imperiosità; impellenza, urgenza © debolezza.

prerogatìva *s.f.* **1** privilegio, diritto, vantaggio **2** (*dir.*) compito, potere **3** dote, capacità, qualità, appannaggio, particolarità, peculiarità, proprietà, requisito.

grésa *s.f.* **1** (*di un oggetto*) maniglia, manico, impugnatura; appiglio, sostegno **2** (*di un'attrezzatura meccanica*) stretta, morsa **3** (*di una città* *e sim.*) conquista, occupazione, espugnazione **4** (*di sale, di tabacco ecc.*) pizzico, punta **5** (*elettr.*) attacco **6** (*sport*) parata.

presàgio *s.m.* **1** auspicio, profezia, divinazione, oracolo; previsione, pronostico **2** (*di guerra e sim.*) segno, indizio, preannuncio, preavviso, avvisaglia, preludio **3** (*di una disgrazia e sim.*) premonizione, presentimento, sentore, sensazione, intuizione.

presagìre *v.tr.* **1** presentire, intuire, prevedere, percepire, sentire **2** predire, profetizzare, pronosticare, divinare.

presàgo *agg.* premonitore, profetico, premonitorio.

prescégliere *v.tr.* scegliere, preferire, eleggere, privilegiare.

prescélto *agg.*, *s.m.* eletto, preferito, privilegiato, selezionato © eliminato, scartato.

prescìndere *v.intr.* ignorare, tralasciare © considerare, badare, tenere conto.

prescrìtto *agg.* **1** stabilito, fissato, previsto **2** (*dir.*) estinto, caduto in prescrizione.

prescrìvere *v.tr.* **1** stabilire, ordinare, fissare, deliberare **2** (*una medicina, una cura ecc.*) consigliare, dare, ordinare **3** (*dir.*; *un diritto, un reato ecc.*) mandare in prescrizione.

prescrizióne *s.f.* **1** disposizione, legge, regola, direttiva, norma **2** (*medica*) ricetta, indicazione, terapia **3** (*dir.*; *di reato, di pena ecc.*) decadenza, estinzione.

presentàbile *agg.* decoroso, decente, dignitoso © impresentabile, indecoroso, vergognoso.

presentàre *v.tr.* **1** mostrare, esibire, esporre © nascondere, celare, occultare **2** (*una domanda*) inoltrare; (*una denuncia*) sporgere **3** (*una candidatura e sim.*) proporre, avanzare, candidare © ritirare **4** (*scuse, auguri e sim.*) porgere, esprimere **5** (*un libro, un progetto ecc.*) illustrare, spiegare **6** (*uno spettacolo e sim.*) condurre; (*un cantante e sim.*) annunciare ♦ **presentarsi** *v.pr.* **1** (*a scuola, in chiesa ecc.*) andare, recarsi **2** (*in tribunale, in questura ecc.*) comparire, costituirsi **3** farsi conoscere, farsi vedere; qualificarsi **4** apparire, mostrarsi, sbucare **5** (*di occasione e sim.*) capitare, offrirsi, prospettarsi, profilarsi.

presentatóre *s.m.* (*di uno spettacolo, di una trasmissione*) conduttore; (*donna*) conduttrice IPON. anchorman (*ingl.*); (*donna*) anchorwoman (*ingl.*).

presentazióne *s.f.* **1** (*di un argomento, di un progetto ecc.*) illustrazione, esposizione **2** (*di un libro*) prefazione, premessa, introduzione **3** relazione, conferenza; (*di un prodotto*) lancio **4** (*a qlcu.*) segnalazione, raccomandazione, referenza.

presènte[1] *agg.* **1** © assente **2** attuale, contemporaneo, moderno © passato, trascorso; futuro **3** (*a se stesso*) cosciente, lucido © assente, incosciente, lontano, distratto **4** (*di marito, di genitori ecc.*) attento, disponibile, coinvolto © assente, lontano, latitante ♦ *s.m.* **1** oggi © passato; futuro, avvenire **2** (*gramm.*) © passato; futuro **3** (*al pl.*) partecipanti, convenuti, astanti; pubblico, sala, spettatori © assenti.

presènte[2] *s.m.* pensiero, regalo, omaggio, dono, strenna (*spec. natalizia*).

presentiménto *s.m.* premonizione, presagio; sensazione, intuizione, sentore; dubbio, sospetto, timore.

presentìre *v.tr.* presagire, indovinare, sentire, intuire.

presènza *s.f.* **1** (*in un luogo*) partecipazione; intervento © assenza, mancanza **2** (*al pl.*) partecipanti; pubblico **3** (*soprannaturale, misteriosa ecc.*) entità, fantasma, spirito, spettro **4** (*in una sostanza*) esistenza © assenza, mancanza **5** (*aspetto esteriore*) aspetto, fisico, figura, personale, sembianze.

presenziàre *v.tr.*, *v.intr.* assistere, intervenire, partecipare, prendere parte, esserci.

preservàre *v.tr.* **1** difendere, proteggere, salvare, salvaguardare, tutelare, cautelare © rovinare, danneggiare **2** (*le tradizioni, gli usi ecc.*) conservare, mantenere, custodire ♦ **preservarsi** *v.pr.* cautelarsi, garantirsi, salvaguardarsi, tutelarsi.

preservatìvo *s.m.* profilattico, condom (*ingl.*).

prèside *s.m.f.* (*di scuola*) capo d'istituto, direttore didattico.

presidènte *s.m.* direttore, coordinatore, dirigente, sovrintendente; capo.

presidiàre *v.tr.* **1** (*un luogo militarmente*) occupare, tenere © abbandonare, sguarnire **2** controllare, sorvegliare, difendere, proteggere; (*di scioperanti*) picchettare.

presìdio *s.m.* **1** (*mil.*) guarnigione, distaccamento **2** roccaforte, piazzaforte, caposaldo **3** ♧ difesa, protezione, tutela, garanzia **4** (*sanitario e sim.*) sostegno, ausilio.

presièdere *v.tr.* dirigere, guidare, reggere ♦ *v.intr.* sovrintendere, dirigere, coordinare.

préso *agg.* **1** ♧ (*di persona*) occupato, impegnato, indaffarato; immerso, concentrato, sprofondato, assorto **2** ♧ (*dall'amore*) innamorato, cotto (*colloq.*) **3** ♧ (*da un film e sim.*) avvinto, rapito, trasportato.

prèssa *s.f.* torchio; (*tip.*) torchietto.

pressànte *agg.* (*di impulso, di necessità ecc.*) urgente, impellente, incalzante, incombente, assillante.

pressappochìsmo *s.m.* approssimazione, superficialità, faciloneria, trascuratezza © precisione, serietà, perfezionismo.

pressàre *v.tr.* **1** comprimere, schiacciare, premere, calcare, forzare **2** spingere, sospingere **3** ♧ incalzare, sollecitare, stare addosso, tallonare **4** ♧ assillare, tormentare, importunare, infastidire, ossessionare.

pressióne *s.f.* **1** compressione, stretta; spremitura, torchiatura **2** ♧ insistenza, sollecitazione, spinta.

prestabilìre *v.tr.* preordinare, predeterminare, predisporre, prefissare.

prestànte *agg.* aitante, atletico, robusto, gagliardo, vigoroso © debole, gracile, mingherlino.

prestànza *s.f.* forza, energia, vigore, potenza; bella presenza © debolezza, gracilità, esilità.

prestàre *v.tr.* **1** dare in prestito © rendere, restituire **2** (*aiuto, soccorso, assistenza ecc.*) dare, concedere, porgere, offrire © rifiutare, negare ♦ **prestarsi** *v.pr.* **1** adoperarsi, offrirsi, darsi da fare, prodigarsi, proporsi © negarsi, rifiutarsi **2** adattarsi, attagliarsi, confarsi.

prestazióne *s.f.* **1** (*di un professionista*) lavoro, opera **2** (*di una macchina e sim.*) rendimento, risultato, resa **3** (*di un atleta*) performance (*ingl.*), prova, risultato.

prestigiatóre *s.m.* mago, illusionista, prestidigitatore.

prestìgio *s.m.* **1** reputazione, stima, rispetto, autorevolezza, peso, credito, nome, fama, nomea **2** illusionismo, prestidigitazione.

prestigióso *agg.* autorevole, eccezionale, straordinario, importante, elegante, chic (*fr.*), lussuoso © modesto, mediocre, pessimo, scadente.

prèstito *s.m.* **1** (*dir.*) mutuo, fido, finanziamento **2** (*ling.*) forestierismo, esotismo, adozione.

presùmere *v.tr.* **1** supporre, immaginare, ipotizzare, ritenere **2** pretendere, arrogarsi, piccarsi; credere, vantarsi.

presùnto *agg.* supposto, ipotetico, ipotizzato, sospettato; possibile, probabile © reale, effettivo, fondato; improbabile.

presuntuóso *agg.* arrogante, borioso, superbo, supponente, tracotante © modesto, semplice, umile.

presunzióne *s.f.* **1** arroganza, boria, superbia, supponenza, tracotanza © modestia, umiltà **2** congettura, opinione, convinzione, supposizione.

presuppórre *v.tr.* **1** prevedere, supporre, immaginare, ipotizzare, presumere **2** implicare, comportare, richiedere, sottintendere; dubitare, sospettare.

presupposizióne *s.f.* congettura, ipotesi, previsione, supposizione.

presuppósto *s.m.* **1** (*di un ragionamento e sim.*) principio, fondamento, premessa **2** (*per qlco.*) base, condizione, fondamento, premessa.

prète *s.m.* sacerdote, padre, reverendo, ecclesiastico.

pretendènte *s.m.f.* **1** aspirante, candidato **2** ammiratore, corteggiatore, innamorato, spasimante.

pretèndere *v.tr.* **1** esigere, reclamare, rivendicare, volere © rinunciare **2** (*puntualità, attenzione ecc.*) chiedere, volere, esigere **3** sostenere, asserire, ritenere, credere, affermare **4** presumere, piccarsi, vantarsi ♦ *v.intr.* (*a una carica*) aspirare, ambire, mirare © rinunciare.

pretenzióso *agg.* **1** pieno di sé, presuntuoso, arrogante, supponente; incontentabile, esigente **2** affettato, appariscente, ostentato © discreto, modesto, semplice, alla buona.

preterintenzionàle *agg.* (*dir.*) involontario © intenzionale, premeditato.

pretésa *s.f.* **1** richiesta, esigenza; rivendicazione **2** aspirazione, desiderio, ambizione, bisogno; convinzione, presunzione.

pretèsto *s.m.* **1** giustificazione, scusa, alibi; invenzione, storia, trovata **2** occasione, opportunità; argomento, causa, motivo, ragione.

pretestuóso *agg.* arbitrario, cavilloso, fittizio, infondato, gratuito.

prevalènte *agg.* **1** dominante, principale, preminente, predominante, preponderante © secondario, marginale, minore **2** (*numericamente*) superiore, predominante, preminente; maggioritario (*polit.*) © inferiore, minoritario.

prevalènza *s.f.* predominio, superiorità, supremazia, primato; (*numerica*) maggioranza © inferiorità, secondarietà; minoranza.

prevalére *v.intr.* predominare, imporsi, vincere, eccellere, emergere, spiccare, primeggiare © soccombere, perdere; sottostare.

prevaricàre *v.intr.* approfittare, abusare.

prevaricatóre *s.m.* profittatore, sopraffattore, soperchiatore.

prevaricazióne *s.f.* abuso, prepotenza, sopruso, sopraffazione, ingiustizia, abuso di potere.

prevedére *v.tr.* **1** (*il futuro e sim.*) predire, preannunciare, presagire, profetizzare, pronosticare **2** supporre, congetturare, immaginare, ipotizzare, presupporre; sperare, auspicare **3** (*di*

legge, di regolamento ecc.) contemplare, considerare, prendere in considerazione, tenere presente.
prevedìbile *agg.* **1** probabile, calcolabile, presumibile, intuibile, immaginabile, pronosticabile © imprevedibile, improbabile, impensabile, insospettabile **2** banale, scontato, ovvio.
preveggènza *s.f.* chiaroveggenza, divinazione.
prevenìre *v.tr.* **1** precedere, anticipare, precorrere **2** (*una disgrazia, una catastrofe ecc.*) impedire, contrastare, trattenere, evitare © favorire, permettere **3** avvertire, mettere sull'avviso, avvisare, informare; (*contro qlcu.*) influenzare.
preventivàre *v.tr.* **1** (*una spesa, un'entrata ecc.*) calcolare, mettere in preventivo; (*una somma e sim.*) stanziare **2** (*intoppi, imprevisti ecc.*) prevedere, calcolare, congetturare, ipotizzare, mettere in preventivo.
preventìvo *agg.* **1** (*di misura e sim.*) cautelativo, precauzionale, cautelare (*dir.*), profilattico (*med.*) **2** (*di bilancio e sim.*) previsionale, di previsione © consuntivo ♦ *s.m.* bilancio preventivo, conto preventivo, calcolo, stima © consuntivo.
prevenùto *agg.* diffidente, sospettoso, maldisposto, dubbioso, ostile © bendisposto, favorevole; oggettivo, spassionato.
prevenzióne *s.f.* **1** tutela, difesa **2** (*med.*) profilassi **3** pregiudizio, diffidenza, preconcetto.
previdènte *agg.* attento, accorto, assennato, prudente, lungimirante; oculato, parsimonioso, risparmiatore © imprevidente, incauto, incosciente, imprudente, avventato, sprovveduto.
previdènza *s.f.* prudenza, lungimiranza, avvedutezza, sagacia.
previdenziàle *agg.* assistenziale, mutualistico, pensionistico.
previsióne *s.f.* **1** ipotesi, congettura, pronostico, supposizione **2** predizione, presagio, auspicio, profezia, oracolo; divinazione, vaticinio **3** (*econ.*) piano, proiezione, congettura, calcolo, valutazione, prospettiva.
prevìsto *agg.* **1** conosciuto, calcolato, immaginato **2** (*dalla legge*) contemplato, preso in considerazione.
prezióso *agg.* **1** pregiato, pregevole, di valore; caro, costoso, ricco © povero, misero, modesto **2** (*di bene*) necessario, indispensabile, insostituibile, raro **3** ♧ (*di consiglio, di aiuto ecc.*) utile, necessario ♦ *s.m.* **1** gioiello, gioia, oro, gemma **2** ♧ (*colloq.*) difficile, altezzoso, superbo.
prèzzo *s.m.* **1** valore, costo; compenso, tariffa **2** ♧ compenso, contropartita; conseguenza, ripercussione, effetto.
prezzolàre *v.tr.* **1** (*un sicario e sim.*) assoldare, ingaggiare **2** (*un giornalista e sim.*) comprare, pagare, corrompere.
prezzolàto *agg.* **1** (*di sicario, di soldato ecc.*) assoldato, mercenario, ingaggiato **2** (*di giornalista e sim.*) comprato, corrotto, venduto.
prigióne *s.f.* **1** carcere, galera, gattabuia (*gerg.*), casa di pena, penitenziario, casa circondariale **2** (*la pena*) carcerazione, prigionia, detenzione, reclusione **3** ♧ (*luogo, situazione opprimente*) carcere, galera.
prigionìa *s.f.* carcere, prigione, galera, detenzione, reclusione.
prigionièro *agg., s.m.* detenuto, carcerato, recluso, galeotto; ostaggio, sequestrato © libero ♦ *agg.* **1** chiuso, rinchiuso, bloccato, intrappolato © libero **2** ♧ (*delle passioni e sim.*) schiavo, soggetto, sottomesso © libero, affrancato **3** (*di animale*) rinchiuso, in cattività © libero.
prìma *s.f.* (*di uno spettacolo teatrale o cinematografico*) debutto, première (*fr.*), esordio.
primàrio *agg.* **1** principale, primo, essenziale, fondamentale, basilare, capitale, cruciale, nodale, sostanziale © secondario, accessorio, marginale, trascurabile **2** (*di bene*) essenziale, di prima necessità © superfluo, voluttuario.
primatìsta *s.m.f.* recordman (*ingl.*) IPERON. campione, asso, fuoriclasse.
primàto *s.m.* **1** superiorità, supremazia, preminenza, predominio © inferiorità, soggezione, subalternità, dipendenza **2** (*sport*) record.
primeggiàre *v.intr.* emergere, spiccare, brillare, eccellere, distinguersi, imporsi, dominare, predominare, trionfare.
primitìvo *agg.* **1** iniziale, originario, primo, primigenio, primordiale © ultimo, finale **2** (*di cultura ecc.*) preistorico, primordiale, primigenio **3** ♧ (*di persona*) rozzo, incivile, incolto; (*di tecnica e sim.*) rudimentale, arretrato, antidiluviano, elementare ♦ *s.m.* **1** cavernicolo, troglodita, uomo delle caverne **2** ♧ cafone, maleducato, rozzo.
primìzia *s.f.* ♧ (*di notizia e sim.*) novità, anteprima, anticipazione.
prìmo *agg.num.ord.* **1** © ultimo **2** principale, fondamentale ♦ *s.m.* **1** (*in una gara*) vincitore © ultimo **2** (*la prima portata di un pasto*) IPON. pastasciutta, minestra **3** minuto primo.
primogènito *agg., s.m.* maggiore; primo © cadetto; minore; ultimo.
primordiàle *agg.* **1** primo, iniziale, originario, primigenio; arcaico, ancestrale, atavico **2** primitivo, arretrato, antiquato, antidiluviano © moderno, nuovo, evoluto.
primòrdio *s.m.* (*spec. al pl.*) alba, inizio, principio, origine, albori.

principàle *agg.* centrale, essenziale, fondamentale, basilare, cardinale, dominante, sostanziale © secondario, marginale, accessorio, complementare ♦ *s.m.f.* padrone, datore di lavoro, capo, boss (*ingl.*), superiore, direttore, capufficio, dirigente.

prìncipe *s.m.* **1** sovrano, signore **2** ♧ (*del foro, dei ladri ecc.*) signore, re **3** ♧ (*per modi, atteggiamento ecc.*) signore, gentiluomo, re ♦ *agg.* principale, fondamentale, basilare, primario, primo © secondario, accessorio, ultimo.

principésco *agg.* **1** (*di contegno e sim.*) nobile, aristocratico, regale, raffinato, signorile © rozzo, plebeo **2** (*di casa, di palazzo ecc.*) lussuoso, sfarzoso, sontuoso, fastoso, fiabesco, splendido © povero, semplice, umile.

principiànte *s.m.f.* inesperto, dilettante, apprendista, esordiente, matricola, novellino, sbarbatello © maestro, esperto, veterano.

princìpio *s.m.* **1** inizio, avvio, partenza, esordio; apertura, avviamento © fine, conclusione, termine **2** (*di una civiltà, di un periodo ecc.*) origine, alba, albori, nascita, primordi © fine, morte, crepuscolo, tramonto, declino **3** (*di una disciplina, di una teoria e sim.*) fondamento, base, nozione, presupposto, postulato **4** (*morale, etico ecc.*) idea, regola, norma, convinzione, concetto, parametro **5** (*spec. al pl.*) norma, precetto, insegnamento.

prióre *s.m.* superiore, padre superiore, abate.

priorità *s.f.* **1** precedenza, anteriorità © posteriorità **2** importanza, precedenza, urgenza © secondarietà.

prioritàrio *agg.* principale, primo, essenziale, fondamentale, basilare, preponderante, preminente © secondario, accessorio.

privacy *s.f.invar.* (*ingl.*) intimità, privato, personale.

privàre *v.tr.* togliere, prendere, levare, sottrarre ♦ **privarsi** *v.pr.* rinunciare, astenersi, fare a meno.

privatizzàre *v.tr.* denazionalizzare © nazionalizzare, statalizzare.

privàto *agg.* **1** personale, individuale, particolare, soggettivo © comune, pubblico, collettivo, sociale **2** (*di faccenda, di cerimonia ecc.*) personale, riservato, ristretto; intimo, confidenziale © pubblico, ufficiale; manifesto, palese ♦ *s.m.* **1** cittadino, individuo, singolo © collettività, comunità **2** privacy (*ingl.*), intimità **3** vita privata © pubblico, vita pubblica.

privazióne *s.f.* **1** (*di un bene, di un diritto*) spoliazione, sottrazione, perdita © acquisizione **2** (*spec. al pl.*) sacrifici, stenti, rinunce, disagi.

privilegiàre *v.tr.* **1** favorire, proteggere, sostenere, avvantaggiare © avversare, osteggiare, sfavorire, svantaggiare **2** preferire, prediligere, prescegliere, anteporre © posporre, scartare.

privilegiàto *agg.* **1** (*di posizione e sim.*) favorevole, vantaggioso © sfavorevole, svantaggioso **2** (*di luogo*) favorevole, fortunato, propizio © ostile, svantaggioso, sfortunato ♦ *s.m.* fortunato © sfortunato.

privilègio *s.m.* **1** diritto, vantaggio, prerogativa **2** onore, distinzione, vanto © disonore, vergogna **3** merito, pregio, dote, qualità © difetto, vizio.

prìvo *agg.* mancante, sfornito, sprovvisto, sguarnito; nudo, povero, spoglio © dotato, fornito, provvisto, munito, ricco.

probàbile *agg.* **1** possibile, verosimile, immaginabile, pensabile © improbabile, assurdo, impensabile, inverosimile **2** (*di opinione e sim.*) eventuale, ammissibile, attendibile, concepibile, credibile © assurdo, impossibile, inconcepibile.

probabilità *s.f.* **1** possibilità, facilità, attendibilità, credibilità, prevedibilità © improbabilità, impossibilità, inattendibilità, inverosimiglianza **2** possibilità, speranza, eventualità, chance (*fr.*).

probànte *agg.* convincente, dimostrativo, persuasivo © discutibile, incerto, opinabile.

probità *s.f.* integrità, rettitudine, onestà, correttezza, moralità © disonestà, slealtà.

problèma *s.m.* **1** quesito, questione, interrogativo © risposta, soluzione **2** difficoltà, guaio, pensiero, preoccupazione, seccatura.

problematicità *s.f.* **1** (*di una questione*) difficoltà, complessità, spinosità © semplicità **2** incertezza, dubbio, discutibilità © certezza, sicurezza.

problemàtico *agg.* **1** difficile, difficoltoso, complesso, arduo © facile, semplice **2** incerto, dubbio, improbabile © certo, sicuro.

pròbo *agg.* onesto, giusto, retto, virtuoso © disonesto, corrotto.

procacciàre *v.tr.* procurare, ottenere, assicurare, trovare, acquisire.

procàce *agg.* provocante, conturbante, sexy (*ingl.*), attraente, seducente; impudico, licenzioso; (*di forme femminili*) formoso, prosperoso, abbondante, florido.

pro capite *loc.avv., loc.agg.invar.* (*lat.*) a testa, a persona, per ciascuno, cadauno.

procèdere *v.intr.* **1** avanzare, proseguire, andare avanti © indietreggiare, retrocedere, arrestarsi **2** ♧ (*di attività e sim.*) andare avanti, svolgersi, svilupparsi **3** ♧ (*nelle ricerche e sim.*) proseguire, andare avanti, continuare © bloccarsi, smettere, interrompere **4** ♧ avviare, cominciare, mettere mano **5** ♧ (*dir.*; *contro qlcu.*) citare, inquisire **6** ♧ agire, comportarsi, fare, operare **7** ♧ derivare, dipendere, nascere, risultare, scaturire.

procediménto *s.m.* **1** metodo, sistema, procedura, prassi, tecnica **2** (*giudiziario*) processo, causa.

procedùra *s.f.* **1** procedimento, modalità, prassi, formalità, iter (*lat.*) **2** (*giudiziaria*) processo, rito, giudizio.

processióne *s.f.* **1** (*religiosa*) corteo **2** fila, serie, coda, corteo, sfilata, sfilza.

procèsso *s.m.* **1** (*di fatti o fenomeni*) svolgimento, sviluppo, evoluzione, andamento, decorso **2** (*produttivo, industriale ecc.*) metodo, sistema, tecnica, procedimento, procedura, criterio **3** (*dir.*) giudizio, procedimento.

proclàma *s.m.* appello, annuncio, bando, avviso, editto.

proclamàre *v.tr.* **1** (*presidente, re, vincitore ecc.*) annunciare, acclamare, nominare, dichiarare **2** (*una legge e sim.*) bandire, decretare, emanare, promulgare **3** (*il vero ecc.*) affermare, dichiarare, sostenere ♦ **proclamarsi** *v.pr.* dichiararsi, professarsi.

proclamazióne *s.f.* dichiarazione, annuncio.

procrastinàre *v.tr.* rinviare, ritardare, posticipare, prorogare © anticipare, affrettare.

procreàre *v.tr.* generare, partorire, mettere al mondo, dare alla luce; moltiplicarsi, riprodursi.

procreazióne *s.f.* generazione, riproduzione.

procùra *s.f.* (*dir.*) delega, incarico, mandato, rappresentanza.

procuràre *v.tr.* **1** (*il cibo, il denaro ecc.*) ottenere, procacciare, trovare, rimediare (*colloq.*) **2** (*mal di testa, guai ecc.*) causare, provocare, produrre, determinare, generare, originare, suscitare **3** (*di fare qlco.*) cercare, curare, provvedere; adoperarsi, sforzarsi.

pròde *agg., s.m.f.* valoroso, coraggioso, audace, fiero, eroico © vile, pauroso, codardo, pusillanime.

prodézza *s.f.* **1** valore, coraggio, ardimento © viltà, vigliaccheria, codardia **2** (*azione*) impresa, eroismo; (*iron.*) bravata, spacconata.

prodigalità *s.f.* **1** larghezza, generosità, liberalità, magnanimità © avarizia, spilorceria, tirchieria, grettezza **2** dissipazione, scialo, scialacquamento © risparmio, parsimonia.

prodigàre *v.tr.* **1** (*denaro*) spendere, sperperare, dilapidare, dissipare © risparmiare, economizzare, lesinare **2** (*consigli e sim.*) dare, distribuire, dispensare © risparmiare, lesinare ♦ **prodigarsi** *v.pr.* **1** (*in scuse e sim.*) profondersi **2** (*per qlcu.*) adoperarsi, impegnarsi, darsi da fare © risparmiarsi, disinteressarsi.

prodìgio *s.m.* miracolo, portento, fenomeno.

prodigióso *agg.* **1** miracoloso, magico, portentoso **2** straordinario, eccezionale, fenomenale, sbalorditivo, stupefacente.

pròdigo *agg.* **1** generoso, largo, liberale © avaro, tirchio, spilorcio **2** dissipatore, scialacquatore, spendaccione © risparmiatore, economo, parco, frugale.

proditòrio *agg.* sleale, infido, ingannevole, subdolo © leale, sincero.

prodótto *s.m.* **1** (*agricolo*) frutto; (*industriale, artigianale*) articolo, merce, manufatto; (*chimico e sim.*) preparato, sostanza **2** ♧ effetto, conseguenza, frutto, risultato **3** (*mat.*) moltiplicazione.

pròdromo *s.m.* indizio, preludio, sintomo, segnale © conseguenza, effetto.

prodùrre *v.tr.* **1** (*di albero, di terreno ecc.*) dare, fruttare, rendere, fruttificare **2** (*spec. prodotti commerciali*) fare, fabbricare, creare, realizzare, elaborare **3** (*un'opera d'arte e sim.*) creare, comporre, scrivere **4** (*come conseguenza*) determinare, causare, generare, provocare **5** (*una prova, un documento ecc.*) presentare, esibire, fornire, allegare, addurre (*elev.*) ♦ **prodursi** *v.pr.* **1** esibirsi, dare spettacolo **2** (*di fenomeno*) crearsi, innescarsi, svilupparsi.

produttività *s.f.* fecondità, fertilità; capacità, rendimento, resa, prestazione.

produttìvo *agg.* **1** (*di terreno, di albero ecc.*) fertile, fruttifero, fecondo © improduttivo, sterile **2** (*di investimento e sim.*) redditizio, remunerativo, proficuo © improduttivo, infruttifero.

produttóre *agg., s.m.* **1** fabbricante, costruttore, industriale © consumatore **2** (*cinem.*) impresario, producer (*ingl.*).

produzióne *s.f.* **1** fabbricazione, creazione, confezione, lavorazione; (*agricola*) coltivazione, raccolto **2** (*intellettuale, artistica*) opera, lavoro **3** (*di documenti, prove e sim.*) presentazione, esibizione.

proèmio *s.m.* esordio, introduzione, preambolo, prefazione, premessa, prologo, preludio © epilogo, conclusione.

profanàre *v.tr.* **1** (*un luogo sacro*) violare © rispettare **2** (*la memoria, il nome di qlcu.*) offendere, disonorare, infangare, calpestare, oltraggiare © rispettare, onorare.

profanazióne *s.f.* **1** (*di una tomba e sim.*) violazione, sacrilegio **2** (*della memoria di qlcu.*) offesa © rispetto.

profàno *agg.* **1** laico, terreno, mondano, secolare © sacro, religioso, divino **2** empio, sacrilego, profanatore © devoto, pio, religioso ♦ *agg., s.m.* (*in una disciplina e sim.*) inesperto, incompetente, digiuno, ignorante © esperto, competente, ferrato ♦ *s.m.* © profano.

proferìre *v.tr.* **1** (*un giuramento e sim.*) dire, dichiarare, esprimere, affermare **2** (*un suono, una parola ecc.*) pronunciare, articolare, scandire.

professàre *v.tr.* **1** (*sentimenti, idee ecc.*) dichiarare, esprimere, dire, manifestare © tacere, nascondere, dissimulare **2** (*un credo*) osservare, seguire, praticare **3** (*un'attività e sim.*) esercitare, fare, svolgere, praticare ♦ **professarsi** *v.pr.* dichiararsi, proclamarsi.

professionàle *agg.* **1** professionistico © amatoriale, dilettantesco, dilettantistico **2** (*di attrezzatura*) sofisticato, serio **3** (*di persona*) competente, serio, preparato © dilettante, inesperto, impreparato, incompetente.

professionalità *s.f.* competenza, capacità, preparazione, serietà, know-how (*ingl.*) © dilettantismo, incompetenza.

professióne *s.f.* **1** attività, lavoro, mestiere, impiego, occupazione **2** (*di un sentimento, di un'idea e sim.*) dichiarazione, dimostrazione, manifestazione.

professionìsmo *s.m.* (*nello sport*) © dilettantismo.

professionìsta *s.m.f.* **1** IPON. avvocato, architetto, medico, ingegnere **2** (*nello sport*) © dilettante **3** esperto © inesperto, principiante.

professóre *s.m.* IPERON. insegnante, docente.

profèta *s.m.* veggente, chiaroveggente, indovino.

profètico *agg.* **1** oracolare, divinatorio **2** (*di sogno*) premonitore, presago.

profetizzàre *v.tr.*, *v.intr.* divinare, profetare; prevedere, predire, indovinare, presagire.

profezìa *s.f.* **1** predizione, rivelazione **2** previsione, auspicio, divinazione, pronostico, presagio, oracolo.

proffèrta *s.f.* offerta, proposta, avance (*fr.*).

proficuo *agg.* utile, vantaggioso, produttivo, remunerativo © inutile, infruttuoso, svantaggioso.

profilàre *v.tr.* **1** disegnare, tracciare, delineare, schizzare, buttare giù, tratteggiare, descrivere **2** (*un abito e sim.*) bordare, ornare ♦ **profilarsi** *v.pr.* **1** (*di situazione*) delinearsi, annunciarsi, configurarsi, presentarsi, prospettarsi © scomparire, sfumare **2** (*di figura*) spiccare, stagliarsi, disegnarsi.

profilàssi *s.f.* prevenzione.

profilàttico *agg.* (*di terapia e sim.*) preventivo, cautelativo, precauzionale ♦ *s.m.* preservativo, condom (*ingl.*).

profilo *s.m.* **1** contorno, linea, sagoma, silhouette (*fr.*) **2** ♧ (*di una situazione e sim.*) descrizione, aspetto **3** ♧ (*di un'epoca, di un autore ecc.*) studio, saggio, biografia, medaglione.

profittàre *v.intr.* **1** (*nello studio, nel lavoro ecc.*) avanzare, crescere, migliorare, progredire © peggiorare, regredire **2** approfittare, avvalersi, giovarsi, valersi, usufruire, utilizzare © perderci, rimetterci.

profittatóre *s.m.* approfittatore, opportunista, sfruttatore.

profitto *s.m.* **1** giovamento, vantaggio, convenienza, tornaconto, risultato, utile © danno, perdita, svantaggio **2** ♧ (*nel lavoro e sim.*) progresso, avanzamento, miglioramento © peggioramento, regresso **3** ♧ (*econ.*) guadagno, ricavo, utile, provento © perdita, passivo, rimessa.

profóndere *v.tr.* **1** (*denaro*) dissipare, sciupare, sprecare, sperperare, scialacquare © risparmiare, lesinare **2** (*consigli, complimenti ecc.*) distribuire, dispensare, spandere, prodigare ♦ **profondersi** *v.pr.* (*in scuse e sim.*) prodigarsi, effondersi.

profondità *s.f.invar.* **1** altezza, spessore **2** (*spec. al pl.*) fondo, abisso, baratro, precipizio, voragine; (*del mare*) abissi **3** ♧ (*di sentimento, di un pensiero ecc.*) intensità, forza, potenza, spessore © inconsistenza, leggerezza, superficialità **4** ♧ (*dell'animo*) fondo, profondo, intimo, recesso **5** (*in un'immagine*) prospettiva.

profóndo *agg.* **1** alto, fondo © basso, superficiale **2** (*di voce*) basso, grave, cupo © acuto, alto **3** (*di sguardo e sim.*) intenso, penetrante, espressivo © inespressivo, superficiale **4** (*di sonno*) pesante, di piombo © leggero **5** (*di silenzio*) assoluto, totale, completo, sepolcrale **6** (*di buio*) fondo, cupo, fitto, pesto, totale **7** (*di colore*) forte, carico, intenso © delicato, tenue, chiaro **8** (*di discorso, di pensiero e sim.*) serio, impegnato, complesso, difficile © leggero, superficiale **9** (*di esame, di indagine ecc.*) accurato, dettagliato, esauriente, particolareggiato, puntuale © approssimativo, generico, vago **10** (*di sentimento*) forte, grande, intenso, appassionato © leggero, superficiale ♦ *s.m.* **1** (*del mare e sim.*) fondo, profondità © superficie **2** (*del cuore, dell'animo ecc.*) intimo, intimità, fondo, profondità.

pro forma *agg.invar.* (*lat.*) formale ♦ *s.m.invar.* formalità, forma; convenzione.

pròfugo *agg., s.m.* fuggiasco; (*per motivi politici*) rifugiato, fuoriuscito.

profumàre *v.tr.* © ammorbare, appestare,

impuzzolentire ♦ *v.intr.* odorare, sapere © puzzare.

profumàto *agg.* **1** fragrante, odoroso © puzzolente, maleodorante, fetido **2** ♧ (*di prezzo*) caro, costoso, ricco, salato © basso, abbordabile, accessibile, conveniente.

profùmo *s.m.* fragranza, effluvio, aroma **IPERON.** odore © puzza, puzzo, tanfo, fetore.

profusióne *s.f.* **1** spargimento, effusione **2** (*di denaro, ricchezze ecc.*) dispendio, spreco, sperpero, scialacquamento © economia, risparmio **3** (*di complimenti e sim.*) abbondanza, valanga, diluvio, caterva, eccesso, sovrabbondanza © mancanza, scarsezza.

progènie *s.f.invar.* discendenza, stirpe; genia, lignaggio.

progenitóre *s.m.* capostipite; antenato, ascendente, avo.

progettàre *v.tr.* **1** immaginare, pensare, concepire, architettare, escogitare, pianificare **2** creare, inventare, ideare, disegnare.

progettazióne *s.f.* ideazione, concezione, concepimento; preparazione, programmazione.

progettìsta *s.m.f.* ideatore, creatore; disegnatore; designer (*ingl.*); architetto.

progètto *s.m.* **1** idea, programma, piano, ideazione, progettazione, programmazione **2** (*di un ponte, di un edificio ecc.*) disegno, piano, studio, pianta.

progràmma *s.m.* **1** (*di lavoro, di studio ecc.*) piano, progetto, schema **2** (*di spettacoli, di manifestazioni ecc.*) calendario, cartellone, agenda **3** (*radiofonico, televisivo*) trasmissione; palinsesto, programmazione **4** (*per le vacanze e sim.*) progetto, idea, proposito, disegno **5** (*di un partito e sim.*) manifesto, piattaforma **6** (*inform.*) software (*ingl.*).

programmàre *v.tr.* **1** progettare, organizzare, pianificare **2** (*una visita, una vacanza ecc.*) progettare, fissare, organizzare, preparare © improvvisare **3** (*un film e sim.*) proiettare; dare.

programmazióne *s.f.* **1** pianificazione, organizzazione, preparazione, progettazione © improvvisazione **2** (*radiofonica, televisiva*) programma, palinsesto **3** (*econ.*) pianificazione economica, planning (*ingl.*).

progredìre *v.intr.* **1** (*andare avanti*) avanzare, procedere, proseguire © indietreggiare, arretrare **2** (*fare progressi*) migliorare, andare avanti, procedere © peggiorare, regredire; bloccarsi, fermarsi.

progredìto *agg.* **1** avanzato, all'avanguardia © antiquato, sorpassato **2** (*di paese, di popolo*) civilizzato, civile, evoluto, sviluppato © arretrato, sottosviluppato.

progressióne *s.f.* aumento, sviluppo, avanzamento, accrescimento, incremento © regressione, recessione.

progressìsta *agg., s.m.f.* innovatore, illuminato, riformatore © conservatore, reazionario, tradizionalista.

progressìvo *agg.* graduale © improvviso, repentino.

progrèsso *s.m.* **1** avanzata, avanzamento, evoluzione, sviluppo © arretramento, regresso, involuzione **2** perfezionamento, miglioramento © peggioramento.

proibìre *v.tr.* **1** vietare, interdire, negare © permettere, consentire, lasciare **2** (*il passaggio e sim.*) impedire, ostacolare, inibire © consentire, favorire, permettere.

proibitìvo *agg.* **1** (*di prezzo e sim.*) eccessivo, astronomico, esorbitante, impossibile, inaccessibile, folle, sbalorditivo © accessibile, contenuto, modesto **2** (*di tempo atmosferico*) pessimo, orrendo, impossibile © buono, favorevole.

proibìto *agg.* vietato, interdetto; illegale, illecito © autorizzato, consentito; lecito, legale, legittimo.

proibizióne *s.f.* divieto, interdizione, veto © concessione, permesso.

proiettàre *v.tr.* **1** lanciare, scagliare, gettare **2** (*raggi luminosi*) diffondere, emettere, emanare **3** (*diapositive, film ecc.*) presentare, dare ♦ **proiettarsi** *v.pr.* lanciarsi, gettarsi, buttarsi.

proièttile *s.m.* pallottola.

pròle *s.f.* figliolanza, figli.

proletariàto *s.m.* classe operaia; operai, salariati.

proletàrio *s.m.* operaio; salariato © capitalista.

proliferàre *v.intr.* **1** riprodursi, moltiplicarsi, prolificare **2** ♧ (*di moda, di fenomeno ecc.*) diffondersi, moltiplicarsi, espandersi, allargarsi © scomparire; diminuire, ridursi.

proliferazióne *s.f.* **1** riproduzione **2** ♧ diffusione, moltiplicazione, estensione, aumento.

prolificàre *v.intr.* **1** generare, figliare, procreare, riprodursi **2** (*di moda, di fenomeno ecc.*) diffondersi, allargarsi, affermarsi, prendere piede © scomparire; diminuire, ridursi.

prolìfico *agg.* **1** fertile, fecondo © infecondo, sterile **2** ♧ (*di scrittore, di artista ecc.*) creativo, fecondo, produttivo © sterile, improduttivo, infecondo.

prolìsso *agg.* **1** (*di scritto, di discorso ecc.*) lungo, ridondante, ripetitivo © conciso, asciutto, essenziale, sintetico, telegrafico **2** (*di persona*) ampolloso, logorroico, retorico, verboso © breve, conciso, telegrafico.

pròlogo *s.m.* **1** introduzione, esordio, preambolo, prefazione, premessa © epilogo **2** ♧ inizio, principio, preavviso, presagio.
prolungaménto *s.m.* **1** allungamento, estensione © accorciamento, abbreviamento **2** (*nel tempo*) continuazione, seguito, prosecuzione © accorciamento, riduzione.
prolungàre *v.tr.* **1** allungare, estendere; aumentare, continuare © accorciare, abbreviare **2** (*nel tempo*) protrarre, allungare © ridurre, abbreviare, accorciare ♦ **prolungarsi** *v.pr.* **1** estendersi, allungarsi, protendersi © fermarsi, finire **2** (*nello scrivere, nel parlare*) dilungarsi, diffondersi, indugiare.
promemòria *s.m.invar.* appunto, nota, annotazione, memorandum.
proméssa *s.f.* **1** impegno, parola, giuramento, garanzia, voto **2** ♧ (*del cinema, dello sport ecc.*) speranza © delusione.
promettènte *agg.* allettante, invitante, appetibile; (*di artista e sim.*) di belle speranze © deludente.
prométtere *v.tr.* **1** garantire, assicurare, giurare, impegnarsi **2** (*qlco. di negativo*) minacciare, preannunciare **3** ♧ (*di stagione e sim.*) far sperare, preannunciare, pronosticare ♦ **promettersi** *v.pr.* impegnarsi, offrirsi, votarsi.
prominènte *agg.* **1** sporgente, protuberante © rientrante, incavato **2** (*di luogo*) rilevato, sopraelevato © infossato, depresso.
prominènza *s.f.* sporgenza, protuberanza, rilievo; (*di un luogo*) elevazione © rientranza, concavità, avvallamento.
promiscuità *s.f.* **1** mescolanza, eterogeneità, miscuglio, molteplicità **2** (*di sessi*) comunanza, mescolanza, mescolamento © divisione, distinzione, separazione.
promìscuo *agg.* **1** vario, eterogeneo © uniforme, omogeneo **2** (*per i due sessi*) misto.
promontòrio *s.m.* capo; punta.
promòsso *agg.*, *s.m.* ammesso, passato (*colloq.*) © bocciato, respinto, trombato (*colloq.*).
promotóre *agg.*, *s.m.* iniziatore, fautore, diffusore.
promozionàle *agg.* propagandistico, pubblicitario.
promozióne *s.f.* **1** © bocciatura **2** (*professionale*) progresso, avanzamento, scatto, miglioramento © retrocessione **3** (*di attività e sim.*) sostegno, patrocinio **4** (*pubblicitaria*) propaganda, pubblicità, reclamizzazione, promotion (*ingl.*) **5** (*sport*) © retrocessione.
promulgàre *v.tr.* **1** (*una legge, un decreto ecc.*) emettere, emanare, varare © abolire, abrogare, revocare **2** (*idee, dottrine e sim.*) diffondere, diramare, propugnare.
promuòvere *v.tr.* **1** appoggiare, favorire, incoraggiare, sostenere, incentivare © contrastare, ostacolare, avversare, impedire **2** (*un'iniziativa, un'azione legale ecc.*) avviare, iniziare, intentare © chiudere, concludere **3** (*uno studente, un candidato*) ammettere, passare © bocciare, respingere, trombare (*colloq.*) **4** (*a un grado superiore e sim.*) elevare, nominare © declassare, degradare, retrocedere, rimuovere, silurare, trombare (*colloq.*) **5** (*un prodotto*) propagandare, lanciare, reclamizzare.
pronosticàre *v.tr.* prevedere, predire, presagire, profetizzare, indovinare.
pronòstico *s.m.* previsione, predizione, vaticinio.
prontézza *s.f.* **1** rapidità, sveltezza, sollecitudine, tempestività, velocità © lentezza **2** (*di ingegno e sim.*) vivacità, acutezza, brillantezza © lentezza, ottusità.
prónto *agg.* **1** preparato, predisposto, apparecchiato, organizzato © impreparato **2** rapido, veloce, immediato, istantaneo © lento, tardo **3** (*di persona, di intelligenza*) brillante, vivace, vivo, sveglio © lento, ottuso **4** incline, disposto, propenso © restio, avverso, contrario.
prontuàrio *s.m.* **1** guida, manuale, repertorio, vademecum **2** (*dei farmaci*) elenco, indice, catalogo, inventario.
pronùncia *s.f.* **1** (*di suoni*) articolazione **2** accento, cadenza, intonazione, calata **3** dizione **4** (*dir.*) sentenza, parere.
pronunciàre *v.tr.* **1** (*suoni, parole*) articolare, scandire, sillabare; emettere, proferire **2** (*un giudizio, una sentenza ecc.*) dire, dichiarare, esprimere, formulare, emettere © tacere **3** (*un discorso e sim.*) tenere, declamare, proferire ♦ **pronunciarsi** *v.pr.* dichiararsi, esprimersi, mostrarsi.
pronunciàto *agg.* **1** (*di naso, di mento ecc.*) prominente, sporgente, marcato **2** ♧ (*di accento e sim.*) marcato, spiccato © lieve, leggero.
propagànda *s.f.* pubblicità, promozione, réclame (*fr.*), campagna, battage (*fr.*), promotion (*ingl.*).
propagandàre *v.tr.* pubblicizzare, reclamizzare, promuovere.
propagàre *v.tr.* diffondere, divulgare, propagandare, pubblicizzare © nascondere, tacere ♦ **propagarsi** *v.pr.* **1** (*di piante e sim.*) diffondersi, moltiplicarsi, riprodursi **2** (*di epidemia, incendio ecc.*) diffondersi, dilagare **3** (*di fenomeno, di moda ecc.*) diffondersi, espandersi, allargarsi, prendere piede; (*di notizia e sim.*) correre, circolare, diramarsi, divulgarsi.

propagazióne *s.f.* **1** diffusione, spargimento, espansione **2** (*di onde elettromagnetiche e sim.*) trasmissione.

propàggine *s.f.* ramo, appendice, braccio, diramazione, derivazione.

propalàre *v.tr.* diffondere, divulgare, rivelare © nascondere, tacere.

propedèutico *agg.* introduttivo, preparatorio, preliminare.

propellènte *agg.* propulsivo, propulsorio ♦ *s.m.* combustibile, carburante.

propèndere *v.intr.* inclinare, pendere, tendere, preferire © avversare, ostacolare.

propensióne *s.f.* **1** (*verso qlcu.*) inclinazione, favore, simpatia, interesse **2** (*verso qlco.*) inclinazione, attitudine, tendenza, predisposizione.

propènso *agg.* incline, favorevole, disposto © restio, avverso, contrario.

propinàre *v.tr.* **1** somministrare (*scherz.*), rifilare (*colloq.*) **2** ♧ dare a credere, far intendere.

propiziàre *v.tr.* ingraziarsi, accattivarsi © inimicarsi, alienarsi.

propiziatòrio *agg.* scaramantico, di buon auspicio.

propìzio *agg.* **1** bendisposto, favorevole, benevolo, benigno © maldisposto, ostile, malevolo **2** (*di occasione e sim.*) favorevole, adatto, opportuno © inadatto, inadeguato.

proponiménto *s.m.* proposito, intenzione.

propórre *v.tr.* **1** (*un quesito, un argomento ecc.*) presentare, sottoporre, esporre; suggerire, segnalare, indicare © sconsigliare **2** (*qlcu. per un incarico*) indicare, candidare, presentare, segnalare ♦ **proporsi** *v.pr.* **1** (*per un incarico*) presentarsi, candidarsi, offrirsi **2** prefiggersi, prefissarsi, ripromettersi; decidere, stabilire.

proporzionàle *agg.* **1** adeguato, commisurato; conforme, conveniente **2** (*di sistema elettorale*) © maggioritario.

proporzionàre *v.tr.* adeguare, adattare, commisurare, rapportare © squilibrare.

proporzionàto *agg.* **1** (*di corpo, di forme ecc.*) armonioso, armonico, simmetrico © sproporzionato, disarmonico, asimmetrico **2** adeguato, conforme, congruo, giusto © sproporzionato, inadeguato.

proporzióne *s.f.* **1** armonia, equilibrio, misura; simmetria © sproporzione, asimmetria **2** (*tra più elementi*) rapporto, relazione, corrispondenza, correlazione **3** (*al pl.*) grandezza, dimensione, misura, mole.

propòsito *s.m.* **1** intenzione, idea, progetto, decisione, volontà **2** fine, scopo, meta, obiettivo **3** argomento, soggetto, tema.

proposizióne *s.f.* **1** affermazione, asserzione, enunciazione, giudizio **2** (*gramm.*) frase; enunciato.

propósta *s.f.* **1** invito, offerta; (*amorosa*) profferta, avance (*fr.*) **2** consiglio, idea, intenzione; (*di legge*) disegno, progetto.

proprietà *s.f.* **1** qualità, caratteristica, attributo, prerogativa, dote, potere, facoltà **2** (*nell'esprimersi*) esattezza, precisione, correttezza © imprecisione, scorrettezza **3** (*nel vestirsi e sim.*) adeguatezza, eleganza, decoro, ricercatezza © inadeguatezza, sciatteria, trascuratezza **4** possesso, appartenenza, esclusiva **5** (*immobiliare, fondiaria ecc.*) bene, possedimento; terreno **6** padroni, proprietari.

proprietàrio *s.m.* padrone, possessore, titolare; (*terriero*) possidente, latifondista.

pròprio *agg.* **1** caratteristico, peculiare, particolare, tipico, specifico, distintivo © comune, generale **2** (*di termine, di linguaggio ecc.*) adatto, appropriato, calzante, preciso; consono, idoneo, confacente © improprio, impreciso, approssimativo, inadatto, inadeguato, inappropriato **3** (*gramm.*; *di nome*) © comune **4** (*di significato, di senso*) letterale, stretto © ampio, lato, estensivo, eufemistico, figurato, metaforico, traslato **5** (*raro; di modi e sim.*) adatto, acconcio, opportuno, distinto, decoroso, dignitoso, conveniente © indecoroso, inopportuno, sconveniente ♦ *agg.poss.* suo; loro © altrui.

propugnàre *v.tr.* sostenere, patrocinare © avversare, combattere.

propulsióne *s.f.* **1** (*tecn.*) spinta **2** ♧ spinta, impulso, stimolo, incentivo.

pròra *s.f.* prua © poppa.

pròroga *s.f.* (*di termini, di scadenze e sim.*) aggiornamento, dilazione, prolungamento, rinvio.

prorogàre *v.tr.* **1** (*nel tempo*) prolungare, dilazionare, differire © ridurre **2** (*un pagamento e sim.*) rimandare, posticipare, rinviare © anticipare.

prorómpere *v.intr.* **1** traboccare, straripare, straboccare **2** (*in lacrime, in una risata*) scoppiare, sbottare.

pròsa *s.f.* **1** © poesia **2** (*di uno scritto*) linguaggio, stile, espressione.

prosàico *agg.* **1** (*di scritto, di linguaggio e sim.*) impoetico, antipoetico © poetico **2** ♧ banale, meschino, piatto, grigio © poetico, spirituale, ideale.

prosciògliere *v.tr.* **1** (*un imputato*) assolvere, scagionare © condannare **2** (*da obblighi e sim.*) liberare, sollevare, dispensare.

prosciugàre *v.tr.* **1** asciugare, essiccare, seccare © bagnare, inumidire, inzuppare **2** ♧ (*risorse, risparmi ecc.*) consumare, esaurire, finire, dare fondo ♦ *v.intr.* e **prosciugarsi** *v.pr.* **1** disseccarsi, inaridirsi, seccarsi © bagnarsi; allagarsi **2** ♧ (*di risparmi e sim.*) diminuire, esaurirsi.

proscrìtto *agg., s.m.* esiliato, esule, fuoriuscito.

proscrìvere *v.tr.* **1** bandire, esiliare, mettere al bando, espellere **2** ♧ abolire, eliminare, cancellare, sopprimere © consentire, permettere.

proscrizióne *s.f.* **1** (*di persona*) esilio, bando, espulsione **2** ♧ abolizione, eliminazione, cancellazione, soppressione.

prosecuzióne *s.f.* proseguimento, continuazione, seguito.

proseguiménto *s.m.* continuazione, prosecuzione, seguito.

proseguìre *v.tr.* continuare, seguitare © smettere, cessare, interrompere ♦ *v.intr.* procedere, andare avanti, continuare © fermarsi, arrestarsi, bloccarsi.

prosèlito *s.m.* adepto, seguace, affiliato.

prosit *inter.* (*lat.*) cincin, salute, alla salute, santé (*fr.*).

prosopopèa *s.f.* superbia, altezzosità, boria, presunzione, supponenza © modestia, semplicità, umiltà.

prosperàre *v.intr.* **1** crescere, svilupparsi, fiorire © stentare, languire **2** (*di fenomeno e sim.*) diffondersi, dilagare, attecchire.

prosperità *s.f.* floridezza, benessere, abbondanza, agiatezza © miseria, indigenza.

pròspero *agg.* **1** (*di azienda, di commercio e sim.*) fiorente, ricco, florido, redditizio, avviato © magro, povero, misero **2** (*di situazione e sim.*) fortunato, felice, favorevole, propizio © avverso, infelice, sfortunato.

prosperóso *agg.* florido, fiorente, prospero; (*di donna, di seno ecc.*) formoso, opulento, giunonico, matronale.

prospettàre *v.tr.* presentare, esporre, mostrare, indicare ♦ **prospettarsi** *v.pr.* presentarsi, configurarsi, apparire, delinearsi, profilarsi.

prospettìva *s.f.* **1** veduta, panorama, scorcio, vista, paesaggio **2** ♧ punto di vista, angolatura, ottica, visuale **3** ♧ eventualità, possibilità, idea.

prospètto *s.m.* **1** veduta, panorama, scorcio, vista, prospettiva **2** (*di un edificio*) facciata, fronte © retro **3** (*di spese, di dati ecc.*) tabella, schema, quadro, specchietto.

prospiciènte *agg.* antistante, di fronte, davanti; affacciato, rivolto, volto © retrostante.

prossimità *s.f.* vicinanza © distanza, lontananza.

pròssimo *agg.* **1** (*nello spazio*) vicino; adiacente, attiguo, contiguo © lontano, distante, staccato **2** (*nel tempo*) vicino, imminente © lontano, remoto **3** (*di parente*) stretto © lontano **4** (*di mese, di anno*) futuro, venturo; entrante © passato, scorso, ultimo **5** (*di fermata e sim.*) successivo, seguente © precedente ♦ *s.m.* altri, simili.

prosternàrsi *v.pr.* inchinarsi, prostrarsi, inginocchiarsi.

prostituìre *v.tr.* (*il corpo, la dignità*) vendere ♦ **prostituirsi** *v.pr.* battere (*colloq.*), battere il marciapiede (*colloq.*), fare marchette (*colloq.*), vendersi.

prostitùta *s.f.* puttana (*volg.*), donna di malaffare, donna di strada, passeggiatrice, lucciola, sgualdrina, zoccola (*volg.*), mignotta (*volg.*), troia (*volg.*), battona (*volg.*); ragazza squillo, squillo, call-girl (*ingl.*).

prostituzióne *s.f.* professione (*eufem.*), meretricio (*elev.*).

prostràre *v.tr.* **1** indebolire, fiaccare, debilitare, estenuare, spossare, sfinire, stremare © rinvigorire, ritemprare **2** (*nello spirito*) abbattere, deprimere, mortificare, avvilire, annientare, distruggere, buttare giù (*colloq.*) ♦ **prostrarsi** *v.pr.* **1** inchinarsi, inginocchiarsi, prosternarsi **2** ♧ chinare il capo, piegarsi, umiliarsi, inchinarsi, sottomettersi.

prostràto *agg.* **1** (*fisicamente*) stanco, debole, spossato, sfinito, stremato © in forma, in forze **2** (*moralmente*) abbattuto, avvilito, depresso, demoralizzato © euforico, su di giri.

prostrazióne *s.f.* **1** (*fisica*) debolezza, stanchezza, debilitazione, sfinimento © energia, forza, vigore **2** (*morale*) abbattimento, depressione, avvilimento, scoramento, sconforto.

protagonìsta *s.m.f.* **1** attore principale; (*in teatro*) primo attore **2** (*di un romanzo, di una vicenda*) eroe.

protèggere *v.tr.* **1** difendere, tutelare, preservare, salvaguardare © esporre, scoprire, mettere a repentaglio, mettere in pericolo **2** promuovere, favorire, appoggiare, sostenere © avversare, contrastare ♦ **proteggersi** *v.pr.* **1** difendersi, ripararsi **2** cautelarsi, premunirsi, tutelarsi.

protèndere *v.tr.* stendere, distendere, allungare © ritrarre, contrarre ♦ **protendersi** *v.pr.* allungarsi, sporgersi, slanciarsi © ritrarsi, ritirarsi.

protèrvia *s.f.* arroganza, superbia, alterigia, boria, presunzione, sfacciataggine © modestia, umiltà.

protèrvo *agg.* arrogante, superbo, altezzoso, borioso, insolente © umile, modesto.

pròtesi *s.f.* dentiera.

protèsta *s.f.* **1** contestazione, disapprovazione, dissenso; opposizione, reazione, ribellione ©

consenso, approvazione **2** lamentela, lagnanza, reclamo, recriminazione, rimostranza.

protestàre *v.intr.* **1** contestare, ribellarsi, insorgere, reagire; (*in piazza*) dimostrare, manifestare, scendere in piazza **2** reclamare, lagnarsi, lamentarsi ♦ *v.tr.* **1** (*la propria innocenza e sim.*) dichiarare, proclamare, affermare © negare **2** (*un assegno e sim.*) mandare in protesto.

protestatàrio *agg.* contestatario.

protettìvo *agg.* **1** di protezione; difensivo, conservativo **2** (*di atteggiamento e sim.*) materno, paterno, benevolo.

protètto *agg.* **1** difeso, riparato, salvaguardato, tutelato © esposto **2** (*di sesso*) sicuro © a rischio ♦ *s.m.* favorito, pupillo, prediletto, cocco (*colloq.*), beniamino.

protettóre *agg.*, *s.m.* **1** difensore, tutore, paladino, soccorritore **2** (*delle arti e sim.*) benefattore, mecenate **3** (*santo*) patrono **4** (*di prostitute*) ruffiano, sfruttatore, magnaccia (*gerg.*), pappone (*gerg.*), lenone (*elev.*).

protezióne *s.f.* **1** riparo, asilo, rifugio, baluardo, barriera **2** difesa, aiuto, tutela, salvaguardia, custodia **3** favoritismo, raccomandazione, spinta, favore.

protocollàre[1] *v.tr.* registrare, iscrivere.

protocollàre[2] *agg.* ufficiale, cerimoniale, formale.

protocòllo *s.m.* **1** registro, inventario **2** cerimoniale, rituale; etichetta.

protòtipo *s.m.* **1** modello, archetipo, esemplare, campione, tipo **2** (*industriale*) modello, campione.

protràrre *v.tr.* **1** allungare, prolungare © accorciare, abbreviare **2** rimandare, rinviare, ritardare, differire © anticipare ♦ **protrarsi** *v.pr.* durare, continuare, dilungarsi, trascinarsi, andare per le lunghe.

protuberànza *s.f.* sporgenza, prominenza, bozza, rigonfiamento, gobba, rilievo.

pròva *s.f.* **1** esame, controllo, test, collaudo, verifica, sperimentazione **2** esperienza **3** (*sport*) gara, competizione **4** (*a scuola*) esame, esercitazione, test; (*scritta*) compito in classe **5** tentativo, esperimento **6** conferma, riprova, riscontro; argomento, fondamento, documento, elemento **7** dimostrazione, attestazione, testimonianza.

provàre *v.tr.* **1** verificare, sperimentare, controllare, testare, collaudare **2** (*fare esperienza*) sperimentare, conoscere **3** (*un sentimento*) sentire, nutrire, percepire, avvertire **4** tentare, cercare, sforzarsi **5** (*una persona*) mettere alla prova **6** dimostrare, confermare, attestare, testimoniare © negare, contraddire, smentire ♦ **provarsi** *v.pr.* misurarsi, cimentarsi, mettersi alla prova.

provàto *agg.* **1** (*di persona*) affaticato, esausto, stremato, sfinito, spossato © riposato **2** certo, evidente, dimostrato, documentato, garantito, sperimentato, sicuro © dubbio, incerto.

proveniènza *s.f.* origine, derivazione, fonte, sorgente.

provenìre *v.intr.* **1** arrivare, giungere, venire **2** ♧ derivare, discendere, scaturire.

provènto *s.m.* entrata, guadagno, utile, incasso, reddito, ricavo, rendita, profitto.

proverbiàle *agg.* risaputo, famoso, noto, notorio, storico (*colloq.*).

provèrbio *s.m.* adagio, detto, massima, motto.

provétto *agg.* bravo, capace, esperto, competente, valido, consumato © inesperto, incompetente, principiante.

provinciàle *agg.* ♧ (*di mentalità e sim.*) limitato, ristretto © aperto.

provìno *s.m.* **1** audizione **2** (*di un materiale*) campione, saggio.

provocànte *agg.* **1** provocatorio, offensivo, irritante, polemico **2** eccitante, erotico, sexy (*ingl.*), sensuale, seducente, procace.

provocàre *v.tr.* **1** causare, determinare, produrre, generare, originare © impedire, bloccare **2** (*una persona*) irritare, punzecchiare, pungolare, sfidare, stuzzicare, offendere © calmare, blandire **3** (*sessualmente*) eccitare.

provocatóre *s.m.* agitatore, fomentatore, sobillatore, istigatore.

provocatòrio *agg.* offensivo, irritante, polemico, provocante, pungente, strafottente (*colloq.*).

provocazióne *s.f.* **1** istigazione **2** offesa, sfida; punzecchiamento, stuzzicamento.

provvedére *v.intr.* **1** badare, curare, pensare, occuparsi, incaricarsi © trascurare, disinteressarsi **2** rimediare, ovviare, porre rimedio ♦ *v.tr.* procurare, predisporre, preparare **3** fornire, dotare, attrezzare, equipaggiare © privare, spogliare ♦ **provvedersi** *v.pr.* dotarsi, munirsi, fornirsi, attrezzarsi.

provvediménto *s.m.* **1** misura, contromisura, disposizione, rimedio **2** (*dir.*) disposizione, decreto, delibera, legge.

provvidènza *s.f.* fortuna, benedizione, manna © disgrazia, maledizione.

provvidenziàle *agg.* **1** divino **2** opportuno, favorevole, felice, utile, provvido, risolutivo, tempestivo © inopportuno, infelice, malaugurato, nefasto, rovinoso.

provvigióne *s.f.* commissione, percentuale, mediazione.

provvisorietà *s.f.* precarietà, instabilità, temporaneità, transitorietà; caducità, fugacità © continuità, stabilità, durevolezza.
provvisòrio *agg.* temporaneo, transitorio, momentaneo, passeggero, precario © stabile, fisso, definitivo, duraturo, permanente.
provvìsta *s.f.* riserva, scorta, rifornimento; (*al pl.*) vettovaglie, viveri.
provvìsto *agg.* dotato, fornito, equipaggiato © sprovvisto, privo, sfornito, mancante.
prùa *s.f.* prora © poppa.
prudènte *agg.* attento, accorto, cauto, circospetto; assennato, giudizioso, ragionevole, riflessivo © imprudente, incauto, incosciente, sconsiderato, spericolato.
prudènza *s.f.* attenzione, cautela, accortezza, circospezione, precauzione; giudizio, assennatezza, avvedutezza, buon senso, oculatezza © imprudenza, avventatezza, leggerezza, incoscienza.
prùdere *v.intr.* pizzicare.
pruriginóso *agg.* ♧ eccitante, sensuale, erotico, piccante.
prurìto *s.m.* **1** pizzicore, formicolio; irritazione **2** ♧ (*sessuale*) voglia, desiderio, capriccio.
pseudònimo *s.m.* nome d'arte; (*di uno scrittore*) nom de plume (*fr.*).
psìche *s.f.* mente.
psichedèlico agg. **1** (*med.*) allucinogeno, allucinatorio **2** colorato, multicolore, vivace.
psichiàtrico *agg.* (*di malattia e sim.*) mentale.
psìchico *agg.* mentale; psicologico © fisico.
psicoanàlisi *s.f.* analisi IPERON. psicoterapia, terapia.
psicoanalìsta *s.m.f.* analista, strizzacervelli (*scherz.*) IPERON. psicologo, psicoterapeuta.
psicofàrmaco (*med.*) IPON. sedativo, tranquillante, ansiolitico, antidepressivo, sonnifero.
psicològico *agg.* mentale, psichico.
psicopàtico *agg.* pazzo, folle, malato di mente, squilibrato.
psicòsi *s.f.* **1** (*psic.*) psicopatia **2** paranoia; mania, fobia IPERON. paura, terrore, ossessione.
pubblicàre *v.tr.* **1** diffondere, emanare, promulgare, varare **2** stampare, dare alle stampe, editare.
pubblicazióne *s.f.* **1** (*di un libro e sim.*) stampa, uscita, edizione; IPON. giornale, libro, periodico, opuscolo, rivista **2** (*di una notizia e sim.*) diffusione, presentazione, affissione, divulgazione.
pubblicità *s.f.* **1** (*di notizia e sim.*) diffusione, divulgazione, propagazione **2** (*di un prodotto*) campagna, promozione, propaganda, réclame (*fr.*), lancio, battage (*fr.*), promotion (*ingl.*); annuncio, inserzione; spot (*ingl.*).
pubblicitàrio *agg.* divulgativo, promozionale, propagandistico ♦ *s.m.* creativo, copywriter (*ingl.*).
pubblicizzàre *v.tr.* lanciare, propagandare, promuovere, reclamizzare; diffondere, divulgare.
pùbblico *agg.* **1** collettivo, comune, generale, popolare © personale, privato, individuale **2** (*di locale, di giardino ecc.*) © privato **3** (*di notizia e sim.*) conosciuto, notorio, ufficiale, risaputo © segreto, riservato, ufficioso ♦ *s.m.* **1** gente, cittadini **2** spettatori, presenti, astanti, intervenuti, platea; (*della radio*) ascoltatori; (*della carta stampata*) lettori; (*della televisione*) telespettatori, ascoltatori, audience (*ingl.*) **3** vita pubblica © privato, vita privata.
pubertà *s.f.* età dello sviluppo, adolescenza.
pudicìzia *s.f.* pudore, riservatezza, ritrosia, verecondia (*elev.*) © impudicizia, spudoratezza, sfrontatezza.
pudìco *agg.* casto, castigato, morigerato, verecondo (*elev.*) © impudico, inverecondo, licenzioso, di facili costumi.
pudóre *s.m.* **1** pudicizia, verecondia, castità, riservatezza © impudicizia, spudoratezza **2** ritegno, riguardo, rispetto, discrezione, timore, vergogna © sfacciataggine, sfrontatezza, faccia tosta **3** (*dir.*) decenza, decoro.
puerìle *agg.* **1** infantile **2** (*spreg.*) immaturo, bambinesco, ridicolo © serio, maturo.
pugilàto *s.m.* boxe.
pùgile *s.m.* boxeur (*fr.*).
pugnalàre *v.tr.* accoltellare IPERON. colpire, ferire.
pugnalàta *s.f.* **1** coltellata, stilettata **2** ♧ coltellata, colpo, mazzata, batosta.
pugnàle *s.m.* stiletto IPERON. coltello.
pùgno *s.m.* **1** cazzotto (*colloq.*) IPERON. colpo, botta IPON. destro, diritto, sinistro, gancio, montante, uppercut (*ingl.*) **2** (*di farina, di riso ecc.*) manciata, manata **3** ♧ (*piccola quantità*) manciata, poco; (*di terra*) fazzoletto **4** (*di uomini*) manipolo, drappello.
pulìre *v.tr.* ripulire, detergere, nettare IPON. lavare, sciacquare, spazzare, spolverare © sporcare, imbrattare, insudiciare, insozzare.
pulìto *agg.* **1** lavato, lindo, netto, lucente © sporco, sudicio, lurido **2** ♧ (*di persona*) onesto, retto, integerrimo, leale, corretto © disonesto, scorretto **3** (*di energia e sim.*) ecologico, verde, non inquinante © inquinante, nocivo, tossico **4** (*di aria*) buono, respirabile, puro © cattivo, inquinato, stagnante **5** (*di stile e sim.*) essenziale, sobrio, semplice, elegante, scorrevole © pesante, disordinato **6** (*di materiale*) liscio, levigato © ruvido **7** (*gerg.*) incensurato © pregiudicato, schedato.

pulizìa *s.f.* **1** nettezza; igiene © sporco, sporcizia, sozzeria, sudiciume **2** (*al pl.*) pulitura, lavaggio **3** ♧ (*morale*) onestà, integrità, rettitudine © disonestà, immoralità.

pullman *s.m.invar.* (*ingl.*) corriera, autobus, autocorriera, bus.

pullover *s.m.invar.* (*ingl.*) maglia, golf, maglione.

pullulàre *v.intr.* **1** (*di idee, eventi ecc.*) moltiplicare, proliferare © scarseggiare **2** (*di turisti, di animali ecc.*) brulicare © scarseggiare, mancare.

pulsànte *s.m.* bottone, tasto, interruttore.

pulsàre *v.intr.* **1** battere, palpitare; (*forte*) martellare **2** ♧ fervere, palpitare.

pulsazióne *s.f.* battito, palpitazione, palpito.

pulsióne *s.f.* impulso, spinta, stimolo; istinto.

pungènte *agg.* **1** acuminato, appuntito, aguzzo, acuto © arrotondato, spuntato **2** ♧ (*di freddo e sim.*) intenso, acuto, penetrante; (*di odore*) aspro, forte, acre **3** ♧ (*di battuta, di commento ecc.*) caustico, acido, mordace, graffiante, offensivo, sferzante, tagliente, velenoso.

pùngere *v.tr.* **1** bucare, punzecchiare **2** (*di insetto*) pizzicare, mordere, beccare, morsicare, mangiare (*colloq.*) **3** ♧ punzecchiare, infastidire, molestare © adulare, blandire.

pungiglióne *s.m.* aculeo.

pungolàre *v.tr.* ♧ incitare, stimolare, spronare, spingere, incoraggiare, esortare © scoraggiare, frenare, dissuadere.

pùngolo *s.m.* ♧ stimolo, sprone, incentivo, incoraggiamento, leva, molla © freno, deterrente.

punìre *v.tr.* **1** castigare, condannare **2** danneggiare, ledere, penalizzare © favorire, premiare.

punizióne *s.f.* **1** pena, castigo, sanzione; penalità **2** (*nel calcio*) calcio di punizione.

pùnta *s.f.* **1** estremità, capo; spigolo, sporgenza **2** (*di un monte*) cima, picco, pizzo, sommità, vetta; (*di roccia*) spuntone, spigolo **3** ♧ (*di un fenomeno*) apice, culmine, vertice **4** (*minima quantità*) pizzico, briciolo **5** sfumatura, tono, tonalità **6** (*nel calcio*) attaccante.

puntàre *v.tr.* **1** appoggiare, premere, gravare **2** (*un'arma, il cannocchiale ecc.*) dirigere, rivolgere, indirizzare, volgere **3** (*lo sguardo, l'attenzione ecc.*) fissare, guardare **4** (*denaro*) scommettere, giocare ♦ *v.intr.* **1** (*verso una direzione*) dirigersi, indirizzarsi, muovere, procedere **2** ♧ mirare, tendere, aspirare, ambire **3** ♧ (*su qlcu.*) contare, affidarsi, confidare, fare affidamento.

puntàta[1] *s.f.* **1** assalto, incursione, scorribanda, blitz (*ingl.*) **2** salto, visita, capatina, scappata **3** scommessa, giocata, gioco; posta, somma.

puntàta[2] *s.f.* episodio, parte; numero, fascicolo.

punteggiatùra *s.f.* interpunzione.

puntéggio *s.m.* **1** votazione **2** punti, risultato, esito.

puntellàre *v.tr.* sorreggere, rinforzare, sostenere, consolidare © indebolire, incrinare ♦ **puntellarsi** *v.pr.* appoggiarsi, sostenersi, reggersi.

puntèllo *s.m.* **1** rinforzo, sostegno **2** ♧ aiuto, appoggio, sostegno, conforto.

puntìglio *s.m.* **1** accanimento, ostinazione, cocciutaggine, testardaggine © arrendevolezza, cedevolezza, ragionevolezza **2** impegno, costanza, volontà, tenacia © pigrizia, incostanza, rilassatezza.

puntiglióso *agg.* **1** ostinato, caparbio, testardo, cocciuto **2** preciso, meticoloso, scrupoloso, tenace.

pùnto *s.m.* **1** puntino, segno **2** macchia **3** (*nello spazio*) luogo, posto, posizione **4** (*di uno scritto, di un discorso*) passo, brano, luogo, pezzo, parte, passaggio, pagina **5** argomento, problema, questione; nodo, nocciolo, fulcro **6** grado, livello, fase, stadio **7** attimo, istante, momento **8** (*di colore*) sfumatura, gradazione, tonalità, tono, nuance (*fr.*) **9** punteggio.

puntuàle *agg.* **1** in orario © in ritardo, in anticipo **2** (*di persona*) preciso, coscienzioso, meticoloso, ordinato, pignolo © impreciso, disordinato, confusionario **3** (*di racconto, di descrizione e sim.*) esatto, preciso, dettagliato, particolareggiato, minuzioso © generico, impreciso, approssimativo.

puntualità *s.f.* **1** (*di orario*) precisione © ritardo **2** (*di una persona*) precisione, esattezza, accuratezza, coscienziosità, meticolosità © approssimazione, imprecisione **3** (*di racconto, di descrizione e sim.*) esattezza, precisione, accuratezza, minuziosità © approssimazione, imprecisione, genericità.

puntualizzàre *v.tr.* precisare, chiarire, specificare, definire, mettere i puntini sulle i (*colloq.*).

puntualizzazióne *s.f.* precisazione, spiegazione, chiarificazione; osservazione, nota.

puntùra *s.f.* **1** (*di insetto*) pizzico, morso, morsicatura **2** iniezione **3** (*di dolore*) fitta, punta, trafittura **4** ♧ punzecchiatura, frecciata.

puntùto *agg.* appuntito, acuto, acuminato, aguzzo © arrotondato, smussato.

punzecchiàre *v.tr.* **1** pungere; (*di insetti*) pizzicare, mordere, morsicare **2** ♧ infastidire, molestare, irritare, assillare, stuzzicare (*colloq.*), tormentare ♦ **punzecchiarsi** *v.pr.* provocarsi, stuzzicarsi, beccarsi, battibeccarsi.

punzonàre *v.tr.* IPERON. contrassegnare, marcare, marchiare, perforare.

pupàzzo *s.m.* **1** fantoccio, bamboccio **2** ♧ (*di*

persona) fantoccio, marionetta, burattino, uomo di paglia; banderuola, voltagabbana.
pupìlla *s.f.* iride.
pupìllo *s.m.* beniamino, cocco (*colloq.*), favorito, prediletto, preferito, protetto.
purézza *s.f.* **1** (*di un liquido, di un cristallo ecc.*) trasparenza, limpidezza © impurità, opacità **2** ♧ (*di linee, di forme ecc.*) semplicità, sobrietà, eleganza, leggerezza © pesantezza **3** (*morale*) integrità, onestà, pulizia, rettitudine © disonestà, corruzione **4** innocenza, castità, virtù, verginità © impudicizia, sfrontatezza, spudoratezza.
pùrga *s.f.* **1** purgante, lassativo (*med.*) © antidiarroico, astringente **2** (*da scorie, impurità ecc.*) depurazione, purificazione **3** ♧ epurazione, eliminazione, estromissione.
purgànte *s.m.* purga, lassativo (*med.*) © antidiarroico, astringente.
purgàre *v.tr.* **1** (*da scorie, impurità ecc.*) pulire, ripulire, depurare, purificare © contaminare, inquinare **2** ♧ (*l'animo e sim.*) lavare, purificare **3** (*uno scritto e sim.*) ripulire, correggere; censurare.
purificàre *v.tr.* **1** depurare, pulire, ripulire, mondare, nettare © sporcare, insozzare, imbrattare, inquinare **2** ♧ (*la coscienza, l'animo e sim.*) lavare, mondare, redimere © macchiare, sporcare, corrompere ♦ **purificarsi** *v.pr.* **1** (*di sostanza*) depurarsi **2** (*di organismo*) disintossicarsi **3** ♧ (*spiritualmente*) liberarsi, redimersi; espiare © macchiarsi, corrompersi.
purificazióne *s.f.* **1** depurazione pulizia, ripulitura © contaminazione, inquinamento **2** (*spirituale*) liberazione, redenzione, catarsi © corruzione.
puritàno *agg.* rigido, moralista, austero, intransigente, vittoriano © aperto, liberale ♦ *s.m.* bacchettone, moralista.
pùro *agg.* **1** limpido, pulito, immacolato, incontaminato; naturale, genuino © impuro, sporco, torbido, inquinato, contaminato **2** (*di stile, di opera d'arte ecc.*) semplice, leggero, armonioso, sobrio © pesante, artificioso, disarmonico **3** (*di matematica, di chimica e sim.*) teorico, teoretico © applicato, pratico, sperimentale **4** (*di verità, di curiosità e sim.*) solo, semplice, puro e semplice, esclusivo, mero **5** ♧ onesto, innocente, incontaminato, incorrotto, immacolato, candido, casto © disonesto, corrotto, sporco, impuro.
pusillànime *agg.*, *s.m.f.* codardo, vile, vigliacco, timoroso © coraggioso, audace, valoroso.
pùstola *s.f.* vescicola.
putatìvo *agg.* fittizio, nominale, virtuale © reale, effettivo.
putifèrio *s.m.* chiasso, baccano, baraonda, pandemonio, strepito, fracasso, casino (*colloq.*) © calma, quiete, pace, silenzio.
putrefàrsi *v.pr.* decomporsi, marcire, imputridire; (*di cibo*) andare a male, guastarsi, avariarsi.
putrefàtto *agg.* marcio, putrido, putrescente, decomposto; (*di cibo*) avariato, andato a male, guasto © integro, fresco.
putrefazióne *s.f.* decomposizione, disfacimento, imputridimento.
pùtrido *agg.* **1** marcio, putrefatto, putrescente, decomposto; (*di cibo*) avariato, andato a male, guasto © integro, fresco **2** ♧ corrotto, depravato, dissoluto.
pùzza *s.f.* **1** puzzo, tanfo, lezzo, fetore © profumo, olezzo **2** ♧ traccia, sentore, sintomo, indizio.
pùzzo *s.m.* vedi **pùzza**.
puzzolènte *agg.* maleodorante, fetido, nauseabondo, mefitico, pestifero © profumato, odoroso, fragrante.

q, Q

quadèrno *s.m.* **1** (*per appunti, schizzi ecc.*) taccuino, bloc-notes, notes, album (*da disegno*); (*per indirizzi*) rubrica; diario; (*commerciale*) registro **2** (*di pubblicazione*) dispensa, fascicolo.
quadràre *v.tr.* riquadrare, squadrare ♦ *v.intr.* **1** (*di somme, di bilancio ecc.*) corrispondere, coincidere, combaciare, collimare; (*ass.; di conto e sim.*) tornare **2** (*di esempio e sim.*) adattarsi, addirsi, calzare, confarsi **3** ♧ (*colloq.*) piacere, soddisfare; convincere, persuadere.
quadràto[1] *agg.* **1** quadro, squadrato **2** (*di corporatura, di spalle e sim.*) solido, robusto, vigoroso, possente © esile, gracile, minuto **3** ♧ assennato, equilibrato, responsabile, giudizioso © irresponsabile, sconsiderato.
quadràto[2] *s.m.* **1** (*geom.*) quadrilatero, quadrangolo **2** (*mat.*) seconda potenza; quadratura **3** (*di stoffa, di terra ecc.*) fazzoletto, lembo, quadretto.
quadratùra *s.f.* **1** riquadratura, squadratura; (*di un foglio*) quadrettatura **2** ♧ (*intellettuale, morale*) solidità, equilibrio, coerenza **3** (*dei conti e sim.*) pareggio, esattezza.
quadrétto *s.m.* **1** riquadro, quadratino; casella **2** dipinto, disegno, quadro, pittura **3** ♧ (*familiare e sim.*) scenetta, quadro.
quadrilàtero *agg.* quadrangolare, tetrangolare ♦ *s.m.* quadrangolo, tetragono.
quàdro[1] *agg.* **1** quadrato; squadrato **2** (*di spalle*) quadrato, robusto, largo © stretto, spiovente.
quàdro[2] *s.m.* **1** dipinto, pittura, tableau (*fr.*) **IPON.** acquerello, olio, tempera **2** ♧ (*di una situazione e sim.*) descrizione, rappresentazione, immagine, illustrazione, panoramica, visione; (*politico e sim.*) condizione, situazione, scenario **3** tabella, grafico, schema, prospetto **4** immagine, scena, spettacolo **5** ambito, campo **6** (*teatr.*) scena **7** (*di un partito, di un'azienda ecc.*) dirigente, funzionario, responsabile **8** (*mil.; al pl.*) ufficiali.
quadruplicàre *v.tr.* moltiplicare, centuplicare, aumentare © ridurre, diminuire.
qualìfica *s.f.* **1** appellativo, titolo; nome, epiteto, soprannome **2** mansione, carica, funzione, posizione, titolo **3** (*professionale e sim.*) titolo.
qualificànte *agg.* prestigioso, di prestigio.
qualificàre *v.tr.* **1** caratterizzare, contraddistinguere, definire **2** (*la manodopera e sim.*) preparare, formare; specializzare **3** (*sport*) selezionare ♦ **qualificarsi** *v.pr.* **1** presentarsi **2** definirsi, dichiararsi **3** (*in un concorso, in una gara e sim.*) classificarsi, piazzarsi.
qualificatìvo *agg.* (*gramm.*) attributivo.
qualificàto *agg.* **1** (*di operaio, tecnico ecc.*) specializzato; preparato, competente, capace, esperto © incapace, incompetente, inesperto **2** (*di lavoro*) specialistico, specializzato.
qualificazióne *s.f.* **1** (*professionale*) formazione, preparazione, specializzazione **2** (*sport*) gara eliminatoria, eliminazione.
qualità *s.f.* **1** proprietà, caratteristica, prerogativa; natura, sostanza, essenza; livello, valore, standard (*ingl.*) **2** (*di una persona, di un prodotto ecc.*) pregio, dote, virtù © difetto, demerito, pecca **3** specie, genere, tipo, categoria, sorta, varietà, tipologia.
qualunquìsmo *s.m.* disinteresse, disimpegno, indifferenza, menefreghismo © impegno, partecipazione.
quantificàre *v.tr.* calcolare, conteggiare.
quantità *s.f.* **1** grandezza, misura, peso, dimensione, numero, massa, quantitativo; (*spec. di denaro*) cifra, somma, quota **2** mucchio, ammasso, caterva, casino (*colloq.*), infinità, massa, moltitudine, miriade, profusione, sacco (*colloq.*) **3** (*mat.*) grandezza, misura.
quantitatìvo *agg.* numerico ♦ *s.m.* (*comm.*) quantità, partita, derrata, lotto, volume.
quarantèna *s.f.* (*med.*) isolamento, segregazione.
quarantòtto *s.m.* (*colloq.*) confusione, finimondo, subbuglio, baccano, pandemonio, scompiglio.
quartière *s.m.* **1** (*di una città*) rione, borgo; (*periferico*) sobborgo, borgata **2** (*mil.*) acquartieramento, alloggiamento.
quàtto *agg.* **1** accovacciato, acquattato, rannicchiato **2** silenzioso, zitto, quieto.
quattrìno *s.m.* **1** (*quantità minima di denaro*) soldo, centesimo **2** (*al pl.*) denaro, soldi **3** nonnulla, inezia, sciocchezza, quisquilia.

querèla *s.f.* denuncia.
querelàre *v.tr.* (*dir.*) denunciare.
querelle *s.f.invar.* (*fr.*) controversia, disputa, contesa, polemica, diatriba.
quèrulo *agg.* lamentoso, lagnoso, piagnucoloso.
quesìto *s.m.* **1** domanda, interrogazione; indovinello, enigma © risposta; soluzione **2** questione, problema, dubbio.
questionàre *v.intr.* **1** (*di filosofia e sim.*) discutere, dibattere, disputare, dissertare **2** litigare, bisticciare, discutere, battibeccare © accordarsi, fare pace, rappacificarsi, riconciliarsi.
questionàrio *s.m.* **1** test **2** (*il foglio del questionario*) modulo, formulario.
questióne *s.f.* **1** affare, caso, faccenda, problema, tema, materia, quesito **2** disputa, discussione, controversia, diatriba, dibattito, polemica **3** lite, litigio, contrasto, scontro.
quèstua *s.f.* elemosina; accatto; colletta, raccolta.
questuànte *agg. s.m.f.* mendicante, accattone.
questùra *s.f.* ufficio di polizia, commissariato.
quid *s.m.invar.* (*lat.*) qualcosa, non so che, un certo non so che; (*di denaro*) tanto, tot.
quiescènte *agg.* inattivo, in riposo © attivo.
quietànza *s.f.* ricevuta.
quietàre *v.tr.* **1** (*una persona, l'animo ecc.*) calmare, placare, sedare, tranquillizzare, rasserenare, pacificare © agitare, eccitare, infiammare, turbare; esasperare, inasprire, irritare **2** (*la fame, la sete ecc.*) saziare, appagare, estinguere, placare © acuire **3** (*il dolore e sim.*) calmare, attenuare, alleviare, lenire, mitigare, sedare, smorzare, sopire © acuire, acutizzare, inasprire ♦ **quietarsi** *v.pr.* calmarsi, placarsi, tranquillizzarsi.
quiète *s.f.* **1** immobilità © moto, movimento **2** calma, tranquillità, pace, silenzio © animazione, rumore, fracasso **3** riposo, relax (*ingl.*), sosta, requie **4** ♧ (*dell'animo*) serenità, pace, tranquillità © ansia, agitazione, inquietudine.
quièto *agg.* **1** fermo, immobile, inerte © mobile, in movimento **2** (*di luogo*) calmo, silenzioso, tranquillo © rumoroso, chiassoso, caotico **3** ♧ sereno, tranquillo © agitato, inquieto, angosciato **4** (*di persona, di indole*) placido, pacifico, mite, pacato © agitato, inquieto, nervoso **5** (*di animale*) docile, mansueto, tranquillo © feroce, selvatico, agitato.
quìnta *s.f.* (*teatr.*) coulisse (*fr.*).
quintessènza *s.f.* **1** essenza, fondamento, nucleo **2** apice, massimo, vetta, non plus ultra (*lat.*).
quiproquò *s.m.invar.* (*lat.*) equivoco, malinteso, fraintendimento; abbaglio, granchio (*colloq.*).
quisquìlia *s.f.* bazzecola, inezia, sciocchezza, niente, nonnulla, cazzata (*volg.*), cavolata (*colloq.*), fesseria.
quiz *s.m.invar.* **1** domanda, quesito; enigma, indovinello **2** telequiz **3** (*in un esame e sim.*) test.
quòrum *s.m.* (*lat.*) numero legale, quota minima.
quòta *s.f.* **1** parte, porzione, frazione, aliquota; percentuale **2** altitudine, altezza, livello; (*sotto il mare*) profondità **3** (*in borsa*) quotazione.
quotàre *v.tr.* **1** (*un oggetto prezioso, un bene ecc.*) stimare, valutare, apprezzare **2** (*un titolo, una moneta*) fissare ♦ **quotarsi** *v.pr.* tassarsi, contribuire.
quotàto *agg.* (*di artista, di professionista ecc.*) stimato, apprezzato, valutato, autorevole, rispettato © screditato, svalutato, squalificato.
quotazióne *s.f.* **1** (*di un terreno, di un bene ecc.*) valore, stima, prezzo, valutazione **2** (*in borsa*) prezzo, corso, quota, fixing (*ingl.*); (*di moneta*) cambio, tasso di scambio **3** ♧ (*di una persona*) considerazione, prestigio, stima.
quotidianità *s.f.* abitudine, consuetudine, routine (*fr.*), trantran, monotonia.
quotidiàno *agg.* **1** giornaliero **2** ♧ consueto, usuale, normale, solito, abituale © insolito, inusuale, inconsueto ♦ *s.m.* giornale.
quozìente *s.m.* **1** (*mat.*) risultato **2** numero, indice, tasso.

r, R

rabberciàre *v.tr.* **1** rattoppare, rappezzare, raffazzonare, arrangiare, rimediare; aggiustare, accomodare, riparare, sistemare © rompere **2** ♧ (*un testo e sim.*) ritoccare, rimaneggiare, correggere.

ràbbia *s.f.* **1** (*med.*) idrofobia **2** collera, ira, arrabbiatura © calma, serenità **3** disappunto, stizza, indignazione, sdegno, disdegno © piacere, soddisfazione **4** violenza, impeto, furia, furore **5** accanimento, furia © calma, pacatezza.

rabbióso *agg.* **1** (*med.*) idrofobo **2** arrabbiato, adirato, furioso, furibondo, imbestialito, incazzato (*volg.*), incavolato (*colloq.*) © calmo, tranquillo, sereno **3** (*di carattere*) irascibile, collerico, irritabile © calmo, mite, pacifico **4** violento, impetuoso, irruente, stizzoso © misurato, moderato.

rabboccàre *v.tr.* **1** (*una bottiglia e sim.*) colmare, riempire © vuotare, svuotare **2** (*un muro e sim.*) pareggiare, spianare.

rabbonìre *v.tr.* calmare, tranquillizzare, placare, pacificare © irritare, innervosire, agitare.

rabbrividìre *v.intr.* **1** (*di freddo*) tremare, battere i denti, avere la pelle d'oca **2** (*di paura*) agghiacciare, inorridire, raggelare, avere la pelle d'oca.

rabbuffàre *v.tr.* **1** scompigliare, disordinare; (*i capelli*) spettinare © ordinare, rassettare **2** rimproverare, rimbrottare.

rabbuiàrsi *v.pr.* **1** (*di cielo*) oscurarsi, offuscarsi, incupirsi © rischiararsi, rasserenarsi **2** ♧ accigliarsi, incupirsi, corrucciarsi © illuminarsi, rasserenarsi.

raccapezzàrsi *v.pr.* **1** orientarsi, orizzontarsi, ritrovarsi **2** ♧ (*in un problema, in una sitazione ecc.*) rendersi conto, capacitarsi; capire © confondersi, smarrirsi.

raccapricciànte *agg.* agghiacciante, orribile, orrendo, spaventoso, terrificante; ripugnante, repellente © gradevole, piacevole.

raccaprìccio *s.m.* orrore, terrore, paura, spavento, impressione; ribrezzo, ripugnanza, repulsione.

raccattàre *v.tr.* **1** (*da terra*) raccogliere, tirare su © gettare, buttare **2** raccogliere, radunare; mettere insieme, racimolare, raggranellare.

racchiùdere *v.tr.* **1** contenere, comprendere, accogliere; circondare, cingere, limitare **2** ♧ includere, comprendere, implicare, presupporre © escludere.

raccògliere *v.tr.* **1** riprendere, recuperare © gettare, buttare **2** (*fiori e sim.*) cogliere **3** ♧ ricavare, ottenere, guadagnare, conseguire **4** radunare, riunire, raggruppare, mettere insieme © sparpagliare, disperdere **5** (*francobolli e sim.*) collezionare **6** (*vele, reti e sim.*) ripiegare, avvolgere, chiudere © distendere, dispiegare **7** (*i capelli*) legare, fermare © sciogliere **8** accogliere, accettare; ospitare, soccorrere © rifiutare, respingere **9** (*informazioni e sim.*) ottenere, procurarsi, procacciarsi ♦ **raccogliersi** *v.pr.* **1** (*di persone*) radunarsi, riunirsi, raggrupparsi; affollarsi, accalcarsi, stringersi © disperdersi, dividersi, disgregarsi **2** (*di cose*) accumularsi, ammucchiarsi, ammassarsi **3** ♧ (*in se stesso, in preghiera ecc.*) concentrarsi, chiudersi; riflettere, meditare © distrarsi, divagare.

raccogliménto *s.m.* concentrazione, meditazione, riflessione © distrazione.

raccogliticcio *agg.* raffazzonato © scelto, selezionato.

raccoglitóre *s.m.* (*per fogli, documenti ecc.*) cartella, cartellina; schedario, catalogatore; (*per fotografie, disegni ecc.*) album.

raccòlta *s.f.* **1** (*di prodotti agricoli*) raccolto **2** (*di francobolli e sim.*) collezione **3** (*di scritti e sim.*) antologia, selezione, scelta, miscellanea; (*di brani musicali*) compilation (*ingl.*), album **4** (*di persone*) raduno, convegno, adunata.

raccòlto *agg.* **1** legato, stretto, tenuto insieme, unito © slegato, sciolto, sparpagliato **2** ♧ concentrato, assorto, immerso, intento, preso © distratto, svagato **3** (*di luogo*) tranquillo, appartato, intimo, silenzioso © rumoroso, frequentato ♦ *s.m.* (*di prodotti agricoli*) raccolta IPON. (*di cereali*) mietitura.

raccomandàbile *agg.* consigliabile.

raccomandàre *v.tr.* **1** affidare, consegnare, dare **2** appoggiare, favorire, sostenere, segnalare, caldeggiare © avversare, ostacolare **3** (*un ristorante e sim.*) consigliare, suggerire, segnalare ©

sconsigliare ♦ **raccomandarsi** *v.pr.* **1** affidarsi, confidare, rimettersi **2** pregare, supplicare, implorare.

raccomandàto *agg., s.m.* appoggiato, favorito, introdotto, protetto.

raccomandazióne *s.f.* **1** preghiera, supplica **2** (*dei genitori, del medico ecc.*) esortazione, consiglio, invito, suggerimento; ammonimento, monito **3** aiuto, appoggio, protezione, segnalazione, spinta.

raccomodàre *v.tr.* riparare, aggiustare.

raccontàre *v.tr.* narrare, riferire, riportare, descrivere; (*un segreto e sim.*) rivelare, divulgare, spiattellare (*colloq.*), spifferare (*gerg.*).

raccónto *s.m.* **1** narrazione, esposizione, relazione, resoconto, rapporto, storia, cronaca **2** storia, favola, fiaba, novella **3** (*di genere letterario*) novella.

raccordàre *v.tr.* collegare, unire, congiungere © dividere, separare.

raccòrdo *s.m.* **1** collegamento, giunzione; (*stradale*) bretella, svincolo; (*ferroviario*) allacciamento **2** ♧ legame, nesso, collegamento, rapporto.

rachìtico *agg.* **1** debole, gracile, mingherlino © forte, robusto **2** ♧ debole, stentato.

racimolàre *v.tr.* raggranellare.

racket *s.m.invar.* (*ingl.*) organizzazione criminale, associazione a delinquere.

ràda *s.f.* cala, baia, caletta, insenatura.

raddoppiaménto *s.m.* duplicazione, raddoppio, ripetizione © sdoppiamento, dimezzamento.

raddoppiàre *v.tr.* **1** duplicare © sdoppiare, dimezzare **2** aumentare, accrescere, intensificare © ridurre, diminuire ♦ *v.intr.* **1** duplicarsi © sdoppiarsi, dimezzarsi **2** aumentare, crescere, intensificarsi © calare, diminuire, ridursi.

raddrizzàre *v.tr.* **1** drizzare; alzare, sollevare © piegare, incurvare, flettere **2** ♧ correggere, aggiustare, appianare, sistemare ♦ **raddrizzarsi** *v.pr.* **1** rimettersi in piedi **2** ♧ mettere la testa a posto, ravvedersi, correggersi © guastarsi.

radènte *agg.* strisciante, raso terra.

ràdere *v.tr.* **1** rasare, sbarbare; depilare **2** ♧ lambire, sfiorare, rasentare **3** (*a terra, al suolo*) abbattere, distruggere.

radiàre *v.tr.* espellere, estromettere, cacciare, allontanare © ammettere, iscrivere.

radiatóre *s.m.* termosifone, calorifero.

radiazióne[1] *s.f.* (*solare, termica, nucleare ecc.*) radioemissione; irradiamento, irraggiamento.

radiazióne[2] *s.f.* espulsione, estromissione.

radicàle *agg.* **1** (*di riforma e sim.*) profondo, totale, completo; decisivo, definitivo, risolutivo © moderato, parziale, superficiale **2** ♧ (*di rimedio, di cura ecc.*) efficace, estremo, drastico © blando **3** (*polit.*) estremista, oltranzizta, massimalista, rivoluzionario, progressista, rinnovatore, innovatore © conservatore, reazionario, moderato.

radicàre *v.intr.* (*anche* ♧) attecchire, prendere, crescere, allignare © sradicare, estirpare, svellere ♦ **radicarsi** *v.pr.* **1** allignare, attecchire **2** ♧ penetrare, installarsi, insediarsi.

radicàto *agg.* connaturato, insito, cronico, profondo, solido.

radìce *s.f.* **1** barba, bulbo, tubero **2** base, piede, fondamenta © cima, sommità, vertice **3** ♧ (*di un problema e sim.*) origine, principio, inizio, causa, sorgente © fine, termine, conclusione.

ràdio *s.f.invar.* **1** radiotrasmissione, radiocomunicazione **2** stazione radiotrasmittente, stazione radio; emittente **3** apparecchio radiofonico; **IPON.** radiotrasmittente, radioricevitore ♦ *agg.invar.* **1** radioelettrico **2** radiofonico.

radiocomandàre *v.tr.* telecomandare.

radiocomàndo *s.m.* telecomando.

radiofonìa *s.f.* radiotrasmissione.

radiofònico *agg.* radio; radiotrasmittente.

radiografìa *s.f.* **1** raggi (*colloq.*), lastra (*colloq.*) **2** ♧ (*di una situazione e sim.*) esame, analisi, studio.

radiolìna *s.f.* transistor (*colloq.*), radio portatile.

radióso *agg.* **1** (*di giorno e sim.*) luminoso, lucente, brillante, fiammante, splendente, sfolgorante © cupo, scuro, offuscato **2** ♧ (*di volto, di sguardo ecc.*) raggiante, felice, luminoso, sereno © cupo, scuro, infelice, triste.

ràdo *agg.* **1** largo © fitto, compatto **2** scarso, rarefatto, diradato © folto, fitto, denso, compatto **3** raro, saltuario, infrequente © frequente, assiduo, abituale.

radunàre *v.tr.* **1** riunire, raggruppare, raccogliere, convocare, concentrare © sparpagliare, disperdere **2** ammassare, ammucchiare, accumulare **3** ♧ (*le forze e sim.*) raccogliere ♦ **radunarsi** *v.pr.* riunirsi, incontrarsi, raccogliersi, confluire; accalcarsi, affollarsi, ammassarsi © disperdersi, dividersi, sparpagliarsi.

radùno *s.m.* **1** riunione, raccolta, adunanza, adunata, raggruppamento **2** convegno, congresso, meeting (*ingl.*), incontro, riunione.

raffazzonàre *v.tr.* rabberciare, aggiustare, arrangiare, rattoppare.

rafférmo *agg.* (*spec. di pane*) duro, vecchio, secco, stantio © fresco; croccante, morbido.

ràffica *s.f.* **1** (*di vento*) folata, ventata **2** (*di proiettili*) scarica, sventagliata **3** ♧ (*di doman-*

de, di pugni ecc.) valanga, diluvio, pioggia, grandine, martellamento; (*di arresti, di scioperi ecc.*) sequela, sfilza.

raffiguràre *v.tr.* **1** rappresentare, ritrarre, immortalare, effigiare **2** (*nella mente*) immaginare, figurare, rappresentare **3** (*simbolicamente*) simboleggiare, rappresentare, significare, simbolizzare; incarnare, personificare.

raffigurazióne *s.f.* **1** rappresentazione **2** (*simbolica*) immagine, effigie, simbolo, emblema, incarnazione.

raffinàre *v.tr.* **1** purificare, depurare **2** ♧ affinare, ingentilire, migliorare, perfezionare © imbarbarire, involgarire, corrompere.

raffinatézza *s.f.* **1** (*di modi e sim.*) finezza, ricercatezza, eleganza, buon gusto, gusto © volgarità, cattivo gusto, ordinarietà, grossolanità **2** (*di cosa, di gesto ecc.*) delicatezza, ricercatezza, sciccheria (*colloq.*) **3** (*di cibo*) delicatezza, squisitezza, bocconcino, leccornia, prelibatezza © schifezza, porcheria.

raffinàto *agg.* **1** purificato, depurato © grezzo, greggio **2** ♧ (*di modi e sim.*) fine, ricercato, elegante, chic (*fr.*); (*di linguaggio*) forbito, colto, curato, scelto, elegante © volgare, rozzo, grossolano **3** ♧ (*di umorismo e sim.*) fine, sottile, sofisticato © rozzo, grossolano.

raffinazióne *s.f.* raffinamento; purificazione, depurazione.

rafforzàre *v.tr.* **1** irrobustire, fortificare, intensificare, potenziare; (*i muscoli*) tonificare, rassodare © indebolire, logorare; ridurre, diminuire **2** ♧ (*il carattere e sim.*) irrobustire, temprare, rinfrancare © affievolire, indebolire, sfiancare **3** ♧ (*un'idea, un concetto e sim.*) avvalorare, confermare, ribadire.

raffreddaménto *s.m.* **1** refrigeramento © riscaldamento **2** ♧ affievolimento, indebolimento, diminuzione © rafforzamento **3** (*med.*) raffreddore, infreddatura.

raffreddàre *v.tr.* **1** freddare; rinfrescare, refrigerare © riscaldare, scaldare **2** ♧ affievolire, indebolire, spegnere, smorzare © accrescere, rafforzare, rinfocolare, infiammare ♦ **raffreddarsi** *v.pr.* **1** rinfrescarsi, rinfrescare; infreddolirsi, congelarsi © scaldarsi, riscaldarsi **2** ♧ indebolirsi, intiepidirsi, affievolirsi, smorzarsi © rafforzarsi, rinsaldarsi.

raffreddàto *agg.* freddo, infreddolito © scaldato, caldo.

raffreddóre *s.m.* infreddatura, raffreddamento, rinite (*med.*), costipazione (*med.*).

raffrontàre *v.tr.* confrontare, paragonare, comparare, commisurare.

raffrónto *s.m.* confronto, paragone, riscontro, comparazione.

ragàzza *s.f.* **1** ragazzina, fanciulla (*elev.*); adolescente, teen-ager (*ingl.*); (*colloq.*) figlia **2** nubile, signorina; zitella © sposata **3** fidanzata, innamorata, donna (*colloq.*), lei (*colloq.*), compagna, partner (*ingl.*) **4** (*colloq.*) commessa, cameriera.

ragazzàta *s.f.* bambinata, birbonata, marachella; stupidaggine, sciocchezza, scemata.

ragàzzo *s.m.* **1** giovanotto, giovinetto (*elev.*), fanciullo (*elev.*); adolescente, teen-ager (*ingl.*); (*colloq.*) figlio **2** innamorato, fidanzato, boyfriend (*ingl.*), uomo (*colloq.*), lui (*colloq.*), compagno, partner (*ingl.*) **3** (*colloq.*) garzone, apprendista, aiutante, aiuto, fattorino.

raggelàre *v.tr.* gelare © scaldare ♦ *v.intr.* e **raggelarsi** *v.pr.* **1** gelarsi, congelarsi **2** ♧ agghiacciare, rabbrividire, raccapricciare.

raggiànte *agg.* **1** (*di luce*) radioso, luminoso, splendente, sfavillante, sfolgorante © opaco, offuscato, velato **2** ♧ (*di volto, di sguardo ecc.*) esultante, felice, festante, radioso © cupo, corrucciato, triste, infelice, spento.

ràggio *s.m.* **1** (*di sole*) lama, sprazzo, barlume; luce **2** (*fis.*) radiazione **3** (*colloq.*; *al pl.*) lastra, radiografia **4** ♧ (*di speranza e sim.*) lampo, sprazzo, barlume, guizzo **5** ♧ ambito, spazio, area, zona **6** (*della bicicletta*) razza **7** ♧ (*di un carcere, di un ospedale ecc.*) braccio, ala.

raggiràre *v.tr.* ingannare, abbindolare, imbrogliare, fregare (*colloq.*), truffare, circuire, infinocchiare (*colloq.*), fottere (*volg.*).

raggìro *s.m.* imbroglio, inganno, truffa, frode, fregatura (*colloq.*).

raggiùngere *v.tr.* **1** (*una persona*) riprendere, prendere; (*un ladro*) acchiappare, acciuffare, beccare (*colloq.*) **2** (*il bersaglio*) cogliere, colpire, centrare © mancare, fallire **3** arrivare, giungere **4** ♧ conseguire, ottenere, conquistare, guadagnare © mancare, fallire; perdere.

raggiungìbile *agg.* **1** accessibile, praticabile © irraggiungibile, impraticabile **2** ♧ attuabile, fattibile, possibile, realizzabile © irrealizzabile, impossibile, inattuabile.

raggiungiménto *s.m.* conseguimento, conquista, acquisizione, ottenimento © perdita, fallimento.

raggomitolàrsi *v.pr.* accoccolarsi, acciambellarsi, rannicchiarsi © allungarsi, distendersi, sdraiarsi.

raggranellàre *v.tr.* racimolare, raccogliere, mettere insieme, rimediare © disperdere, sparpagliare.

raggrinzìre *v.tr.* corrugare, arricciare, increspare © distendere, stirare ♦ *v.intr.* e **raggrinzirsi** *v.pr.* corrugarsi, incresparsi; avvizzirsi, accartocciarsi © distendersi, stirarsi.

raggrumàrsi *v.pr.* rapprendersi, addensarsi, coagularsi © sciogliersi, liquefarsi.

raggruppaménto *s.m.* **1** riunione, concentrazione **2** (*di case e sim.*) gruppo, insieme, complesso; (*di persone*) gruppo, assembramento, affollamento, capannello, raduno **3** classificazione, catalogazione, ripartizione, ordinamento.

raggruppàre *v.tr.* **1** (*persone, cose*) riunire, radunare, concentrare, raccogliere; (*spec. cose*) ammucchiare, accumulare © disperdere, sparpagliare, disseminare, dividere, separare **2** (*in gruppi distinti*) suddividere, ripartire, ordinare ♦ **raggrupparsi** *v.pr.* **1** (*di persone*) riunirsi, radunarsi, raccogliersi, concentrarsi; affollarsi, accalcarsi © dividersi, separarsi, disperdersi, sparpagliarsi **2** (*di cose*) accumularsi, ammassarsi, ammucchiarsi, concentrarsi.

ragguagliàre *v.tr.* informare, aggiornare, avvertire, raccontare, mettere al corrente, istruire, raccontare, relazionare, riferire.

ragguàglio *s.m.* informazione, notizia, chiarimento; rapporto, relazione, resoconto.

ragguardévole *agg.* **1** (*di somma e sim.*) notevole, considerevole, significativo, consistente, cospicuo, lauto, sostanzioso © minimo, insignificante, trascurabile **2** (*di persona*) importante, illustre, autorevole, di primo piano, eminente, esimio, prestigioso, stimato © insignificante, mediocre, oscuro, modesto.

ragionaménto *s.m.* riflessione, pensiero, considerazione, speculazione; argomentazione, discorso, dimostrazione; buonsenso, cervello, logica, raziocinio © delirio, vaneggiamento.

ragionàre *v.intr.* **1** riflettere, pensare, meditare, considerare, analizzare, giudicare, ponderare, valutare; (*di filosofia*) speculare; (*in modo eccessivamente sottile*) cavillare, arzigogolare © sragionare, delirare, farneticare, vaneggiare **2** discorrere, dialogare, disquisire, discutere, discettare (*elev.*); conversare, chiacchierare.

ragionàto *agg.* meditato, ponderato, ragionevole, sensato, oculato, logico, razionale © insensato, irragionevole.

ragióne *s.f.* **1** intelletto, senno, pensiero, razionalità, intelligenza **2** (*spec. al pl.*) argomento, motivazione, spiegazione **3** (*di un comportamento, di un'azione ecc.*) causa, motivo, motivazione, perché; (*di un delitto*) movente **4** proporzione, misura, rapporto.

ragionerìa *s.f.* **1** contabilità **2** (*scuola secondaria*) istituto tecnico commerciale.

ragionévole *agg.* **1** intelligente, razionale, pensante © irragionevole, irrazionale **2** saggio, equilibrato, assennato, sensato, giudizioso © irragionevole, dissennato, insensato **3** (*di proposta, di dubbio ecc.*) fondato, giustificato, sensato, realistico, motivato, legittimo, logico © infondato, illogico, illegittimo **4** (*di prezzo e sim.*) giusto, accettabile, conveniente © esagerato, eccessivo.

ragionevolézza *s.f.* buon senso, sensatezza; (*di una richiesta e sim.*) legittimità, fondatezza © irragionevolezza, insensatezza.

ragionière *s.m.* contabile; perito commerciale.

raid *s.m.invar.* (*ingl.*; *mil.*) incursione, attacco, irruzione, blitz (*ingl.*).

rallegraménto *s.m.* **1** compiacimento, soddisfazione **2** (*al pl.*; *in formule di cortesia*) complimenti, congratulazioni, felicitazioni.

rallegràre *v.tr.* allietare, divertire, dilettare; animare, movimentare, vivacizzare © rattristare, immalinconire, affliggere, demoralizzare; annoiare, stufare (*colloq.*) ♦ **rallegrarsi** *v.pr.* **1** gioire, godere © abbattersi, amareggiarsi, demoralizzarsi **2** congratularsi, felicitarsi © dispiacersi.

rallentaménto *s.m.* **1** (*di un veicolo*) decelerazione; frenata © accelerazione **2** ♧ (*di un fenomeno economico e sim.*) calo, diminuzione, riduzione, ristagno, stasi © aumento, crescita, incremento; ripresa, sviluppo.

rallentàre *v.tr.* **1** (*il passo, il ritmo ecc.*) diminuire, ridurre, moderare © accelerare, affrettare, velocizzare; forzare **2** ♧ (*lo studio, l'attenzione ecc.*) ridurre, attenuare, allentare, diminuire, attenuare; (*le visite e sim.*) diradare © aumentare, accrescere, intensificare, raddoppiare ♦ *v.intr.* **1** (*di veicolo*) frenare, decelerare © accelerare, dare gas (*colloq.*) **2** (*di ritmo e sim.*) diminuire, ridursi © aumentare, crescere, intensificarsi.

ramanzìna *s.f.* rimprovero, sgridata, lavata di capo, predicozzo (*colloq.*) © lode, elogio.

ramificàrsi *v.pr.* (*anche* ♧) dividersi, svilupparsi, articolarsi, suddividersi; diramarsi, biforcarsi, bipartirsi.

ramificazióne *s.f.* **1** diramazione, biforcazione, bipartizione **2** ♧ (*di un fenomeno e sim.*) espansione, sviluppo, ampliamento, proliferazione, propagazione; diramazione, propaggine.

ramìngo *agg.* vagabondo, errabondo, errante, girovago, nomade, randagio © sedentario, stabile, stanziale.

rammaricàrsi *v.pr.* dispiacersi, angustiarsi,

amareggiarsi, crucciarsi, rattristarsi; rimproverarsi, pentirsi © rallegrarsi, compiacersi, gioire.
rammàrico *s.m.* amarezza, dolore, dispiacere, rincrescimento © soddisfazione, piacere.
rammendàre *v.tr.* ricucire; rattoppare, rappezzare © strappare, scucire.
rammentàre *v.tr.* **1** avere presente; tenere a mente © scordare, dimenticare **2** ricordare, rievocare **3** citare, nominare, menzionare © ignorare, trascurare, saltare (*colloq.*) ♦ **rammentarsi** *v.pr.* ricordarsi © scordarsi, scordare, dimenticarsi.
rammollìre *v.tr.* **1** ammorbidire, ammollare © indurire **2**♧ indebolire, debilitare, infiacchire © rinvigorire, rafforzare, temprare ♦ *v.intr.* e **rammollirsi** *v.pr.* **1** ammorbidirsi © indurirsi, rassodarsi **2**♧ indebolirsi, infiacchirsi, debilitarsi, sfibrarsi © rafforzarsi, rinvigorirsi **3** ♧ rimbambirsi, rimbecillirsi, rincoglionirsi (*colloq.*).
rammollìto *s.m.* **1** ammorbidito, molle, squagliato © indurito, duro, solido **2** ♧ indebolito, infiacchito, debilitato, sfibrato © rafforzato, rinvigorito **3** ♧ rimbambito, rimbecillito, rincoglionito (*colloq.*).
ràmo *s.m.* **1** fronda, frasca, tralcio **2** ramificazione, diramazione, propaggine **3** ♧ (*di attività, di studi ecc.*) settore, branca, parte, sfera, campo; materia, disciplina, specialità **4** ♧ (*genealogico*) discendenza, successione.
ramoscèllo *s.m.* rametto, frasca, fuscello.
rampànte *agg.* ♧ arrampicatore sociale, arrivista, carrierista.
rampìno *s.m.* uncino, arpione.
rampóllo *s.m.* discendente, erede; figlio.
ràna *s.f.* **1** ranocchio, ranocchia **IPERON.** anfibio **IPON.** raganella **2** (*sport*) nuoto a rana.
ràncido *agg.* **1** irrancidito; andato a male, guasto, avariato © fresco **2** ♧ (*spreg.*; *di idee e sim.*) arretrato, ammuffito, vecchio, antiquato, sorpassato, superato © fresco, moderno, giovane, nuovo ♦ *s.m.* marcio, marciume.
rancidùme *s.m.* **1** fradiciume, putridume **2** ♧ ciarpame, vecchiume.
ràncio *s.m.* (*mil.*) refezione, mensa, pasto.
rancóre *s.m.* astio, risentimento, malanimo, livore © benignità, indulgenza.
rancoróso *agg.* astioso, malevolo, ostile, velenoso © affettuoso, amichevole, benevolo.
randàgio *agg.* **1** (*di persona, di vita*) vagabondo, girovago, nomade, errante, ramingo; (*di persona*) senza fissa dimora © stabile, sedentario **2** (*spec. di cane*) senza padrone.
randellàta *s.f.* bastonata, legnata, manganellata.
randèllo *s.m.* manganello, bastone, legno.
random *agg.invar.* (*ingl.*) (*spec. in informatica*) casuale, fortuito, aleatorio; accidentale, imprevedibile, occasionale © previsto, prevedibile, regolare ♦ *avv.* a caso, casualmente.
ràngo *s.m.* **1** (*sociale*) condizione, grado, classe, categoria, posizione, ceto, livello, status **2** (*mil.*) fila, riga, schiera, schieramento **3** (*di persone*) gruppo, categoria, classe, numero, novero.
rannicchiàrsi *v.pr.* acciambellarsi, raggomitolarsi; accovacciarsi, accucciarsi, accoccolarsi © distendersi, sdraiarsi; alzarsi, levarsi.
rannuvolàrsi *v.pr.* **1** annuvolarsi, coprirsi, oscurarsi © aprirsi, rasserenarsi, schiarirsi **2**♧ (*in volto*) incupirsi, adombrarsi, oscurarsi, turbarsi © illuminarsi, rasserenarsi, rischiararsi.
rantolàre *v.intr.* ansimare, boccheggiare.
ràntolo *s.m.* rantolìo, ansito, affanno.
rapàce *agg.* **1** predatore **2** ♧ avido, ingordo, famelico, bramoso, vorace.
rapacità *s.f.* ♧ avidità, ingordigia, bramosia.
rapàre *v.tr.* tagliare a zero, radere a zero, pelare (*scherz.*).
rapidità *s.f.* velocità, sveltezza, celerità, prontezza © lentezza.
ràpido *agg.* **1** (*nel fare qlco.*) veloce, celere © lento **2** (*di movimento, di azione ecc.*) veloce, fulmineo, repentino, subitaneo; breve, corto, fugace, sbrigativo © lento, lungo, eterno, interminabile **3** (*di persona*) svelto, pronto, veloce, scattante, sollecito, tempestivo © lento, tardo, pigro, flemmatico **4** (*di discorso e sim.*) breve, corto, conciso, sintetico, succinto © ampio, esteso, lungo, dettagliato, prolisso.
rapiménto *s.m.* **1** sequestro, sequestro di persona **2**♧ (*stato emotivo*) estasi, beatitudine, contemplazione, trance © distacco, disinteresse, indifferenza.
rapìna *s.f.* **1** furto, colpo (*gerg.*), estorsione, appropriazione indebita (*dir.*) **IPON.** borseggio, scippo, taccheggio **2** (*richiesta eccessiva di denaro*) furto, ruberia, latrocinio, ladreria.
rapinàre *v.tr.* derubare, spogliare, ripulire (*gerg.*) **IPON.** scippare, borseggiare, taccheggiare.
rapinatóre *s.m.* **IPON.** ladro, scippatore, borsaiolo, taccheggiatore **IPERON.** malvivente, delinquente.
rapìre *v.tr.* **1** sequestrare **2** ♧ affascinare, ammaliare, sedurre, attrarre, avvincere, conquistare © annoiare, disgustare.
rapìto *agg.* **1** sequestrato **2** ♧ affascinato, ammaliato, estasiato, incantato, stregato; assorto, trasognato © annoiato, disgustato; freddo, distaccato, indifferente ♦ *s.m.* ostaggio, sequestrato **INVER.** rapitore, sequestratore.
rapitóre *s.m.* sequestratore **INVER.** rapito, sequestrato, ostaggio.

rappacificàre *v.tr.* riconciliare, pacificare, mettere pace, riavvicinare, riunire © allontanare, dividere, separare, mettere zizzania (*colloq.*) ♦ **rappacificarsi** *v.pr.* fare pace, riconciliarsi, accordarsi, avvicinarsi, pacificarsi © litigare, rompere, tagliare i ponti.

rappacificazióne *s.f.* riconciliazione, riavvicinamento, pacificazione; accordo, intesa © contrasto, lite, rottura; inimicizia, discordia.

rappezzàre *v.tr.* **1** rattoppare **IPERON.** rammendare, ricucire, cucire © strappare, scucire **2** ♧ arrangiare, rimediare, rabberciare, sistemare; riparare, risolvere, accomodare.

rappèzzo *s.m.* rattoppo, rappezzamento; toppa, pezza.

rapportàre *v.tr.* confrontare, paragonare, comparare, mettere a confronto; collegare, correlare © distinguere, separare ♦ **rapportarsi** *v.pr.* **1** collegarsi, riferirsi, ricollegarsi, rifarsi **2** (*di persona*) relazionarsi.

rappòrto *s.m.* **1** resoconto, relazione, rendiconto; comunicazione, esposizione, comunicato **2** (*tra persone*) relazione, legame, unione, vincolo; contatto **3** (*tra cose*) relazione, corrispondenza, legame, attinenza, collegamento, connessione, correlazione, riferimento, nesso; somiglianza, analogia **4** (*sessuale*) rapporto intimo, relazione sessuale, accoppiamento, coito; (*volg.*) chiavata, scopata, trombata; (*veloce*) botta, colpo, sveltina **5** (*mat.*) quoziente.

rapprèndersi *v.pr.* addensarsi, condensarsi, indurirsi, rassodarsi, solidificarsi; (*di latte*) cagliarsi; (*di sangue*) coagularsi © sciogliersi, liquefarsi.

rappresàglia *s.f.* ritorsione, rivalsa; vendetta.

rappresentànte *s.m.f.* **1** delegato, inviato, incaricato, emissario, portavoce; sostituto, supplente **IPON.** (*di uno stato*) ambasciatore, diplomatico; (*del Vaticano*) legato pontificio; (*in parlamento*) deputato, senatore **2** (*dir.*) intermediario, mandatario, procuratore **3** (*comm.*) agente di commercio, agente di vendita, commesso viaggiatore, venditore.

rappresentànza *s.f.* **1** mandato, procura; delega **2** (*di persone*) delegazione, deputazione.

rappresentàre *v.tr.* **1** riprodurre, raffigurare, ritrarre; tracciare, schizzare, abbozzare, tratteggiare; (*in un'opera letteraria*) narrare, descrivere, raccontare **2** significare, esprimere, simboleggiare **3** indicare, costituire, essere, significare, voler dire **4** (*sulla scena o sullo schermo*) mettere in scena, dare, eseguire; (*una parte*) recitare, interpretare, sostenere **5** fare le veci, sostituire, fungere.

rappresentatìvo *agg.* **1** dimostrativo, emblematico, esemplare, indicativo, paradigmatico, significativo; caratteristico, proprio, tipico © insignificante **2** (*di persona*) illustre, importante, noto © oscuro, insignificante.

rappresentazióne *s.f.* **1** riproduzione, raffigurazione, descrizione; racconto, narrazione; (*la cosa rappresentata*) figura, immagine, illustrazione **2** (*simbolica*) emblema, simbolo, immagine **3** (*teatrale*) messinscena, spettacolo; replica.

raptus *s.m.* (*lat.*) **1** follia, furia; accesso, impulso **2** (*poetico, creativo e sim.*) ispirazione, illuminazione, lampo, folgorazione.

rarefàre *v.tr.* **1** (*di gas, di vapore ecc.*) dilatare, diluire © concentrare, addensare **2** (*di visite e sim.*) diradare, ridurre, diminuire © aumentare, moltiplicare, intensificare, raddoppiare ♦ **rarefarsi** *v.pr.* (*di nebbia, di vapore ecc.*) diradarsi, dilatarsi © addensarsi, concentrarsi.

rarefàtto *agg.* **1** (*di aria, di gas e sim.*) dilatato, rado © denso **2** ♧ (*di atmosfera e sim.*) elegante, raffinato © grossolano, rozzo.

rarità *s.f.* **1** (*di avvenimenti e sim.*) occasionalità, sporadicità, saltuarietà © frequenza, assiduità, regolarità **2** (*di un oggetto*) unicità, singolarità; scarsità, penuria; preziosità, ricercatezza; pezzo unico, eccezione, mosca bianca © normalità; diffusione; abbondanza.

ràro *agg.* **1** infrequente, episodico, sporadico, saltuario, occasionale; eccezionale, straordinario; scarso, poco © continuo, costante, frequente; abituale, usuale; numeroso, abbondante **2** prezioso, pregiato; ricercato, introvabile, irreperibile © comune, normale, ordinario **3** (*di bosco e sim.*) rado, rarefatto © folto, fitto.

rasàre *v.tr.* **1** radere, tagliare, pelare (*scherz.*); (*i capelli*) rapare, radere a zero, tagliare a zero **2** (*il legno, l'intonaco ecc.*) levigare, lisciare, scartavetrare; spianare, livellare.

rasàto *agg.* **1** depilato; sbarbato; rapato, pelato (*scherz.*) © peloso, irsuto, villoso; capelluto; barbuto **2** (*di superficie*) liscio, levigato, spianato © ruvido, aspro, scabroso.

raschiàre *v.tr.* grattare, fregare, sfregare; limare, levigare; scrostare.

rasentàre *v.tr.* **1** sfiorare, lambire © allontanarsi, scostarsi, staccarsi **2** ♧ (*il ridicolo, la vittoria ecc.*) avvicinarsi, sfiorare; (*il licenziamento e sim.*) rischiare.

rasènte *agg.* vicino © lontano, distante.

ràso *agg.* **1** (*di pelle, di viso ecc.*) rasato, liscio, sbarbato, glabro © barbuto, irsuto **2** (*di superficie*) liscio, levigato © ruvido, scabro **3** (*di recipiente*) colmo, pieno, ricolmo © vuoto.

rasotèrra *s.m.* (*nei giochi di palla*) tiro radente ♦ *agg.invar.* ♧ mediocre, modesto, di basso livello, terra terra © notevole, eccelso, di valore.
raspàre *v.tr.*, *v.intr.* **1** limare, spianare, levigare **2** (*di animali*) grattare, scavare, razzolare (*di polli*), grufolare (*di maiali*) **3** irritare, pizzicare.
rasségna *s.f.* **1** (*mil.*) rivista, ispezione; sfilata, parata **2** esame, vaglio, disamina **3** elenco, inventario; resoconto, rendiconto, cronaca; bollettino, rivista **4** mostra, esposizione, festival.
rassegnàre *v.tr.* (*le dimissioni*) presentare, dare, dimettersi, licenziarsi; (*un mandato, una carica*) rinunciare ♦ **rassegnarsi** *v.pr.* arrendersi, cedere, adattarsi, adeguarsi, piegarsi, sottostare, chinare la testa © resistere, ribellarsi, protestare, reagire.
rassegnàto *agg.* arreso; paziente, tollerante.
rassegnazióne *s.f.* sopportazione, accettazione; pazienza, tolleranza © resistenza, opposizione, ribellione, reazione; impazienza, intolleranza.
rasserenànte *agg.* confortante, rassicurante, tranquillizzante; rilassante, riposante © angosciante, deprimente, preoccupante.
rasserenàre *v.tr.* **1** (*di cielo*) rischiarare, pulirsi © annuvolare, oscurare **2** confortare, consolare, rassicurare, calmare, tranquillizzare © agitare, inquietare, sconvolgere, turbare ♦ **rasserenarsi** *v.pr.* **1** (*di cielo*) rischiararsi, pulirsi © annuvolarsi, oscurarsi **2** confortarsi, consolarsi, rassicurarsi, calmarsi, tranquillizzarsi © agitarsi, inquietarsi, sconvolgersi, turbarsi.
rassettàre *v.tr.* **1** sistemare, riordinare, rimettere in ordine © disordinare, incasinare (*colloq.*) **2** accomodare, aggiustare, riparare © rompere, guastare.
rassettatùra *s.f.* **1** sistemazione **2** aggiustatura, riparazione © guasto.
rassicuràre *v.tr.* tranquillizzare, confortare, incoraggiare, rasserenare, rincuorare © preoccupare, agitare, spaventare ♦ **rassicurarsi** *v.pr.* tranquillizzarsi, calmarsi, consolarsi, rincuorarsi © agitarsi, preoccuparsi, allarmarsi, turbarsi.
rassodàre *v.tr.* **1** indurire, solidificare, ispessire, condensare © ammorbidire, sciogliere **2** (*i muscoli e sim.*) tonificare, rinvigorire; irrobustire, rinforzare **3** ♧ (*un'amicizia e sim.*) consolidare, rafforzare, rinsaldare © indebolire, affievolire, attenuare.
rassomigliànte *agg.* simile, conforme, fedele © diverso, differente.
rassomigliànza *s.f.* somiglianza, similitudine; conformità; analogia, affinità © differenza, diversità.
rassomigliàre *v.intr.* assomigliare, somigliare; sembrare © differire, distinguersi.
rastrellaménto *s.m.* retata.
rastrellàre *v.tr.* **1** raccogliere, raccattare; ripulire **2** ♧ (*un luogo*) perlustrare, controllare, ispezionare; (*persone*) arrestare, catturare.
rateàle *agg.* a rate, dilazionato.
rateàre *v.tr.* rateizzare, dilazionare.
rateizzàre *v.tr.* rateare, dilazionare.
rateizzazióne *s.f.* rateazione, rateo, dilazionamento.
ratìfica *s.f.* approvazione, convalida; riconoscimento, avallo © annullamento, invalidamento, invalidazione.
ratificàre *v.tr.* approvare, convalidare, sanzionare; firmare, sottoscrivere; legittimare, riconoscere © respingere, annullare, bloccare, invalidare.
ràtto[1] *s.m.* (*elev.*) rapimento, sequestro.
ràtto[2] *s.m.* topo, sorcio.
rattoppàre *v.tr.* **1** rappezzare © strappare **2** ♧ aggiustare, accomodare, rimediare, mettere una toppa.
rattòppo *s.m.* **1** toppa, pezza **2** ♧ rimedio, ripiego, palliativo.
rattrappìre *v.tr.* irrigidire, bloccare, contrarre, anchilosare © sciogliere, distendere ♦ **rattrappirsi** *v.pr.* irrigidirsi, contrarsi, bloccarsi, anchilosarsi; (*per il freddo*) intirizzirsi © distendersi, sciogliersi, stirarsi.
rattristàre *v.tr.* addolorare, dispiacere, avvilire, deprimere, intristire, buttare giù © rallegrare, confortare, rasserenare, rincuorare, tirare su ♦ **rattristarsi** *v.pr.* addolorarsi, dispiacersi, avvilirsi, deprimersi, intristirsi, immalinconirsi © rallegrarsi, consolarsi, rasserenarsi, rincuorarsi, tirarsi su.
rattristàto *agg.* addolorato, afflitto, avvilito, sconfortato, triste © allegro, contento, divertito.
raucèdine *s.f.* abbassamento di voce; rochezza.
ràuco *agg.* **1** (*di persona*) afono, roco **2** (*di suono, di voce*) cupo, roco, basso, fioco, debole, smorzato © chiaro, limpido, argentino.
ravvedérsi *v.pr.* pentirsi, riscattarsi, redimersi; mettere la testa a posto (*colloq.*).
ravvediménto *s.m.* pentimento, ripensamento; (*religioso*) conversione.
ravviàre *v.tr.* ordinare, sistemare © disordinare ♦ **ravviarsi** *v.pr.* (*i capelli*) aggiustarsi, sistemarsi; lisciarsi, pettinarsi © scompigliarsi, scomporsi, disordinarsi.
ravvicinàre *v.tr.* vedi **riavvicinàre**.
ravvisàre *v.tr.* **1** (*uno stile e sim.*) riconoscere, identificare, individuare **2** (*una persona*) intravedere, notare, scorgere, percepire.

ravvivàre *v.tr.* **1** animare, rianimare, stimolare; movimentare, scaldare, vivacizzare, vivificare **2** (*il fuoco*) alimentare, attizzare, riaccendere, rinfocolare © soffocare, spegnere **3** ♧ (*un desiderio, una passione ecc.*) riaccendere, rinfocolare, risvegliare, rinforzare © attenuare, indebolire.

ravvòlgere *v.tr.* avvolgere, avvoltolare; fasciare.

raziocinànte *agg.* **1** intelligente, ragionevole, razionale © irragionevole, irrazionale **2** (*di capacità, di metodo ecc.*) logico, razionale; intellettuale, mentale, speculativo.

raziocìnio *s.m.* ragione, intelletto, intelligenza, mente, logica; giudizio, criterio, buon senso, senno, ragionevolezza © illogicità, insensatezza, irragionevolezza, sventatezza.

razionàle *agg.* **1** intelligente, pensante, raziocinante © irrazionale **2** logico, lucido, sensato, coerente; (*di metodo, di analisi e sim.*) preciso, scientifico, rigoroso, sistematico © irrazionale, illogico, incoerente; impreciso, empirico **3** (*di persona*) concreto, pratico, freddo © emotivo, impulsivo, irrazionale, sentimentale **4** (*di arredamento e sim.*) funzionale, efficiente, pratico © irrazionale.

razionalità *s.f.* **1** ragione, logica, intelligenza, cervello © istinto, sentimento, passione **2** (*di un ragionamento e sim.*) coerenza, criterio, logicità, lucidità, metodicità, sistematicità © illogicità, incoerenza, irrazionalità **3** (*di un arredamento e sim.*) funzionalità, praticità © irrazionalità.

razionalizzàre *v.tr.* (*un'attività, un lavoro ecc.*) pianificare, sistematizzare; ottimizzare.

razionàre *v.tr.* **1** (*i viveri, le scorte ecc.*) limitare, ridurre, contenere **2** dividere, ripartire, suddividere.

razióne *s.f.* dose, porzione, parte, quota.

ràzza *s.f.* **1** (*antropol.*) IPON. tipo, etnia **2** casata, ceppo, famiglia, nascita, stirpe **3** popolo, popolazione, gente, nazione **4** (*spec. spreg.*; *di cose*) genere, specie, tipo, varietà, sorta; (*spec. spreg.*; *di persone*) genere, tipo, sorta, risma.

razzìa *s.f.* **1** saccheggio, sacco, scorreria **2** furto, rapina, ruberia; accaparramento, incetta.

razziàle *agg.* etnico.

razziàre *v.tr.* saccheggiare, rapinare, depredare; (*una città, un territorio ecc.*) mettere a ferro e fuoco.

razzìsmo *s.m.* discriminazione razziale IPON. antisemitismo (*verso gli ebrei*); apartheid; segregazionismo © integrazionismo; integrazione razziale.

razzìsta *s.m.f.* IPON. antisemita (*verso gli ebrei*); segregazionista.

ràzzo *s.m.* **1** fuoco artificiale, fuoco d'artificio **2** missile **3** ♧ (*persona veloce*) fulmine, lampo, scheggia (*colloq.*), saetta © lumaca, tartaruga.

razzolàre *v.intr.* **1** raspare, grattare **2** ♧ frugare, armeggiare, rovistare.

ré *s.m.* **1** monarca, sovrano, regnante **2** signore, dominatore, padrone **3** ♧ (*di uno sport, dello spettacolo ecc.*) campione, eroe, dio, divo, stella, star (*ingl.*).

reagìre *v.intr.* (*a uno stimolo*) rispondere; (*a una provocazione e sim.*) ribellarsi, opporsi, controbattere, replicare; scattare, inalberarsi © sopportare, subire, accettare, tollerare.

reàle[1] *agg.* effettivo, concreto, autentico, oggettivo, tangibile; fisico, materiale, sensibile © irreale, astratto, falso, fittizio; ipotetico, teorico, virtuale; inesistente, inventato ♦ *s.m.* realtà © irrealtà.

reàle[2] *agg.* regio, regale ♦ *s.m.pl.* regnanti, sovrani.

realìsmo *s.m.* **1** (*filos.*) © idealismo **2** (*nell'arte, nella letteratura*) naturalismo, verismo © idealismo; astrattismo **3** concretezza, obiettività, oggettività, pragmatismo © astrattezza, idealismo.

realìsta[1] *agg.*, *s.m.f.* **1** positivista, pragmatista; materialista © idealista, sognatore, visonario **2** (*nell'arte, nella letteratura*) naturalista, verista © idealista.

realìsta[2] *agg.*, *s.m.f.* monarchico; legittimista © repubblicano, antimonarchico.

realìstico *agg.* **1** concreto, pratico, obiettivo, oggettivo, pragmatico © astratto, teorico; idealistico, utopistico **2** (*nell'arte, nella letteratura*) naturalistico, veristico © idealistico.

realizzàre *v.tr.* **1** compiere, eseguire, fare, svolgere, concretizzare, attuare, mettere in pratica; creare, produrre; (*un sogno e sim.*) esaudire, soddisfare **2** (*un guadagno*) guadagnare, ricavare, ottenere © perdere, rimetterci **3** (*econ.*) liquidare, monetizzare **4** comprendere, capire, afferrare; rendersi conto, capacitarsi ♦ **realizzarsi** *v.pr.* **1** (*di progetto, di sogno ecc.*) avverarsi, attuarsi, compiersi, concretizzarsi, materializzarsi © sfumare, svanire, andare in fumo **2** (*di persona*) affermarsi, riuscire, arrivare © fallire.

realizzàto *agg.* appagato, soddisfatto; affermato, arrivato © insoddisfatto, deluso, frustrato; fallito

realizzatóre *s.m.* artefice, autore, creatore.

realizzazióne *s.f.* **1** attuazione, esecuzione, compimento, concretizzazione © progetto, ideazione **2** (*di un sogno e sim.*) avveramento © delusione **3** (*di persona*) affermazione, soddisfazione, riuscita © fallimento.

realìzzo *s.m.* (*di una vendita*) guadagno, provento, ricavo, utile.
realtà *s.f.* **1** reale; concreto © irrealtà **2** concretezza, consistenza, materialità, tangibilità; verità, veridicità © astrattezza, illusione, inesistenza, irrealtà; falsità, finzione.
reàme *s.m.* (*nelle favole*) regno.
reàto *s.m.* delitto, crimine, misfatto **IPERON.** infrazione.
reattóre *s.m.* motore a getto.
reazionàrio *agg.*, *s.m.* conservatore, illiberale, passatista, retrivo, retrogrado © liberale, democratico, progressista, rivoluzionario.
reazióne *s.f.* **1** risposta, replica; opposizione, protesta, resistenza, ribellione, sollevazione © accettazione, rassegnazione, sopportazione **2** (*in politica*) reazionarismo, conservatorismo, oscurantismo © liberalismo, progressismo **3** (*med.*; *di un organismo e sim.*) risposta.
rèbus *s.m.* **1** enigma, mistero, rompicapo, busillis (*colloq.*), imbroglio, pasticcio **2** (*di persona*) enigma, mistero.
recalcitrànte *agg.* **1** (*di animale*) restio, riottoso © docile, mansueto **2** ♧ (*di persona*) riluttante, refrattario, maldisposto, insofferente; indisciplinato, ribelle © bendisposto, propenso; arrendevole, ubbidiente.
recapitàre *v.tr.* (*una lettera, un pacco ecc.*) consegnare, portare © ricevere, ritirare.
recàpito *s.m.* **1** indirizzo; domicilio **2** (*di un pacco e sim.*) consegna; distribuzione © ritiro.
recàre *v.tr.* **1** (*un pacco*) consegnare, dare, recapitare; (*una persona*) accompagnare, portare, condurre; (*una notizia*) riferire, dire **2** ♧ (*un danno, un sollievo ecc.*) procurare, arrecare, causare ♦ **recarsi** *v.pr.* andare; avviarsi, incamminarsi, dirigersi, muoversi © stare, restare, rimanere; fermarsi trattenersi; venire, tornare, ritornare.
recèdere *v.intr.* arretrare, desistere, retrocedere, fare marcia indietro (*colloq.*), tirarsi indietro © continuare, insistere, proseguire.
recensióne *s.f.* critica **IPERON.** esame, giudizio, commento.
recensìre *v.tr.* giudicare, criticare **IPERON.** analizzare, esaminare, commentare.
recènte *agg.* nuovo; moderno, contemporaneo, attuale, odierno, ultimo; (*di notizia e sim.*) fresco © antico, vecchio, passato; antiquato, superato, obsoleto.
recepìre *v.tr.* **1** (*idee e sim.*) accogliere, accettare, fare proprio, assimilare © rifiutare, respingere, rigettare **2** (*messaggi e sim.*) capire, cogliere, comprendere, afferrare.
reception *s.f.invar.* (*ingl.*) accettazione; bureau (*fr.*).
recessióne *s.f.* **1** arretramento, retrocessione, ripiegamento; riflusso; rinuncia **2** (*econ.*) crisi, depressione, ristagno, stagnazione © espansione, boom (*ingl.*), crescita, sviluppo.
recèsso *s.m.* (*dell'anima, della coscienza ecc.*) intimo, profondo, fondo, piega.
recettìvo *agg.* vedi **ricettìvo**.
recìdere *v.tr.* tagliare, troncare, tranciare, mozzare; (*un dito e sim.*) amputare, staccare, mutilare.
recidìva *s.f.* (*med.*) aggravamento, recrudescenza, ricaduta, riacutizzazione © remissione (*med.*), guarigione.
recidìvo *agg.*, *s.m.* incorreggibile, impenitente, incallito; inguaribile.
recìngere *v.tr.* cingere, chiudere, circondare, racchiudere, contornare, delimitare.
recintàre *v.tr.* chiudere, circondare, cingere.
recìnto *s.m.* cinta, cerchia, chiusa, cintura, recinzione **IPON.** steccato, siepe, rete, cancellata, palizzata, staccionata, inferriata.
recinzióne *s.f.* vedi **recìnto**.
recipiènte *s.m.* contenitore.
reciprocità *s.f.* corrispondenza.
recìproco *agg.* mutuo, vicendevole, scambievole © unilaterale.
recisióne *s.f.* **1** taglio, troncamento, amputazione (*med.*) **2** ♧ chiarezza, decisione, fermezza, risolutezza © ambiguità, indecisone, titubanza.
recìso *agg.* **1** (*di fiore e sim.*) tagliato **2**♧ netto, deciso, categorico, determinato, brusco, risoluto © incerto, esitante, titubante; gentile, delicato, garbato, cordiale.
rècita *s.f.* **1** (*di un'opera teatrale*) spettacolo, rappresentazione; (*di una poesia*) declamazione, recitazione **2** ♧ finta, finzione, commedia, messinscena, simulazione.
recitàre *v.tr.* **1** dire, ripetere; (*versi e sim.*) declamare; (*una parte, un personaggio*) sostenere, impersonare **2** (*ass.*) calcare le scene **3** ♧ fingere, simulare, fare la commedia **4** (*di legge, di norma e sim.*) dire, affermare; prevedere, stabilire, decretare.
recitazióne *s.f.* **1** (*di una poesia e sim.*) declamazione, recita **2** (*di un'opera teatrale e sim.*) interpretazione.
reclamàre *v.intr.* protestare, contestare, lamentarsi, rimostrare © approvare ♦ *v.tr.* chiedere, esigere, pretendere, richiedere © rinunciare; rifiutare.
réclame *s.f.invar.* (*fr.*) pubblicità, propaganda, promozione **2** manifesto, cartellone, locandina; opuscolo, volantino, dépliant (*fr.*); (*in televisio-

ne, radio ecc.) spot, spot pubblicitario; (*luminosa*) insegna.

reclamizzàre *v.tr.* pubblicizzare, propagandare, promuovere, lanciare.

reclàmo *s.m.* protesta, lagnanza, lamentela, rimostranza © approvazione, consenso.

reclinàre *v.tr.* piegare, inclinare, abbassare © sollevare.

reclusióne *s.f.* detenzione, prigionia, carcerazione, incarceramento; isolamento, segregazione.

reclùso *agg.* imprigionato, rinchiuso, segregato © libero ♦ *s.m.* prigioniero, detenuto, carcerato, condannato, galeotto.

rècluta *s.f.* **1** coscritto, spina (*gerg.*) © anziano, vecchio (*gerg.*), nonno (*gerg.*) **2** ♧ (*di un'associazione, di un partito ecc.*) matricola, principiante, novizio; novellino, pivello, dilettante © anziano, veterano.

reclutaménto *s.m.* **1** (*mil.*) arruolamento, leva, chiamata alle armi © congedo **2** (*di personale*) assunzione, ingaggio, assoldamento © licenziamento.

reclutàre *v.tr.* **1** (*mil.*) arruolare, chiamare alle armi, coscrivere © congedare **2** (*personale e sim.*) assumere, ingaggiare, assoldare © licenziare **3** (*iscritti, proseliti ecc.*) raccogliere, fare.

recòndito *agg.* **1** (*elev.*) nascosto, appartato, sperduto; distante, remoto **2** ♧ occulto, segreto, misterioso, indecifrabile, sotterraneo; intimo, inconfessato © chiaro, noto, evidente, esplicito, espresso.

rècord *s.m.invar.* primato; limite.

recordman *s.m.invar.* (*ingl.*) primatista.

recriminàre *v.intr.* **1** dispiacersi, affliggersi, crucciarsi © allietarsi, gioire, rallegrarsi **2** lamentarsi, protestare, lagnarsi, reclamare.

recriminazióne *s.f.* lagnanza, lamentela; protesta, reclamo, rimostranza.

recrudescènza *s.f.* aggravamento, inasprimento, peggioramento; (*di una malattia*) recidiva © attenuazione, miglioramento, remissione (*med.*).

recuperàre *v.tr.* **1** riprendere, riavere; ritrovare, rinvenire, scoprire, rintracciare © lasciare, perdere, smarrire **2** (*le forze, la salute ecc.*) riacquistare, ritrovare; rimettersi, ristabilirsi © perdere **3** (*uno svantaggio, un ritardo ecc.*) ridurre, accorciare, riguadagnare **4** (*rifiuti o prodotti di scarto*) riciclare, riutilizzare © gettare, disperdere, eliminare **5** (*una persona*) salvare; (*un naufrago, un relitto ecc.*) pescare, ripescare **6** (*un progetto, una moda ecc.*) ripescare, rilanciare, rispolverare, riproporre **7** ♧ (*i tossicodipendenti, gli ex-detenuti ecc.*) inserire, reinserire © escludere, emarginare.

recùpero *s.m.* **1** ritrovamento, rinvenimento, reperimento; riacquisto, ripescaggio © perdita, smarrimento **2** (*delle forze, della salute ecc.*) ripresa, ristabilimento © calo, caduta, crollo **3** (*di rifiuti o prodotti di scarto*) riciclaggio, riciclo © dispersione, eliminazione **4** (*di una persona*) salvataggio **5** (*di un progetto, di una moda ecc.*) ripescaggio, rilancio, riscoperta, rivalutazione © abbandono **6** (*di tossicodipendenti, di ex-detenuti ecc.*) reinserimento © emarginazione, esclusione **7** (*sport*) rimonta.

redarguìre *v.tr.* rimproverare, riprendere, richiamare, sgridare, rimbrottare © lodare, elogiare.

redattóre *s.m.* **1** (*di un rapporto, di un documento ecc.*) compilatore **2** (*di un articolo*) giornalista; (*editoriale*) editor **3** (*al pl.*) redazione.

redazióne *s.f.* **1** (*di un testo scritto*) stesura, compilazione; scrittura, composizione **2** (*in un giornale, in una casa editrice ecc.*) redattori.

redditìzio *agg.* fruttuoso, remunerativo, lucrativo, produttivo; vantaggioso, conveniente © improduttivo, antieconomico, infruttuoso, svantaggioso.

rèddito *s.m.* **1** (*econ.*) entrate © uscite **2** guadagno, profitto, provento, rendita © spesa, uscita; utile, rendimento.

redentóre *agg.* salvatore ♦ *s.m.* Gesù Cristo, Salvatore.

redìgere *v.tr.* (*uno scritto, un documento ecc.*) scrivere, stendere, compilare, stilare; (*un contratto e sim.*) stipulare.

redìmere *v.tr.* **1** (*relig.*) riscattare, salvare, liberare © dannare **2** liberare, riscattare, affrancare emancipare © asservire, assoggettare ♦ **redimersi** *v.pr.* liberarsi, riscattarsi, risollevarsi © dannarsi, perdersi, traviarsi.

rèduce *agg., s.m.f.* superstite, sopravvissuto; scampato; (*di guerra*) ex-combattente.

referèndum *s.m.invar.* **1** plebiscito IPERON. votazione **2** (*statistico*) indagine, inchiesta, sondaggio.

referènte *s.m.* punto di riferimento, riferimento.

referènza *s.f.* (*spec. al pl.*) credenziali; presentazione, lettera di raccomandazione.

refèrto *s.m.* (*med.*) risultato, esito.

rèfolo *s.m.* alito, soffio, folata.

refrattàrio *agg.* **1** (*di materiale*) inalterabile, indeformabile **2** ♧ (*di persona*) insensibile, noncurante, sordo, indifferente © sensibile, ricettivo **3** (*scherz.*) negato © dotato, portato, predisposto, tagliato **4** (*scherz.*; *al matrimonio e sim.*) allergico, insofferente, renitente, riluttante © disponibile, pronto.

refrigerànte *agg.* **1** (*di bagno e sim.*) rinfrescante **2** refrigeratore.

refrigeràre *v.tr.* raffreddare, condizionare (*l'aria*) © intiepidire, riscaldare ♦ **refrigerarsi** *v.pr.* rinfrescarsi.
refrigeratóre *agg.* refrigerante ♦ *s.m.* frigorifero, frigo, frigidaire (*fr.*), ghiacciaia.
refrigèrio *s.m.* **1** fresco, freschezza, frescura © caldo, calore, arsura **2** ♧ conforto, sollievo, ristoro.
refurtìva *s.f.* bottino, malloppo (*gerg.*), maltolto.
refùso *s.m.* errore di stampa.
regalàre *v.tr.* **1** dare, donare, offrire © accettare, ricevere **2** svendere, liquidare.
regàle *agg.* **1** reale, regio **2** magnifico, ricco, grandioso, splendido, sfarzoso © povero, misero, modesto, semplice **3** ♧ (*di portamento e sim.*) solenne, maestoso, altero.
regalità *s.f.* magnificenza, nobiltà, sontuosità.
regàlo *s.m.* **1** dono, omaggio, presente, pensiero, cadeau (*fr.*); offerta, elargizione, donazione **2** ♧ favore, piacere, cortesia, gentilezza © dispiacere, dolore; sgarbo, scortesia.
règgere *v.tr.* **1** prendere, tenere, sorreggere © lasciare, mollare **2** sostenere, sopportare; resistere © cedere **3** guidare, condurre, amministrare; dirigere, governare ♦ *v.intr.* **1** resistere, sopportare, tollerare © mollare, arrendersi **2** durare, continuare ♦ **reggersi** *v.pr.* **1** sostenersi, tenersi © cadere, abbandonarsi, crollare; barcollare, vacillare **2** (*a qlco.*) aggrapparsi, afferrarsi, sostenersi, sorreggersi **3** ♧ (*di discorso e sim.*) basarsi, fondarsi, poggiare **4** ♧ (*di persona*) dominarsi, trattenersi.
règgia *s.f.* corte, palazzo reale.
reggipètto *s.m.* reggiseno.
regìa *s.f.* **1** (*di uno spettacolo teatrale, cinematografico ecc.*) messinscena, realizzazione; direzione **2** preparazione, organizzazione, allestimento, coordinamento.
regìme *s.m.* **1** (*democratico, monarchico ecc.*) governo, sistema, stato **2** (*autoritario, antidemocratico*) assolutismo, dispotismo, dittatura, tirannia, totalitarismo; (*per anton.*) fascismo **3** (*alimentare*) dieta **4** (*di un motore e sim.*) velocità.
regìna *s.f.* **1** sovrana, monarca, regnante **2** ♧ (*scherz.*) primadonna, signora, reginetta.
règio *agg.* reale, regale.
regionalìsmo *s.m.* localismo, campanilismo.
regióne *s.f.* **1** area, territorio, luogo, zona **2** (*del corpo umano*) parte, zona.
regìsta *s.m.f.* **1** cineasta, film-maker (*ingl.*) **2** ♧ coordinatore, organizzatore.
registràre *v.tr.* **1** scrivere, annotare, segnare; (*un veicolo*) immatricolare; (*un atto e sim.*) iscrivere © cancellare **2** (*un fatto, un evento ecc.*) ricordare, segnalare, citare © cancellare, dimenticare, scordare **3** ♧ ricordare, memorizzare, rammentare © dimenticare, scordare **4** (*dati, informazioni ecc.*) ordinare, catalogare, classificare, raccogliere; (*nel computer*) inserire, introdurre, immettere © cancellare, eliminare **5** (*in un dizionario e sim.*) accogliere, riportare, attestare (*ling.*), citare, menzionare **6** (*di apparecchio, di dispositivo ecc.*) rilevare, segnalare **7** (*un disco e sim.*) incidere **8** (*un meccanismo e sim.*) regolare, tarare, mettere a punto © sfasare.
registratóre *s.m.* mangiacassette, mangianastri.
registrazióne *s.f.* **1** annotazione, immatricolazione; (*di un veicolo*) immatricolazione; (*di un atto e sim.*) iscrizione © cancellazione **2** (*nella mente*) memorizzazione **3** (*di un fenomeno e sim.*) rilevamento, rilevazione **4** (*di un disco*) incisione **5** (*in un dizionario e sim.*) attestazione, citazione, menzione **6** (*di programma radiotelevisivo*) registrata, differita © diretta.
regìstro *s.m.* **1** libro, quaderno; elenco, lista, catalogo, inventario **2** ♧ atteggiamento, contegno, condotta.
regnànte *s.m.f.* monarca, testa coronata; re, sovrano; regina, sovrana ♦ *agg.* ♧ dominante, imperante, dilagante, predominante .
regnàre *v.intr.* **1** governare; comandare, dominare **2** ♧ dominare, prevalere, comandare.
régno *s.m.* **1** monarchia; (*spec. nelle favole*) reame **2** autorità, governo, potere, sovranità **3** ♧ (*della fantasia e sim.*) mondo; (*ideale*) ambiente, habitat, paradiso, oasi.
règola *s.f.* **1** norma, precetto, canone, legge, principio, prescrizione **2** (*di vita*) condotta, maniera, metodo, sistema; (*di comportamento e sim.*) costume, consuetudine, uso, usanza, etichetta, protocollo, rituale **3** limite, misura, moderazione, freno, controllo, autocontrollo, temperanza © sregolatezza, smodatezza, eccesso, esagerazione, intemperanza **4** normalità, prassi, consuetudine © eccezione, anomalia, anormalità, rarità.
regolamentàre[1] *v.tr.* ordinare, regolare, disciplinare, sistemare © disordinare, scombussolare, sconvolgere.
regolamentàre[2] *agg.* regolare, legittimo, legale © irregolare, illegittimo, illegale.
regolamentazióne *s.f.* regolamento, normativa.
regolaménto *s.m.* ordinamento, normativa, regolamentazione.
regolàre[1] *v.tr.* **1** ordinare, disciplinare, regolamentare © sconvolgere, disordinare **2** (*un congegno, un meccanismo ecc.*) registrare, calibrare, mettere a punto, tarare **3** (*le spese, i consumi*

e sim.) limitare, contenere, ridurre © aumentare, incrementare **4** (*un debito e sim.*) pagare, onorare, liquidare **5** ♧ (*una questione*) risolvere, definire, sistemare ♦ **regolarsi 1** comportarsi, agire, procedere **2** (*nel bere, nel mangiare ecc.*) moderarsi, contenersi, controllarsi © esagerare.

regolàre2 *agg.* **1** in regola; legale, legittimo, regolamentare © irregolare, illegittimo, illegale **2** (*di superficie*) piano, liscio; simmetrico; uniforme; normale © irregolare; ruvido; asimmetrico; ineguale **3** (*di comportamento e sim.*) ordinato, metodico, abitudinario © irregolare, sregolato **4** (*di persona*) costante, continuo, puntuale, assiduo, metodico © incostante, discontinuo **5** (*di pagamento e sim.*) costante, periodico, fisso © saltuario, discontinuo **6** (*gerg.*; *nel linguaggio giovanile*) giusto (*gerg.*), ganzo (*gerg.*).

regolarità *s.f.* **1** (*di un documento e sim.*) legittimità, legalità © irregolarità, illegittimità, illegalità **2** (*di forme e sim.*) armonia, proporzione © irregolarità, disarmonia **3** (*di visite e sim.*) continuità, frequenza, periodicità, sistematicità © discontinuità, irregolarità **4** (*nel lavoro e sim.*) costanza, metodicità, puntualità © irregolarità, discontinuità **5** normalità; misura, equilibrio © eccezionalità; disordine, sregolatezza.

regolarizzàre *v.tr.* **1** (*una posizione e sim.*) legalizzare, normalizzare, legittimare **2** (*la pressione, il battito ecc.*) regolare, normalizzare.

regolàto *agg.* **1** ordinato, disciplinato © sregolato **2** moderato, controllato, parco, sobrio, temperato © disordinato, eccessivo, smodato, sregolato.

regredìre *v.intr.* **1** indietreggiare, arretrare © avanzare, procedere **2** ♧ peggiorare, scadere, degenerare © progredire, migliorare, evolversi **3** (*di infezione e sim.*) diminuire, attenuarsi © aumentare.

regressióne *s.f.* **1** arretramento, retrocessione © avanzamento **2** ♧ peggioramento, decadenza, degrado, declino, recessione (*econ.*) © sviluppo, progresso, miglioramento.

regressìvo *agg.* (*di fenomeno e sim.*) involutivo © progressivo, evolutivo.

regrèsso *s.m.* peggioramento, regressione, degenerazione, decadenza © progresso, avanzamento, sviluppo, miglioramento.

reiètto *agg.*, *s.m.* escluso, emarginato, diseredato, negletto © integrato, inserito.

reincarnazióne *s.f.* metempsicosi.

reinserìre *v.tr.* **1** (*una persona*) recuperare, reintegrare © escludere, emarginare **2** (*una spina e sim.*) © disinserire ♦ **reinserirsi** *v.pr.* reintegrarsi, reintrodursi © emarginarsi, escludersi.

reintegràre *v.tr.* **1** ristabilire, ripristinare **2** (*in una carica e sim.*) riammettere, richiamare © allontanare, deporre, sollevare.

reintrodùrre *v.tr.* **1** reinserire © escludere, emarginare **2** (*una legge e sim.*) ripristinare, ristabilire, restaurare © abolire, eliminare.

reiteràre *v.tr.* ripetere, rifare.

relatìvo *agg.* **1** attinente, concernente, correlato, inerente, riguardante © estraneo **2** commisurato, corrispondente, proporzionale, proporzionato **3** limitato, parziale, ridotto; sufficiente, accettabile © ampio, pieno, totale, illimitato.

relatóre *s.m.* oratore, conferenziere.

relax *s.m.invar.* (*ingl.*) distensione, rilassamento; pace, riposo, tranquillità © tensione, stress, fatica, affaticamento.

relazióne *s.f.* **1** rapporto, legame, nesso, attinenza, correlazione, connessione **2** (*tra persone*) rapporto, legame, unione, vincolo; (*d'amore*) amore, storia (*colloq.*), love-story (*ingl.*); avventura, flirt (*ingl.*); (*al pl.*) amicizie, conoscenze **3** (*orale o scritta*) rapporto, resoconto, esposizione, trattazione; verbale.

relegàre *v.tr.* **1** deportare, esiliare, confinare **2** ♧ mettere in disparte, confinare.

religióne *s.f.* **1** fede, credo, culto, confessione **2** culto, rito; liturgia **3** (*della famiglia, della patria ecc.*) amore, culto, devozione, venerazione, rispetto, reverenza © disprezzo, spregio.

religiosità *s.f.* **1** devozione, fede **2** sacralità, spiritualità **3** ♧ zelo, scrupolo, accuratezza.

religióso *agg.* **1** confessionale **2** (*di persona*) credente, devoto, fedele, praticante, osservante, pio © ateo, miscredente **3** ♧ (*di silenzio e sim.*) profondo, rispettoso, deferente; (*di attenzione e sim.*) accurato, scrupoloso, coscienzioso, meticoloso ♦ *s.m.* sacerdote, ecclesiastico © laico.

relìtto *s.m.* **1** (*di una nave*) rottame, resto, carcassa **2** ♧ (*di persona*) rottame, rifiuto, rudere, derelitto.

reminiscènza *s.f.* ricordo, memoria © dimenticanza, oblio.

remissióne *s.f.* perdono, assoluzione, condono © condanna.

remissività *s.f.* arrendevolezza, sottomissione.

remissìvo *agg.* arrendevole, condiscendente, conciliante, docile, mansueto © indomabile, ribelle, ostinato, cocciuto, caparbio.

rèmora *s.f.* esitazione, indugio, incertezza, imbarazzo; misura, regola, ostacolo, freno © stimolo, incentivo, sollecitazione.

remòto *agg.* **1** (*di luogo*) lontano, distante, discosto © prossimo, vicino **2** appartato, solitario, sperduto, isolato, ritirato **3** (*di tempo*) antico, lontano, passato, andato, perduto © vicino, prossimo, attuale, recente **4** ♧ (*di speranza e sim.*) incerto, lontano, vago © certo, concreto.

remuneràre *v.tr.* vedi **rimuneràre**.

rèndere *v.tr.* **1** ridare, restituire, riconsegnare, dare indietro; (*denaro*) rimborsare, rifondere; (*un saluto*) contraccambiare, ricambiare **2** (*una testimonianza e sim.*) dare, fare, fornire © negare, rifiutare **3** (*lode, omaggio ecc.*) dare, offrire, tributare **4** (*di investimento e sim.*) fruttare, produrre, valere **5** (*di terreno, di attività ecc.*) fruttare, produrre **6** (*di lavoratore, di studioso ecc.*) dare, produrre, riuscire **7** (*un sentimento, una sensazione ecc.*) descrivere, esprimere, comunicare, tradurre.

rendez-vous *s.m.invar.* (*fr.*) appuntamento, incontro.

rendicónto *s.m.* **1** consuntivo, bilancio **2** resoconto, rapporto, relazione.

rendiménto *s.m.* **1** (*di investimento e sim.*) produttività, redditività; guadagno, reddito, rendita, profitto, ritorno © improduttività **2** (*di un terreno*) resa **3** (*di un lavoratore e sim.*) efficienza, resa, produttività © inefficienza, improduttività.

rèndita *s.f.* guadagno, utile, reddito, provento, entrata; capitale, patrimonio, ricchezza.

renitènte *agg.* riluttante, recalcitrante, indocile, refrattario, ritroso © accondiscendente, arrendevole, remissivo.

rèo *agg., s.m.* colpevole, responsabile.

repàrto *s.m.* **1** (*di un'azienda e sim.*) divisione, settore; ufficio, ripartizione **2** (*mil.*) unità; nucleo, contingente.

repellènte *agg.* ripugnante, schifoso, rivoltante; (*di odore e sim.*) disgustoso, nauseabondo, stomachevole; (*di aspetto*) orribile, orrendo, orrido © gradevole, delizioso, piacevole.

repentìno *agg.* improvviso, rapido, veloce; inaspettato, inatteso, imprevisto © graduale, lento.

reperiménto *s.m.* ritrovamento, rinvenimento, scoperta © smarrimento.

reperìre *v.tr.* rintracciare, rinvenire, ritrovare; scoprire, scovare © perdere, smarrire.

repèrto *s.m.* resto; rinvenimento, ritrovamento; documento, testimonianza.

repertòrio *s.m.* **1** elenco, raccolta, catalogo, registro **2** (*teatrale e sim.*) programma **3** assortimento, varietà.

rèplica *s.f.* **1** ripetizione, iterazione **2** (*di un'opera d'arte*) copia, riproduzione **3** (*teatrale*) rappresentazione, spettacolo; (*di brano musicale*) bis **4** risposta, obiezione; reazione, contestazione.

replicàre *v.tr.* **1** ripetere, rifare, reiterare; ridire **2** (*ass.*) rispondere, ribattere, obiettare, controbattere.

reportage *s.m.invar.* (*fr.*) servizio.

reporter *s.m.f.invar.* (*ingl.*) **1** corrispondente, inviato speciale **2** cronista, giornalista.

repressióne *s.f.* **1** contenimento, soffocamento, freno © liberazione, scatenamento **2** (*di una rivolta e sim.*) soffocamento, soppressione **3** (*psicoan.*) inibizione.

repressìvo *agg.* coercitivo, costrittivo, oppressivo, punitivo.

reprèsso *agg.* **1** (*di rabbia e sim.*) contenuto, controllato, soffocato © espresso, manifesto **2** (*di rivolta e sim.*) domato, soffocato, sedato **3** (*psicoan.*) inibito.

reprìmere *v.tr.* **1** contenere, controllare, frenare, trattenere, soffocare © esprimere, liberare, scatenare, sfogare **2** (*una manifestazione e sim.*) domare, soffocare, sopprimere, sedare © scatenare, fomentare, incitare ♦ **reprimersi** *v.pr.* trattenersi, controllarsi, contenersi, dominarsi, frenarsi © lasciarsi andare, abbandonarsi, liberarsi, scatenarsi.

repubblicàno *agg., s.m.* © monarchico.

repulisti *s.m.* pulizia, piazza pulita.

repulsióne *s.f.* schifo, senso, avversione, disgusto, ribrezzo, ripugnanza; antipatia, disprezzo © attrazione, simpatia, piacere, inclinazione, propensione.

reputàre *v.tr.* ritenere, stimare, credere, considerare ♦ **reputarsi** *v.pr.* ritenersi, credersi.

reputazióne *s.f.* considerazione, stima, fama, nomea, nome.

rèquie *s.f.* riposo, pace, quiete; pausa, sosta, tregua © agitazione, inquietudine.

requisìre *v.tr.* **1** sequestrare, confiscare; prendere © restituire, riconsegnare **2** ♧ (*scherz.*; *una persona*) monopolizzare, bloccare, sequestrare (*scherz.*).

requisìto *s.m.* **1** condizione, qualità, caratteristica, prerogativa; capacità **2** dote, pregio, virtù, qualità.

requisitòria *s.f.* **1** (*dir.*) arringa **2** catilinaria, filippica, invettiva.

résa *s.f.* **1** capitolazione, caduta © resistenza, opposizione **2** restituzione, riconsegna **3** (*di un'attività e sim.*) rendimento, produttività, performance (*ingl.*); (*di una macchina*) efficienza, funzionalità, prestazione.

rescìndere *v.tr.* (*un contratto*) annullare, invalidare.

residènte *agg., s.m.f.* abitante.

residènza *s.f.* **1** soggiorno, permanenza **2** sede **3** abitazione, alloggio, dimora; edificio.

resìduo *s.m.* **1** residuato **2** ♧ barlume, parvenza, traccia, scampolo, accenno.
resistènte *agg.* saldo, robusto, forte, solido; indistruttibile, infrangibile © delicato, fragile, debole.
resistènza *s.f.* **1** opposizione, ribellione, reazione © resa, capitolazione **2** (*di materiale*) robustezza, solidità, compattezza © debolezza, cedevolezza, fragilità **3** (*di fisico*) forza, vigore, robustezza © debolezza, delicatezza, fragilità **4** (*alla fatica e sim.*) sopportazione, tolleranza © sensibilità, intolleranza **5** (*in fisica*) attrito.
resìstere *v.intr.* **1** ribellarsi, reagire, opporsi; combattere, contrastare © arrendersi, cedere, capitolare, mollare, deporre le armi **2** ♧ (*all'ira e sim.*) combattere, lottare; dominarsi, controllarsi © cedere, abbandonarsi **3** (*alla fatica e sim.*) reggere, sopportare, sostenre, tollerare © cedere **4** (*di materiale*) durare, reggere, conservarsi © deteriorarsi, rovinarsi, guastarsi; rompersi.
resocónto *s.m.* relazione, rapporto; cronaca, racconto, narrazione, descrizione.
respìngere *v.tr.* **1** ricacciare, rintuzzare **2** restituire, rimandare, rinviare, rispedire © accettare, accogliere **3** (*un'offerta e sim.*) rifiutare; disdegnare, disprezzare; (*un invito*) declinare © accettare, accogliere; apprezzare **4** (*un candidato e sim.*) bocciare; trombare (*colloq.*) © promuovere, ammettere **5** (*un'accusa, una critica ecc.*) negare, confutare, smentire © confermare, convalidare.
respìnto *s.m.* (*di studente, di canditato ecc.*) bocciato © promosso.
respiràre *v.intr.* **1** inspirare; espirare **2** ♧ riposare, rilassarsi © affaticarsi, stancarsi.
respìro *s.m.* **1** fiato, alito; respirazione **2** ♧ riposo, pausa, pace, requie, tranquillità, calma.
responsàbile *agg.* **1** consapevole, cosciente, conscio © inconsapevole, incosciente **2** serio, coscienzioso, giudizioso, scrupoloso © irresponsabile, incosciente **3** colpevole, reo © estraneo, innocente ♦ *s.m.f.* **1** (*di un ufficio e sim.*) capo, direttore, dirigente; (*di un esercizio pubblico e sim.*) gestore, gerente **2** (*di un delitto e sim.*) autore, colpevole, reo © innocente.
responsabilità *s.f.* **1** coscienza, serietà, giudizio, serietà, assennatezza, ponderatezza, ragionevolezza, sensatezza; maturità © irresponsabilità, leggerezza, incoscienza, sconsideratezza, superficialità; immaturità **2** compito, dovere, impegno, obbligo, onere **3** (*di un'azione, di un delitto ecc.*) colpevolezza, colpa, reità © innocenza.
respònso *s.m.* **1** oracolo, profezia, vaticinio **2** opinione, parere, giudizio, sentenza; (*di un medico*) diagnosi; (*di una votazione*) risultato, verdetto.
rèssa *s.f.* folla, massa, affollamento, assembramento, calca, moltitudine, pigia pigia (*colloq.*), orda, stuolo, torma, turba.
restàre *v.intr.* **1** rimanere, fermarsi, trattenersi © andare, partire, allontanarsi **2** rimanere, mantenersi, perdurare, conservarsi **3** (*colloq.*; *di strada, di edificio ecc.*) stare, trovarsi, situarsi, essere **4** (*orfano, vedovo ecc.*) diventare, divenire, rimanere **5** (*di soldi e sim.*) avanzare, rimanere.
restauràre *v.tr.* **1** riparare, rinnovare, rimettere a nuovo, recuperare, risistemare, ristrutturare © danneggiare, distruggere **2** ♧ (*la monarchia, la disciplina ecc.*) ristabilire, ripristinare, reintrodurre, reintegrare © abolire, sopprimere, abrogare.
restaurazióne *s.f.* ripristino, reintroduzione, reintegrazione.
restàuro *s.m.* ripristino; ristrutturazione, risanamento.
restìo *agg.* **1** (*di animale*) racalcitrante © docile, mansueto **2** (*di persona*) riluttante, refrattario, renitente, riottoso; contrario, avverso © arrendevole, condiscendente, malleabile; disposto, propenso, favorevole.
restituìre *v.tr.* **1** ridare, riconsegnare, rimandare, riportare © tenere; prendere **2** (*un favore, una visita ecc.*) contraccambiare, ricambiare, rendere **3** (*la pace, l'ordine e sim.*) ristabilire, restaurare, riportare, ripristinare.
restituzióne *s.f.* **1** resa, riconsegna; rispedizione, rinvio; (*di denaro*) rimborso, saldo, risarcimento **2** (*di un favore e sim.*) ricambio, scambio, contraccambio.
rèsto *s.m.* **1** rimanenza, residuo, restante; (*di un racconto e sim.*) continuazione, proseguimento, seguito **2** (*di denaro*) saldo, differenza **3** (*al pl.*) avanzi, fondo, rimasuglio; scarto, scoria **4** (*al pl.*) rovine, ruderi, tracce, vestigia.
restrìngere *v.tr.* **1** ridurre, rimpicciolire, accorciare © allargare, allungare **2** ♧ (*le spese e sim.*) ridurre, limitare; frenare, contenere, moderare, tagliare © aumentare, accrescere ♦ **restringersi** *v.pr.* **1** ridursi, rimpicciolirsi, ritirarsi (*di tessuto*) © allargarsi, dilatarsi, ingrossarsi; cedere **2** (*di possibilità e sim.*) diminuire, limitarsi, ridursi © aumentare, crescere **3** (*di persone*) accostarsi, avvicinarsi, serrarsi © allargarsi.
restrittìvo *agg.* limitativo, riduttivo © estensivo; ampio, largo.
restrizióne *s.f.* **1** riduzione, limitazione, conte-

nimento, diminuzione © espansione, aumento, crescita, estensione **2** condizione, limite, riserva, vincolo.

resurrezióne *s.f.* rinascita, ritorno; ripresa, rifioritura, rinnovamento, risveglio.

resuscitàre *v.tr.* **1** far tornare in vita, richiamare in vita © uccidere **2** ♧ rinfrancare, riconfortare, rigenerare, ritemprare **3** ♧ (*una moda e sim.*) riesumare, riproporre, recuperare, rilanciare **4** (*una passione e sim.*) riaccendere, rinfocolare, risvegliare ♦ *v.intr.* **1** risorgere **2** ♧ rianimarsi, riprendersi, scuotersi © abbattersi, indebolirsi.

retàggio *s.m.* eredità, patrimonio, bagaglio.

retàta *s.f.* ♧ (*di polizia*) rastrellamento; blitz (*ingl.*).

réte *s.f.* **1** recinzione, reticolato **2** (*sport*) porta; (*nel tennis*) net (*ingl.*) **3** ♧ inganno, trappola, insidia, macchinazione **4** ♧ (*di vendita, di spionaggio ecc.*) sistema, organizzazione, struttura **5** ♧ (*di linee, di fili ecc.*) intreccio, intrico, reticolo **6** (*televisiva, radiofonica*) network (*ingl.*); televisione, radio **7** (*per anton.*) Internet.

reticènte *agg.* **1** (*di persona*) riluttante, restio, riottoso; insincero © sincero, franco **2** (*di risposta e sim.*) impreciso, vago, ambiguo © chiaro, esplicito, schietto.

retòrica *s.f.* **1** oratoria **2** (*spreg.*) enfasi, ampollosità, prolissità, ridondanza © concisione, laconicità, sinteticità, sobrietà.

retòrico *agg.* **1** oratorio **2** (*spreg.*) enfatico, ampolloso, pomposo, vuoto, superficiale © conciso, sobrio, stringato.

retribuìre *v.tr.* **1** compensare, pagare; stipendiare, salariare **2** ♧ premiare, ripagare, ricompensare.

retributìvo *agg.* salariale.

retribuzióne *s.f.* **1** compenso, pagamento; salario, stipendio, paga **2** ♧ premio, ricompensa, compenso.

rètro *s.m.* **1** (*di foglio*) rovescio, tergo, verso © dritto, recto (*lat.*) **2** (*di edificio*) dietro © davanti, facciata.

retrocèdere *v.intr.* indietreggiare, arretrare, fare marcia indietro; ritirarsi, ripiegare © avanzare, procedere ♦ *v.tr.* degradare © promuovere.

retrocessióne *s.f.* arretramento, indietreggiamento; ritiro, ripiegamento © avanzamento, avanzata.

retrògrado *agg.* **1** (*di moto*) ritroso **2** ♧ (*anche s.m.*) conservatore, retrivo, reazionario © moderno, progressista, liberale.

retromàrcia *s.f.* marcia indietro.

retroscèna *s.m.invar.* intrigo, macchinazione.

retrostànte *agg.* © antistante, di fronte.

retrotèrra *s.m.* **1** entroterra, hinterland (*ted.*) **2** ♧ background (*ingl.*), sostrato.

rettìfica *s.f.* modifica, correzione, precisazione; ritrattazione, smentita.

rettificàre *v.tr.* **1** raddrizzare **2** ♧ correggere, modificare, emendare, precisare, puntualizzare.

rettilìneo *agg.* **1** retto, diritto, dritto © curvo, storto, arcuato **2** ♧ onesto, coerente, trasparente ♦ *s.m.* (*di strada*) rettifilo.

rettitùdine *s.f.* onestà, lealtà, virtù, integrità © disonestà, slealtà.

rètto *agg.* **1** diritto, dritto, rettilineo © curvo, storto, arcuato **2** ♧ onesto, leale, giusto, virtuoso © disonesto, corrotto, sleale.

reverèndo *s.m.* (*colloq.*) sacerdote, prete.

reverenziàle *agg.* deferente, ossequioso, rispettoso, riverente © irrispettoso, irriverente, irriguardoso.

revisionàre *v.tr.* controllare, rivedere, correggere, controllare; (*un motore*) mettere a punto.

revisióne *s.f.* **1** esame, controllo, correzione **2** (*di un motore e sim.*) messa a punto **3** (*editoriale*) correzione di bozze.

revisóre *s.m.* correttore, controllore.

revival *s.m. invar.* (*ingl.*) ritorno, riproposta.

rèvoca *s.f.* annullamento, cancellazione, disdetta; (*di legge e sim.*) abrogazione, cassazione.

revocàre *v.tr.* annullare, cancellare, disdire; (*una legge e sim.*) abrogare, abolire; (*una persona da un incarico*) destituire, allontanare, rimuovere © confermare.

revolver *s.m.invar.* (*ingl.*) rivoltella, pistola a tamburo.

revolveràta *s.f.* rivoltellata, sparo, colpo.

riabilitàre *v.tr.* **1** (*med.*) rieducare **2** ♧ riscattare, redimere © diffamare, disonorare **3** (*una fabbrica, un impianto ecc.*) ricostruire, ripristinare ♦ **riabilitarsi** *v.pr.* redimersi, riscattarsi © disonorarsi, screditarsi.

riabilitazióne *s.f.* **1** (*med.*) rieducazione, recupero **2** riscatto, redenzione © diffamazione, discredito **3** (*di una fabbrica, di un impianto ecc.*) ricostruzione, ripristino.

riacquistàre *v.tr.* **1** ricomprare INVER. rivendere **2** (*qlco. che si era perduto*) recuperare, riottenere, riavere, ritrovare © perdere, riperdere.

riaffermàre *v.tr.* ripetere, ribadire, rinnovare, rafforzare ♦ **riaffermarsi** *v.pr.* riconfermarsi.

riallacciàre *v.tr.* **1** rilegare, riannodare; ricollegare, riconnettere **2** ♧ (*un'amicizia e sim.*) riannodare, ricucire ♦ **riallacciarsi** *v.pr.* ricollegarsi, riferirsi, richiamarsi.

rialzàre *v.tr.* **1** risollevare, sollevare **2** elevare, sopraelevare © abbassare **3** (*un prezzo e sim.*)

aumentare, alzare © ridurre, abbassare ♦ *v.intr.* aumentare, salire, crescere © diminuire ♦ **rialzarsi** *v.pr.* **1** alzarsi, risollevarsi © riabbassarsi **2** (*di prezzi, di temperatura ecc.*) aumentare, crescere, salire © calare, scendere, diminuire.

riàlzo *s.m.* **1** aumento, incremento, crescita; maggiorazione, rincaro © riduzione, calo, diminuzione; caduta, ribasso **2** rilievo, prominenza, sporgenza.

riamméttere *v.tr.* riaccettare, riaccogliere.

riandàre *v.intr.* tornare, ritornare; ripensare, rievocare.

rianimàre *v.tr.* ♧ ridare coraggio, riconfortare, riconsolare, rincuorare © avvilire, deprimere ♦ **rianimarsi** *v.pr.* **1** riprendere i sensi, rinvenire © svenire, perdere i sensi **2** ♧ (*riprendere coraggio, fiducia ecc.*) rincuorarsi, riconfortarsi, riprendersi © abbattersi, avvilirsi **3** ♧ (*di città, di locale ecc.*) riaccendersi, risvegliarsi, movimentarsi, svegliarsi.

riappropriàrsi *v.pr.* rimpossessarsi; recuperare, riconquistare, riprendersi © riperdere.

riàrmo *s.m.* corsa agli armamenti, riarmamento © disarmo.

riàrso *agg.* **1** secco, arido, bruciato, inaridito © umido, bagnato **2** (*di gola e sim.*) asciutto, secco.

riassètto *s.m.* riordinamento, riassestamento.

riassùmere *v.tr.* **1** (*un dipendente licenziato*) riprendere, reintegrare © licenziare, allontanare, cacciare **2** (*il potere, il comando ecc.*) riprendere **3** (*un testo e sim.*) sintetizzare, condensare, riepilogare, ricapitolare, stringere.

riassuntìvo *agg.* riepilogativo, sintetico.

riassùnto *s.m.* ricapitolazione, riepilogo, sintesi, compendio, sommario, sunto.

riattivàre *v.tr.* ripristinare, riaprire, rimettere in funzione.

riavére *v.tr.* riacquistare, recuperare, riprendere © perdere, smarrire ♦ **riaversi** *v.pr.* **1** riprendere i sensi, rinvenire; riacquistare le forze, rimettersi in salute © svenire, perdere i sensi **2** ♧ riprendersi, risollevarsi, riconfortarsi.

riavvicinàre *v.tr.* **1** riaccostare **2** ♧ riconciliare, riappacificare ♦ **riavvicinarsi** *v.pr.* **1** riaccostarsi **2** ♧ riconciliarsi, riappacificarsi.

ribadìre *v.tr.* **1** (*un chiodo e sim.*) ribattere, ripiegare **2** ♧ confermare, ripetere, ridire, sottolineare, sostenere, suffragare © invalidare, inficiare, smentire, negare.

ribaltàre *v.tr.* capovolgere, rovesciare, rivoltare © raddrizzare ♦ **ribaltarsi** *v.pr.* capovolgersi, rovesciarsi.

ribassàre *v.tr.* (*un prezzo e sim.*) abbassare, diminuire, ridurre, scontare © alzare, aumentare, rialzare ♦ *v.intr.* (*di prezzi e sim.*) diminuire, calare, ridursi © aumentare, crescere, salire.

ribàsso *s.m.* diminuzione, calo, riduzione © aumento, rincaro.

ribàttere *v.tr.* **1** (*un testo e sim.*) riscrivere, ricopiare; (*una palla*) respingere, rinviare; (*un chiodo*) ribadire, ripicchiare **2** (*un'accusa, un argomento e sim.*) respingere, confutare, smentire, rintuzzare © confermare, avvalorare ♦ *v.intr.* **1** ♧ insistere, persistere, perseverare © desistere, abbandonare **2** ♧ (*a un'accusa e sim.*) rispondere, controbattere, obiettare, replicare © tacere; acconsentire.

ribellàrsi *v.pr.* **1** insorgere, sollevarsi; rivoltarsi; (*mil.*) ammutinarsi © sottomettersi, assoggettarsi, subire **2** opporsi, reagire, protestare, alzare la testa © piegarsi, sottomettersi, subire.

ribèlle *agg.*, *s.m.f.* **1** insorto, rivoltoso; (*mil.*) ammutinato; rivoluzionario **2** indocile, indisciplinato, indomito, insofferente; disubbidiente © docile, accomodante, conciliante, remissivo.

ribellióne *s.f.* **1** insurrezione, rivolta, tumulto, sollevazione, sommossa © sottomissione, assoggettamento **2** opposizione, protesta, contestazione; indocilità, insofferenza © arrendevolezza, docilità, remissività.

ribollìre *v.intr.* **1** (*di mosto*) bollire, fermentare **2** (*di mare*) agitarsi **3** ♧ (*di sentimenti, di pensieri*) agitarsi, turbinare © calmarsi, placarsi **4** ♧ fremere, scalpitare; angustiarsi, tormentarsi.

ribrézzo *s.m.* disgusto, schifo, repulsione, orrore, nausea, voltastomaco © attrazione, piacere.

ributtànte *agg.* repellente, ripugnante, disgustoso, schifoso, nauseante, stomachevole, vomitevole © allettante, attraente, piacevole, gradevole, delizioso.

ricadére *v.intr.* **1** ricascare, ripiombare **2** (*di capelli, di abiti ecc.*) scendere, cadere, fluire **3** ♧ (*di colpa e sim.*) riversarsi, pesare, gravare.

ricadùta *s.f.* (*med.*) recidiva.

ricambiàre *v.tr.* **1** cambiare, sostituire **2** contraccambiare, restituire, corrispondere.

ricàmbio *s.m.* **1** cambio, sostituzione; (*di penna*) ricarica, cartuccia; (*di accendino, di profumo ecc.*) refill (*ingl.*) **2** contraccambio, scambio **3** (*politico e sim.*) avvicendamento, turnover (*ingl.*).

ricapitolàre *v.tr.* riassumere, riepilogare, riassumere, sintetizzare.

ricapitolazióne *s.f.* riassunto, riepilogo, sintesi, sommario.

ricattàre *v.tr.* estorcere; taglieggiare.

ricàtto *s.m.* estorsione.

ricavàre *v.tr.* **1** ottenere, estrarre, trarre; levare, cavare **2** (*un dato, un'informazione ecc.*) trarre, rilevare, attingere, arguire, desumere **3** (*una somma e sim.*) guadagnare, realizzare, lucrare © perdere, rimetterci **4** ♧ (*un risultato e sim.*) trovare, trarre.

ricavàto *s.m.* **1** guadagno, profitto, provento, incasso, introito, entrata, ricavo, utile © perdita, passivo, deficit, scapito **2** ♧ frutto, beneficio, provento, risultato, vantaggio, tornaconto © danno, discapito.

ricàvo *s.m.* vedi **ricavàto**.

ricchézza *s.f.* **1** agiatezza, benessere, lusso, prosperità © povertà, miseria, bisogno, indigenza **2** (*spec. al pl.*) beni, sostanze, averi; patrimonio, capitale, fortuna **3** (*risorsa naturale, bene culturale*) patrimonio, tesoro, risorsa **4** abbondanza, varietà, larghezza, profusione © carenza, insufficienza, penuria.

rìccio *agg.* **1** arricciato; ricciuto **2** crespo, ondulato © liscio ♦ *s.m.* ricciolo, boccolo.

ricciolùto *agg.* riccio, ricciolino, ricciuto © liscio.

rìcco *agg.* **1** (*di persona, di famiglia ecc.*) agiato, facoltoso, benestante, danaroso, abbiente © povero, bisognoso, indigente **2** (*di città, di attività ecc.*) fiorente, prospero, prosperoso, florido © povero, misero **3** (*di patrimonio, di compenso ecc.*) cospicuo, consistente, ragguardevole, sostanzioso © magro, scarso, esiguo **4** (*di palazzo, di festa ecc.*) lussuoso, sfarzoso, sontuoso, principesco © povero, modesto, semplice **5** (*di gioiello e sim.*) prezioso, costoso © dozzinale, scadente **6** lucrativo, remunerativo, redditizio, lucroso, fruttuoso; conveniente, vantaggioso © improduttivo, infruttuoso **7** (*di gonna e sim.*) abbondante, ampio, comodo © stretto, striminzito **8** (*di terra*) fertile, fecondo, produttivo, ubertoso (*elev.*) © magro, infecondo, improduttivo, sterile **9** (*di vegetazione*) lussureggiante, rigoglioso © povero **10** (*di fantasia, di immaginazione ecc.*) vivace, fervido © povero, spento **14** (*di pasto*) lauto, abbondante © povero, magro, misero **15** pieno, colmo, disseminato, costellato, zeppo © povero ♦ *s.m.* abbiente, benestante; (*scherz.*) capitalista, nababbo © povero, bisognoso, indigente, nullatenente.

ricérca *s.f.* indagine, inchiesta; investigazione; sondaggio; (*scientifica*) analisi, studio.

ricercàre *v.tr.* **1** studiare, esaminare, analizzare, indagare, investigare **2** (*un malvivente e sim.*) dare la caccia, braccare **3** (*la pace, la solitudine ecc.*) cercare, volere, desiderare.

ricercatézza *s.f.* gusto, classe, raffinatezza, eleganza; (*eccessiva*) affettazione © sciatteria, rozzezza, grossolanità; cafonaggine.

ricercàto *agg.* **1** apprezzato, ambito **2** raffinato, elegante, distinto, chic (*fr.*); (*eccessivamente*) affettato, lezioso, artefatto, artificioso © semplice, spontaneo; grossolano, rozzo, sciatto ♦ *s.m.* latitante.

ricercatóre *s.m.* scienziato, studioso.

ricètta *s.f.* **1** prescrizione **2** rimedio, cura **3** accorgimento, trucco, antidoto.

ricettàcolo *s.m.* covo, rifugio, nido.

ricettìvo *agg.* sensibile; pronto, disponibile © insensibile, refrattario.

ricévere *v.tr.* **1** accettare, accogliere; (*un pacco*) ritirare; (*denaro*) incassare, riscuotere; (*un'offesa e sim.*) subire, patire © dare, consegnare; recapitare; mandare, spedire; regalare **2** (*una persona*) accogliere, ospitare © allontanare, cacciare **3** (*segnali radiofonici e sim.*) raccogliere, captare.

riceviménto *s.m.* **1** accettazione **2** festa, party (*ingl.*), rinfresco, cocktail (*ingl.*), serata.

ricevitorìa *s.f.* **1** (*delle imposte*) esattoria **2** banco lotto, botteghino.

richiamàre *v.tr.* **1** ritelefonare **2** attrarre, conquistare, affascinare © respingere, allontanare **3** rimproverare, sgridare, ammonire, redarguire, riprendere ♦ **richiamarsi** *v.pr.* riferirsi, fare riferimento, riallacciarsi.

richiàmo *s.m.* **1** chiamata, appello **2** (*all'ordine*) ammonimento, esortazione, avvertimento **3** voce, suono, gesto, cenno **4** attrazione, lusinga, attrattiva, fascino **5** (*in un testo*) rimando, riferimento.

richièdere *v.tr.* **1** sollecitare, reclamare, esigere, pretendere **2** domandare, chiedere; (*una merce*) ordinare **3** comportare, implicare, esigere, volere, presupporre, necessitare.

richièsta *s.f.* **1** domanda, invito, appello; (*formale*) istanza; (*di matrimonio*) proposta **2** (*di merce*) domanda © offerta.

riciclàggio *s.m.* **1** riciclo **2** recupero, riutilizzo, reimpiego; (*di personale*) riqualificazione **3** (*di denaro sporco*) riciclo.

riciclàre *v.tr.* **1** recuperare, riutilizzare, reimpiegare; (*personale*) riqualificare **2** (*denaro sporco*) lavare (*gerg.*) **3** (*colloq.*) riproporre, riutilizzare.

ricognizióne *s.f.* **1** (*mil.*) perlustrazione **2** indagine, ricerca; verifica.

ricollegàre *v.tr.* **1** riallacciare, ricongiungere © dividere, separare **2** ♧ (*fatti, situazioni ecc.*) collegare, riconnettere; ricondurre © scindere, separare ♦ **ricollegarsi** *v.pr.* ♧ (*a qlco., a qlcu.*) fare riferimento, riallacciarsi, riferirsi, rifarsi.

ricólmo *agg.* colmo, pieno, zeppo, saturo © vuoto.

ricompènsa *s.f.* premio, compenso, rimunerazione, contraccambio.
ricompensàre *v.tr.* compensare, premiare, ripagare, contraccambiare.
ricompórre *v.tr.* **1** riunire, ricongiungere © dividere, separare **2** riscrivere, rifare **3** ♧ (*una lite e sim.*) risolvere, appianare, dirimere, ricucire ♦ **ricomporsi** *v.pr.* riprendersi, rassettarsi, rimettersi in ordine, risistemarsi.
riconciliàre *v.tr.* **1** rappacificare, conciliare, riavvicinare, ricongiungere © allontanare, dividere **2** riguadagnare, restituire ♦ **riconciliarsi** *v.pr.* rappacificarsi, fare la pace, riavvicinarsi © litigare, rompere.
riconciliazióne *s.f.* rappacificazione, riavvicinamento © lite, litigio, rottura.
riconfermàre *v.tr.* **1** riaffermare **2** (*un incarico, un contratto ecc.*) rinnovare, prorogare; rieleggere.
riconoscènte *agg.* grato © ingrato, irriconoscente.
riconoscènza *s.f.* gratitudine; debito, obbligo © ingratitudine.
riconóscere *v.tr.* **1** individuare, identificare, ravvisare **2** (*il bene dal male e sim.*) distinguere, discernere © confondere **3** ammettere, confessare, concedere, dare atto; prendere atto © contestare, negare **4** dichiarare, giudicare **5** accettare, approvare; (*un figlio*) legittimare © disconoscere, rifiutare ♦ **riconoscersi** *v.pr.* **1** dichiararsi, confessarsi, proclamarsi, professarsi **2** identificarsi.
riconosciménto *s.m.* **1** identificazione; individuazione **2** ammissione, confessione; presa d'atto © rifiuto, negazione **3** premio, ricompensa; encomio.
riconquistàre *v.tr.* **1** riprendere, rioccupare © riperdere **2** recuperare, riavere, riacquistare, riappropriarsi © riperdere.
riconsegnàre *v.tr.* restituire, rendere, ridare; rispedire, rinviare.
ricoprìre *v.tr.* **1** rivestire, avvolgere, nascondere © scoprire **2** ♧ (*di baci e sim.*) colmare, riempire **3** ♧ (*una carica*) occupare, rivestire **4** ♧ nascondere, mascherare, occultare ♦ **ricoprirsi** *v.pr.* coprirsi; rivestirsi.
ricordàre *v.tr.* **1** rammentare, avere presente, avere a mente © dimenticare, scordare **2** (*i caduti*) commemorare, rievocare **3** nominare, citare, menzionare **4** richiamare alla mente, richiamare, riecheggiare; assomigliare, sembrare, somigliare ♦ **ricordarsi** *v.pr.* ricordare, rammentare, tenere presente © dimenticarsi, scordarsi, scordare, scappare di mente (*colloq.*).
ricòrdo *s.m.* **1** memoria, reminiscenza (*elev.*); rievocazione; commemorazione **2** (*di un viaggio*) souvenir (*fr.*) **3** immagine, flash (*ingl.*).
ricorrènte *agg.* **1** ciclico, periodico **2** (*di argomento e sim.*) frequente, ripetuto.
ricorrènza *s.f.* **1** ciclicità, periodicità, frequenza © eccezionalità **2** anniversario, festa, festività.
ricórrere *v.intr.* **1** (*a qlcu.*) rivolgersi, indirizzarsi, appellarsi; affidarsi, appoggiarsi; avvalersi, servirsi; (*a qlco.*) adoperare, usare, utilizzare **2** (*dir.*) appellarsi **3** (*di parole, di temi ecc.*) ripetersi, ripresentarsi **4** (*di data, di anniversario*) cadere, capitare.
ricórso *s.m.* (*dir.*) appello.
ricostituènte *agg.* corroborante, rinforzante, rinvigorente © debilitante.
ricostituìre *v.tr.* **1** rifare, ricomporre, ricreare, ristabilire © sciogliere, distruggere, disfare **2** ♧ (*l'organismo e sim.*) rafforzare, rinvigorire, corroborare © indebolire, debilitare, spossare.
ricostituzióne *s.f.* rifacimento, ricomposizione, ricostruzione © disfacimento, distruzione.
ricostruìre *v.tr.* **1** riedificare, rifabbricare, rifare **2** ♧ (*un delitto, un fatto storico ecc.*) ricomporre, descrivere, rappresentare.
ricostruzióne *s.f.* **1** riedificazione, rifacimento © distruzione **2** ♧ (*di un delitto, di un fatto storico ecc.*) ricomposizione, rappresentazione.
ricoveràre *v.tr.* **1** ospedalizzare © dimettere **2** accogliere, ospitare, ricoverare ♦ **ricoverarsi** *v.pr.* **1** (*in ospedale*) entrare © uscire **2** rifugiarsi, ripararsi, rintanarsi, nascondersi.
ricóvero *s.m.* **1** (*in ospedale*) ospedalizzazione, degenza © dimissione **2** asilo, rifugio, riparo, ricetto (*elev.*) **3** (*per anziani*) ospizio.
ricreàre *v.tr.* **1** rifare, riprodurre, ricostituire **2** (*il corpo*) rinvigorire, ritemprare **3** divertire, distrarre ♦ **ricrearsi** *v.pr.* svagarsi, distrarsi, divertirsi.
ricreatìvo *agg.* divertente, ludico © noioso.
ricreazióne *s.f.* **1** pausa, svago, distrazione **2** (*nelle scuole*) intervallo.
ricrédersi *v.pr.* ripensarci.
ricucìre *v.tr.* **1** (*un bottone e sim.*) riattaccare © staccare **2** (*un vestito e sim.*) rammendare; (*med.*; *una ferita*) suturare **3** ♧ (*rapporti, contrasti e sim.*) ricomporre, ricostituire, risanare © compromettere, rovinare.
ricusàre *v.tr.* rifiutare, respingere © accettare.
ridanciàno *agg.* **1** (*di persona*) allegro, ilare (*elev.*) © triste, musone **2** (*di storia e sim.*) buffo, comico, divertente, esilarante, spassoso.
ridènte *agg.* **1** (*di viso, di occhi ecc.*) allegro, sorridente, gioioso © triste, malinconico, abbat-

tuto **2** ♧ (*di luogo*) delizioso, piacevole, gradevole, ameno © triste, cupo.

rìdere *v.intr.* **1** IPON. sorridere, ridacchiare, sogghignare, ridere sotto i baffi © piangere **2** ♧ (*di occhi*) brillare, splendere, luccicare.

ridestàre *v.tr.* **1** svegliare, risvegliare © addormentare, riaddormentare **2** ♧ (*una passione e sim.*) ravvivare, riaccendere, rinfocolare, risvegliare © spegnere, smorzare ♦ **ridestarsi** *v.pr.* **1** svegliarsi, risvegliarsi © riaddormentarsi **2** ♧ (*di passione e sim.*) ravvivarsi, riaccendersi, rinvigorirsi © spegnersi, morire.

ridicolizzàre *v.tr.* beffare, burlare, canzonare, deridere, prendere in giro, sfottere (*colloq.*), prendere per i fondelli (*colloq.*), prendere per il culo (*volg.*).

ridìcolo *agg.* **1** comico, buffo, grottesco; spiritoso, scherzoso, faceto **2** (*di somma, di compenso e sim.*) irrisorio, insignificante, piccolo, minimo, misero, trascurabile **3** (*di idea, di proposta e sim.*) assurdo, inaccettabile, incredibile ♦ *s.m.* ridicolaggine, ironia.

ridimensionàre *v.tr.* **1** (*un'azienda, un ufficio ecc.*) rinnovare, riorganizzare, ristrutturare, trasformare **2** ♧ minimizzare, rimpicciolire; smitizzare, sminuire, dissacrare © ingigantire, amplificare; esaltare, mitizzare.

ridìre *v.tr.* **1** ripetere, riaffermare, ribadire **2** (*spec. pettegolezzi e sim.*) riferire, riportare, spiattellare (*colloq.*), spifferare (*colloq.*).

ridondànte *agg.* **1** sovrabbondante, sovraccarico; colmo, zeppo **2** (*di stile e sim.*) ampolloso, enfatico, prolisso © asciutto, conciso, essenziale, sobrio.

ridondànza *s.f.* sovrabbondanza, eccesso, esagerazione; (*di uno scritto*) ampollosità, prolissità, enfasi © brevità, concisione, stringatezza.

ridótto *agg.* limitato, ristretto, scarso, modesto, esiguo © ampio, grande, ingente ♦ *s.m.* **1** (*di biglietto*) © intero **2** (*nei teatri*) foyer (*fr.*), vestibolo.

ridùrre *v.tr.* **1** rimpicciolire; (*un abito*) restringere, accorciare © aumentare, ampliare, ingrandire; allargare, allungare **2** (*in fin di vita, in miseria ecc.*) condurre, spingere, portare; (*al silenzio e sim.*) costringere, obbligare **3** (*i prezzi, i consumi ecc.*) diminuire, limitare, contenere, regolare © aumentare, alzare **4** (*i tempi*) stringere, abbreviare, accorciare © allungare, prolungare **5** (*un testo e sim.*) trasformare, adattare ♦ **ridursi** *v.pr.* **1** (*in miseria e sim.*) trovarsi, finire **2** rimpicciolirsi, restringersi, diminuire © ingrandirsi, aumentare.

riduttìvo *agg.* limitativo, restrittivo © estensivo.

riduzióne *s.f.* **1** restringimento, rimpicciolimento © aumento, ampliamento, ingrandimento **2** (*dei consumi e sim.*) diminuzione, calo, abbassamento © aumento, crescita **3** (*dei prezzi e sim.*) sconto, ribasso © aumento, crescita **4** (*teatrale, cinematografica ecc.*) adattamento, trasposizione, rielaborazione.

riecheggiàre *v.intr.* **1** risuonare, echeggiare **2** (*di motivo, di tema ecc.*) ricorrere, ritornare ♦ *v.tr.* ♧ (*di opera, di stile ecc.*) ricordare, richiamare, imitare.

riedizióne *s.f.* **1** (*spec. di un libro*) ristampa, ripubblicazione **2** ♧ riproposta.

rieducàre *v.tr.* **1** recuperare, correggere **2** (*arti, organi ecc.*) riabilitare.

rielaboràre *v.tr.* rimaneggiare, rimpastare; modificare, rifare.

riempìre *v.tr.* **1** colmare, ricolmare; stipare © vuotare, svuotare **2** (*di folla e sim.*) affollare, gremire, invadere, sovraffollare © sgombrare, disperdersi **3** (*una persona di cibo*) saziare, satollare; rimpinzare, ingozzare **4** (*moduli, schede ecc.*) compilare **5** (*qlcu. di baci e sim.*) coprire, ricoprire, colmare **6** (*qlcu. di lavoro, di impegni ecc.*) sovraccaricare, caricare, oberare © alleggerire, liberare.

rientrànza *s.f.* incavo, concavità © sporgenza, convessità, rilievo.

rientràre *v.intr.* **1** ritornare, tornare; rincasare © partire, uscire, andarsene **2** (*di costa, di fiume ecc.*) piegarsi, incurvarsi **3** (*in una lista e sim.*) fare parte, essere compreso **4** ♧ (*di progetto, di programma e sim.*) fallire, sfumare, andare a monte © riuscire, realizzarsi, attuarsi.

riéntro *s.m.* ritorno © partenza, uscita.

riepilogàre *v.tr.* riassumere, ricapitolare, sintetizzare.

riepìlogo *s.m.* riassunto, compendio, ricapitolazione, sunto.

riesumàre *v.tr.* **1** (*una salma*) disseppellire, dissotterrare, esumare © seppellire, sotterrare, inumare **2** ♧ (*una moda, una vecchia usanza ecc.*) rispolverare, riproporre, ripescare, ripristinare © dimenticare.

rievocàre *v.tr.* **1** (*gli spiriti*) evocare **2** ricordare, rammentare; rinvangare © dimenticare, scordare **3** commemorare, celebrare, ricordare.

rievocazióne *s.f.* **1** memoria, ricordo **2** celebrazione, commemorazione.

rifaciménto *s.m.* **1** (*di un edificio e sim.*) ricostruzione, riedificazione; ristrutturazione © abbattimento, demolizione **2** (*di un testo*) rielaborazione, rimaneggiamento **3** (*di un film*) remake (*ingl.*).

rifàre *v.tr.* **1** (*un edificio e sim.*) ricostruire, riedificare; (*il letto, la stanza ecc.*) rimettere in ordine, riordinare, riassettare **2** ripetere, reiterare, replicare; (*una strada*) ripercorrere, riandare **3** (*la voce, un gesto di qlcu.*) copiare, riprodurre, imitare, simulare ♦ **rifarsi** *v.pr.* **1** ridiventare, ritornare **2** (*di una perdita, di un danno ecc.*) recuperare, rientrare © perderci, rimetterci **3** (*su qlcu.*) rifarsi, rivalersi; vendicarsi **4** richiamarsi, riallacciarsi, ricollegarsi, riferirsi.

riferiménto *s.m.* **1** relazione, rapporto, legame, collegamento, nesso **2** accenno, cenno, allusione, richiamo; rimando.

riferìre *v.tr.* **1** comunicare, annunciare, dichiarare, dire, raccontare, ripetere, trasmettere © tacere, nascondere **2** collegare, ricondurre, rapportare ♦ *v.intr.* informare, comunicare, relazionare ♦ **riferirsi** *v.pr.* **1** riguardare, concernere, fare riferimento **2** richiamarsi, riallacciarsi, alludere, rifarsi.

rifilàre *v.tr.* **1** pareggiare, livellare **2** affibbiare, appioppare, sbolognare (*colloq.*); (*un pugno e sim.*) affibbiare, mollare, assestare.

rifinìre *v.tr.* ritoccare, perfezionare; limare © abbozzare, delineare.

rifinitùra *s.f.* **1** ritocco, perfezionamento; limatura **2** decorazione, abbellimento, ornamento.

rifiorìre *v.intr.* **1** germogliare, ributtare, rigettare; rinascere, rinverdire **2** ♧ (*di persona*) rinforzarsi, rinvigorire, rinascere; (*di attività economiche, di arti ecc.*) rinnovarsi, rinvigorire, risvegliarsi © declinare, decadere.

rifiutàre *v.tr.* **1** respingere, declinare, ricusare; (*una proposta e sim.*) bocciare, scartare © accettare, accogliere **2** negare © concedere, accordare, autorizzare ♦ **rifiutarsi** *v.pr.* opporsi © accettare, consentire, acconsentire.

rifiùto *s.m.* **1** negazione, diniego, no © assenso, sì **2** (*spec. al pl.*) immondizia, spazzatura **3** ♧ (*di persona*) emarginato, paria, reietto.

riflessióne *s.f.* **1** (*della luce e sim.*) riverbero **2** ♧ meditazione, concentrazione, ponderazione, raccoglimento **3** considerazione, osservazione, pensiero.

riflessìvo *agg.* assennato, prudente, giudizioso, posato, quadrato, saggio © avventato, impulsivo, leggero, superficiale.

riflèsso *s.m.* **1** riverbero **2** (*di colore*) sfumatura, nuance (*fr.*) **3** ♧ conseguenza, ripercussione, effetto, eco, contraccolpo.

riflèttere *v.tr.* **1** rispecchiare, riverberare **2** ♧ esprimere, manifestare, mostrare, rispecchiare ♦ *v.intr.* pensare, meditare, ragionare, concentrarsi; considerare, soppesare, valutare ♦ **riflettersi** *v.pr.* **1** specchiarsi, rispecchiarsi; riverberarsi **2** ♧ ripercuotersi, influire, incidere, ricadere, pesare, gravare.

riflettóre *s.m.* proiettore, faro.

riflùsso *s.m.* **1** (*di liquido*) rigurgito; ritorno, rientro **2** calo, diminuzione, decremento, abbassamento **3** ♧ involuzione, regresso, recessione © progresso, evoluzione, ripresa.

rifocillàre *v.tr.* ristorare, saziare ♦ **rifocillarsi** *v.pr.* ristorarsi, saziarsi.

rifóndere *v.tr.* (*danni, spese e sim.*) risarcire, rimborsare.

rifórma *s.f.* cambiamento, trasformazione, innovamento, miglioramento, revisione © conservazione, mantenimento.

riformàre *v.tr.* **1** cambiare, rinnovare, trasformare, migliorare; ridisegnare, ristrutturare, riorganizzare © conservare, mantenere **2** (*mil.*) esonerare, esentare.

riformìsmo *s.m.* © conservatorismo, immobilismo.

riformatòre *agg., s.m.* innovatore, rinnovatore, riformista © conservatore.

riforniménto *s.m.* **1** approvvigionamento **2** (*spec. al pl.*) provviste, scorte.

rifornìre *v.tr.* dotare, munire, fornire, procurare, provvedere © privare ♦ **rifornirsi** *v.pr.* approvvigionarsi, dotarsi, fornirsi, munirsi.

rifuggìre *v.intr.* (*da una persona, da una tentazione ecc.*) fuggire, guardarsi; detestare, odiare, aborrire © desiderare, ricercare ♦ *v.tr.* (*una persona, una tentazione ecc.*) evitare, scansare, eludere; odiare, detestare, disdegnare © desiderare, ricercare.

rifugiàrsi *v.pr.* annidarsi, ripararsi, nascondersi, rintanarsi.

rifùgio *s.m.* **1** riparo, asilo, ricovero; difesa, protezione **2** (*di malviventi*) covo, tana **3** ♧ aiuto, conforto, consolazione, sollievo.

rifùlgere *v.intr.* risplendere, brillare, rilucere.

rìga *s.f.* **1** linea, rigo, striscia, tratto; stria, striatura; (*sulla carrozzeria*) graffio, graffiatura **2** (*nei capelli*) scriminatura **3** fila, allineamento **4** righello, regolo.

rigàre *v.tr.* incidere, graffiare, segnare, striare.

rigattière *s.m.* ferrivecchi, robivecchi; cenciaiolo, straccivendolo.

rigeneràre *v.tr.* (*il corpo, lo spirito ecc.*) rinvigorire, ritemprare, tonificare, vivificare © indebolire, infiacchire; abbattere, deprimere ♦ **rigenerarsi** *v.pr.* migliorarsi, rinnovarsi.

rigettàre *v.tr.* **1** rilanciare, ritirare, rimandare © ricevere **2** (*di pianta*) ributtare, rigermogliare **3** ♧ (*una teoria, un'idea ecc.*) respingere, rifiutare, bocciare © abbracciare, accogliere, approvare **4** (*colloq.*) vomitare, rimettere.

rigètto *s.m.* **1** rifiuto, ripudio; bocciatura © accoglimento, accettazione, approvazione **2** (*med.*) reiezione, espulsione.

rigidità *s.f.* **1** durezza, rigidezza © elasticità, flessibilità **2** (*del clima*) rigore, asprezza, inclemenza © clemenza, mitezza **3** ♧ severità, durezza, rigore, austerità, intransigenza © tolleranza, flessibilità.

rìgido *agg.* **1** duro © elastico, flessibile, pieghevole, plastico **2** (*di collo, di arto ecc.*) contratto, teso; immobile, impettito **3** (*di clima*) freddo, aspro, crudo, gelido © dolce, mite **4** ♧ severo, duro, inflessibile, rigoroso © elastico, accomodante, indulgente, tollerante **5** ♧ (*di educazione, di disciplina ecc.*) severo, ferreo, inflessibile © permissivo, tollerante.

rìgo *s.m.* **1** riga **2** (*musicale*) pentagramma.

rigóglio *s.m.* **1** esuberanza, prosperità **2** ♧ (*della giovinezza*) fiore, pieno.

rigogliόso *agg.* **1** (*di pianta*) florido, lussureggiante, frondoso © avvizzito, spoglio **2** ♧ (*di creatività, di fantasia ecc.*) esuberante, fiorente, vigoroso.

rigóre *s.m.* **1** (*del clima*) asprezza, rigidezza © mitezza, dolcezza **2** durezza, severità, inflessibilità, intransigenza © elasticità, duttilità **3** (*morale*) dirittura, rettitudine © rilassatezza **4** (*di punizione e sim.*) durezza, inclemenza **5** esattezza, precisione, coscienziosità, scrupolosità © approssimazione, imprecisione, negligenza **6** (*di un ragionamento*) logica, logicità, coerenza **7** (*sport*) penalty (*ingl.*).

rigoróso *agg.* **1** severo, rigido, austero, intransigente © accomodante, docile, arrendevole **2** (*di ragionamento e sim.*) coerente, logico; conseguente, consequenziale © incoerente, illogico **3** (*di resoconto, di descrizione ecc.*) preciso, scrupoloso, meticoloso, minuzioso © approssimativo, impreciso **4** (*di disciplina e sim.*) duro, rigido, ferreo, inflessibile.

riguardànte *agg.* relativo, concernente, attinente, inerente.

riguardàre *v.tr.* **1** esaminare, controllare, rivedere, rileggere **2** concernere, riferirsi, interessare, coinvolgere **3** custodire, curare, proteggere ♦ **riguardarsi** *v.pr.* avere cura di sé , curarsi, proteggersi.

riguàrdo *s.m.* **1** cura, attenzione, precauzione, prudenza © trascuratezza, incuria **2** considerazione, rispetto, riverenza, ossequio © noncuranza; sufficienza **3** relazione, attinenza, collegamento, correlazione, nesso, pertinenza.

rigurgitàre *v.intr.* **1** (*di liquidi*) rifluire © fluire **2** ♧ (*di luogo*) traboccare, debordare, straripare ♦ *v.tr.* ributtare, rimettere, vomitare.

rigùrgito *s.m.* **1** riflusso **2** ♧ (*di violenza, di razzismo ecc.*) accesso, impeto, riflusso.

rilanciàre *v.tr.* **1** rimandare, rinviare, restituire © ricevere **2** ♧ (*una moda e sim.*) ripescare, recuperare, reintrodurre, riciclare (*colloq.*) ♦ **rilanciarsi** *v.pr.* riproporsi, riaffermarsi.

rilàncio *s.m.* **1** rimando, rinvio **2** ♧ recupero, ripescaggio, riproposta, promozione.

rilasciàre *v.tr.* **1** liberare, scarcerare, rimettere in libertà © arrestare, fermare, trattenere **2** (*un'intervista e sim.*) dare, concedere; (*una ricevuta e sim.*) consegnare, emettere **3** (*i muscoli*) rilassare, distendere © contrarre, tendere.

rilàscio *s.m.* **1** liberazione, scarcerazione © arresto, cattura **2** (*di un certificato e sim.*) consegna, emissione.

rilassaménto *s.m.* **1** riposo, relax (*ingl.*) © tensione, stress (*ingl.*) **2** (*muscolare*) rilasciamento, distensione © contrazione, irrigidimento, tensione **3** ♧ (*di costumi e sim.*) decadimento, cedimento, indebolimento, infiacchimento, rammollimento.

rilassànte *agg.* distensivo, riposante; (*di atmosfera e sim.*) rasserenante © snervante, stressante, logorante, massacrante.

rilassàre *v.tr.* **1** (*i muscoli*) distendere, rilasciare © contrarre, tendere **2** (*la mente*) riposare © stressare, estenuare **3** ♧ (*la disciplina e sim.*) allentare, attenuare; mitigare © irrigidire, rafforzare ♦ **rilassarsi** *v.pr.* **1** decontrarsi © contrarsi, irrigidirsi **2** riposarsi, lasciarsi andare, distendersi, abbandonarsi © stressarsi **3** ♧ (*di costumi e sim.*) degenerare, decadere, rammollirsi.

rilassàto *agg.* **1** (*di muscolo*) rilasciato © contratto, teso **2** (*di persona*) riposato, disteso, calmo, tranquillo © nervoso, stressato, teso.

rilevaménto *s.m.* rilievo, rilevazione; (*scientifico*) indagine, investigazione.

rilevànte *agg.* considerevole, notevole, ragguardevole, significativo © insignificante, trascurabile, irrisorio, ininfluente.

rilevànza *s.f.* importanza, rilievo, risalto, portata © irrilevanza, trascurabilità.

rilevàre *v.tr.* **1** individuare, evidenziare, mettere in evidenza, notare, osservare **2** (*un'attività, un negozio ecc.*) acquistare, comprare.

rilevazióne *s.f.* vedi **rilevaménto**.

rilièvo *s.m.* **1** evidenza, risalto, spicco **2** sporgenza, prominenza, rialzo; collina, monte **3** ♧

importanza, rilevanza; risalto, evidenza, spicco **4** critica, appunto, osservazione; obiezione **5** rilevamento.

riluttànte *agg.* refrattario, restio, recalcitrante; esitante, titubante © docile, arrendevole; favorevole, propenso.

riluttànza *s.f.* resistenza, opposizione, ritrosia; incertezza, indecisione © disponibilità, favore, propensione; decisione.

rìma *s.f.* **1** verso **2** (*al pl.*) versi, poesie.

rimandàre *v.tr.* **1** rendere, restituire, rispedire **2** (*la partenza e sim.*) ritardare, posticipare, rinviare, spostare, differire © anticipare, affrettare, accelerare **3** (*in un testo*) rinviare.

rimàndo *s.m.* **1** rinvio, rispedizione, restituzione **2** rinvio, proroga, posticipo, aggiornamento © anticipazione **3** (*in un testo*) rinvio, richiamo.

rimaneggiàre *v.tr.* modificare, rifare, rielaborare.

rimanènte *agg.* residuo, restante; eccedente, superfluo ♦ *s.m.* resto, residuo, restante; rimanenza.

rimanènza *s.f.* giacenza, fondo di magazzino.

rimanére *v.intr.* **1** (*in un luogo*) restare, trattenersi, stare, fermarsi, soffermarsi © andare, partire **2** (*fedele, amico ecc.*) conservarsi, durare, resistere, permanere **3** (*orfano, vedovo ecc.*) divenire, diventare, ritrovarsi **4** (*di sasso, s'accordo ecc.*) restare **5** (*di soldi, di cibo ecc.*) avanzare, restare **6** sopravvivere, restare © morire **7** (*colloq.*; *di edificio, di strada ecc.*) essere situato, trovarsi, situarsi.

rimangiàrsi *v.pr.* ♧ (*la parola data e sim.*) ritrattare © mantenere, rispettare.

rimarcàre *v.tr.* notare, rilevare, evidenziare.

rimarchévole *agg.* importante, considerevole, rilevante © insignificante, trascurabile.

rimàre *v.intr.* poetare, versificare.

rimarginàre *v.tr.* **1** (*med.*) cicatrizzare, saldare **2** ♧ (*un dolore, un ricordo ecc.*) alleviare, lenire, placare, mitigare, addolcire ♦ *v.intr.* e **rimarginarsi** *v.pr.* cicatrizzarsi, richiudersi, guarire.

rimasùglio *s.m.* avanzo, resto, residuo, scarto.

rimbalzàre *v.intr.* **1** (*di luce e sim.*) riverberarsi, riflettersi **2** ♧ (*di notizia e sim.*) diffondersi, divulgarsi, propagarsi.

rimbambìre *v.tr.* rimbecillire, rincretinire, rincitrullire; stordire, rintronare (*colloq.*) ♦ *v.intr.* e **rimbambirsi** *v.pr.* rimbecillirsi, rincitrullirsi, rincoglionirsi (*volg.*).

rimbambìto *agg.*, *s.m.* rimbecillito, rincitrullito, rintronato (*colloq.*), rincoglionito (*volg.*), arteriosclerotico.

rimbeccàre *v.tr.* contraddire, contestare; ribattere, replicare, controbattere, rispondere ♦ **rimbeccarsi** *v.pr.* discutere, bisticciare.

rimbecillìre *v.tr.* rimbambire, rincretinire, rincitrullire; stordire, rintronare (*colloq.*) ♦ *v.intr.* e **rimbecillirsi** *v. pr.* rimbambirsi, rincitrullirsi, rincoglionirsi (*volg.*).

rimbecillìto *agg.*, *s.m.* rimbambito, rincitrullito, rintronato (*colloq.*), rincoglionito (*volg.*), arteriosclerotico.

rimboccàre *v.tr.* ripiegare, arrotolare, tirare su (*colloq.*).

rimbombàre *v.intr.* risuonare, echeggiare.

rimbómbo *s.m.* boato, fragore, frastuono; eco.

rimborsàre *v.tr.* risarcire, rifondere, ripagare; restituire, rendere.

rimbórso *s.m.* risarcimento, restituzione, indennizzo.

rimediàre *v.intr.* (*a un danno e sim.*) riparare, ovviare, porre rimedio; provvedere, compensare ♦ *v.tr.* **1** aggiustare, riparare, accomodare, sistemare **2** (*colloq.*; *denaro e sim.*) procurarsi, trovare, ottenere.

rimèdio *s.m.* **1** (*a un dolore, a un male*) medicina, farmaco, medicinale, terapia **2** ♧ (*a un problema e sim.*) cura, ricetta, antidoto, medicina; misura, provvedimento, soluzione.

rimescolàre *v.tr.* **1** rimischiare; rimestare **2** scompigliare, rivoluzionare, buttare all'aria.

rimescolìo *s.m.* **1** rimescolamento **2** ♧ (*interiore*) agitazione, turbamento, emozione.

riméssa *s.f.* **1** (*nel calcio*) rinvio, rilancio **2** magazzino, deposito **3** (*per autoveicoli*) autorimessa, garage, box (*ingl.*) **4** perdita © guadagno, profitto.

rimestàre *v.tr.* **1** rimescolare **2** ♧ rivangare, rispolverare.

riméttere *v.tr.* **1** ricollocare, riporre; reinserire, reintrodurre; rificcare (*colloq.*) **2** (*la palla*); rilanciare, rinviare **3** (*spec. denaro*) inviare, spedire **4** (*colloq.*) vomitare, dare di stomaco (*colloq.*) **5** (*un compito e sim.*) assegnare, affidare, delegare **6** (*una colpa e sim.*) perdonare, giustificare ♦ **rimettersi** *v.pr.* **1** riprendersi, riaversi, ristabilirsi; guarire **2** (*di tempo*) migliorare, rasserenarsi © peggiorare **3** (*alla volontà di Dio, ai giudici ecc.*) affidarsi, raccomandarsi ♦ **rimetterci** *v.procompl.* perderci, lasciarci, scapitarci © guadagnarci, rifarsi.

rìmmel *s.m.invar.* mascara.

rimodernàre *v.tr.* rinnovare, ammodernare, modernizzare, svecchiare; rimettere a nuovo.

rimontàre *v.tr.* **1** risalire © ridiscendere, scendere **2** (*nello sport*) recuperare, risalire, riprendere ♦ *v.intr.* ♧ (*nel tempo*) risalire; datare.

rimorchiàre *v.tr.* **1** trainare, trascinare, tirare **2** ♧ (*gerg.*) agganciare (*gerg.*), caricare (*gerg.*) © scaricare (*gerg.*).
rimòrchio *s.m.* traino.
rimòrdere *v.tr.* (*la coscienza*) tormentare, affliggere, angustiare, torturare © sollevare.
rimòrso *s.m.* pentimento, rammarico, rimpianto, rincrescimento; contrizione.
rimostrànza *s.f.* protesta, lamentela, lagnanza, reclamo, recriminazione.
rimozióne *s.f.* **1** allontanamento, spostamento **2** (*da una carica*) allontanamento, destituzione, sollevamento, esonero, licenziamento, siluramento © reintegrazione, riammissione.
rimpiàngere *v.tr.* **1** (*raro*) piangere **2** dolersi, rammaricarsi; pentirsi.
rimpiànto *agg.* compianto ♦ *s.m.* nostalgia, rammarico; rimorso, pentimento.
rimpiattìno *s.m.* nascondino.
rimpiazzàre *v.tr.* sostituire, prendere il posto; soppiantare.
rimpiàzzo *s.m.* **1** sostituzione **2** (*la persona che sostituisce*) sostituto.
rimpinguàre *v.tr.* **1** rimpolpare **2** ♧ arricchire, rimpolpare © dissanguare, impoverire.
rimpinzàre *v.tr.* (*di cibo*) riempire, ingozzare ♦ **rimpinzarsi** *v.pr.* abbuffarsi, riempirsi, ingozzarsi, strafogarsi (*colloq.*).
rimproveràre *v.tr.* riprendere, ammonire, redarguire, sgridare, strapazzare, strigliare © lodare, elogiare.
rimpròvero *s.m.* richiamo, appunto, ammonizione, biasimo, rimbrotto, sgridata, strapazzata, lavata di capo (*colloq.*), ramanzina, strigliata © lode, approvazione, complimento, elogio, encomio (*elev.*).
rimuginàre *v.tr.* e *intr.* ripensare, riflettere, ripensare, meditare, ruminare (*colloq.*).
rimuneràre *v.tr.* **1** (*una persona*) ricompensare, ripagare **2** (*ass.*) rendere, fruttare.
rimuòvere *v.tr.* **1** spostare, togliere, levare © rimettere, ricollocare **2** (*qlcu. da un incarico e sim.*) allontanare, destituire, deporre, sollevare © richiamare, reintegrare, riammettere.
rinàscere *v.intr.* **1** risorgere, rivivere **2** (*di alberi, piante e sim.*) rifiorire, ricrescere, ributtare, rigettare © morire **3** ♧ (*di arti, di commerci ecc.*) rinnovarsi, ravvivarsi, risorgere, rifiorire © decadere, scomparire **4** ♧ (*di persona*) rifiorire, risuscitare; riprendersi, ristabilirsi.
rinàscita *s.f.* ♧ (*culturale, economica ecc.*) rinnovamento, risveglio, ripresa, rifioritura © decadenza, decadimento.
rincalzàre *v.tr.* puntellare; consolidare, rinforzare.
rincàlzo *s.m.* **1** rinforzo, sostegno, appoggio, puntello **2** ♧ assistenza, collaborazione, appoggio **3** (*sport*) riserva.
rincaràre *v.tr.* (*di prezzo*) alzare, aumentare © ridurre, abbassare ♦ *v.intr.* aumentare, salire, lievitare © scendere, diminuire.
rincàro *s.m.* aumento, rialzo © ribasso.
rincasàre *v.intr.* rientrare, ritirarsi © uscire.
rinchiùdere *v.tr.* chiudere; (*una persona*) imprigionare, incarcerare; internare, recludere © liberare; scarcerare ♦ **rinchiudersi** *v.pr.* chiudersi, ritirarsi, appartarsi, isolarsi, segregarsi.
rincoglionìto *agg.* (*volg.*, *spreg.*) rimbambito, rimbecillitorincretinito, rintronato.
rincórrere *v.tr.* inseguire, incalzare, seguire, tallonare ♦ **rincorrersi** *v.pr.* **1** inseguirsi **2** ♧ (*di eventi e sim.*) susseguirsi.
rincórsa *s.f.* slancio.
rincréscere *v.intr.* dispiacere, spiacere, seccare; rammaricarsi, rimpiangere © rallegrarsi, compiacersi.
rincresciménto *s.m.* dispiacere, rammarico, tristezza; rimpianto, rimorso, pentimento © compiacimento.
rincretinìre *v.tr.* frastornare, intontire, istupidire, rimbambire, rimbecillire, rincoglionire (*volg.*), rintronare ♦ **rincretinirsi** *v.pr.* rimbecillirsi, rimbambirsi, rincoglionirsi (*volg.*), rintontirsi, abbrutirsi.
rinculàre *v.intr.* indietreggiare, arretrare © avanzare, procedere.
rincùlo *s.m.* contraccolpo, ripercussione.
rincuoràre *v.tr.* confortare, consolare; incoraggiare, rinfrancare, sollevare © affliggere, deprimere, rattristare.
rinfacciàre *v.tr.* rimproverare; sbattere in faccia.
rinfocolàre *v.tr.* (*anche* ♧) riaccendere, risvegliare, riattizzare, ridestare.
rinforzàre *v.tr.* **1** rafforzare, rinsaldare, rinvigorire, irrobustire, tonificare, temprare © indebolire, debilitare **2** ♧ (*una tesi e sim.*) avvalorare, consolidare, corroborare, rafforzare **3** ♧ (*un legame e sim.*) rinsaldare, cementare, corroborare; ravvivare.
rinfòrzo *s.m.* **1** sostegno, puntello, rincalzo **2** ♧ aiuto, appoggio, assistenza.
rinfrancàre *v.tr.* incoraggiare, rincuorare, rianimare, riconfortare © avvilire, scoraggiare, buttare giù.
rinfrescàre *v.tr.* **1** refrigerare © riscaldare **2** (*le pareti*) rimbiancare, ritinteggiare, riverniciare; (*il trucco*) ritoccare **3** ♧ (*conoscenze, nozioni ecc.*) rispolverare ♦ *v.intr.* (*spec. di clima*) raffreddarsi ♦ **rinfrescarsi** *v.pr.* ♧ ripulirsi, rassettarsi, riordinarsi.

rinfrésco *s.m.* ricevimento, cocktail (*ingl.*).
ringalluzzìre *v.tr.* imbaldanzire, ingagliardire ♦ *v.intr.* e **ringalluzzirsi** *v.pr.* rimbaldanzirsi, ingagliardirsi © abbattersi, deprimersi.
ringhièra *s.f.* parapetto, balaustra.
ringraziaménto *s.m.* gratitudine; grazie.
ringraziàre *v.tr.* rendere grazie; lodare.
rinnegàre *v.tr.* ripudiare, disconoscere, sconfessare, ritrattare.
rinnegàto *s.m.* disertore, apostata (*relig.*), traditore; fedifrago.
rinnovaménto *s.m.* **1** innovazione, rimodernamento, svecchiamento; trasformazione, cambiamento; rinascita, rifioritura, rigenerazione **2** (*di un contratto e sim.*) rinnovo, riconferma **3** (*di una macchina, di un programma ecc.*) aggiornamento.
rinnovàre *v.tr.* **1** ripetere, riaffermare, ribadire; (*un contratto, un incarico e sim.*) riconfermare; prorogare **2** (*l'arredamento e sim.*) ristrutturare, restaurare; rammodernare, rimettere a nuovo, svecchiare **3** (*macchine, strutture ecc.*) aggiornare, attualizzare, adeguare, modernizzare **4** (*la scuola, la società ecc.*) riformare, ridisegnare ♦ **rinnovarsi** *v.pr.* **1** (*di persona*) rigenerarsi, rifiorire, rinascere, rimettersi a nuovo **2** (*di fenomeno*) aggiornarsi, attualizzarsi, ammodernarsi **3** ripetersi.
rinnòvo *s.m.* **1** ripetizione, replica **2** (*di un contratto, di un incarico ecc.*) riconferma; proroga **3** (*di impianti, strutture ecc.*) rinnovamento, aggiornamento, ammodernamento, svecchiamento.
rinomàto *agg.* celebre, famoso, noto, affermato, conosciuto, popolare © sconosciuto, anonimo, oscuro, ignoto.
rinsaldàre *v.tr.* (*anche* ♧) rafforzare, cementare, rinforzare © indebolire, minare, disgregare ♦ **rinsaldarsi** *v.pr.* ♧ (*di legame, di rapporto ecc.*) cementarsi, compattarsi, consolidarsi, rafforzarsi, solidificarsi © indebolirsi, disgregarsi; rompersi, spezzarsi.
rinsavìre *v.intr.* ritornare in sé; mettere giudizio, ravvedersi © impazzire, dare i numeri, uscire di senno.
rinsecchìrsi *v.pr.* **1** appassire, seccarsi, avvizzire **2** dimagrire, smagrire, asciugarsi © ingrassare.
rintanàrsi *v.pr.* **1** (*di animale*) rifugiarsi, nascondersi **2** ♧ (*di persona*) nascondersi, rifugiarsi, ficcarsi (*colloq.*); isolarsi, chiudersi, barricarsi.
rintócco *s.m.* tocco.
rintracciàre *v.tr.* **1** ritrovare, trovare, reperire, rinvenire; pescare, scovare © perdere, smarrire **2** scoprire, individuare.
rintronàto *agg.* **1** frastornato, intontito, intronato, rintontito **2** (*colloq.*) rimbambiro, rimbecillito, ottuso, strodito.
rintuzzàre *v.tr.* **1** (*attacchi, accuse ecc.*) ribattere, respingere, controbattere **2** (*un impulso, un sentimento e sim.*) reprimere, soffocare, smorzare; dominare, frenare © liberare, sfogare, scatenare.
rinùncia *s.f.* **1** rifiuto; abbandono; (*al trono e sim.*) abdicazione **2** (*spec. al pl.*) sacrifici, privazioni, stenti.
rinunciàre *v.intr.* **1** privarsi, fare a meno; (*al trono e sim.*) abdicare **2** (*a un progetto, a un sogno ecc.*) ritirarsi, abbandonare, desistere.
rinunciatàrio *agg.*, *s.m.* accomodante, arrendevole, conciliante, condiscendente © combattivo, determinato, risoluto, tenace.
rinveniménto *s.m.* **1** ritrovamento, scoperta © perdita, smarrimento **2** (*archeologico*) scoperta; reperto.
rinvenìre[1] *v.tr.* ritrovare, scoprire, trovare, recuperare, rintracciare.
rinvenìre[2] *v.intr.* riprendere conoscenza, riprendere i sensi, riaversi, rianimarsi © svenire, perdere conoscenza, perdere i sensi.
rinverdìre *v.tr.* ♧ (*speranze, ricordi ecc.*) riaccendere, ravvivare, rinvigorire, riesumare ♦ *v.intr.* **1** (*di pianta*) rifiorire, rigermogliare **2** ♧ rinascere, ravvivarsi, rifiorire, rivivere.
rinviàre *v.tr.* **1** rispedire; respingere, rimandare, restituire **2** (*una riunione e sim.*) spostare, posporre, posticipare, prorogare, differire © anticipare, accelerare **3** (*in un testo*) rimandare **4** (*la palla*) rilanciare, rimandare.
rinvigorìre *v.tr.* rafforzare, irrobustire, ritemprare © indebolire, fiaccare, spossare ♦ **rinvigorirsi** *v.pr.* **1** irrobustirsi, rafforzarsi, ristorarsi © indebolirsi, debilitarsi, esaurirsi **2** ♧ rinfrancarsi, rivitalizzarsi © esaurirsi, infiacchirsi.
rinvìo *s.m.* **1** rimando, rispedizione **2** (*di una riunione e sim.*) differimento, spostamento, posticipazione, proroga, aggiornamento © anticipo, anticipazione **3** (*in un testo*) rimando, richiamo **4** (*nel calcio*) rilancio, rimando.
rióne *s.m.* quartiere, contrada.
riordinaménto *s.m.* riassetto, riorganizzazione, risistemazione, riforma.
riordinàre *v.tr.* **1** ordinare; mettere in ordine, rassettare © disordinare, mettere in disordine **2** riorganizzare, riformare.
riorganizzàre *v.tr.* riordinare; rinnovare, risistemare, ristrutturare © disorganizzare, disordinare.
riorganizzazióne *s.f.* riordinamento, ristrutturazione, riassetto © disorganizzazione.

riottóso *agg.* ribelle, indocile, irrequieto; litigioso, attaccabrighe, rissoso © docile, arrendevole, condiscendente, remissivo.

ripagàre *v.tr.* **1** rimborsare; risarcire; indennizzare **2** ♧ ricompensare, ricambiare, contraccambiare.

riparàre[1] *v.tr.* **1** proteggere, difendere **2** aggiustare, accomodare, rimediare © rompere, rovinare, guastare ♦ *v.tr.* e *intr.* rimediare, ovviare, sanare ♦ **ripararsi** *v.pr.* difendersi, proteggersi, pararsi.

riparàre[2] *v.intr.* rifugiarsi, nascondersi, rintanarsi © esporsi, mostrarsi.

riparàto *agg.* (*di luogo*) difeso, protetto, coperto © esposto, scoperto.

riparazióne *s.f.* **1** (*di un danno, di un torto ecc.*) risarcimento; ammenda **2** aggiustatura, aggiustata (*colloq.*) © danno, rottura.

ripàro *s.m.* **1** protezione, difesa; asilo, rifugio, ricovero **2** rimedio, provvedimento.

ripartìre[1] *v.intr.* andarsene; (*di automobile*) rimettersi in moto.

ripartìre[2] *v.tr.* **1** suddividere, dividere, frazionare **2** suddividere, spartire, distribuire.

ripassàre *v.tr.* **1** riattraversare **2** porgere, passare **3** (*un disegno e sim.*) ritoccare **4** rivedere, ricontrollare; (*un motore*) revisionare, mettere a punto **5** (*la lezione*) ripetere, rivedere, rileggere **6** (*colloq.*) sgridare, rimproverare ♦ *v.intr.* ritornare.

ripassàta *s.f.* **1** ritocco **2** (*alla lezione e sim.*) scorsa, ripasso **3** (*colloq.*) rimprovero, lavata di capo, ramanzina.

ripàsso *s.m.* ripetizione, rilettura; ripassata, scorsa.

ripensaménto *s.m.* dubbio, perplessità, riflessione; pentimento.

ripensàre *v.intr.* **1** riflettere, meditare, ponderare **2** ricredersi, rimettere in discussione **3** rievocare, ricordare, rammentare, rimembrare (*elev.*).

ripercuòtersi *v.pr.* **1** (*di suono*) diffondersi, rimbombare, echeggiare; (*di luce*) riflettersi, riverberarsi; rinfrangersi **2** ♧ ricadere, riflettersi, influire, incidere.

ripercussióne *s.f.* conseguenza, effetto, riflesso, contraccolpo, strascico.

ripescàre *v.tr.* **1** (*dall'acqua*) pescare; recuperare **2** ♧ (*un oggetto smarrito*) ritrovare, recuperare **3** ♧ (*colloq.*) catturare, riacciuffare **4** ♧ (*una vecchia moda, un vecchio progetto ecc.*) rilanciare, riproporre, recuperare.

ripètere *v.tr.* **1** rifare, replicare, reiterare **2** ridire, riaffermare, ribadire; riferire, spifferare (*gerg.*), spiattellare (*colloq.*) **3** (*la lezione*) ripassare, rileggere ♦ **ripetersi** *v.pr.* (*di fenomeno, di errore ecc.*) ricorrere, ripresentarsi; succedersi, susseguirsi.

ripetitìvo *agg.* monotono, noioso, di routine; ossessivo, maniacale.

ripetizióne *s.f.* **1** replica, reiterazione **2** lezione privata.

ripiàno *s.m.* **1** gradino, terrazza **2** scaffale, mensola.

ripìcca *s.f.* dispetto; vendetta, rivalsa.

rìpido *agg.* aspro, erto, scosceso © piano, pianeggiante.

ripiegàre *v.tr.* piegare © spiegare, svolgere ♦ *v.intr.* (*mil.*) indietreggiare, ritirarsi, retrocedere, rinculare © avanzare, procedere ♦ **ripiegarsi** *v.pr.* **1** curvarsi, incurvarsi, flettersi © raddrizzarsi, rizzarsi **2** ♧ (*in sé*) chiudersi, rinchiudersi.

ripiègo *s.m.* accorgimento, espediente, escamotage (*fr.*), via d'uscita.

ripièno *agg.* **1** colmo, strapieno, straripante, traboccante, zeppo © vuoto **2** (*di panino e sim.*) farcito, imbottito ♦ *s.m.* farcitura.

riportàre *v.tr.* **1** ricondurre **2** rendere, ridare, restituire, riconsegnare **3** riferire, ripetere, menzionare, citare **4** trasferire, ricopiare, riprodurre **5** ♧ collegare, ricondurre **6** ♧ ottenere, conseguire, raccogliere, riscuotere; (*danni e sim.*) subire, ricevere.

riposànte *agg.* distensivo, rilassante, rasserenante © stancante, stressante.

riposàre *v.intr.* **1** rilassarsi, distendersi © affaticarsi, faticare **2** dormire; (*eufem.*) giacere **3** ♧ basarsi, poggiarsi, reggersi ♦ *v.tr.* ristorare, ritemprare © affaticare, stancare ♦ **riposarsi** *v.pr.* rilassarsi, riprendere fiato © stancarsi, stressarsi.

ripòso *s.m.* **1** pausa, respiro, sosta, tregua; pace, rilassamento, relax (*ingl.*), ristoro © stanchezza fatica **2** sonno © veglia.

ripostìglio *s.m.* sgabuzzino, disimpegno, bugigattolo.

riprèndere *v.tr.* **1** recuperare, ripigliare, riacquistare; riacchiappare, riacciuffare © abbandonare, lasciare, perdere **2** (*un territorio*) riconquistare, rioccupare © perdere **3** (*dopo un'interruzione*) ricominciare, continuare, proseguire © interrompere, sospendere **4** filmare, fotografare **5** rimproverare, sgridare, redarguire © lodare, elogiare ♦ *v.intr.* ricominciare; continuare, seguitare © interrompersi, smettere ♦ **riprendersi** *v.pr.* **1** rimettersi, ristabilirsi, recuperare © aggravarsi, peggiorare **2** rinvenire, riprendere conoscenza © svenire, perdere i sensi **3** ravvedersi, pentirsi.

riprésa *s.f.* **1** ripristino, ristabilimento © interruzione **2** miglioramento, recupero; (*econ.*) rialzo © peggioramento, calo; ribasso **3** (*negli autoveicoli*) scatto, sprint, accelerazione **4** (*in una partita di calcio*) secondo tempo.

ripresentàre *v.tr.* riproporre, ricandidare; (*una questione*) risollevare ♦ **ripresentarsi** *v.pr.* **1** riapparire, ricomparire; ritornare **2** ricandidarsi, riproporsi **3** (*di questione e sim.*) riaffacciarsi, riproporsi.

ripristinàre *v.tr.* **1** ricostruire, riedificare, restaurare; riattivare **2** ♧ (*un'usanza, una legge ecc.*) reintrodurre, recuperare, ristabilire, risuscitare.

riprodùrre *v.tr.* **1** rifare, ricreare **2** copiare, duplicare, fotocopiare **3** (*di foto e sim.*) stampare, pubblicare, ristampare **4** ♧ rappresentare, ritrarre, raffigurare; descrivere, rendere, ricreare ♦ **riprodursi** *v.pr.* **1** (*biol.*) generare, procreare; moltiplicarsi; proliferare **2** riformarsi, rigenerarsi **3** (*di situazione e sim.*) ripresentarsi, ricrearsi, ripetersi.

riproduzióne *s.f.* **1** duplicazione, copia, duplicato; imitazione. facsimile **2** (*biol.*) generazione, procreazione.

ripromèttersi *v.pr.* prefiggersi, proporsi, riproporsi, contare.

ripropórre *v.tr.* **1** ripresentare; (*un problema e sim.*) risollevare **2** recuperare, ripescare, rispolverare, rilanciare ♦ **riproporsi** *v.pr.* **1** ripresentarsi, ricomparire **2** prefiggersi, proporsi, ripromettersi.

ripròva *s.f.* conferma, riscontro, verifica.

riprovazióne *s.f.* biasimo, condanna, disapprovazione, dissenso, censura, critica © lode, apprezzamento, elogio.

riprovévole *agg.* biasimevole, condannabile, disdicevole, esecrabile, inqualificabile, vergognoso © ammirevole, lodevole, encomiabile.

ripudiàre *v.tr.* **1** allontanare, cacciare, respingere **2** (*la violenza, la guerra ecc.*) rifiutare, respingere **3** (*una fede, un credo ecc.*) rinnegare, disconoscere, sconfessare.

ripugnànte *agg.* disgustoso, schifoso, orribile, ributtante, rivoltante, stomachevole © gradevole, piacevole, delizioso, attraente.

ripugnànza *s.f.* disgusto, schifo, avversione, ribrezzo, orrore; riluttanza © piacere, godimento.

ripugnàre *v.intr.* disgustare, rivoltare, schifare, stomacare © piacere, allettare.

ripulìre *v.tr.* **1** pulire, riordinare, riassettare **2** ♧ (*uno scritto*) correggere, perfezionare, rifinire **3** (*scherz.*) derubare, rapinare; (*il frigorifero e sim.*) svuotare, saccheggiare ♦ **ripulirsi** *v.pr.* **1** lavarsi, rinfrescarsi; rimettersi in ordine, rassettarsi, sistemarsi **2** ♧ dirozzarsi, ingentilirsi, raffinarsi © abbrutirsi, imbarbarirsi.

riqualificàre *v.tr.* **1** riciclare, riconvertire **2** (*un edificio e sim.*) risanare, restaurare.

risalìre *v.tr.* **1** rimontare © riscendere **2** (*un fiume*) costeggiare ♦ *v.intr.* **1** (*a cavallo*) rimontare © smontare, riscendere **2** ♧ (*di valore e sim.*) aumentare, lievitare, rincarare © calare, scendere **3** ♧ (*con la memoria e sim.*) riandare, ritornare **4** (*a un periodo storico e sim.*) appartenere.

risaltàre *v.intr.* **1** staccarsi, spiccare, campeggiare, profilarsi, stagliarsi © scomparire, confondersi **2** (*di persona*) brillare, spiccare, emergere, distinguersi, primeggiare.

risàlto *s.m.* rilievo, spicco, evidenza.

risanàre *v.tr.* **1** guarire, sanare **2** (*un terreno*) bonificare; (*un quartiere*) riqualificare, bonificare **3** (*economicamente*) rimettere in sesto, riassestare, risollevare.

risapùto *agg.* noto, notorio, di dominio pubblico; proverbiale; trito, scontato, trito e ritrito (*colloq.*) © ignoto, sconosciuto.

risarciménto *s.m.* rimborso, indennizzo, riparazione.

risarcìre *v.tr.* rimborsare, ripagare, indennizzare; (*un'offesa*) riparare.

risàta *s.f.* riso IPON. sorriso; ghigno © pianto.

riscaldàre *v.tr.* **1** scaldare © raffreddare, rinfrescare, gelare **2** ♧ (*una festa e sim.*) ravvivare, vivacizzare **3** ♧ eccitare, entusiasmare, infiammare, accendere, accalorare © placare, sedare, raffreddare ♦ **riscaldarsi** *v.pr.* **1** scaldarsi © raffreddarsi, rinfrescarsi, gelarsi **2** ♧ (*di persona*) eccitarsi, entusiasmarsi, infervorarsi; arrabbiarsi, adirarsi, infuriarsi © calmarsi, placarsi **3** (*di ambiente e sim.*) animarsi, vivacizzarsi.

riscattàre *v.tr.* **1** recuperare, riacquistare, svincolare © vincolare, ipotecare **2** ♧ liberare, emancipare, affrancare © sottomettere, assoggettare **3** ♧ compensare, bilanciare ♦ **riscattarsi** *v.pr.* ♧ liberarsi, emanciparsi, affrancarsi, redimersi, salvarsi.

riscàtto *s.m.* **1** liberazione, affrancamento, emancipazione © asservimento, assoggettamento **2** ♧ (*dal peccato e sim.*) redenzione.

rischiaràre *v.tr.* illuminare; ♧ chiarire © oscurare, offuscare ♦ *v.intr.* e **rischiararsi** *v.pr.* rasserenarsi © annuvolarsi.

rischiàre *v.tr.* mettere a repentaglio, arrischiare, risicare (*region.*); osare, azzardare.

rìschio *s.m.* **1** pericolo, minaccia, insidia **2** imprevisto, incognita © sicurezza, certezza.

rischiosità *s.f.* pericolosità © sicurezza, tranquillità.

rischióso *agg.* pericoloso, insidioso; arrischiato, avventato, azzardato; audace, ardito © sicuro, certo.

riscontràre *v.tr.* **1** rilevare, trovare, notare, evidenziare **2** confrontare, paragonare, raffrontare **3** controllare, verificare, accertare ♦ *v.intr.* coincidere, corrispondere, collimare © contrastare, discordare.

riscóntro *s.m.* confronto, raffronto, comparazione; controllo, verifica, accertamento; conferma, riprova, corrispondenza.

riscòssa *s.f.* ripresa; riconquista; rivincita.

riscossióne *s.f.* incasso; entrata, ricavo.

riscuòtere *v.tr.* **1** svegliare, ridestare **2** (*una somma di denaro*) incassare, ricevere, percepire **3**♧ (*successo e sim.*) ottenere, raggiungere, conseguire, mietere ♦ **riscuotersi** *v.pr.* **1** (*dal sonno*) risvegliarsi, destarsi, scuotersi; sobbalzare, trasalire **2** ♧ rianimarsi, rinvenire © svenire, perdere i sensi **3** riprendersi, reagire.

risentiménto *s.m.* rancore, rabbia, astio, irritazione, malanimo.

risentìre *v.tr.* riascoltare, riudire ♦ *v.tr.* e *intr.* provare, sentire, patire, soffrire ♦ **risentirsi** *v.pr.* **1** riascoltarsi **2** offendersi, indispettirsi, irritarsi, prendersela, sdegnarsi.

risentìto *agg.* offeso, sdegnato, indispettito, irritato.

risèrbo *s.m.* **1** modestia, pudore, ritegno © sfacciataggine, spudoratezza **2** discrezione, riservatezza, segretezza.

risèrva *s.f.* **1** provvista, scorta **2** (*naturale*) bandita; parco **3** (*mil.*, *sport*) rincalzo **4** condizione, limitazione, restrizione, limite; dubbio, obiezione, perplessità.

riservàre *v.tr.* **1** conservare, serbare, riserbare, tenere in serbo, tenere **2** destinare, assegnare **3** (*una stanza, un tavolo ecc.*) fissare, prenotare, tenere (*colloq.*).

riservatézza *s.f.* **1** discrezione, modestia, riserbo © indiscrezione, invadenza **2** silenzio, segretezza, segreto, riserbo.

riservàto *agg.* **1** (*di carattere e sim.*) discreto, schivo, chiuso © invadente, indiscreto **2** (*di posto, di tavolo ecc.*) fissato, prenotato © libero **3** (*di informazione, di lettera ecc.*) confidenziale, personale, privato, segreto © pubblico.

risìbile *agg.* **1** ridicolo, grottesco, comico © serio **2** (*di compenso e sim.*) piccolo, ridicolo, scarso, esiguo, irrisorio © considerevole, consistente, ragguardevole **3** (*di proposta e sim.*) assurdo, ridicolo, incredibile.

risicàto *agg.* contato, limitato, ridotto, ristretto, stentato © abbondante, considerevole.

risièdere *v.intr.* **1** abitare, dimorare, vivere **2**♧ basarsi, consistere, stare.

rìsma *s.f.* (*spreg.*) genere, razza, specie, tipo, sorta.

rìso *s.m.* ridere, risata IPON. sorriso; sghignazzata, ghigno © pianto.

risollevàre *v.tr.* **1** rialzare © riabbassare **2** ♧ (*una questione, un problema ecc.*) riproporre, ripresentare **3** ♧ confortare, rinfrancare, rianimare, incoraggiare © abbattere, avvilire, deprimere, scoraggiare.

risolutézza *s.f.* decisione, fermezza, sicurezza © esitazione, titubanza, indecisione.

risolutìvo *agg.* decisivo, definitivo, determinante, conclusivo, ultimo.

risolùto *agg.* deciso, fermo, sicuro, energico © incerto, indeciso, esitante, titubante.

risoluzióne *s.f.* **1** (*di un problema*) soluzione; (*di una difficoltà e sim.*) superamento, sistemazione, appianamento **2** decisione, deliberazione, proposito **3** (*di un contratto*) scioglimento, annullamento © ratifica, convalida.

risòlvere *v.tr.* **1** definire, regolare, sistemare, chiarire, districare, sbrogliare, spiegare, sciogliere; (*una questione e sim.*) appianare, comporre, dirimere **2** decidere, fissare, stabilire **3** (*un contratto*) rescindere, annullare © ratificare, convalidare ♦ **risolversi** *v.pr.* **1** finire, concludersi, chiudersi, sfociare **2** appianarsi, chiarirsi, sistemarsi **3** (*di malattia*) guarire **4** decidere, decidersi.

risonànza *s.f.* (*di notizia, di evento ecc.*) eco, clamore, rumore, scalpore.

risórgere *v.intr.* **1** ripresentarsi, ricomparire, riproporsi **2** resuscitare **3** ♧ rinascere, riprendersi, risollevarsi.

risorgiménto *s.m.* (*culturale, artistico ecc.*) rinascita, rifioritura, ripresa © declino, decadenza.

risórsa *s.f.* mezzo, capacità, facoltà, possibilità, potenzialità.

risparmiàre *v.tr.* **1** economizzare, dosare, lesinare; (*tempo*) guadagnare © consumare, sperperare **2** mettere da parte, accantonare, mettere via; accumulare © spendere, sprecare, buttare, dissipare, scialacquare **3** (*sofferenza, fatica ecc.*) evitare **4** (*la vita a qlcu.*) salvare, difendere ♦ **risparmiarsi** *v.pr.* (*di fare qlco.*) evitare.

risparmiatóre *s.m.* economo, parsimonioso © dissipatore, scialacquatore, spendaccione.

rispàrmio *s.m.* economia, parsimonia © consumo, sperpero, scialo.

rispecchiàre *v.tr.* **1** riflettere, riverberare **2** ♧ riflettere, esprimere, manifestare, rendere, rap-

presentare ♦ **rispecchiarsi** *v.pr.* **1** specchiarsi, riflettersi **2** ♧ manifestarsi, mostrarsi, rivelarsi.
rispettàbile *agg.* **1** degno, onesto, onorevole, perbene © indegno, spregevole **2** ♧ considerevole, notevole, rilevante © trascurabile, irrilevante.
rispettàre *v.tr.* **1** onorare; riverire, venerare © offendere **2** (*la legge, le usanze e sim.*) osservare, attenersi; seguire © contravvenire, infrangere, violare **3** (*un impegno*) mantenere, onorare, adempiere © venire meno.
rispettàto *agg.* apprezzato, considerato, stimato © disprezzato.
rispettìvo *agg.* relativo, proprio.
rispètto *s.m.* **1** deferenza, riguardo, ossequio © indifferenza, sufficienza; insolenza **2** (*al pl.*; *in formule di saluto*) omaggi, ossequi **3** (*delle regole, della legge ecc.*) osservanza, ottemperanza, obbedienza, conformità; (*di una promessa*) mantenimento © disprezzo; disobbedienza **4** (*verso una persona*) considerazione, riguardo; (*verso un oggetto*) attenzione, cura, riguardo © incuria **5** confronto, paragone, relazione.
risplèndere *v.intr.* splendere, brillare, rifulgere, scintillare, sfavillare, sfolgorare.
rispolveràre *v.tr.* **1** rinfrescare **2** ♧ riesumare, riproporre, ripescare, riutilizzare.
rispondènte *agg.* corrispondente, conforme, adeguato, adatto, consono, idoneo © inadatto, inadeguato.
rispondènza *s.f.* **1** corrispondenza, consonanza, conformità, correlazione, riscontro **2** accordo, intesa, sintonia **3** riflesso, ripercussione.
rispóndere *v.intr.* **1** replicare, ribattere **2** (*a un'offesa e sim.*) reagire **3** (*a uno stimolo*) reagire, ubbidire **4** (*di un'azione*) rendere conto; assumersi la responsabilità **5** ♧ (*a un requisito e sim.*) corrispondere, soddisfare.
rispósta *s.f.* **1** replica; parere, responso **2** reazione, replica.
rìssa *s.f.* lite, colluttazione, tafferuglio, zuffa.
rissóso *agg.* litigioso, attaccabrighe, bellicoso © mite, pacifico, accomodante.
ristabilìre *v.tr.* **1** (*l'ordine, la disciplina ecc.*) riportare, restaurare, ripristinare © turbare, sovvertire **2** curare, guarire ♦ **ristabilirsi** *v.pr.* **1** guarire, recuperare, riprendersi **2** (*del tempo atmosferico*) rasserenarsi, rimettersi © guastarsi.
ristagnàre *v.intr.* **1** (*di liquidi*) stagnare, impaludarsi © fluire, scorrere **2** ♧ (*di attività economiche*) languire, stagnare © incrementarsi, potenziarsi.
ristorànte *s.m.* IPON. tavola calda, trattoria, self-service (*ingl.*).
ristoràre *v.tr.* rigenerare, rinfrancare, rinvigorire, ritemprare; rifocillare © debilitare, fiaccare, spossare ♦ **ristorarsi** *v.pr.* riprendersi, rinvigorirsi, ritemprarsi; rifocillarsi.
ristrettézza *s.f.* **1** angustia, piccolezza, limitatezza, strettezza © larghezza, ampiezza, vastità **2** ♧ scarsità, carenza, insufficienza, penuria © abbondanza, dovizia **3** (*spec. al pl.*) bisogno, disagio, stento, indigenza © agio, agiatezza, benessere **4** ♧ (*mentale, d'idee ecc.*) grettezza, meschinità, limitatezza, piccineria © apertura, larghezza, generosità.
ristrétto *agg.* **1** angusto, stretto, piccolo © largo, ampio, vasto, spazioso **2** ♧ scarso, esiguo, limitato, ridotto © grande, abbondante **3** (*di brodo, di sugo ecc.*) concentrato, condensato © allungato **4** ♧ (*di mentalità e sim.*) meschino, chiuso, limitato, gretto © aperto, generoso, largo.
ristrutturàre *v.tr.* **1** riorganizzare, riformare, rinnovare **2** riadattare, rimodernare, rinnovare; bonificare.
ristrutturazióne *s.f.* **1** riorganizzazione, riordinamento **2** riadattamento, rimodernamento, restauro, restyling (*ingl.*).
risucchiàre *v.tr.* **1** aspirare, inghiottire **2** ♧ attrarre, attirare, trascinare.
risùcchio *s.m.* vortice, mulinello, gorgo.
risultàre *v.intr.* **1** conseguire, discendere, derivare, scaturire **2** comparire, emergere, scaturire **3** (*vano, proficuo e sim.*) dimostrarsi, rivelarsi **4** riuscire, essere, classificarsi.
risultàto *s.m.* **1** esito, effetto, conseguenza, frutto, risultante; riuscita, successo **2** (*di una moltiplcazione*) prodotto; (*di un'addizione*) somma; (*di una sottrazione*) resto; (*di una divisione*) quoziente.
risuonàre *v.intr.* echeggiare, rimbombare.
risurrezióne *s.f.* vedi **resurrezióne**.
risuscitàre *v.tr.* vedi **resuscitàre**.
risvegliàre *v.tr.* **1** ridestare, svegliare © addormentare **2** ♧ (*un sentimento, una passione ecc.*) riaccendere, resuscitare; (*l'appetito e sim.*) stimolare, suscitare © spegnere, placare ♦ **risvegliarsi** *v.pr.* **1** ridestarsi, svegliarsi © addormentarsi **2** ♧ (*dall'inerzia, dal torpore*) riscuotersi, scrollarsi **3** (*di passione e sim.*) riaccendersi, rinascere © smorzarsi, spegnersi, sopirsi.
risvòlto *s.m.* **1** rovescio, revers (*fr.*) **2** (*di un libro*) risguardo, aletta, bandella **3** ♧ (*di una questione e sim.*) effetto, conseguenza, ripercussione.
ritagliàre *v.tr.* **1** tagliare **2** (*i contorni*) rifilare.
ritàglio *s.m.* scampolo, rimasuglio, avanzo, resto.

ritardàre *v.intr.* tardare, fare tardi ♦ *v.tr.* rimandare, differire, dilazionare, procrastinare; rallentare, frenare, ostacolare © anticipare; accelerare, sveltire, velocizzare.

ritardàto *agg.* **1** rimandato, rinviato, posticipato, dilazionato, prorogato © puntuale, anticipato **2** rallentato; frenato, trattenuto © accelerato, velocizzato ♦ *s.m.* **1** minorato, handicappato **2** (*spreg.*) stupido, sciocco, tardo © intelligente, sveglio.

ritàrdo *s.m.* **1** proroga, procrastinazione, dilazione © puntualità, anticipo **2** esitazione, incertezza, indugio **3** rallentamento, lentezza, lungaggine © accelerazione.

ritégno *s.m.* **1** freno, controllo, misura, regola © impulsività, impetuosità, istintività **2** discrezione, riguardo, contegno, riservatezza © sfrontatezza, impudenza.

ritempràre *v.tr.* rinfrancare, rianimare © indebolire, spossare.

ritenére *v.tr.* **1** tenere, trattenere, bloccare, fermare © lasciare, liberare, mollare **2** credere, giudicare, pensare, trovare, stimare **3** ricordare, memorizzare, tenere a mente, fermare © dimenticare **4** (*le tasse e sim.*) trattenere, detrarre ♦ **ritenersi** *v.pr.* **1** credersi, giudicarsi, considerarsi, sentirsi **2** controllarsi, dominarsi, frenarsi, trattenersi © lasciarsi andare, scatenarsi.

ritentàre *v.tr.* riprovare © rinunciare.

ritenùta *s.f.* detrazione, trattenuta.

ritiràre *v.tr.* **1** rilanciare, ributtare **2** ritrarre, arretrare, togliere © allungare, porgere **3** (*truppe e sim.*) richiamare, allontanare © inviare, mandare **4** togliere, levare, prendere; sequestrare **5** ♧ annullare, cancellare, abrogare, disdire, ritrattare ♦ **ritirarsi** *v.pr.* **1** indietreggiare, arretrare, ripiegare; (*di truppe e sim.*) battere in ritirata © avanzare, procedere **2** rientrare, rincasare © uscire **3** (*in un luogo solitario*) rifugiarsi, segregarsi **4** (*da un'attività*) abbandonare, lasciare, mollare (*colloq.*) © continuare, andare avanti **5** (*da un concorso, una gara ecc.*) lasciare, rinunciare; arrendersi, desistere **6** (*di acque*) arretrare, defluire © avanzare, affluire **7** (*di tessuti*) restringersi, accorciarsi © cedere, allargarsi, allungarsi.

ritiràta *s.f.* **1** (*mil.*) arretramento, ripiegamento © avanzata, avanzamento **2** (*da un'attività e sim.*) abbandono, rinuncia © continuazione, prosecuzione **3** (*sulle vetture ferroviarie*) gabinetto, bagno, latrina.

ritiràto *agg.* **1** (*di luogo*) appartato, isolato, remoto, solitario, sperduto © affollato, frequentato, popolato **2** (*di persona*) solitario, chiuso, isolato © aperto, socievole.

ritìro *s.m.* **1** (*di truppe e sim.*) richiamo, allontanamento **2** (*dal mercato e sim.*) sequestro © dissequestro **3** (*della patente, di una licenza ecc.*) revoca, sospensione, sequestro © rilascio; restituzione **4** (*di un pacco e sim.*) accettazione, ricevimento, ricezione © consegna, invio, spedizione **5** (*di denaro*) prelevamento, prelievo, riscossione © deposito, versamento **6** (*da un'attività, da una gara e sim.*) abbandono, rinuncia © continuazione **7** (*in un luogo appartato*) isolamento, raccoglimento, solitudine **8** (*di acque*) deflusso **9** (*di tessuti*) restringimento, accorciamento.

ritmàre *v.tr.* cadenzare, scandire.

rìtmico *agg.* ritmato, cadenzato.

rìtmo *s.m.* **1** cadenza, scansione **2** (*di un fenomeno periodico*) alternanza, successione **3** (*di una danza*) tempo, passo **4** (*mus.*) tempo **5** (*arte*) armonia, equilibrio, euritmia.

rìto *s.m.* **1** celebrazione, funzione, liturgia **2** usanza, costume, tradizione; rituale, cerimoniale, protocollo **3** procedura, prassi, iter (*lat.*).

ritoccàre *v.tr.* rivedere, correggere, modificare; perfezionare, rifinire; ripulire, limare.

ritócco *s.m.* modifica, correzione, rifinitura, miglioramento, perfezionamento.

ritornàre *v.intr.* **1** tornare, rivenire, rientrare © andarsene, partire **2** ♧ (*su un argomento e sim.*) rivedere, riconsiderare, riesaminare, ridiscutere © abbandonare, lasciar perdere (*colloq.*) **3** (*di un evento, di un fenomeno ecc.*) ripresentarsi, ricomparire, riproporsi, ripetersi © scomparire, sparire.

ritornèllo *s.m.* **1** (*mus.*) refrain (*fr.*) **2** ♧ nenia, solfa, tiritera, musica, storia.

ritórno *s.m.* **1** rientro © partenza, uscita **2** (*di un fenomeno e sim.*) ricomparsa, ripetizione © scomparsa, sparizione **3** (*di una moda*) revival (*ingl.*); (*di un attore, di un artista e sim.*) rentrée (*fr.*).

ritorsióne *s.f.* rappresaglia, vendetta, rivalsa, ripicca.

ritràrre *v.tr.* **1** ritirare, allontanare, togliere © allungare, tendere, porgere **2** riprodurre, rappresentare; descrivere, raccontare.

ritrattàre *v.tr.* **1** (*un argomento*) riconsiderare, riprendere, ridiscutere, riesaminare © abbandonare **2** (*un'accusa, un'affermazione ecc.*) ritirare, smentire, negare, rimangiarsi © confermare, ribadire.

ritrattazióne *s.f.* negazione, abiura, sconfessione, smentita; rettifica © conferma.

ritràtto *agg.* raffigurato, rappresentato, descritto ♦ *s.m.* **1** figura, effigie; fotografia **2** (*di un luogo e sim.*) descrizione, rappresentazione, raffigurazione **3** ♧ (*della felicità e sim.*) immagine, specchio, incarnazione, personificazione.

ritrosìa *s.f.* **1** resistenza, riluttanza, titubanza **2** modestia, pudore, riservatezza **3** scontrosità, ombrosità © affabilità, socievolezza.

ritróso *agg.* **1** recalcitrante, restio, riluttante, titubante © disponibile, compiacente, docile **2** riservato, timido, pudico © disinvolto; sfacciato, sfrontato **3** scontroso, ombroso © socievole, amichevole.

ritrovaménto *s.m.* rinvenimento, reperimento; recupero, scoperta © perdita, smarrimento.

ritrovàre *v.tr.* **1** rinvenire, reperire, recuperare, riscoprire, ripescare © perdere, smarrire **2** (*in seguito a indagini o ricerche*) scoprire, trovare **3** ♧ (*la serenità e sim.*) recuperare, riacquistare, riconquistare, riguadagnare © perdere **4** (*un amico e sim.*) incontrare, rivedere, rincontrare, riabbracciare © perdere ♦ **ritrovarsi** *v.pr.* **1** (*in una situazione, in un luogo ecc.*) capitare, trovarsi, finire **2** orientarsi, orizzontarsi, raccapezzarsi © perdersi, smarrirsi **3** (*di amici e sim.*) incontrarsi, riabbracciarsi, rincontrarsi © perdersi.

ritrovàto *agg.* recuperato, reperito, rintracciato, riscoperto, trovato © perso, smarrito ♦ *s.m.* **1** invenzione, scoperta **2** trucco, artificio, espediente, stratagemma.

ritròvo *s.m.* **1** riunione, incontro, convegno, raduno, meeting (*ingl.*) **2** locale, bar, club, circolo.

rìtto *agg.* **1** (*di persona*) diritto, eretto, in piedi; impalato, impettito, rigido © curvo; seduto; sdraiato **2** (*di palo e sim.*) verticale, perpendicolare © orizzontale, obliquo.

rituàle *agg.* usuale, canonico, consuetudinario, tradizionale © inconsueto, insolito, straordinario ♦ *s.m.* **1** rito, canone, liturgia **2** cerimoniale, protocollo, etichetta.

riunióne *s.f.* **1** assemblea, raduno, meeting (*ingl.*), incontro, briefing (*ingl.*); tavola rotonda, vertice, summit (*ingl.*) **2** ♧ (*dopo una lite e sim.*) riconciliazione, rappacificazione, riavvicinamento © separazione, allontanamento.

riunìre *v.tr.* **1** attaccare, ricongiungere, ricomporre, riunificare © separare, dividere; rompere, staccare **2** raccogliere, radunare, raggruppare, ammucchiare © disperdere, disseminare, sparpagliare **3** (*in un'assemblea e sim.*) chiamare, convocare, radunare **4** ♧ (*dopo una lite e sim.*) riconciliare, rappacificare, riavvicinare ♦ **riunirsi** *v.pr.* **1** incontrarsi, radunarsi, raccogliersi; ritrovarsi, rivedersi, rincontrarsi **2** ♧ (*dopo una lite e sim.*) riconciliarsi, rappacificarsi, riavvicinarsi © allontanarsi, dividersi.

riuscìre *v.intr.* **1** uscire, andarsene © ritornare, rincasare **2** (*di strada, di fiume*) arrivare, finire, terminare, sboccare © cominciare, partire **3** ♧ andare bene, avere successo, andare a buon fine © fallire, andare male **4** essere capace, essere in grado; farcela; affermarsi, arrivare, sfondare, trionfare © fallire, fare fiasco.

riuscìta *s.f.* esito, risultato, effetto; successo, vittoria © insuccesso, fiasco, fallimento.

riùso *s.m.* riutilizzazione, riutilizzo, riciclaggio.

riutilizzàre *v.tr.* riadoperare, riusare; recuperare, riciclare.

rìva *s.f.* costa, lido, litorale, marina; sponda; bagnasciuga, spiaggia, battigia.

rivàle *agg., s.m.f.* antagonista, avversario, concorrente, oppositore © amico, alleato, sostenitore.

rivaleggiàre *v.intr.* competere, gareggiare, concorrere, contendere, lottare © collaborare, cooperare, aiutarsi.

rivalità *s.f.* antagonismo, concorrenza, competizione; gara, lotta, opposizione © alleanza, collaborazione, amicizia, solidarietà.

rivàlsa *s.f.* rivincita, ripicca; vendetta, rappresaglia; risarcimento, riparazione, indennizzo.

rivangàre *v.tr.* ♧ ricordare, ripescare, riesumare, rispolverare, riaccendere, risvegliare.

rivedére *v.tr.* **1** incontrare, rincontrare **2** (*la lezione e sim.*) rileggere, ripassare, ristudiare **3** (*documenti, conti e sim.*) riesaminare, controllare, correggere, modificare, verificare ♦ **rivedersi** *v.pr.* **1** (*di amici e sim.*) incontrarsi, ritrovarsi, riabbracciarsi, riunirsi © lasciarsi, perdersi **2** ♧ (*in una persona e sim.*) riconoscersi, ritrovarsi.

rivelàre *v.tr.* **1** confidare, confessare, raccontare, spifferare (*gerg.*), spiattellare (*colloq.*), svelare; denunciare © nascondere, tacere, occultare **2** (*qualità, difetti ecc.*) mostrare, esprimere, manifestare, indicare; tradire © nascondere, dissimulare ♦ **rivelarsi** *v.pr.* mostrarsi, dimostrarsi, farsi conoscere, scoprirsi, svelarsi © nascondersi, celarsi, scoprirsi.

rivelazióne *s.f.* **1** comunicazione, diffusione, trasmissione, propagazione; confessione, confidenza, dichiarazione, racconto; (*giornalistica*) scoop (*ingl.*) **2** (*di persona*) scoperta, sorpresa.

rivéndere *v.tr.* **1** vendere, commerciare © acquistare, comprare **2** ♧ ridire, riportare, spiattellare, rivelare.

rivendicàre *v.tr.* **1** affermare, accampare, reclamare; pretendere, esigere **2** (*un attentato e sim.*) attribuirsi.

rivéndita *s.f.* **1** vendita **2** negozio, bottega, spaccio, esercizio.

rivèrbero *s.m.* (*di luce*) riflesso; (*di suono*) eco, rimbombo.
riverènte *agg.* cortese, deferente, rispettoso, ossequioso, riguardoso © irriverente, irrispettoso, sfacciato, maleducato.
riverènza *s.f.* **1** deferenza, ossequio, riguardo © irriverenza, insolenza, sfacciataggine **2** inchino, genuflessione.
riverìre *v.tr.* **1** rispettare, onorare, venerare © disprezzare, insultare **2** (*in formule di cortesia*) ossequiare, omaggiare.
riversàre *v.tr.* **1** rovesciare, versare, spandere, spargere **2** ♧ (*responsabilità, colpe ecc.*) scaricare ♦ **riversarsi** *v.pr.* **1** (*di liquido*) spargersi, straripare, traboccare **2** (*di folla e sim.*) invadere, irrompere, confluire, affluire.
rivestiménto *s.m.* fodera, copertura.
rivestìre *v.tr.* **1** vestire, abbigliare, acconciare © spogliare **2** coprire, ricoprire, foderare **3** ♧ (*difetti e sim.*) nascondere, coprire, mascherare © manifestare, svelare **4** ♧ (*una carica e sim.*) ricoprire, detenere **5** ♧ (*importanza, interesse ecc.*) avere, presentare ♦ **rivestirsi** *v.pr.* **1** vestirsi; cambiarsi © spogliarsi, denudarsi **2** indossare, mettersi **3** (*di foglie*) ricoprirsi; (*di neve*) ammantarsi.
rivièra *s.f.* costa, riva, spiaggia, lido, litorale.
rivìncita *s.f.* vendetta, rivalsa; riscossa.
rivìsta *s.f.* **1** controllo, verifica; (*di un testo*) letta, ripassata **2** (*mil.*) rassegna, ispezione **3** sfilata, parata (*mil.*) **4** periodico, rotocalco IPON. settimanale, mensile **5** (*specialistico*) bollettino, notiziario **6** (*teatr.*) varietà, avanspettacolo.
rivìvere *v.intr.* **1** rifiorire, rinascere, risorgere, ritornare © morire, spegnersi **2** ♧ rivitalizzarsi, riprendersi, rifiorire © indebolirsi **3** ♧ rinnovarsi, perpetuarsi, continuare © finire, morire ♦ *v.tr.* ricordare, rievocare © dimenticare, scordare.
rivòlgere *v.tr.* volgere, dirigere, puntare, indirizzare, orientare © distogliere, deviare ♦ **rivolgersi** *v.pr.* **1** voltarsi, girarsi, dirigersi, indirizzarsi **2** appellarsi, ricorrere, appoggiarsi.
rivolgiménto *s.m.* rovesciamento, sconvolgimento, cambiamento, mutamento, rivoluzione, sovvertimento.
rivòlta *s.f.* ribellione, insurrezione, sommossa, moto, sollevazione, sedizione; (*di militari*) insubordinazione, ammutinamento.
rivoltànte *agg.* disgustoso, ripugnante, nauseante, nauseabondo, stomachevole © gradevole, piacevole; gustoso, delizioso.
rivoltàre *v.tr.* **1** girare, voltare; rovesciare, capovolgere, rigirare, ribaltare; mescolare, girare, rimestare **2** ♧ disgustare, nauseare, ripugnare, schifare, stomacare © piacere, attrarre ♦ **rivoltarsi** *v.pr.* **1** rigirarsi; (*nel letto*) agitarsi, rotolarsi, voltolarsi; rovesciarsi, ribaltarsi, capovolgersi **2** ribellarsi, insorgere, sollevarsi; (*di militari, marinai ecc.*) ammutinarsi **3** reagire, disubbidire, opporsi; (*di animale*) mordere.
rivoltèlla *s.f.* revolver; pistola, ferro (*gerg.*).
rivoltóso *agg., s.m.* ribelle, insorto; rivoluzionario, sovversivo, sedizioso.
rivoluzionàre *v.tr.* **1** cambiare, modificare, capovolgere, trasformare; rinnovare, modernizzare **2** (*la casa e sim.*) buttare all'aria, mettere a soqquadro; sconvolgere, turbare © riordinare.
rivoluzionàrio *agg.* **1** contestatario, sovversivo, eversivo © controrivoluzionario, conservatore, reazionario **2** ♧ innovativo, innovatore, avveniristico © convenzionale, tradizionale ♦ *s.m.* ribelle, sovversivo, insorto, rivoltoso, agitatore © conservatore, tradizionalista.
rivoluzióne *s.f.* **1** ribellione, insurrezione, sollevazione, sommossa; disordine, tumulto, rivolta **2** (*culturale, tecnologica ecc.*) mutamento, trasformazione, rinnovamento, sconvolgimento, sovvertimento © conservazione **3** ♧ disordine, caos, confusione, scompiglio, trambusto © ordine **4** (*di un corpo celeste intorno a un altro*) giro.
rizzàre *v.tr.* **1** alzare, drizzare, levare, sollevare **2** (*un muro e sim.*) costruire, edificare, innalzare © abbattere ♦ **rizzarsi** *v.pr.* **1** alzarsi, drizzarsi, sollevarsi, tirarsi su © sdraiarsi, stendersi, abbassarsi, chinarsi **2** (*di peli*) drizzarsi; (*di pene*) inturgidirsi.
ròba *s.f.* **1** cosa, oggetto, affare (*colloq.*), coso (*colloq.*), aggeggio, arnese (*colloq.*); materia, materiale **2** beni, patrimonio, proprietà, sostanze, averi; mobili, arredi, masserizie **3** abito, vestito, indumento **4** merce, prodotto, articolo, mercanzia **5** (*colloq.*) affare, faccenda, fatto, vicenda **6** (*colloq.*) argomento, questione, materia **7** (*gerg.*) droga; eroina.
ròbot *s.m.invar.* **1** automa; (*nella fantascienza*) androide, replicante **2** ♧ (*di persona*) burattino, marionetta, fantoccio, manichino, pupazzo.
robotizzàre *v.tr.* (*di industria e sim.*) automatizzare, meccanizzare.
robùsto *agg.* **1** forte, vigoroso, energico, potente, resistente, muscoloso, prestante © debole, fragile **2** (*di cosa*) solido, duro, resistente © delicato, fragile **3** (*di donna, di fianchi ecc.*) pieno, prosperoso; (*eufem.*) grasso **4** ♧ (*di ingegno e sim.*) acuto, vigoroso, potente **5** ♧ (*di stile e sim.*) efficace, eloquente, espressivo, incisivo © inefficace, inespressivo.

rocambolésco *agg.* romanzesco, avventuroso, ardito, spericolato, temerario.

ròcca *s.f.* cittadella, fortezza, fortificazione, fortino, roccaforte.

roccafòrte *s.f.* **1** fortezza, cittadella, rocca, piazzaforte **2** ♣ baluardo.

ròccia *s.f.* **1** pietra, sasso, macigno, masso; parete, picco, dirupo, rupe **2** ♣ (*di persona forte*) quercia, toro.

rocciatóre *s.m.* alpinista, scalatore, arrampicatore, free-climber (*ingl.*).

roccióso *agg.* **1** pietroso, sassoso **2** ♣ (*di carattere e sim.*) duro, ferreo, granitico, saldo © tenero, debole, arrendevole.

ròco *agg.* rauco, afono; basso, cupo; fioco, flebile © chiaro, limpido, argentino, squillante.

rodàggio *s.m.* prova, adattamento, assestamento.

ródere *v.tr.* **1** rosicchiare **2** (*di ruggine e sim.*) corrodere, consumare, intaccare **3** ♣ (*di pensiero e sim.*) consumare, angustiare, torturare, logorare, tormentare ♦ **rodersi** *v.pr.* ♣ consumarsi, tormentarsi, affliggersi, logorarsi, mangiarsi il fegato (*colloq.*), torturarsi.

ràgito *s.m.* stipula.

rógna *s.f.* **1** (*med.*) scabbia **2** ♣ fastidio, guaio, noia, seccatura, grana (*colloq.*), scocciatura.

rognóso *agg.* ♣ (*di persona*) fastidioso, noioso, puntiglioso, molesto, seccante; (*di compito e sim.*) difficile, complesso, complicato.

romanticìsmo *s.m.* **1** sentimentalismo **2** (*di un luogo*) fascino, magia, poesia.

romàntico *agg.* **1** sentimentale, appassionato, passionale; sognatore, idealista; patetico © duro, freddo, realistico, prosaico **2** (*di un luogo*) magico, poetico, suggestivo.

romanzésco *agg.* **1** narrativo **2** ♣ avventuroso, fantastico, rocambolesco, straordinario, irreale, incredibile.

romànzo *s.m.* **1** narrazione, componimento, prosa **2** ♣ fantasia, fantasticheria, invenzione, illusione **3** avventura.

rómpere *v.tr.* **1** spezzare, spaccare, fare a pezzi, frantumare, fracassare, infrangere; sbriciolare, sminuzzare; sfasciare, sfondare, distruggere; incrinare © aggiustare, accomodare, riparare, sistemare **2** (*tessuto, carta e sim.*) strappare, lacerare, stracciare, squarciare © rammendare, rattoppare **3** (*un apparecchio e sim.*) guastare, spaccare, scassare (*colloq.*), rovinare © aggiustare, riparare **4** (*l'ordine, la fila ecc.*) disfare, scomporre, scompigliare © ordinare, ricostituire **5** ♣ (*un rapporto e sim.*) interrompere, troncare © continuare, portare avanti, proseguire **6** ♣ (*un patto e sim.*) infrangere, tradire, venire meno, violare **7** ♣ (*il silenzio, l'armonia ecc.*) interrompere, spezzare, rovinare, turbare © creare, ricreare; mantenere **8** ♣ (*colloq.*) scocciare, seccare, assillare, rompere le palle (*volg.*), rompere le scatole (*colloq.*) ♦ *v.intr.* **1** (*con qlcu.*) lasciarsi, dividersi, chiudere **2** ♣ (*in lacrime e sim.*) prorompere, esplodere, scoppiare ♦ **rompersi** *v.pr.* **1** spezzarsi, spaccarsi, frantumarsi, fracassarsi, infrangersi; sbriciolarsi, sminuzzarsi; sfasciarsi, distruggersi; incrinarsi **2** (*una gamba, un braccio ecc.*) fratturarsi, spezzarsi, spaccarsi **3** (*di tessuto e sim.*) strapparsi, lacerarsi, scucirsi, stracciarsi; (*di muscolo, di tendine ecc.*) strapparsi, lecerarsi **4** (*di un apparecchio e sim.*) guastarsi, spaccarsi, scassarsi (*colloq.*), rovinarsi **5** (*di ordine, di fila ecc.*) disfarsi, scomporsi, scompigliarsi **6** ♣ (*di silenzio e sim.*) interrompersi, spezzarsi, cessare **7** ♣ (*colloq.*) scocciarsi, seccarsi, stancarsi, rompersi le palle (*volg.*), rompersi le scatole (*colloq.*).

rompicàpo *s.m.* **1** fastidio, grattacapo, preoccupazione, seccatura **2** (*gioco enigmistico*) enigma, indovinello, rebus **3** mistero, enigma.

rompiscàtole *s.m.f.invar.* scocciatore, seccatore, noioso, palla (*colloq.*), rompiballe (*volg.*), rompicoglioni (*volg.*), pizza (*colloq.*), impiastro (*colloq.*).

rónda *s.f.* guardia; pattuglia.

ronfàre *v.intr.* **1** russare; (*scherz.*) dormire **2** (*di gatto*) fare le fusa.

ronzàre *v.intr.* **1** (*di orecchie*) fischiare **2** ♣ (*attorno a una donna*) fare la corte, corteggiare **3** ♣ (*di pensieri*) agitarsi, affollarsi, brulicare, frullare, turbinare, vorticare.

ronzìo *s.m.* brusio; bisbiglio, mormorio, rumorio, sussurrio.

ròsa *s.f.* ♣ (*di persone*) insieme, gruppo, cerchia, circolo; (*di possibilità e sim.*) selezione, scelta, ventaglio ♦ *agg.* **1** roseo, rosato **2** ♣ (*di romanzo e sim.*) romantico, d'amore; leggero, frivolo.

ròseo *agg.* **1** rosa, rosato **2** ♣ (*di futuro, di prospettiva ecc.*) lieto, sereno, propizio, favorevole, fortunato, promettente © grigio, infelice, sfortunato, avverso.

rosicchiàre *v.tr.* **1** rodere, rosicare; mangiucchiare, sbocconcellare, sgranocchiare **2** ♣ consumare, corrodere, intaccare **3** ♣ (*minuti, secondi in una gara*) guadagnare, ottenere.

rósso *agg.* **1** (*di colore*) IPON. porpora, scarlatto, vermiglio, amaranto, carminio, cremisi, mattone, bordeaux (*ingl.*), ruggine, tiziano **2** (*di colorito*) paonazzo, rubizzo, di porpora; arrossato, congestionato © bianco, pallido **3** (*di capelli*) fulvo, rossiccio **4** (*colloq.*) comunista © nero, fascista ♦ *s.m.* **1** tuorlo, rosso d'uovo **2** (*colloq.*) comunista, di sinistra © nero, fascista, di destra.

rossóre *s.m.* **1** vampata, fiammata, vampa **2** ♧ vergogna, pudore **3** arrossamento, infiammazione.

rotolàre *v.tr.* ruzzolare ♦ *v.intr.* ruzzolare, cadere, cascare, capitombolare ♦ **rotolarsi** *v.pr.* girarsi, rigirarsi, avvoltolarsi.

rotóndo *agg.* **1** tondo, circolare, sferico, tondeggiante **2** pieno, pienotto, paffuto, tornito **3** (*di stile*) armonico, pieno, fluido **4** (*di sapore*) morbido, gustoso, gradevole, vellutato.

rótta[1] *s.f.* **1** (*di una nave, di un aereo*) direzione, percorso; itinerario, strada, cammino **2** via, strada, indirizzo, orientamento; condotta, metodo.

rótta[2] *s.f.* (*di un esercito*) disfatta, sconfitta, fuga, ritirata; sbandamento.

rottàme *s.m.* **1** relitto, catorcio, ferrovecchio **2** ♧ (*di persona malridotta o malata*) relitto, catorcio, larva, rudere.

rótto *agg.* **1** spezzato, spaccato, infranto, sfasciato; (*di osso*) fratturato **2** (*di tessuto e sim.*) bucato, lacerato, scucito, strappato; (*di muscolo, di tendine ecc.*) lacerato, strappato **3** (*di apparecchio e sim.*) guasto, fuori uso, scassato (*colloq.*) © intatto, integro, funzionante **4** (*di persona*) affaticato, a pezzi, distrutto; dolorante, indolenzito © in forma **5** (*alle fatiche, ai vizi ecc.*) avvezzo, abituato, assuefatto.

rottùra *s.f.* **1** spaccatura, buco, spacco, falla; guasto, danno; (*di un osso*) frattura **2** ♧ (*di rapporti, di trattative ecc.*) interruzione, frattura, sospensione, taglio, troncamento © ripresa **3** ♧ (*di un patto e sim.*) scioglimento, violazione © rispetto, mantenimento **4** (*colloq.*) noia, seccatura, rogna (*colloq.*), bega, scocciatura.

routine *s.f.invar.* (*fr.*) **1** quotidianità, trantran, abitudine; monotonia, uniformità **2** (*in un lavoro*) abilità, esperienza, pratica.

rovènte *agg.* **1** incandescente, infuocato **2** caldo, bollente, bruciante, cocente, torrido © freddo, gelato **3** ♧ (*di discussione, di lite ecc.*) acceso, animato, infuocato, violento © calmo, tranquillo.

rovesciaménto *s.m.* capovolgimento, ribaltamento; sconvolgimento © mantenimento, conservazione.

rovesciàre *v.tr.* **1** capovolgere, rivoltare, ribaltare © alzare, rialzare, raddrizzare **2** ♧ (*una situazione e sim.*) cambiare, trasformare, invertire, stravolgere; (*un governo e sim.*) abbattere **3** (*liquidi*) versare, spandere, spargere; riversare **4** ♧ (*colpe e sim.*) buttare, gettare, riversare ♦ **rovesciarsi** *v.pr.* **1** capovolgersi, ribaltarsi **2** (*di situazione*) capovolgersi, invertirsi, trasformarsi **3** (*su persone o cose*) abbattersi, riversarsi; cadere, piombare **4** (*di liquidi*) spandersi, spargersi **5** ♧ (*di folla*) accorrere, affluire, precipitarsi, riversarsi.

rovèscio *agg.* capovolto, girato, ribaltato, rivoltato; (*di auto*) capottato © diritto, dritto ♦ *s.m.* **1** (*di indumento, nel lavoro a maglia*) © diritto, dritto **2** (*nel tennis*) © diritto, dritto **3** (*di pioggia*) scroscio, acquazzone **4** ♧ (*economico*) fallimento, rovina, crac, tracollo, dissesto **5** ♧ (*politico*) mutamento, sovvertimento.

rovìna *s.f.* **1** crollo, caduta; distruzione, devastazione **2** (*spec. al pl.*) macerie; resti, ruderi, vestigia **3** ♧ disgrazia, disastro, sciagura, catastrofe, cataclisma, sfacelo, fallimento; (*finanziaria*) fallimento, crac, dissesto, tracollo; (*morale*) decadenza, perdizione.

rovinàre *v.tr.* **1** danneggiare, guastare, rompere, sfasciare; consumare, logorare, usurare; distruggere, devastare; (*la salute*) compromettere, minare **2** demolire, buttare giù, abbattere, radere al suolo © innalzare, costruire **3** ♧ (*moralmente*) corrompere, guastare, traviare; (*economicamente*) mandare in rovina, mandare in malora, gettare sul lastrico, strozzare ♦ *v.intr.* **1** (*di edificio, di terreno ecc.*) crollare, cedere, franare, precipitare, abbattersi **2** (*di persona*) cadere, ruzzolare ♦ **rovinarsi** *v.pr.* **1** guastarsi, danneggiarsi, rompersi; consumarsi, logorarsi; (*di cibo*) andare a male, deteriorarsi **2** (*di persona*) guastarsi, traviarsi; (*economicamente*) fallire, andare in malora, finire sul lastrico, dissanguarsi.

rovinóso *agg.* **1** deleterio, dannoso, catastrofico, disastroso, micidiale © benefico, utile, vantaggioso **2** (*di attacco, di impeto ecc.*) impetuoso, precipitoso, veemente, scatenato, violento © calmo, tranquillo.

rovistàre *v.tr.* e *intr.* frugare, razzolare.

rozzézza *s.f.* grossolanità, maleducazione, volgarità © gentilezza, delicatezza, raffinatezza.

rózzo *agg.* **1** ruvido, grezzo, rugoso © liscio, levigato **2** (*di lavoro*) approssimato, impreciso, grossolano © accurato, preciso, rifinito **3** ♧ (*di modi e sim.*) rude, volgare, grossolano, sgarbato, maleducato © elegante, fine, raffinato, educato.

rubacuòri *s.m.f.invar.* (*uomo*) seduttore, casanova, dongiovanni, donnaiolo, latin lover (*ingl.*), playboy (*ingl.*); (*donna*) seduttrice, maliarda, sirena.

rubàre *v.tr.* portare via, fregare (*colloq.*), soffiare (*colloq.*), fottere (*volg.*), arraffare, impadronirsi, sottrarre, trafugare, sgraffignare (*colloq.*); (*un segreto e sim.*) carpire.

rubicóndo *agg.* rosso, acceso, colorito, rubizzo © bianco, pallido, esangue, cereo, diafano, smorto.
rubìzzo *agg.* rosso, acceso, colorito, rubicondo © esangue, pallido, smorto.
rubrìca *s.f.* agenda, quaderno, taccuino.
rùde *agg.* brusco, ruvido, aspro, rustico, sbrigativo, spiccio; grossolano, rozzo, rustico; scontroso, scorbutico; maleducato, cafone, villano © dolce, tenero, gentile, delicato; educato, fine, garbato, raffinato.
rùdere *s.m.* **1** (*spec. al pl.*) resto, rovina, maceria **2** ♧ (*di persona malandata*) catorcio, relitto, rottame.
rudimentàle *agg.* **1** elementare, essenziale, minimo, fondamentale, basilare © complesso, avanzato, evoluto, sviluppato **2** approssimato, embrionale, grossolano, primitivo © completo, compiuto, elaborato.
rudiménto *s.m.* (*spec. al pl.*) nozione, base, fondamento, principio.
ruffiàno *s.m.* **1** protettore, pappone (*gerg.*), pappa (*gerg.*); mezzano, lenone **2** ♧ adulatore, leccapiedi, leccaculo (*volg.*), paraculo (*volg.*).
rùga *s.f.* piega, grinza, solco.
rùggine *s.f.* **1** IPERON. ossidazione **2** ♧ risentimento, acredine, astio, attrito, inimicizia, ostilità © accordo, amicizia, amore, simpatia.
ruggìre *v.intr.* **1** ♧ (*per il dolore, per la disperazione ecc.*) gridare, urlare, sbraitare, strepitare **2** ♧ (*di mare, di vento e sim.*) rumoreggiare, ululare.
ruggìto *s.m.* ♧ grido, urlo; fragore, frastuono, strepito.
rugiàda *s.f.* guazza.
rugóso *agg.* **1** avvizzito, grinzoso, raggrinzito; segnato © liscio; fresco **2** (*di superficie*) ruvido, scabro, irregolare © liscio, levigato.
rullìno *s.m.* pellicola, rotolino (*colloq.*).
ruminàre *v.tr.* **1** rimasticare **2** ♧ pensare, ripensare, meditare, rimuginare, soppesare.
rumóre *s.m.* **1** suono IPON. frastuono, strepito, fragore, pandemonio, putiferio, vociare; borbottio, brontolio, brusio; cigolio, ronzio, scricchiolio, stridore; (*di acqua*) gocciolio, sgocciolio, gorgoglio, scroscio; (*di vento*) fischio, sibilo, soffio; (*di arma da fuoco*) colpo, botto, detonazione, esplosione, sparo; (*di fuoco*) crepitio, scoppiettio; (*di metallo*) sferragliamento, clangore; (*di piedi*) calpestio, scalpiccio, strofinio; (*di qlco. che cade*) botto, schianto, tonfo © silenzio, calma, pace, quiete **2** (*nelle comunicazione radio, telefoniche ecc.*) disturbo, interefe-renza **3** ♧ (*di eventi mondani, culturali ecc.*) scalpore, scandalo, clamore, risonanza, eco, sensazione **4** ♧ chiacchiera, diceria, voce.
rumoreggiàre *v.intr.* **1** rimbombare, rintronare, rombare © tacere, fare silenzio **2** (*di folla e sim.*) protestare; gridare, urlare, strepitare © tacere.
rumoróso *agg.* assordante, chiassoso, fragoroso, rimbombante © silenzioso, tranquillo.
ruòlo *s.m.* **1** lista, elenco, registro, catalogo **2** funzione, importanza, influenza; carica, compito, posizione, ufficio, veste **3** (*in un'opera teatrale e sim.*) parte, personaggio.
ruòta *s.f.* **1** rotella **2** (*di autoveicolo*) gomma, pneumatico.
rùpe *s.f.* roccia, picco, guglia, sperone, spuntone.
ruràle *agg.* agricolo, agreste, campagnolo, contadino, bucolico, rustico © cittadino, urbano.
ruscèllo *s.m.* torrente, rivo, rigagnolo IPERON. corso d'acqua.
ruspànte *agg.* **1** (*di pollo e sim.*) © di batteria, di allevamento **2** ♧ (*colloq.*) genuino, naturale © artificiale, adulterato, sofisticato **3** ♧ (*scherz.*; *di persona*) sincero, schietto; sempliciotto, grezzo © falso, ambiguo; artefatto, artificiale.
russàre *v.intr.* ronfare.
rùstico *agg.* **1** campagnolo, contadino, campestre, rurale **2** naturale, semplice, genuino, alla buona, casereccio © raffinato, sofisticato **3** grezzo © rifinito **4** ♧ brusco, grossolano, rude, rozzo; scontroso, selvatico © affabile, socievole ♦ *s.m.* casa colonica, fattoria.
ruvidézza *s.f.* **1** asprezza, asperità, rugosità, scabrosità, ruvidità © levigatezza, morbidezza **2** ♧ durezza, scontrosità; maleducazione, inciviltà; grossolanità, rozzezza © affabilità, gentilezza, delicatezza, educazione.
rùvido *agg.* **1** rugoso, grinzoso © liscio, levigato **2** ♧ rude, aspro, brusco, grossolano, maleducato, rozzo, scortese © gentile, delicato, fine, cortese.
ruzzolàre *v.intr.* cadere, cascare, precipitare, rotolare, capitombolare; inciampare, scivolare.
ruzzolóne *s.m.* **1** caduta, volo, capitombolo, tonfo; scivolata **2** ♧ fallimento, rovina, tracollo.

s, S

sàbbia *s.f.* arena, rena ♦ *agg.invar.* (*di colore*) beige (*fr.*), écru (*fr.*), nocciola.
sabbióso *agg.* **1** arenoso, renoso **2** (*di consistenza e sim.*) farinoso, friabile © compatto, duro, solido.
sabotàggio *s.m.* **1** IPERON. danneggiamento, distruzione **2** ♧ boicottaggio, disturbo, impedimento, intralcio, ostruzionismo © aiuto, appoggio, collaborazione, cooperazione, sostegno.
sabotàre *v.tr.* **1** IPERON. danneggiare, distruggere **2** ♧ boicottare, disturbare, impedire, intralciare, ostacolare © aiutare, favorire, cooperare, sostenere.
sàcca *s.f.* **1** borsa, sacco; (*della spesa*) sporta; bisaccia, tascapane **2** (*geogr.*) insenatura, rientranza, seno **3** (*anat.*) sacco, tasca, borsa.
saccaròsio *s.m.* zucchero.
saccènte *agg., s.m.f.* pedante, saputo, saputello, presuntuoso © modesto, umile, riservato.
saccenterìa *s.f.* pedanteria, supponenza, presunzione © umiltà, modestia.
saccheggiàre *v.tr.* **1** (*una città, un territorio e sim.*) devastare, depredare, mettere a ferro e fuoco, spogliare, razziare **2** (*un negozio, una casa e sim.*) rubare, derubare, rapinare, svaligiare **3** ♧ (*un autore, un libro ecc.*) copiare, plagiare, scopiazzare.
sacchéggio *s.m.* **1** depredazione, devastazione, rapina, razzia **2** rapina, furto, ladroneria, latrocinio **3** ♧ scopiazzatura, plagio.
sàcco *s.m.* **1** sacca, bisaccia, borsa, tascapane, tracolla; zaino **2** ♧ (*colloq.*) quantità, moltitudine, abbondanza, marea, mare, mondo, mucchio, montagna, casino (*colloq.*) **3** saio, tonaca **4** saccheggio, razzia, scorreria, depredazione, devastazione.
sacerdotàle *agg.* **1** clericale, ecclesiastico © laico, secolare **2** (*di abito*) ecclesiastico, talare © borghese, civile.
sacerdòte *s.m.* **1** ministro del culto; celebrante, officiante **2** (*nella chiesa cattolica*) prete, padre, parroco, reverendo IPERON. religioso, ecclesiastico; (*nella chiesa protestante*) pastore; (*nella chiesa greco-ortodossa*) pope **3** ♧ apostolo, difensore, sostenitore.
sacralità *s.f.* **1** religiosità, santità **2** (*di un luogo e sim.*) inviolabilità, intangibilità.
sacraménto *s.m.* **1** (*nel cattolicesimo*) IPON. battesimo, eucarestia, cresima, matrimonio, ordine, penitenza, estrema unzione **2** ostia consacrata, Santissimo Sacramento **3** bestemmia, imprecazione.
sacràrio *s.m.* **1** santuario **2** (*di guerra*) ossario, cimitero militare **3** ♧ intimità.
sacrificàre *v.tr.* **1** immolare, offrire © salvare, preservare **2** rinunciare, privarsi; posporre, subordinare **3** (*doti, capacità e sim.*) sprecare, sciupare, mortificare, umiliare © valorizzare ♦ **sacrificarsi** *v.pr.* **1** immolarsi; dare la vita **2** rinunciare, privarsi.
sacrificio *s.m.* **1** offerta; olocausto **2** (*della vita*) martirio, immolazione; morte **3** ♧ privazione, rinuncia, disagio, sofferenza.
sacrilègio *s.m.* **1** profanazione, violazione **2** irriverenza, insolenza © rispetto **3** (*scherz.*) peccato, delitto, indecenza, vergogna.
sacrìlego *agg.* **1** empio, indegno, indecente, irriverente, vergognoso © rispettoso, devoto, pio **2** (*di persona*) profanatore, empio.
sàcro *agg.* **1** divino, santo, benedetto, sacrosanto © profano, secolare **2** consacrato © sconsacrato **3** ♧ (*di diritto*) legittimo, inviolabile, intoccabile, indiscutibile, irrinunciabile **4** ♧ (*di evento e sim.*) solenne, maestoso ♦ *s.m.* divino, soprannaturale © profano.
sacrosànto *agg.* **1** sacro e inviolabile **2** consacrato © sconsacrato **3** ♧ (*di diritto*) sacro, legittimo, inviolabile, intoccabile, indiscutibile, irrinunciabile **4** ♧ (*di verità e sim.*) certo, indiscutibile, giusto, sicuro © contestabile, discutibile **5** ♧ (*di parole, di punizione ecc.*) giusto, legittimo, meritato © ingiusto, immeritato, iniquo.
sàdico *agg.* **1** (*psic.*) © masochista, autolesionista **2** crudele, brutale, disumano, feroce, malvagio, perverso, spietato; (*di delitto e sim.*) atroce, efferato, orrendo, mostruoso.
sadìsmo *s.m.* **1** (*psic.*) © masochismo, autolesionismo **2** crudeltà, ferocia, perversione, malvagità, spietatezza; (*di delitto e sim.*) atrocità, efferatezza, barbarie, mostruosità.

saétta *s.f.* **1** (*elev.*) freccia, dardo (*elev.*), strale (*elev.*) **2** fulmine, lampo, baleno, folgore **3** ♧ (*di persona o cosa velocissima*) fulmine, freccia, lampo, razzo, scheggia.
sàga *s.f.* leggenda, epopea; storia, racconto, romanzo.
sagàce *agg.* intelligente, astuto, acuto, intuitivo, sveglio, perspicace © lento, ottuso, stupido, tardo.
sagàcia *s.f.* intelligenza, intuito, acume, accortezza, perspicacia, prontezza, scaltrezza © lentezza, ottusità, stupidità.
saggézza *s.f.* equilibrio, assennatezza, avvedutezza, buonsenso, giudizio, oculatezza, prudenza, ragionevolezza, senno © incoscienza, irragionevolezza, sconsideratezza, sventatezza.
saggiàre *v.tr.* **1** analizzare, esaminare, studiare, sperimentare, verificare, testare **2** ♧ provare, mettere alla prova, sondare, vagliare, valutare.
sàggio[1] *agg.* equilibrato, assennato, giudizioso, prudente, ragionevole, riflessivo, sensato © stupido, sciocco, stolto, imprudente, irragionevole, sconsiderato, sventato ♦ *s.m.* esperto, maestro, erudito.
sàggio[2] *s.m.* **1** analisi, esame, esperimento, rilevamento, verifica, test **2** campione, esemplare, modello, specimen (*lat.*) **3** (*di ballo e sim.*) prova, dimostrazione, esibizione **4** scritto, studio, trattato, dissertazione, monografia.
sàgoma *s.f.* **1** forma, linea, profilo, silhouette (*fr.*) **2** (*di un mobile e sim.*) forma, modello, modano **3** (*per il tiro a segno*) bersaglio **4** ♧ (*colloq.*) tipo, elemento, macchietta.
sagomàre *v.tr.* formare, modellare, foggiare.
sàgra *s.f.* festa, fiera, mercato.
sàio *s.m.* tonaca, sacco.
sàla *s.f.* **1** salotto, salone, soggiorno, living (*ingl.*) **2** ambiente, stanza, camera, locale **3** teatro, auditorium; sala cinematografica **4** pubblico, platea, spettatori, uditorio.
salàce *agg.* **1** indecente, osceno, licenzioso, sconcio, spinto, piccante; scurrile, volgare, triviale © castigato, morigerato **2** (*di battuta e sim.*) caustico, corrosivo, pungente, sarcastico, sferzante, tagliente.
salàme *s.m.* **1** IPERON. insaccato, affettato **2** ♧ (*di persona*) baccalà, carciofo, citrullo, imbranato, impacciato.
salamelècco *s.m.* smanceria, cerimonia, complimento, moina.
salarìale *agg.* retributivo.
salariàto *agg.*, *s.m.* **1** pagato, stipendiato, retribuito, rimunerato **2** (*spreg.*) prezzolato, pagato, venduto ♦ *s.m.* dipendente IPON. operaio, bracciante, manovale.
salàrio *s.m.* compenso, paga, retribuzione; stipendio.
salassàre *v.tr.* **1** cavare il sangue (*colloq.*), dissanguare **2** ♧ (*scherz.*) spennare (*colloq.*), spolpare, dissanguare, pelare (*colloq.*), derubare, svenare.
salassàta *s.f.* vedi **salàsso**.
salàsso *s.m.* **1** (*med.*) flebotomia © trasfusione **2** ♧ (*scherz.*) rapina, mazzata (*colloq.*), batosta (*colloq.*), stangata (*colloq.*).
salàto *agg.* **1** salino, salmastro **2** (*di cibo*) saporito © insipido, scipito, sciocco (*tosc.*) **3** ♧ (*di prezzo*) caro, costoso, alto, astronomico, esorbitante, profumato, proibitivo © economico, accessibile, basso, contenuto, onesto, modico **4** ♧ (*di battuta e sim.*) salace, mordace, pungente, tagliente.
saldàre *v.tr.* **1** attaccare, unire, congiungere **2** piombare, stagnare **3** ♧ legare, unire, collegare **4** (*un conto, un debito ecc.*) pagare, liquidare, regolare, estinguere (*un debito*) ♦ **saldarsi** *v.pr.* **1** ricongiungersi, riunirsi, congiungersi **2** (*med.*) rimarginarsi, cicatrizzarsi **3** ♧ collegarsi, legarsi, coordinarsi.
saldatùra *s.f.* **1** piombatura, stagnatura **2** congiunzione, ricongiunzione, giunta **3** ♧ collegamento, congiunzione, connessione.
sàldo[1] *agg.* **1** intero, integro, compatto © lesionato, rotto, crepato **2** robusto, massiccio, resistente © debole, fragile, delicato, precario **3** fermo, stabile © instabile, malfermo, vacillante **4** ♧ (*di persona, di carattere ecc.*) fermo, costante, inflessibile, irremovibile, risoluto, tenace © incostante, incerto, insicuro, tentennante, vacillante, volubile **5** ♧ (*di argomentazione e sim.*) solido, fondato, inoppugnabile, valido © debole, infondato, fragile, discutibile, vacillante **6** ♧ (*di rapporto, di sentimento ecc.*) forte, solido, duraturo, stabile © debole, fragile, labile.
sàldo[2] *s.m.* **1** (*di un conto, di una fattura ecc.*) pagamento, liquidazione; (*di un debito*) estinzione **2** (*di un acconto*) differenza, resto, rimanente © acconto, anticipo **3** (*di merce*) giacenza, rimanenza, fondo di magazzino **4** (*spec. al pl.*) liquidazione, svendita.
sàle *s.m.* **1** cloruro di sodio; salsedine **2** salgemma, sale comune, sale da cucina **3** ♧ senno, giudizio, saggezza, buonsenso, cervello, assennatezza © insensatezza, stoltezza **4** ♧ spirito, arguzia, corrosività, mordacità, salacità © insulsaggine.
salgèmma *s.f.* sale da cucina.
saliènte *agg.* **1** prominente, in rilievo, sporgente © incassato, rientrante **2** ♧ rilevante, notevo-

le, significativo, principale © irrilevante, secondario, trascurabile, irrisorio, marginale ♦ *s.m.* sporgenza, prominenza.

salìre *v.intr.* **1** montare; arrampicarsi, scalare; inerpicarsi, issarsi © scendere; smontare **2** (*in aria*) alzarsi, levarsi, sollevarsi, innalzarsi; (*di aereo*) decollare, prendere quota © scendere, abbassarsi; (*di aereo*) atterrare **3** (*di monte*) elevarsi, ergersi, innalzarsi **4** ♧ (*di condizione, di grado ecc.*) aumentare, crescere, avanzare © retrocedere, regredire **5** ♧ (*di prezzi e sim.*) crescere, aumentare, lievitare © cadere, crollare **6** ♧ accrescersi, estendersi, diffondersi, dilagare, ingrossarsi © calare, diminuire, scendere, ridursi ♦ *v.tr.* (*un monte e sim.*) scalare © scendere.

salìta *s.f.* **1** ascesa, ascensione; arrampicata, scalata © discesa, calata **2** ♧ (*di prezzi, temperatura ecc.*) aumento, crescita, incremento, ascesa, rialzo © discesa, riduzione, calo, abbassamento, diminuzione, decremento **3** (*tratto di strada o di terreno che sale*) rampa, erta, pendio © discesa, china.

sàlma *s.f.* cadavere, corpo, spoglia (*elev.*).

sàlmo *s.m.* inno, canto.

salóne *s.m.* **1** (*di un palazzo*) sala; (*di un appartamento*) salotto, soggiorno **2** mostra, esposizione, fiera.

salottièro *agg.* (*di discorso e sim.*) superficiale, frivolo, mondano, vacuo © serio.

salòtto *s.m.* **1** salone, sala **2** circolo; riunione, serata.

salpàre *v.tr.* (*l'ancora*) sollevare © calare, gettare ♦ *v.intr.* levare l'ancora, mollare gli ormeggi; partire © gettare l'ancora, ancorarsi, ormeggiare; arrivare.

sàlsa *s.f.* **1** condimento, intingolo, sugo **2** (*di pomodoro*) sugo; conserva, passata.

salsìccia *s.f.* IPERON. affettato, insaccato.

saltàre *v.intr.* **1** saltellare; balzare; (*dall'alto verso il basso*) buttarsi, gettarsi, lanciarsi; sobbalzare, sussultare **2** (*su un veicolo*) montare, salire © scendere, smontare **3** (*di un bottone e sim.*) staccarsi; (*di palla*) rimbalzare **4** (*di congegno e sim.*) rompersi, spaccarsi, andare (*colloq.*), partire (*colloq.*); (*di collegamento audio, tv e sim.*) interrompersi **5** (*in aria*) esplodere, scoppiare **6** ♧ (*di un evento in programma*) andare a monte, andare in fumo ♦ *v.tr.* **1** (*un ostacolo, una siepe ecc.*) superare, oltrepassare **2** ♧ (*una parola e sim.*) omettere, tralasciare, dimenticare **3** (*in padella*) passare, ripassare, rosolare.

saltellàre *v.intr.* saltare, salticchiare, balzellare, ballonzolare, sgambettare.

saltimbànco *s.m.* **1** acrobata, equilibrista, funambolo, giocoliere **2** (*spreg.*) ciarlatano, impostore, imbroglione, truffatore.

sàlto *s.m.* **1** balzo, balzello; scatto, slancio, guizzo; tuffo, volo; sobbalzo, sussulto **2** ♧ (*in città, a casa ecc.*) scappata, corsa, capatina, puntata, puntatina, volata **3** (*geogr.*) dislivello; (*culturale e sim.*) differenza, scarto, gap (*ingl.*) **4** ♧ (*di temperatura e sim.*) sbalzo, variazione; (*di prezzi e sim.*) impennata, rincaro **5** (*di una parola e sim.*) omissione, lacuna.

saltuàrio *agg.* **1** (*di lavoro e sim.*) discontinuo, intermittente, irregolare, occasionale, temporaneo © fisso, continuo, costante, continuativo, regolare **2** (*di ospite, di avventore e sim.*) occasionale © abituale, fisso, assiduo **3** (*di lavoratore*) precario; occasionale © fisso, stabile, regolare.

salùbre, **sàlubre** *agg.* sano, salutare, benefico, balsamico © insalubre, malsano, nocivo.

salùme *s.m.* affettato, insaccato.

salutàre[1] *v.tr.* **1** (*alla partenza*) accomiatarsi, congedarsi; (*all'arrivo*) accogliere, ricevere; stringere la mano; (*con deferenza*) ossequiare, omaggiare, riverire **2** fare visita, visitare, trovare **3** ♧ (*un luogo*) abbandonare, lasciare, allontanarsi **4** (*mil.*) rendere onore.

salutàre[2] *agg.* **1** benefico, buono, balsamico, salubre © malsano, nocivo, insalubre **2** ♧ utile, proficuo, vantaggioso © dannoso, deleterio, nocivo.

salùte *s.f.* **1** forma, condizione, stato, fibra, tempra **2** (*buona*) benessere, efficienza, robustezza © malattia, cagionevolezza, fragilità ♦ *inter.* **1** (*in un brindisi*) cincin, evviva, prosit **2** (*formula di saluto*) salve **3** accidenti, caspita, perbacco, cazzo (*volg.*).

salùto *s.m.* **1** (*alla partenza*) congedo, commiato; addio, arrivederci; (*all'arrivo*) accoglienza, benvenuto, benarrivato; (*incontrando qlcu.*) buongiorno, buondì, buonasera; stretta di mano; (*spec. al pl.*; *in formule di cortesia*) omaggi, ossequi, rispetti.

salvacondótto *s.m.* lasciapassare, permesso.

salvagènte *s.m* **1** ciambella; (*per bambini*) braccioli; cintura di salvataggio **2** (*in mezzo a una strada*) isola salvagente, isola spartitraffico.

salvaguardàre *v.tr.* tutelare, difendere, custodire, proteggere, preservare © colpire, danneggiare; mettere a repentaglio, mettere a rischio ♦ **salvaguardarsi** *v.pr.* cautelarsi, difendersi, garantirsi, tutelarsi © esporsi.

salvaguàrdia *s.f.* difesa, protezione, mantenimento, tutela.

salvàre *v.tr.* **1** trarre in salvo; (*da una malattia*) curare, guarire; (*dal peccato*) redimere, riscattare **2** (*da danni, pericoli ecc.*) difendere, proteggere, preservare, salvaguardare © distruggere, danneggiare, rovinare ♦ **salvarsi** *v.pr.* **1** sopravvivere, scampare alla morte, cavarsela, farcela, mettersi in salvo, salvare la pelle, guarire (*da una malattia*) © morire, soccombere, perire (*elev.*) **2** preservarsi, difendersi, proteggersi, sfuggire; rifugiarsi, ripararsi, nascondersi **3** (*da problemi, seccature ecc.*) evitare, scansare, rifuggire © affrontare, fronteggiare, incorrere, incappare **4** (*relig.*) redimersi, riscattarsi © dannarsi.

salvatàggio *s.m.* **1** salvezza, soccorso, salvamento **2** ♧ (*di un'azienda e sim.*) aiuto, assistenza, soccorso; risanamento.

salvatòre *s.m.* **1** liberatore © oppressore **2** (*per anton.*; *con iniziale maiuscola*) Cristo.

salvézza *s.f.* **1** scampo, liberazione **2** (*persona o cosa che salva*) aiuto, soccorso; riparo, rifugio; via d'uscita **3** (*relig.*) redenzione, salvazione.

salviétta *s.f.* tovagliolo; asciugamano.

sàlvo *agg.* **1** illeso, incolume, indenne; (*di cosa*) integro, intatto © ferito, morto; (*di cosa*) danneggiato, distrutto **2** fuori pericolo © spacciato, finito, perduto ♦ *prep.* **1** tranne, all'infuori di, eccetto, fuorché **2** in caso di, a meno che, tranne che.

sanàre *v.tr.* **1** curare, guarire, risanare **2** (*un terreno*) bonificare, risanare **3** (*un dissidio e sim.*) appianare, risolvere, porre rimedio, rimediare **4** (*un'azienda e sim.*) rimettere in sesto, risanare; (*un bilancio e sim.*) pareggiare.

sanatòria *s.f.* condono.

sancìre *v.tr.* stabilire, approvare, confermare, convalidare, ratificare © annullare, abolire, invalidare.

sandwich *s.m.invar.* (*ingl.*) panino imbottito; tramezzino, toast (*ingl.*).

sàngue *s.m.* **1** (*biol.*) plasma **2** ♧ ferimento, uccisione, morte, massacro, strage, carneficina **3** ♧ stirpe, discendenza, origine, casata, lignaggio **4** famiglia, parentela, consanguineità; discendenza, prole **5** razza, ceppo, etnia.

sanguemìsto *s.m.* **1** (*biol.*) ibrido, incrocio, meticcio, mezzosangue **2** (*spreg.*; *di persona*) meticcio, mezzosangue.

sanguìgno *agg.* ♧ (*di persona, di temperamento e sim.*) focoso, impetuoso, irruento, passionale; collerico, irascibile, bilioso © calmo, tranquillo, mite, pacato; freddo, distaccato.

sanguinàre *v.intr.* **1** perdere sangue, versare sangue **2** ♧ soffrire, affliggersi, angustiarsi.

sanguinàrio *agg.* crudele, violento, feroce, efferato, brutale, disumano, spietato © mite, mansueto, pietoso.

sanguinolènto *agg.* sanguinante, sanguinoso.

sanguinóso *agg.* **1** sanguinante, insanguinato **2** (*di battaglia e sim.*) cruento, feroce, violento **3** ♧ (*di insulto, di offesa e sim.*) imperdonabile, ingiustificabile © perdonabile, giustificabile.

sanità *s.f.* **1** salute, benessere **2** ♧ (*di costumi e sim.*) onestà, integrità.

sanitàrio *agg.* **1** medico **2** (*di personale e sim.*) medico, paramedico, infermieristico **3** (*di impianto e sim.*) igienico ♦ *s.m.* **1** medico, dottore **2** infermiere, paramedico **3** (*spec. al pl.*) impianti igienici.

sàno *agg.* **1** in salute, florido, robusto, vigoroso; illeso, incolume, indenne © ammalato, malato, delicato, gracile, cagionevole **2** benefico, salubre, salutare © insano, insalubre, nocivo, malsano **3** (*di cibo*) genuino, naturale; biologico © adulterato, sofisticato **4** intatto, integro © rotto, danneggiato **5** ♧ integro, incorrotto, onesto, integerrimo, pulito, retto, probo © corrotto, disonesto.

santificàre *v.tr.* **1** canonizzare **2** (*le feste*) osservare, rispettare **3** adorare, onorare, venerare © bestemmiare.

santità *s.f.* **1** divinità **2** sacralità, inviolabilità **3** (*titolo riservato al papa*) papa, pontefice.

sànto *agg.* **1** divino, sacro, religioso © terreno, mondano, profano secolare **2** (*di acqua e sim.*) benedetto, consacrato **3** (*di persona, di vita e sim.*) buono, giusto, onesto, pio, irreprensibile, virtuoso © corrotto, dissoluto, disonesto, peccaminoso.

santóne *s.m.* **1** guru **2** (*spreg.*) mago, guaritore, stregone.

santuàrio *s.m.* **1** sacrario, tempio **2** (*luogo protetto o inaccessibile*) rifugio, riparo, ricovero **3** ♧ intimità, intimo, sacrario.

sanzionàre *v.tr.* **1** approvare, sancire, convalidare; firmare, ratificare © respingere, annullare, invalidare **2** multare; condannare, punire © assolvere, prosciogliere.

sanzióne *s.f.* **1** approvazione; ratifica © annullamento, abrogazione **2** multa, ammenda, contravvenzione, pena © premio, ricompensa.

sapére1 *v.tr.* **1** conoscere © ignorare **2** venire a conoscenza, apprendere, avere notizia; accorgersi, scoprire **3** capire, avere presente, rendersi conto **4** prevedere, predire, presagire; intuire, immaginare **5** (*leggere, nuotare ecc.*) riuscire, essere capace, essere in grado ♦ *v.intr.* **1** avere sapore; odorare; puzzare **2** parere, sembrare, avere l'aria.

sapére2 *s.m.* conoscenza, cultura, sapienza, scienza, erudizione, scibile (*elev.*) © ignoranza, insipienza.

sàpido *agg.* **1** saporito, gustoso, succulento © insipido, insapore **2** ♧ spiritoso, arguto, faceto © noioso, piatto, insipido, insulso.

sapiènte *s.m.* **1** saggio, colto, dotto, erudito, istruito © ignorante, incolto **2** assennato, giudizioso, ragionevole, saggio © avventato, dissennato, irragionevole **3** bravo, capace, abile, competente, esperto © inesperto, incompetente ♦ *s.m.f.* maestro, saggio, dotto.

sapiènza *s.f.* **1** conoscenza, cultura, scienza, sapere, istruzione, dottrina, erudizione © ignoranza, insipienza **2** assennatezza, giudizio, buonsenso, ragionevolezza, senno © sconsideratezza, dissennatezza **3** abilità, competenza, perizia © incapacità, imperizia.

sapóne *s.m.* **1** (*per bucato*) detersivo **2** (*per lavarsi*) saponetta.

sapóre *s.m.* **1** gusto **2** ♧ carattere, tono, ispirazione, stile **3** ♧ colore, brio, vivacità, esuberanza, verve (*fr.*) **4** (*al pl.*) aromi, erbe, odori.

saporìto *agg.* **1** gustoso, sapido (*elev.*); appetitoso, buono, squisito © insapore, insipido, scipito, sciocco (*tosc.*) **2** salato © insipido, scipito **3** ♧ (*di storiella, di battuta ecc.*) spiritoso, vivace, arguto, gustoso; audace, spinto, piccante © insulso, scipito.

sapùto *agg.*, *s.m.* (*spreg.*) saccente, borioso, presuntuoso, saputello.

sarabànda *s.f.* ♧ confusione, agitazione, chiasso, baraonda, bolgia, baccano, pandemonio, trambusto © pace, quiete, silenzio.

sarcàsmo *s.m.* **1** ironia, acidità, causticità, salacità, scherno **2** battuta, frecciata, punzecchiatura.

sarcàstico *agg.* ironico, beffardo, caustico, graffiante, mordace, pungente, salace, sferzante, tagliente © benevolo, benigno, bonario.

sardònico *agg.* ironico, beffardo, maligno, pungente, sarcastico © benevolo, bonario.

sartorìa *s.f.* **1** laboratorio; (*d'alta moda*) casa di mode, atelier (*fr.*) **2** alta moda, moda.

sàsso *s.m.* **1** ciottolo, pietra **2** roccia, pietra **3** pietra, masso, macigno; monte, montagna, rupe.

Sàtana *s.m.* diavolo, demonio, anticristo, belzebù, Lucifero, maligno, principe delle tenebre.

satànico *agg.* **1** demoniaco, diabolico, infernale © angelico, celestiale **2** ♧ (*di piano, di mente ecc.*) diabolico, perfido, maligno.

satèllite *s.m.* (*di un pianeta*) luna ♦ *in funz. agg. invar.* dipendente, subordinato, soggetto.

sàtira *s.f.* caricatura, parodia, ironia.

satìrico *agg.* ironico, beffardo, canzonatorio, caricaturale, caustico, graffiante, mordace, pungente, sarcastico © benevolo, benigno; deferente, rispettoso.

satollàrsi *v.pr.* saziarsi, riempirsi, sfamarsi; abbuffarsi, ingozzarsi, rimpinzarsi, strafogarsi © digiunare, morire di fame (*iperb.*).

satóllo *agg.* sazio, pieno © affamato, digiuno.

saturàre *v.tr.* riempire, colmare © liberare, vuotare, svuotare ♦ **saturarsi** *v.pr.* riempirsi, colmarsi © svuotarsi, vuotarsi.

saturazióne *s.f.* **1** riempimento, concentrazione **2** ♧ estremo, limite, massimo.

sàturo *agg.* **1** (*chim.*) © insaturo **2** pieno, colmo, ricolmo, zeppo, traboccante; impregnato, permeato © vuoto.

sàvio *agg.* **1** saggio, ragionevole, assennato, equilibrato © dissennato, sconsiderato **2** (*di pensiero, di discorso ecc.*) responsabile, ragionevole, saggio, sensato © irragionevole, insensato **3** sano di mente © folle, pazzo, matto ♦ *s.m.* maestro, saggio, sapiente.

saziàre *v.tr.* **1** sfamare, rimpinzare © affamare **2** ♧ (*ambizioni, desideri ecc.*) appagare, soddisfare, esaudire **3** ♧ annoiare, stancare, stufare ♦ **saziarsi** *v.pr.* **1** satollarsi, sfamarsi, riempire, affamare © digiunare, morire di fame (*iperb.*) **2** ♧ appagarsi, soddisfarsi © stancarsi, stufarsi.

savoir-faire *s.m.invar.* (*fr.*) classe, stile; tatto, diplomazia © cafonaggine, maleducazione.

sazietà *s.f.* **1** © fame **2** ♧ appagamento, soddisfazione © disgusto, nausea.

sàzio *agg.* **1** pieno (*colloq.*), satollo © affamato, digiuno, vuoto (*colloq.*) **2** ♧ appagato, soddisfatto © insoddisfatto, deluso, scontento **3** ♧ stanco, stufo, annoiato, nauseato.

sbadatàggine *s.f.* disattenzione, distrazione, negligenza, trascuratezza; dimenticanza © attenzione, avvedutezza.

sbadàto *agg.*, *s.m.* distratto, smemorato, svampito, svanito; disattento, imprudente, maldestro, negligente © attento, accorto, avveduto.

sbafàre *v.tr.* **1** divorare, spazzolare (*colloq.*), spolverare (*colloq.*), fare fuori (*colloq.*), abbuffarsi **2** scroccare (*colloq.*).

sbagliàre *v.intr.* **1** errare, cadere in errore, essere in errore, sbagliarsi, sgarrare **2** confondersi, equivocare, ingannarsi, sbagliarsi; prendere un abbaglio, prendere un granchio © azzeccare (*colloq.*) **3** mancare, errare, peccare **4** fallire ♦ *v.tr.* **1** confondere, scambiare © azzeccare (*colloq.*) **2** (*il bersaglio e sim.*) fallire, mancare © centrare, colpire, cogliere, azzeccare (*colloq.*), imbroccare (*colloq.*) ♦ **sbagliarsi** *v.pr.* **1** sbagliare, errare, ingannarsi **2** confondersi, equivocarsi, ingannarsi, sbagliarsi; prendere un abbaglio, prendere un granchio © azzeccare (*colloq.*), indovinare, imbroccare (*colloq.*).

sbagliàto *agg.* **1** errato, scorretto, erroneo, inesatto © esatto, corretto, giusto, azzeccato (*colloq.*) **2** (*di momento, di parola ecc.*) inadatto, infelice, inopportuno © giusto, adatto, felice, opportuno **3** (*di lavoro, di film ecc.*) malfatto, malriuscito © benfatto, benriuscito.

sbàglio *s.m.* **1** errore, inesattezza, imprecisione, sproposito, strafalcione, svarione; lapsus, papera **2** (*di una persona o di una cosa per un'altra*) errore, scambio, equivoco, svista, granchio (*colloq.*), malinteso, abbaglio, cantonata (*colloq.*) **3** (*morale*) colpa, errore, mancanza, peccato.

sbalestràre *v.tr.* **1** (*qlcu. da un posto all'altro*) spostare, trasferire, sballottare **2** ♧ disorientare, scombussolare; sconvolgere, stordire, frastornare **3** (*economicamente*) dissestare, rovinare.

sbalestràto *agg.* **1** disorientato, confuso, smarrito, frastornato, spaesato **2** (*di famiglia e sim.*) disordinato, disorganizzato, scombinato, confusionario © organizzato, equilibrato ♦ *s.m.* spostato, svitato.

sballàre[1] *v.tr.* disimballare, scartare, spacchettare © imballare, impacchettare.

sballàre[2] *v.tr.* **1** (*colloq.*; *un calcolo, una previsione ecc.*) sbagliare © indovinare, azzeccare **2** (*nel gergo giovanile*) andare fuori di testa, farsi.

sballàto *agg.* **1** (*di ragionamento e sim.*) assurdo, insensato, folle, illogico © logico, sensato **2** (*nel gergo giovanile*) fatto, fuso, scoppiato, andato; fuori di testa, sconvolto, balordo, spostato.

sbàllo *s.m.* (*gerg.*) meraviglia, favola, ficata (*colloq.*), figata (*colloq.*), cannonata, fine del mondo, libidine (*gerg.*), schianto (*colloq.*) © schifezza, schifo, obbrobrio, cazzata (*volg.*).

sballottàre *v.tr.* **1** agitare, sbattere, scuotere, scrollare **2** (*qlcu. da un posto all'altro*) spostare, trasferire, sbalestrare.

sbalordìre *v.tr.* impressionare, stupire, sbigottire, lasciare di stucco, meravigliare, strabiliare.

sbalorditìvo *agg.* **1** incredibile, esagerato, straordinario, strabiliante, stupefacente © mediocre, modesto **2** (*di prezzo*) esagerato, esorbitante, eccessivo © contenuto, modesto.

sbalordìto *agg.* sorpreso, stupefatto, sconcertato, meravigliato, basito, di stucco, di sale, stupito, trasecolato © indifferente, impassibile, imperturbabile.

sbalzàre *v.tr.* **1** scagliare, scaraventare, catapultare **2** ♧ (*da una carica, da un incarico e sim.*) allontanare, sollevare, licenziare, rimuovere.

sbàlzo *s.m.* **1** scossone, sobbalzo, sussulto **2** ♧ mutamento, salto, variazione.

sbancàre *v.tr.* **1** (*nei giochi d'azzardo*) vincere © perdere **2** (*spec. scherz.*) rovinare, mandare in rovina.

sbandaménto[1] *s.m.* **1** (*di un veicolo*) sbandata; testacoda **2** (*colloq.*) mancamento, capogiro, vertigine **3** ♧ (*morale, ideologico, politico ecc.*) disorientamento, sconcerto, confusione.

sbandaménto[2] *s.m.* **1** (*di truppe*) dispersione, disgregazione, sbaraglio © riunione, riorganizzazione **2** ♧ (*morale, spirtuale ecc.*) disgregazione, dissoluzione; confusione, disorientamento © stabilità, integrità.

sbandàre[1] *v.intr.* **1** (*di veicolo*) deviare, scartare, slittare **2** ♧ (*in senso morale*) deviare, allontanarsi, sviarsi.

sbandàre[2] *v.tr.* disperdere, sbaragliare, allontanare © riunire ♦ **sbandarsi** *v.pr.* **1** (*di truppe, di folle*) disperdersi, sciogliersi, disgregarsi, sparpagliarsi **2** ♧ (*di gruppi sociali o familiari*) dividersi, disgregarsi.

sbandàta *s.f.* **1** (*di un veicolo*) sbandamento **2** ♧ (*morale, ideologica, politica*) sviamento, smarrimento; cambiamento, mutamento **3** ♧ (*colloq.*) cotta (*colloq.*), innamoramento, infatuazione.

sbandàto *agg.*, *s.m.* **1** (*di soldati*) disperso, sbaragliato © riunito, riorganizzato **2** ♧ confuso, disorientato, smarrito, allo sbando © equilibrato **3** ♧ spostato, sbalestrato.

sbandieràre *v.tr.* **1** agitare, sventolare **2** ♧ mettere in mostra, sfoggiare, ostentare © nascondere, dissimulare.

sbàndo *s.m.* (*morale, ideologico*) confusione, disorientamento, sbandamento; caos, disordine, scompiglio.

sbaraccàre *v.tr.* **1** rimuovere, allontanare, spostare, scacciare **2** (*colloq.*) andarsene, sgombrare, sloggiare, smammare (*colloq.*).

sbaragliàre *v.tr.* battere, sconfiggere, sgominare, debellare, annientare, distruggere; disperdere, mettere in fuga.

sbarazzàre *v.tr.* liberare, sgombrare © ingombrare ♦ **sbarazzarsi** *v.pr.* disfarsi, liberarsi; (*colloq.*) eliminare, uccidere, togliere di mezzo (*gerg.*).

sbarazzìno *s.m.* birichino, monello, birba ♦ *agg.* vivace, furbo, spigliato, sveglio, vispo © timido, impacciato.

sbarbàrsi *v.pr.* radersi, farsi la barba.

sbarbatèllo *s.m.* (*scherz.*; *spreg.*) pivello, pivellino, novellino, principiante; lattante, poppante © navigato, veterano.

sbarcàre *v.tr.* **1** scaricare © caricare, imbarcare **2** ♧ trascorrere, passare ♦ *v.intr.* **1** (*da una nave, da un aereo ecc.*) scendere, smontare ©

montare, salire; imbarcarsi **2** (*di truppe provenienti dal mare*) scendere.
sbàrco *s.m.* scarico; (*di passeggeri*) arrivo © carico; imbarco.
sbàrra *s.f.* **1** asta, spranga, stanga, barra **2** barriera, cancellata, staccionata.
sbarraménto *s.m.* **1** chiusura, impedimento, occlusione, ostruzione © apertura **2** barriera, ostacolo.
sbarràre *v.tr.* **1** serrare, sprangare **IPERON.** chiudere © aprire **2** bloccare, ostruire, ostacolare © aprire, liberare, sbloccare **3** impedire, intralciare, ostacolare © facilitare **4** (*una scheda, una casella ecc.*) segnare, barrare **5** (*gli occhi*) spalancare, sgranare, strabuzzare © chiudere, serrare.
sbatacchiàre *v.tr.* e *intr.* (*colloq.*) agitare, battere, scuotere.
sbàttere *v.tr.* **1** battere, scuotere, agitare **2** (*l'uovo, la panna*) montare, frullare **3** urtare, colpire, picchiare **4** scagliare, gettare, buttare, lanciare **5** ♧ (*di malattia e sim.*) stancare, debilitare, spossare © rafforzare, fortificare, rinvigorire **6** ♧ (*colloq.*; *qlcu. in un luogo*) mandare, spedire, trasferire, schiaffare (*colloq.*) ♦ *v.intr.* urtare, picchiare, cozzare ♦ **sbattersi** *v.pr.* (*colloq.*) darsi da fare, adoperarsi, prodigarsi; affannarsi, agitarsi ♦ **sbattersene** *v.procompl.* (*colloq.*) disinteressarsi, fregarsene (*colloq.*), fottersene (*volg.*), infischiarsene (*colloq.*), strafregrarsene (*colloq.*).
sbattùto *agg.* **1** (*di uovo e sim.*) frullato, montato **2** ♧ (*di volto, di persona ecc.*) smorto, pallido, stanco, sciupato © fresco, riposato, disteso.
sbavàre *v.intr.* **1** (*di inchiostro, di colore ecc.*), spandersi, espandersi **2** ♧ spasimare, smaniare.
sbavatùra *s.f.* **1** (*della lumaca*) bava, scia **2** (*di colore e sim.*) alone, macchia **3** ♧ (*in un discorso, in un'interpretazione ecc.*) imperfezione, difetto, pecca.
sbeffeggiàre *v.tr.* beffare, deridere, prendere in giro.
sbellicàrsi *v.pr.* (*dalle risa*) spanciarsi, sganasciarsi, smascellarsi, sbudellarsi.
sbèrla *s.f.* schiaffo, ceffone, manrovescio, sventola.
sberlèffo *s.m.* smorfia, boccaccia, scherno.
sbiadìre *v.tr.* **1** (*tessuti, colori ecc.*) scolorire, stingere, decolorare © ravvivare **2** ♧ (*un ricordo e sim.*) affievolire, attenuare, offuscare © ravvivare ♦ *v.intr.* e **sbiadirsi** *v.pr.* **1** scolorirsi, stingersi **2** ♧ affievolirsi, attenuarsi, offuscarsi © accrescersi, rafforzarsi, ravvivarsi.
sbiadìto *agg.* **1** scolorito, stinto; (*di colori*) spento, smorto, slavato © acceso, intenso, vivo **2** ♧ (*di ricordo*) confuso, vago, appannato, evanescente © chiaro, nitido, vivo, vivido **3** ♧ (*di discorso, di stile ecc.*) incolore, scialbo, anonimo, spento © incisivo, vivace.
sbiancàre *v.tr.* candeggiare © macchiare, annerire ♦ *v.intr.* e **sbiancarsi** *v.pr.* **1** schiarirsi, scolorirsi **2** impallidire, trasecolare (*elev.*) © arrossire, imporporarsi.
sbièco *agg.* storto, obliquo, sghembo, sbilenco, traverso © diritto, retto, rettilineo.
sbigottiménto *s.m.* sbalordimento, sgomento, turbamento, sconcerto, smarrimento; meraviglia, stupore.
sbigottìre *v.tr.* confondere, impressionare, stupire, turbare, sbalordire, scioccare, sgomentare © calmare, rassicurare, tranquillizzare ♦ *v.intr.* sbalordirsi, allibire, meravigliarsi, stupefarsi, turbarsi.
sbilanciàre *v.tr.* **1** squilibrare © bilanciare, equilibrare **2** ♧ (*finanze, conti e sim.*) dissestare, squilibrare © riassestare, riequilibrare ♦ **sbilanciarsi** *v.pr.* **1** squilibrarsi © equilibrarsi **2** ♧ compromettersi, esporsi, scoprirsi © controllarsi, trattenersi.
sbilènco *agg.* **1** storto, inclinato, obliquo, sbieco, traverso © diritto, retto **2** (*di persona*) storto, gobbo © diritto **3** ♧ (*di ragionamento e sim.*) insensato, illogico, stravagante, sconclusionato, strampalato © logico, sensato.
sbirciàre *v.tr.* guardare di sfuggita; curiosare, occhieggiare; spiare.
sbirciàta *s.f.* occhiata, sguardo, guardata.
sbìrro *s.m.* (*spreg.*) poliziotto, guardia, piedipiatti (*gerg.*).
sbizzarrìrsi *v.pr.* scatenarsi, sfrenarsi © contenersi, limitarsi, frenarsi, dominarsi, trattenersi.
sbloccàre *v.tr.* **1** (*un meccanismo e sim.*) avviare, attivare; sganciare © bloccare, fermare **2** (*la circolazione, i prezzi ecc.*) liberare; liberalizzare © bloccare **3** (*una somma di denaro*) liberare, scongelare © bloccare, vincolare **4** ♧ (*una situazione e sim.*) risolvere, appianare, sbrogliare, sistemare **5** ♧ (*da un blocco psicologico e sim.*) liberare © bloccare ♦ **sbloccarsi** *v.pr.* **1** liberarsi © bloccarsi **2** ♧ (*di situazione e sim.*) risolversi, appianarsi, sistemarsi © complicarsi, incasinarsi (*colloq.*) **3** ♧ (*da un blocco psicologico e sim.*) liberarsi, sciogliersi © bloccarsi.
sblòcco *s.m.* **1** (*dei prezzi e sim.*) liberalizzazione © blocco **2** (*di un ostacolo e sim.*) eliminazione, rimozione © blocco, intralcio.
sboccàre *v.intr.* **1** uscire, sbucare, fuoriuscire; (*di corso d'acqua*) sfociare, immettersi, confluire, riversarsi © nascere, sgorgare **2** (*di strade,*

passaggi ecc.) finire, terminare, arrivare, condurre © cominciare, iniziare, partire **3** (*di fila, di corteo ecc.*) arrivare, giungere, pervenire **4** ♧ andare a finire, concludersi, sfociare, trasformarsi.

sboccàto *agg.* volgare, grossolano, osceno, scurrile, triviale © castigato, pulito.

sbocciàre *v.intr.* **1** aprirsi, schiudersi © sfiorire, appassire **2** ♧ nascere, sorgere, manifestarsi, svilupparsi © finire, spegnersi.

sbócco *s.m.* **1** (*di corso d'acqua*) sfocio, foce, bocca © sorgente **2** (*di galleria, di cunicolo ecc.*) apertura, uscita © imboccatura, ingresso **3** (*di liquido*) fuoriuscita, fiotto **4** ♧ (*da una situazione difficile*) esito, soluzione, conclusione **5** (*econ.*) mercato; possibilità, opportunità, chance (*fr.*).

sbocconcellàre *v.tr.* mangiucchiare, assaggiare, piluccare, spilluzzicare © divorare, trangugiare.

sbollìre *v.intr.* ♧ (*di rabbia e sim.*) calmarsi, placarsi, spegnersi, svanire © accendersi, infiammarsi.

sbolognàre *v.tr.* **1** (*colloq.*; *oggetti*) affibbiare, appioppare, rifilare **2** ♧ (*colloq.*; *una persona*) scaricare, mandare via, allontanare, liberarsi, togliersi di torno.

sbòrnia *s.f.* ubriacatura, sbronza.

sborsàre *v.tr.* spendere, pagare, versare, sganciare (*colloq.*) © incassare, ritirare, riscuotere.

sbottàre *v.intr.* scoppiare, esplodere, prorompere © contenersi, frenarsi, reprimersi.

sbottonàre *v.tr.* aprire, slacciare © abbottonare, allacciare, chiudere ♦ **sbottonarsi** *v.pr.* **1** aprirsi, slacciarsi © abbottonarsi, chiudersi **2** ♧ aprirsi, confidarsi, sfogarsi © tacere.

sbozzàre *v.tr.* **1** (*un materiale*) sgrossare, dirozzare © rifinire **2** (*un dipinto, un disegno ecc.*) abbozzare, delineare, schizzare © rifinire, perfezionare **3** (*uno scritto, un progetto ecc.*) delineare, tratteggiare.

sbracàto *agg.* **1** (*colloq.*) sciatto, trasandato, trascurato © curato, elegante, ordinato **2** ♧ (*colloq.*; *di linguaggio, di stile ecc.*) volgare, grossolano, osceno, sboccato, scurrile, triviale © castigato, pudico.

sbracciàrsi *v.pr.* **1** gesticolare **2** ♧ darsi da fare, adoperarsi, farsi in quattro, prodigarsi.

sbraitàre *v.intr.* gridare, urlare, strillare, strepitare © bisbigliare, sussurrare.

sbranàre *v.tr.* **1** (*di animale feroce*) dilaniare, smembrare, squartare **2** ♧ straziare, torturare, tormentare ♦ **sbranarsi** *v.pr.* **1** dilaniarsi, farsi a pezzi, massacrarsi, distruggersi **2** (*iperb.*) litigare, attaccarsi, aggredirsi.

sbriciolàre *v.tr.* **1** frantumare, sminuzzare, spezzettare © amalgamare, unire **2** distruggere, annientare, sgretolare ♦ **sbriciolarsi** *v.pr.* **1** frammentarsi frantumarsi, spezzettarsi **2** distruggersi, disintegrarsi, sgretolarsi, crollare.

sbrigàre *v.tr.* **1** (*un compito e sim.*) svolgere, eseguire, concludere, risolvere © lasciare a metà, trascurare **2** (*una pratica*) evadere; (*la posta*) smistare ♦ **sbrigarsi** *v.pr.* spicciarsi, affrettarsi, muoversi, darsi una mossa (*colloq.*) © attardarsi ♦ **sbrigarsela** *v.procompl.* arrangiarsi, cavarsela, trarsi d'impiccio.

sbrigatìvo *agg.* **1** (*di persona*) rapido, veloce; brusco, spiccio, sgarbato © affabile, amabile, gentile **2** (*di lavoro e sim.*) rapido, spedito, veloce © lungo, difficoltoso **3** (*di giudizio e sim.*) affrettato, frettoloso, approssimativo, superficiale © approfondito, attento, meditato, scrupoloso.

sbrigliàre *v.tr.* **1** (*un cavallo*) © imbrigliare **2** ♧ (*la fantasia, l'immaginazione ecc.*) liberare, sfogare, scatenare, sbizzarrire © soffocare, reprimere, trattenere.

sbrindellàto *agg.* **1** (*di tessuto e sim.*) lacero, stracciato, sdrucito **2** (*di persona*) cencioso, malconcio, sciatto, trasandato, trascurato © elegante, inappuntabile, in ordine.

sbrodolàre *v.tr.* **1** IPERON. sporcare, macchiare © pulire, ripulire **2** ♧ (*un discorso, uno scritto ecc.*) orilungare, siracchiare.

sbrogliàre *v.tr.* **1** sciogliere, dipanare, districare © ingarbugliare, intricare, aggrovigliare **2** ♧ (*un mistero, una questione ecc.*) risolvere, sciogliere, districare, sgarbugliare, sistemare, appianare © complicare, aggrovigliare, ingarbugliare ♦ **sbrogliarsi** *v.pr.* arrangiarsi, districarsi, cavarsela ♦ **sbrogliarsela** *v.procompl.* sbrigarsela, districarsi.

sbrónza *s.f.* ubriacatura, sbornia (*colloq.*), ciucca (*colloq.*).

sbronzàrsi *v.pr.* ubriacarsi, alzare il gomito, sborniarsi (*colloq.*).

sbrónzo *agg.* ubriaco, brillo, alticcio, ebbro (*elev.*), ciucco (*colloq.*) © sobrio.

sbruffóne *s.m.* fanfarone, spaccone, gradasso, smargiasso.

sbucàre *v.intr.* **1** uscire, venire fuori © entrare, rintanarsi, cacciarsi, ficcarsi **2** (*all'improvviso*) apparire, comparire, saltare fuori, materializzarsi © scomparire, svanire, dileguarsi **3** (*di strada e sim.*) sboccare, sfociare, immettersi.

sbucciàre *v.tr.* **1** (*un'arancia, una patata e sim.*) mondare, pelare **2** (*una parte del corpo*) escoriare, scorticare ♦ **sbucciarsi** *v.pr.* (*il ginocchio e sim.*) ferirsi, escoriarsi, spellarsi, scorticarsi.

sbucciatùra *s.f.* **1** pelatura **2** (*di una parte del corpo*) abrasione, escoriazione, spellatura, ferita.
sbudellàre *v.tr.* **1** sventrare, eviscerare, sviscerare **2** ammazzare, uccidere, sventrare.
sbuffàre *v.intr.* **1** ansimare, soffiare, ansare **2** (*di locomotiva e sim.*) fumare **3** ♧ irritarsi, seccarsi, spazientirsi.
sbùffo *s.m.* **1** (*di fumo e sim.*) sbuffata **2** fiato, soffio, respiro **3** (*di vento*) raffica, folata **4** (*di un vestito*) arricciatura, rigonfiamento, sboffo.
sbugiardàre *v.tr.* smentire, smascherare, sconfessare, sputtanare (*volg.*).
scàbro *agg.* **1** aspro, irregolare, ruvido © liscio, levigato, uniforme **2** (*di stile*) asciutto, essenziale, scarno, stringato, succinto © ampolloso, prolisso, ridondante.
scabrosità *s.f.* **1** asprezza, irregolarità, ruvidezza, asperità © levigatezza, uniformità **2** (*di stile, di narrazione ecc.*) stringatezza, concisione; crudezza **3** ♧ (*di un argomento, di una situazione ecc.*) spinosità, delicatezza, complessità; oscenità, indecenza.
scabróso *agg.* **1** aspro, irregolare, ruvido © liscio, levigato, uniforme **2** ♧ (*di un argomento e sim.*) delicato, imbarazzante, spinoso; audace, osceno, indecente, sconcio.
scacciàre *v.tr.* **1** allontanare, cacciare, buttare fuori, estromettere; esiliare, espellere, bandire; (*da una carica e sim.*) destituire, dimettere, rimuovere © accogliere, ammettere; richiamare, riammettere **2** ♧ (*la malinconia e sim.*) allontanare, far passare.
scàcco *s.m.* **1** pezzo **IPON.** alfiere, cavallo, pedone, re, regina, torre **2** ♧ insuccesso, sconfitta, disfatta © successo, vittoria **3** riquadro, quadretto.
scadènte *agg.* **1** mediocre, modesto, andante, cheap (*ingl.*), ordinario, di seconda scelta, di second'ordine, di terz'ordine © ottimo, eccellente, valido, di prima qualità, di prima, scelta **2** (*di preparazione, di rendimento*) scarso, insufficiente, carente, deludente, mediocre, modesto © eccellente, brillante.
scadènza *s.f.* **1** limite, tempo, termine **2** (*spec. al pl.*) obbligo, impegno, dovere, incombenza.
scadére *v.intr.* **1** decadere, svalutarsi, deprezzarsi © valorizzarsi, rivalutarsi, migliorare **2** (*di cambiale, di contratto ecc.*) maturare **3** (*di tempo*) finire, passare, terminare.
scadiménto *s.m.* decadenza, decadimento, declino © miglioramento, progresso.
scadùto *agg.* **1** (*di qualità e sim.*) decaduto, peggiorato © migliorato **2** (*di documento e sim.*) fuori corso © valido.
scagionàre *v.tr.* discolpare, prosciogliere © accusare, incolpare ♦ **scagionarsi** *v.pr.* discolparsi © accusarsi.
scàglia *s.f.* **1** (*dei pesci, dei rettili*) squama **2** lastra, lamina, piastra.
scagliàre *v.tr.* **1** buttare, lanciare, gettare, scaraventare **2** ♧ (*insulti, improperi ecc.*) lanciare, mandare, tirare ♦ **scagliarsi** *v.pr.* **1** buttarsi, gettarsi, avventarsi, scaraventarsi **2** ♧ assalire, inveire.
scaglionàre *v.tr.* alternare, avvicendare, intervallare; distribuire, spartire, ripartire, suddividere © concentrare, riunire.
scaglióne *s.m.* **1** (*di persone*) gruppo, raggruppamento; (*di soldati*) unità, contingente **2** ♧ parte, sezione **3** (*di reddito*) fascia, livello **4** (*di un monte*) ripiano, balza, terrazzamento.
scagnòzzo *s.m.* galoppino, lacchè, tirapiedi.
scàla *s.f.* **1** scalinata, gradinata **2** ordine, serie, sequenza, successione **3** proporzione, rapporto, misura.
scalàre[1] *v.tr.* **1** salire, arrampicarsi, inerpicarsi © scendere, discendere **2** detrarre, defalcare, ritenere © aggiungere, sommare **3** (*la marcia di un'auto*) cambiare.
scalàre[2] *agg.* graduale, progressivo.
scalàta *s.f.* salita, ascesa, arrampicata, ascensione © discesa, calata.
scalatóre *s.m.* (*sport*) arrampicatore, alpinista, rocciatore, free-climber (*ingl.*).
scalcagnàto *agg.* **1** (*di scarpa e sim.*) sformato, deformato, consumato, rovinato **2** (*di persona*) malridotto, malconcio, malmesso, male in arnese, sbrindellato © curato, ordinato.
scalciàre *v.intr.* tirare calci, sferrare calci, calciare.
scalcinàto *agg.* **1** (*di muro*) rovinato, scrostato **2** ♧ (*di cosa*) malandato, malconcio, malridotto, scalcagnato **3** ♧ (*di persona*) malandato, malconcio, malmesso, sciatto, trasandato, trascurato.
scaldàre *v.tr.* **1** riscaldare © raffreddare, rinfrescare **2** ♧ eccitare, entusiasmare, elettrizzare, infervorare, infiammare, infuocare © raffreddare, placare, reprimere ♦ *v.intr.* **1** (*di motore e sim.*) surriscaldare **2** (*di sole*) riscaldare ♦ **scaldarsi** *v.pr.* **1** (*di stanza*) riscaldarsi © raffreddarsii, rinfrescarsi **2** (*di persona*) riscaldarsi © gelarsi, infreddolirsi, rinfrescarsi **3** ♧ accalorarsi, appassionarsi, eccitarsi, animarsi, infervorarsi, infiammarsi © calmarsi, placarsi.
scalétta *s.f.* **1** (*di un discorso e sim.*) schema, traccia, abbozzo **2** (*di una trasmissione radiofonica, televisiva*) scheletro, palinsesto.

scalfire *v.tr.* **1** incidere, intaccare, segnare **2** ♧ incrinare, compromettere, ledere.
scalfittùra *s.f.* graffio, graffiatura; (*sulla pelle*) escoriazione, abrasione, sbucciatura, spellatura.
scalinàta *s.f.* gradinata, scalone.
scalìno *s.m.* **1** gradino **2** dislivello, divario, gap (*ingl.*) **3** ♧ grado, livello, posizione.
scalmanàrsi *v.pr.* **1** correre, scatenarsi © calmarsi, placarsi, acquietarsi **2** ♧ affannarsi, agitarsi, darsi da fare © infischiarsene (*colloq.*) **3** (*nel parlare*) gesticolare, sbracciarsi.
scalmanàto *agg.* agitato, forsennato, scatenato, turbolento © calmo, quieto, tranquillo ♦ *s.m.* esagitato, indemoniato.
scàlo *s.m.* **1** sbarco; porto, imbarcadero **2** (*di un viaggio*) fermata, sosta, tappa.
scalógna *s.f.* sfortuna, iella, sciagura, sventura, sfiga (*colloq.*) © fortuna, buona stella.
scalognàto *agg.* sfortunato, sfigato (*colloq.*), iellato, disgraziato, sventurato © fortunato, favorevole, propizio.
scalpicciàre *v.intr.* ciabattare, calpestare.
scalpiccìo *s.m.* calpestio, scalpitio.
scalpitàre *v.intr.* **1** (*di cavalli*) zampare **2** ♧ fremere, smaniare, agitarsi © controllarsi, dominarsi, pazientare.
scalpitìo *s.m.* calpestio, scalpiccio.
scalpóre *s.m.* clamore, rumore, eco, risonanza; impressione, meraviglia.
scaltrézza *s.f.* astuzia, furbizia, abilità, accortezza © inesperienza, ingenuità, innocenza.
scàltro *agg.* **1** (*di persona*) astuto, furbo, sveglio © ingenuo, sprovveduto, semplice **2** (*di ragionamento, di azione ecc.*) accorto, astuto, attento © ingenuo, imprudente, sventato.
scalzàre *v.tr.* **1** (*un albero*) sradicare, svellere **2** (*un muro, un edificio ecc.*) abbattere, demolire © costruire, ricostruire **3** ♧ (*la reputazione*) screditare, compromettere, scalfire © rafforzare, accrescere **4** ♧ (*qulcu. dal posto, da una carica ecc.*) rimuovere, cacciare, allontanare © richiamare.
scambiàre *v.tr.* **1** confondere © distinguere, riconoscere **2** cambiare, sostituire; barattare **3** (*due parole*) chiacchierare, conversare **4** (*un favore, una visita ecc.*) restituire, contraccambiare, rendere, ricambiare ♦ **scambiarsi** *v.pr.* contraccambiarsi, ricambiarsi.
scambiévole *agg.* mutuo, reciproco, vicendevole © unilaterale.
scàmbio *s.m.* **1** errore, equivoco, sbaglio, confusione, malinteso **2** cambio, baratto, compravendita, commercio **3** (*di favori e sim.*) ricambio, contraccambio, restituzione **4** (*di merci*) compravendita, traffico **5** (*di parti, di ruoli e sim.*) inversione, avvicendamento.
scampagnàta *s.f.* gita, pic-nic (*ingl.*).
scampàre *v.intr* **1** (*alla morte, a un disastro e sim.*) sfuggire, sottrarsi © imbattersi, incorrere **2** (*in un luogo*) fuggire, riparare, rifugiarsi ♦ *v.tr.* (*un male, una sventura ecc.*) evitare, schivare, eludere © affrontare, fronteggiare ♦ **scamparla** *v.procompl.* cavarsela, salvarsi, sfangarla (*gerg.*).
scampàto *agg.*, *s.m.* superstite, sopravvissuto, naufrago.
scàmpo *s.m.* salvezza, liberazione; rimedio, soluzione; riparo.
scàmpolo *s.m.* **1** (*di tessuto*) taglio, rimasuglio, residuo, avanzo **2** ♧ rimasuglio, residuo.
scanalatùra *s.f.* solco, incavo, intaccatura, tacca.
scandagliàre *v.tr.* **1** (*mar.*) sondare **2** ♧ indagare, esplorare, esaminare, sondare, studiare.
scandalizzàre *v.tr.* turbare, offendere, sconvolgere, sciocсare; imbarazzare ♦ **scandalizzarsi** *v.pr.* indignarsi, offendersi, sconvolgersi, turbarsi.
scàndalo *s.m.* **1** turbamento, imbarazzo; indignazione, sdegno **2** (*cosa scandalosa*) vergogna, schifo, indecenza; oscenità **3** (*nell'opinione pubblica*) chiasso, clamore, rumore, scalpore, sensazione.
scandalóso *agg.* **1** indecente, immorale, osceno, sconcio, vergognoso © decente, casto, pudico **2** (*iperb.*) eccessivo, esagerato, vergognoso © contenuto, moderato, modesto.
scandìre *v.tr.* **1** (*una parola*) articolare, sillabare, compitare **2** (*il tempo*) battere, marcare, segnare.
scannàre *v.tr.* **1** (*spec. animali*) sgozzare **2** ammazzare, massacrare, trucidare **3** ♧ (*economicamente*) strozzare, strangolare, dissanguare, spolpare, svenare.
scanning *s.m.invar.* (*ingl.*; *inform.*) scansione.
scànno *s.m.* sedile, seggio, scranno.
scansafatìche *s.m.f.invar.* pigro, poltrone, fannullone, pelandrone, perdigiorno, sfaticato © sgobbone, lavoratore, stacanovista.
scansàre *v.tr.* **1** scostare, spostare © avvicinare, accostare **2** (*una fatica, una persona ecc.*) evitare, schivare, sfuggire © incontrare, fronteggiare, affrontare ♦ **scansarsi** *v.pr.* spostarsi, scostarsi.
scansióne *s.f.* **1** (*delle parole*) compitazione, spelling (*ingl.*) **2** (*inform.*) scannerizzazione, scanning (*ingl.*).
scantonàre *v.intr.* **1** svoltare; battersela, defilarsi, svignarsela, svicolare, tagliare la corda **2** ♧ evitare, sfuggire, schivare; sottrarsi, svicolare © affrontare; imbattersi, incappare.

scanzonàto *agg.* disinvolto, spigliato, spensierato; ironico, beffardo, scherzoso, canzonatorio © serio, austero, grave.

scapestràto *agg., s.m.* sregolato, dissoluto, irresponsabile, incosciente © assennato, giudizioso.

scàpito *s.m.* danno, pregiudizio, sfavore, svantaggio, discapito © profitto, vantaggio, utilità.

scàpolo *agg., s.m.* celibe, single (*ingl.*), zitello (*scherz.*), zitellone (*scherz.*) © sposato, coniugato, ammogliato.

scappaménto *s.m.* scarico.

scappàre *v.intr.* **1** fuggire, allontanarsi, andarsene; battersela (*gerg.*), squagliarsela (*colloq.*), darsela a gambe (*colloq.*), filarsela (*colloq.*), svignarsela; (*di prigione*) evadere © restare, rimanere, trattenersi **2** correre, affrettarsi, precipitarsi **3** ♧ (*di tempo*) fuggire, passare, volare **4** ♧ (*di occasione*) sfuggire **5** (*dal posto in cui dovrebbe stare*) uscire, sbucare, sfilarsi **6** ♧ (*di battuta e sim.*) sfuggire, scappare di bocca **7** ♧ (*da ridere, da piangere ecc.*) venire.

scappàta *s.f.* **1** salto, corsa, capatina, giro **2** imprudenza, leggerezza, scappatella.

scappatèlla *s.f.* avventura, tresca, flirt (*ingl.*).

scappatóia *s.f.* espediente, rimedio, stratagemma, escamotage (*fr.*).

scarabòcchio *s.m.* sgorbio, frego, ghirigoro, segno, macchia, sbavatura.

scaramàntico *agg.* superstizioso; propiziatorio, apotropaico.

scaramanzìa *s.f.* scongiuro.

scaramùccia *s.f.* **1** scontro, combattimento; battaglia **2** ♧ battibecco, bisticcio, litigio, schermaglia.

scaraventàre *v.tr.* gettare, scagliare, buttare, lanciare, tirare ♦ **scaraventarsi** *v.pr.* gettarsi, lanciarsi, buttarsi.

scarcassàto *agg.* sgangherato, malridotto.

scarceràre *v.tr.* liberare, rilasciare © arrestare, incarcerare, imprigionare.

scarcerazióne *s.f.* liberazione, rilascio © arresto, cattura, carcerazione, imprigionamento.

scardinàre *v.tr.* **1** divellere, sgangherare; scassinare **2** ♧ (*un'accusa, una teoria e sim.*) demolire, smontare, confutare © avvalorare, convalidare **3** ♧ (*una famiglia, un'unione e sim.*) separare, dividere, sfasciare, sconvolgere, mettere in crisi, disgregare © cementare, rinsaldare, unire.

scàrica *s.f.* **1** raffica; mitragliata, sventagliata **2** (*di pugni, di insulti ecc.*) raffica, gragnola, pioggia, bombardamento, valanga **3** (*intestinale*) diarrea.

scaricàre *v.tr.* **1** togliere, deporre © caricare **2** liberare, svuotare, vuotare © caricare, riempire **3** ♧ (*colpe, responsabilità ecc.*) addossare, affibbiare, riversare © farsi carico, assumersi, addossarsi **4** ♧ (*la coscienza e sim.*) alleggerire, liberare, sollevare © caricare, gravare **5** ♧ (*rabbia, nervosismo e sim.*) sfogare, manifestare © controllare, dominare, trattenere **6** ♧ (*colloq.*; *una persona*) liquidare, sbolognare (*colloq.*), levarsi di torno; (*un fidanzato*) lasciare, mollare, piantare **7** (*di corsi d'acqua, di condutture ecc.*) versare, riversare, immettere **8** (*colpi, insulti ecc.*) scagliare, tirare, lanciare **9** (*dalle tasse*) dedurre, detrarre, defalcare ♦ **scaricarsi** *v.pr.* **1** © caricarsi **2** ♧ (*da un peso morale*) liberarsi, sgravarsi **3** ♧ rilassarsi, distendersi © innervosirsi, stressarsi **4** ♧ sfogarsi © trattenersi, contenersi **5** (*di fiume e sim.*) riversarsi **6** (*di batterie e sim.*) esaurirsi, finire © ricaricarsi; mettere in carica **7** (*di fulmine*) cadere, abbattersi.

scàrico[1] *agg.* **1** vuoto, libero, sgombro © carico, pieno **2** (*di batterie e sim.*) esaurito © carico.

scàrico[2] *s.m.* **1** scaricamento, rimozione © carico **2** (*di liquidi, di gas ecc.*) deflusso, scolo; condotto, conduttura **3** (*di motori*) scappamento.

scarmigliàre *v.tr.* scompigliare, spettinare, scarruffare © pettinare.

scarmigliàto *agg.* spettinato, in disordine, arruffato, scapigliato © pettinato, in ordine.

scàrno *agg.* **1** magro, secco, denutrito, macilento, scheletrico © pieno, robusto, florido, grasso, in carne **2** ♧ (*di stile, di discorso ecc.*) asciutto, essenziale, conciso, stringato, succinto © ampolloso, enfatico, ridondante, retorico.

scàrpa *s.f.* **1** calzatura **2** ♧ (*colloq.*; *di persona incapace*) brocco, schiappa, cane, buono a nulla, inetto © asso, campione, esperto.

scarpàta *s.f.* pendio; burrone, dirupo.

scarseggiàre *v.intr.* mancare, difettare © abbondare, eccedere, sovrabbondare.

scarsézza *s.f.* vedi **scarsità**.

scarsità *s.f.* carenza, insufficienza, penuria, pochezza, scarsezza © abbondanza, ricchezza, sovrabbondanza.

scàrso *agg.* **1** insufficiente, modesto, misero, limitato, ridotto © abbondante, copioso, eccessivo **2** (*di preparazione e sim.*) insufficiente, inadeguato, mediocre © eccellente, notevole **3** (*di persona*) mediocre, carente, scadente, incompetente, limitato **4** (*di peso o misura*) © abbondante.

scartabellàre *v.tr.* sfogliare, scorrere.

scartàre[1] *v.tr.* **1** (*un pacco, un regalo*) spacchettare © incartare, avvolgere **2** (*carte da gio-*

co) eliminare; buttare, gettare © tenere **3** (*un'idea, un'ipotesi ecc.*) escludere, respingere, eliminare © accettare, accogliere, considerare.

scartàre[2] *v.intr.* (*di animale, di veicolo*) scansarsi, scostarsi, spostarsi, farsi da parte ♦ *v.tr.* (*nel calcio*) dribblare, schivare.

scàrto[1] *s.m.* **1** selezione, cernita, eliminazione **2** avanzo, rimasuglio, residuo, resto **3** ♧ (*spreg.*) incapace, incompetente, inetto.

scàrto[2] *s.m.* **1** (*del cavallo*) salto, balzo; (*di veicolo*) deviazione, sbandamento **2** differenza, distacco, divario, gap (*ingl.*).

scassàre *v.tr.* (*colloq.*) rompere, sfasciare, distruggere, guastare, rovinare © accomodare, aggiustare, riparare ♦ **scassarsi** *v.pr.* rompersi, guastarsi, rovinarsi, distruggersi.

scassinàre *v.tr.* forzare, manomettere, scardinare.

scàsso *s.m.* effrazione, forzatura.

scatenàre *v.tr.* **1** (*passioni, istinti ecc.*) accendere, infiammare, incendiare, esaltare, galvanizzare, riscaldare, sfrenare © controllare, frenare, trattenere **2** (*una polemica, una rissa ecc.*) provocare, suscitare, stimolare **3** aizzare, incitare, sobillare © placare, sedare ♦ **scatenarsi** *v.pr.* **1** (*di tempesta e sim.*) scoppiare, esplodere, infuriare © calmarsi, cessare **2** ♧ (*di rabbia e sim.*) scoppiare, esplodere, prorompere © calmarsi, placarsi, acquietarsi **3** scalmanarsi, sfrenarsi; darsi alla pazza gioia, impazzare © calmarsi, placarsi **4** entusiasmarsi, galvanizzarsi, infiammarsi, infervorarsi, scaldarsi © controllarsi, frenarsi, moderarsi.

scatenàto *agg.* **1** (*di passione e sim.*) incontrollato, impetuoso, sfrenato, travolgente © contenuto, misurato **2** (*di persona*) agitato, eccitato, scalmanato, sfrenato © calmo, tranquillo.

scàtola *s.f.* IPERON. contenitore.

scattànte *agg.* agile, svelto, pronto, sciolto, spedito © lento, goffo, impacciato.

scattàre *v.intr.* **1** (*di congegno*) azionarsi, entrare in funzione © bloccarsi, fermarsi, arrestarsi **2** balzare, correre, precipitarsi, schizzare, slanciarsi **3** (*in una corsa*) accelerare, allungare © rallentare **4** (*di livello*) avanzare, crescere, salire © retrocedere, diminuire **5** ♧ scoppiare, esplodere, prorompere © controllarsi, trattenersi ♦ *v.tr.* (*una fotografia*) fare, fotografare.

scàtto *s.m.* **1** (*meccanico*) congegno, dispositivo **2** balzo, slancio, salto, guizzo **3** (*nello sport*) accelerazione, allungo, spinta, sprint (*ingl.*) **4** ♧ (*d'ira e sim.*) esplosione, impeto, slancio **5** ♧ (*di carriera, di livello e sim.*) passaggio, salto, avanzamento, aumento © recessione.

scaturìre *v.intr.* **1** (*di liquidi*) uscire, fuoriuscire, sgorgare, zampillare **2** ♧ derivare, originarsi, provenire, nascere.

scavalcàre *v.tr.* **1** (*un ostacolo*) saltare, superare, oltrepassare **2** ♧ (*una persona*) superare, sorpassare, precedere **3** (*da cavallo*) sbalzare, disarcionare.

scavàre *v.tr.* **1** (*un terreno*) sbancare, sterrare; dragare © riempire, interrare **2** recuperare, dissotterrare, disseppellire, riportare alla luce, riesumare © seppellire, sotterrare, interrare **3** ♧ indagare, investigare, esplorare, ricercare.

scavàto *agg.* **1** (*di terreno*) svuotato, sterrato © riempito, interrato **2** estratto, dissotterato © seppellito, interraro **3** ♧ (*di volto*) magro, smunto, emaciato, segnato; (*di occhi*) incavato, infossato © florido, fiorente.

scavatrìce *s.f.* ruspa.

scavezzacòllo *s.m.f.* scapestrato, scriteriato, irresponsabile, sventato.

scàvo *s.m.* **1** sbancamento, sterramento, escavazione © colmatura, interramento **2** buca, buco, fossa, cavità © rilievo, sporgenza.

scazzottàta *s.f.* scontro, rissa, zuffa.

scégliere *v.tr.* **1** distinguere, selezionare, discernere, vagliare © escludere, eliminare **2** decidere, fissare, stabilire, risolversi **3** (*una merce*) prendere, comprare **4** (*tra due cose, persone ecc.*) preferire, optare, prediligere.

scelleratézza *s.f.* **1** empietà, scellerataggine © onestà, rettitudine **2** (*azione*) empietà, infamia, misfatto, nefandezza, atrocità, cattiveria, crudeltà.

scelleràto *agg.* malvagio, crudele, infame, empio, sciagurato, nefando © buono, onesto ♦ *s.m.* carogna, farabutto, mascalzone, sciagurato, lazzarone © galantuomo.

scélta *s.f.* **1** decisione, opzione, possibilità, alternativa **2** assortimento, serie, varietà, gamma **3** selezione, raccolta, antologia, miscellanea (*bibl.*).

scélto *agg.* **1** selezionato; speciale, fine, pregiato, di prima qualità © comune, ordinario, di seconda scelta **2** (*di linguaggio e sim.*) elegante, distinto, raffinato © ordinario, volgare, grossolano **3** (*di pubblico e sim.*) selezionato, esclusivo, elitario, ricercato © comune, mediocre, scadente **4** (*di soldato, di tiratore e sim.*) esperto, specializzato.

scemàre *v.intr.* diminuire, calare, decrescere; (*di quantità*) esaurirsi, ridursi, consumarsi © aumentare, accrescere, crescere.

scemàta *s.f.* **1** (*colloq.*) sciocchezza, stupidaggine, cretinata, boiata (*colloq.*), fesseria **2** (*cosa di poco conto*) fesseria, bazzecola, inezia, minuzia.

scemènza *s.f.* **1** imbecillità, idiozia, stupidità © intelligenza, furbizia, perspicacia **2** (*cosa di poco conto*) inezia, bazzecola, piccolezza, stupidaggine, sciocchezza.
scémo *agg.* **1** sciocco, stupido, idiota, imbecille © intelligente, sveglio, furbo **2** (*di ragionamento, di film ecc.*) insulso, insensato © interessante, sensato.
scémpio[1] *agg.* **1** semplice, unico, singolo © doppio, duplice **2** ♧ (*region.*) sciocco, scemo, idiota © intelligente, furbo, sveglio.
scémpio[2] *s.m.* **1** carneficina, massacro **2** ♧ (*di un paesaggio, di un'opera d'arte ecc.*) distruzione, deturpazione, rovina **3** ♧ (*di un'opera letteraria*) massacro, strazio.
scèna *s.f.* **1** (*teatr.*) palco, palcoscenico **2** (*teatrale, cinematografica ecc.*) scenografia, scenario, messinscena; coreografia **3** fondale, sfondo, quinte **4** (*di un avvenimento, di una vicenda e sim.*) ambiente, luogo, scenario, teatro **5** vista, panorama, paesaggio, veduta **6** ♧ finzione, simulazione, messinscena © verità, realtà **7** (*al pl.*) scenata.
scenàrio *s.m.* **1** (*teatr.*) scenografia. messinscena, allestimento **2** ♧ paesaggio, panorama, veduta **3** ♧ (*politico, economico ecc.*) contesto, quadro, panorama.
scenàta *s.f.* scena, piazzata, sceneggiata, partaccia, scandalo.
scéndere *v.intr.* **1** calare, discendere, andare giù © salire **2** (*da cavallo, dal treno ecc.*) smontare; (*da una nave, da un aereo*) sbarcare © montare, salire; imbarcarsi **3** (*di invasori e sim.*) calare **4** (*spec. in albergo*) alloggiare, pernottare, fermarsi **5** (*di pendio, di terreno ecc.*) digradare, declinare © salire, ergersi **6** (*di capelli*) ricadere, arrivare **7** ♧ (*di notte, di buio ecc.*) calare **8** ♧ (*di febbre, di prezzi ecc.*) calare, diminuire, abbassarsi, crollare, precipitare © salire, aumentare, alzarsi, crescere **9** ♧ (*di grado, di livello e sim.*) calare, decadere, retrocedere © salire, aumentare, crescere **10** ♧ (*a patti, a compromessi ecc.*) cedere, abbassarsi, piegarsi, sottomettersi ♦ *v.tr.* (*le scale e sim.*) discendere, ascendere © salire.
sceneggiàre *v.tr.* adattare, ridurre, trasporre; mettere in scena.
sceneggiàta *s.f.* **1** (*teatr.*) scena, messinscena, **2** ♧ finzione, finta, simulazione **3** (*fra persone*) scenata, piazzata, scena, lite, litigio.
scenétta *s.f.* **1** sketch (*ingl.*), numero **2** (*idilliaca, pietosa ecc.*) scena, quadretto.
scenogràfico *agg.* **1** scenico **2** ♧ spettacolare, coreografico, sfarzoso.
scervellàrsi *v.pr.* spremersi le meningi, lambiccarsi il cervello, impazzire, ammattire.
scervellàto *agg.*, *s.m.* sconsiderato, scriteriato, dissennato, sventato © assennato, giudizioso, saggio.
scetticìsmo *s.m.* diffidenza, incredulità, sfiducia, pessimismo © credulità, fiducia, fede.
scèttico *agg.* diffidente, incredulo, sospettoso © fiducioso.
scèttro *s.m.* **1** bastone; autorità, comando, potere, regno, impero **2** ♧ primato, titolo.
scévro *agg.* (*elev.*) privo, esente, immune, alieno.
schèda *s.f.* **1** documento, cartella, dossier, fascicolo, incartamento **2** foglio, modulo, formulario, stampato.
schedàre *v.tr.* registrare, catalogare, classificare, ordinare, archiviare; trascrivere
schedàrio *s.m.* archivio, catalogo, rubrica.
schedatùra *s.f.* catalogazione, registrazione, archiviazione.
schéggia *s.f.* **1** frammento, pezzo, scaglia **2** ♧ (*colloq.*; *di persona molto veloce*) fulmine, lampo, razzo, bolide © lumaca, tartaruga.
schelètrico *agg.* **1** secco, magro, ossuto, rinsecchito, scarno © grasso, florido, paffuto **2** ♧ (*di testo, di discorso ecc.*) asciutto, essenziale, scarno, succinto © ampolloso, ridondante.
schèletro *s.m.* **1** ossatura **2** (*di animale morto*) carcassa **3** (*di aereo e sim.*) struttura, intelaiatura **4** ♧ (*di un ragionamento e sim.*) intreccio, trama, ossatura.
schèma *s.m.* **1** disegno, figura, modello **2** (*di un lavoro*) abbozzo, schizzo, scaletta, piano, traccia **3** (*mentale, ideologico ecc.*) modello, paradigma, sistema.
schematicità *s.f.* schematismo, brevità, essenzialità, concisione © ridondanza, prolissità.
schemàtico *agg.* **1** essenziale, conciso, sintetico, sommario © completo, elaborato **2** (*di ragionamento e sim.*) angusto, limitato; rigido © elastico, duttile.
schematizzàre *v.tr.* riassumere, sintetizzare, semplificare; schizzare © dilungarsi, sviluppare, ampliare.
schermàglia *s.f.* discussione, polemica, controversia, disputa, diverbio.
schermàre *v.tr.* coprire, oscurare; proteggere, riparare.
schermìrsi *v.pr.* **1** difendersi, proteggersi, ripararsi © affrontare, fronteggiare, esporsi **2** sottrarsi, esimersi, schivare, sfuggire © accettare.
schèrmo *s.m.* **1** difesa, protezione, riparo, scudo **2** (*cinem.*) telo, telone **3** cinema, cinematografo **4** video, display (*ingl.*), teleschermo.

schernìre *v.tr.* deridere, beffare, canzonare, prendere in giro, sfottere (*colloq.*).
schèrno *s.m.* derisione, dileggiamento, canzonatura, presa ingiro, sfottimento.
scherzàre *v.intr.* **1** giocare, divertirsi, baloccarsi, svagarsi, trastullarsi **2** giocare, prendere alla leggera © fare sul serio.
schérzo *s.m.* **1** gioco, divertimento, beffa, burla, celia **2** brutto scherzo, brutto tiro, tiro mancino **3** ♧ sciocchezza, bagatella, inezia, stupidaggine **4** battuta, facezia, freddura, spiritosaggine, boutade (*fr.*).
scherzóso *agg.* **1** (*di persona*) spiritoso, brillante, brioso, divertente, giocoso, ironico, faceto © serio, severo **2** (*di parole, di gesti ecc.*) ironico, arguto, faceto © serio, grave, austero.
schiacciànte *agg.* evidente, indiscutibile, lampante, macroscopico; (*di vittoria e sim.*) assoluto, completo, netto © dubbio, incerto.
schiacciàre *v.tr.* **1** appiattire, comprimere, calcare, pressare; pestare, calpestare; appiattire ammaccare **2** (*un pulsante e sim.*) premere, spingere, pigiare **3** ♧ (*la personalità, la volontà di una persona*) soffocare, dominare, opprimere, umiliare, mortificare © esaltare, valorizzare **4** ♧ (*di responsabilità e sim.*) sopraffare **5** ♧ (*nemici, avversari ecc.*) annientare, sbaragliare, vincere, battere, superare **6** ♧ (*una rivolta e sim.*) domare, sedare, soffocare © aizzare, istigare, incitare **7** ♧ (*un popolo*) reprimere, opprimere © liberare, affrancare.
schiacciàto *agg.* **1** compresso; pestato, pesto; ammaccato **2** piatto, appiattito.
schiaffàre *v.tr.* buttare, mettere, gettare, scaraventare; ficcare, infilare.
schiaffeggiàre *v.tr.* prendere a schiaffi; colpire IPERON. battere, percuotere.
schiàffo *s.m.* **1** sberla, ceffone, manrovescio, scapaccione, sventola **2** ♧ (*morale*) umiliazione, mortificazione, smacco.
schiamazzàre *v.intr.* strepitare, urlare, strillare © tacere, calmarsi.
schiamàzzo *s.m.* chiasso, strepito, rumore, fracasso, clamore, casino (*colloq.*), vocio © silenzio, pace, tranquillità.
schiantàre *v.tr.* **1** rompere, spezzare, spaccare, sfasciare **2** ♧ (*il cuore*) spezzare ♦ *v.intr.* **1** ♧ (*dalla fatica, dalle risa ecc.*) scoppiare, crepare **2** morire ♦ **schiantarsi** *v.pr.* **1** spezzarsi, rompersi, sfasciarsi **2** (*contro un muro e sim.*) sfracellarsi, battere, sbattere, urtare.
schiànto *s.m.* **1** caduta, rottura, crollo **2** (*rumore*) colpo, esplosione, scoppio, boato, botto **3** ♧ strazio, dolore, pena **4** ♧ (*colloq.*; *di ragazza*) bellezza, meraviglia, favola, splendore © schifezza, orrore.
schiàppa *s.f.* inetto, incapace, brocco, frana, disastro, scarpa © asso, campione.
schiarìre *v.tr.* **1** rischiarare © scurire, oscurare **2** (*i capelli*) decolorare, ossigenare ♦ *v.intr.* e **schiarirsi** *v.pr.* **1** (*di capelli*) decolorarsi, imbiondirsi © scurirsi **2** (*del cielo*) rasserenarsi © rannuvolarsi, rabbuiarsi, oscurarsi **3** ♧ (*in viso*) rasserenarsi, rilassarsi © accigliarsi, incupirsi.
schiarìta *s.f.* **1** (*del cielo*) rasserenamento © rannuvolamento **2** ♧ (*nei rapporti e sim.*) miglioramento, distensione; evoluzione © peggioramento.
schiàtta *s.f.* casata, discendenza, progenie, prole, stirpe, lignaggio.
schiattàre *v.intr.* **1** (*dalla rabbia, dall'invidia ecc.*) crepare, morire, scoppiare, schiantare **2** (*colloq.*) morire, crepare, tirare le cuoia (*colloq.*).
schiavitù *s.f.* **1** servitù, prigionia © liberazione **2** oppressione, asservimento, giogo, persecuzione, sottomissione © libertà, affrancamento, emancipazione **3** ♧ (*da vizi, passioni ecc.*) dipendenza, soggezione.
schiavizzàre *v.tr.* **1** asservire © liberare, affrancare, emancipare **2** opprimere, sottomettere, assoggettare © liberare, affrancare, emancipare.
schiàvo *agg.*, *s.m.* **1** (*stor.*) servo © (*stor.*) libero, liberto **2** oppresso, asservito, sottomesso © libero, indipendente **3** ♧ (*delle droga e sim.*) dipendente, prigioniero, vittima © libero.
schièna *s.f.* **1** dorso, spalle **2** (*di animali*) groppa **3** (*di monti*) dorsale, crinale.
schièra *s.f.* **1** (*di soldati*) schieramento, drappello, truppa **2** (*di persone*) gruppo, moltitudine, folla, massa, fiumana, marea, orda, stuolo, torma.
schieraménto *s.m.* **1** dispiegamento, spiegamento, allineamento **2** (*di forze militari*) schiera **3** (*sport*) disposizione; formazione **4** (*politico*) gruppo, coalizione.
schieràre *v.tr.* **1** (*l'esercito*) disporre, ordinare, spiegare, mettere in campo **2** allineare, collocare, disporre, sistemare ♦ **schierarsi** *v.pr.* **1** disporsi, posizionarsi, sistemarsi **2** ♧ (*nei confronti di qlco. o qlcu.*) prendere posizione; (*a favore*) appoggiare, sostenere, difendere © avversare, osteggiare.
schiettézza *s.f.* **1** genuinità, autenticità, integrità © impurità, adulterazione **2** (*di persona*) sincerità, franchezza, lealtà © falsità, slealtà, doppiezza.
schiètto *agg.* **1** puro, autentico, genuino, incontaminato; (*di cibo*) sano, naturale © adulte-

rato, sofisticato **2** ♧ (*di persona, di comportamento ecc.*) sincero, franco, leale; autentico, semplice, spontaneo © falso, insincero, sleale; affettato, atteggiato, finto, manierato.

schifàre *v.tr.* **1** detestare, aborrire, disdegnare, disprezzare © amare, apprezzare, gradire **2** (*di cibo e sim.*) disgustare, stomacare, nauseare, repellere, ripugnare © piacere, garbare.

schifézza *s.f.* **1** bruttura, indecenza, porcheria, oscenità, sconcezza **2** (*di cibo*) schifo, porcheria © bontà, delizia, squisitezza.

schifiltóso *agg.* schizzinoso, difficile, con la puzza sotto il naso © di bocca buona (*colloq.*), semplice.

schìfo *s.m.* **1** disgusto, ripugnanza, ribrezzo, repulsione, nausea © ammirazione, piacere **2** (*di cibo*) porcheria, schifezza, veleno © delizia, ghiottoneria, squisitezza **3** (*di persona*) orrore, obbrobrio, mostro, sgorbio © bellezza, meraviglia, splendore.

schifóso *agg.* **1** disgustoso, ripugnante, repellente, rivoltante, stomachevole, vomitevole © gradevole, invitante, piacevole, seducente **2** (*di discorso, di atteggiamento ecc.*) immondo, abominevole, indecente, riprovevole, scandaloso, vergognoso © esemplare, irreprensibile, onesto **3** (*colloq.*; *di fortuna e sim.*) eccessivo, esagerato, sfacciato.

schiùdere *v.tr.* aprire, dischiudere © chiudere, serrare ♦ **schiudersi** *v.pr.* **1** aprirsi, dischiudersi © chiudersi, serrarsi **2** (*di fiore*) fiorire, aprirsi, sbocciare © chiudersi, avvizzire, sfiorire **3** ♧ (*di speranze, di avvenire ecc.*) manifestarsi, mostrarsi, apparire; annunciarsi, delinearsi, prospettarsi.

schiùma *s.f.* **1** spuma, effervescenza, bolle **2** (*di animali*) bava **3** ♧ (*della società e sim.*) feccia, teppa, teppaglia, scarto © crema, élite (*fr.*).

schivàre *v.tr.* **1** (*un ostacolo*) evitare, scansare **2** ♧ (*un pericolo e sim.*) evitare, fuggire, eludere, scampare, scansare © affrontare, fronteggiare **3** (*una persona*) evitare, rifuggire © cercare; imbattersi, incontrare.

schìvo *agg.* **1** restio, riluttante, refrattario © favorevole, incline **2** timido, riservato, chiuso, introverso © aperto, estroverso, socievole.

schizzàre *v.intr.* **1** (*di acqua e sim.*) spruzzare, zampillare, fuoriuscire **2** saltare, scattare, guizzare, lanciarsi ♦ *v.tr.* **1** (*acqua e sim.*) lanciare, spruzzare, gettare **2** bagnare, macchiare, sporcare, spruzzare **3** ♧ (*gioia, felicità ecc.*) esprimere, manifestare, sprizzare **4** ♧ (*un disegno, un discorso ecc.*) disegnare, abbozzare, buttare giù, impostare, tratteggiare.

schizzàto *agg.* (*gerg.*) fuori di testa (*colloq.*), agitato, nervoso, pazzo © calmo, pacifico, mite.

schizzinóso *agg.* schifiltoso, difficile, incontentabile, con la puzza sotto il naso © adattabile, alla buona.

schìzzo *s.m.* **1** spruzzo, getto, fiotto, zampillo; macchia **2** balzo, salto **3** ♧ disegno, abbozzo, bozzetto **4** ♧ (*di un discorso*) bozza, schema.

scìa *s.f.* **1** solco, striscia, stria, traccia **2** (*di odore*) traccia, odore, profumo **3** ♧ esempio, traccia, orma.

sciabordàre *v.intr.* (*delle onde*) frangersi, battere, sbattere.

sciacàllo *s.m.* ♧ (*individuo che sfrutta le disgrazie altrui*) profittatore, sfruttatore, avvoltoio, squalo.

sciagùra *s.f.* **1** disgrazia, disastro, catastrofe, tragedia **2** sfortuna, sventura © fortuna.

sciaguràto *agg.* **1** disgraziato, infelice, miserabile, misero, sfigato (*colloq.*), sfortunato © felice, fortunato **2** (*di periodo e sim.*) malaugurato, sfortunato, avverso, infausto, nefasto © fortunato, fausto, propizio **3** (*di persona*) malvagio, scellerato, crudele, cattivo © buono, umano **4** (*di azione*) infame, turpe, scellerato © lodevole, meritevole ♦ *agg., s.m.* (*colloq.*) irresponsabile, incosciente, scapestrato, sconsiderato, scriteriato.

scialacquàre *v.tr.* sciupare, sprecare, dissipare, dilapidare, sperperare © risparmiare, economizzare, serbare.

scialacquatóre *s.m.* sciupone, spendaccione, dissipatore, dilapidatore © risparmiatore, economo.

scialàre *v.intr.* **1** godersela, spassarsela **2** sprecare, sciupare, dilapidare, dissipare, scialacquare © risparmiare, economizzare.

sciàlbo *agg.* **1** pallido, smorto, sbiadito, spento © acceso, intenso, vivo, brillante **2** ♧ inespressivo, insignificante, insulso, banale © brillante, espressivo, vivace.

sciàlo *s.m.* spreco, dilapidazione, dissipazione, dispendio, sperpero © risparmio, economia.

sciàme *s.m.* ♧ (*di persone*) moltitudine, schiera, folla, torma.

sciancàto *agg., s.m.* zoppo, storpio, claudicante, zoppicante.

sciatterìa *s.f.* trasandatezza, trascuratezza, incuria, negligenza © cura, accuratezza, scrupolo.

sciattézza *s.f.* vedi **sciatterìa**.

sciàtto *agg.* **1** (*nella persona, nel vestire*) trascurato, trasandato, disordinato, dimesso © curato, ordinato, accurato, inappuntabile **2** (*nel lavoro*) approssimativo, impreciso, superficiale © metodico, scrupoloso **3** (*di lavoro e sim.*) frettoloso, sbrigativo, sommario, trasandato, trascurato © accurato, attento, preciso.

scìbile *s.m.* (*elev.*) **1** conoscenza, scienza, sapere **2** conoscibile © inconoscibile.

scientìfico *agg.* **1** (*di metodo, di risultato ecc.*) certo, esatto, rigoroso © empirico, antiscientifico **2** (*di testo, di articolo e sim.*) specialistico, tecnico © divulgativo, dilettantistico **3** (*di pensiero, di mentalità ecc.*) metodico, rigoroso, sistematico, razionale © antiscientifico, irrazionale; disordinato, confusionario **4** (*di materia e sim.*) © letterario, umanistico.

sciènza *s.f.* **1** conoscenza, sapere, sapienza, scibile © ignoranza **2** sapienza, cultura, studio, dottrina, erudizione © ignoranza **3** (*al pl.*) disciplina, materia **4** (*al pl.*) scienze naturali.

scienziàto *s.m.* studioso, luminare, uomo di scienza.

scimmiottàre *v.tr.* **1** imitare, copiare, scopiazzare **2** fare il verso, mimare, prendere in giro.

scimunìto *agg.*, *s.m.* scemo, deficiente, cretino, idiota, imbecille © intelligente, furbo, sveglio.

scìndere *v.tr.* **1** dividere, disgiungere, frazionare © unire, unificare **2** ♧ distinguere, separare, scomporre, dividere © unire.

scintìlla *s.f.* **1** favilla **2** sprazzo, bagliore, baleno, lampo **3** ♧ (*intellettuale*) idea, illuminazione, folgorazione, ispirazione **4** ♧ (*di un conflitto, di una lite ecc.*) causa, motivo, ragione, pretesto.

scintillàre *v.intr.* **1** brillare, risplendere, splendere, rilucere © oscurarsi, spegnersi **2** ♧ (*di occhi e sim.*) luccicare, sfavillare, brillare.

scintillìo *s.m.* sfavillio, luccichio, brillio.

sciocchànte *agg.* sconvolgente, sconcertante, impressionante, traumatico © tranquillizzante, rassicurante.

scioccàre *v.tr.* scuotere, sconvolgere, turbare, impressionare, scombussolare, traumatizzare © calmare, tranquillizzare.

scioccàto *agg.* sconvolto, scosso, spaventato, turbato, traumatizzato, sotto shock © calmo, tranquillo.

sciocchézza *s.f.* **1** stupidità, imbecillità, idiozia, insensatezza, scempiaggine, stoltezza © intelligenza, perspicacia, scaltrezza **2** (*azione sciocca*) idiozia, fesseria, stupidaggine **3** (*cosa di poca importanza*) piccolezza, bazzecola, inezia, bagatella, nonnulla.

sciòcco *agg.* **1** stupido, idiota, imbecille, deficiente, tonto © intelligente, sveglio **2** (*region.*) insipido © salato; saporito.

sciògliere *v.tr.* **1** (*un nodo, un laccio e sim.*) disfare, slegare, slacciare © annodare, allacciare **2** (*da una catena*) liberare, slegare © legare **3** ♧ (*qlcu. da un obbligo, da un impegno*) liberare, esentare, disimpegnare, dispensare © impegnare, obbligare **4** (*i muscoli*) riscaldare, slegare **5** (*di neve, di ghiaccio ecc.*) liquefare, fondere, squagliare **6** (*colori, colla*) diluire, stemperare **7** (*un contratto, un accordo ecc.*) annullare, rescindere © stipulare **8** (*un partito, una società ecc.*) smantellare © formare, istituire **9** (*una riunione, un'assemblea ecc.*) interrompere, sospendere © convocare, indire **10** (*una manifestazione, un corteo ecc.*) disperdere **11** ♧ (*un dubbio, un enigma ecc.*) risolvere, spiegare ♦ **sciogliersi** *v.pr.* **1** liberarsi, slegarsi, slacciarsi **2** liquefarsi, fondersi, squagliarsi © rapprendersi, coagularsi.

scioglimènto *s.m.* **1** (*di un nodo, un laccio ecc.*) discioglimento **2** ♧ (*di un obbligo, di un impegno*) annullamento, esenzione, cessazione **3** (*di un contratto e sim.*) abolizione, cessazione **4** (*di una società e sim.*) cessazione, smantellamento, soppressione © fondazione, istituzione **5** (*di un'assemblea e sim.*) interruzione, sospensione **6** ♧ (*di un dubbio, di un enigma ecc.*) chiarimento, soluzione, risoluzione **7** (*di muscoli*) riscaldamento.

scioltézza *s.f.* **1** (*di movimenti*) agilità, flessuosità, elasticità © goffaggine, lentezza **2** ♧ (*nello scrivere o nel parlare*) disinvoltura, naturalezza, spontaneità, spigliatezza © goffaggine, imbarazzo, insicurezza.

sciòlto *agg.* **1** (*di capelli*) slegato, libero © fermato, raccolto **2** (*nei movimenti*) agile, flessuoso, elastico © goffo, impacciato **3** (*nel parlare e sim.*) disinvolto, spontaneo, spigliato, naturale © innaturale, imbarazzato, impacciato.

scioperàre *v.intr.* incrociare le braccia, astenersi dal lavoro.

scioperatàggine *s.f.* pigrizia, oziosità, poltroneria © operosità, laboriosità.

scioperàto *agg.*, *s.m.* sfaticato, sfaccendato, fannullone © lavoratore.

sciòpero *s.m.* astensione dal lavoro.

sciorinàre *v.tr.* **1** (*il bucato*) stendere © ritirare, raccogliere **2** ♧ ostentare, sfoggiare © nascondere, celare **3** (*consigli, sorrisi ecc.*) dispensare, elargire, distribuire © lesinare, risparmiare.

sciovìa *s.f.* ski-lift (*ingl.*).

scipìto *agg.* **1** (*di cibo*) insipido, insapore © salato, gustoso, saporito **2** ♧ (*di persona*) banale, insulso, insignificante © affascinate, interessante; arguto, spiritoso.

scippàre *v.tr.* derubare, rubare.

scìppo *s.m.* IPERON. furto.

scìsma *s.m.* divisione, separazione, scissione; rottura, frattura, spaccatura © unione, unificazione, riconciliazione.
scissióne *s.f.* divisione, distacco, separazione, suddivisione, spaccatura © unione, unificazione, riconciliazione.
scìsso *agg.* separato, diviso, disgiunto, distaccato © unito, congiunto, legato.
sciupàre *v.tr.* **1** guastare, rovinare, danneggiare; consumare, logorare; (*abiti*) sgualcire, spiegazzare, stazzonare © trattare, bene, tenere da conto **2** sprecare, perdere, dissipare, dilapidare, sperperare, buttare via © risparmiare, economizzare **3** (*tempo, occasioni ecc.*) perdere, sprecare, bruciare, vanificare © sfruttare ♦ **sciuparsi** *v.pr.* **1** rovinarsi, consumarsi, logorarsi, deteriorarsi **2** (*fisicamente*) indebolirsi, deperire, debilitarsi, consumarsi, appassire © irrobustirsi, rafforzarsi.
sciupàto *agg.* **1** malridotto, rovinato, danneggiato; (*di abito*) consunto, liso, logoro, sgualcito © nuovo, intatto, integro **2** deperito, emaciato, smunto; malconcio, malridotto © florido, fiorente **3** (*di tempo, denaro ecc.*) sprecato, buttato via.
sciupìo *s.m.* **1** spreco, sperpero, dilapidazione, scialo © economia, risparmio, parsimonia **2** scialo, sovrabbondanza.
sciupóne *s.m.* sprecone, dilapidatore, dissipatore, sperperatore © risparmiatore, economo.
scivolàre *v.intr.* **1** (*a terra*) cadere, ruzzolare, sdrucciolare **2** (*di veicolo*) slittare **3** (*via*) sgusciare, sgattaiolare **4** (*dalle mani*) sfuggire **5** ♧ (*di discorso e sim.*) sorvolare, glissare.
scivolàta *s.f.* scivolone, ruzzolone; caduta.
scivolóne *s.m.* **1** scivolata, caduta **2** ♧ errore; fallimento, insuccesso © successo, riuscita.
scivolóso *agg.* **1** sdrucciolevole **2** viscido **3** (*di persona*) viscido, falso, ambiguo, inafferrabile, sfuggente, subdolo © franco, schietto.
scleràre *v.intr.* (*gerg.*) dare di matto, uscire fuori di testa (*colloq.*), impazzire.
scleròsi *s.f.* **1** (*med.*) indurimento, ispessimento **2** ♧ paralisi, rigidità, blocco, immobilismo.
sclerotizzàre *v.tr.* **1** (*med.*) indurire, ispessire **2** ♧ irrigidire, bloccare, paralizzare © sveltire, dinamizzare.
scoccàre *v.tr.* **1** (*frecce*) scagliare, tirare **2** ♧ (*un bacio, un'occhiata ecc.*) mandare, indirizzare, rivolgere **3** (*di ore*) battere, rintoccare ♦ *v.intr.* **1** (*di suoneria*) suonare, risuonare **2** (*di congegno*) scattare **3** ♧ (*di ora, di tempo ecc.*) arrivare, giungere, sopraggiungere **4** (*di scintilla e sim.*) balenare, sprigionarsi **5** ♧ (*di sentimento*) nascere, sbocciare.
scocciànte *agg.* fastidioso, importuno, seccante, noioso © gradevole, piacevole, delizioso.
scocciàre *v.tr.* infastidire, seccare, annoiare, stufare, assillare, rompere (*colloq.*) © divertire, interessare ♦ **scocciarsi** *v.pr.* seccarsi, stufarsi, annoiarsi, rompersi (*colloq.*) © divertirsi.
scocciàto *agg.* annoiato, infastidito, irritato, seccato © divertito.
scocciatóre *s.m.* seccatore, rompiscatole (*colloq.*), rompi (*colloq.*), noioso, impiastro, rompipalle (*volg.*).
scocciatùra *s.f.* fastidio, noia, seccatura, grana (*colloq.*), bega, briga, rottura di scatole (*colloq.*) © piacere, divertimento.
scodellàre *v.tr.* **1** (*la minestra e sim.*) versare **2** ♧ (*scherz.*) partorire **3** ♧ raccontare, riferire, spiattellare, spifferare © tacere.
scòglio *s.m.* **1** roccia, faraglione **2** ♧ ostacolo, difficoltà, impedimento, contrattempo, intoppo, intralcio.
scolàre *v.tr.* **1** asciugare, sgrondare **2** ♧ bere, ingollare, tracannare, trangugiare ♦ *v.intr.* (*di liquido*) colare, sgocciolare, defluire.
scolàro *s.m.* alunno, studente, allievo; seguace INVER. maestro, insegnante, docente, professore.
scolàstico *agg.* **1** scolare; (*di materiale e sim.*) didattico **2** (*spreg.*) conformista, impersonale; accademico, dogmatico © originale.
scollàre *v.tr.* dividere, staccare, separare, disgiungere © incollare, attaccare, appiccicare, unire, riunire ♦ **scollarsi** *v.pr.* **1** staccarsi © incollarsi, attaccarsi **2** ♧ (*di rapporti sociali e sim.*) disgregarsi, scindersi, sfaldarsi © aggregarsi, compattarsi.
scollacciàto *agg.* **1** (*di vestito*) indecente, audace © castigato, pudico **2** (*di donna*) discinta **3** (*di discorso, di racconto ecc.*) audace, sboccato, licenzioso, scurrile © castigato.
scollàto *agg.* (*di abito, di scarpa*) aperto, décolleté (*fr.*) © accollato.
scollatùra *s.f.* apertura, scollo, dècolleté (*fr.*).
scollegàre *v.tr.* separare, staccare, sconnettere © collegare, connettere, attaccare.
scòllo *s.m.* apertura, scollatura, décolleté (*fr.*).
scólo *s.m.* **1** (*di liquido*) scarico, sbocco, deflusso; condotta, tubatura, collettore **2** scarico, liquame.
scolorìre *v.tr.* **1** sbiadire, scolorare, stingere, decolorare © colorare, colorire, tingere **2** ♧ (*un ricordo e sim.*) attenuare, affievolire, offuscare, sbiadire © ravvivare, vivacizzare ♦ *v.intr.* e **scolorirsi** *v.pr.* **1** sbiadire, sbiadirsi, scolorarsi **2** impallidire, sbiancarsi © arrossire, avvampare **3** ♧ (*di ricordo, di sentimento ecc.*) affievo-

lirsi, attenuarsi, offuscarsi, sbiadirsi © ravvivarsi, vivificarsi.

scolpìre *v.tr.* **1** modellare, plasmare **2** incidere, cesellare **3** ♧ (*nella mente, nel cuore ecc.*) fissare, imprimere, stampare.

scombinàre *v.tr.* **1** disordinare, sconvolgere, buttare all'aria, scombussolare © ordinare, riordinare, sistemare **2** (*un programma, un progetto ecc.*) mandare all'aria, mandare a monte, annullare, cancellare, disdire © combinare, organizzare.

scombinàto *agg.* **1** disordinato, scompigliato © ordinato **2** (*di persona, di vita ecc.*) disordinato, confusionario, sconclusionato, sregolato © equilibrato, regolare **3** (*di storia, di ragionamento ecc.*) confuso, sconclusionato, incoerente © logico, coerente ♦ *s.m.* spostato, sbandato, sconclusionato, svitato © assennato, saggio.

scombussolaménto *s.m.* sconvolgimento, scompiglio, confusione, inquietudine, smarrimento, turbamento © calma, pace, serenità, tranquillità, imperturbabilità.

scombussolàre *v.tr.* **1** sconvolgere, frastornare, confondere, disorientare, sfasare © calmare, tranquillizzare, rasserenare **2** (*un programma, un piano ecc.*) mandare all'aria, sconvolgere, mandare a monte, rivoluzionare, scompigliare © organizzare.

scomméssa *s.f.* **1** (*nel gioco d'azzardo*) giocata, puntata, posta **2** ♧ sfida, rischio, azzardo; terno al lotto.

scomméttere *v.tr.* **1** giocare, giocarsi **2** (*denaro*) puntare, giocare **3** assicurare, dare per certo, sostenere © dubitare, negare.

scomodàre *v.tr.* disturbare, infastidire, incomodare, molestare, seccare ♦ **scomodarsi** *v.pr.* **1** (*spec. in frasi di cortesia*) disturbarsi, incomodarsi **2** (*da seduti*) alzarsi, muoversi, disturbarsi.

scomodità *s.f.* disagio, fastidio, inconveniente © comodità, comodo.

scòmodo *agg.* **1** © comodo, confortevole **2** disagevole, disagiato; difficile, faticoso © agevole, comodo, facile **3** (*di personaggio, di avversario ecc.*) fastidioso, pericoloso.

scompaginàre *v.tr.* **1** (*una situazione, un ordine ecc.*) sconvolgere, scombussolare, disordinare, turbare © ricomporre, riordinare **2** (*un libro, un quaderno*) squinternare.

scompagnàto *agg.* spaiato, diviso, separato.

scomparìre *v.intr.* **1** sparire, svanire, dileguarsi © apparire, comparire **2** (*di nascosto*) eclissarsi, svignarsela, squagliarsela, volatilizzarsi **3** (*eufem.*) morire, mancare **4** (*di specie*) estinguersi; (*di usanza, di tradizione ecc.*) decadere, morire, tramontare, venire meno © diffondersi; sopravvivere **5** ♧ sfigurare, sparire, perderci © spiccare, risaltare, emergere.

scompàrsa *s.f.* **1** sparizione, dileguamento, dissolvimento © comparsa, apparizione **2** (*eufem.*) morte, decesso, dipartita (*elev.*) **3** sparizione © ritrovamento **4** (*di una specie*) estinzione.

scompàrso *agg.* **1** sparito © ritrovato **2** (*eufem.*) morto, defunto, deceduto **3** (*di specie*) estinto © vivente ♦ *s.m.* defunto, morto.

scompartiménto *s.m.* compartimento.

scompènso *s.m.* **1** squilibrio, divario © equilibrio **2** (*med.*) insufficienza.

scompigliàre *v.tr.* **1** sconvolgere, scombussolare, turbare © sistemare, riordinare **2** (*i capelli*) spettinare, scarmigliare, arruffare © pettinare, sistemare **3** ♧ (*idee, pensieri ecc.*) confondere, turbare; (*un programma e sim.*) sconvolgere, scombussolare, mandare a monte.

scompigliàto *agg.* **1** disordinato, confuso, incasinato (*colloq.*), sottosopra © ordinato, a posto **2** (*di capelli*) spettinato, arruffato, scarmigliato © pettinato, a posto.

scompìglio *s.m.* **1** disordine, confusione, caos, subbuglio, casino (*colloq.*), trambusto © ordine **2** agitazione, disorientamento, smarrimento, turbamento © calma, pace, sernità.

scompórre *v.tr.* **1** separare, dividere, staccare, smontare; disgregare, smembrare, scindere © comporre, attaccare, riunire **2** (*un argomento e sim.*) analizzare, esaminare, studiare; sviscerare **3** (*i capelli*) scompigliare, arruffare, spettinare © pettinare, sistemare **4** ♧ turbare, alterare © calmare, rasserenare ♦ **scomporsi** *v.pr.* **1** disgregarsi, scindersi **2** (*dei capelli*) scompigliarsi, arruffarsi, spettinarsi **3** ♧ agitarsi, alterarsi, turbarsi © calmarsi, tranquillizzarsi.

scompósto *agg.* **1** (*di persona*) sbracato, sguaiato; disordinato, sciatto, trasandato © composto, ordinato **2** (*di capelli*) arruffato, scarmigliato, scompigliato © pettinato, in ordine **3** (*di gesto e sim.*) maleducato, sguaiato, volgare © composto, educato, garbato.

scomputàre *v.tr.* detrarre, sottrarre, defalcare © includere, calcolare.

scomùnica *s.f.* **1** (*relig.*) anatema **2** ♧ condanna, censura; espulsione, estromissione.

scomunicàre *v.tr.* **1** (*relig.*) anatemizzare **2** ♧ condannare, sconfessare; espellere, estromettere.

sconcertàre *v.tr.* **1** sconvolgere, turbare, confondere disorientare, impressionare © tranquillizzare, rasserenare **2** (*un piano e sim.*) sconvolgere, mandare all'aria, scombussolare © organizzare, pianificare.

sconcèrto *s.m.* confusione, disorientamento,

smarrimento, turbamento, stupore, perplessità, sbigottimento © calma, pace, serenità.

sconcézza *s.f.* indecenza, oscenità, volgarità, immoralità, turpitudine © decenza, decoro, moralità, pulizia.

scóncio *agg.* **1** brutto, schifoso, orribile, orripilante, repellente, ributtante © bello, attraente **2** indecente, osceno, volgare, laido, scandaloso, sconveniente; spinto, sboccato © castigato, casto **3** (*di lavoro e sim.*) approssimativo, frettoloso, malfatto, sciatto, trascurato © accurato, attento, preciso, benfatto ♦ *s.m.* **1** (*cosa indecente*) sconcezza, vergogna, indecenza, porcheria, scandalo, schifezza, schifo **2** (*cosa malfatta*) obbrobrio, bruttura, schifo, schifezza.

sconclusionàto *agg.* **1** (*di discorso, di ragionamento ecc.*) confuso, sconnesso, incoerente, illogico, insensato, delirante © coerente, logico, sensato **2** (*di persona*) confusionario, inconcludente, strampalato, svitato © equilibrato, assennato, ragionevole, quadrato.

sconfessàre *v.tr.* **1** rinnegare, ritrattare, smentire, ripudiare, abiurare © confessare, confermare, riconoscere **2** (*parole o azioni di altri*) disapprovare, condannare, respingere; dissociarsi © riconoscere, avallare.

sconfiggere *v.tr.* **1** (*in battaglia*) battere, vincere, annientare, debellare, sgominare **2** (*in una competizione*) battere, superare, vincere, surclassare **3** ♧ (*il cancro, la droga, la corruzione ecc.*) eliminare, debellare, annientare, estirpare, sradicare.

sconfinàre *v.intr.* **1** (*in una proprietà altrui*) penetrare, entrare; invadere **2** ♧ (*dall'argomento principale*) uscire, divagare © attenersi **3** ♧ eccedere, passare la misura, oltrepassare i limiti © controllarsi, moderarsi, frenarsi.

sconfinàto *agg.* illimitato, infinito; immenso, smisurato, sterminato © angusto, limitato, ristretto.

sconfitta *s.f.* **1** (*di un esercito*) disfatta, annientamento, débâcle (*fr.*), rovina © vittoria, trionfo **2** (*in una competizione e sim.*) batosta, disfatta, insuccesso, fallimento, fiasco, smacco © successo, vittoria, exploit (*fr.*) **3** ♧ (*di una malattia, di un male sociale ecc.*) eliminazione, estirpazione, sradicamento.

sconfitto *agg.* vinto, battuto, perdente © vincitore, vincente.

sconfortànte *agg.* avvilente, deludente, demoralizzante, frustrante, sconsolante, scoraggiante © confortante, consolante, incoraggiante, rassicurante, stimolante.

sconfortàre *v.tr.* avvilire, demoralizzare, deprimere, frustrare, scoraggiare © confortare, consolare, incoraggiare.

sconfòrto *s.m.* abbattimento, demoralizzazione, depressione, scoraggiamento, scoramento © conforto, fiducia, incoraggiamento.

scongelàre *v.tr.* decongelare © congelare, surgelare.

scongiuràre *v.tr.* **1** pregare, supplicare, implorare **2** (*un pericolo, una catastrofe ecc.*) evitare, scansare, schivare, scampare, sfuggire © affrontare, fronteggiare.

scongiùro *s.m.* esorcismo, scaramanzia.

sconnessióne *s.f.* **1** (*inform.*; *da internet, da una linea telefonica ecc.*) scollegamento © connessione, collegamento **2** ♧ (*logica e sim.*) incoerenza, scollegamento © coerenza, connessione.

sconnésso, **sconnèsso** *agg.* **1** (*spec. di assi*) disunito, separato; sgangherato **2** (*inform.*; *da Internet e sim.*) scollegato © connesso, collegato **3** ♧ (*di ragionamento e sim.*) confuso, insensato, illogico, incoerente, sconclusionato © coerente, logico, sensato.

sconnéttere, **sconnèttere** *v.tr.* **1** (*inform.*; *da Internet e sim.*) scollegare © connettere, collegare **2** disgiungere, dividere, separare © congiungere, unire, connettere ♦ *v.intr.* ♧ (*di persona*) farneticare, sragionare, vaneggiare © connettere, ragionare ♦ **sconnettersi** *v.pr.* **1** (*inform.*; *da Internet e sim.*) scollegarsi © connettersi, collegarsi **2** disgiungersi, dividersi, separarsi © congiungersi, unirsi, connettersi.

sconosciùto *agg.* **1** (*di terre, di zone ecc.*) ignoto, inesplorato © conosciuto, noto **2** (*di attore e sim.*) anonimo, ignoto, oscuro © noto, conosciuto, celebre, famoso **3** (*di malattia e sim.*) ignoto, misterioso © conosciuto, noto ♦ *s.m.* estraneo, ignoto, anonimo.

sconquassàre *v.tr.* **1** rompere, sfasciare, fracassare, scassare (*colloq.*) **2** ♧ scombussolare, frastornare, stordire.

sconquàsso *s.m.* **1** rovina, danno, distruzione **2** ♧ confusione, caos, disordine, scompiglio.

sconsideratézza *s.f.* sventatezza, imprudenza, impulsività © avvedutezza, prudenza.

sconsideràto *agg.* **1** avventato, imprudente, irriflessivo, scapestrato, scriteriato, scervellato © prudente, accorto, avveduto **2** (*di gesto e sim.*) insensato, impulsivo, precipitoso, sventato, irriflessivo © cauto, prudente, ragionevole, assennato, riflessivo.

sconsigliàre *v.tr.* dissuadere, scoraggiare, frenare, distogliere © consigliare, raccomandare, esortare, spingere, suggerire.

sconsolàto *agg.* **1** inconsolabile, disperato © consolabile **2** infelice, triste, afflitto, desolato, abbattuto, scoraggiato, sfiduciato © sollevato, rianimato, fiducioso.

scontàre *v.tr.* **1** (*da un conto*) detrarre, dedurre, sottrarre, defalcare © calcolare, conteggiare **2** (*un prezzo*) diminuire, ridurre, ribassare, calare © alzare, aumentare, rialzare **3** (*una pena, una colpa ecc.*) espiare, pagare ♦ **scontarla** *v.pro-compl.* pagarla cara, pagare lo scotto.

scontentàre *v.tr.* deludere, dispiacere, amareggiare © accontentare, soddisfare, appagare.

scontentézza *s.f.* delusione, insoddisfazione, malcontento, scontento; amarezza, tristezza © contentezza, soddisfazione, appagamento.

scontènto *agg.* insoddisfatto, deluso, dispiaciuto; amareggiato, triste © contento, soddisfatto, appagato ♦ *s.m.* scontentezza, malcontento, delusione, insoddisfazione © contentezza, soddisfazione.

scónto *s.m.* **1** (*di un prezzo*) riduzione, abbassamento, diminuzione, ribasso © aumento, rialzo, rincaro **2** (da un importo) detrazione, deduzione, sottrazione © aggiunta, aumento, maggiorazione **3** (*bancario*) tasso di sconto.

scontràrsi *v.pr.* **1** (*di veicoli*) urtarsi, cozzare, sbattere **2** (*in battaglia*) affrontarsi, battersi, combattersi; (*in una competizione*) battersi, competere, disputare **3** ♧ (*su un argomento e sim.*) discordare, divergere, dissentire; discutere, litigare © concordare, convergere, convenire.

scontrìno *s.m.* ricevuta, scontrino fiscale; contrassegno, marca; biglietto, ticket (*ingl.*).

scóntro *s.m.* **1** urto, cozzo, collisione; (*di veicoli*) incidente **2** battaglia, combattimento; zuffa, tafferuglio **3** ♧ (*di idee, di interessi ecc.*) contrasto, conflitto, disaccordo, discussione, diverbio.

scontróso *agg., s.m.* brusco, bisbetico, ruvido, intrattabile, permaloso, scorbutico, suscettibile © affabile, amabile, cordiale, socievole.

sconveniènte *agg.* **1** disdicevole, indegno, indecoroso; indecente, sconcio © conveniente, decoroso; decente **2** (*di prezzo, di affare ecc.*) svantaggioso, sfavorevole; alto, caro, eccessivo © favorevole, vantaggioso; economico, a buon mercato.

sconvolgènte *agg.* impressionante, sconcertante, inquietante, preoccupante, scioccante © rasserenante, tranquillizzante.

sconvòlgere *v.tr.* **1** scombussolare, turbare, sovvertire, stravolgere © ordinare, sistemare **2** ♧ (*la mente e sim.*) impressionare, scombussolare, traumatizzare, confondere © calmare, tranquillizzare.

sconvolgiménto *s.m.* **1** turbamento, scompiglio, confusione, caos, baraonda, subbuglio © calma, pace, ordine **2** ♧ (*politico, sociale ecc.*) sovvertimento, rivolgimento, mutamento, rivoluzione © ordine, stabilità **3** ♧ (*della mente, dell'anima ecc.*) impressione, turbamento, agitazione, inquietudine, trauma © serenità, tranquillità, equilibrio.

sconvòlto *agg.* **1** distrutto, rovinato, sconquassato **2** ♧ confuso, scosso, turbato, stravolto, agitato, inquieto; scioccato, traumatizzato, fuori di sé © calmo, sereno, tranquillo **3** (*gerg.*) fatto, fuso, allucinato, sballato, scoppiato.

scoop *s.m.invar.* (*ingl.*) colpo giornalistico; anteprima, esclusiva.

scooter *s.m. invar.* (*ingl.*) motorino, motoscooter (*ingl.*).

scópa *s.f.* ramazza.

scopàre *v.tr.* **1** spazzare, ramazzare **2** (*volg.*) chiavare (*volg.*), fottere (*volg.*), trombare (*volg.*) ♦ *v.intr.* (*volg.*) fare l'amore, trombare (*volg.*).

scoperchiàre *v.tr.* aprire, scoprire © chiudere, ricoprire.

scopèrta *s.f.* **1** ritrovamento, rinvenimento, reperimento © perdita, smarrimento **2** (*di un talento*) rivelazione **3** (*scientifica*) conquista, invenzione, ritrovato **4** (*di territori*) esplorazione.

scopèrto *agg.* **1** (*di luogo*) aperto, esposto, indifeso © chiuso, riparato, difeso, protetto **2** (*di persona, di corpo ecc.*) nudo; spogliato, svestito © coperto, vestito **3** (*di intenzione, di comportamento ecc.*) aperto, chiaro, esplicito, diretto, onesto, sincero, trasparente © ambiguo, nascosto, occulto **4** (*di conto, di assegno*) in rosso ♦ *s.m.* (*econ.*) passivo, deficit © attivo, credito.

scopiazzàre *v.tr.* (*spreg.*) copiare.

scòpo *s.m.* fine, obiettivo, mira, meta, proposito, finalità, intenzione, intento, proponimento.

scoppiàre *v.intr.* **1** (*di bomba*) esplodere, deflagrare, detonare; (*di mina*) brillare **2** ♧ (*in lacrime, a ridere*) prorompere, dirompere **3** ♧ (*dalla rabbia, dal caldo ecc.*) morire, crepare, schiantare (*colloq.*) **4** ♧ (*di guerra, di epidemia* ecc.) divampare, scatenarsi; esplodere.

scoppiàto *agg.* **1** ♧ (*colloq.*) esaurito, esausto, sfinito, spossato, sfatto (*colloq.*), stremato © in forma, in forze, energico **2** ♧ (*gerg.*) fuori di testa (*colloq.*), fatto (*gerg.*), fuso (*gerg.*), sballato (gerg.), stonato (*colloq.*).

scòppio *s.m.* **1** esplosione **2** botto, boato, fragore **3** ♧ (*di una guerra, di un'epidemia ecc.*) esplosione, scatenamento **4** (*di collera, di risa ecc.*) esplosione, sbotto, scatto, sfogo, impeto.

scoprìre *v.tr.* **1** (*una pentola*) scoperchiare ©

coprire, ricoprire **2** (*il corpo, le gambe ecc.*) denudare, mostrare, esibire © coprire **3** sguarnire © difendere, proteggere, riparare **4** ♧ (*intenzioni, desideri e sim.*) rivelare, manifestare, svelare, palesare © nascondere, celare **5** (*un tesoro, un vaccino ecc.*) trovare, individuare, reperire, rinvenire **6** (*il colpevole*) individuare, identificare, smascherare **7** venire a sapere, apprendere, accorgersi © ignorare ♦ **scoprirsi** *v.pr.* **1** denudarsi, spogliarsi, svestirsi © coprirsi, rivestirsi, vestirsi **2** ♧ rivelarsi, manifestarsi, palesarsi, uscire allo scoperto, sbilanciarsi © nascondersi, dissimulare **3** esporsi, rischiare © difendersi, ripararsi.

scoraggiaménto *s.m.* depressione, sconforto, abbattimento, avvilimento, scoramento © fiducia, consolazione.

scoraggiàre *v.tr.* **1** abbattere, avvilire, demoralizzare, deprimere, sonfortare © incoraggiare, confortare, caricare, rincuorare **2** sconsigliare, frenare © incoraggiare, consigliare ♦ **scoraggiarsi** *v.pr.* abbattersi, avvilirsi, buttarsi giù, deprimersi, perdersi d'animo, sconfortarsi © confortarsi, incoraggiarsi, rincuorarsi.

scoraggiàto *agg.* abbattuto, avvilito, depresso, sfiduciato, sconfortato © fiducioso, rianimato, risollevato.

scoraménto *s.m.* depressione, sconforto, scoraggiamento © coraggio, fiducia.

scorbùtico *agg.* scontroso, scostante, burbero, intrattabile, sgarbato © affabile, amabile, cordiale, gentile.

scorciatóia *s.f.* ♧ scappatoia, espediente, stratagemma, escamotage (*fr.*).

scórcio *s.m.* **1** angolazione **2** angolo, parte, pezzo; prospettiva, veduta **3** (*di un periodo e sim.*) fine, conclusione, termine © inizio, principio.

scordàre *v.tr.* **1** dimenticare, dimenticarsi © ricordare, rammentare **2** (*un oggetto*) abbandonare, dimenticare, lasciare **3** tralasciare, trascurare, omettere ♦ **scordarsi** *v.pr.* dimenticarsi © ricordarsi, rammentarsi.

scòrgere *v.tr.* **1** distinguere, avvistare, notare, intravedere **2** ♧ accorgersi, percepire, intuire, presagire.

scòria *s.f.* residuo, rifiuto, scarto.

scorpacciàta *s.f.* **1** mangiata, abbuffata, indigestione, sbafata **2** ♧ (*di film e sim.*) indigestione, overdose (*ingl.*).

scorrazzàre *v.intr.* **1** (*di bambini*) correre, rincorrersi **2** accompagnare, scarrozzare.

scórrere *v.intr.* **1** correre, fluire, colare, scendere © ristagnare, stagnare **2** (*di traffico*) procedere, circolare © bloccarsi, fermarsi, arrestarsi **3** (*di ragionamento e sim.*) filare, procedere **4** (*di tempo e sim.*) trascorrere, passare © fermarsi ♦ *v.tr.* (*un elenco, un giornale ecc.*) sfogliare, dare un'occhiata.

scorrerìa *s.f.* incursione, razzia, saccheggio.

scorrettézza *s.f.* **1** imprecisione, inesattezza; errore, sbaglio © esattezza, precisione **2** maleducazione, sgarbo; disonestà, slealtà © correttezza, gentilezza, cortesia; onestà, lealtà **3** mancanza, sgarbo; colpo basso, brutto tiro.

scorrètto *agg.* **1** errato, inesatto, impreciso, sbagliato © corretto, esatto, preciso **2** (*di comportamento, di persona ecc.*) sleale, disonesto; sconveniente, scortese © corretto, leale, onesto **3** (*nello sport*) falloso, irregolare.

scorrévole *agg.* **1** (*di traffico e sim.*) veloce, fluido © lento, bloccato, stentato **2** ♧ (*di prosa, di stile e sim.*) fluente, piano, agile, fluido © contorto, faticoso, involuto.

scorribànda *s.f.* **1** scorreria, incursione, razzia, saccheggio **2** scorrazzata, corsa, giro, visita.

scorriménto *s.m.* **1** deflusso, flusso © ristagno **2** (*del traffico*) circolazione, flusso © blocco, ingorgo.

scórsa *s.f.* (*di giornale*) occhiata, sguardo, letta.

scórso *agg.* passato, trascorso © presente, attuale; prossimo, futuro.

scòrta *s.f.* **1** guardia, sorveglianza, vigilanza **2** guardia del corpo, seguito, accompagnatore, guardaspalle **3** provvista, rifornimento, approvvigionamento **4** (*al pl.*) giacenza, riserve.

scortàre *v.tr.* accompagnare, proteggere, difendere, sorvegliare.

scortése *agg.* maleducato, sgarbato, scontroso, screanzato, villano © gentile, cortese, garbato, educato.

scortesìa *s.f.* maleducazione, sgarbo, inciviltà © cortesia, gentilezza, educazione, garbo.

scorticàre *v.tr.* **1** scuoiare, spellare **2** (*la pelle*) sbucciare, graffiare, escoriare **3** ♧ (*colloq.*; *richiedere prezzi esagerati*) spennare (*colloq.*), pelare (*colloq.*).

scòrza *s.f.* **1** (*di alberi*) corteccia **2** (*di frutti*) buccia **3** ♧ (*iron.*; *dell'uomo*) pelle **4** ♧ apparenza, facciata, crosta, corteccia.

scoscéso *agg.* ripido, erto © piano, pianeggiante, dolce.

scòssa *s.f.* **1** scrollata; colpo, botta, scossone **2** sussulto, sobbalzo, sballottamento **3** (*colloq.*) scossa elettrica, scarica **4** ♧ sussulto, trasalimento **5** ♧ colpo, botta, shock (*ingl.*), trauma.

scòsso *agg.* agitato, turbato, impressionato, scioccato, sconvolto, traumatizzato © sereno, tranquillo, imperturbabile.

scostànte *agg.* antipatico, intrattabile, scontroso, scorbutico © gentile, affabile, amabile, cordiale, simpatico, socievole.
scostàre *v.tr.* **1** (*qlco.*) scansare, spostare, staccare © avvicinare, accostare, addossare **2** ♧ evitare, sfuggire, scansare © cercare ♦ **scostarsi** *v.pr.* **1** allontanarsi, spostarsi, scansarsi, farsi da parte **2** deviare, discostarsi, allontanarsi.
scostumàto *agg.*, *s.m.* licenzioso, immorale, dissoluto, depravato, vizioso © castigato, onesto, virtuoso.
scottànte *agg.* **1** ♧ (*di argomento e sim.*) delicato, scabroso **2** ♧ (*di problema e sim.*) grave, preoccupante, urgente, bruciante, incalzante.
scottàre *v.tr.* **1** bruciare, ustionare **2** sbollentare **3** ♧ (*di critica e sim.*) irritare, offendere ♦ *v.intr.* **1** ♧ (*di questione, di notizia ecc.*) preoccupare, allarmare **2** ♧ (*di verità e sim.*) infastidire, bruciare, irritare ♦ **scottarsi** *v.pr.* **1** bruciarsi, ustionarsi **2** ♧ scornarsi, fallire.
scottàto *agg.* **1** bruciato, ustionato **2** (*di cibo*) sbollentato **3** ♧ deluso, bruciato, sconfitto.
scottatùra *s.f.* **1** bruciatura, ustione **2** ♧ delusione, amarezza, insuccesso, sconfitta.
scovàre *v.tr.* **1** stanare, snidare **2** ♧ trovare, scoprire, ripescare, rintracciare, individuare © perdere, smarrire.
screanzàto *agg.*, *s.m.* maleducato, cafone, villano © beneducato, cortese, gentile.
screditàre *v.tr.* disonorare, diffamare, infamare, sputtanare (*volg.*) © lodare, elogiare.
scremàto *agg.* (*di latte*) magro © intero.
scrematùra *s.f.* **1** (*del latte*) spannatura **2** ♧ selezione, cernita, scelta, vaglio.
screpolàrsi *v.pr.* creparsi, fessurarsi, fendersi, aprirsi.
screziàto *agg.* variopinto, striato, variegato.
scrèzio *s.m.* disaccordo, contrasto, dissenso, attrito, dissidio © armonia, accordo, concordia.
scricchiolàre *v.intr.* **1** scrocchiare; stridere, cigolare **2** ♧ incrinarsi, vacillare.
scricchiolìo *s.m.* scricchiolamento; stridio, cigolio.
scrìgno *s.m.* cofanetto, portagioie, forziere.
scriminatùra *s.f.* (*dei capelli*) riga.
scriteriàto *agg.*, *s.m.* incosciente, irresponsabile, scapestrato, sconsiderato © prudente, avveduto, assennato, giudizioso.
scrìtta *s.f.* **1** dicitura, didascalia; frase **2** (*commemorativa*) iscrizione, epigrafe **3** cartello, insegna.
scrìtto *agg.* **1** (*di foglio*) © bianco, in bianco **2** (*di prova, di esame*) © orale; (*di linguaggio*) © parlato **3** ♧ decretato, stabilito ♦ *s.m.* **1** testo scritto; lettera **2** (*a scuola*) prova scritta © orale **3** (*di un autore*) opera, lavoro.
scrittóre *s.m.* autore IPON. commediografo, giallista, narratore, prosatore, romanziere, saggista; poeta.
scrittùra *s.f.* **1** grafia, calligrafia **2** (*di una lettera, di un documento ecc.*) stesura, redazione **3** (*modo di scrivere*) stile **4** (*al pl.*) Bibbia, Sacra Scrittura **5** (*dir.*) documento, atto **6** (*di un attore, di un cantante ecc.*) contratto, ingaggio.
scritturàre *v.tr.* ingaggiare.
scrìvere *v.tr.* **1** (*a mano*) vergare; (*a macchina*) battere **2** (*un articolo, un verbale ecc.*) stendere, redigere, compilare; (*un indirizzo, un appunto*) trascrivere, annotare, appuntare, segnare; (*un contratto, un documento ufficiale*) stilare **3** (*opere letterarie, scientifiche, musicali*) comporre, creare, produrre **4** (*lettere*) corrispondere.
scroccàre *v.tr.* **1** (*colloq.*) sbafare **2** rubare.
scroccóne *s.m.* sbafatore, mangiapane a tradimento, parassita, sanguisuga, profittatore.
scrollàre *v.tr.* **1** scuotere, agitare, sbattere, sbatacchiare **2** (*una persona*) scuotere, strattonare, strapazzare **3** ♧ (*qlcu. dalla depressione, dalla pigrizia ecc.*) scuotere, sollevare, svegliare.
scrollàta *s.f.* scossa, scossone.
scrosciànte *agg.* **1** (*di pioggia*) dirotto, impetuoso, torrenziale, fragoroso **2** (*di applausi, di risate ecc.*) caloroso, entusiastico, fragoroso © debole, freddo, fiacco.
scrosciàre *v.intr.* **1** (*di acque*) cadere, riversarsi, abbattersi **2** ♧ (*di applausi, di risate*) fioccare, piovere, prorompere, scoppiare.
scròscio *s.m.* **1** (*di pioggia*) rovescio; acquazzone, piovasco **2** (*di applausi*) diluvio, pioggia, esplosione, scoppio.
scrostàre *v.tr.* (*un muro e sim.*) grattare, raschiare, scalcinare, scortecciare, sverniciare ♦ **scrostarsi** *v.pr.* scalcinarsi, scortecciarsi; (*di intonaco e sim.*) staccarsi, cadere.
scrùpolo *s.m.* **1** dubbio, esitazione, remora; apprensione, inquietudine, turbamento © certezza, sicurezza; serenità, tranquillità **2** ritegno, riguardo, tatto, delicatezza, remora © sfacciataggine, sfrontatezza **3** precisione, rigore, coscienziosità, meticolosità, serietà © approssimazione, faciloneria, sciatteria.
scrupolóso *agg.* **1** attento, preciso, coscienzioso, meticoloso, rigoroso, serio, zelante © disattento, negligente, superficiale, trascurato **2** (*chi ha scrupoli morali o religiosi*) timorato, onesto © spregiudicato, disonesto.
scrutàre *v.tr.* **1** guardare, osservare, fissare **2** ♧ esaminare, studiare, indagare.

scrutinàre *v.tr.* **1** (*i voti*) spogliare, conteggiare, computare **2** (*il profitto scolastico*) giudicare, valutare.

scrutìnio *s.m.* **1** (*dei voti*) spoglio, conteggio, computo **2** (*del profitto scolastico*) esame, giudizio, valutazione.

scucìre *v.tr.* **1** (*un orlo e sim.*) disfare, strappare © cucire, ricucire **2** (*colloq.*; *denaro*) sborsare, sganciare (*colloq.*), cacciare; spillare, estrocere.

sculettàre *v.intr.* ancheggiare, dimenarsi.

scultóre *s.m.* IPON. bronzista, incisore, marmista, sclapellino.

scultùra *s.f.* **1** (*l'arte, la tecnica*) statuaria **2** (*l'opera scolpita*) IPON. statua, marmo, bronzo; bassorilievo, altorilievo.

scuoiàre *v.tr.* spellare, scorticare.

scuòla *s.f.* **1** istituzione d'istruzione **2** (*di danza, di disegno ecc.*) corso **3** ♧ educazione, insegnamento, formazione, addestramento, tirocinio **4** (*di artisti, filosofi ecc.*) movimento, corrente, pensiero, indirizzo **5** ♧ (*di vita e sim.*) esperienza, esercizio, pratica.

scuòtere *v.tr.* **1** agitare, sbattere, sbatacchiare **2** (*una persona*) scrollare, strattonare, strapazzare **3** ♧ (*qlcu. dall'inerzia e sim.*) scrollare, riscuotere, sollevare, risvegliare, smuovere © abbattere, avvilire, demoralizzare **4** (*la polvere, le briciole ecc.*) scrollare, togliere, levare **5** ♧ agitare, sconvolgere, turbare, scombussolare, scioccare © calmare, rasserenare ♦ **scuotersi** *v.pr.* **1** sobbalzare, sussultare, saltare, trasalire **2** (*dal sonno*) svegliarsi, destarsi **3** ♧ (*dalla depressione, dall'apatia e sim.*) riprendersi, risollevarsi, risvegliarsi, scrollarsi; reagire © abbattersi, accasciarsi, deprimersi **4** agitarsi, sconvolgersi, impressionarsi, turbarsi © calmarsi, rasserenarsi, tranquillizzarsi.

scùre *s.f.* mannaia, ascia, accetta.

scurìre *v.tr.* annerire, incupire © schiarire, rischiarare ♦ *v.intr. impers.* imbrunire, annottare, fare notte © albeggiare, fare giorno ♦ **scurirsi** *v.pr.* **1** annerirsi, (*della pelle*) abbronzarsi © schiarirsi **2** (*del cielo*) oscurarsi, rabbuiarsi, incupirsi, rannuvolarsi © schiarirsi, rasserenarsi **3** ♧ (*in volto*) accigliarsi, incupirsi, rabbuiarsi © rasserenarsi, rischiararsi.

scùro *agg.* **1** buio, oscuro; tetro, tenebroso © chiaro, luminoso, illuminato **2** (*di colore*) cupo, fosco; smorto, spento © chiaro, luminoso; brillante, vivido **3** (*di carnagione*) olivastro; abbronzato © chiaro, pallido **4** (*di cielo*) cupo, plumbeo, fosco, livido; coperto, nuvoloso © chiaro; limpido, sereno **5** ♧ (*di volto, di sguardo ecc.*) accigliato, corrucciato, cupo, fosco, torvo © sereno, sorridente, disteso **6** (*di periodo, di momento e sim.*) doloroso, penoso, triste © felice, sereno ♦ *s.m.* **1** buio, oscurità, tenebra © luce, chiarore, luminosità **2** (*di colore*) © chiaro **3** (*di finestra*) imposta, scuretto.

scurrìle *agg.* volgare, sconcio, sporco, osceno, sguaiato, sboccato, triviale © castigato, casto, pudico; elegante, raffinato.

scùsa *s.f.* **1** perdono, venia (*elev.*) **2** giustificazione, attenuante, scusante, discolpa © aggravante **3** pretesto, appiglio, alibi.

scusàbile *agg.* perdonabile, giustificabile, comprensibile © imperdonabile, ingiustificabile.

scusànte *s.f.* giustificazione, scusa © aggravante.

scusàre *v.tr.* **1** giustificare, discolpare, scagionare; capire, comprendere © accusare, incolpare, condannare **2** (*spec. in formule di cortesia*) perdonare ♦ **scusarsi** *v.pr.* chiedere scusa, giustificarsi, discolparsi © accusarsi, incolparsi.

sdebitàrsi *v.pr.* **1** pagare, saldare © indebitarsi **2** ♧ contraccambiare, ricambiare; disobbligarsi, disimpegnarsi © impegnarsi, obbligarsi.

sdegnàre *v.tr.* **1** disprezzare, disdegnare; detestare, odiare; respingere © apprezzare, gradire **2** indignare, indispettire, irritare, urtare © placare, raddolcire ♦ **sdegnarsi** *v.pr.* indignarsi, irritarsi, arrabbiarsi, risentirsi, offendersi © calmarsi, tranquillizzarsi, rasserenarsi.

sdegnàto *agg.* indignato, irritato, adirato, arrabbiato, offeso © calmo, sereno, tranquillo.

sdégno *s.m.* indignazione, risentimento, rabbia, collera, ira, dispetto.

sdegnóso *agg.* altero, altezzoso, sprezzante, superbo, borioso, arrogante © affabile, gentile, cordiale, alla mano.

sdilinquiménto *s.m.* **1** indebolimento, infiacchimento, debolezza © irrobustimento, rinvigorimento **2** mancamento, svenimento **3** leziosaggine, sdolcinatezza, svenevolezza, smanceria, moina.

sdilinquìrsi *v.pr.* **1** indebolirsi, infiacchirsi, illanguidirsi © rinforzarsi, ritemprarsi **2** svenire, venire meno, perdere i sensi © rinvenire **3** ♧ illanguidirsi, intenerirsi, squagliarsi (*colloq.*).

sdolcinàto *agg.* lezioso, languido, melenso, stucchevole, svenevole; mieloso, caramelloso, sciropposo © brusco, rude, ruvido.

sdoppiàmento *s.m.* **1** dimezzamento, divisione © duplicazione **2** (*psic.*; *della personalità*) dissociazione.

sdraiàre *v.tr.* stendere, distendere, adagiare, coricare © alzare, sollevare, tirare su ♦ **sdraiarsi**

v.pr. stendersi, distendersi, allungarsi, adagiarsi, coricarsi © alzarsi, alzarsi in piedi, tirarsi su, sollevarsi, drizzarsi.
sdrammatizzàre *v.tr.* ridimensionare, minimizzare © esagerare, ingigantire, amplificare.
sdrucciolàre *v.intr.* scivolare, slittare.
sdrucciolévole *agg.* scivoloso, viscido.
sdrucìre *v.tr.* scucire; strappare, lacerare, sbrindellare ♦ **sdrucirsi** *v.pr.* strapparsi, lacerarsi, scucirsi; consumarsi, logorarsi.
sdrucìto *agg.* **1** scucito, strappato, lacerato **2** consumato, consunto, liso, logoro, sbrindellato, strappato © intatto, integro; rattoppato.
seccànte *agg.* **1** (*di situazione e sim.*) fastidioso, spiacevole, antipatico © gradevole, piacevole **2** (*di persona*) noioso, fastidioso, asfissiante, scocciante, importuno, molesto © piacevole, amabile.
seccàre *v.tr.* **1** inaridire, asciugare, disseccare © bagnare, inumidire, umidificare **2** (*la pelle*) disidratare © idratare **3** ♧ (*la creatività e sim.*) inaridire, impoverire © stimolare **4** ♧ importunare, infastidire, annoiare, assillare, scocciare, rompere le scatole (*colloq.*) © divertire, allietare ♦ *v.intr.* e **seccarsi** *v.pr.* **1** inaridirsi, prosciugarsi, essiccarsi, rinsecchire; (*di pelle*) disidratarsi **2** ♧ (*di creatività e sim.*) inardirsi, impoverirsi, esaurirsi, estinguersi © rafforzarsi **3** ♧ infastidirsi, irritarsi, annoiarsi, stufarsi, rompersi le scatole (*colloq.*), scocciarsi, spazientirsi © divertirsi.
seccàto *agg.* infastidito, irritato, scocciato, spazientito, annoiato.
seccatóre *s.m.* scocciatore, importuno, rompiscatole (*colloq.*), rompiballe (*volg.*), rompicoglioni (*volg.*), impiastro (*colloq.*).
seccatùra *s.f.* fastidio, guaio, noia, grana, rogna (*colloq.*), bega, briga, rottura di scatole (*colloq.*) © piacere, divertimento.
secchézza *s.f.* **1** (*di clima, di terreno*) aridità, siccità © umidità **2** (*di pelle*) disidratazione © idratazione **3** (*di gola*) arsura **4** (*del corpo*) magrezza, esilità, gracilità © corpulenza, grassezza, robustezza **5** ♧ (*di stile*) asciuttezza, concisione, essenzialità, stringatezza © ampollosità, prolissità, ridondanza **6** ♧ (*di modi, di tono ecc.*) asciuttezza, asprezza, risolutezza, sbrigatività © affabilità, gentilezza.
secchióne *s.m.* sgobbone.
sécco *agg.* **1** (*di clima, di terreno*) asciutto, arido, inaridito, riarso, essiccato, disseccato © bagnato, umido, zuppo **2** (*di pelle*) disidratato © idratato **3** (*di gola*) arso, riarso **4** (*di persona*) magro, asciutto, sottile, scarno, smilzo, esile, segaligno © robusto, grasso, corpulento, massiccio **5** ♧ (*di stile*) asciutto, essenziale, conciso, disadorno, sintetico, stringato © ampolloso, prolisso, ridondante, roboante **6** ♧ (*di modi, di tono ecc.*) asciutto, brusco, aspro, deciso, perentorio, risoluto © dolce, gentile, amabile **7** (*di vino o liquore*) asciutto, sec (*fr.*), brut (*fr.*) © dolce, amabile ♦ *s.m.* aridità, secchezza, siccità © umidità.
secèrnere *v.tr.* produrre, emettere.
secessióne *s.f.* separazione, scissione, divisione, spaccatura © unione, accordo.
secessionìsta *s.m.* separatista, scissionista © unionista.
secolàre *agg.* **1** centenario, centennale **2** antico, remoto; annoso, radicato © nuovo, recente **3** laico, civile © religioso, clericale, ecclesiastico **4** (*elev.*) mondano, terreno, temporale © spirituale, ultraterreno.
sècolo *s.m.* **1** centennio **2** (*iperb.*) eternità, vita © attimo, istante, minuto, secondo **3** (*storico*) epoca, età, periodo, era.
secondàrio *agg.* **1** marginale, trascurabile, accessorio, complementare, ininfluente, minore © centrale, essenziale, fondamentale, primario, principale, sostanziale **2** (*di strada*) © principale **3** (*gramm.*; *di proposizione*) dipendente, subordinato © principale.
secondìno *s.m.* guardia carceraria, agente di custodia, carceriere.
sedàre *v.tr.* **1** calmare, lenire, placare, alleviare, mitigare © acuire, inasprire, esasperare, scatenare **2** (*una rivolta e sim.*) reprimere, placare, soffocare © incitare, sobillare **3** ♧ (*una passione, un sentimento e sim.*) attenuare, addolcire, mitigare, placare © acuire, esacerbare, inasprire.
sedatìvo *agg., s.m.* **1** (*contro il dolore*) calmante, antidolorifico, analgesico, antalgico, lenitivo **2** (*contro l'ansia, l'agitazione ecc.*) calmante, tranquillante, ansiolitico, barbiturico © eccitante.
sède *s.f.* **1** residenza, domicilio, dimora **2** (*di un'azienda, di una società e sim.*) filiale, succursale, agenzia **3** ambiente, circostanza, luogo, momento.
sedentàrio *agg.* **1** (*di persona*) casalingo, pigro, pantofolaio (*colloq.*) © attivo, dinamico **2** (*di vita e sim.*) tranquillo © attivo, intenso, movimentato **3** (*di popolazione*) fisso, stabile, stanziale © nomade, errante, errabondo.
sedére[1] *v.intr.* accomodarsi, prendere posto © alzarsi, levarsi ♦ **sedersi** *v.pr.* mettersi a sedere, accomodarsi © alzarsi, levarsi, mettersi in piedi.

sedére2 *s.m.* culo (*volg.*), didietro, fondoschiena (*colloq.*), deretano (*scherz.*), posteriore.
sèdia *s.f.* seggiola.
sedicènte *agg.* falso, finto © autentico, vero.
sedìle *s.m.* **1** IPON. sedia, banco, panca, poltrona, seggiola, sgabello **2** (*di teatro, cinema*) posto, poltrona **3** (*del WC*) tavoletta.
sedimentàre *v.intr.* **1** (*fis.; di particelle solide*) depositarsi © galleggiare **2** ♧ decantarsi, chiarirsi, definirsi **3** ♧ (*di passione e sim.*) calmarsi, placarsi, smorzarsi © affiorare.
sedimentazióne *s.f.* (*fis.; di particelle solide*) deposito; (*di liquido*) decantazione.
sediménto *s.m.* deposito, precipitato (*chim.*), detrito (*geol.*).
sedizióne *s.f.* ribellione, rivolta, insurrezione, sollevazione, sommossa, tumulto.
sedizióso *agg.* **1** sovversivo, eversivo, rivoluzionario, contestatore, rivoltoso, ribelle **2** rissoso, facinoroso, turbolento © calmo, tranquillo, pacifico ♦ *agg., s.m.* rivoltoso, ribelle, rivoluzionario, sovversivo, contestatore, agitatore.
seducènte *agg.* **1** affascinante, attraente, intrigante; eccitante, provocante, arrapante (*colloq.*), sexy (*ingl.*), sensuale © repellente, ripugnante **2** ♧ (*di proposta, di idea*) allettante, attraente, interessante, intrigante, stuzzicante.
sedùrre *v.tr.* **1** circuire, corrompere, irretire, traviare **2** conquistare, affascinare, ammaliare, incantare; (*di musica, di atmosfera ecc.*) affascinare, entusiasmare, appassionare, allettare © disgustare.
sedùta *s.f.* **1** riunione, assemblea, consiglio, adunanza, consesso **2** (*con un professionista per colloqui, consultazioni ecc.*) appuntamento, incontro, visita **3** (*di un modello*) posa.
seduttìvo *agg.* seducente, intrigante, fascinoso © repellente, ributtante, ripugnante.
seduttóre *agg.* (*di sguardo e sim.*) seducente, seduttivo, fascinoso, intrigante © repellente, ributtante, ripugnante ♦ *s.m.* amatore, conquistatore, dongiovanni, donnaiolo, latin lover (*ingl.*), playboy (*ingl.*).
seduzióne *s.f.* **1** adescamento **2** fascino, attrattiva, richiamo, appeal (*ingl.*).
séga *s.f.* **1** IPON. seghetto, saracco **2** (*colloq.*) mezzacalzetta (*colloq.*), mezzasega (*colloq.*), nullità, schiappa (*colloq.*), zero.
segalìgno *agg.* magro, secco, ossuto, scheletrico, scarno © grasso, corpulento, massiccio.
segàre *v.tr.* **1** IPERON. tagliare **2** ♧ (*di corda e sim.*) stringere **3** ♧ (*gerg.*) bocciare, respingere, stangare (*colloq.*) © promuovere.
sèggio *s.m.* **1** (*imperiale, papale ecc.*) trono, cattedra, scanno, scranno **2** (*in parlamento, in senato ecc.*) posto, poltrona; carica, funzione, incarico, ufficio **3** (*elettorale*) sede, sezione.
segmentàre *v.tr.* dividere, suddividere, frammentare, frazionare © unire ♦ **segmentarsi** *v.pr.* dividersi, suddividersi, frammentarsi, frazionarsi © unirsi.
segmentazióne *s.f.* divisione, suddivisione, frammentazione, frazionamento, ripartizione.
segménto *s.m.* **1** parte, pezzo, porzione; (*di stoffa, di carta*) striscia, ritaglio **2** ♧ elemento, componente, parte, sezione.
segnalàre *v.tr.* **1** indicare, avvertire, avvisare **2** annunciare, comunicare **3** indicare, evidenziare, mettere in evidenza; proporre, raccomandare, consigliare, suggerire ♦ **segnalarsi** *v.pr.* (*per meriti, capacità ecc.*) mettersi in luce, distinguersi, spiccare, brillare, primeggiare.
segnalazióne *s.f.* **1** indicazione, segnale; avviso, cartello, scritta, insegna **2** comunicazione, annuncio, notizia, avvertimento **3** indicazione, proposta, suggerimento **4** raccomandazione.
segnàle *s.m.* **1** segno, gesto, cenno; indicazione, segnalazione **2** avviso, scritta, cartello, insegna; cartello stradale **3** ♧ (*di un fenomeno e sim.*) avvisaglia, segno, indizio, sintomo, spia.
segnàre *v.tr.* **1** indicare, evidenziare, sottolineare **2** contrassegnare, contraddistinguere, marcare, siglare, timbrare **3** (*indirizzi, nomi ecc.*) annotare, appuntare, registrare **4** indicare, mostrare, segnalare **5** ♧ rappresentare, costituire **6** scalfire, graffiare, incidere **7** (*nel calcio*) fare goal, andare a rete; (*sport*) marcare **8** ♧ disonorare, infamare, bollare ♦ **segnarsi** *v.pr.* farsi il segno della croce.
segnàto *agg.* **1** annotato, scritto, registrato © cancellato, eliminato **2** contrassegnato, marcato **3** (*di volto*) patito, scavato, sciupato **4** ♧ (*dal dolore*) provato **5** (*di sorte e sim.*) deciso, stabilito, fissato.
ségno *s.m.* **1** tratto, linea, riga, frego **2** gesto, cenno **3** traccia, impronta, orma, solco **4** contrassegno, marchio, segnatura **5** simbolo, emblema **6** avvisaglia, indizio, segnale, sintomo, spia **7** (*di amicizia e sim.*) dimostrazione, prova **8** cenno, gesto **9** grado, punto **10** bersaglio.
segregàre *v.tr.* isolare, confinare, relegare; (*dalla società*) emarginare, escludere, estromettere © integrare ♦ **segregarsi** *v.pr.* isolarsi, appartarsi, rintanarsi, ritirarsi © inserirsi, integrarsi.
segregazióne *s.f.* isolamento, internamento, relegazione; emarginazione, esclusione; (*razziale*) apartheid (*ol.*) © integrazione.

segregàto *agg.* isolato, confinato, ritirato, recluso; emarginato © inserito, integrato.

segretàrio *s.m.* **1** assistente, collaboratore, aiutante **2** (*di verbale in assemblee ecc.*) redattore, estensore **3** (*di un partito e sim.*) dirigente, capo, responsabile **4** (*di produzione e sim.*) coordinatore, organizzatore.

segretézza *s.f.* riservatezza, riserbo, discrezione.

segréto[1] *agg.* **1** (*di luogo e sim.*) appartato, nascosto, celato; ignoto, sconosciuto © conosciuto, noto **2** (*di qualità, di risorsa ecc.*) inaspettato, inatteso, impensabile, insospettato **3** (*di sentimento, di sogno ecc.*) intimo, profondo, recondito © evidente, manifesto, palese **4** (*di archivio e sim.*) riservato, inacessibile, top secret (*ingl.*) © pubblico, accessibile **5** (*di notizia e sim.*) confidenziale, riservato, privato © pubblico, noto **6** (*di organizzazione e sim.*) clandestino, illegale.

segréto[2] *s.m.* **1** mistero, enigma, arcano **2** mezzo, metodo, sistema, artificio, espediente **3** (*professionale*) riservatezza, riserbo, segretezza.

seguàce *s.m.f.* **1** (*di una religione e sim.*) discepolo, fedele, proselito **2** (*di una setta, di un'organizzazione e sim.*) adepto, affiliato, iniziato **3** (*di un ideale e sim.*) fautore, difensore, sostenitore © avversario, nemico, oppositore.

seguènte *agg.* successivo, prossimo, consecutivo, susseguente, ulteriore © precedente, antecedente, anteriore.

segùgio *s.m.* **1** bracco IPERON. cane da caccia **2** ♧ poliziotto, sbirro (*spreg.*), investigatore, detective (*ingl.*).

seguìre *v.tr.* **1** andare dietro, tenere dietro; accodarsi © precedere **2** accompagnare, scortare; pedinare, tallonare, incalzare **3** (*un sentiero*) percorrere; (*un fiume, la costa ecc.*) fiancheggiare, costeggiare **4** (*con lo sguardo*) guardare, osservare **5** (*bambini, anziani ecc.*) accudire, assistere; controllare, sorvegliare **6** (*una partita, un programma ecc.*) guardare, assistere **7** (*corsi, lezioni*) frequentare **8** ♧ (*la politica e sim.*) interessarsi, tenersi al corrente **9** ♧ (*una dottrina, una fede e sim.*) abbracciare, professare, sposare © avversare, respingere; abiurare, ripudiare **10** ♧ (*le istruzioni, i consigli ecc.*) attenersi, osservare © ignorare **11** ♧ (*la moda*) conformarsi, adeguarsi, uniformarsi, stare dietro **12** ♧ (*l'esempio*) imitare © avversare, criticare **13** ♧ (*un ragionamento e sim.*) capire, comprendere ♦ *v.intr.* **1** (*di racconto, di articolo*) continuare, proseguire © terminare, finire, interrompersi **2** (*come conseguenza*) derivare, risultare, scaturire.

seguitàre *v.tr.* (*un discorso, un lavoro ecc.*) continuare, proseguire, riprendere © interrompere, smettere, sospendere ♦ *v.intr.* continuare, proseguire, perdurare, persistere © concludersi, finire, terminare.

séguito *s.m.* **1** accompagnamento, scorta; corte **2** ♧ consenso, favore, successo, approvazione, eco © dissenso, avversione, ostilità **3** serie, sequela, sequenza, sfilza, successione **4** continuazione, proseguimento, prosecuzione **5** conseguenza, strascico, effetto.

selettìvo *agg.* **1** (*di criterio, di principio ecc.*) eliminatorio; elitario **2** (*di persona*) difficile, esigente **3** (*di circolo e sim.*) esclusivo, elitario.

selezionàre *v.tr.* scegliere, vagliare.

selezióne *s.f.* **1** scelta, cernita, vaglio **2** (*di canzoni*) compilation (*ingl.*), raccolta; (*di testi*) antologia, florilegio (*elev.*), silloge (*elev.*).

self-control *s.m.invar.* (*ingl.*) controllo, autocontrollo, sangue freddo © impulsività.

self-service *s.m.invar.* (*ingl.*) tavola calda, ristorante.

sèlla *s.f.* **1** sedile, sellino **2** ♧ passo, valico.

sélva *s.f.* **1** bosco, foresta; boscaglia, macchia **2** ♧ folla, massa, moltitudine.

selvaggìna *s.f.* cacciagione.

selvàggio *agg.* **1** (*di pianta*) selvatico © coltivato **2** (*di luogo*) selvatico, incolto, inospitale © ospitale, ameno, ridente **3** (*di animale*) selvatico, libero, brado © domestico, addomesticato **4** (*di tribù, di usanze ecc.*) primitivo © civile, evoluto **5** ♧ crudele, feroce, barbaro, efferato, disumano, spietato **6** ♧ (*di persona, di comportamento ecc.*) incivile, rozzo, zotico © educato, fine ♦ *s.m.* **1** primitivo, incivile **2** ♧ cafone, maleducato, screanzato, zoticone.

selvàtico *agg.* **1** (*di pianta*) selvaggio © coltivato **2** (*di luogo*) selvaggio, incolto, inospitale © ospitale, ameno, ridente **3** (*di animale*) selvaggio, libero, brado © domestico, addomesticato **4** ♧ (*di persona*) scontroso, solitario, chiuso, asociale © amabile, cordiale, socievole ♦ *s.m.* primitivo, rozzo, incivile, bifolco, zotico © civile, educato, garbato.

sembiànza *s.f.* **1** (*spec. al pl.*) aspetto, lineamenti, fattezze **2** apparenza, esteriorità, immagine.

sembràre *v.intr.* **1** assomigliare, rassomigliare, avere l'aria **2** apparire, parere, dare l'impressione, mostrarsi **3** (*impers.*) parere.

séme *s.m.* **1** chicco, granello; semente, semenza **2** sperma, liquido seminale **3** ♧ causa, origine, principio, fonte, radice.

seménte *s.f.* seme, semenza.

seminàre *v.tr.* **1** piantare **2** ♧ spargere, disseminare, sparpagliare © raccogliere, radunare **3** ♧ diffondere, spargere, propagare; provocare, suscitare, fomentare **4** ♧ (*in una corsa*) staccare, distaccare, distanziare.
seminàrio *s.m.* **1** (*all'università*) corso **2** (*di tecnici, insegnanti ecc.*) corso di aggiornamento **3** (*di studio*) convegno, simposio, tavola rotonda.
seminàto *agg.* cosparso, disseminato, pieno.
semioscurità *s.f.* penombra.
semiufficiàle *agg.* informale, ufficioso.
sémplice *agg.* **1** singolo, solo © doppio, duplice **2** (*di problema, di ragionamento ecc.*) chiaro, facile, elementare © complesso, difficile, complicato, intricato **3** (*di stile*) essenziale, sobrio, scarno, disadorno © ricercato, sofisticato, artificioso **4** (*di vita e sim.*) frugale, moderato, sobrio © sfrenato, smodato **5** (*di persona*) schietto, sincero, naturale, spontaneo; ingenuo, candido, puro, sprovveduto © affettato, sofisticato; ambiguo, falso; furbo, malizioso.
semplicionerìa *s.f.* ingenuità, sprovvedutezza, dabbenaggine © furbizia, scaltrezza.
sempliciòtto *s.m.* ingenuo, sprovveduto; allocco, pollo, credulone, grullo, tonto © furbo, dritto, astuto, sveglio, volpe.
semplicìsmo *s.m.* leggerezza, faciloneria, superficialità.
semplicìstico *agg.* superficiale, facilone, approssimativo © approfondito, meditato.
semplicità *s.f.* **1** facilità, chiarezza, elementarità, comprensibilità, accessibilità © difficoltà, complessità, astrusità, incomprensibilità, oscurità **2** (*di modi*) naturalezza, spontaneità, schiettezza © artificiosità, ricercatezza **3** ingenuità, candore, innocenza, sprovvedutezza; credulità, dabbenaggine © furbizia, scaltrezza.
semplificàre *v.tr.* facilitare, snellire, agevolare © complicare, ingarbugliare ♦ **semplificarsi** *v.pr.* appianarsi, chiarirsi, risolversi © complicarsi, ingarbugliarsi.
sènape *s.f.* mostarda.
senescènza *s.f.* invecchiamento.
senilità *s.f.* vecchiaia, età senile © giovinezza, gioventù.
senior *agg.invar.* (*lat.*) © junior.
sénno *s.m.* **1** ragione, ingegno, intelletto, cervello, mente **2** giudizio, buonsenso, prudenza, saggezza © avventatezza, irragionevolezza, sventatezza.
séno *s.m.* **1** petto **2** mammelle, poppe (*colloq.*), tette (*colloq.*) **3** ventre, grembo **4** ♧ intimo, profondo **5** baia, insenatura, cala.
sensàle *s.m.* intermediario, mediatore, mezzano.
sensàto *agg.* **1** (*di ragionamento*) ragionevole, razionale, logico © insensato, assurdo **2** (*di persona*) assennato, giudizioso, prudente © avventato, imprudente.
sensazionàle *agg.* clamoroso, sbalorditivo, fenomenale, eccezionale © irrilevante, insignificante, ordinario.
sensazióne *s.f.* **1** percezione, senso **2** impressione; presentimento, presagio, sentore **3** clamore, rumore, scalpore, meraviglia, impressione.
sensìbile *agg.* **1** materiale, concreto, tangibile © astratto, immateriale, incorporeo **2** percepibile, avvertibile © impercettibile, inavvertibile **3** (*di aumento e sim.*) notevole, considerevole, rilevante © scarso, trascurabile **4** ♧ (*di persona*) attento, interessato; emotivo, emozionabile, impressionabile; dolce, tenero, delicato © insensibile, freddo, distaccato, indifferente **5** (*di strumento*) esatto, preciso.
sensibilità *s.f.* **1** (*a stimoli, sensazioni*) ricettività **2** emotività, impressionabilità, sensitività; dolcezza, tenerezza © insensibilità **3** (*di strumento*) esattezza, precisione © imprecisione, inesattezza
sensibilizzàre *v.tr.* coinvolgere, attirare, interessare, mobilitare.
sensitìvo *agg.* **1** (*di facoltà*) percettivo **2** (*di persona*) sensibile, emozionabile, impressionabile © distaccato, indifferente ♦ *s.m.* medium.
sènso *s.m.* **1** sensibilità **2** sensazione, percezione; impressione **3** (*spec. al pl.*) erotismo, sensualità, sessualità **4** impressione, schifo, disgusto, ribrezzo **5** (*estetico, artistico ecc.*) sensibilità **6** (*del dovere e sim.*) coscienza, consapevolezza **7** (*di una parola e sim.*) significato, accezione **8** coerenza, logicità, pertinenza **9** modo, maniera **10** (*di una strada, di un movimento ecc.*) direzione, verso.
sensuàle *agg.* **1** carnale, erotico, sessuale **2** (*di persona*) conturbante, provocante, sexy (*ingl.*) **3** (*di atteggiamento e sim.*) audace, eccitante, erotico, lascivo, libidinoso, lussurioso © innocente, casto, puro.
sensualità *s.f.* carica erotica, sex appeal (*ingl.*); carnalità, voluttà; libidine, concupiscenza, lascivia.
sentènza *s.f.* **1** giudizio, verdetto **2** massima, detto, motto; aforisma.
sentenziàre *v.tr.* decidere, stabilire, decretare, deliberare ♦ *intr.* pontificare, sputare sentenze.
sentièro *s.m.* viottolo.
sentimentàle *agg.* **1** affettivo **2** (*di persona*) romantico, dolce, tenero; sdolcinato, svenevole

© freddo, duro, cinico; virile **3** (*di film e sim.*) dolce, romantico; melenso, languido, sdolcinato.
sentimentalìsmo *s.m.* romanticismo; romanticheria, smanceria.
sentiménto *s.m.* **1** sensazione, senso, stato d'animo; moto, impulso **2** sensibilità, sentire, dolcezza, tenerezza, delicatezza **3** (*del dovere e sim.*) coscienza, consapevolezza, senso **4** affetto, amore, passione **5** (*colloq.*) giudizio, assennatezza, senno, avvedutezza © sventatezza, dissennatezza.
sentinèlla *s.f.* guardia, vedetta, piantone.
sentìre *v.tr.* **1** avvertire, percepire; (*caldo, freddo*) provare, avere, soffrire, patire **2** (*colloq.*) assaggiare, gustare; annusare, odorare; toccare **3** udire, ascoltare; (*un medico e sim.*) consultare, interpellare **4** (*una notizia*) apprendere, sapere, udire, venire a conoscenza, venire a sapere **5** presentire, presagire, intuire **6** (*gioia, amore ecc.*) avvertire, provare **7** (*la musica e sim.*) ascoltare, capire, comprendere; amare, apprezzare ♦ **sentirsi** *v.pr.* **1** (*bene, male*) stare; (*triste, felice ecc.*) essere **2** (*bello, brutto ecc.*) credersi, ritenersi, vedersi.
sentìto *agg.* profondo, vivo, sincero, autentico.
sentóre *s.m.* **1** impressione, sensazione; presagio, presentimento **2** (*elev.*) profumo, odore.
senzatétto *s.m.f.invar.* baraccato, barbone.
separàre *v.tr.* **1** dividere, disgiungere, scindere © unire, congiungere **2** distinguere, discernere ♦ **separarsi** *v.pr.* **1** (*di persone*) dividersi, lasciarsi; divorziare © riconciliarsi, riappacificarsi, riunirsi **2** (*di strade, di fiumi ecc.*) divaricarsi, divergere, dividersi © congiungersi, convergere **3** dividersi, scindersi, scomporsi © congiungersi, unirsi; mescolarsi, mischiarsi.
separàto *agg.* **1** diviso, disgiunto, distinto, scisso, staccato © congiunto, unito; mescolato, mischiato **2** (*di coniugi*) diviso; divorziato.
separazióne *s.f.* **1** divisione, scissione © unione, fusione **2** (*di una coppia di coniugi*) divisione; divorzio **3** (*dir.*; *dei beni*) divisione © comunione.
sepolcràle *agg.* **1** (*di monumento, iscrizione ecc.*) funebre, funerario, cimiteriale, tombale **2** ♧ triste, cupo, lugubre, mesto, tetro © allegro, festoso, lieto.
sepólcro *s.m.* tomba, sepoltura, urna.
sepólto *agg.* **1** seppellito, inumato, sotterrato, tumulato © insepolto **2** (*da una valanga e sim.*) investito, travolto, coperto **3** ♧ (*di tesoro e sim.*) nascosto, dimenticato **4** ♧ (*nello studio, nel lavoro ecc.*) immerso, sprofondato, sommerso **5** ♧ (*in un luogo*) isolato, chiuso, segregato.
sepoltùra *s.f.* **1** inumazione, tumulazione, sotterramento © esumazione, riesumazione, dissotterramento **2** funerale, esequie **3** tomba, sepolcro, loculo, tumulo.
seppellìre *v.tr.* **1** (*i morti*) inumare, tumulare, sotterrare © disseppellire, esumare **2** sotterrare, interrare **3** (*di frane, valanghe ecc.*) travolgere, investire, coprire, sommergere **4** ♧ (*rancori, ricordi ecc.*) dimenticare, cancellare © alimentare **5** ♧ (*un'indagine e sim.*) insabbiare ♦ **seppellirsi** *v.pr.* **1** ♧ rinchiudersi, appartarsi, isolarsi, rintanarsi **2** ♧ (*nello studio e sim.*) immergersi, sprofondarsi.
sequèla *s.f.* **1** serie, successione, catena, concatenazione **2** (*di domande e sim.*) serie, infilata, sfilza, sequenza.
sequènza *s.f.* **1** serie, successione, catena, concatenazione **2** (*di domande e sim.*) serie, sequela, infilata, sfilza **3** (*cinematografica*) scena **4** (*di operazioni*) ordine, successione.
sequestràre *v.tr.* **1** requisire, confiscare, pignorare **2** (*una persona*) rapire, catturare **3** (*scherz.*; *in un luogo*) bloccare.
sequestràto *agg.* **1** (*di cosa*) confiscato, requisito, pignorato **2** (*di persona*) rapito, catturato ♦ *s.m.* rapito; ostaggio INVER. rapitore, sequestratore.
sequestratóre *s.m.* rapitore INVER. rapito, sequestrato; ostaggio.
sequèstro *s.m.* **1** confisca, requisizione, pignoramento **2** (*di persona*) rapimento.
séra *s.f.* serata; tramonto, imbrunire, crepuscolo © mattina, mattino; alba.
seràfico *agg.* tranquillo, sereno, calmo, imperturbabile © agitato, eccitato, inquieto, turbato.
seràle *agg.* vespertino, serotino © mattutino.
seràta *s.f.* **1** sera; tramonto, crepuscolo, imbrunire © mattina, mattino; alba **2** serata di gala, soirée (*fr.*), ricevimento, galà.
serbàre *v.tr.* **1** conservare, tenere, mettere da parte **2** (*un ricordo e sim.*) conservare, custodire © dimenticare, cancellare **3** (*odio, rancore ecc.*) nutrire, portare, provare.
serbatóio *s.m.* contenitore, cisterna.
serenità *s.f.* **1** (*del cielo*) limpidezza, nitidezza, chiarezza © grigiore, nuvolosità **2** ♧ (*d'animo*) calma, pace, quiete, tranquillità © agitazione, ansia, inquietudine, angoscia, turbamento **3** (*di giudizio*) obiettività, imparzialità © parzialità, partigianeria.
seréno *agg.* **1** (*di cielo*) limpido, chiaro, nitido © grigio, nuvoloso **2** ♧ (*di animo*) tranquillo, calmo, quieto © agitato, inquieto, turbato **3** (*di giudizio*) obiettivo, imparziale, equo © fazioso, di parte, iniquo ♦ *s.m.* quiete, pace, tranquillità.

sèrico *agg.* liscio, morbido, setoso, vellutato.

sèrie *s.f.* **1** successione, sequenza; catena, concatenazione **2** (*di eventi*) sequela, sfilza, infilata **3** (*sport*) categoria.

serietà *s.f.* **1** affidabilità, coscienziosità, scrupolosità © inaffidabilità, negligenza **2** responsabilità, equilibrio, riflessività © irresponsabilità, sventatezza, leggerezza, superficialità **3** correttezza, onestà, rettitudine © scorrettezza, disonestà **4** (*di una situazione*) gravità, importanza, rilevanza; delicatezza, spinosità © irrilevanza, marginalità, trascurabilità.

sèrio *agg.* **1** affidabile, coscienzioso, responsabile, scrupoloso © inaffidabile, irresponsabile **2** (*moralmente*) retto, onesto, corretto, irreprensibile © disonesto, scorretto **3** (*nell'agire e sim.*) equilibrato, giudizioso, riflessivo © impulsivo, irresponsabile, superficiale **4** (*di sguardo, di atteggiamento ecc.*) grave, pensieroso, preoccupato, severo, sostenuto, austero © allegro, spensierato, benigno, bonario, cordiale **5** (*di situazione e sim.*) difficile, grave, delicato, spinoso; pericoloso, rischioso © facile, piano **6** (*di malattia*) grave, preoccupante © lieve, leggero ♦ *s.m.* © faceto.

serióso *agg.* contegnoso, compassato; sostenuto, altezzoso © affabile, amabile.

sermóne *s.m.* **1** predica, omelia; (*scherz.*) discorso, orazione **2** predica (*colloq.*), paternale, predicozzo, ramanzina.

sèrpe *s.f.* **1** serpente, biscia **2** ♧ ipocrita, maligno, infido, subdolo; serpente, vipera.

serpeggiànte *agg.* tortuoso, sinuoso © diritto, rettilineo, retto.

serpeggiàre *v.intr.* **1** strisciare **2** ♧ (*di strada*) snodarsi **3** ♧ (*di malcontento e sim.*) circolare, diffondersi, propagarsi.

serpènte *s.m.* **1** rettile, serpe **2** ♧ ipocrita, maligno, infido, subdolo; serpe, vipera.

sèrra *s.f.* vivaio.

serraménto *s.m.* infisso IPON. porta, finestra, imposta, persiana.

serrànda *s.f.* saracinesca; (*di finestra*) avvolgibile, tapparella.

serràre *v.tr.* **1** chiudere, sbarrare © aprire, spalancare **2** (*le labbra, i pugni ecc.*) stringere, chiudere © allentare, aprire **3** (*viti, bulloni ecc.*) avvitare, stringere © allentare, svitare **4** (*in un luogo*) chiudere, rinserrare **5** ♧ (*il ritmo, gli sforzi ecc.*) accelerare, intensificare © rallentare.

serràto *agg.* **1** chiuso, sbarrato © aperto, spalancato **2** stretto, chiuso © aperto, largo **3** (*di ritmo, di passo ecc.*) rapido, veloce, incalzante © lento **4** ♧ (*di discorso e sim.*) essenziale, conciso, stringato © prolisso, verboso **5** ♧(*di discussione e sim.*) animato, concitato, convulso; (*di interrogatorio*) incalzante, pressante, stringente.

serratùra *s.f.* chiusura, toppa.

sèrva *s.f.* (*spreg.*) donna di servizio, domestica, colf, collaboratrice familiare INVER. padrona.

servìgio *s.m.* servizio, favore.

servìle *agg.* **1** (*di lavoro e sim.*) avvilente, basso, vile, degradante, umiliante © decoroso, dignitoso, onorevole **2** (*spreg.*; *di atteggiamento e sim.*) adulatorio, deferente, ossequioso © dignitoso, fiero.

servilìsmo *s.m.* adulazione, cortigianeria, ossequiosità, piaggeria © dignità, fierezza.

servìre *v.tr.* **1** soggiacere, sottostare © dominare **2** (*la patria, lo stato ecc.*) adoperarsi, prodigarsi, ubbidire **3** (*il pranzo, il caffè ecc.*) portare ♦ *v.intr.* **1** (*di domestico*) lavorare, prestare servizio **2** giovare © nuocere **3** occorrere ♦ **servirsi** *v.pr.* **1** avvalersi, giovarsi, usufruire, valersi; adoperare, impiegare, utilizzare **2** (*cibi e sim.*) prendere **3** (*in un negozio*) fornirsi, rifornirsi.

servitóre *s.m.* **1** cameriere, servo, domestico INVER. padrone **2** (*dello stato, della patria ecc.*) difensore, paladino, sostenitore © avversario, nemico.

servitù *s.f.* **1** schiavitù, soggezione, dipendenza, sudditanza © libertà, indipendenza, autonomia **2** domestici, persone di servizio.

serviziévole *agg.* disponibile, premuroso, sollecito © indifferente, scortese, sgarbato.

servìzio *s.m.* **1** attività, lavoro; (*nell'esercito*) incarico, missione **2** favore, piacere, cortesia **3** (*tecnico, marketing ecc.*) ufficio, sezione, reparto **4** (*da cucina, da tavola ecc.*) completo, set (*ingl.*), linea **5** (*nel giornalismo*) corrispondenza, reportage (*fr.*), articolo, pezzo, scritto; filmato **6** (*al pl.*) bagno, gabinetto, toilette, WC **7** (*nel tennis, nella pallavolo ecc.*) battuta, messa in gioco © risposta.

sèrvo *s.m.* **1** (*spreg.*) domestico, cameriere, servitore INVER. padrone **2** ♧ prigioniero, schiavo, succube **3** ♧ (*spreg.*; *dei padroni*) adulatore, leccapiedi, leccaculo (*volg.*), scagnozzo.

sessióne *s.f.* seduta, tornata, assemblea, consiglio, collegio.

sèsso *s.m.* **1** sessualità, eros, erotismo **2** organi genitali, genitali; (*maschile*) pene; (*femminile*) vulva, vagina.

sessuàle *agg.* **1** genitale; riproduttivo **2** erotico, sensuale; venereo.

sessualità *s.f.* sesso; eros, erotismo.

set *s.m.invar.* (*ingl.*) completo, serie, servizio, kit (*ingl.*).

setacciàre *v.tr.* **1** vagliare, abburattare **2** ♣ esaminare, analizzare, vagliare, valutare **3** ♣ perlustrare, ispezionare.
setàccio *s.m.* vaglio, buratto.
séte *s.f.* **1** arsura, aridità **2** ♣ *(di giustizia, di potere ecc.)* desiderio, fame, avidità, brama, bramosia, cupidigia.
setóso *agg.* liscio, morbido, serico, vellutato.
sètta *s.f.* **1** *(spreg.)* casta, combriccola, congrega, conventicola **2** società segreta.
settàrio *agg.* fazioso, di parte, partigiano; estremista, fanatico © imparziale, obiettivo, neutrale.
settarìsmo *s.m.* estremismo, fanatismo, faziosità, parzialità © imparzialità, obiettività.
settentrionàle *agg.* nord, alto © meridionale, basso, sud ♦ *s.m.f.* mangiapolenta *(spreg.)* polentone *(spreg.)* © meridionale, terrone *(spreg.)*.
settentrióne *s.m.* nord, tramontana, mezzanotte © meridione, sud, mezzogiorno.
setticemìa *s.f.* sepsi; infezione.
settimanàle *s.m.* periodico, rivista, rotocalco.
settóre *s.m.* **1** parte, sezione, area, zona **2** ♣ ambito, campo, ramo, branca.
settoriàle *agg.* **1** specialistico, specifico, particolare © comune, generale, generico, universale **2** *(in senso negativo)* limitato, ristretto, circoscritto © generale, universale, comune.
severità *s.f.* **1** inflessibilità, intransigenza © indulgenza, mitezza **2** *(di atteggiamento e sim.)* austerità, serietà, solennità, gravità.
sevèro *agg.* **1** duro, inflessibile, rigoroso, intransigente, inflessibile © mite, indulgente, clemente, tollerante; elastico, flessibile **2** *(di atteggiamento e sim.)* serio, austero, grave, fiero, sostenuto © allegro, giocoso **3** *(di stile e sim.)* austero, essenziale, semplice, sobrio, rigoroso © ricco, sfarzoso, vistoso **4** *(di perdita, di danno ecc.)* ingente, grave, notevole, considerevole, rilevante © insignificante, lieve, irrilevante.
sevìzia *s.f.* **1** *(spec al pl.)* violenza, brutalità, crudeltà, maltrattamento; supplizio, tormento, tortura **2** stupro, violenza carnale.
seviziàre *v.tr.* **1** torturare, brutalizzare, maltrattare **2** violentare.
seviziatòre *s.m.* aguzzino, torturatore; stupratore, violentatore.
sex appeal *s.m.invar.* *(ingl.)* fascino, seduzione, sensualità, carica erotica, charme *(fr.)*.
sexy *agg.invar.* *(ingl.)* eccitante, provocante, seducente, sensuale; *(di film)* erotico.
sezionàre *v.tr.* **1** tagliare, incidere **2** *(med.)* anatomizzare, dissezionare.
sezióne *s.f.* settore, parte, partizione, ripartizione.
sfaccendàre *v.intr.* sfacchinare, trafficare, affacendarsi © oziare, poltrire, gingillarsi.
sfaccendàto *agg., s.m.* **1** libero, disoccupato © occupato, impegnato, affacendato, indaffarato **2** fannullone, scansafatiche, perdigiorno, scioperato, sfaticato © laborioso, volenteroso, solerte, zelante.
sfaccettàre *v.tr.* *(una pietra preziosa)* tagliare, intagliare.
sfaccettàto *agg.* ♣ complesso, molteplice, multiforme, poliedrico, vario.
sfaccettatùra *s.f.* ♣ punto di vista, aspetto.
sfacchinàre *v.intr.* sgobbare, faticare © oziare, poltrire.
sfacchinàta *s.f.* faticata, sgobbata, galoppata, sudata, ammazzata, tirata, tour de force *(fr.)* © riposo, rilassamento, relax *(ingl.)*.
sfacciatàggine *s.f.* impudenza, sfrontatezza, insolenza, impertinenza.
sfacciàto *agg.* **1** impudente, insolente, sfacciato, sfrontato, spudorato, irrispettoso, strafottente, svergognato © rispettoso, discreto, riservato, pudico **2** ♣ *(di colore e sim.)* vistoso, appariscente, sgargiante, chiassoso © discreto, sobrio, modesto.
sfacèlo *s.m.* **1** disfacimento, decadimento, declino, decadenza **2** *(di un edificio e sim.)* rovina, decadenza, fatiscenza **3** ♣ *(sociale, morale ecc.)* crollo, rovina, degrado, dissoluzione, sfascio, sconquasso, tracollo.
sfaldàrsi *v.pr.* **1** *(di roccia e sim.)* sfogliarsi, sgretolarsi, rompersi **2** ♣ *(di gruppo, di partito ecc.)* disgregarsi, dividersi, scindersi, sfasciarsi © aggregarsi, unificarsi.
sfamàre *v.tr.* **1** nutrire, alimentare, cibare, rifocillare; riempire, rimpinzare, saziare, satollare © affamare **2** mantenere, sostentare © affamare.
sfàrzo *s.m.* lusso, pompa, fasto, magnificenza, ricchezza, splendore, sontuosità; sfoggio, ostentazione © semplicità, umiltà, modestia, sobrietà.
sfarzóso *agg.* ricco, lussuoso, appariscente, grandioso, fastoso, sontuoso, principesco, regale, hollywoodiano © povero, semplice, sobrio, umile, modesto, disadorno.
sfasaménto *s.m.* **1** differenza, discrepanza, divergenza, gap *(ingl.)* © corrispondenza, coincidenza; parità **2** ♣ *(psic.)* confusione, disorientamento, scombussolamento, stordimento.
sfasàto *agg.* **1** *(di motore)* fuori fase; *(di ritmo e sim.)* alterato, turbato **2** ♣ disorientato, confuso, frastornato, scombussolato, stonato *(colloq.)*, stordito © sveglio, vigile.
sfasciàre[1] *v.tr.* **1** rompere, distruggere, fracassare, scassare *(colloq.)*, sfondare, sgangherare

© aggiustare, accomodare, riparare **2** ♧ (*una famiglia e sim.*) rovinare, distruggere, disgregare, smembrare, mandare in rovina © ricomporre, ricostituire, salvare ♦ **sfasciarsi** *v.pr.* **1** rompersi, distruggersi, fracassarsi, scassarsi (*colloq.*), sfondarsi, sgangherarsi, sfracellarsi **2** ♧ (*di famiglia, di partito ecc.*) andare a rotoli, andare in rovina, andare a catafascio, disgregarsi, smembrarsi © ricomporsi, ricostituirsi, salvarsi.

sfascìare2 *v.tr.* sbendare © fasciare, bendare.

sfàscio *s.m.* sfacelo, rovina, degrado, deterioramento, dissoluzione, disastro, disgregazione.

sfatàre *v.tr.* smentire, demolire, smantellare, smitizzare © mitizzare, idealizzare.

sfaticàto *agg., s.m.* pigro, indolente, pigrone, poltrone, fannullone, scansafatiche, perdigiorno, scioperato, vagabondo © laborioso, industrioso, solerte, zelante.

sfàtto *agg.* **1** (*di letto*) disfatto © fatto, rifatto **2** (*di volto*) sciupato, sbattuto, avvizzito; (*di corpo*) appesantito, cadente, molle, flaccido, moscio © in forma; duro, sodo **3** (*di persona*) esausto, esaurito, sfinito, spompato (*colloq.*), fuso (*gerg.*), spossato, a pezzi © in forma, al top **4** (*di frutto*) guasto, marcio © acerbo.

sfavillàre *v.intr.* **1** (*di fuoco*) fiammeggiare **2** brillare, luccicare, risplendere, scintillare, sfolgorare **3** ♧(*di occhi e sim.*) brillare, splendere, sfolgorare.

sfavillìo *s.m.* scintillio, luccichio, sfolgorio, sfolgorio.

sfavóre *s.m.* svantaggio, danno © favore, vantaggio.

sfavorévole *agg.* **1** (*di circostanza e sim.*) avverso, contrario, infelice, negativo, infausto, storto (*colloq.*), svantaggioso © favorevole, positivo, vantaggioso, propizio **2** (*di parere e sim.*) contrario, negativo, ostile © favorevole, benevolo.

sfavorìre *v.tr.* danneggiare, penalizzare, svantaggiare, contrastare, avversare, intralciare, osteggiare © favorire, appoggiare, facilitare, avvantaggiare, agevolare, privilegiare.

sfegatàto *agg.* **1** (*di tifoso, di giocatore ecc.*) appassionato, fanatico, accanito © freddo, tiepido **2** (*di odio e sim.*) sviscerato, intenso © moderato.

sfèra *s.f.* **1** globo, palla **2** ♧ (*affettiva, economica ecc.*) ambito, campo, mondo, settore **3** ♧ (*sociale*) ambiente, ceto, classe, grado, livello, mondo, strato.

sfèrico *agg.* rotondo, rotonteggiante, sferoidale, tondeggiante.

sferràre *v.tr.* **1** (*un pugno, un calcio e sim.*) tirare, dare, mollare (*colloq.*), vibrare, assestare © prendere, ricevere **2** ♧ (*un attacco e sim.*) lanciare, scagliare, muovere © subire.

sfèrza *s.f.* frusta, scudiscio, staffile.

sferzànte *agg.* **1** (*di pioggia e sim.*) battente, scrosciante, violento **2** (*di rimprovero, di critica ecc.*) aspro, duro, caustico, pungente, velenoso, violento; (*di battuta e sim.*) sarcastico, sprezzante © benevolo, bonario.

sferzàre *v.tr.* **1** frustare, fustigare **2** ♧ incitare, spronare, stimolare **3** (*di pioggia, di onde ecc.*) abbattersi, colpire **4** ♧ (*i vizi e sim.*) criticare, biasimare.

sferzàta *s.f.* **1** frustata, scudisciata, nerbata, staffilata **2** ♧ critica, biasimo; rimprovero, sgridata; frecciata © complimento, lode.

sfiancàre *v.tr.* affaticare, stancare, stremare, spossare, sfinire, stroncare, estenuare, logorare, massacrare © tonificare, rinvigorire; riposare, rilassare ♦ **sfiancarsi** *v.pr.* affaticarsi, logorarsi, massacrarsi, spossarsi, stremarsi.

sfiancàto *agg.* affaticato, disrtrutto, stanco, logorato, massacrato, stremato, spossato, spompato (*colloq.*), scoppiato (*gerg.*) © forte, fresco, energico, robusto, rinvigorito.

sfiatàrsi *v.pr.* (*colloq.*) sgolarsi, gridare.

sfibrànte *agg.* snervante, logorante, estenuante, spossante, stancante, stressante © rilassante, riposante, tonificante, corroborante.

sfibràre *v.tr.* affaticare, stancare, logorare, massacrare, sfiancare, sfinire, snervare, stremare, stroncare, stressare © ritemprare, rinvigorire, tonificare; riposare, rilassarsi.

sfibràto *agg.* **1** (*di tessuto e sim.*) consumato, consunto, liso, frusto, rovinato © nuovo **2** ♧ (*di persona*) stanco, affaticato, distrutto, esaurito, sfiancato, stremato © forte, fresco, robusto, rinvigorito, tonificato; riposato, ritemprato.

sfida *s.f.* **1** duello, gara, lotta, incontro **2** (*sportiva*) incontro, gara **3** ♧ provocazione.

sfidànte *agg., s.m.f.* avversario, rivale, antagonista © sfidato.

sfidàre *v.tr.* **1** provocare; stuzzicare, pungolare **2** (*un avversario*) affrontare **3** (*a dire, a fare ecc.*) incitare, esortare, spingere, spronare, stimolare **4** ♧ affrontare, fronteggiare, fare fronte © evitare, sfuggire, eludere.

sfidùcia *s.f.* **1** diffidenza, perplessità, riserva, scetticismo © fiducia **2** avvilimento, demoralizzazione, scoraggiamento, scoramento © coraggio, animo, fiducia, speranza.

sfiduciàre *v.tr.* abbattere, avvilire, deprimere, demoralizzare, buttare giù, sconfortare © animare, incoraggiare, tirare su.

sfiduciàto *agg.* abbacchiato, avvilito, scoraggiato, demoralizzato, depresso © sereno, fiducioso, sollevato, speranzoso.

sfiga *s.f.* (*colloq.*) sfortuna, scalogna, iella (*colloq.*); disgrazia, disdetta © fortuna, buona stella, culo (*volg.*).

sfigàto *agg.*, *s.m.* (*colloq.*) disgraziato, iellato (*colloq.*), scalognato; banale, insulso, insignificante © fortunato; affascinante, attraente, fico (*colloq.*).

sfiguràre *v.tr.* **1** deturpare, deformare, sfregiare **2** ♧ (*di rabbia e sim.*) alterare, stravolgere ♦ *v.intr.* fare brutta figura; perderci, scomparire © fare figura, fare bella figura.

sfilacciàrsi *v.pr.* **1** (*di tessuto*) sbrindellarsi, sfrangiarsi **2** ♧ disgregarsi, scomporsi © unificarsi.

sfilacciàto *agg.* **1** (*di tessuto*) frangiato, tagliuzzato **2** (*di ragionamento e sim.*) sconnesso, disorganico, confuso © organico.

sfilàre[1] *v.tr.* **1** © infilare **2** (*un abito e sim.*) togliere, levare © indossare, infilare, mettersi **3** (*dalla borsa, dalla tasca ecc.*) rubare, sottrarre ♦ **sfilarsi** *v.pr.* **1** (*un abito, un anello ecc.*) levarsi, togliersi © infilarsi, mettersi **2** (*di calza e sim.*) smagliarsi.

sfilàre[2] *v.intr.* **1** (*di corteo*) procedere, passare **2** ♧ (*di ricordi, di immagini ecc.*) susseguirsi, succedere, passare.

sfilàta *s.f.* **1** corteo, marcia, processione; (*mil.*) parata **2** (*di moda*) passerella, défilé (*fr.*) **3** (*di oggetti*) fila, serie, successione, sfilza.

sfilza *s.f.* catena, fila, serie, successione, sequela, sequenza.

sfiniménto *s.m.* stanchezza, debolezza, esaurimento, spossatezza, prostrazione © energia, forza, vigore, robustezza.

sfinìre *v.tr.* spossare, stremare, estenuare, prostrare, sfiancare, sfibrare, snervare, massacrare, stroncare, stressare © rinvigorire, rinforzare, irrobustire, tonificare ♦ **sfinirsi** *v.pr.* esaurirsi, estenuarsi, sfiancarsi, sfibrarsi, snervarsi © riprendersi, riposarsi.

sfinìto *agg.* stanco, esausto, esaurito, morto (*colloq.*), distrutto, fuso (*gerg.*), sfatto, scoppiato (*gerg.*), spompato (*colloq.*), spossato, stravolto, stremato © energico, fresco, vigoroso, ritemprato, riposato.

sfintère *s.m.* orifizio anale, ano.

sfioràre *v.tr.* **1** rasentare, lambire **2** ♧ (*di dubbio e sim.*) balenare, affacciarsi, passare per la mente **3** ♧ (*un argomento e sim.*) toccare, accennare © approfondire, sviscerare **4** ♧ (*la vittoria e sim.*) rasentare.

sfiorìre *v.intr.* **1** (*di fiori*) appassire, avvizzire © fiorire, sbocciare **2** ♧ (*di bellezza e sim.*) invecchiare, appassire, sciuparsi © rifiorire, ringiovanire.

sfiorìto *agg.* **1** (*di fiore*) appassito, avvizzito © fresco, fiorito **2** (*di persona*) appassito, avvizzito, sciupato, sfatto © fresco, florido.

sfitto *agg.* libero, vuoto © affittato, occupato.

sfizio *s.m.* capriccio, voglia, ghiribizzo.

sfizióso *agg.* appetitoso, gustoso, stuzzicante © disgustoso, nauseante.

sfocàto *agg.* **1** confuso, nebuloso © nitido, a fuoco **2** ♧ (*di ricordo e sim.*) impreciso, confuso, vago, indistinto, sfumato © preciso, netto, vivido.

sfociàre *v.intr.* **1** (*di corso d'acqua*) sboccare, gettarsi © scaturire, nascere **2** ♧ (*di protesta e sim.*) concludersi.

sfoderàre *v.tr.* **1** estrarre, sguainare © riporre, rinfoderare **2** ♧ (*un sorriso e sim.*) esibire, sfoggiare, ostentare; (*volontà, grinta ecc.*) manifestare, mostrare, tirare fuori.

sfogàre *v.tr.* (*sentimenti, stati d'animo e sim.*) esprimere, manifestare, mostrare, scaricare © trattenere, contenere, reprimere, soffocare ♦ *v.intr.* **1** (*di fumo, di gas ecc.*) fuoriuscire, uscire **2** ♧ (*di sentimenti, passioni e sim.*) prorompere, manifestarsi, scoppiare ♦ **sfogarsi** *v.pr.* **1** aprirsi, confidarsi © chiudersi, tacere **2** esplodere, scoppiare, sbottare © controllarsi, dominarsi, frenarsi, trattenersi.

sfoggiàre *v.tr.* **1** mostrare, ostentare, esibire, sbandierare © celare, nascondere **2** ♧ (*cultura e sim.*) vantare, esibire, sbandierare © nascondere, celare.

sfòggio *s.m.* **1** (*di ricchezza e sim.*) esibizione, ostentazione, pompa; lusso, gala, sfarzo **2** ♧ (*di doti e sim.*) ostentazione, mostra, vanto.

sfogliàre[1] *v.tr.* sfrondare; (*pannocchie*) spannocchiare.

sfogliàre[2] *v.tr.* (*un libro e sim.*) scorrere, scartabellare; leggiucchiare.

sfógo *s.m.* **1** sfiatatoio, scarico **2** ♧ liberazione, esplosione, espressione, manifestazione; crisi, scoppio © repressione, soffocamento **3** eruzione cutanea, fioritura; esantema.

sfolgorànte *agg.* abbagliante, splendente, brillante, luminoso, radioso, raggiante, fulgido, sfavillante © buio, oscuro, opaco.

sfolgoràre *v.intr.* splendere, rsplendere, brillare, sfavillare, rifulgere.

sfolgorìo *s.m.* splendore, brillio, fulgore, scintillio, sfavillio © oscurità, offuscamento.

sfollagènte *s.m.invar.* manganello.

sfollàre *v.intr.* **1** (*di folla*) diradarsi, disperdersi © accalcarsi, affollarsi, ammassarsi **2** (*da una città e sim.*) fuggire, migrare, trsferirsi ♦ *v.tr.* sgomberare, evacuare © affollare, gremire.

sfollàto *s.m.* senzatetto, sinistrato.

sfoltìre *v.tr.* **1** (*i capelli*) diradare, accorciare © infoltire **2** ♧ (*gli appuntamenti, gli impegni ecc.*) ridurre, diminuire, diradare © aumentare, infittire **3** ♧ (*il personale*) ridurre, diminuire © assumere, incrementare.

sfondaménto *s.m.* **1** rottura, sfasciamento **2** (*mil.*; *di fronte*) rottura.

sfondàre *v.tr.* **1** rompere, scassare, sfasciare **2** schiantare, abbattere, buttare giù ♦ *v.intr.* ♧ avere successo, affermarsi, riuscire, emergere ♦ **sfondarsi** *v.pr.* rompersi, cedere, sfasciarsi.

sfondàto *agg.* **1** rotto, scassato, sfasciato © intero, intatto, integro **2** ♧ (*colloq.*) ingordo, insaziabile, senza fondo, vorace.

sfóndo *s.m.* **1** (*in un dipinto, in una fotografia ecc.*) fondo **2** orizzonte **3** (*teatr.*) fondale **4** ♧ ambiente, contesto, cornice, quadro, scenario.

sforacchiàre *v.tr.* bucherellare, crivellare, forare, perforare, traforare.

sformàre *v.tr.* deformare, ammaccare, schiacciare; (*scarpe e sim.*) sfondare, sfasciare ♦ **sformarsi** *v.pr.* **1** deformarsi **2** (*di corpo e sim.*) inflaccidirsi, ingrassare.

sfornàre *v.tr.* **1** © infornare **2** ♧ (*colloq.*; *libri, progetti ecc.*) produrre, partorire, scodellare (*colloq.*) **3** ♧ (*scherz.*; *figli*) partorire, scodellare (*colloq.*), fare.

sfornìto *agg.* privo, mancante, sprovvisto, carente © dotato, fornito, munito, provvisto, rifornito.

sfortùna *s.f.* **1** (*sorte avversa*) sventura, iattura, scalogna, sfiga (*colloq.*), cattiva sorte, cattiva stella © fortuna, buona stella, sedere (*colloq.*), culo (*volg.*) **2** (*circostanza sfavorevole*) disgrazia, sciagura, sventura, maledizione © fortuna.

sfortunàto *agg.* **1** (*di persona*) disgraziato, iellato, scalognato, sfigato (*colloq.*) © fortunato **2** (*di circostanza e sim.*) sfavorevole, malaugurato, disgraziato, infausto, funesto © fortunato, felice, propizio.

sforzàre *v.tr.* **1** (*i muscoli e sim.*) forzare, affaticare **2** (*una persona*) costringere, forzare, obbligare, spingere **3** (*la porta, la serratura ecc.*) forzare, scassinare, sfondare, scardinare ♦ **sforzarsi** *v.pr.* **1** adoperarsi, affannarsi, darsi da fare, impegnarsi, ingegnarsi © cedere, arrendersi **2** costringersi, obbligarsi, forzarsi.

sforzàto *agg.* (*di sorriso e sim.*) forzato, innaturale, artefatto © naturale, spontaneo.

sfòrzo *s.m.* **1** impegno, fatica, lavoro **2** (*di una macchina, di un motore*) sollecitazione.

sfóttere *v.tr.* prendere in giro, deridere, prendere per il culo (*volg.*), prendere per i fondelli (*colloq.*), ridicolizzare, prendersi gioco.

sfracellàre *v.tr.* schiacciare, distruggere, schiantare, sfasciare, fracassare, frantumare ♦ **sfracellarsi** *v.pr.* fracassarsi, frantumarsi, andare in pezzi, rompersi, spappolarsi.

sfrattàre *v.tr.* **1** buttare fuori, mandare via, sloggiare, dare lo sfratto **2** (*scherz.*) cacciare, allontanare, mandare via.

sfrecciàre *v.intr.* (*di autoveicolo*) correre, filare, volare.

sfregaménto *s.m.* strofinamento, fregamento, frizione.

sfregàre *v.tr.* **1** fregare, stropicciare, strofinare, frizionare **2** strisciare, graffiare, grattare, raschiare.

sfregiàre *v.tr.* **1** (*una persona*) deturpare, sfigurare **2** (*un'opera d'arte*) graffiare, rigare, danneggiare, deturpare **3** ♧ disonorare, infangare, infamare.

sfrégio *s.m.* **1** taglio, ferita; cicatrice **2** (*di un'opera d'arte*) graffio, macchia **3** ♧ insulto, oltraggio, offesa, affronto.

sfrenatézza *s.f.* **1** sregolatezza, incontinenza, intemperanza; dissolutezza, scostumatezza © controllo, misura, moderazione, sobrietà **2** (*al pl.*) eccessi, stravizi.

sfrenàto *agg.* smodato, scatenato, frenetico; esagerato, eccessivo © misurato, moderato.

sfrondàre *v.tr.* **1** (*un albero*) potare, sfoltire, sfogliare **2** ♧ (*un discorso, uno scritto ecc.*) ridurre, accorciare, alleggerire, ripulire, snellire © allungare, appesantire, caricare.

sfrontatézza *s.f.* impertinenza, insolenza, maleducazione, sfacciataggine, spudoratezza, strafottenza © educazione, riguardo, ritegno.

sfrontàto *agg.*, *s.m.* impertinente, insolente, impudente, maleducato, sfacciato, strafottente © educato, rispettoso, riguardoso.

sfruttaménto *s.m.* **1** (*di risorse naturali*) uso, utilizzazione, impiego **2** (*dell'ambiente, di un terreno ecc.*) impoverimento, depauperamento, esaurimento **3** ♧ (*di una persona*) abuso (*dir.*) **4** (*dello spazio e sim.*) ottimizzazione, razionalizzazione.

sfruttàre *v.tr.* **1** (*risorse naturali*) usare, utilizzare, giovarsi, servirsi **2** (*l'ambiente, un terreno ecc.*) esaurire, impoverire, depauperare **3** ♧ (*una persona*) approfittare, profittare, abusare **4** (*lo spazio e sim.*) ottimizzare, razionalizzare, utilizzare.

sfruttatóre *s.m.* **1** approfittatore, profittatore, opportunista **2** (*di prostitute*) protettore, magnaccia (*colloq.*), pappone (*gerg.*).
sfuggènte *agg.* **1** elusivo, evasivo, equivoco, ambiguo, inafferrabile, indefinibile, viscido © aperto, chiaro, leale, franco, sincero **2** (*di mento e sim.*) © marcato, prominente, pronunciato.
sfuggìre *v.intr.* **1** (*da un pericolo e sim.*) fuggire, scappare, scampare, sottrarsi © incorrere, incappare **2** (*dalle mani*) cadere, scivolare, scappare © stringere, tenere **3** (*di particolare e sim.*) passare inosservato **4** (*di nome e sim.*) scappare di mente, dimenticare © ricordare, venire in mente ♦ *v.tr.* evitare, fuggire, scansare, schivare, eludere © affrontare, fronteggiare, prendere di petto.
sfumàre *v.intr.* **1** disperdersi, dissolversi, dileguarsi **2** ♧ (*di speranza, di affare ecc.*) svanire, andare in fumo, fallire © realizzarsi, concretizzarsi **3** (*di colore*) attenuarsi ♦ *v.tr.* **1** (*un colore*) attenuare, alleggerire, smorzare **2** ♧ (*una posizione e sim.*) addolcire, attenuare, edulcorare, mitigare © inasprire.
sfumàto *agg.* **1** (*di progetto, di occasione ecc.*) fallito, frustrato, svanito © attuato, realizzato **2** (*di luce, di colore ecc.*) pallido, attenuato, tenue, morbido, pastoso © forte, intenso, carico, vivace **3** (*di ricordo e sim.*) pallido, vago, impreciso, indefinito, evanescente © chiaro, netto, distinto.
sfumatùra *s.f.* **1** (*di colore*) gradazione, grado, punto, tono, nuance (*fr.*), tonalità **2** ♧ particolare, dettaglio, minuzia, sottigliezza **3** ♧ (*d'ironia, d'odio ecc.*) ombra, punta, traccia, accenno, barlume.
sfurìàta *s.f.* scenata, sgridata, partaccia, ramanzina, ripassata (*colloq.*).
sfùso *agg.* **1** (*di merce*) sciolto © confezionato, impacchettato **2** (*raro*) fuso, liquefatto, sciolto.
sgabèllo *s.m.* panchetto, scanno, trespolo.
sgambettàre *v.intr.* **1** zampettare **2** (*di neonato*) scalciare, dimenarsi.
sganasciàrsi *v.pr.* sbellicarsi, scompisciarsi (*colloq.*), smascellarsi.
sganciàre *v.tr.* **1** liberare, staccare, separare © agganciare, attaccare **2** ♧ (*colloq.*; *denaro*) sborsare ♦ **sganciarsi** *v.pr.* **1** staccarsi, separarsi, liberarsi © agganciarsi, attaccarsi **2** ♧ (*da impegni, situazioni ecc.*) liberarsi, disimpegnarsi, svincolarsi.
sgangheràto *agg.* **1** scardinato, sfasciato, scassato, rotto **2** ♧ disordinato, sconnesso, scorretto **3** ♧ scomposto, sguaiato, volgare.
sgarbàto *agg.* scortese, maleducato, villano © cortese, gentile, educato, garbato.
sgàrbo *s.m.* scortesia, villania, cafonata, inurbanità, malacreanza, maleducazione, sguaiataggine, cafonaggine © garbo, cortesia, educazione, gentilezza, finezza.
sgargiànte *agg.* vivace, brillante, appariscente, chiassoso, intenso, vivace, shocking (*ingl.*) © pallido, spento, smorto, scialbo.
sgarràre *v.intr.* (*colloq.*) sbagliare, mancare, toppare (*colloq.*).
sgàrro *s.m.* **1** (*colloq.*) mancanza, sbaglio **2** (*gerg.*) offesa, sgarbo, affronto.
sgattaiolàre *v.intr.* sgusciare, svicolare; battersela, filarsela, squagliarsela, svignarsela.
sgelàre *v.tr.* e *intr.* disgelare, scongelare © gelare, congelare.
sghémbo *agg.* inclinato, obliquo, storto, sbieco, sbilenco, sghimbescio © diritto, retto.
sghignazzàre *v.intr.* ghignare, sogghignare; ridacchiare.
sghimbèscio *agg.* sghembo, obliquo, diagonale, storto © diritto, retto.
sgobbàre *v.intr.* lavorare, faticare, sudare, sfacchinare © riposare, oziare, poltrire.
sgobbàta *s.f.* faticata, sfacchinata, ammazzata.
sgobbóne *s.m.* lavoratore, stakanovista; (*a scuola*) secchione © fannullone, sfaticato, scansafatiche.
sgocciolàre *v.intr.* **1** colare, gocciolare; (*di rubinetto*) perdere, gocciolare; (*di naso*) colare, sgocciolare; (*di occhi*) lacrimare **2** vuotare, svuotare ♦ *v.tr.* **1** (*acqua, sudore ecc.*) gocciolare, grondare **2** (*una bottiglia*) vuotare, scolare, svuotare.
sgolàrsi *v.pr.* sfiatarsi, spolmonarsi.
sgomberàre *v.tr.* vedi **sgombràre**.
sgómbero *s.m.* **1** (*di cose*) rimozione **2** evacuazione, sfollamento
sgombràre *v.tr.* **1** (*un luogo, un ambiente*) liberare, vuotare, svuotare © ingombrare, riempire **2** abbandonare, andarsene, lasciare; trasferirsi, traslocare © occupare, affollare **3** (*persone da un luogo*) allontanare, evacuare, mandare via, scacciare, sfollare © accogliere, ospitare **4** ♧ (*la mente e sim.*) liberare, svuotare, alleggerire.
sgómbro *agg.* libero, vuoto © ingombro, occupato, pieno.
sgomentàre *v.tr.* spaventare, impressionare, impaurire, intimorire, sbigottire, sconcertare, turbare © calmare, tranquillizzare, rinfrancare ♦ **sgomentarsi** *v.pr.* allibirsi, impressionarsi, intimorirsi, sbigottirsi, terrorizzarsi © calmarsi, rinfrancarsi, rincuorarsi.
sgoménto *s.m.* spavento, paura, timore, sconcerto, sbigottimento © serenità, tranquillità ♦

agg. spaventato, sconcertato, sbigottito, smarrito, terrorizzato, turbato © calmo, sereno, tranquillo, sicuro.
sgominàre *v.tr.* (*l'esercito nemico*) sbaragliare, sconfiggere, annientare, mettere in fuga, disperdere, sparpagliare.
sgonfiàre *v.tr.* **1** vuotare, svuotare © gonfiare, pompare, rigonfiare **2** (*un ascesso e sim.*) ridurre © gonfiare **3** ♧ (*una notizia, un avvenimento ecc.*) ridimensionare, minimizzare, sminuire, sdrammatizzare © gonfiare, montare, ingigantire, pompare, enfatizzare ♦ **sgonfiarsi** *v.pr.* **1** (*di pallone e sim.*) afflosciarsi, svuotarsi © gonfiarsi, dilatarsi **2** ♧ (*di persona*) abbattersi, avvilirsi, deprimersi, scoraggiarsi © gonfiarsi, montarsi, ringalluzzirsi.
sgónfio *agg.* floscio, moscio © gonfio, turgido.
sgòrbio *s.m.* **1** scarabocchio, frego; pasticcio **2** ♧ (*di persona*) mostriciattolo, obbrobrio, cesso (*colloq.*).
sgorgàre *v.intr.* **1** (*di liquidi*) uscire, fuoriuscire, sprizzare, scaturire, zampillare **2** ♧ (*di parole e sim.*) provenire, scaturire, nascere, venire, erompere ♦ *v.tr.* (*uno scarico*) sturare, stasare, liberare © intasare, tappare, ostruire, otturare.
sgozzàre *v.tr.* scannare; uccidere.
sgradévole *agg.* **1** (*di odore, di sapore ecc.*) cattivo, spiacevole, fastidioso, disgustoso, nauseante, nauseabondo, ripugnante © gradevole, piacevole, buono **2** fastidioso, antipatico, insopportabile, spiacevole, increscioso, sgradito © gradevole, piacevole, simpatico.
sgradìto *agg.* **1** (*di compito e sim.*) fastidioso, ingrato, spiacevole, sgradevole, seccante © gradito, piacevole **2** (*di persona*) antipatico, fastidioso, insopportabile, odioso, sgradevole, indesiderato © gradito, gradevole, piacevole, benaccetto, benvoluto.
sgraffignàre *v.tr.* (*colloq.*) rubare, portar via, fregare (*colloq.*), grattare (*colloq.*), fottere (*volg.*), sottrarre.
sgrammaticàto *agg.* (*di testo*) scorretto © corretto.
sgranàre *v.tr.* **1** (*legumi*) sgusciare **2** ♧ (*gli occhi*) spalancare, sbarrare, strabuzzare.
sgranchìre *v.tr.* (*le gambe, i muscoli ecc.*) sciogliere © rattrappire.
sgranocchiàre *v.tr.* rosicchiare, mangiucchiare, rodere, sbocconcellare.
sgravàre *v.tr.* alleggerire, alleviare, liberare © gravare, appesantire, caricare ♦ **sgravarsi** *v.pr.* **1** liberarsi, alleggerirsi, sbarazzarsi, scaricarsi **2** (*colloq.*) partorire.
sgràvio *s.m.* alleggerimento, alleviamento; (*di tasse*) esonero, detrazione © carico, aggravio, sovraccarico.
sgraziàto *agg.* goffo, impacciato, grossolano, rozzo, scomposto © aggraziato, armonioso, elegante, fine, leggiadro.
sgretolàre *v.tr.* **1** frantumare, sbriciolare, spezzettare, triturare, polverizzare **2** ♧ (*un gruppo e sim.*) disgregare, frantumare © consolidare, rafforzare ♦ **sgretolarsi** *v.pr.* **1** frantumarsi, sbriciolarsi, spezzettarsi, disgregarsi, polverizzarsi **2** ♧ (*di gruppo e sim.*) disgregarsi © compattarsi, consolidarsi, rafforzarsi.
sgridàre *v.tr.* rimproverare, riprendere, redarguire, rimbrottare, strapazzare, strigliare, ripassare (*colloq.*) © lodare, elogiare, magnificare.
sgridàta *s.f.* rimprovero, ramanzina, rimbrotto, cicchetto (*colloq.*), lavata di capo, predica (*colloq.*), srapazzata, strigliata, ripassata (*colloq.*) © lode, elogio, encomio.
sgroppàta *s.f.* cavalcata.
sgrossàre *v.tr.* **1** digrossare, dirozzare, affinare **2** ♧ (*un lavoro, un testo ecc.*) abbozzare, delineare, imbastire, schizzare © perfezionare, rifinire, ripulire **3** (*una persona e sim.*) affinare, dirozzare, incivilire, ingentilire © imbarbarire, involgarire.
sgrovigliàre *v.tr.* sciogliere, disfare, districare, dipanare, sbrogliare © aggrovigliare, ingarbugliare, intricare.
sguaiatàggine *s.f.* cafonaggine, volgarità, inciviltà, rozzezza, scompostezza, trivialità © compostezza, educazione, finezza, grazia, sobrietà.
sguaiàto *agg.* volgare, scomposto, cafone, rozzo, incivile, becero, grossolano © educato, composto, fine, delicato.
sguainàre *v.tr.* (*la spada e sim.*) sfoderare, estrarre © inguainare, rinfoderare.
sgualcìre *v.tr.* spiegazzare, sciupare, stropicciare, stazzonato, © lisciare, stirare
sgualcìto *agg.* spiegazzato, sciupato, stropicciato, stazzonato © liscio, stirato.
sgualdrìna *s.f.* prostituta, puttana (*volg.*), battona (*volg.*), bagascia (*volg.*), baldracca (*volg.*), donnaccia (*spreg.*), donna di strada, donna di malaffare, mignotta (*volg.*), zoccola (*volg.*).
sguàrdo *s.m.* **1** occhiata, guardata, sbirciata; letta, scorsa **2** espressione **3** vista.
sguarnìto *agg.* **1** disadorno, spoglio © guarnito, adorno, ornato **2** privo, carente, mancante, sfornito, sprovvisto **3** (*militarmente*) indifeso, vulnerabile © difeso, fortificato, munito.
sguàttero *s.m.* lavapiatti.
sguazzàre *v.intr* **1** guazzare **2** ♧ godere, spassarsela, andare a nozze.

sguinzagliàre *v.tr.* **1** (*dal guinzaglio*) liberare, sciogliere **2** ♧ (*poliziotti e sim.*) mettere alle costole, mettere alle calcagna **3** ♧ (*la fantasia e sim.*) liberare, sbrigliare.
sgusciàre[1] *v.tr.* **1** (*legumi e sim.*) sgranare **2** sbucciare.
sgusciàre[2] *v.intr.* **1** (*dalle mani*) sfuggire, scivolare, scappare **2** ♧ (*di persona*) sgattaiolare, svignarsela, svicolare, sfuggire, tagliare la corda; fuggire, scappare.
shampoo *s.m.invar.* (*ingl.*) sciampo.
shock *s.m.invar.* (*ingl.*) colpo, emozione, spavento, trauma, choc (*fr.*).
shopping *s.m.invar.* (*ingl.*) spese, acquisti, compere.
shorts *s.m.pl.* (*ingl.*) calzoncini, pantaloncini.
show *s.m.invar.* (*ingl.*) spettacolo, varietà.
showgirl *s.f.invar.* (*ingl.*) soubrette (*fr.*), cantante, ballerina, presentatrice, intrattenitrice.
showman *s.m.invar.* (*ingl.*) conduttore, presentatore, cantante, ballerino, intrattenitore
showroom *s.m.invar.* (*ingl.*) esposizione, mostra, salone.
sibilàre *v.intr.* fischiare.
sibillìno *agg.* enigmatico, oscuro, indecifrabile, incomprensibile, misterioso © chiaro, evidente, esplicito.
sìbilo *s.m.* fischio.
sicàrio *s.m.* killer (*ingl.*); assassino, uccisore.
siccità *s.f.* arsura, aridità, secchezza © pioggia, piovosità.
sicumèra *s.f.* presunzione, prosopopea, saccenteria, supponenza © modestia, umiltà, semplicità.
sicurézza *s.f.* **1** tranquillità © pericolosità, rischiosità **2** decisione, risolutezza, disinvoltura © insicurezza, indecisione, incertezza **3** esperienza, abilità, bravura, capacità, padronanza, perizia © inesperienza, incapacità, imperizia **4** certezza, punto fermo, riferimento, punto di riferimento **5** certezzza, convinzione, garanzia, persuasione © insicurezza, dubbio, incertezza.
sicùro *agg.* **1** (*di luogo*) protetto, riparato, fortificato, munito © insicuro, pericoloso, rischioso **2** (*di persona*) deciso, determinato, disinvolto, risoluto © insicuro, indeciso, incerto, titubante **3** (*nel lavoro*) bravo, capace, competente, esperto © incapace, inesperto **4** (*di notizia*) certo, accertato, assodato © dubbio, incerto, vago, aleatorio **5** (*di amico e sim.*) fedele, fidato, affidabile © inaffidabile, infido **6** (*di rimedio e sim.*) efficace, infallibile, garantito, provato © inefficace.
sideràle *agg.* **1** celeste, astrale, stellare, cosmico © terreno, terrestre **2** ♧ enorme, smisurato, sconfinato, sterminato © piccolo, limitato.
siderurgìa *s.f.* IPERON. metallurgia.
sièsta *s.f.* (*sp.*) sonnellino, riposino, pisolino, pennichella (*region.*).
sifìlide *s.f.* (*med.*) lue, malfrancese.
sigarétta *s.f.* cicca (*colloq.*), paglia (*gerg.*).
sigillàre *v.tr.* **1** suggellare IPERON. piombare © dissigillare, spiombare **2** chiudere, tappare © aprire, stappare **3** ♧ (*un accordo, un patto ecc.*) confermare, suggellare © rescindere.
sigìllo *s.m.* **1** bollo, suggello (*elev*); piombo, piombino **2** (*di un barattolo e sim.*) chiusura, capsula **3** ♧ impronta, segno, tocco, traccia, marchio.
sìgla *s.f.* **1** abbreviazione, acronimo; iniziali, cifra, monogramma **2** (*mus.*) stacchetto, motivetto.
siglàre *v.tr.* **1** firmare, contrassegnare, marcare, sottoscrivere, parafare (*burocr.*) **2** (*un accordo, un patto ecc.*) firmare, sottoscrivere, ratificare, sancire, stipulare.
significàre *v.tr.* **1** voler dire, indicare, denotare, esprimere **2** rappresentare, simboleggiare, equivalere, indicare **3** conseguire, derivare, implicare **4** ♧ (*di persona, di luogo ecc.*) contare, valere, rappresentare.
significatìvo *agg.* **1** importante, rilevante, considerevole, essenziale © insignificante, irrilevante, trascurabile **2** (*di occhiata, di frase ecc.*) eloquente, espressivo, incisivo © insignificante, inespressivo, anonimo, scialbo **3** (*di indizio, di segnale ecc.*) indicativo, sintomatico, rappresentativo © irrilevante, trascurabile **4** (*di artista, di personaggio ecc.*) importante, noto, considerato, stimato © anonimo, ignoto, oscuro, sconosciuto.
significàto *s.m.* **1** (*di una parola, di una frase ecc.*) senso, contenuto, accezione, valore, connotazione (*ling.*) **2** ♧ (*di un gesto e sim.*) scopo, senso, finalità, intenzione **3** ♧ importanza, valore, portata, rilevanza.
signóra *s.f.* **1** moglie, consorte, coniuge, sposa **2** padrona di casa, proprietaria © domestica, colf, cameriera **3** donna; tale, tipa, tizia, una **4** ricca, benestante, abbiente © pezzente, poveraccia, stracciona **5** dama, gentildonna, lady (*ingl.*) © cafona, popolana, zoticona.
signóre *s.m.* **1** uomo; tale, tipo, tizio, uno **2** padrone di casa, proprietario © domestico, cameriere **3** (*anticamente*) padrone, principe, sovrano **4** ricco, benestante, abbiente © poveraccio, nullatenente, straccione **5** gentiluomo, galantuomo, nobiluomo, gentleman (*ingl.*) © cafo-

ne, bifolco, villanzone, zoticone **6** (*con l'iniziale maiuscola*) Dio, Creatore, Gesù Cristo.
signoreggiàre *v.tr.* e *intr.* dominare, governare, regnare.
signorìa *s.f.* autorità, dominio, potere, predominio, egemonia © soggezione, sudditanza, schiavitù.
signorìle *agg.* **1** fine, raffinato, elegante, distinto, aristrocratico, chic (*fr.*), di classe © grossolano, rozzo, grezzo, volgare **2** (*di casa, di quartiere ecc.*) elegante, chic (*fr.*), di lusso © povero, modesto.
signorilità *s.f.* distinzione, finezza, garbo, classe, stile, raffinatezza, ricercatezza, squisitezza © volgarità, cafonaggine, grossolanità, ordinarietà, sguaiatezza.
signorìna *s.f.* **1** fanciulla, ragazza **2** nubile, zitella, ragazza; vergine.
silènzio *s.m.* **1** calma, pace, quiete, tranquillità © rumore, frastuono, fracasso, casino (*colloq.*), confusione, chiasso, strepito **2** zitto **3** ♧ dimenticanza, oblio **4** discrezione, riserbo, riservatezza © indiscrezione **5** mutismo, omertà, reticenza.
silenzióso *agg.* **1** (*di persona*) taciturno, di poche parole, laconico; zitto, muto © chiacchierone, loquace, logorroico **2** (*di luogo e sim.*) quieto, tranquillo © rumoroso, chiassoso.
silhouette *s.f.invar.* (*fr.*) **1** (*di cosa*) contorno, profilo, sagoma **2** (*di corpo, spec. femminile*) figura, linea.
sillabàre *v.tr.* compitare, scandire; articolare, pronunciare.
sillabàrio *s.m.* abbecedario
sìlo *s.m.* **1** silos, deposito, magazzino **2** (*per il parcheggio di autoveicoli*) autosilo, parcheggio.
siluràre *v.tr.* (*una persona*) allontanare, rimuovere, deporre, destituire, estromettere, licenziare, trombare (*colloq.*) © promuovere **3** ♧ (*un'iniziativa, un progetto ecc.*) boicottare, mandare a monte, bocciare, ostacolare © accogliere, approvare.
simbiòsi *s.f.* ♧ connessione, interdipendenza, legame.
simboleggiàre *v.tr.* rappresentare, esprimere, significare, raffigurare, personificare.
simbòlico *agg.* **1** emblematico, rappresentativo, paradigmatico **2** (*di linguaggio*) metaforico, traslato, allegorico © letterale.
sìmbolo *s.m.* **1** immagine, rappresentazione, emblema, figura, personificazione, rappresentazione, vessillo **2** (*matematico, chimico ecc.*) segno.
similàre *agg.* analogo, affine, vicino, rassomigliante, somigliante, simile © diverso, dissimile, differente, lontano.
sìmile *agg.* **1** affine, analogo, assomigliante, somigliante, vicino, compagno (*colloq.*); corrispondente, equivalente, uguale, identico, omogeneo, uniforme © dissimile, diverso, differente, distante, lontano, opposto, antitetico **2** tale, di tale sorta, del genere, siffatto ♦ *s.m.* (*spec. al pl.*) prossimo.
similitùdine *s.f.* **1** (*ret.*) paragone, comparazione, parallelo, analogia, metafora, traslato **2** somiglianza, analogia, affinità, parallelismo © differenza, diversità, difformità.
simmetrìa *s.f.* armonia, equilibrio, proporzione © asimmetria, squilibrio, sproporzione.
simmètrico *agg.* **1** speculare, corrispondente, rispondente © asimmetrico **2** ♧ armonico, equilibrato, ordinato, proporzionato © asimmetrico, disarmonico, sproporzionato.
simpatìa *s.f.* **1** attrazione, interesse, debole, inclinazione, propensione © antipatia, avversione, odio, ostilità, repulsione **2** (*tra due persone*) affinità, amicizia, intesa, feeling (*ingl.*), sintonia; affetto, tenerezza, infatuazione, amore © incompatibilità, inimicizia.
simpàtico *agg.* **1** (*di persona*) amabile, affabile, affettuoso, amichevole, cordiale, cortese, socievole © antipatico, insopportabile, odioso, indisponente **2** gradevole, piacevole, divertente, spassoso © antipatico, fastidioso, spiacevole.
simpatizzànte *s.m.f.* sostenitore, fautore, fiancheggiatore, partigiano, seguace, fan (*ingl.*) © oppositore, avversario.
simpatizzàre *v.intr.* **1** (*con qlcu.*) fraternizzare, familiarizzare, legare **2** (*per un partito, un'ideologia e sim.*) parteggiare, propendere, appoggiare, sostenere; (*per una squadra*) tenere, tifare © avversare, contrastare, osteggiare.
simpòsio *s.m.* **1** (*elev.*) banchetto, convivio **2** convegno, congresso, meeting (*ingl.*).
simulàcro *s.m.* **1** figura, immagine, statua **2** ♧ esteriorità, immagine, parvenza.
simulàre *v.tr.* **1** fingere, mostrare, dare a vedere, ostentare; inscenare, fare finta, recitare **2** imitare, copiare, riprodurre **3** (*artificialmente*) riprodurre.
simulatóre *s.m.* bugiardo, ipocrita, impostore, menzognero, sleale, subdolo ♦ *s.m.* attore, commediante, imbroglione, impostore.
simulazióne *s.f.* **1** finzione, scena, finta, commedia, messinscena, recita, impostura © sincerità, schiettezza, spontaneità, verità **2** (*a scopo sperimentale*) riproduzione.
simultaneità *s.f.* contemporaneità, concomitanza, coincidenza, sincronia, contestualità © anteriorità, precedenza; posteriorità, successione.

simultàneo *agg.* contemporaneo, concomitante, coincidente, sincronico, sincrono, contestuale © anteriore, antecedente, precedente; successivo, posteriore, susseguente.
sinceràrsi *v.pr.* accertarsi, assicurarsi, verificare, controllare.
sincerità *s.f.* **1** franchezza, schiettezza, onestà. lealtà © falsità, ipocrisia, insincerità, doppiezza, slealtà **2** (*di un sentimento, di un gesto ecc.*) autenticità, genuinità © ipocrisia, falsità.
sincèro *agg.* **1** franco, schietto, leale, trasparente, limpido © falso, ipocrita, bugiardo, insincero, menzognero **2** (*di parole, di sentimento ecc.*) vero, autentico, genuino © falso, ipocrita, finto, insincero, simulato **3** (*spec. di vino*) genuino, schietto © adulterato, contraffatto, sofisticato.
sincronìa *s.f.* **1** coincidenza, concomitanza, contemporaneità, simultaneità, sincronismo © asincronia (*raro*); anteriorità, precedenza; posteriorità, successione **2** (*ling.*) © diacronia.
sincrònico *agg.* **1** concomitante, contemporaneo, simultaneo, sincrono © anteriore, antecedente, precedente; successivo, posteriore, susseguente **2** (*ling.*) © diacronico.
sincronìsmo *s.m.* contemporaneità, coincidenza, concomitanza, simultaneità, sincronia © anteriorità, precedenza; posteriorità, successione.
sincronizzàre *v.tr.* coordinare, regolare.
sìncrono *agg.* vedi **sincrònico**.
sindacàre *v.tr.* **1** (*burocr.*) controllare, rivedere, valutare **2** (*colloq.*) criticare, biasimare, censurare, condannare, deplorare, disapprovare © approvare, apprezzare, elogiare, decantare.
sìndaco *s.m.* **1** primo cittadino **2** (*comm.*) revisore dei conti.
sìndrome *s.f.* (*med.*) sintomo, sintomatologia; malattia.
sinfonìa *s.f.* **1** (*mus.*) ouverture (*fr.*); concerto **2** ♧ (*di colori, di luci ecc.*) armonia, concerto.
singhiozzàre *v.intr.* IPERON. piangere.
singhiózzo *s.m.* singulto; (*al pl.*) lacrime, pianto © riso, risata.
single *s.m.f.invar.* (*ingl.*) **1** (*uomo*) scapolo, celibe **2** (*donna*) nubile, signorina; zitella.
singolàre *agg.* **1** unico, singolo, individuale © plurale, collettivo **2** caratteristico, particolare, determinato, proprio, specifico; insolito, inconsueto, originale, raro, speciale; strano, stravagante, bizzarro, strambo © comune, normale, ordinario ♦ *agg., s.m.* (*gramm.*) © plurale.
singolarità *s.f.* **1** peculiarità, particolarità, caratteristica, prerogativa, specificità; anormalità, atipicità; eccezionalità, straordinarietà © ordinarietà, usualità **2** stranezza, bizzarria, eccentricità, originalità, stravaganza, stramberia © normalità, regolarità.
sìngolo *agg.* **1** (*di caso e sim.*) isolato **2** solo, unico, semplice © complesso, molteplice, plurimo; doppio ♦ *s.m.* **1** individuo, persona © collettività, massa **2** (*nel tennis e sim.*) singolare © doppio **3** (*gramm.*) © plurale.
singùlto *agg.* singhiozzo.
sinìstra *s.f.* **1** manca, mancina © destra, dritta **2** (*in politica*) progressisti © destra; conservatori; moderati.
sinistràto *agg., s.m.* incidentato; senza tetto, sfollato.
sinìstro *agg.* **1** mancino © destro **2** ♧ infausto, funesto, malaugurato, di cattivo auspicio, sfavorevole © felice, favorevole, fausto, propizio **3** (*di sguardo, di persona ecc.*) bieco, losco, inquietante, minaccioso, torvo, truce © benevolo, benigno, amichevole, sereno ♦ *s.m.* **1** incidente, infortunio; disastro, calamità, catastrofe **2** (*di pugno*) © destro.
sinonimìa *s.f.* © antonimia.
sinònimo *agg., s.m.* © antonimo, contrario.
sinòttico *agg.* riassuntivo, schematico, riepilogativo; sintetico, succinto, conciso © analitico; prolisso, ridondante.
sìntesi *s.f.* **1** riassunto, compendio, condensato, sunto, riepilogo, estratto, abstract (*ingl.*), abrégé (*fr.*) © analisi, ampliamento, approfondimento **2** (*di idee, di proposte ecc.*) unificazione, unione, fusione © distinzione, separazione **3** (*nel parlare, nello scrivere*) concisione, essenzialità, sinteticità, stringatezza © prolissità, verbosità.
sintètico *agg.* **1** (*di ragionamento e sim.*) © analitico **2** (*di discorso e sim.*) breve, conciso, essenziale, asciutto, sommario, succinto, stringato, telegrafico © analitico, ampio, esteso, dettagliato, particolareggiato, prolisso, ridondante, verboso **3** (*di prodotto, di sostanza*) artificiale © naturale.
sintetizzàre *v.tr.* riassumere, condensare, riepilogare, schematizzare © approfondire, ampliare, estendere, particolareggiare.
sintomàtico *agg.* indicativo, significativo, rivelatore © irrilevante, marginale.
sintomatologìa *s.f.* sintomi, sindrome.
sìntomo *s.m.* **1** (*med.*) sintomatologia; prodromo **2** ♧ indizio, segno, segnale, spia, avvertimento, avvisaglia, presagio.
sintonìa *s.f.* ♧ accordo, armonia, corrispondenza, affiatamento, intesa, dialogo, feeling (*ingl.*), affinità © disaccordo, contrasto, divergenza.

sintonizzàrsi *v.pr.* ♧ armonizzare, accordarsi, essere d'accordo, concordare © dissentire, discordare.
sintonizzatóre *s.m.* tuner (*ingl.*).
sinuosità *s.f.* **1** tortuosità © linearità **2** curva, ansa, meandro, tortuosità © dirittura, rettifilo, rettilineo.
sinuóso *agg.* **1** (*di fiume, di strada ecc.*) serpeggiante, tortuoso, a zig zag © diritto, rettilineo, lineare **2** (*di corpo di donna*) morbido, flessuoso, formoso, prosperoso, procace.
sipàrio *s.m.* (*teatr.*) tela, telone, velario.
sirèna *s.f.* **1** ondina **2** ammaliatrice, seduttrice, femme fatale (*fr.*), vamp (*ingl.*), fatalona, maliarda.
sìsma *s.m.* terremoto.
sìsmico *agg.* **1** tellurico **2** (*di luogo, di regione e sim.*) © asismico.
sistèma *s.m.* **1** complesso, insieme, organismo, organizzazione, struttura **2** (*filos.*) pensiero, filosofia, teoria, concezione, visione **3** (*biol.*) apparato **4** maniera, metodo, mezzo, modo, metodologia, procedimento, criterio, tecnica.
sistemàre *v.tr.* **1** catalogare, classificare, organizzare, strutturare **2** mettere in ordine, mettere a posto, ordinare, aggiustare, riordinare, rassettare © disordinare, scompigliare, buttare all'aria, incasinare (*colloq.*) **3** ♧ (*una faccenda, una lite ecc.*) risolvere, definire, appianare **4** (*qlcu. in un alloggio*) ospitare **5** (*i figli*) accasare, ammogliare, maritare, sposare **6** (*colloq.*; *una persona*) dare una lezione, punire, castigare ♦ **sistemarsi** *v.pr.* **1** (*abito, capelli ecc.*) accomodarsi, aggiustarsi, rassettarsi **2** (*di situazione e sim.*) risolversi, appianarsi, assestarsi, accomodarsi **3** (*in un alloggio*) insediarsi, installarsi, piazzarsi, stabilirsi **4** (*nel lavoro*) impiegarsi, occuparsi **5** sposarsi, mettere su famiglia, accasarsi, ammogliarsi, maritarsi.
sistemàtico *agg.* **1** (*di fenomeno e sim.*) regolare, costante, ricorrente © casuale, episodico, saltuario **2** (*di persona, di lavoro ecc.*) metodico, preciso, meticoloso, accurato, ordinato, organizzato, rigoroso © disordinato, disorganizzato, caotico **3** (*di vita, di ritardo ecc.*) regolare, costante **4** (*di critica, di opposizione ecc.*) caparbio, ostinato, preconcetto © conciliante, ragionevole.
sistemazióne *s.f.* **1** (*di dati, di materiale, di conti ecc.*) organizzazione, ordine, classificazione, catalogazione; assetto, collocazione, disposizione, posizionamento © disordine, disorganizzazione, confusione, caos, casino (*colloq.*) **2** (*di una lite, di una faccenda ecc.*) risoluzione, definizione, appianamento, composizione (*dir.*) **3** impiego, lavoro, occupazione, posto di lavoro; abitazione, casa, alloggio.
sìto[1] *agg.* situato, posto, ubicato.
sìto[2] *s.m.* **1** luogo, località, posto **2** (*inform.*) pagina web.
situàre *v.tr.* **1** porre, collocare, piazzare, posizionare © togliere, levare, spostare **2** ♧ (*nel contesto storico e sim.*) collocare, contestualizzare, inserire, inquadrare.
situazióne *s.f.* stato, condizione, posizione; circostanza, momento, clima, contesto, contingenza, frangente.
sketch *s.m.invar.* (*ingl.*) scenetta, gag (*ingl.*).
skilift *s.m.invar.* (*ingl.*) sciovia.
slabbràrsi *v.pr.* **1** (*di ferita o tessuto*) lacerarsi **2** (*di tazza e sim.*) sbeccarsi, sbrecciarsi, scheggiarsi.
slacciàre *v.tr.* sciogliere, liberare, aprire, slegare, sbottonare © allacciare, chiudere, annodare, abbottonare, agganciare.
slanciàre *v.tr.* **1** (*le braccia e sim.*) allungare, stendere, distendere **2** (*di vestito e sim.*) assottigliare, smagrire © ingrassare ♦ **slanciarsi** *v.pr.* **1** buttarsi, lanciarsi, gettarsi, scagliarsi © arretrare, indietreggiare, retrocedere **2** (*di campanile e sim.*) innalzarsi, protendersi.
slanciàto *agg.* **1** snello, longilieno, sottile, flessuoso © corpulento, grosso, pesante, tarchiato, tozzo, tracagnotto **2** (*di campanile e sim.*) svettante, affusolato.
slàncio *s.m.* **1** balzo, salto; (*sport*) sprint (*ingl.*) **2** ♧ impeto, impulso, scatto, moto; entusiasmo, passione, ardore, foga, trasporto © freddezza, indifferenza.
slang *s.m.invar.* (*ingl.*) gergo, parlata.
slàrgo *s.m.* spiazzo, largo © restringimento, strettoia.
slavàto *agg.* **1** (*di colore*) sbiadito, scialbo, scolorito, pallido, smorto © vivace, intenso, carico, acceso, brillante **2** (*di stile e sim.*) debole, fiacco, incolore, inespressivo, sbiadito © efficace, intenso, vivo, colorito, incisivo.
slavìna *s.f.* IPERON. valanga.
sleàle *agg.* falso, traditore, doppio, ipocrita, scorretto, insincero © leale, franco, schietto, sincero, aperto, fidato.
slealtà *s.f.* **1** falsità, malafede, doppiezza, disonestà, insincerità, malafede © lealtà, onestà, sincerità, franchezza, correttezza **2** (*azione sleale*) disonestà, scorrettezza.
slegàre *v.tr.* sciogliere, liberare, slacciare © legare, annodare ♦ **slegarsi** *v.pr.* liberarsi, staccarsi, svincolarsi © legarsi, vincolarsi.

slegàto *agg.* **1** libero, sciolto, slacciato © legato, allacciato, annodato **2** ♧ (*di discorso, di ragionamento ecc.*) sconnesso, incoerente, illogico, sconclusionato © coerente, logico, organico, rigoroso.

slip *s.m.invar.* (*ingl.*) (*spec. al pl.*) mutandine.

slittàre *v.intr.* **1** scivolare, sdrucciolare **2** (*di ruota*) girare a vuoto **3** (*di moneta, di titolo ecc.*) calare, ribassarsi, deprezzarsi, svalutarsi © rivalutarsi **4** ♧ (*politicamente*) allontanarsi, deviare, spostarsi.

slogan *s.m.invar.* (*ingl.*) motto.

slogàrsi *v.pr.* disarticolarsi, lussarsi.

slogatùra *s.f.* distorsione; lussazione.

sloggiàre *v.tr.* allontanare, cacciare, mandare via, sfrattare © accogliere, alloggiare, ospitare ♦ *v.intr.* (*colloq.*) andarsene, sgombrare (*colloq.*), fare fagotto, sbaraccare (*colloq.*), smammare (*colloq.*), filare (*colloq.*) © fermarsi, restare, sistemarsi.

smaccàto *agg.* esagerato, eccessivo, sproporzionato; sfacciato, spudorato © contenuto, moderato, modesto.

smacchiàre *v.tr.* pulire, ripulire © macchiare, insudiciare, imbrattare, sporcare.

smàcco *s.m.* insuccesso, fallimento, sconfitta, batosta, disfatta, débâcle (*fr.*); mortificazione, umiliazione; delusione © successo, vittoria, trionfo, exploit (*fr.*).

smagliànte *agg.* splendente, radioso, lucente, sfolgorante; (*di sorriso*) candido, luminoso © cupo, fosco, scuro.

smagliatùra *s.f.* **1** rottura, strappo **2** ♧ cedimento, sfaldatura; incoerenza, sconnessione.

smagrìrsi *v.pr.* dimagrire, rinsecchirsi, affilarsi © ingrassare, ingrossarsi.

smaliziàto *agg.* furbo, astuto, esperto, scaltro, sveglio (*colloq.*), navigato, vissuto © candido, ingenuo, inesperto, sprovveduto.

smaltàre *v.tr.* laccare, verniciare.

smaltìre *v.tr.* **1** (*il cibo*) digerire **2** (*il lavoro, una pratica ecc.*) sbrigare, evadere (*burocr.*) © accumulare **3** ♧ (*la sbornia, la rabbia ecc.*) sfogare, scaricare; placare, smorzare © trattenere, controllare **4** (*i rifiuti*) eliminare; (*acque, scarichi ecc.*) scaricare **5** (*merci, fondi di magazzino, scorte ecc.*) finire, esaurire, liquidare, terminare **6** ♧ (*il traffico*) sbloccare, decongestionare © bloccare, congestionare.

smàlto *s.m.* **1** vernice **2** (*per unghie*) lacca **3** ♧ brillantezza, verve (*fr.*), brio, vitalità; carattere, energia, grinta, mordente © debolezza, fiacchezza.

smammàre *v.intr.* (*colloq.*) andarsene, levarsi di torno, sloggiare (*colloq.*), alzare i tacchi, togliersi dai piedi, togliersi di mezzo; battersela, svignarsela.

smancerìa *s.f.* (*spec. al pl.*) complimento, leziosaggine, moina, sdolcinatezza, svenevolezza; affettazione, vezzo.

smània *s.f.* **1** agitazione, ansia, impazienza, irrequietezza, insofferenza, nervoso (*colloq.*), nervosismo; eccitazione, frenesia, fermento, sovreccitazione © calma, tranquillità; imperturbabilità **2** ♧ (*di potere, di viaggiare ecc.*) sete, voglia, desiderio, avidità, brama, bramosia; estro, ghiribizzo, mania.

smaniàre *v.intr.* **1** agitarsi, affannarsi, inquietarsi, innervosirsi, spazientirsi; delirare, dare in escandescenze © pazientare; calmarsi **2** ♧ sognare, desiderare, agognare, sospirare, spasimare, struggersi.

smanióso *agg.* **1** ansioso, impaziente, agitato, inquieto, insofferente; eccitato, sovreccitato © calmo, tranquillo, pacato, equilibrato **2** ♧ desideroso, voglioso, affamato, assetato © indifferente.

smantellaménto *s.m.* **1** (*di un edificio e sim.*) abbattimento, demolizone, distruzione © costruzione, erezione **2** ♧ (*di un'istituzione e sim.*) abolizione, scioglimento, soppressione © costituzione, formazione **3** ♧ (*di una tesi, di un'accusa e sim.*) demolizione, confutazione © avvaloramento, convalida.

smantellàre *v.tr.* **1** demolire, distruggere © costruire, edificare **2** (*un'organizzazione e sim.*) sciogliere, sopprimere, abolire © costituire, fondare **3** ♧ (*una tesi, un'accusa*) smontare, confutare, demolire © avvalorare, convalidare.

smargiassàta *s.f.* spacconata.

smargiàsso *s.m.* sbruffone, fanfarone, gradasso, millantatore, ballista (*colloq.*), spaccone.

smarriménto *s.m.* **1** (*di un oggetto*) perdita, dimenticanza © recupero, reperimento, ritrovamento **2** ♧ disorientamento, sconcerto, sbigottimento, incertezza, confusione, scombussolamento, sconvolgimento, turbamento © calma, serenità, tranquillità.

smarrìre *v.tr.* **1** (*un oggetto*) perdere, dimenticare © ritrovare, trovare, recuperare, rinvenire **2** ♧ (*la ragione*) impazzire ♦ **smarrirsi** *v.pr.* **1** perdersi, disorientarsi © orientarsi, orizzontarsi **2** ♧ confondersi, disorientarsi, sgomentarsi, scombussolarsi, sconvolgersi, turbarsi © calmarsi, rincuorarsi, rinfrancarsi, tranquillizzarsi.

smarrìto *agg.* **1** perso, perduto; disperso; dimenticato © ritrovato, trovato, recuperato, reperito, rinvenuto **2** ♧ disorientato, confuso,

sbigottito, turbato, scombussolato, sconvolto, sgomento, sperduto, turbato © calmo, sereno, lucido, tranquillo.
smascellàrsi *v.pr.* sganasciarsi.
smascheràre *v.tr.* **1** © mascherare, travestire, camuffare **2** ♧ scoprire, svelare, mettere a nudo; manifestare, palesare, rivelare; sbugiardare, svergognare, sputtanare (*volg.*) © mascherare, nascondere, coprire, celare.
smembràre *v.tr.* **1** fare a pezzi, squartare **2** dividere, frazionare, scomporre, scorporare © unire, unificare **3** ♧ (*uno stato, una famiglia*) dividere, separare, disgregare; (*un partito e sim.*) sciogliere © unire, aggregare.
smemoratàggine *s.f.* smemoratezza.
smemoratézza *s.f.* smemorataggine, dimenticanza, sbadataggine.
smemoràto *agg.*, *s.m.* distratto, disattento, dimenticone (*colloq.*), sbadato, svanito © attento, presente.
smentìre *v.tr.* **1** negare, contraddire, confutare, sconfessare, smantellare, sbugiardare © confermare, avvalorare **2** (*una confessione*) ritrattare, ritirare, rinnegare, sconfessare © confermare, dimostrare, convalidare, confortare **3** (*la reputazione, le attese ecc.*) deludere, tradire, disattendere, mancare © confermare, mantenere, rispettare ♦ **smentirsi** *v.pr.* contraddirsi.
smentìta *s.f.* confutazione, ritrattazione, sconfessione © conferma, riprova, riconferma.
smerciàre *v.tr.* distribuire, vendere, commercializzare, liquidare © acquistare, comprare.
smèrcio *s.m.* vendita, commercio, spaccio.
smerigliàre *v.tr.* levigare.
smerigliatùra *s.f.* levigatura, lucidatura.
smésso *agg.* disusato, dismesso.
sméttere *v.tr.* e *intr.* abbandonare, finire, cessare, interrompere, lasciare, mollare, piantare, terminare © cominciare, avviare, attaccare, iniziare; continuare, seguitare ♦ *v.tr.* (*abiti, scarpe ecc.*) dismettere © rinnovare.
smidollàto *s.m.* debole, rammollito, fiacco, infiacchito, sfinito, sfibrato, spompato (*colloq.*), debosciato © forte, deciso, energico, risoluto.
smilitarizzàre *v.tr.* disarmare, smobilitare, sguarnire © militarizzare, armare, mobilitare, fortificare, munire.
smìlzo *agg.* **1** snello, magro, sottile, asciutto, secco, segaligno © grasso, corpulento, massiccio, tarchiato, tozzo, tracagnotto **2** ♧ (*di stile, di tema e sim.*) essenziale, povero, misero, scarno, sintetico © lungo, ricco, corposo, sostanzioso.
sminuìre *v.tr.* **1** diminuire, ridurre, calare, restringere, rimpicciolire, ridimensionare © accrescere, aumentare, ingrandire **2** ♧ (*pregi, difetti ecc.*) minimizzare, svalutare, sottovalutare, sgonfiare, smitizzare, svilire © esagerare, enfatizzare, gonfiare, mitizzare, sopravvalutare, pompare (*colloq.*) ♦ **sminuirsi** *v.pr.* sottovalutarsi, svilirsi © esaltarsi, sopravvalutarsi.
sminuzzàre *v.tr.* frammentare, frantumare, macinare, polverizzare, tritare, triturare.
smistàre *v.tr.* **1** scegliere, selezionare, suddividere, ripartire © riunire, raggruppare, aggregare **2** (*gerg.*; *sport*) lanciare, passare.
smisuràto *agg.* **1** enorme, gigantesco, immenso, illimitato, infinito, sconfinato, smisurato, sterminato © piccolo, esiguo, limitato, minimo, scarso **2** (*di guadagno e sim.*) eccezionale, straordinario, eccessivo, esagerato, esorbitante, spropositato © piccolo, minimo, scarso, esiguo.
smobilitàre *v.tr.* **1** (*mil.*) richiamare, ritirare, smilitarizzare © mobilitare, militarizzare **2** ♧ (*spec. di attività commerciale e sim.*) cessare, terminare, sospendere © intraprendere, avviare ♦ *v.intr.* ♧ (*da un proposito e sim.*) cedere, rinunciare, mollare, arrendersi, darsi per vinto, gettare la spugna © continuare, resistere, insistere, perseverare.
smobilitazióne *s.f.* **1** (*mil.*) congedo, ritirata, disarmo © mobilitazione, militarizzazione, riarmo **2** (*industriale, commerciale ecc.*) cessazione, sopensione, interruzione.
smodàto *agg.* **1** (*di avidità, di ambizione, di lusso ecc.*) eccessivo, esagerato, sfrenato, smisurato, spropositato © moderato, modesto, equilibrato, misurato **2** (*di persona*) sfrenato, incontrollato, scatenato, sregolato, intemperante © moderato, equilibrato, misurato, sobrio, temperante.
smontàggio *s.m.* © montaggio, assemblaggio.
smontàre *v.tr.* **1** scomporre, disfare © montare, costruire, assemblare **2** ♧ (*un'accusa, una tesi ecc.*) demolire, confutare, smantellare, smentire © avvalorare, dimostrare; costruire, montare **3** ♧ (*una persona*) scoraggiare, demoralizzare, abbattere, buttare giù © incoraggiare, caricare, gasare (*colloq.*) ♦ *v.intr.* **1** (*da cavallo, dal tram ecc.*) scendere; (*da una nave*) sbarcare **2** (*di guardia, da un turno ecc.*) staccare (*colloq.*), smettere, finire © montare, attaccare (*colloq.*), iniziare ♦ **smontarsi** *v.pr.* ♧ (*di persona*) abbattersi, avvilirsi, buttarsi giù, demoralizzarsi, scoraggiarsi, sgonfiarsi © caricarsi, gasarsi (*colloq.*), rinfrancarsi.
smòrfia *s.f.* **1** boccaccia **2** (*spec. al pl.*) moina, smanceria, leziosaggine, svenevolezza.
smorfióso *agg.*, *s.m.* **1** lezioso, melenso, mie-

loso, sdolcinato, svenevole © duro, severo **2** superbo, altezzoso, borioso, sdegnoso; schifiltoso, schizzinoso © disponibile, alla mano; semplice.

smòrto *agg.* **1** (*di persona, di volto*) pallido, bianco, cadaverico, esangue, cereo, sbattuto, livido © colorito, roseo, rubizzo; abbronzato **2** (*di colore*) pallido, sbiadito, scolorito, smorzato, spento © acceso, forte, intenso, vivo, vivace, brillante, sgargiante **3** ♧ (*di stile e sim.*) incolore, inespressivo, piatto, debole, fiacco © espressivo, efficace, brillante, vivace.

smorzàre *v.tr.* **1** (*di luce, di fiamma e sim.*) abbassare, attenuare, affievolire; (*di rumore e sim.*) attutire, ridurre © alzare, aumentare, intensificare **2** ♧ (*la rabbia, la passione ecc.*) frenare, mitigare, raffreddare, sedare, temperare © accrescere, rafforzare, ravvivare, rinfocolare **3** ♧ (*la fame, la sete ecc.*) calmare, placare, spegnere, estinguere © aumentare, accrescere, acuire **4** ♧ (*i toni e sim.*) addolcire, attenuare, mitigare © accentuare, aggravare, ingigantire ♦ **smorzarsi** *v.pr.* attenuarsi, spegnersi.

smottaménto *s.m.* frana.

smozzicàre *v.tr.* **1** frammentare, frantumare, sbriciolare, sminuzzare, tritare, triturare **2** ♧ (*parole, frasi*) balbettare, bofonchiare, borbottare, farfugliare © articolare, scandire.

SMS *s.m.invar.* (*ingl.*) messaggio, messaggino (*colloq.*).

smùnto *agg.* emaciato, magro, macilento, sbattuto, sciupato, scheletrico © florido, paffuto, in carne.

smuòvere *v.tr.* **1** muovere, spostare, rimuovere **2** ♧ (*da un'opinione, da un proposito ecc.*) allontanare, dissuadere, distogliere, scoraggiare © convincere, indurre, persuadere **3** ♧ (*l'opinione pubblica, le coscienze ecc.*) toccare, turbare, sconvolgere, commuovere **4** ♧ (*dalla pigrizia e sim.*) svegliare, scuotere, stimolare ♦ **smuoversi** *v.pr.* **1** muoversi, spostarsi **2** ♧ (*da un'opinione, da un proposito ecc.*) allontanarsi, distogliersi, scoraggiarsi © convincersi, persuadersi **3** ♧ (*di persona*) commuoversi, impietosirsi, turbarsi **4** ♧ (*dalla pigrizia e sim.*) scuotersi, svegliarsi, riscuotersi.

smussàre *v.tr.* **1** arrotondare, limare, levigare, stondare © aguzzare, acuminare **2** ♧ (*contrasti e sim.*) attenuare, attutire, mitigare, moderare, temperare; (*il carattere*) addolcire © accentuare, acuire, acutizzare, inasprire.

snack *s.m.invar.* (*ingl.*) spuntino, merenda; merendina.

snaturàre *v.tr.* **1** alterare, denaturare; degradare, peggiorare **2** ♧ (*un'idea, un pensiero e sim.*) distorcere, falsare, stravolgere, travisare.

snaturàto *agg., s.m.* **1** ♧ (*di idea, di pensiero e sim.*) distorto, falsato, stravolto, travisato **2** ♧ (*di madre, di figlio ecc.*) degenere; crudele, disumano © buono, umano.

snebbiàre *v.tr.* ♧ (*la mente e sim.*) liberare, schiarire, rischiarare © annebbiare, confondere, offuscare, obnubilare, ottenebrare.

snellézza *s.f.* **1** (*del corpo*) asciuttezza, magrezza, linea; agilità, flessuosità, leggerezza, scioltezza © grassezza, grossezza; goffaggine, pesantezza **2** ♧ (*di stile e sim.*) scorrevolezza, fluidità, scioltezza, eleganza, disinvoltura © pesantezza, ampollosità.

snellìre *v.tr.* **1** dimagrire, assottigliare, slanciare © ingrassare, ingrossare **2** ♧ (*una procedura, una struttura ecc.*) alleggerire, semplificare, velocizzare © appesantire, rallentare **3** (*un articolo e sim.*) ridurre, sfoltire, sfrondare, semplificare © appesantire ♦ **snellirsi** *v.pr.* **1** dimagrire, assottigliarsi, smagrirsi © appesantirsi, ingrassarsi (*colloq.*) **2** ♧ (*di traffico e sim.*) sveltirsi, velocizzarsi © appesantirsi.

snèllo *agg.* **1** sottile, magro, asciutto, longilineo, slanciato; agile, flessuoso, sciolto © grosso, grasso, robusto, corpulento, massiccio; goffo, pesante **2** ♧ (*di stile e sim.*) fluido, fluente, scorrevole © pesante, stentato **3** (*di traffico e sim.*) fluido, veloce, spedito © lento, pesante.

snervànte *agg.* estenuante, logorante, massacrante, sfibrante, spossante, stressante © rilassante, riposante.

snervàre *v.tr.* (*fisicamente*) sfinire, sfibrare, spossare, massacrare; (*psicologicamente*) estenuare, logorare, stressare © rilassare, ritemprare; rasserenare, tranquillizzare.

snidàre *v.tr.* scovare, stanare.

snòb *s.m.f.invar.* **1** superbo, altezzoso, sdegnoso, spocchioso © alla mano, semplice **2** eccentrico, stravagante; elegante, raffinato, sofisticato ♦ *agg.invar.* **1** (*di atteggiamento, di modi ecc.*) ricercato, affettato © rozzo, volgare, banale **2** (*di ambiente e sim.*) esclusivo, elitario, d'élite © di massa, popolare.

snobbàre *v.tr.* disdegnare, sdegnare, ignorare © considerare, tenere in considerazione, cacare (*volg.*).

snobìsmo *s.m.* altezzosità, superbia, boria, spocchia, puzza sotto il naso (*colloq.*); eccentricità, bizzarria, stravaganza, ricercatezza.

snocciolàre *v.tr.* **1** disossare, denocciolare **2** ♧ (*storie, segreti ecc.*) raccontare, spifferare, spiattellare, strombazzare © nascondere, occultare.

snodàrsi *v.pr.* **1** piegarsi, flettersi, articolarsi © irrigidirsi **2** (*di sentiero, di fiume ecc.*) passare, serpeggiare, zigzagare **3** (*di nodo, di laccio e sim.*) disfarsi, slegarsi, sciogliersi © annodarsi, legarsi.

snodàto *agg.* **1** (*di braccia, di gambe ecc.*) elastico, flessuoso, agile, sciolto © rigido, legato, duro, legnoso **2** (*di tubazione e sim.*) articolato, pieghevole © fisso, rigido.

snòdo *s.m.* **1** (*meccanico*) giunto, attacco **2** (*autostradale*) svincolo.

snowboard *s.m.invar.* (*ingl.*) surf da neve, tavola (*colloq.*).

soap opera *s.f.invar.* (*ingl.*) teleromanzo, telenovela (*portogh.*), serial (*ingl.*).

snudàre *v.tr.* (*la spada*) sguainare, sfoderare.

soàve *agg.* **1** delicato, dolce, delizioso, gradevole, piacevole, squisito © sgradevole, spiacevole, odioso **2** (*di musica, di voce e sim.*) carezzevole, melodioso, vellutato © aspro, duro, sgradevole **3** (*di ricordo e sim.*) dolce, piacevole, bello © amaro, spiacevole, sgradevole, cattivo.

soavità *s.f.* delicatezza, dolcezza, gradevolezza, piacevolezza, gentilezza, grazia, squisitezza © asprezza, durezza, spiacevolezza, amarezza.

sobbalzàre *v.intr.* **1** (*di veicolo e sim.*) saltare, ballare **2** (*di persona*) sussultare, trasalire, scuotersi, riscuotersi.

sobbàlzo *s.m.* **1** (*di veicolo e sim.*) salto, scossa, scossone, sussulto, sballottamento **2** (*di persona*) soprassalto, scossa, sussulto, trasalimento.

sobbarcàrsi *v.pr.* (*un impegno, una fatica ecc.*) accollarsi, addossarsi, assumersi, prendere su di sé; caricarsi, sovraccaricarsi © evitare, rifiutare, sottrarsi, esimersi.

sobbórgo *s.m.* periferia, suburbio, borgata (*a Roma*), borgo, quartiere, hinterland (*ted.*), banlieue (*fr.*).

sobillàre *v.tr.* aizzare, incitare, istigare, fomentare, montare, mettere su (*colloq.*) © calmare, frenare, sedare, spegnere.

sobillatóre *s.m.* agitatore, istigatore, fomentatore, provocatore, arruffapopoli © conciliatore, pacificatore, paciere.

sobrietà *s.f.* **1** misura, moderatezza, moderazione, austerità, castigatezza, continenza, essenzialità, frugalità, morigeratezza, semplicità, temperanza © esagerazione, eccesso, incontinenza, intemperanza, smoderatezza; lusso, sfarzosità **2** (*di stile letterario e sim.*) essenzialità, semplicità, concisione, asciuttezza, snellezza, stringatezza © ampollosità, enfasi.

sòbrio *agg.* **1** lucido © ubriaco, sbronzo (*colloq.*), alticcio, brillo **2** austero, castigato, frugale, moderato, morigerato, parco, temperante © eccessivo, esagerato, incontinente, intemperante, smodato **3** (*di abito, di arredamento ecc.*) semplice, austero, essenziale, severo © appariscente, vistoso; lussuoso, sfarzoso **4** (*di stile letterario e sim.*) semplice, asciutto, essenziale, conciso, snello, stringato © ampolloso, pomposo, retorico, ridondante.

socchiùdere *v.tr.* dischiudere, schiudere; (*la porta, la finestra*) accostare © aprire, spalancare; chiudere.

soccómbere *v.intr.* **1** arrendersi, cedere, piegarsi; perdere, avere la peggio, capitolare © resistere, vincere, avere la meglio, trionfare **2** morire, perire, perdere la vita © sopravvivere, salvarsi.

soccórrere *v.tr.* aiutare, assistere, prestare soccorso; appoggiare, proteggere, sostenere.

soccórso *s.m.* **1** assistenza, aiuto, salvataggio; appoggio, protezione, sostegno **2** (*economico*) aiuto, sovvenzione; carità, beneficienza, elemosina **3** (*spec. al pl.*) aiuti, rifornimenti, rinforzi, viveri, vettovaglie.

sociàle *agg.* **1** (*relativo alla società*) pubblico, collettivo, comune, comunitario, civico, civile © privato, individuale **2** (*di persona*) socievole © asociale **3** (*econ.*) societario, associativo.

socialìsmo *s.m.* comunismo (*improprio*) © capitalismo, liberismo.

socializzàre *v.tr.* (*un servizio, un'impresa ecc.*) statalizzare, nazionalizzare © privatizzare ♦ *v.intr.* legare, familiarizzare, affiatarsi, inserirsi, integrarsi.

società *s.f.* **1** collettività, comunità, gruppo, umanità, mondo **2** ceto, classe, rango; alta società, bel mondo, high society (*ingl.*), jet set (*ingl.*) **3** (*sportiva, culturale ecc.*) associazione, circolo, organizzazione, lega, club (*ingl.*) **4** (*dir.*) impresa, azienda, ditta, ente.

sociévole *agg.* **1** (*di persona, di carattere*) affabile, aperto, cordiale, espansivo, estroverso, comunicativo © asociale, chiuso, introverso, musone, scontroso, misantropo **2** (*che tende a vivere in società*) sociale.

socievolézza *s.f.* affabilità, cordialità, espansività, estroversione © asocialità, scontrosità, misantropia.

sòcio *s.m.* **1** (*di un'azienda, di una società ecc.*) consocio, azionista; partner (*ingl.*) **2** (*di un circolo culturale e sim.*) membro, iscritto, aderente, associato **3** (*spreg.*) complice, compare.

sodalìzio *s.m.* **1** associazione, società **2** amicizia, fratellanza, unione.

soddisfacènte *agg.* positivo, buono, adeguato,

appagante, esauriente, gratificante © insoddisfacente, deludente, negativo.
soddisfàre *v.tr.* **1** (*un desiderio e sim.*) accontentare, esaudire, appagare © deludere, frustrare, scontentare **2** (*le aspettative, le attese ecc.*) corrispondere, rispondere, venire incontro © deludere, ingannare **3** (*un obbligo e sim.*) eseguire, adempiere, ottemperare; (*un debito*) pagare, estinguere, saldare, liquidare, onorare.
soddisfàtto *agg.* contento, appagato, gratificato, lusingato, realizzato, pago © insoddisfatto, scontento, deluso, frustrato.
soddisfazióne *s.f.* **1** (*di un desiderio, di un bisogno ecc.*) appagamento, esaudimento, realizzazione, soddisfacimento; (*di un compito e sim.*) adempimento, esecuzione, assolvimento; (*di un debito*) pagamento, saldo; (*di un'offesa*) riparazione **2** (*l'essere soddisfatto*) contentezza, gioia, piacere, gusto, divertimento, gratificazione, appagamento © insoddisfazione, delusione, dispiacere, amarezza, scontentezza, scontento.
sòdo *agg.* **1** (*di fisico*) robusto, carnoso, paffuto, pieno; (*di muscolo*) tonico © cascante, flaccido, moscio **2** (*di terreno, di frutto ecc.*) compatto, consistente, duro © molle, soffice ♦ *s.m.* (*colloq.*), dunque, nocciolo, nodo, punto cruciale.
sofà *s.m.* divano, canapè.
sofferènte *agg.* **1** (*nel fisico*) malato, ammalato, dolorante © sano **2** (*nell'animo*) addolorato, afflitto, dolente, travagliato © felice, lieto.
sofferènza *s.f.* dolore, male, pena, patimento, tormento; calvario, supplizio, strazio, tortura; angoscia, agonia © gioia, godimento, piacere.
soffermàre *v.tr.* (*lo sguardo e sim.*) fermare, fissare, trattenere © distogliere ♦ **soffermarsi** *v.pr.* **1** bloccarsi, fermarsi, arrestarsi, sostare © andare, avanzare **2** attardarsi, indugiare, trattenersi © andare avanti, continuare, procedere **3** ♧ (*su un argomento e sim.*) insistere, dilungarsi © sorvolare, glissare.
soffèrto *agg.* **1** (*di espressione, di sguardo ecc.*) addolorato, afflitto, dolente, patito, tormentato © felice, gioioso, lieto **2** (*di periodo, di relazione ecc.*) doloroso, difficile, travagliato, tormentato © sereno, tranquillo **3** (*di decisione, di vittoria ecc.*) difficile, combattuto, sudato, travagliato © facile.
soffiàre *v.tr.* **1** (*aria*) emettere, espellere, buttare fuori © aspirare, inspirare **2** ♧ (*un segreto e sim.*) dire, riferire; (*gerg.*) fare la spia, spifferare, spiattellare, cantare (*gerg*) **3** ♧ (*gerg.*) rubare, portare via, fregare (*colloq.*), fottere (*volg.*) ♦ *v.intr.* **1** alitare, espirare © aspirare, inspirare **2** ansare, ansimare, boccheggiare **3** (*per la rabbia, l'insofferenza ecc.*) sbuffare **4** (*di vento*) spirare, tirare, alitare.
soffiàta *s.f.* (*gerg.*) spiata, delazione; dritta, spifferata.
sòffice *agg.* **1** morbido, molle, tenero, cedevole; vaporoso, spumeggiante © duro, sodo, rigido **2** (*di divano, di cuscino ecc.*) comodo, confortevole, morbido © scomodo, duro **3** ♧ (*di luce*) soffuso, tenue, sfumato, evanescente, soft (*ingl.*) © forte, intenso.
soffiétto *s.m.* mantice.
sóffio *s.m.* **1** fiato, respiro, afflato (*elev.*), sospiro; sbuffo **2** (*di vento*) alito, folata, refolo, raffica.
soffitta *s.f.* solaio, sottotetto; mansarda, piccionaia, abbaino.
soffitto *s.m.* palco, solaio, plafond (*fr.*).
soffocànte *agg.* **1** (*di caldo e sim.*) afoso, asfissiante, opprimente, oppressivo, pesante © fresco, sopportabile **2** ♧ (*di persona*) asfissiante, assillante, pesante, oppressivo © piacevole, gradevole **3** ♧ (*di educazione e sim.*) opprimente, oppressivo, repressivo, vessatorio © permissivo, tollerante.
soffocàre *v.tr.* **1** asfissiare, strangolare, strozzare **2** ♧ assillare, asfissiare, opprimere, ossessionare **3** (*un incendio e sim.*) spegnere, domare © accendere **4** ♧ (*una rivolta e sim.*) domare, reprimere, stroncare, sedare; (*un'epidemia*) fermare, arginare, contenere; (*uno scandalo*) coprire, mettere a tacere **5** ♧ (*la, rabbia, il pianto ecc.*) reprimere, frenare, trattenere © sfogare; alimentare ♦ *v.intr.* asfissiare.
soffocàto *agg.* (*di grido e sim.*) frenato, represso, strozzato, trattenuto; (*di suono*) attutito, ovattato, smorzato © forte, acuto.
soffrìggere *v.tr.* dorare, rosolare; (*la cipolla*) imbiondire.
soffrìre *v.tr.* **1** patire, sopportare, sostenere, subire **2** (*il freddo, il caldo ecc.*) sentire, temere **3** (*spec. in frasi negative*) sopportare, tollerare ♦ *v.intr.* **1** patire, penare, tribolare; angosciarsi, angustiarsi, affliggersi, piangere © gioire, rallegrarsi, esultare **2** (*di reumatismi, di mal di testa ecc.*) patire **3** (*di pianta*) avvizzire, patire; (*di frutto*) andare a male, guastarsi, deteriorarsi.
soffùso *agg.* **1** (*di luce, di colori*) attenuato, sfumato, soft (*ingl.*), soffice **2** pervaso, venato.
sofisma *s.m.* arzigogolo, cavillo, sottigliezza.
sofisticàre *v.tr.* (*un prodotto, un alimento ecc.*) adulterare, contraffare, manipolare ♦ *v.intr.* arzigogolare, cavillare, sottilizzare, criticare, cercare il pelo nell'uovo, spaccare il capello in quattro.
sofisticàto *agg.* **1** (*di prodotto alimentare*) adulterato, contraffatto, manipolato © genuino,

naturale, casereccio **2** elegante, ricercato, raffinato, curato, studiato; affettato, artefatto, innaturale © naturale, semplice, spontaneo, schietto **3** (*di attrezzatura, di tecnica ecc.*) complesso, elaborato, moderno, perfezionato © semplice, antiquato, rozzo, rudimentale.

soft *agg.invar.* (*ingl.*) **1** (*di musica e sim.*) tranquillo, rilassante, riposante © duro, hard (*ingl.*), violento **2** (*di luce, di colore*) morbido, sfumato, tenue © carico, forte, intenso, vivo.

software *s.m.invar.* (*ingl.*; *inform.*) programmi © hardware (*ingl.*).

soggettivìsmo *s.m.* individualismo, egocentrismo © oggettivismo.

soggettività *s.f.* (*di un giudizio e sim.*) © imparzialità, obiettività, oggettività.

soggettìvo *agg.* personale, individuale © obiettivo, oggettivo, imparziale.

soggètto[1] *agg.* **1** (*a un'autorità, a un obbligo ecc.*) sottomesso, sottoposto, assoggetato, asservito, subordinato © autonomo, libero, indipendente **2** (*a danni, pericoli ecc.*) a rischio, esposto **3** (*a malattie*) predisposto, incline, facile, disposto © resistente, immune **4** (*all'entusiasmo e sim.*) facile, incline, pronto, portato © refrattario.

soggètto[2] *s.m.* **1** argomento, oggetto, contenuto, materia, tema; (*di libro, di film*) trama, intreccio, storia, vicenda **2** (*spec. spreg.*) individuo, elemento, persona, tipo, personaggio.

soggezióne *s.f.* **1** sottomissione, dipendenza, dominio, giogo, oppressione © autonomia, indipendenza, libertà, emancipazione, affrancamento **2** imbarazzo, timidezza, disagio, impaccio.

sogghignàre *v.intr.* ghignare.

soggiacére *v.intr.* piegarsi, sottomettersi, sottostare, subire © emanciparsi, liberarsi; ribellarsi, rivoltarsi; dominare, imporsi.

soggiogàre *v.tr.* assoggettare, asservire, domare, dominare, piegare, sottomettere © liberare, affrancare, emancipare.

soggiornàre *v.intr.* stare, fermarsi, trattenersi; abitare, vivere, risiedere, dimorare.

soggiórno *s.m.* **1** permanenza; villeggiatura **2** salotto, sala, salone, tinello, living (*ingl.*).

soggiùngere *v.tr.* e *v.intr.* aggiungere.

sòglia *s.f.* **1** porta, uscio; ingresso, entrata, accesso **2** ♧ inizio, principio, primordio, albore © fine, termine, conclusione **3** ♧ limite, confine, valore minimo.

sognànte *agg.* **1** (*di sguardo, di aria ecc.*) assorto, incantato, imbambolato, rapito, trasognato © presente, vigile **2** (*di atmosfera e sim.*) irreale, fantastico, incantato.

sognàre *v.tr.* **1** (*la felicità, le vacanze ecc.*) desiderare, agognare, bramare, vagheggiare; immaginarsi, prefigurarsi **2** (*spec. in frasi negative*) sperare, aspettarsi, illudersi **3** ♧ (*qualcosa di irrealizzabile*) immaginare, credere, pensare, prevedere, sognarsi.

sognatóre *s.m.* idealista, utopista, visionario.

sógno *s.m.* **1** fantasia, fantasticheria, illusione, visione; apparizione, allucinazione, miraggio **2** ♧ speranza, desiderio, ambizione, aspirazione, ideale **3** ♧ (*persona o cosa molto bella*) bellezza, meraviglia, spettacolo, splendore, incanto, fine del mondo, schianto (*colloq.*) © bruttura, obbrobrio, orrore, mostro, schifo.

solàio *s.m.* soffitta, abbaino, mansarda, sottotetto.

solàre *agg.* **1** (*di luogo e sim.*) assolato, luminoso, illuminato, soleggiato © buio, cupo, ombroso **2** ♧ (*di persona*) positivo, ottimista © negativo, pessimista **3** (*di espressione, di sorriso ecc.*) radioso, raggiante, splendente © cupo, scuro, fosco.

solcàre *v.tr.* **1** (*un terreno*) arare **2** (*acque, mare, aria ecc.*) fendere, attraversare; navigare **3** ♧ (*di ruga, di lacrima ecc.*) rigare, segnare, striare.

sólco *s.m.* **1** fenditura, solcatura; fosso **2** ♧ (*nell'aria, nell'acqua ecc.*) scia, traccia **3** incisione, incavo, scanalatura, traccia **4** ruga, grinza **5** ♧ impressione, suggestione.

soldàto *s.m.* **1** militare, guerriero, combattente, milite © civile, borghese **2** ♧ (*della giustizia e sim.*) difensore, propugnatore.

sòldo *s.m.* **1** moneta **2** (*al pl.*) denaro, quattrini, grana (*colloq.*), contante, liquidi; (*in frasi negative*) quattrino, lira, centesimo, soldo bucato; (*iperb.*) niente, nulla, cicca, lira **3** paga, stipendio, mercede.

soleggiàto *agg.* assolato, esposto, luminoso, solatio (*elev.*) © ombreggiato, ombroso.

solènne *agg.* **1** (*di cerimonia e sim.*) magnifico, imponente, grandioso, splendido, fastoso, pomposo; (*di edificio e sim.*) imponente, maestoso, monumentale © semplice, modesto, povero **2** (*di momento, di occasione ecc.*) grave, serio, importante, decisivo; (*di tono, di atteggiamento ecc.*) austero, sostenuto, serio, ieratico (*elev.*), maestoso, regale © giocoso, scherzoso, faceto; dimesso, umile **3** ♧ (*scherz.*; *di imbroglione e sim.*) autentico, famoso, noto, matricolato **4** ♧ (*di sgridata, di batosta ecc.*) clamoroso, memorabile; (*di schiaffo e sim.*) forte, pesante, energico, poderoso, sonoro **5** (*di promessa e sim.*) ufficiale, formale © ufficioso, informale.

solennità *s.f.* **1** fastosità, grandiosità, imponenza, maestosità, pomposità, sontuosità © semplicità, modestia, miseria, ordinarietà **2** (*di atteggiamento, di tono ecc.*) gravità, serietà, severità, maestosità, ieraticità (*elev.*) © leggerezza, scherzosità **3** ricorrenza, festa, festività.

solèrte *agg.* **1** (*di persona*) attivo, diligente, efficiente, laborioso, alacre, sollecito, zelante © pigro, indolente, negligente, sfaticato, svogliato **2** (*di lavoro e sim.*) accurato, attento, preciso, meticoloso, scrupoloso © sciatto, trasandato, trascurato.

solèrzia *s.f.* alacrità, sollecitudine, impegno, laboriosità; accuratezza, attenzione, cura, efficienza, diligenza, precisione, scrupolosità © pigrizia, inerzia, fiacca, flemma, lentezza, negligenza, trascuratezza.

sòlfa *s.f.* (*colloq.*) tiritera, noia, lagna, pizza (*colloq.*).

solidàle *agg.* partecipe, vicino © ostile, avverso, contrario.

solidarietà *s.f.* aiuto, assistenza, calore, partecipazione; amicizia, fratellanza, cameratismo; filantropia, altruismo © ostilità, indifferenza, egoismo.

solidarizzàre *v.intr.* fraternizzare; appoggiare, aiutare, sostenere © avversare, contrastare, combattere.

solidificàre *v.tr.* **1** indurire, rassodare, coagulare, congelare © sciogliere, fondere, liquefare **2** ♧ (*un rapporto e sim.*) cementare, consolidare, rafforzare, rinsaldare ♦ *v.intr.* e **solidificarsi** *v.pr.* **1** indurirsi, consolidarsi, congelarsi © sciogliersi, liquefarsi **2** ♧ (*di sentimento, di rapporto ecc.*) rafforzarsi, rinsaldarsi.

solidità *s.f.* **1** saldezza, robustezza, resistenza, stabilità © debolezza, fragilità **2** ♧ (*di una teoria e sim.*) fondatezza, validità, bontà, serietà © debolezza, inconsistenza, infondatezza **3** ♧ (*economica*) stabilità, saldezza © precarietà, incertezza, insicurezza.

sòlido *agg.* **1** compatto, sodo, duro © liquido; gassoso; molle **2** (*di costruzione, di struttura ecc.*) robusto, saldo stabile, resistente © debole, fragile, instabile **3** (*di braccia, di gambe ecc.*) forte, robusto, vigoroso, piantato © debole, fragile, esile **4** ♧ (*di matrimonio, di amicizia ecc.*) saldo, durevole, stabile © fragile, instabile **5** ♧ (*di azienda, di economia ecc.*) forte, sano, saldo, sicuro, stabile, consolidato, prospero © dissestato, precario **6** ♧ (*di ragionamento, di argomentazione ecc.*) fondato, motivato, ragionevole, serio, valido © debole, fragile, immotivato, infondato **7** ♧ (*di cultura, di preparazione ecc.*) profondo, saldo © superficiale, lacunoso.

solilòquio *s.m.* monologo © dialogo.

solitàrio *agg.* **1** (*di vita e sim.*) isolato, appartato, ritirato © mondano **2** (*di persona*) isolato, asociale, misantropo, schivo, scontroso © socievole, affabile, cordiale, compagnone (*colloq.*) **3** (*di luogo*) appartato, isolato, remoto, fuori mano; deserto, disabitato © frequentato, popolato ♦ *s.m.* (*gioiello*) IPERON. brillante, diamante.

sòlito *agg.* **1** comune, normale, abituale, quotidiano, frequente, consueto, usuale © insolito, straordinario, eccezionale, anomalo, inconsueto, inusuale, occasionale **2** (*di persona, di atteggiamento ecc.*) irrimediabile, incorreggibile, consueto ♦ *s.m.* abitudine, consuetudine, norma, usanza.

sollazzàre *v.tr.* (*elev. o scherz.*) divertire, dilettare, svagare © annoiare, rattristare.

sollàzzo *s.m.* (*elev. o scherz.*) **1** divertimento, spasso, svago **2** zimbello.

solitùdine *s.f.* isolamento, ritiro © compagnia.

sollecitàre *v.tr.* **1** esortare, stimolare, spronare **2** premere, insistere; raccomandare **3** (*l'attenzione, la fantasia ecc.*) risvegliare, destare.

sollecitazióne *s.f.* **1** richiesta, pressione, sollecito (*burocr.*) **2** ♧ incitamento, invito, stimolo.

sollécito[1] *agg.* **1** pronto, rapido, svelto, spedito, lesto, solerte, zelante; diligente, laborioso, alacre © lento, negligente, pigro, svogliato **2** attento, premuroso, affettuoso, servizievole © noncurante, sbadato, disattento.

sollécito[2] *s.m.* (*burocr.*) sollecitazione, richiesta.

sollecitùdine *s.f.* **1** premura, prontezza, solerzia, zelo; rapidità, sveltezza; diligenza, laboriosità, alacrità © lentezza, negligenza, pigrizia, svogliatezza **2** attenzione, cura, amorevolezza, premura © disinteresse, noncuranza.

solleticàre *v.tr.* **1** titillare, stuzzicare **2** ♧ stimolare, eccitare, stuzzicare; (*di proposta e sim.*) allettare, attirare, stuzzicare, tentare.

sollético *s.m.* **1** titillamento, solleticamento, stuzzicamento **2** ♧ stimolo, eccitazione, voglia.

sollevaménto *s.m.* innalzamento, elevazione.

sollevàre *v.tr.* **1** alzare, innalzare, elevare, issare, tirare su © abbassare, calare, tirare giù **2** ♧ (*qlcu. dalla miseria e sim.*) liberare, riscattare © precipitare **3** ♧ (*qlcu. da un incarico e sim.*) licenziare, rimuovere, destituire © assumere **4** ♧ (*qlcu. da un impegno e sim.*) liberare, alleggerire © caricare, oberare **5** ♧ (*una questione, un dubbio ecc.*) avanzare, suscitare; (*proteste e sim.*) provocare, causare **6** ♧ (*il popolo e sim.*) fomentare, incitare, istigare, sobillare © pacificare ♦ **sollevarsi** *v.pr.* **1** alzarsi, drizzarsi, elevarsi, innalzarsi, tirarsi su © abbassarsi, calarsi, scendere, cadere, cascare **2** ♧ (*fisicamente*) riaversi, rimettersi, riprendersi, rigenerarsi, ritemprarsi © ammalarsi, peggiorare **3** ♧ (*moralmente*) riaversi, rianimarsi, rinfrancarsi, rincuorarsi © avvilirsi, demoralizzarsi, buttarsi giù **4** ♧ (*di popolo e sim.*) insorgere, ribellarsi, rivoltarsi.

sollevazióne *s.f.* insurrezione, protesta, rivolta, tumulto, sommossa.

sollièvo *s.m.* **1** conforto, liberazione, consolazione, alleviamento; aiuto, sostegno © sconforto, scoraggiamento, affanno, afflizione **2** balsamo, medicina, medicamento.

sollùchero *s.m.* brodo di giuggiole, visibilio; piacere, contentezza.

sólo *agg.* **1** unico, singolo **2** (*di verità e sim.*) semplice, puro **3** soletto (*colloq.*), solitario, ritirato, appartato, solingo (*elev.*); abbandonato ♦ *s.m.* unico; esclusivo ♦ *avv.* soltanto, solamente, esclusivamente, puramente, semplicemente, unicamente.

solùbile *agg.* **1** (*di sostanza*) © insolubile **2** ♧ (*di problema e sim.*) risolvibile © insolubile, irrisolvibile.

soluzióne *s.f.* **1** scioglimento, diluizione **2** (*di un problema, di un caso ecc.*) risoluzione, chiarimento, scioglimento **3** decisione, deliberazione, disposizione; accordo, compromesso, accomodamento **4** (*comm.*; *di un debito*) saldo, estinzione, pagamento.

solvènte[1] *agg.* (*comm.*; *di debitore e sim.*) solvibile © insolvente, insolvibile.

solvènte[2] *s.m.* (*chim.*) diluente.

solvìbile *agg.* (*comm.*; *di debito*) liquidabile, pagabile, saldabile © insolvibile.

sòma *s.f.* carico.

somàro *s.m.* **1** asino, ciuco **2** ♧ ignorante, idiota, stupido, sciocco, imbecille, testone.

somigliànte *agg.* affine, simile, analogo, rassomigliante © diverso, differente, dissimile.

somigliànza *s.f.* rassomiglianza, affinità, analogia, corrispondenza, conformità, identità © differenza, disuguaglianza, discordanza, diversità.

somigliàre *v.intr.* assomigliare, rassomigliare; sembrare, parere, ricordare, rammentare © differenziarsi, differire, distinguersi ♦ **somigliarsi** *v.pr.* assomigliarsi, rassomigliarsi © differenziarsi, differire, distinguersi.

sómma *s.f.* **1** (*l'operazione*) addizione; totale © sottrazione **2** insieme, unione, totalità **3** (*di denaro*) cifra **4** ♧ (*di un discorso e sim.*) sostanza, essenza, nocciolo, nucleo, succo.

sommàre *v.tr.* **1** addizionare © sottrarre **2** aggiungere, inserire © levare, togliere.

sommàrio[1] *agg.* **1** (*di racconto e sim.*) sintetico, breve, conciso, riassuntivo, schematico, stringato, succinto © analitico, dettagliato, particolareggiato **2** (*di lavoro e sim.*) approssimativo, impreciso, raffazzonato, superficiale, sbrigativo © accurato, approfondito, meticoloso, minuzioso.

sommàrio[2] *s.m.* **1** (*di letteratura, di arte e sim.*) compendio, riassunto, sintesi, summa, sunto, abrégé (*fr.*) **2** (*di una rivista, di un libro ecc.*) indice **3** (*nei giornali*) sottotitolo.

sommèrgere *v.tr.* **1** (*di fiume, di mare e sim.*) allagare, inondare, invadere; (*un'imbarcazione*) affondare **2** ♧ (*di attenzioni, di insulti ecc.*) ricoprire, colmare; sopraffare, subissare, tempestare **3** ♧ (*di debiti*) soffocare.

sommergìbile *s.m.* sottomarino (*improprio*).

sommèrso *agg.* **1** coperto, allagato, inondato © emerso, riemerso **2** (*di attività, di economia ecc.*) nero, nascosto, occulto, sotterraneo © legale, riconosciuto.

somméssо *agg.* (*di suono, di voce*) basso, leggero, lieve, fievole, flebile, smorzato, tenue © forte, acuto, altisonante.

somministràre *v.tr.* **1** dare, distribuire, offrire **2** (*scherz.*) propinare; (*schiaffi e sim.*) affibbiare, appioppare, rifilare.

sommità *s.f.* **1** cima, estremità, vetta, sommo © base, fondo **2** ♧ acme, apice, culmine, sommo, vertice © fondo.

sómmo *agg.* **1** altissimo, grandissimo **2** ♧ (*di importanza, di sacrificio ecc.*) estremo, massimo, ultimo, supremo © minimo, trascurabile, insignificante **3** ♧ (*di artista, studioso ecc.*) eccezionale, straordinario, superbo, eccelso, sublime © infimo ♦ *s.m.* **1** sommità, colmo, culmine, vertice **2** ♧ (*di sentimento*) acme, apice, apogeo, culmine, vertice.

sommòssa *s.f.* ribellione, rivolta, insurrezione, sollevazione, tumulto.

sommozzatóre *s.m.* sub, subacqueo.

sondàggio *s.m.* **1** esplorazione, studio; scandaglio **2** (*geogr.*) prospezione **3** (*statistico, di mercato ecc.*) ricerca, indagine, rilievo, analisi; (*elettorale*) exit poll (*ingl.*).

sondàre *v.tr.* **1** (*mar.*) scandagliare **2** ♧ (*le intenzioni, le proposte ecc.*) saggiare, tastare, indagare, esplorare, investigare.

sonnacchióso *agg.* addormentato, assonnato, insonnolito © sveglio, desto.

sonnecchiàre *v.intr.* **1** dormicchiare, appisolarsi **2** ♧ oziare, poltrire.

sonnellìno *s.m.* pisolino, pisolo, riposino, siesta (*sp.*), pennichella (*roman.*).

sonnìfero *s.m.* sedativo, tranquillante, barbiturico, psicofarmaco © eccitante, stimolante.
sónno *s.m.* **1** (*colloq.*) dormita © veglia **2** ♧ sonnolenza, stanchezza, torpore **3** ♧ indolenza, apatia, pigrizia © brio, vivacità, vitalità.
sonnolènto *agg.* **1** addormentato, assonnato, insonnolito, intorpidito, sonnacchioso © sveglio, vigile, vispo **2** ♧ apatico, pigro, indolente, © sveglio, vivace.
sonnolènza *s.f.* **1** sonno, stanchezza, torpore **2** ♧ apatia, inerzia, indolenza, pigrizia, torpore © vitalità, brio, vivacità.
sonorità *s.f.* acustica.
sonòro *agg.* **1** acustico **2** fragoroso, rimbombante, risonante, squillante © debole, fioco, flebile, sommesso **3** ♧ (*di sconfitta e sim.*) clamoroso, solenne; (*di ceffone e sim.*) forte, secco, solenne **4** ♧ (*di stile, di tono ecc.*) altisonante, enfatico, magniloquente © semplice, stringato **5** ♧ (*di cinema, di flm. ecc.*) © muto.
sontuóso *agg.* elegante, magnifico, ricco, lussuoso, fastoso, pomposo, regale, sfarzoso; (*di pasto e sim.*) lauto, luculliano © semplice, misero, disadorno, modesto.
sopìre *v.tr.* (*le passioni, le discordie ecc.*) calmare, placare, mitigare, attenuare, smorzare, temperare © aumentare, accrescere, acuire, acutizzare; riaccendere, risvegliare.
sopóre *s.m.* assopimento, sonnolenza.
soporìfero *agg.* **1** (*di medicina*) narcotico, sonnifero © stimolante, eccitante **2** ♧ noioso, palloso (*colloq.*), monotono, pesante, barboso (*colloq.*), tedioso © appassionante, avvincente, divertente, piacevole.
sopperìre *v.intr.* provvedere, rimediare, supplire.
soppesàre *v.tr.* **1** pesare **2** ♧ valutare, considerare, esaminare, studiare, ponderare, vagliare.
soppiantàre *v.tr.* sostituire, rimpiazzare; scavalcare, subentrare.
sopportàbile *agg.* accettabile, sostenibile, tollerabile © insopportabile, insostenibile, intollerabile.
sopportàre *v.tr.* **1** (*un carico e sim.*) reggere, sostenere, sorreggere **2** ♧ (*spese, perdite ecc.*) sostenere, accollarsi, farsi carico **3** ♧ (*sacrifici, umiliazioni ecc.*) patire, soffrire, accettare, sostenere, subire, tollerare **4** (*il caldo, la fatica ecc.*) reggere, resistere, tollerare **5** (*una persona*) reggere, tollerare, soffrire (*colloq.*).
sopportazióne *s.f.* pazienza, tolleranza; accettazione, rassegnazione © insofferenza, intolleranza.
soppressióne *s.f.* **1** abolizione, annullamento, cancellazione, eliminazione, scioglimento; (*di una legge e sim.*) abrogazione, cassazione © creazione, istituzione **2** (*eufem.*) assassinio, eliminazione, uccisione.
sopprìmere *v.tr.* **1** cancellare, eliminare, abolire, annullare, sciogliere; (*una legge e sim.*) abrogare, cassare © creare, costituire, fondare, istituire **2** (*eufem.*) eliminare, uccidere, assassinare, ammazzare, liquidare.
sopraddétto *agg.* suddetto, succitato.
sopraffàre *v.tr.* **1** vincere, battere, sconfiggere, annientare, sbaragliare, sgominare **2** ♧ vincere, annientare; soverchiare, dominare.
sopraffazióne *s.f.* prepotenza, sopruso, soverchieria, violenza.
sopraffino *agg.* delizioso, eccellente, squisito, raffinato, prelibato © infimo, scadente, disgustoso.
sopraggiùngere *v.intr.* **1** arrivare, sopravvenire **2** (*di evento e sim.*) accadere, capitare, succedere; (*di complicazioni e sim.*) sopravvenire, sovrapporsi.
sopralluògo *s.m.* ispezione, indagine, perlustrazione, visita.
soprannaturàle *agg.* **1** (*di fenomeno, di forza ecc.*) trascendente **2** celeste, ultraterreno © umano, terreno, terrestre ♦ *s.m.* divino, ultraterreno.
soprannóme *s.m.* appellativo, nomignolo; (*gerg.*; *in Internet*) nickname (*ingl.*).
soprannominàre *v.tr.* chiamare, denominare.
soprannominàto *agg.* chiamato, cosiddetto, denominato, detto; alias.
soprannùmero *s.m.* extra, esubero.
soprappensièro *agg.* assorto, distratto © attento, vigile.
soprappiù *s.m.* vedi **sovrappiù**.
soprassàlto *s.m.* sobbalzo, sussulto, scossa, trasalimento.
soprassedére *v.intr.* rimandare, rinviare, differire, posporre, posticipare, prorogare © anticipare; decidere, risolversi.
sopravvalutàre *v.tr.* sovrastimare, supervalutare © sottovalutare, sottostimare, sminuire.
sopravvenìre *v.intr.* **1** sopraggiungere, arrivare **2** (*di evento e sim.*) accadere, capitare, succedere; (*di complicazioni e sim.*) sopraggiungere, sovrapporsi.
sopravvissùto *agg.*, *s.m.* superstite, scampato © morto, vittima.
sopravvìvere *v.intr.* **1** restare, rimanere; (*a una catastrofe e sim.*) scampare, salvarsi **2** ♧ (*di ricordo e sim.*) rimanere, vivere, restare © scomparire, morire **3** ♧ (*di abitudini, di usanze ecc.*) perdurare, rimanere © scomparire **4** ♧ campare, tirare avanti, sostentarsi.

soprintèndere *v.tr.* dirigere, sorvegliare.

soprùso *s.m.* prepotenza, sopraffazione, angheria, prevaricazione, soverchieria.

soqquàdro *s.m.* confusione, scompiglio, disordine © ordine, organizzazione.

sorbìre *v.tr.* **1** assaporare, centellinare, degustare, sorseggiare **2** ♣ sopportare, sciropparsi (*colloq.*).

sórcio *s.m.* topo.

sòrdido, sórdido *agg.* **1** sudicio, sporco, squallido, lurido © lindo, pulito **2** ♣ abietto, turpe, meschino, spregevole **3** ♣ taccagno, tirchio, spilorcio.

sordità *s.f.* **1** (*med.*) cofosi **2** ♣ insensibilità, indifferenza © attenzione, sensibilità.

sórdo *agg.* **1** non udente, audioleso (*med.*); (*leggermente*) sordastro; (*colloq.*) duro d'orecchi **2** ♣ freddo, insensibile, indifferente, distante © sensibile, attento, comprensivo **3** (*di rumore, di suono ecc.*) cupo, grave, profondo © acuto, squillante **4** ♣ (*di sentimento, di rancore ecc.*) segreto, nascosto, dissimulato © manifesto, palese ♦ *s.m.* non udente, audioleso.

sorèlla *s.f.* **1** (*elev.*) germana **2** suora **3** ♣ compagna © nemica ♦ *agg.* (*di lingua, di civiltà ecc.*) affine, vicino.

sorgènte *s.f.* **1** fonte, polla, fontana **2** (*di luce, di suono, di calore ecc.*) fonte **3** ♣ causa, motivo, principio, origine.

sórgere *v.intr.* **1** (*di corpi celesti*) apparire, nascere, spuntare © calare, tramontare **2** (*di edificio e sim.*) ergersi, innalzarsi **3** (*di corsi d'acqua*) nascere, scaturire, sgorgare © sfociare, finire **4** ♣ (*di dubbio, di pensiero ecc.*) nascere, derivare, venire; (*di sentimento*) nascere, sbocciare **5** ♣ (*di situazione e sim.*) determinarsi, presentarsi, prodursi.

sorgìvo *agg.* di sorgente, di fonte.

sormontàre *v.tr.* **1** oltrepassare, sorpassare, valicare **2** ♣ (*difficoltà, ostacoli ecc.*) superare, vincere.

sornióne *agg., s.m.* gattamorta, acqua cheta, finto tonto.

sorpassàre *v.tr.* **1** (*di strada e sim.*) scavalcare, sormontare, valicare **2** (*spec. di veicolo*) superare, oltrepassare **3** ♣ (*in doti, qualità ecc.*) avanzare, superare, vincere, sopravanzare.

sorpassàto *agg.* antiquato, arretrato, superato, passato, vecchio, fuori moda, obsoleto, out (*ingl.*) © attuale, moderno, nuovo, recente, alla moda, all'avanguardia, in (*ingl.*).

sorpàsso *s.m.* superamento.

sorprendènte *agg.* straordinario, eccezionale, stupefacente, sbalorditivo, portentoso, mirabolante © insignificante, modesto, prevedibile, banale, scontato.

sorprèndere *v.tr.* **1** cogliere, pescare, prendere, beccare (*colloq.*), pizzicare (*gerg.*) **2** stupire, meravigliare, sbalordire, stupefare, strabiliare ♦ **sorprendersi** *v.pr.* meravigliarsi, stupirsi, sbalordirsi, stupefarsi.

sorprésa *s.f.* **1** meraviglia, stupore, sbalordimento, sbigottimento **2** improvvisata **3** dono, regalo.

sorpréso *agg.* meravigliato, stupito, attonito, allibito, a bocca aperta, di stucco, esterefatto, sbalordito, stupefatto, stupito © indifferente, disinteressato, distaccato.

sorrèggere *v.tr.* **1** reggere, sostenere, tenere © lasciare **2** ♣ aiutare, confortare, incoraggiare, sostenere.

sorridénte *agg.* (*di persona*) lieto, gioioso, ridente © infelice, triste, mesto, afflitto; accigliato, corrucciato.

sorrìdere *v.intr.* **1** ridere **2** ♣ favorire, arridere **3** ♣ piacere, attirare, attrarre, allettare © spiacere.

sorrìso *s.m.* riso, risolino.

sorseggiàre *v.tr.* centellinare, sorbire © tracannare, ingollare.

sórso *s.m.* **1** sorsata **2** (*piccola quantità di una bevanda*) dito, goccia, goccio, sorsino.

sòrta *s.f.* genere, razza, specie, tipo, risma.

sòrte *s.f.* **1** caso, destino, fortuna, fato, ventura **2** avvenire, destino, futuro **3** caso, combinazione.

sorteggiàre *v.tr.* estrarre a sorte, estrarre, tirare a sorte, scegliere.

sortéggio *s.m.* estrazione.

sortilègio *s.m.* incantesimo, magia, fattura, stregoneria, malia.

sortìre *v.tr.* conseguire, ottenere, raggiungere; produrre.

sortìta *s.f.* **1** (*mil.*) uscita **2** uscita, battuta, facezia, frizzo, motto, boutade (*fr.*).

sorvegliànte *s.m.f.* guardia, guardiano, vigilante, custode.

sorvegliànza *s.f.* controllo, guardia, vigilanza.

sorvegliàre *v.tr.* **1** controllare, guardare, osservare, seguire, vigilare **2** guardare a vista, piantonare, pedinare **3** (*lavori e sim.*) dirigere, soprintendere, occuparsi **4** (*una persona, una casa ecc.*) badare, curare.

sorvolàre *v.tr.* e *intr.* **1** trasvolare **2** ♣ tralasciare, trascurare, lasciar correre © considerare, analizzare, esaminare.

SOS *s.m.* segnale di soccorso, mayday (*ingl.*).

sòsia *s.m.f.invar.* copia, gemello, fotografia, ritratto.

sospèndere *v.tr.* **1** attaccare, appendere **2** ♧ (*le ricerche, i lavori ecc.*) interrompere, arrestare, fermare, smettere; rinviare **3** ♧ (*uno studente, un lavoratore ecc.*) allontanare.

sospensióne *s.f.* **1** arresto, blocco, interruzione © continuazione **2** (*di una partita, di una riunione ecc.*) interruzione, intervallo, pausa, break (*ingl.*) **3** (*da un impiego, da una carica ecc.*) allontanamento **4** ♧ ansia, apprensione, incertezza, indecisione, titubanza © sicurezza, certezza.

sospéso *agg.* **1** appeso, pendente; alzato, sollevato **2** (*di riunione, di gara ecc.*) interrotto, rinviato; (*di problema e sim.*) irrisolto **3** ♧ incerto, ansioso, dubbioso, peplesso, titubante © sereno, tranquillo **4** (*da una carica e sim.*) allontanato, rimosso.

sospettàre *v.tr.* **1** fiutare, subodorare, intuire, presentire, temere **2** immaginare, credere, supporre, pensare, presupporre ♦ *v.intr.* dubitare, diffidare © credere, fidarsi.

sospètto[1] *agg.* dubbio, ambiguo, equivoco, losco © indubbio, certo, inequivocabile ♦ *agg., s.m.* indiziato, sospettato, sospettabile © insospettabile, insospettato.

sospètto[2] *s.m.* dubbio, supposizione; diffidenza, timore © fiducia, sicurezza, certezza.

sospettóso *agg.* diffidente, malfidato, guardingo, circospetto © fiducioso.

sospìngere *v.tr.* **1** spingere; (*lo sguardo*) rivolgere, protendere **2** (*qlcu. a fare qlco.*) incitare, spronare; condurre, portare © dissuadere.

sospiràre *v.intr.* affliggersi, angosciarsi, angustiarsi, preoccuparsi, struggersi, tormentarsi © gioire, rallegrarsi ♦ *v.tr.* desiderare, agognare, anelare, bramare, sognare.

sospìro *s.m.* **1** alito, fiato, inspirazione, respiro **2** (*di vento*) soffio, alito, refolo.

sòsta *s.f.* **1** fermata; (*di un autoveivolo*) parcheggio, posteggio, stazionamento **2** interruzione, intervallo, pausa, riposo, tregua, requie.

sostantìvo *s.m.* (*gramm.*) nome.

sostànza *s.f.* **1** (*solida, organica ecc.*) materia; (*chimica, tossica ecc.*) materiale, prodotto **2** (*di un discorso e sim.*) essenza, fondamento, nocciolo, nucleo, succo; argomento, contenuto **3** (*spec. al pl.*) patrimonio, ricchezze, averi, beni, fortuna.

sostanziàle *agg.* **1** essenziale, concreto, reale © formale, teorico, astratto **2** essenziale, fondamentale, basilare, capitale, centrale, importante © marginale, irrilevante, secondario.

sostanzióso *agg.* **1** (*di cibo*) nutriente, nutritivo, energetico © leggero, povero **2** abbondante, considerevole, consistente, cospicuo, notevole © misero, povero, irrisorio **3** ♧ (*di discorso, di libro ecc.*) ricco, efficace © povero.

sostàre *v.intr.* **1** fermarsi, bloccarsi, arrestarsi © andare, camminare, muoversi **2** (*di veicolo*) fermarsi, parcheggiare, posteggiare, stazionare **3** (*su un pensiero, una frase e sim.*) riflettere, soffermarsi.

sostégno *s.m.* **1** rinforzo, puntello **2** ♧ aiuto, appoggio, assistenza **3** ♧ (*di persona*) colonna, pilastro.

sostenére *v.tr.* **1** reggere, sorreggere, tenere; (*un muro e sim.*) rinforzare, puntellare **2** ♧ (*una spesa, un impegno ecc.*) affrontare, accettare, sopportare, sobbarcarsi **3** (*l'urto e sim.*) tollerare, resistere © cedere, arrendersi, piegarsi **4** ♧ aiutare, soccorrere, proteggere, difendere; (*una causa*) appoggiare, perorare, patrocinare, promuovere © contrastare, combattere **5** ♧ (*un'idea, una tesi ecc.*) affermare, asserire **6** ♧ (*una parte*) interpretare, recitare **7** ♧ irrobustire, rafforzare, rinforzare, corroborare, tonificare © indebolire, debilitare ♦ **sostenersi** *v.pr.* **1** reggersi, sorreggersi **2** ♧ mantenersi, sostenersi.

sostenìbile *agg.* **1** (*di situazione e sim.*) possibile, tollerabile, sopportabile © insostenibile, intollerabile, impossibile **2** (*di ipotesi e sim*) difendibile, ragionevole © insostenibile, indifendibile, assurdo **3** (*di sviluppo e sim.*) © insostenibile.

sostenitóre *agg., s.m.* **1** fautore, patrocinatore, assertore, simpatizzante; (*di una causa*) difensore, paladino © avversario, oppositore **2** (*di una squadra di calcio e sim.*) tifoso, supporter (*ingl.*), fan (*ingl.*).

sostentaménto *s.m.* **1** mantenimento, nutrimento, alimentazione; alimento, cibo, vitto **2** ♧ sostegno.

sostentàre *v.tr.* mantenere, nutrire, alimentare ♦ **sostentarsi** *v.pr.* mantenersi, nutrirsi, alimentarsi, mangiare.

sostenùto *agg.* **1** (*di atteggiamento*) austero, serio, severo, grave, compassato; freddo, distaccato, riservato; altezzoso, altero, contegnoso, supponente © affabile, alla mano, cordiale, semplice, modesto **2** (*di velocità, di andatura ecc.*) rapido, svelto, elevato, veloce, spedito © lento **3** (*di prezzo*) alto, caro, elevato, astronomico © basso, contenuto, modesto.

sostituìre *v.tr.* **1** cambiare **2** rimpiazzare, subentrare, fare le veci, supplire ♦ **sostituirsi** *v.pr.* succedere, subentrare.

sostitùto *s.m.* supplente, vice, vicario, alter ego (*lat.*).

sostituzióne *s.f.* cambio, rimpiazzo, supplenza, turnover (*ingl.*).
sostràto *s.m.* **1** (*ling., geol.*) substrato **2** ♧ retroterra, background (*ingl.*).
sottacére *v.tr.* tacere, nascondere, omettere © raccontare, riferire, rivelare, confessare.
sottàna *s.f.* **1** gonna **2** ♧ (*scherz.*) donna.
sotterfùgio *s.m.* espediente, stratagemma, artificio, accorgimento, escamotage (*fr.*).
sotterràneo *agg.* **1** interrato, sottoterra © superficiale **2** ♧ (*di manovra e sim.*) nascosto, segreto, occulto, clandestino © palese, manifesto, notorio ♦ *s.m.* scantinato.
sotterràre *v.tr.* **1** interrare © dissotterrare, disseppellire **2** (*i morti*) seppellire, inumare, tumulare © disseppellire, esumare, riesumare **3** ♧ (*l'odio, il dolore ecc.*) dimenticare, scordare © ricordare, rammentare, riesumare.
sottigliézza *s.f.* **1** finezza © spessore **2** ♧ (*di un ragionamento e sim.*) acutezza, finezza, sagacia, perspicacia © ottusità, grossolanità **3** (*spec. al pl.*) cavillo, arzigogolo, sofisma.
sottìle *agg.* **1** fine © spesso **2** magro, esile, gracile, affilato, affusolato © robusto, massiccio **3** ♧ (*di vista, di udito ecc.*) fine, acuto © mediocre **4** ♧ (*di ragionamento, di intelligenza ecc.*) fine, acuto, lucido, penetrante, perspicace, sagace © ottuso, grossolano **5** ♧ (*di questione e sim.*) cavilloso, pedante © sbrigativo, superficiale **6** ♧ (*di aria, di vento ecc.*) fresco, puro, leggero © pesante, greve.
sottilizzàre *v.intr.* arzigogolare, almanaccare, cavillare, sofisticare.
sottintèndere *v.tr.* **1** omettere, tralasciare, tacere, sottacere © dichiarare, palesare **2** accennare, alludere, intendere, palesare **3** (*di sguardo, di gesto ecc.*) significare, dimostrare **4** comportare, implicare, presupporre, richiedere.
sottintéso *agg.* **1** implicito © esplicito, espresso, dichiarato, manifesto ♦ *s.m.* accenno, allusione, insinuazione.
sottobànco *avv.* di nascosto, furtivamente © apertamente.
sottolineàre *v.tr.* **1** evidenziare, segnare **2** ♧ accentuare, evidenziare, rimarcare, calcare, enfatizzare.
sottomarìno *agg.* subacqueo ♦ *s.m.* sommergibile (*improprio*).
sottoméssso *agg.* **1** (*di popolo e sim.*) assoggettato, asservito, oppresso © libero, indipendente **2** (*di persona e sim.*) docile, remissivo, arrendevole, acquiescente, succube © ribelle, insofferente, intollerante.
sottométtere *v.tr.* **1** assoggettare, asservire © affrancare, liberare **2** ♧ subordinare, sacrificare, posporre © anteporre, privilegiare ♦ **sottomettersi** *v.pr.* piegarsi, cedere, arrendersi © ribellarsi, opporsi.
sottomissióne *s.f.* **1** assoggettamento, asservimento, soggiogamento © affrancamento, emancipazione **2** docilità, umiltà, obbedienza, remissività © ribellione, indocilità.
sottopàsso *s.m.* sottopassaggio.
sottopórre *v.tr.* **1** (*qlcu. a una prova e sim.*) costringere, sottomettere **2** (*una proposta, un progetto ecc.*) presentare, proporre **3** (*raro*) assoggettare, sottomettere ♦ **sottoporsi** *v.pr.* (*a una prova, a una fatica ecc.*) affrontare, subire, assoggettarsi © sottrarsi, esimersi, evitare.
sottoscrìvere *v.tr.* **1** (*un documento, un atto*) firmare, avallare **2** (*un'iniziativa e sim.*) approvare, condividere © disapprovare **3** (*un abbonamento*) abbonarsi
sottoscrizióne *s.f.* **1** (*di firme*) raccolta **2** (*di fondi*) colletta, raccolta.
sottosópra *agg.invar.* **1** disordinato, scompigliato © ordinato **2** ♧ agitato, ansioso, nervoso, affannato, inquieto, scosso, turbato © calmo, pacato, tranquillo.
sottostànte *agg.* inferiore, di sotto © soprastante, superiore.
sottostàre *v.intr.* **1** dipendere, soggiacere **2** ♧ piegarsi, soggiacere, sottomettersi, ubbidire © ribellarsi, rivoltarsi, insorgere.
sottosviluppàto *agg.* (*di paese, di popolo, di regione ecc.*) arretrato, depresso © sviluppato, civile, evoluto, industrializzato.
sottosvilùppo *s.m.* (*di un paese, di una regione ecc.*) arretratezza © sviluppo, progresso.
sottotétto *s.m.* solaio, soffitta; mansarda.
sottovalutàre *v.tr.* **1** (*un pericolo, una difficoltà ecc.*) sottostimare © sopravvalutare, sovrastimare **2** ♧ (*un avversario, un amico ecc.*) sottostimare, svalutare, sminuire © sopravvalutare, sovrastimare ♦ **sottovalutarsi** *v.pr* sminuirsi, svilirsi, svalutarsi © sopravvalutarsi.
sottovóce *avv.* piano, sommessamente © forte, ad alta voce.
sottràrre *v.tr.* **1** rubare, portare via, fregare (*colloq.*) **2** levare, portare via, togliere **3** defalcare, detrarre, dedurre **4** ♧ (*qlcu. a un pericolo, a un impegno ecc.*) strappare, salvare ♦ **sottrarsi** *v.pr.* (*a un impegno, a un compito ecc.*) sfuggire, evitare, eludere © rispettare, onorare.
sottrazióne *s.f.* **1** furto, rapina **2** (*mat.*) © addizione.
soubrette *s.f.* (*fr.*) showgirl (*ingl.*).
souvenir *s.m.invar.* (*fr.*) ricordo, ricordino.

soverchiàre *v.tr.* superare, vincere.
soverchierìa *s.f.* sopraffazione, prepotenza, abuso, sopruso © umiliazione.
sovèrchio *agg.* eccessivo, esagerato © poco, scarso ♦ *s.m.* eccesso, esagerazione, superfluo.
sovrabbondànte *agg.* eccessivo, eccedente © insufficiente, scarso, carente, povero.
sovrabbondànza *s.f.* eccesso, eccedenza, esagerazione, esuberanza, profusione, sovrappiù, surplus © insufficienza, carenza, scarsità, penuria, povertà, assenza.
sovrabbondàre *v.intr.* eccedere, esuberare; straripare, traboccare © scarseggiare.
sovraccaricàre *v.tr.* caricare, gravare, oberare © alleggerire, sollevare, sgravare.
sovraccàrico *agg.* **1** pieno, stracarico, strapieno © vuoto **2** ♧ (*di lavoro, di impegni ecc.*) oberato, gravato © libero.
sovraffollàto *agg.* pieno, strapieno, superaffollato, zeppo © vuoto, deserto.
sovranità *s.f.* **1** potere, dominio, autorità, egemonia, signoria **2** ♧ superiorità, supremazia © inferiorità.
sovrannaturàle *agg.* vedi **soprannaturàle**.
sovràno *agg.* **1** assoluto, completo, totale **2** massimo, supremo, eminente, sommo © infimo ♦ *s.m.* re, monarca, sire.
sovrappiù *s.m.* **1** eccedenza, sovrabbondanza © insufficienza, carenza **2** (*econ.*) surplus (*fr.*).
sovrappórre *v.tr.* **1** impilare; accavallare **2** ♧ anteporre, preporre, preferire © posporre ♦ **sovrapporsi** *v.pr.* aggiungersi, sopraggiungere; imporsi, sostituirsi; interferire.
sovrastànte *agg.* **1** superiore, soprastante © sottostante, inferiore **2** ♧ incombente, imminente.
sovrastàre *v.tr.* e *intr.* **1** ergersi, elevarsi, campeggiare, dominare, torreggiare **2** ♧ (*di pericolo e sim.*) incombere, minacciare, pesare **3** ♧ (*per capacità, per altezza ecc.*) superare, vincere, primeggiare, predominare, surclassare.
sovrintèndere *v.intr.* vedi **soprintèndere**.
sovrumàno *agg.* **1** soprannaturale, trascendente © umano, terreno, terrestre **2** (*iperb.*) ♧ straordinario, enorme, eccezionale © comune, normale.
sovvenzionàre *v.tr.* finanziare, sostenere.
sovvenzióne *s.f.* aiuto, contributo, finanziamento, sovvenzionamento, sussidio.
sovversìvo *agg.*, *s.m.* eversivo, rivoluzionario, sedizioso © conservatore, tradizionalista.
sovvertiménto *s.m.* sconvolgimento, rivolgimento, cambiamento, mutamento © stabilità, conservazione.
sovvertìre *v.tr.* rovesciare, sconvolgere, capovolgere, rivoluzionare, stravolgere © normalizzare, ordinare, ristabilire.
sózzo *agg.* **1** sudicio, sporco, lercio, lurido, ripugnante, schifoso © pulito, lindo **2** ♧ abietto, laido, spregevole, osceno, sordido, turpe, volgare, triviale © pulito.
sozzóne *s.m.* maiale, porco, sudicione, sporcaccione.
sozzùra *s.f.* **1** sporcizia, sudiciume, laidezza © pulizia **2** ♧ corruzione, depravazione, indecenza, laidezza, sudiciume, oscenità, porcheria.
spaccalégna *s.m.invar.* taglialegna.
spaccàre *v.tr.* **1** rompere, spezzare, dividere, tagliare © ricongiungere, ricomporre **2** (*un braccio e sim.*) fratturare **3** rompere, fracassare, scassare (*colloq.*) © aggiustare, riparare ♦ **spaccarsi** *v.pr.* **1** rompersi, spezzarsi, dividersi **2** (*di arto e sim.*) fratturarsi, spezzarsi, rompersi **3** rompersi, fracassarsi, scassarsi (*colloq.*).
spaccàto *agg.* **1** rotto, spezzato, squarciato © intero, intatto, integro **2** (*di arto*) fratturato, spezzato, rotto **3** rotto, guasto, scassato (*colloq.*), fuori uso © funzionante **4** (*di famiglia, di partito ecc.*) diviso **5** ♧ (*colloq.*) tale e quale, stesso, preciso, identico, sputato (*colloq.*) ♦ *s.m.* ♧ rappresentazione, descrizione.
spaccatùra *s.f.* **1** frattura, rottura, apertura, breccia, fenditura, lesione **2** ♧ dissenso, contrasto, frattura, rottura, disaccordo, disarmonia © accordo, armonia, concordia.
spacciàre *v.tr.* **1** (*merci*) vendere, commerciare, smerciare; smaltire, esaurire, liquidare © acquistare, comprare **2** (*droga, monete false ecc.*) vendere; contrabbandare **3** (*notizie false*) diffondere, divulgare **4** (*colloq.*; *una persona malata*) condannare, dare per morto.
spacciàto *agg.* **1** (*colloq.*; *di persona malata*) condannato, dato per morto **2** ♧ condannato, finito, perduto, rovinato, morto.
spacciatóre *s.m.* trafficante; (*gerg.*) pusher (*ingl.*).
spàccio *s.m.* **1** (*di droga*) traffico **2** vendita, commercio, smercio **3** negozio, bottega, emporio, rivendita
spàcco *s.m.* **1** spaccatura, crepa, fessura, fenditura, lesione **2** strappo, taglio.
spaccóne *s.m.* fanfarone, gradasso, sbruffone, bullo, smargiasso.
spàda *s.f.* IPON. daga, fioretto, sciabola, scimitarra.
spadroneggiàre *v.intr.* comandare, dettare legge, farla da padrone (*colloq.*), dominare, signoreggiare.

spaesàto *agg.* disorientato, smarrito, sperduto, confuso © ambientato, inserito.

spaghétto[1] *s.m.* (*spec. al pl.*) vermicelli, bigoli; (*bucati*) bucatini, foratini.

spaghétto[2] *s.m.* (*colloq.*) paura, fifa, spavento, spago (*colloq.*).

spàgo *s.m.* **1** corda, cordicella, filo **2** ♧ (*colloq.*) paura, fifa, spavento, spaghetto (*colloq.*).

spaiàre *v.tr.* scompagnare © appaiare, accoppiare.

spaiàto *agg.* scompagnato © appaiato.

spalancàre *v.tr.* aprire; (*gli occhi*) sbarrare, sgranare © chiudere, serrare ♦ **spalancarsi** *v.pr.* aprirsi.

spàlla *s.f.* **1** (*al pl.*) schiena, dorso **2** (*di una montagna*) falda, fianco, contrafforte; (*di un fiume*) argine, scarpata, spalletta **3** ♧ aiutante, collaboratore; (*teatr.*) partner (*ingl.*).

spalleggiàre *v.tr.* appoggiare, sostenere, difendere, proteggere, supportare © avversare, ostacolare, osteggiare ♦ **spalleggiarsi** *v.pr.* darsi man forte (*colloq.*), sostenersi.

spallièra *s.f.* **1** schienale **2** parapetto.

spalmàre *v.tr.* stendere, spargere, cospargere, ungere ♦ **spalmarsi** *v.pr.* cospargersi, ungersi.

spàlto *s.m.* **1** (*mil.*) baluardo, terrapieno, bastione **2** (*al pl.*) gradinate.

spanciàrsi *v.pr.* ridere a crepapelle, sbellicarsi, sganasciarsi, scompisciarsi (*colloq.*).

spàndere *v.tr.* **1** (*la cera, la crema ecc.*) stendere, spalmare, spargere, cospargere **2** (*un liquido*) versare, rovesciare, spargere **3** (*luce, profumo ecc.*) diffondere, emanare, effondere **4** ♧ (*una voce, una notizia ecc.*) diffondere, divulgare, spargere © nascondere, celare ♦ **spandersi** *v.pr.* **1** allargarsi, espandersi, estendersi **2** (*di liquido*) rovesciarsi, versarsi, spandersi **3** (*di luce, di profumo ecc.*) diffondersi, propagarsi, effondersi **4** ♧ (*di voce, di notizia ecc.*) diffondersi, propagarsi, spargersi.

spànna *s.f.* palmo.

spappolàre *v.tr.* **1** schiacciare, spiaccicare **2** maciullare, schiacciare, stritolare ♦ **spappolarsi** *v.pr.* **1** disfarsi, sbriciolarsi, sfarsi **2** maciullarsi, stritolarsi.

sparàre *v.tr.* **1** (*un colpo*) esplodere **2** (*una pallonata e sim.*) scagliare; (*calci, pugni ecc.*) tirare, mollare (*colloq.*), sferrare ♦ *v.intr.* fare fuoco.

sparàta *s.f.* **1** fanfaronata, sbruffonata, spacconata, vanteria **2** piazzata, scenata.

sparàto *agg.* (*colloq.*) rapido, veloce, fulmineo © lento.

sparéggio *s.m.* **1** (*sport*) bella **2** (*econ.*) disavanzo, deficit, passivo © pareggio, attivo, avanzo.

spàrgere *v.tr.* **1** sparpagliare, disseminare © raccogliere, radunare, raggruppare, riunire **2** (*liquidi*) spandere, rovesciare, versare **3** stendere, spalmare, cospargere **4** (*luce, profumo ecc.*) diffondere, emanare, spandere **5** ♧ (*una voce, una notizia ecc.*) diffondere, divulgare, mettere in circolazione © nascondere, celare ♦ **spargersi** *v.pr.* **1** sparpagliarsi, distribuirsi, disseminarsi © ammassarsi, ammucchiarsi, concentrarsi, raccogliersi **2** (*di liquido*) spandersi, rovesciarsi, versarsi **3** (*di profumo e sim.*) diffondersi, spandersi **4** ♧ (*di voce, di notizia ecc.*) diffondersi, circolare, girare, propagarsi, spandersi.

spargiménto *s.m.* **1** sparpagliamento, disseminazione **2** (*di liquidi*) rovesciamento, versamento, riversamento.

sparìre *v.intr.* **1** scomparire, svanire, dileguarsi, andare via © apparire, riapparire, comparire, sbucare **2** morire **3** (*di ricordo, di sogno ecc.*) sfumare, svanire, perdersi **4** (*colloq.*; *di cibo, di denaro ecc.*) consumarsi, esaurirsi, finire, volatilizzarsi.

sparizióne *s.f.* scomparsa, volatilizzazione © apparizione, comparsa, ricomparsa.

sparlàre *v.intr.* malignare, spettegolare, dir male, calunniare, diffamare © parlar bene.

spàro *s.m.* colpo IPON. fucilata, pistolettata, rivoltellata, schioppettata.

sparpagliàre *v.tr.* spargere, disseminare, seminare © raccogliere, riunire, radunare, ammassare, ammucchiare ♦ **sparpagliarsi** *v.pr.* spargersi, disperdersi, disseminarsi © ammassarsi, ammucchiarsi, raccogliersi, radunarsi, raggrupparsi, riunirsi.

spàrso *agg.* sparpagliato, alla rinfusa; isolato, sciolto © ordinato, raggruppato.

spartìre *v.tr.* dividere, distribuire, condividere, ripartire, suddividere © accumulare, radunare.

spartizióne *s.f.* divisione, partizione, ripartizione, suddivisione © raccolta, accumulo.

sparùto *agg.* **1** magro, smunto, emaciato, macilento, patito, sciupato © robusto, paffuto, in carne **2** ♧ (*di gruppo, di numero ecc.*) esiguo, inconsistente, piccolo, limitato, ridotto © grande, numeroso, folto.

spasimànte *s.m.* corteggiatore, pretendente, ammiratore, innamorato.

spasimàre *v.intr.* **1** (*per dolori fisici*) patire, soffrire, penare **2** ♧ (*per un desiderio*) smaniare, anelare, sognare, struggersi **3** ♧ (*per amore*) consumarsi, tormentarsi, sospirare, struggersi.

spàsimo *s.m.* **1** (*fisico*) dolore, male; fitta, puntura **2** ♧ (*dell'animo*) tormento, pena, sofferenza, angoscia, struggimento.

spàsmo *s.m.* contrazione; crampo.
spasmòdico *agg.* **1** (*di dolore*) acuto, lancinante, straziante **2** ♧ (*di attesa, di ricerca ecc.*) angoscioso, affannoso, febbrile, frenetico © calmo, tranquillo.
spassàrsi *v.pr.* divertirsi ♦ **spassarsela** *v.pro-compl.* godersela, darsi alla pazza gioia, folleggiare.
spassionàto *agg.* **1** (*di persona*) disinteressato, imparziale, obiettivo, oggettivo © parziale, di parte, fazioso, ingiusto **2** (*di giudizio, di parere ecc.*) disinteressato, neutrale, oggettivo, imparziale, obiettivo © interessato, parziale, soggettivo.
spàsso *s.m.* **1** divertimento, piacere, svago, evasione, distrazione, passatempo © noia, tristezza, malinconia, tedio **2** ♧ (*di persona, di film ecc.*) divertimento, piacere © noia, palla (*colloq.*), pizza (*colloq.*), mortorio.
spassóso *agg.* divertente, piacevole, spiritoso, comico, esilarante © noioso, pesante, palloso (*colloq.*), triste, malinconico.
spauràcchio *s.m.* **1** spaventapasseri **2** ♧ incubo, terrore, ossessione, spettro.
spaurìto *agg.* spaventato, impaurito, intimorito, timoroso © tranquillo, sereno, rassicurato, rinfrancato.
spavalderìa *s.f.* audacia, baldanza, temerarietà © timidezza, insicurezza, prudenza.
spavàldo *agg.* audace, temerario, sicuro, intrepido © insicuro, pauroso, timoroso, timido.
spaventapàsseri *s.m.invar.* spauracchio.
spaventàre *v.tr.* **1** impaurire, terrorizzare, intimorire, sgomentare © rassicurare, rincuorare, rinfrancare **2** preoccupare, impensierire, allarmare, angosciare, turbare © calmare, rassicurare, tranquillizzare ♦ **spaventarsi** *v.pr.* **1** impaurirsi, intimorirsi, rabbrividire © farsi coraggio, rincuorarsi **2** preoccuparsi, impensierirsi, allarmarsi, angosciarsi, turbarsi © tranquillizzarsi, rinfrancarsi.
spaventàto *agg.* impaurito, atterrito, intimorito; terrorizzato, sgomento, inorridito © rassicurato, rincuorato, rinfrancato.
spavènto *s.m.* **1** paura, timore, sgomento, terrore, panico; (*colloq.*) fifa, spago, strizza **2** preoccupazione, timore, ansia, apprensione.
spaventóso *agg.* **1** orribile, orrendo, mostruoso, agghiacciante, raccapricciante, terrificante **2** (*iperb.*; *di fame, di fortuna ecc.*) enorme, incredibile, impressionante, pazzesco, terribile.
spaziàle *agg.* **1** (*di volo e sim.*) astronautico, cosmico **2** ♧ (*colloq.*) fantastico, incredibile, mitico, straordinario © banale, normale.
spaziàre *v.tr.* distanziare, intervallare ♦ *v.intr.* **1** muoversi, volare **2** ♧ (*di sguardo e sim.*) vagare **3** ♧ (*di interessi, di cultura ecc.*) abbracciare, estendersi.
spazientìre *v.tr.* innervosire, indispettire, infastidire, irritare, seccare, stancare ♦ **spazientirsi** *v.pr.* innervosirsi, irritarsi, seccarsi, scocciarsi, perdere la pazienza (*colloq.*) © pazientare, portare pazienza.
spàzio *s.m.* **1** cielo, universo, cosmo **2** area, superficie, distesa, estensione **3** (*tra le parole, tra due file di oggetti ecc.*) intervallo, distanza **4** (*di tempo*) periodo, arco, lasso, intervallo **5** ♧ (*d'azione e sim.*) possibilità, opportunità, margine.
spazióso *agg.* ampio, grande, largo, vasto, esteso, capace © stretto, angusto, piccolo.
spazzanéve *s.m.invar.* spartineve, sgombraneve.
spazzàre *v.tr.* **1** scopare, ramazzare **2** ♧ liberare, pulire, ripulire, portare via, sgombrare **3** ♧ distruggere, eliminare, fare piazza pulita **4** (*colloq.*) mangiare, divorare, spolverare (*colloq.*), spazzolare (*colloq.*).
spazzatùra *s.f.* **1** immondizia, rifiuti **2** (*spreg.*) porcheria, schifezza, sudiciume.
spazzìno *s.m.* netturbino, operatore, ecologico.
spazzolàre *v.tr.* **1** IPERON. pulire, lucidare; (*i capelli*) pettinare, ravviare; (*il cavallo*) strigliare **2** (*colloq.*) mangiare, divorare, spolverare (*colloq.*).
spazzolàta *s.f.* pettinata, ravviata.
speaker *s.m.f.invar.* (*ingl.*) **1** annunciatore **2** telecronista **3** doppiatore.
specchiàrsi *v.pr.* **1** (*di persona*) riflettersi, rispecchiarsi; rimirarsi, mirarsi **2** (*di cosa*) riflettersi, rispecchiarsi, riverberarsi **3** ♧ (*prendere qlcu. a modello*) imitare, seguire, rifarsi **4** ♧ identificarsi, riconoscersi.
specchiétto *s.m.* **1** (*negli autoveicoli*) retrovisore **2** schema, tabella, prospetto, tavola.
spècchio *s.m.* **1** specchiera, cristallo **2** ♧ immagine, ritratto, fotografia **3** ♧ (*di virtù e sim.*) esempio, modello **4** specchietto, tabella, prospetto, schema.
speciàle *agg.* **1** caratteristico, particolare, tipico, unico © comune, normale, ordinario, usuale **2** eccellente, ottimo, straordinario © mediocre, ordinario, dozzinale.
specialìsta *s.m.f.* esperto, tecnico; conoscitore, intenditore.
specialità *s.f.* **1** peculiarità, particolarità, singolarità **2** (*di uno sport, di una scienza ecc.*) ramo, settore, branca, specializzazione **3** (*gastronomica*) prodotto tipico; ghiottoneria, bontà, leccornia.
specializzàre *v.tr.* perfezionare ♦ **specializzarsi** *v.pr.* perfezionarsi.

specializzàto *agg.* qualificato.

specializzazióne *s.f.* **1** qualificazione, perfezionamento **2** (*di uno sport, di una scienza ecc.*) ramo, settore, branca, specialità.

spècie *s.f.invar.* **1** (*bot., zool.*) genere, razza **2** (*di cose, di persone*) genere, tipo, varietà, qualità, sorta; (*spreg.*) razza, risma, stampo **3** (*elev.*) aspetto, forma, sembianza, parvenza.

specificàre *v.tr.* distinguere, dettagliare; chiarire, precisare, puntualizzare © generalizzare.

specificazióne *s.f.* precisazione, delucidazione, puntualizzazione, spiegazione © generalizzazione.

specìfico *agg.* **1** caratteristico, particolare, determinato, proprio, peculiare © generico, generale, impreciso, vago **2** (*di caso, di competenza, di preparazione ecc.*) preciso, concreto, particolare © generale, generico, vago.

specimen *s.m.invar.* (*lat.*) campione, esemplare, modello, prova, saggio; dépliant (*fr.*), pieghevole, volantino.

speculàre[1] *v.intr.* **1** meditare, riflettere, elucubrare **2** (*sulle disgrazie, sul bisogno altrui*) approfittare, profittare, sfruttare.

speculàre[2] *agg.* simmetrico; reciproco.

speculatìvo *agg.* **1** astratto, teorico, teoretico, puro © pratico, empirico **2** speculatorio; lucrativo, reddidizio.

speculatóre *s.m.* affarista, faccendiere, profittatore, trafficante, sfruttatore.

speculazióne *s.f.* **1** (*filos.*) meditazione, pensiero, riflessione **2** (*edilizia, finanziaria ecc.*) affare, traffico, lucro **3** sfruttamento, strozzinaggio; strumentalizzazione.

spedìre *v.tr.* **1** (*un pacco e sim.*) inviare, mandare, indirizzare, inoltrare INVER. ricevere **2** (*una persona*) inviare, mandare.

spedìto *agg.* svelto, rapido, lesto, pronto, scattante, veloce © lento, flemmatico, pigro.

spedizióne *s.f.* **1** invio, rimessa © ricevimento **2** collo, pacco, plico **3** (*scientifica e sim.*) esplorazione **4** (*mil.*) operazione, campagna, raid.

spedizionière *s.m.* corriere.

spègnere, **spégnere** *v.tr.* **1** (*fuoco, incendio ecc.*) estinguere, domare © accendere, bruciare, alimentare **2** (*la luce, il gas ecc.*) chiudere, staccare © accendere **3** (*la caldaia, il motore ecc.*) arrestare, bloccare, fermare, disattivare © accendere, avviare, attivare **4** ♧ (*la sete, la fame ecc.*) calmare, placare, estinguere © risvegliare, acuire **5** ♧ (*le polemiche e sim.*) calmare, placare, smorzare; (*un sentimento, una passione ecc.*) calmare, soffocare, placare, attenuare, mitigare © accendere, acuire, fomentare, svegliare ♦ **spegnersi** *v.pr.* **1** (*di fuoco*) estinguersi © accendersi, ardere **2** (*di luce e sim.*) staccarsi © accendersi **3** (*di dispositivo, di motore ecc.*) bloccarsi, fermarsi, arrestarsi © accendersi, avviarsi **4** ♧ (*di sete, di fame ecc.*) svanire © accendersi, risvegliarsi **5** ♧ (*di sentimento, di passione ecc.*) affievolirsi, attenuarsi, estinguersi, smorzarsi, finire, morire; (*di polemica e sim.*) cessare, finire, svanire © accendersi, infiammarsi, risvegliarsi **6** (*eufem.*) morire, spirare, chiudere gli occhi.

spegniménto *s.m.* **1** (*di un incendio*) estinzione © accensione, scoppio **2** (*di una caldaia, di un motore ecc.*) arresto, blocco, fermata © accensione, avviamento, messa in moto **3** (*di passione e sim.*) affievolimento, attenuazione, diminuzione, smorzamento © rafforzamento, rinvigorimento.

spelàre *v.tr.* **1** pelare; spelacchiare; (*un coniglio, un pollo ecc.*) pelare, spennare **2** (*colloq.*; *le patate e sim.*) sbucciare, pelare, mondare ♦ **spelarsi** *v.pr.* pelarsi; spelacchiarsi.

spellàre *v.tr.* **1** (*un animale ucciso*) scuoiare, scotennare **2** (*un ginocchio e sim.*) ferire, graffiare, sbucciare, escoriare **3** ♧ (*un cliente e sim.*) spennare, dissanguare, pelare (*colloq.*) ♦ **spellarsi** *v.pr.* escoriarsi, pelarsi, sbucciarsi.

spelling *s.m.invar.* (*ingl.*) compitazione.

spendaccióne *s.m.* sprecone, sciupone, scialacquatore, dissipatore © risparmiatore, economo, avaro, spilorcio, taccagno, tirchio.

spèndere *v.tr.* **1** pagare, sborsare, versare, dare, erogare © incassare, riscuotere; risparmiare, accumulare, mettere da parte **2** comprare, fare spese, fare shopping **3** ♧ (*tempo*) passare, trascorrere, impiegare, occupare **4** ♧ (*energie*) consumare, impiegare, utilizzare; sprecare.

spennàre *v.tr.* **1** spiumare, spennacchiare **2** ♧ (*un cliente e sim.*) dissanguare, pelare (*colloq.*), spolpare, svenare, spellare; (*al gioco, al poker ecc.*) rovinare, dissanguare.

spensieratézza *s.f.* **1** allegria, felicità, serenità © tristezza, mestizia, pensierosità **2** (*raro*) leggerezza, frivolezza, incoscienza, superficialità © serietà, responsabilità.

spensieràto *agg.* **1** allegro, felice, sereno, tranquillo © pensieroso, preoccupato, cupo, malinconico **2** (*raro*) leggero, irresponsabile, superficiale © serio, responsabile.

spènto, **spénto** *agg.* **1** (*di fuoco*) estinto, domato © acceso, vivo **2** (*di apparecchio, di motore ecc.*) fermo, disattivato, staccato © acceso, in funzione, in moto **3** (*di colore*) pallido, opaco, sbiadito, smorto, scialbo; (*di luce*) fioco ©

acceso, brillante, forte, vivo, intenso, vivace **4** ♧ (*di sguardo e sim.*) inespressivo, smorto © espressivo, vivo, vivace **5** ♧ (*di speranza, di tradizione ecc.*) estinto, morto, scomparso © vivo, vitale.

sperànza *s.f.* **1** fede, fiducia, affidamento, ottimismo, sicurezza **2** sogno, aspirazione, attesa, aspettativa **3** (*del calcio, del cinema ecc.*) promessa.

speranzóso *agg.* fiducioso, ottimista © abbattuto, avvilito, disperato, sfiduciato, sconfortato.

speràre *v.tr.* **1** contare, confidare, fare affidamento, fare conto © disperare **2** desiderare, sognare, augurarsi, vagheggiare, illudersi ♦ *v.intr.* contare, confidare, credere.

sperdùto *agg.* **1** (*di paese*) appartato, isolato, remoto, solitario, fuori mano **2** (*di persona*) disorientato, smarrito, spaesato © ambientato, inserito.

sperequazióne *s.f.* squilibrio, disparità, disuguaglianza © equiparazione, livellamento, perequazione.

spergiuràre *v.tr.* e *intr.* giurare il falso, mentire.

spergiùro *agg.*, *s.m.* falso, bugiardo, menzognero.

spericolàto *agg.*, *s.m.* incosciente, imprudente, sconsiderato, sventato, temerario © accorto, attento, prudente, cauto, timoroso.

sperimentàle *agg.* **1** empirico © teorico, ipotetico, astratto **2** (*di cinema, di musica, di centro ecc.*) nuovo, d'avanguardia, innovativo © tradizionale.

sperimentàre *v.tr.* **1** (*un apparecchio, un farmaco ecc.*) provare, verificare, collaudare, testare **2** ♧ (*un sentimento, le capacità di qlcu. ecc.*) mettere alla prova, misurare, saggiare, verificare **3** ♧ (*la fame, la miseria ecc.*) provare, sentire, conoscere.

sperimentàto *agg.* sicuro, certo, collaudato, comprovato, provato, valido.

sperimentazióne *s.f.* prova, collaudo, saggio, verifica, test (*ingl.*).

spèrma *s.f.* seme, liquido seminale.

speronàre *v.tr.* urtare, investire, tamponare.

sperperàre *v.tr.* **1** spendere, dilapidare, dissipare, scialacquare, scialare © risparmiare, accumulare, economizzare, mettere da parte **2** (*energie e sim.*) sprecare, sciupare, disperdere © risparmiare.

spèrpero *s.m.* **1** spreco, dilapidazione, dispendio, dissipazione, scialo, sciupio, scialacquamento © economia, risparmio, accumulazione **2** (*di energie e sim.*) spreco, dispendio © risparmio.

spèrso *agg.* **1** disperso, perduto, perso, smarrito © ritrovato **2** ♧ spaesato, disorientato, smarrito, sperduto © inserito, ambientato.

sperticàrsi *v.pr.* (*in lodi, in complimenti ecc.*) prodigarsi, profondersi; eccedere, esagerare © lesinare.

sperticàto *agg.* (*di lodi, complimenti ecc.*) esagerato, eccessivo, smaccato, smodato © contenuto, equilibrato, moderato.

spésa *s.f.* **1** pagamento, uscita, esborso © entrata, introito **2** prezzo, costo, ammontare, importo **3** acquisto, compera, shopping (*ingl.*).

spésso *agg.* **1** (*di crema e sim.*) denso, addensato, condensato, pastoso; (*di bosco, di pelo ecc.*) fitto, folto, compatto **2** alto, grosso © fine, sottile **3** frequente, numeroso © rado, raro, sporadico, saltuario ♦ *avv.* frequentemente, ripetutamente, sovente, generalmente.

spessóre *s.m.* **1** altezza, consistenza, grossezza © sottigliezza **2** ♧ consistenza, importanza, profondità, rilevanza.

spettàbile *agg.* (*spec. come formula di cortesia*) rispettabile, stimabile, egregio, onorevole.

spettacolàre *agg.* **1** (*di film, di cerimonia ecc.*) coreografico, scenografico, grandioso, sensazionale © ordinario **2** (*di panorama e sim.*) eccezionale, fantastico, straordinario, impressionante, sorprendente, stupefacente, strepitoso © banale, insignificante.

spettàcolo *s.m.* **1** rappresentazione, esibizione, messa in scena; (*cinematografico*) proiezione; (*televisivo*) programma, trasmissione **2** visione, vista, veduta, panorama, scena, scenario **3** bellezza, meraviglia, splendore.

spettacolóso *agg.* vedi **spettacolàre**.

spettàre *v.intr.* **1** (*di eredità, di ricompensa ecc.*) appartenere, toccare, competere **2** (*di lavoro e sim.*) interessare, riguardare, toccare, concernere.

spettatóre *s.m.* **1** pubblico **2** (*di una rapina e sim.*) testimone.

spettegolàre *v.intr.* chiacchierare, malignare, pettegolare, sparlare.

spettinàre *v.tr.* arruffare, scarmigliare, scapigliare, scarruffare © pettinare, acconciare ♦ **spettinarsi** *v.pr.* arruffarsi, scompigliarsi, scarmigliarsi © pettinarsi, acconciarsi, ravviarsi, sistemarsi.

spettinàto *agg.* scarmigliato, scapigliato © pettinato, in ordine, a posto.

spettràle *agg.* **1** (*di aspetto, di viso ecc.*) cadaverico, esangue, emaciato, macilento © colorito, roseo **2** (*di luce e sim.*) livido, fioco © vivido, brillante **3** (*di paesaggio e sim.*) lugubre, macabro, sinistro © solare, ridente.

spèttro *s.m.* **1** fantasma; spirito, apparizione, ombra **2** ♧ minaccia, incubo, paura.
spèzie *s.f.invar.* (*spec. al pl.*) aromi, droghe; erbe, odori.
spezzàre *v.tr.* **1** dividere, rompere, spaccare, fracassare, fratturare © ricostruire, ricomporre **2** ♧ (*un viaggio, un lavoro ecc.*) interrompere, intervallare, sospendere © continuare, proseguire ♦ **spezzarsi** *v.pr.* **1** rompersi, andare in pezzi, frantumarsi, spaccarsi **2** (*un osso, un arto ecc.*) fratturarsi.
spezzàto *agg.* **1** rotto, frantumato, fracassato, spaccato, a pezzi © intero, intatto, integro, sano **2** (*di osso, di arto e sim.*) fratturato, rotto, spaccato **3** (*di frase, di ragionamento ecc.*) discontinuo, interrotto, disorganico, frammentario © continuo, fluido, ininterrotto.
spezzettàre *v.tr.* sminuzzare, frammentare, frantumare, sminuzzolare, sbriciolare.
spezzóne *s.m.* (*di un tutto unitario*) pezzo, parte, porzione.
spìa *s.f.* **1** agente segreto, zero zero sette; delatore, informatore, confidente; infiltrato **2** ♧ segno, segnale, indizio, sintomo; campanello d'allarme **3** ♧ (*luminosa*) indicatore, led (*ingl.*) **4** ♧ (*di una porta*) spioncino.
spiaccicàre *v.tr.* schiacciare, spappolare; calpestare, pestare ♦ **spiaccicarsi** schiacciarsi, spappolarsi, ammaccarsi, appiattirsi.
spiacènte *agg.* dispiaciuto, rammaricato, desolato; addolorato, mortificato © contento.
spiacére *v.intr.* **1** dispiacere, rincrescere **2** addolorare, amareggiare, rattristare ♦ **spiacersi** dispiacersi, rammaricarsi, dolersi © gioire, rallegrarsi.
spiacévole *agg.* fastidioso, antipatico, increscioso, sgradevole, seccante; imbarazzante © piacevole, gradevole.
spiàggia *s.f.* marina, lido, litorale, riviera IPON. bagnasciuga, battigia.
spianàre *v.tr.* **1** livellare, appianare, pareggiare, uniformare **2** abbattere, demolire, radere al suolo **3** (*il fucile, la pistola ecc.*) puntare **4** ♧ (*ostacoli, difficoltà ecc.*) eliminare, rimuovere, togliere di mezzo **5** ♧ (*un debito*) estinguere.
spianàta *s.f.* spiazzo, pianoro, piana, piano.
spiantàto *agg.*, *s.m.* squattrinato, nullatenente, povero in canna, morto di fame © ricco, benestante, danaroso, facoltoso.
spiàre *v.tr.* **1** (*qlcu.*) pedinare, sorvegliare, tenere d'occhio; (*una conversazione*) origliare **2** indagare, investigare, osservare, studiare.
spiàta *s.f.* dritta, soffiata (*gerg.*), spifferata; delazione.
spiattellàre *v.tr.* dire, raccontare, riferire, rivelare, soffiare (*gerg.*), spifferare, svelare, vuotare il sacco (*colloq.*) © nascondere, tacere, omettere.
spiazzàre *v.tr.* prendere di sorpresa, cogliere alla sprovvista, mettere in difficoltà.
spiàzzo *s.m.* piazzale, slargo.
spiccàre *v.tr.* **1** (*un frutto*) staccare; cogliere **2** (*un mandato di cattura, un assegno ecc.*) emettere ♦ *v.intr.* apparire, emergere, campeggiare, risaltare, stagliarsi, svettare © scomparire.
spiccàto *agg.* **1** (*di caratteristica e sim.*) accentuato, evidente, marcato © vago, confuso **2** (*di accento e sim.*) caratteristico, marcato, tipico © lieve, leggero **3** (*di predisposizione e sim.*) notevole, particolare, fuori del comune, singolare.
spìcchio *s.m.* porzione, fetta, parte, sezione.
spicciàrsi *v.pr.* sbrigarsi, muoversi, affrettarsi, darsi una mossa (*colloq.*) © attardarsi, fermarsi, indugiare, trattenersi.
spiccicàre *v.tr.* **1** staccare, disunire, disgiungere © incollare, appiccicare, attaccare **2** ♧ (*le parole*) pronunciare, scandire.
spìcciolo *agg.* **1** (*di denaro*) spiccio **2** comune, ordinario; semplice © complesso, complicato, difficile ♦ *s.m.* (*spec. al pl.*) spicci, moneta.
spìcco *s.m.* importanza, evidenza, risalto, rilievo.
spider *s.f.invar.* (*ingl.*) decappottabile.
spiegaménto *s.m.* (*di forze e sim.*) schieramento, concentrazione.
spiegàre *v.tr.* **1** (*le vele, le lenzuola ecc.*) aprire, allargare, distendere, svolgere, sciorinare © piegare, ripiegare, chiudere, avvolgere, raccogliere **2** ♧ (*un argomento e sim.*) esporre, illustrare, commentare, interpretare; presentare, trattare **3** ♧ (*il funzionamento e sim.*) insegnare, indicare, illustrare **4** (*mil.*) disporre, schierare ♦ **spiegarsi** *v.pr.* **1** esprimersi **2** chiarirsi, intendersi **3** giustificarsi, scusarsi **4** capire, comprendere, intendere.
spiegazióne *s.f.* **1** commento, esposizione, illustrazione, presentazione **2** motivo, motivazione, giustificazione, ragione **3** chiarimento, chiarificazione.
spiegazzàre *v.tr.* accartocciare, raggrinzire, sgualcire, stazzonare, stropicciare © lisciare, stirare.
spietàto *agg.* **1** crudele, disumano, efferato, feroce, inesorabile, malvagio, perfido © pietoso, compassionevole **2** ♧ (*di concorrenza e sim.*) accanito, ostinato; (*di corteggiamento e sim.*) insistente, serrato © esitante, incerto, debole, fiacco.
spifferàre *v.tr.* riferire, raccontare, spiattellare.
spìffero *s.m.* corrente, corrente d'aria.

spigliàto *agg.* disinvolto, sciolto, naturale, spontaneo, sicuro di sé © impacciato, goffo, imbranato (*colloq.*), imbarazzato.
spìgolo *s.m.* **1** canto, cantonata, cantone **2** ♧ asprezza, durezza.
spigolóso *agg.* **1** angoloso, ossuto © armonioso **2** ♧ (*di carattere e sim.*) intrattabile, brusco, ruvido, scontroso, ombroso, scostante © affabile, amabile, cordiale, cortese.
spillàre *v.tr.* **1** (*denaro*) carpire, estorcere, spremere **2** (*vino e sim.*) stillare **3** (*con la spillatrice*) cucire, attaccare.
spilluzzicàre *v.tr.* piluccare, mangiucchiare.
spilorcerìa *s.f.* avarizia, grettezza, pidocchieria, taccagneria, tirchieria © generosità, larghezza, liberalità, prodigalità.
spilòrcio *agg.*, *s.m.* taccagno, tirchio, avaro, pitocco © generoso, munifico, prodigo.
spilungóne *s.m.* stanga, pertica, stangone © nanerottolo, tappo.
spìna *s.f.* **1** aculeo, pungiglione **2** (*di pesce*) lisca **3** (*al pl.*) rovo, pruno **4** (*colloq.*) puntura, fitta, trafittura **5** ♧ dolore, preoccupazione, cruccio, tribolazione **6** (*elettr.*) spinotto © presa.
spinèllo *s.m.* canna (*gerg.*), joint (*ingl.*).
spìngere *v.tr.* **1** sospingere © tirare **2** (*un pulsante*) schiacciare, pigiare, premere **3** ♧ (*lo sguardo*) allungare, indirizzare, protendere **4** ♧ (*qlcu. a fare qlco.*) esortare, incoraggiare, indurre, persuadere, incitare, stimolare © dissuadere, distogliere ♦ *v.intr.* **1** (*di folla e sim.*) accalcarsi, affollarsi **2** ♧ insistere, premere ♦ **spingersi** *v.pr.* **1** andare, dirigersi, inoltrarsi, procedere, sospingersi **2** ♧ superare, oltrepassare; osare, ardire **3** spintonarsi.
spinóso *agg.* **1** irsuto, ispido, ruvido © liscio, levigato **2** ♧ (*di questione e sim.*) difficile, critico, problematico, ostico; (*di argomento*) scabroso, delicato © facile, piano, semplice.
spìnta *s.f.* **1** urto, spintone **2** ♧ impulso, stimolo, incentivo, incitamento, incoraggiamento, pungolo, sprone **3** ♧ aiuto, appoggio, protezione, raccomandazione, segnalazione.
spìnto *agg.* **1** disposto, incline, intenzionato, propenso; portato, predisposto, tagliato © avverso, ostile; negato **2** (*di film, di pubblicazione ecc.*) audace, erotico, piccante, osceno, osé (*fr.*), pornografico, scollacciato, indecente © casto, castigato, decente **3** eccessivo, esagerato, estremistico.
spintonàre *v.tr.* spingere.
spintóne *s.m.* **1** spinta **2** ♧ raccomandazione.
spionàggio *s.m.* servizi segreti, intelligence (*ingl.*) © controspionaggio.
spióne *s.m.* spia, informatore, confidente, delatore.
spiovènte *agg.* cadente, cascante, pendente; inclinato © diritto, ritto.
spiràglio *s.m.* **1** apertura, fenditura, fessura **2** ♧ barlume, raggio, sprazzo.
spiràle *s.f.* **1** avvolgimento **2** (*anticoncezionale*) IUD (*med.*) **3** ♧ (*di violenza e sim.*) crescendo, gorgo, vortice; tunnel, circolo vizioso.
spiràre[1] *v.intr.* **1** (*di vento*) soffiare, tirare **2** (*elev.*; *di profumo e sim.*) diffondersi, espandersi, sprigionarsi.
spiràre[2] *v.intr.* esalare l'ultimo respiro, morire, spegnersi © vivere.
spiritàto *agg.* **1** assatanato, indemoniato, invasato, posseduto **2** ♧ fuori di sé, invasato, sconvolto © calmo, tranquillo **3** ♧ esagitato, irrequieto © calmo, placido, tranquillo.
spìrito[1] *s.m.* **1** anima © corpo, materia **2** fantasma, spettro, apparizione, ombra, visione **3** divinità, folletto, genio, spiritello **4** stato d'animo, disposizione, morale, umore; indole **5** vivacità, brio, comicità, umorismo, humour (*ingl.*), verve (*fr.*) **6** (*di un discorso e sim.*) senso, significato, essenza, succo **7** (*dei tempi e sim.*) mentalità, atmosfera, clima.
spìrito[2] *s.m.* alcol.
spiritosàggine *s.f.* battuta, arguzia, facezia, freddura, lazzo, motto; comicità, umorismo.
spiritóso *agg.* **1** arguto, brillante, divertente, ironico, scherzoso © noioso, pesante **2** (*spreg.*) sciocco, stupido, cretino.
spirituàle *agg.* **1** divino, contemplativo © terreno, secolare **2** invisibile, immateriale, incorporeo, etereo © fisico, materiale, corporeo **3** ascetico, mistico, religioso **4** (*di amore*) puro, casto, platonico © carnale, materiale, sensuale **5** (*di potere*) © temporale.
spiritualità *s.f.* **1** immaterialità, incorporeità © corporeità, fisicità, materialità **2** sensibilità, profondità **3** mistica, religiosità.
splendènte *agg.* lucente, luminoso, brillante, risplendente, sfavillante, scintillante © opaco, smorto, spento.
splèndere *v.intr.* brillare, risplendere, sfavillare, scintillare, sfolgorare.
splèndido *agg.* **1** luminoso, lucente, brillante, risplendente, scintillante, sfavillante, sfolgorante © fosco, cupo, opaco **2** ♧ meraviglioso, stupendo, bellissimo, fantastico, favoloso, incantevole © orrendo, pessimo **3** ♧ (*di carriera e sim.*) ottimo, eccezionale, strepitoso © mediocre, squallido **4** ♧ (*di persona*) generoso, munifico, prodigo © avaro, gretto, taccagno.

splendóre *s.m.* **1** chiarore, fulgore, lampo, sfavillio, sfolgorio © oscurità **2** ♧ (*della bellezza, della giovinezza ecc.*) fiore, culmine, fulgore, pienezza **3** ♧ bellezza, meraviglia, incanto, perfezione © schifo, orrore **4** ♧ fasto, sfarzo, magnificenza, opulenza, ostentazione, sontuosità © semplicità, austerità.

spòcchia *s.f.* arroganza, superbia, altezzosità, boria, alterigia, supponenza © modestia, umiltà.

spocchióso *agg.* superbo, borioso, altezzoso, presuntuoso, supponente © modesto, semplice, umile.

spodestàre *v.tr.* **1** deporre, destituire, detronizzare, rimuovere © insediare, incoronare **2** privare, espropriare © fornire.

spòglia *s.f.* **1** (*elev.*) cadavere, salma **2** (*al pl.*) bottino.

spogliàre *v.tr.* **1** svestire, denudare, scoprire © vestire, coprire **2** (*di ornamenti e sim.*) levare, privare, togliere © arricchire, guarnire, ornare **3** ♧ derubare, defraudare, depredare; saccheggiare **4** (*dati, documenti ecc.*) classificare, ordinare, vagliare; (*schede elettorali*) scrutinare ♦ **spogliarsi** *v.pr.* **1** denudarsi, svestirsi © vestirsi, rivestirsi **2** ♧ (*di beni, di ricchezze ecc.*) privarsi **3** ♧ (*di pregiudizi e sim.*) liberarsi, lasciare, abbandonare **4** (*di albero*) sfrondarsi.

spogliarèllo *s.m.* strip-tease (*ingl.*).

spogliatóio *s.m.* cabina di prova, camerino.

spòglio[1] *agg.* **1** (*di ramo, di albero*) nudo © frondoso, rigoglioso **2** (*di casa e sim.*) disadorno, nudo, povero, semplice, dimesso © ricco, sfarzoso, sontuoso **3** ♧ (*da pregiudizi e sim.*) libero, esente, scevro **4** ♧ (*di stile e sim.*) conciso, disadorno, essenziale, semplice, sobrio, stringato © pomposo, prolisso, ridondante, sovrabbondante.

spòglio[2] *s.m.* **1** (*di dati, di notizie e sim.*) selezione, classificazione, cernita **2** (*di voti, di schede elettorali*) conteggio, scrutinio.

spolpàre *v.tr.* **1** scarnificare **2** ♧ (*colloq.*) spennare, dissanguare, pelare, salassare.

spolveràre *v.tr.* **1** IPERON. ripulire, pulire **2** ♧ (*scherz.*) derubare, depredare, svaligiare, svuotare **3** ♧ (*scherz.*) divorare, spazzolare (*colloq.*) **4** (*con lo zucchero a velo e sim.*) cospargere, spruzzare, spolverizzare.

spolveràta *s.f.* **1** passata, pulita, ripulita **2** (*di neve*) spruzzata.

spompàre *v.tr.* (*colloq.*) stancare, sfinire, spossare, stremare, esaurire, estenuare © rinvigorire, ritemprare.

spónda *s.f.* **1** riva; costa, litorale **2** bordo, limite, estremità, margine **3** parapetto, spalletta.

sponsor *s.m.invar.* (*ingl.*) sponsorizzatore, finanziatore, promotore.

sponsorizzàre *v.tr.* **1** finanziare **2** appoggiare, raccomandare, segnalare.

spontaneità *s.f.* naturalezza, immediatezza, franchezza, freschezza, genuinità, semplicità, schiettezza © artificiosità, affettazione; falsità.

spontàneo *agg.* **1** volontario © forzato, involontario, obbligato **2** (*di sentimento, di gesto ecc.*) impulsivo, istintivo © meditato, ponderato, ragionato **3** (*di persona, di modi ecc.*) naturale, schietto, genuino, immediato, semplice © costruito, innaturale, insincero **4** (*di fenomeno*) naturale © artificiale.

spopolàre *v.tr.* vuotare, svuotare © popolare, riempire ♦ *v.intr.* ♧ (*colloq.*) entusiasmare, fare furore, furoreggiare, essere in voga ♦ **spopolarsi** *v.pr.* svuotarsi, vuotarsi © popolarsi, riempirsi, affollarsi.

sporàdico *agg.* isolato, rado, raro, episodico, infrequente, occasionale, saltuario © frequente, continuo, costante, fitto, ripetuto.

sporcaccióne *s.m.* **1** sudicione, sozzone, maiale, porcellone **2** ♧ degenerato, depravato, pervertito, maiale, porco, vizioso.

sporcàre *v.tr.* **1** insudiciare, imbrattare, lordare, macchiare, insozzare © pulire, ripulire, lavare, smacchiare **2** ♧ (*la reputazione, il nome ecc.*) disonorare, compromettere, infangare, macchiare, insudiciare © onorare, riscattare ♦ **sporcarsi** *v.pr.* **1** insudiciarsi, imbrattarsi, lordarsi, macchiarsi, insozzarsi © pulirsi, ripulirsi, lavarsi **2** ♧ compromettersi, disonorarsi, infangarsi, macchiarsi, sporcarsi le mani.

sporcìzia *s.f.* **1** sudiciume, lordura, sozzeria © pulizia **2** immondizia, porcheria, spazzatura.

spòrco *agg.* **1** sudicio, imbrattato, impiastricciato, lordo, lurido, macchiato, sozzo © pulito, lindo, mondo (*elev.*) **2** ♧ disonesto, corrotto, abietto, turpe; immorale, depravato, sordido, vizioso © pulito, onesto corretto, leale **3** ♧ (*di barzelletta e sim.*) volgare, osceno, indecente, sconcio, scurrile, sozzo © pulito, casto ♦ *s.m.* sporcizia, sudiciume, lerciume, luridume, sozzura.

sporgènza *s.f.* rilievo, prominenza, protuberanza © concavità, incavatura, rientranza.

spòrgere *v.tr.* **1** allungare, tendere, protendere © ritirare, ritrarre **2** (*una querela, una denuncia*) presentare, inoltrare ♦ *v.intr.* (*edil.*) aggettare ♦ **sporgersi** *v.pr.* protendersi, spingersi © ritrarsi.

spòrta *s.f.* **1** borsa, sacca **2** ♧ (*grande quantità*) mucchio (*colloq.*), sacco (*colloq.*), casino (*colloq.*).

sportèllo *s.m.* **1** porta, anta, battente; (*di autoveicolo*) portiera, porta **2** (*di una banca e sim.*) agenzia, filiale.

sportìvo *agg.* **1** (*di comportamento e sim.*) corretto, leale © scorretto, sleale **2** (*di abbigliamento ecc.*) comodo, pratico, informale, casual (*ingl.*), sportswear (*ingl.*) © classico, elegante ♦ *s.m.* atleta, sportsman (*ingl.*).

spòsa *s.f.* **1** INVER. sposo **2** moglie, consorte, coniuge INVER. marito, consorte, coniuge.

sposalìzio *s.m.* matrimonio.

sposàre *v.tr.* **1** prendere in moglie; prendere per marito; portare all'altare **2** unire in matrimonio **3** (*i figli*) accasare, dare in matrimonio, sistemare; (*una figlia*) dare in moglie, maritare **4** ♧ (*un'idea, una causa ecc.*) abbracciare, appoggiare, sostenere, fare proprio © rifiutare **5** unire, accoppiare, fondere, mescolare, mischiare © dividere, separare ♦ **sposarsi** *v.pr.* **1** unirsi in matrimonio; (*di uomo*) ammogliarsi, prendere moglie; (*di donna*) maritarsi, prendere marito; accasarsi, mettere su famiglia, sistemarsi **2** ♧ (*di cose*) abbinarsi, armonizzare, andare d'accordo, combinarsi, accompagnarsi, legare © contrastare, fare a pugni, stridere.

sposàta *agg.*, *s.f.* coniugata, maritata © nubile, zitella (*scherz.*, *spreg.*), single (*ingl.*); divorziata, separata.

sposàto *agg.*, *s.m.* coniugato, accasato, ammogliato © celibe, scapolo, single (*ingl.*); divorziato, separato.

spòso *s.m.* **1** INVER. sposa **2** marito, consorte, coniuge INVER. moglie, coniuge, consorte **3** (*al pl.*) coniugi, marito e moglie.

spossànte *agg.* stancante, estenuante, duro, pesante, faticoso, massacrante, sfibrante, snervante © leggero, rilassante, riposante.

spossàre *v.tr.* estenuare, fiaccare, sfinire, indebolire, sfibrare, sfiancare, debilitare, stremare © rinvigorire, rinfrancare, corroborare, ritemprare, tonificare.

spossatézza *s.f.* stanchezza, fiacchezza, debolezza, sfinimento © energia, forza, vigore.

spossàto *agg.* stanco, sfinito, morto, distrutto, esausto, estenuato, sfinito, spompato (*colloq.*) © fresco, riposato, in forma, ritemprato.

spostaménto *s.m.* **1** trasferimento, rimozione, trasloco, trasporto **2** (*nel tempo*) rinvio, differimento; anticipazione, anticipo.

spostàre *v.tr.* **1** rimuovere, trasferire, trasportare, traslocare © mettere, porre, collocare **2** (*nel tempo*) rinviare, rimandare, ritardare, procrastinare, prorogare; anticipare ♦ **spostarsi** *v.pr.* **1** muoversi, scostarsi, scansarsi; trasferirsi, traslocare; viaggiare **2** ♧ (*di interesse e sim.*) deviare, orientarsi.

spostàto *agg.*, *s.m.* sbandato, sballato, sbalestrato, scombinato; emarginato, disadattato.

spot *s.m.invar.* (*ingl.*) **1** pubblicità, inserto pubblicitario **2** faretto.

sprànga *s.f.* sbarra, barra; catenaccio, chiavistello, paletto.

sprangàre *v.tr.* sbarrare, chiudere, serrare © aprire, spalancare.

spray *s.m.invar.* (*ingl.*) vaporizzatore, nebulizzatore.

spràzzo *s.m.* **1** (*di luce*) lampo, bagliore, balenio, brillio, sfolgorio **2** ♧ (*d'ingegno, d'intelligenza ecc.*) ispirazione, folgorazione, intuizione, lampo.

sprecàre *v.tr.* sciupare, buttare dalla finestra (*colloq.*), disperdere, dissipare, scialacquare, sperperare © risparmiare, economizzare, mettere da parte ♦ **sprecarsi** *v.pr.* **1** sciuparsi, disperdersi **2** (*in senso ironico*) buttarsi via, sforzarsi.

sprèco *s.m.* dilapidazione, dissipazione, scialo, dispendio, scialacquio, sperpero © risparmio, economia.

sprecóne *s.m.* dissipatore, scialacquatore, scialacquone, sciupone, spendaccione © risparmiatore, economo.

spregévole *agg.* ignobile, infame, disprezzabile, deprecabile, abietto, meschino, esecrabile © ammirevole, pregevole, lodevole, nobile.

sprègio *s.m.* disprezzo, disistima, sprezzo © apprezzamento, considerazione.

spregiudicatézza *s.f.* audacia, disinvoltura, sfrontatezza, temerarietà © attenzione, cautela, prudenza.

spregiudicàto *agg.* audace, disinvolto, disinibito, sfrontato, temerario © cauto, prudente.

sprèmere *v.tr.* **1** schiacciare, premere, pressare, strizzare; pigiare, torchiare **2** ♧ (*denaro*) spillare (*colloq.*), scucire (*colloq.*), estorcere.

sprezzànte *agg.* altezzoso, sdegnoso, arrogante, spocchioso © affabile, amabile, alla mano, cordiale, gentile.

sprèzzo *s.m.* **1** disprezzo, dispregio, disdegno, spregio © considerazione, amore, desiderio **2** (*del pericolo e sim.*) noncuranza, incuranza.

sprigionàre *v.tr.* **1** (*odore, gas ecc.*) emettere, emanare, effondere, spargere **2** ♧ (*gioia, simpatia ecc.*) irradiare, sprizzare, emanare ♦ **sprigionarsi** *v.pr.* fuoriuscire, liberarsi, scaturire; (*di liquido*) sgorgare, sprizzare, zampillare; (*di odore e sim.*) diffondersi, spandersi.

sprint *s.m.invar.* (*ingl.*) **1** (*sport*) allungo, volata, rush (*ingl.*) **2** accelerazione, scatto.

sprizzàre *v.intr.* scaturire, sgorgare, zampillare ♦ *v.tr.* **1** emettere, schizzare **2** ♧ esprimere, manifestare, comunicare, irradiare, sprigionare.

sprofondàre *v.intr.* **1** abbassarsi, cedere, piombare, precipitare © reggere, tenere **2** (*nella neve, nel fango ecc.*) affondare; (*nell'acqua*) andare a fondo, colare a picco, inabissarsi, sommergersi © emergere, affiorare **3** ♧ (*nel sonno e sim.*) cadere, piombare, precipitare ♦ **sprofondarsi** *v.pr.* **1** (*in una poltrona e sim.*) lasciarsi cadere, abbandonarsi, adagiarsi **2** ♧ (*nella lettura e sim.*) immergersi, gettarsi, tuffarsi, dedicarsi.

sprolòquio *s.m.* tirata, pappardella (*colloq.*), sermone; farneticazione, vaniloquio.

spronàre *v.tr.* **1** (*il cavallo*) incitare © frenare **2** ♧ incitare, spingere, stimolare, esortare, incoraggiare © dissuadere, distogliere.

spróne *s.m.* stimolo, spinta, impulso, molla, incentivo, incitamento, incoraggiamento © freno, dissuasione.

sproporzionàto *agg.* **1** disarmonico; asimmetrico © proporzionato, armonico; simmetrico **2** eccessivo, esagerato, spropositato; (*di prezzo*) astronomico, esorbitante © proporzionato, giusto, equilibrato.

sproporzióne *s.f.* squilibrio, disarmonia, incongruenza © proporzione, armonia, equilibrio.

spropositàto *agg.* enorme, eccessivo, smisurato © normale, proporzionato; piccolo, limitato.

spropòsito *s.m.* **1** sciocchezza, stupidaggine, follia, cretinata, fesseria **2** (*atto inconsulto*) follia, pazzia **3** (*grosso errore*) strafalcione, svarione **4** (*quantità enorme*) montagna, mucchio, sacco, casino (*colloq.*), caterva.

sprovvedùto *agg.*, *s.m.* **1** inesperto, incompetente, impreparato © competente, esperto **2** semplice, ingenuo © sveglio, scaltro.

sprovvìsto *agg.* privo, sfornito, mancante © provvisto, fornito, dotato, munito, equipaggiato, corredato.

spruzzàre *v.tr.* **1** bagnare, schizzare, annaffiare **2** spargere **3** (*di zucchero, di cacao ecc.*) cospargere, spolverizzare.

spruzzàta *s.f.* **1** spruzzo **2** ♧ (*di pioggia*) pioggerella, annaffiata; (*di neve*) spolverata.

spruzzatóre *s.m.* nebulizzatore, vaporizzatore, spray (*ingl.*).

sprùzzo *s.m.* **1** getto, schizzo; (*di sangue*) fiotto, sgorgo **2** (*di neve*) spolverata; (*di pioggia*) annaffiata.

spudoratézza *s.f.* **1** impudicizia, indecenza, scostumatezza, inverecondia © pudicizia, pudore, verecondia **2** sfacciataggine, insolenza, impudenza, faccia tosta **3** (*di azione, di discorso ecc.*) sfrontatezza, impudenza.

spudoràto *agg.*, *s.m.* impudente, svergognato, sfacciato, sfrontato © pudico.

spùgna *s.f.* ♧ beone, ubriacone, avvinazzato © astemio.

spulciàre *v.tr.* ♧ (*un libro, un registro ecc.*) controllare, esaminare, spogliare, scartabellare.

spumeggiànte *agg.* **1** spumoso, schiumante, schiumoso **2** ♧ vivace, brillante, effervescente, frizzante © noioso, monotono, pesante.

spumóso *agg.* **1** schiumoso, spumeggiante **2** (*di crema e sim.*) soffice, leggero.

spuntàre[1] *v.tr.* **1** arrotondare, smussare © aguzzare, acuminare, appuntire **2** ♧ (*capelli, barba ecc.*) accorciare, scorciare ♦ *v.intr.* **1** (*di pianta e sim.*) nascere, buttare, germogliare, sbocciare, venire fuori (*colloq.*) **2** (*di astro*) sorgere, levarsi © calare, tramontare **3** apparire, comparire, sbucare, saltare fuori, emergere, fare capolino ♦ **spuntarsi** *v.pr.* **1** smussarsi © aguzzarsi, appuntarsi ♦ **spuntarla** *v.procompl.* farcela, riuscire © fallire.

spuntàre[2] *v.tr.* (*un conto, una lista ecc.*) controllare, riscontrare.

spuntìno *s.m.* merenda, snack (*ingl.*).

spùnto *s.m.* **1** idea, ispirazione, traccia **2** motivo, occasione, opportunità **3** (*di un motore*) accelerazione, ripresa **4** (*sport*) scatto, volata, allungo, rush (*ingl.*), sprint (*ingl.*).

spuntóne *s.m.* **1** punta, spunzone **2** (*della roccia*) sporgenza.

spùrio *agg.* falso, contraffatto © autentico.

sputàre *v.intr.* scatarrare, espettorare (*med.*) ♦ *v.tr.* **1** (*noccioli e sim.*) espellere © ingoiare, buttare giù **2** ♧ (*insulti, oscenità ecc.*) lanciare, scagliare, vomitare **3** (*fuoco, lava ecc.*) emettere, buttare fuori, vomitare.

sputàto *agg.* ♧ preciso, identico, uguale, spiccicato (*colloq.*), tale e quale © diverso, differente.

squàdra *s.f.* **1** (*mil.*) gruppo, brigata, drappello, plotone; (*antidroga e sim.*) nucleo **2** (*di tecnici, di medici ecc.*) équipe (*fr.*), staff (*ingl.*), team (*ingl.*), pool (*ingl.*) **3** (*di atleti*) formazione, gruppo, équipe (*fr.*), team (*ingl.*) **4** (*colloq.*; *di amici, di ragazzi ecc.*) banda, compagnia, brigata, combriccola, comitiva.

squadràre *v.tr.* **1** riquadrare **2** ♧ osservare, esaminare, scrutare.

squagliàre *v.tr.* liquefare, sciogliere, fondere © rapprendere, condensare ♦ **squagliarsi** *v.pr.* **1** sciogliersi, liquefarsi **2** ♧ (*colloq.*) intenerirsi, sdilinquirsi ♦ **squagliarsela** *v.procompl.* svignarsela, filarsela, scappare.

squalìfica *s.f.* espulsione, sospensione.
squalificàre *v.tr.* **1** (*un atleta, un giocatore ecc.*) escludere, sospendere **2** dequalificare, declassare © qualificare **3** screditare, sputtanare (*volg.*).
squàllido *agg.* **1** desolato, deprimente, misero, triste, trasandato, trascurato **2** (*di individuo, di vicenda ecc.*) ignobile, meschino, miserabile, infame, abietto, sordido, spregevole © degno, nobile.
squallóre *s.m.* **1** desolazione, miseria, abbandono, trascuratezza © splendore, ricchezza, sontuosità **2** (*morale*) disperazione, miseria, tristezza © allegria, felicità.
squàlo *s.m.* **1** pescecane **2** ♧ approfittatore, pescecane, pirata.
squàma *s.f.* scaglia.
squarciàre *v.tr.* lacerare, strappare, spezzare ♦ **squarciarsi** *v.pr.* lacerarsi, strapparsi, aprirsi.
squàrcio *s.m.* **1** lacerazione, strappo, spacco, taglio **2** ♧ (*di un'opera letteraria, musicale e sim.*) brano, passo, frammento, stralcio, pezzo.
squartàre *v.tr.* **1** (*un bue e sim.*) smembrare **2** massacrare, scannare, trucidare.
squattrinàto *agg.*, *s.m.* povero in canna, morto di fame (*colloq.*), spiantato, nullatenente.
squilibràre *v.tr.* sbilanciare, dissestare © equilibrare, bilanciare.
squilibràto *agg.* sbilanciato © equilibrato, bilanciato ♦ *s.m.* matto, pazzo, folle, malato di mente, psicopatico, svitato (*colloq.*).
squilìbrio *s.m.* **1** instabilità © equilibrio, stabilità **2** ♧ pazzia, follia, demenza **3** ♧ divario, sproporzione, sperequazione © equilibrio.
squillànte *agg.* **1** (*di suono*) acuto, argentino, cristallino © basso, cupo, sordo **2** ♧ (*di colore*) brillante, vivace, vivo, acceso, sgargiante © pallido, smorto, spento.
squìllo *s.m.* **1** trillo **2** (*colloq.*) chiamata, colpo di telefono, telefonata ♦ *s.f.* call-girl (*ingl.*), prostituta.
squinternàto *agg.* (*di libro, di quaderno*) squadernato, sfasciato ♦ *agg.*, *s.m.* ♧ (*di persona*) strambo, scriteriato, squilibrato, spostato © equilibrato, assennato.
squisitézza *s.f.* **1** bontà, prelibatezza, delicatezza, leccornia, delizia, ghiottoneria **2** ♧ (*di modi e sim.*) distinzione, eleganza, finezza, raffinatezza © grossolanità, rozzezza **3** ♧ (*d'animo e sim.*) delicatezza, dolcezza, sensibilità © insensibilità.
squisìto *agg.* **1** (*di cibo*) delizioso, eccellente, prelibato, sopraffino © cattivo, disgustoso, pessimo, schifoso **2** ♧ (*di persona, di modi ecc.*) gentile, cortese; delizioso, piacevole © scortese, sgarbato; orribile, sgradevole **3** ♧ elegante, fine, raffinato, ricercato, chic (*fr.*) © grossolano, rozzo.
sradicàre *v.tr.* **1** (*una pianta e sim.*) svellere, divellere © piantare **2** ♧ eliminare, estirpare, rimuovere **3** ♧ (*dalla patria, dalla famiglia ecc.*) allontanare, strappare.
sradicàto *agg.* **1** estirpato, divelto **2** disambientato, spaesato © ambientato, inserito, integrato.
sragionàre *v.intr.* delirare, farneticare, dare i numeri, vaneggiare © ragionare, connettere.
sregolàto *agg.* **1** disordinato, sfrenato, smodato © misurato, moderato **2** (*moralmente*) dissoluto, debosciato, scapestrato © morigerato, temperato.
srotolàre *v.tr.* **1** svolgere, dipanare © arrotolare **2** (*un tappeto, un sacco a pelo ecc.*) distendere, spiegare © arrotolare, avvolgere.
stàbile *agg.* **1** fermo, saldo, sicuro © instabile, insicuro, malfermo, precario, traballante **2** ♧ (*di lavoro e sim.*) fisso, sicuro, duraturo, continuativo, a tempo indeterminato © provvisorio precario, temporaneo **3** ♧ (*di persona, di sentimento ecc.*) costante, durevole, perseverante, saldo © incostante, instabile, volubile **4** (*di tempo atmosferico*) stazionario © instabile, variabile ♦ *s.m.* edificio, fabbricato, immobile, palazzo, caseggiato.
stabiliménto *s.m.* **1** (*industriale*) fabbrica, industria, manifattura **2** (*termale, balneare ecc.*) complesso, impianto.
stabilìre *v.tr.* **1** (*la propria dimora ecc.*) fissare **2** fondare, istituire, instaurare, organizzare **3** (*prezzi, condizioni ecc.*) fissare, decidere, concordare **4** (*una legge, una regola ecc.*) decretare, dichiarare, sancire © abolire, annullare **5** accertare, appurare, assodare ♦ **stabilirsi** *v.pr.* domiciliarsi, insediarsi, installarsi.
stabilità *s.f.* **1** robustezza, solidità, saldezza © instabilità, fragilità **2** ♧ (*di una situazione e sim.*) immutabilità, stazionarietà © instabilità, provvisorietà **3** ♧ (*di una persona, di un sentimento ecc.*) costanza, perseveranza, persistenza, continuità © instabilità, volubilità, fragilità.
stabilìto *agg.* **1** istituito, costituito, fondato, organizzato **2** deciso, concordato, convenuto, fissato, prestabilito.
stabilizzàre *v.tr.* **1** (*un edificio e sim.*) consolidare, rafforzare © indebolire **2** ♧ (*una situazione e sim.*) normalizzare © destabilizzare, turbare ♦ **stabilizzarsi** *v.pr.* **1** (*di una situazione e sim.*) consolidarsi, rafforzarsi; regolarizzarsi **2** (*di temperatura e sim.*) regolarizzarsi.

stacanovìsta *agg.*, *s.m.f.* sgobbone © lavativo, scansafatiche, perdigiorno.
staccàre *v.tr.* **1** separare, distaccare, disgiungere, dividere © attaccare, congiungere, unire **2** (*una pianta*) sradicare, estirpare, svellere **3** (*un frutto*) spiccare, cogliere **4** (*dalla parete e sim.*) togliere, levare, schiodare © mettere, appendere, fissare, inchiodare **5** (*la corrente e sim.*) togliere, disattivare © attaccare, attivare **6** (*lo sguardo e sim.*) distogliere © fissare, puntare **7** (*un assegno*) spiccare, emettere **8** (*in una gara*) distaccare, distanziare ♦ *v.intr.* **1** (*di colore*) risaltare, spiccare © confondersi, perdersi **2** (*colloq.*; *dal lavoro*) smontare, uscire © entrare, montare, iniziare ♦ **staccarsi** *v.pr.* **1** allontanarsi, separarsi, scostarsi © avvicinarsi, accostarsi **2** (*di bottone e sim.*) cadere, saltare; scollarsi © tenere.
staccionàta *s.f.* palizzata, steccato.
stàcco *s.m.* **1** divisione, distacco, separazione © unione, congiungimento **2** ♧ (*pubblicitario, musicale ecc.*) intervallo, intermezzo, break (*ingl.*) **3** ♧ contrasto, risalto, spicco.
stàdio *s.m.* **1** campo di gioco, campo sportivo **2** fase, grado, livello, momento, punto.
staff *s.m.invar.* (*ingl.*) gruppo, squadra, équipe (*fr.*), team (*ingl.*), pool (*ingl.*).
stage *s.m.invar.* (*fr.*) tirocinio, addestramento.
stagionàre *v.tr.* invecchiare ♦ *v.intr.* invecchiare, maturare.
stagionàto *agg.* **1** invecchiato, maturo © fresco, giovane, novello **2** ♧ (*scherz.*; *di persona*) maturo, attempato © giovane, fresco.
stagionàtura *s.f.* invecchiamento.
stagióne *s.f.* **1** IPON. primavera, estate, autunno, inverno **2** periodo, tempo, momento; epoca.
stagliàrsi *v.pr.* spiccare, campeggiare, distinguersi, torreggiare.
stagnànte *agg.* **1** (*di acqua*) ristagnante, fermo; paludoso © corrente, fluente **2** (*di aria*) fermo, soffocante © fresco **3** ♧ (*di mercato e sim.*) fermo, statico, immobile © vivace, attivo.
stagnàre *v.intr.* **1** (*di acqua*) ristagnare © scorrere, defluire, fluire **2** ♧ (*di mercato e sim.*) ristagnare, bloccarsi, languire © espandersi, svilupparsi.
stagnazióne *s.f.* ristagno, stasi © crescita, espansione, sviluppo.
stàgno *s.m.* acquitrino, palude.
stàlla *s.f.* ♧ (*ambiente molto sporco*) immondezzaio, letamaio, porcile, troiaio (*volg.*).
stàllo *s.m.* **1** sedile **2** ♧ blocco, paralisi, impasse (*fr.*), rallentamento, ristagno, stasi.
stallóne *s.m.* **1** cavallo da monta **2** (*iron., scherz.*; *di uomo*) amatore, seduttore, scopatore (*volg.*), superdotato.
stambèrga *s.f.* baracca, bicocca, catapecchia, topaia, tugurio.
stàmpa *s.f.* **1** impressione **2** (*di libri e sim.*) edizione, pubblicazione **3** giornalismo; giornali; carta stampata **4** giornalisti **5** riproduzione, incisione.
stampàre *v.tr.* **1** imprimere **2** ♧ (*nella mente*) fissare, fermare, memorizzare **3** pubblicare, dare alle stampe, tirare, editare, riprodurre.
stampàto *agg.* **1** (*di orma e sim.*) impresso, marcato **2** pubblicato, edito, tirato **3** ♧ (*nella mente e sim.*) impresso, scolpito ♦ *s.m.* **1** (*burocr.*) modulo, modello **2** dépliant (*fr.*), volantino.
stampèlla *s.f.* gruccia.
stàmpo *s.m.* **1** calco, forma; (*per biscotti*) formina, stampino **2** madre, matrice, modello **3** ♧ carattere, natura, tipo, specie **4** ♧ (*spreg.*) razza, specie, tipo, risma.
stanàre *v.tr.* scovare, snidare.
stancànte *agg.* (*spec. di lavoro*) duro, faticoso, pesante, gravoso, stressante; estenuante, massacrante, sfibrante, sfinente, spossante © riposante, rilassante, leggero, comodo.
stancàre *v.tr.* **1** affaticare, indebolire, distruggere, massacrare (*colloq.*), esaurire, estenuare, logorare, sfiancare, spompare (*colloq.*), spossare © riposare, rinvigorire, ritemprare **2** (*il nemico e sim.*) fiaccare, estenuare **3** annoiare, infastidire, stufare, esasperare, rompere (*colloq.*), seccare, scocciare ♦ **stancarsi** *v.pr.* **1** affaticarsi, sfiancarsi, sfinirsi © riposarsi, ritemprarsi **2** annoiarsi, rompersi (*colloq.*), seccarsi, scocciarsi, stufarsi.
stanchézza *s.f.* **1** affaticamento, debolezza, fatica, fiacca, fiacchezza; esaurimento, stress (*ingl.*) **2** fastidio, noia, insofferenza, tedio.
stànco *agg.* **1** affaticato, indebolito, fiacco, cotto (*colloq.*), esausto, sfinito, spompato (*colloq.*), stremato © fresco, riposato, in forma **2** stufo, annoiato, seccato, scocciato.
stand *s.m.invar.* (*ingl.*) padiglione, reparto.
stàndard *s.m.invar.* **1** modello, norma, criterio, regola **2** (*di vita e sim.*) grado, livello, tenore ♦ *agg.invar.* standardizzato, convenzionale, di serie, unificato © speciale, unico, fuori serie, fuori misura.
standardizzàre *v.tr.* **1** conformare, normalizzare, uniformare, omogeneizzare © differenziare, diversificare, personalizzare **2** ♧ (*la cultura e sim.*) spersonalizzare, massificare.
stand-by *s.m.invar.* (*ingl.*) **1** (*nei viaggi aerei*) lista d'attesa **2** (*in macchinari, dispositivi e sim.*) attesa.

stànga *s.f.* **1** sbarra, barra **2** ♧ (*persona molto alta*) spilungone, stangone.

stangàre *v.tr.* **1** sbarrare **2** sprangare, bastonare **3** ♧ salassare, tartassare **4** (*gerg.*; *a un esame*) bocciare, fregare, inculare (*volg.*), segare (*gerg.*), trombare (*colloq.*) © promuovere.

stangàta *s.f.* **1** sprangata **2** ♧ batosta, botta, mazzata **3** ♧ bocciatura, trombata (*colloq.*).

stantìo *agg.* **1** (*spec. di alimenti*) vecchio, ammuffito, avariato, rancido © fresco **2** ♧ vecchio, sorpassato, anacronistico, antiquato, superato © moderno, nuovo, attuale.

stànza *s.f.* **1** camera; ambiente, locale, vano **2** (*di un corpo militare*) sede, alloggiamento.

stanziàle *agg.* fisso, permanente, stabile © nomade, itinerante, migrante.

stanziaménto *s.m.* **1** (*di una somma di denaro*) assegnazione, destinazione, finanziamento; (*la somma stanziata*) budget (*ingl.*), fondi, finanziamento **2** insediamento.

stanziàre *v.tr.* (*una somma di denaro*) destinare, assegnare, erogare ♦ **stanziarsi** *v.pr.* stabilirsi, insediarsi.

stappàre *v.tr.* **1** (*una bottiglia*) sturare © tappare, chiudere, turare **2** (*colloq.*; *un tubo e sim.*) liberare, stasare © intasare, otturare.

star *s.f.invar.* (*ingl.*) stella, divo, celebrità, astro.

stàre *v.intr.* **1** restare, rimanere, fermarsi, trattenersi © andare, partire **2** essere, trovarsi, situarsi **3** abitare, dimorare, risiedere, vivere © trasferirsi, traslocare **4** (*bene, male ecc.*) sentirsi **5** (*dalla parte di qlcu. o qlco.*) parteggiare, propendere, simpatizzare, tenere © osteggiare **6** (*colloq.*; *con qlcu.*) flirtare, amoreggiare, filare (*colloq.*), uscire insieme (*colloq.*) **7** (*alle regole, ai patti ecc.*) attenersi, obbedire, rispettare, ottemperare © contravvenire, trasgredire **8** essere, consistere **9** toccare, spettare **10** entrare, entrarci ♦ **starci** *v.procompl.* **1** entrare, entrarci, stare **2** essere d'accordo, aderire.

start *s.m.* (*ingl.*) partenza, via.

stàsi *s.f.* **1** (*med.*) ristagno; rallentamento **2** ♧ arresto, blocco, paralisi, immobilità, rallentamento, ristagno, stallo © crescita, sviluppo; ripresa.

statàle *agg.* nazionale, pubblico © privato.

stàtica *s.f.* **1** (*fis.*) © dinamica **2** equilibrio, stabilità © instabilità, squilibrio.

stàtico *agg.* **1** (*fis.*) © dinamico **2** ♧ fermo, fisso, immobile, rigido © dinamico, mobile, vivo.

statìsta *s.m.f.* capo di stato, governante; uomo di stato.

stàto *s.m.* **1** condizione, situazione; grado, livello **2** (*stor.*) classe, ceto, estrazione, rango **3** nazione, paese **4** governo; istituzioni **5** (*democratico, totalitario ecc.*) regime.

stàtua *s.f.* IPERON. scultura; monumento IPON. busto.

statuàrio *agg.* **1** scultoreo **2** ♧ (*di bellezza e sim.*) imponente, maestoso, solenne; (*di posa e sim.*) plastico.

statùra *s.f.* **1** altezza **2** ♧ (*morale, intellettuale*) levatura, calibro, valore.

status *s.m.invar.* (*lat.*) posizione, stato, condizione.

statùto *s.m.* **1** carta costituzionale, costituzione **2** ordinamento, regolamento, normativa.

stazionaménto *s.m.* sosta, fermata.

stazionàre *v.intr.* (*spec. di veicoli*) sostare, parcheggiare, posteggiare.

stazionàrio *agg.* **1** fisso, stabile, stanziale **2** (*di condizioni, di temperatura ecc.*) stabile, costante © variabile, mutevole.

stàzza *s.f.* **1** (*mar.*) capacità, portata **2** ♧ corporatura, mole, taglia.

stécca *s.f.* **1** asticella, bacchetta, listello **2** ♧ stonatura **3** ♧ (*gerg.*) mazzetta, tangente, pizzo.

steccàto *s.m.* **1** palizzata, staccionata; recinto, recinzione **2** ♧ divisione, separazione © unione.

stecchìno *s.m.* stuzzicadenti.

stecchìre *v.tr.* fare secco, freddare, uccidere.

stecchìto *agg.* **1** (*di albero*) rinsecchito **2** morto, freddato **3** ♧ (*per lo stupore*) allibito, attonito, basito, esterrefatto, sbalordito, di stucco.

stécco *s.m.* **1** fuscello, sterpo **2** ♧ (*persona molto magra*) acciuga, chiodo, grissino, stecchino © balena, bidone, baule, ciccione.

stélla *s.f.* **1** astro, corpo celeste **2** destino, fato, sorte **3** star (*ingl.*), divo, celebrità, big (*ingl.*), astro **4** (*segno grafico*) asterisco, stelletta **5** (*mil.*) stelletta, grado.

stellétta *s.f.* **1** (*mil.*) grado, stella **2** (*segno grafico*) asterisco, stella.

stèlo *s.m.* **1** (*di piante erbacee, di fiori*) gambo **2** (*di una lampada, di un calice ecc.*) asta, piede.

stèmma *s.m.* emblema, insegna.

stemperàre *v.tr.* **1** sciogliere, diluire **2** ♧ (*l'entusiasmo, la rabbia ecc.*) attenuare, sfumare, smorzare © enfatizzare ♦ **stemperarsi** *v.pr.* **1** sciogliersi, diluirsi **2** ♧ affievolirsi, attenuarsi, smorzarsi © intensificarsi, rafforzarsi.

stendàrdo *s.m.* bandiera, insegna, gonfalone.

stèndere *v.tr.* **1** distendere, allungare **2** aprire, distendere, svolgere **3** distendere, adagiare, coricare, sdraiare **4** (*con un pugno e sim.*) atterrare, abbattere, mandare k.o., mandare a tappeto; ammazzare, uccidere, fare fuori, fare secco (*gerg.*) **5** (*crema, vernice ecc.*) spalmare; applicare **6** (*un verbale e sim.*) scrivere, redigere, stilare ♦ **stendersi** *v.pr.* **1** sdraiarsi, coricarsi, allungarsi, adagiarsi © alzarsi, sollevarsi **2** (*nello spazio*) estendersi, arrivare.

stentàre *v.intr.* **1** faticare, penare **2** patire, soffrire, tribolare.

stentàto *agg.* **1** sofferto, forzato, innaturale, artificioso © spontaneo, naturale, schietto **2** (*di vita e sim.*) disagiato, faticoso, povero, misero © agiato, comodo, ricco.

stènto *s.m.* **1** (*spec. al pl.*) pena, sofferenze, patimento; privazione, ristrettezza © comodità, agiatezza **2** difficoltà, fatica, sforzo © facilità.

stentòreo *agg.* (*di voce*) forte, potente, possente, tonante © debole, fioco, flebile.

stèrco *s.m.* escrementi, feci, merda (*volg.*), cacca (*colloq.*).

stereotipàto *agg.* conformista, conformistico, convenzionale, impersonale; ritrito, trito, vieto © originale, nuovo, personale.

stereòtipo *s.m.* luogo comune, cliché (*fr.*), convenzione.

stèrile *agg.* **1** infecondo, infruttuoso, improduttivo © fertile, prolifico, produttivo **2** ♧ (*di lavoro, di risultato ecc.*) inutile, inconcludente, inefficace, vano © utile, proficuo **3** sterilizzato, asettico © settico, infetto, contaminato.

sterilità *s.f.* **1** infecondità, infertilità © fecondità, fertilità **2** ♧ (*di lavoro e sim.*) inutilità, vanità, inefficacia, infruttuosità © utilità, fruttuosità, produttività, efficacia, proficuità.

sterilizzàre *v.tr.* **1** (*un animale maschio*) castrare **2** disinfettare; decontaminare © infettare, contaminare.

sterilizzazióne *s.f.* **1** (*di un animale maschio*) castrazione **2** disinfezione; (*del latte*) pastorizzazione © contaminazione, infezione.

sterminàre *v.tr.* annientare, eliminare, distruggere.

sterminàto *agg.* immenso, infinito, sconfinato, smisurato © limitato, circoscritto.

stermìnio *s.m.* massacro, strage, annientamento, eccidio; genocidio.

sterpàglia *s.f.* sterpame, sterpaia.

stèrpo *s.m.* fuscello, stecco.

sterràto *agg.* (*di strada*) © asfaltato; pavimentato ♦ *s.m.* terra battuta.

sterzàre *v.intr.* **1** (*di veicolo*) voltare, svoltare, curvare, girare **2** ♧ (*di linea politica e sim.*) spostarsi, virare.

stèrzo *s.m.* (*di un autoveicolo*) volante; (*di una bicicletta*) manubrio.

stésso *agg.* **1** identico, medesimo, uguale, pari © altro, diverso, differente, disuguale **2** (*di cosa o di persona*) medesimo **3** perfino, persino, addirittura, in persona.

stesùra *s.f.* redazione, compilazione, scrittura.

steward *s.m.invar.* (*ingl.*) assistente di volo.

stigmatizzàre *v.tr.* biasimare, criticare, disapprovare, deplorare © approvare, ammirare.

stilàre *v.tr.* (*un contratto e sim.*) stendere, redigere, scrivere, compilare.

stìle *s.m.* **1** (*di un autore, di un artista ecc.*) maniera, modo; (*di un'epoca*) gusto **2** (*di un artista*) caratteristica, mano, tocco **3** condotta, contegno, atteggiamento; abitudine, consuetudine **4** (*sport*) tecnica **5** classe, distinzione, eleganza, signorilità, buon gusto **6** (*di un abito*) taglio, foggia, modello.

stilettàta *s.f.* **1** pugnalata, coltellata **2** ♧ fitta, trafittura, puntura.

stilìsta *s.m.f.* **1** creatore di moda, disegnatore di moda, sarta, sarto, stylist (*ingl.*) **2** designer (*ingl.*).

stilizzàre *v.tr.* tratteggiare; schematizzare.

stìlla *s.f.* goccia, gocciola.

stillàre *v.intr.* gocciolare, sgocciolare, trasudare.

stillicìdio *s.m.* **1** gocciolamento, gocciolio **2** ♧ (*di richieste, di domande ecc.*) successione, ripetizione.

stilogràfica *s.f.* penna stilografica, stilo.

stìma *s.f.* **1** considerazione, apprezzamento, rispetto © disistima, disprezzo **2** (*economica*) perizia, quotazione, valutazione **3** (*soggettiva, approssimativa*) calcolo, valutazione.

stimàre *v.tr.* **1** apprezzare, considerare, rispettare, tenere in considerazione © disprezzare **2** (*il valore, il prezzo di qlco.*) quotare, valutare **3** considerare, giudicare, pensare, ritenere ♦ **stimarsi** *v.pr.* ritenersi, considerarsi, credersi.

stimàto *agg.* (*di persona*) apprezzato, benvisto, benvoluto; (*di professionista e sim.*) autorevole, famoso, insigne, noto, quotato © screditato, disprezzato; anonimo, oscuro, sconosciuto.

stimolànte *agg.* interessante, intrigante, stuzzicante © noioso, monotono, pesante ♦ *agg., s.m.* (*med.*) eccitante © calmante, sedativo.

stimolàre *v.tr.* **1** incitare, indurre, incoraggiare, esortare, spingere, spronare © scoraggiare **2** eccitare, provocare, suscitare, risvegliare © calmare, reprimere, soffocare **3** (*la memoria, il cervello ecc.*) esercitare, allenare © atrofizzare.

stìmolo *s.m.* **1** incitamento, incentivo, incoraggiamento, sollecitazione, spinta © freno, remora **2** (*della fame e sim.*) morso, impulso, istinto; (*sessuale*) eccitazione.

stìngere *v.tr.* decolorare, sbiadire, scolorire ♦ *v.intr.* e **stingersi** *v.pr.* sbiadirsi, scolorarsi, scolorirsi, stingere.

stìnto *agg.* sbiadito, smorto, spento © brillante, vivo, vivace.

stipàre *v.tr.* ammassare, accumulare, ammucchiare, accatastare ♦ **stiparsi** *v.pr.* accalcarsi, affollarsi, ammassarsi, assieparsi © disperdersi, sparpagliarsi.

stipàto *agg.* **1** ammassato, ammucchiato **2** affollato, gremito, pieno, sovraffollato © vuoto, deserto.

stipendiàre *v.tr.* retribuire, salariare.

stipèndio *s.m.* compenso, paga, retribuzione, salario.

stìpsi *s.f.* (*med.*) stitichezza, costipazione © diarrea, dissenteria.

stìpula *s.f.* (*di un contratto e sim.*) formalizzazione, stipulazione.

stipulàre *v.tr.* (*un accordo, un contratto ecc.*) concludere, formalizzare; redigere, stendere, stilare.

stipulazióne *s.f.* (*di un contratto e sim.*) formalizzazione, stipula.

stiracchiàre *v.tr.* (*le braccia e sim.*) allungare, stendere, stirare, sgranchire ♦ **stiracchiarsi** *v.pr.* allungarsi, stendersi, stirarsi, sgranchirsi.

stiracchiàto *agg.* (*di ragionamento e sim.*) forzato, stentato, zoppicante.

stiraménto *s.m.* (*muscolare*) strappo.

stiràre *v.tr.* **1** distendere, lisciare © spiegazzare, stropicciare **2** (*i capelli*) lisciare © arricciare **3** (*le braccia e sim.*) distendere, sgranchire, stiracchiare ♦ **stirarsi** *v.pr.* allungarsi, sgranchirsi.

stìrpe *s.f.* **1** casa, origine, discendenza, casata, ceppo **2** (*dir.*) discendenza, progenie.

stitichézza *s.f.* (*med.*) stipsi, costipazione © diarrea, dissenteria.

stivàre *v.tr.* (*in una nave, in un aereo*) immagazzinare, caricare.

stìzza *s.f.* irritazione, disappunto, bile, rabbia, indignazione, nervosismo © calma, pazienza, flemma, iperturbabilità.

stizzìre *v.tr.* irritare, incattivire, indispettire © calmare, placare, rabbonire ♦ **stizzirsi** *v.pr.* irritarsi, indispettirsi, seccarsi © calmarsi, placarsi, rabbonirsi.

stizzìto *agg.* irritato, indispettito, seccato, innervosito, arrabbiato, incollerito, risentito © calmo tranquillo, pacato.

stizzóso *agg.* (*di persona*) bilioso, collerico, iracondo, irritabile, irascibile © mite, pacifico; (*di parola, di gesto ecc.*) astioso, rabbioso, rancoroso.

stoccàggio *s.m.* deposito, immagazzinamento.

stoccàta *s.f.* **1** ♧ battuta, beccata, frecciata, strale **2** ♧ ammonimento, rimprovero, monito.

stock *s.m.invar.* (*ingl.*) partita, quantità, scorta.

stòffa *s.f.* **1** tessuto, panno **2** ♧ attitudine, inclinazione, predisposizione; capacità, dote, talento.

stoicìsmo *s.m.* impassibilità, imperturbabilità, distacco; serenità.

stòico *agg.* distaccato, impassibile, imperturbabile; coraggioso.

stoltézza *s.f.* stupidità, idiozia, scemenza © intelligenza, accortezza, acume.

stólto *agg.* sciocco, stupido, cretino, dissennato © intelligente, accorto, furbo.

stomacàre *v.tr.* disgustare, nauseare, schifare, ripugnare © piacere, allettare.

stomachévole *agg.* disgustoso, nauseante, ripugnante, rivoltante, repellente, schifoso © gradevole, invitante, appetitoso.

stòmaco *s.m.* **1** pancia, ventre; trippa (*colloq.*) **2** ♧ coraggio **3** ♧ (*colloq.*) sfacciataggine, faccia tosta.

stonàre *v.tr.* steccare ♦ *v.intr.* (*di colori e sim.*) contrastare, fare a pugni, stridere © intonarsi, abbinarsi, accordarsi, legare.

stonàto *agg.* **1** (*di persona*) © intonato **2** (*di strumento*) scordato © accordato, stonato **3** ♧ (*di comportamento e sim.*) inopportuno, fuori luogo © adatto, opportuno **4** ♧ (*colloq.*) frastornato, stordito, fuso (*gerg.*), scombussolato, rintronato.

stonatùra *s.f.* stecca, disarmonia © armonia.

stop *s.m.invar.* (*negli autoveicoli*) luce di arresto ♦ *inter.* alt!.

stoppàre *v.tr.* fermare, bloccare, immobilizzare.

stoppóso *agg.* filaccioso, fibroso, filamentoso, legnoso © morbido, tenero.

stòrcere *v.tr.* piegare, curvare, flettere, torcere © raddrizzare ♦ **storcersi** *v.pr.* piegarsi, curvarsi, flettersi; (*di caviglia*) slogarsi.

stordiménto *s.m.* intontimento, frastornamento, rintontimento, scombussolamento © lucidità.

stordìre *v.tr.* **1** intontire, frastornare, incretinire, rintronare, scombussolare; tramortire **2** ♧ sbalordire, sconvolgere, stupire, sconcertare ♦ **stordirsi** *v.pr.* intontirsi, rintronarsi © svegliarsi (*colloq.*), darsi una mossa (*colloq.*).

stordìto *agg.* **1** intontito, frastornato, rintronato © lucido **2** tramortito, svenuto, privo di conoscenza © cosciente, vigile **3** (*colloq.*) distratto, sbadato, sventato © attento.

stòria *s.f.* **1** storiografia **2** racconto, narrazione, esposizione, resoconto **3** favola, fiaba, novella, racconto **4** (*di un film e sim.*) trama, intreccio **5** avvenimento, episodio, circostanza, faccenda, fatto, vicenda **6** musica, ritornello, solfa, tiritera **7** scusa, pretesto, balla, invenzione, fandonia,

frottola, storiella © verità **8** faccenda, questione **9** (*al pl.*) protesta, lamentela **10** (*colloq.*) relazione, avventura, amore, tresca, flirt (*ingl.*).
stòrico *agg.* **1** storiografico **2** documentato, accaduto; certo, provato, sicuro © leggendario, mitico, fantastico **3** antico, vecchio © attuale, contemporaneo **4** eccezionale, importante, memorabile, straordinario, sensazionale **5** (*colloq.*) noto, notorio, risaputo ♦ *s.m.* storiografo.
storièlla *s.f.* **1** aneddoto, barzelletta **2** bugia, invenzione, fandonia, frottola; scusa, pretesto.
storiògrafo *s.m.* storico.
stórmo *s.m.* **1** (*di uccelli, di insetti*) moltitudine, nugolo **2** (*di persone*) folla, moltitudine, massa **3** (*mil.*; *di aerei*) squadriglia, flotta.
stornàre *v.tr.* **1** allontanare, deviare, sviare **2** ♧ (*da un proposito e sim.*) distogliere, dissuadere, smuovere © indurre, incoraggiare **3** (*in un bilancio*) trasferire, girare.
storpiàre *v.tr.* **1** azzoppare, sciancare **2** ♧ (*le parole*) deformare, biascicare, farfugliare, smozzicare © scandire.
stòrpio *agg.*, *s.m.* zoppo, sciancato
stòrta *s.f.* (*med.*) distorsione, lussazione, slogatura.
stòrto *agg.* **1** curvo, ricurvo, sghembo, contorto © dritto, diritto **2** (*di occhi*) strabico **3** inclinato, pendente © allineato **4** capovolto, alla rovescia **5** ♧ (*di idea, di pensiero ecc.*) sbagliato, distorto, falsato © giusto **6** ♧ (*di giornata e sim.*) infelice, sfavorevole, avverso **7** ♧ (*di sguardo*) bieco, torvo, ostile © amabile, bonario, amichevole.
stovìglia *s.f.* (*spec. al pl.*) piatti, vasellame.
strabiliànte *agg.* sbalorditivo, stupefacente, sorprendente © comune, ordinario.
strabiliàre *v.tr.* stupire, sbalordire, allibire, meravigliare.
straboccàre *v.intr.* traboccare.
strabocchévole *agg.* enorme, immenso, smisurato, traboccante © scarso, modesto.
stracàrico *agg.* **1** strapieno, stracolmo, sovraccarico © vuoto **2** ♧ (*di lavoro e sim.*) pieno, oberato, sovraccarico.
stracciàre *v.tr.* **1** strappare, lacerare; (*una stoffa*) sbrindellare **2** ♧ (*colloq.*) battere, sconfiggere, annientare, surclassare.
stracciàto *agg.* **1** lacerato, sdrucito, sbrindellato © integro, intatto **2** ♧ (*di prezzo*) basso © esorbitante, salato.
stràccio *s.m.* **1** cencio; strofinaccio, panno, pezza **2** ♧ (*indumento da poco*) cencio, straccetto **3** ♧ (*persona malridotta, malata e sim.*) cencio, cadavere, rottame.
stracciòne *s.m.* barbone, pezzente, miserabile.
straccivéndolo *s.m.* cenciaio, cenciaiolo.
stracòtto *agg.* scotto © crudo ♦ *s.m.* stufato, brasato.
stràda *s.f.* **1** via **2** cammino, percorso, itinerario, tragitto, viaggio **3** ♧ cammino, direzione, indirizzo, via **4** passaggio, apertura, varco **5** ♧ modo, mezzo, metodo, sistema, strategia.
strafalcióne *s.m.* errore, sbaglio, sproposito, svarione, papera.
strafàre *v.intr.* esagerare, eccedere © limitarsi, frenarsi, trattenersi.
strafogàrsi *v.pr.* (*colloq.*) abbuffarsi, ingozzarsi, rimpinzarsi.
strafottènte *agg.*, *s.m.f.* arrogante, insolente, sfacciato, sfrontato, impertinente.
stràge *s.f.* **1** massacro, carneficina, bagno di sangue, eccidio, sterminio **2** ♧ scempio, rovina.
stralciàre *v.tr.* togliere, levare, cancellare, espungere © aggiungere, inserire, introdurre.
stràlcio *s.m.* selezione, vaglio.
stralunàto *agg.* stravolto, sconvolto, turbato.
stramazzàre *v.intr.* cadere, cascare, crollare, accasciarsi, abbattersi © rialzarsi, risollevarsi, sollevarsi.
stramberìa *s.f.* stranezza, stravaganza, bizzarria © normalità.
stràmbo *agg.* strano, bizzarro, stravagante, eccentrico, originale, anticonformista © normale.
strampalàto *agg.* **1** strano, strambo, bizzarro, stravagante, bislacco, eccentrico, originale, anticonformista © normale **2** (*di discorso e sim.*) illogico, incoerente, confuso, insensato, sconclusionato © logico, sensato.
stranézza *s.f.* **1** anormalità, atipicità, originalità © normalità **2** (*discorso, comportamento strano*) stravaganza, bizzarria, stramberia; capriccio.
strangolàre *v.tr.* **1** strozzare, soffocare **2** ♧ strozzare, rovinare.
stranièro *agg.* **1** estero, forestiero © indigeno; autoctono **2** nemico, ostile © amico ♦ *s.m.* **1** forestiero, extracomunitario © connazionale, compatriota **2** nemico, invasore.
stranìto *agg.* intontito, inebetito, smarrito, stordito; inquieto, nervoso, irritabile.
stràno *agg.* **1** insolito, particolare, originale, singolare, curioso, anomalo, fuori del comune, fuori dell'ordinario, anormale © normale, comune, consueto **2** (*di persona*) bizzarro, stravagante, eccentrico, originale © normale.
straordinàrio *agg.* **1** insolito, inconsueto, anomalo, atipico, eccezionale, inusuale © comune, normale, solito **2** eccezionale, favoloso, feno-

menale, sensazionale, stupefacente, prodigioso © comune, normale, ordinario ♦ *s.m.* lavoro straordinario.

straparlàre *v.intr.* **1** parlare a vanvera, sproloquiare **2** vaneggiare, farneticare, delirare, sragionare.

strapazzàre *v.tr.* **1** (*una persona*) maltrattare, bistrattare, trattare male, tartassare © rispettare; lodare **2** (*un libro, un vestito ecc.*) sciupare, rovinare © curare, riguardare **3** (*la salute, gli occhi ecc.*) logorare ♦ **strapazzarsi** *v.pr.* affaticarsi, logorarsi, stancarsi, stressarsi © riguardarsi, risparmiarsi, riposarsi, ristorarsi.

strapazzàta *s.f.* **1** sgridata, rimprovero, ramanzina, lavata di capo, ripassata (*colloq.*) **2** faticata, faticaccia, sfacchinata, sgobbata.

strapazzàto *agg.* **1** (*di oggetto*) sciupato, rovinato, logoro, malandato, malconcio, malridotto © integro, intatto, nuovo, curato **2** (*di persona, di fisico*) affaticato, logorato, stanco, spossato, estenuato © fresco, riposato.

strapàzzo *s.m.* faticaccia, sfacchinata, ammazzata (*colloq.*) © riposo.

strapièno *agg.* **1** ricolmo, stracolmo, stracarico, zeppo; straripante, traboccante © vuoto **2** (*di persona*) sazio, pieno, satollo, pieno come un uovo (*colloq.*) © affamato, a digiuno.

strapiómbo *s.m.* abisso, baratro, burrone, precipizio.

strappalàcrime *agg.invar.* malinconico, patetico, sentimentale, lacrimevole, commovente, struggente.

strappàre *v.tr.* **1** levare, togliere **2** (*una pianta*) estirpare, sradicare, svellere **3** stracciare, lacerare ♦ **strapparsi** *v.pr.* lacerarsi.

stràppo *s.m.* **1** (*atto dello strappare*) strappata, strattone, tirata **2** (*in un vestito, in un tessuto ecc.*) lacerazione, spacco, squarcio, sette (*colloq.*) **3** ♧ (*alla regola e sim.*) eccezione, deroga, infrazione, violazione, trasgressione **4** ♧ (*di rapporti*) rottura, frattura, spaccatura © unione, unità **5** ♧ (*colloq.*; *in automobile*) passaggio.

straripaménto *s.m.* (*di un fiume e sim.*) tracimazione; inondazione, allagamento.

straripàre *v.intr.* tracimare, inondare, allagare.

strascicàre *v.tr.* **1** trascinare; sfregare, strusciare **2** (*le parole*) biascicare, masticare.

stràscico *s.m.* **1** (*di un abito*) coda **2** ♧ conseguenza, effetto, seguito, postumo.

stratagèmma *s.m.* espediente, accorgimento, artificio, trucco, sotterfugio, scappatoia; inganno.

strategìa *s.f.* **1** (*mil.*) tattica **2** ♧ tattica, piano, programma, progetto.

stratègico *agg.* **1** (*mil.*) tattico **2** ♧ decisivo, tattico; abile, astuto.

stràto *s.m.* **1** mano, passata, patina, velo **2** (*del terreno*) livello **3** (*geol.*) falda; deposito, sedimento **4** ♧ (*sociale*) categoria, ceto, classe, fascia.

stratosfèrico *agg.* esorbitante, enorme, smisurato, spropositato, vertiginoso.

strattóne *s.m.* spintone, strattonata.

stravagànte *agg.* strano, bizzarro, eccentrico, originale, strambo © normale, comune.

stravagànza *s.f.* stranezza, bizzarria, eccentricità, originalità, stramberia © normalità.

stravedére *v.intr.* adorare, venerare, idolatrare © odiare, disprezzare.

stravìzio *s.m.* eccesso, bagordo, baldoria, sfrenatezza, sregolatezza.

stravòlgere *v.tr.* **1** (*spec. gli occhi*) storcere **2** ♧ (*la mente, una persona ecc.*) sconvolgere, scombussolare, turbare © calmare, tranquillizzare **3** ♧ (*una frase, il significato ecc.*) distorcere, fraintendere, snaturare, travisare **4** ♧ (*l'ordine e sim.*) alterare, sconvolgere.

stravolgiménto *s.m.* **1** sconvolgimento, turbamento **2** ♧ (*di un testo, di una frase ecc.*) fraintendimento, travisamento.

stravòlto *agg.* **1** sconvolto, scosso, scombussolato, stralunato, alterato, turbato © calmo, tranquillo **2** (*dalla fatica e sim.*) distrutto, esausto, esaurito, sfinito, stremato.

straziànte *agg.* **1** (*di dolore e sim.*) atroce, terribile, lancinante © lieve **2** ♧ (*di film, di storia ecc.*) angoscioso, patetico, penoso.

straziàre *v.tr.* **1** martoriare, massacrare; tormentare, torturare **2** affliggere, angosciare, addolorare **3** ♧ annoiare, infastidire, scocciare, seccare **4** ♧ (*una musica, una canzone ecc.*) rovinare, sciupare, strapazzare, bistrattare.

stràzio *s.m.* **1** martirio, tormento, tortura **2** angoscia, pena, sofferenza, supplizio **3** ♧ tormento, tortura; noia, seccatura.

stréga *s.f.* **1** maga, fattucchiera, incantatrice **2** ♧ arpia, megera.

stregàre *v.tr.* **1** ammaliare, incantare **2** ♧ affascinare, sedurre, ammaliare, incantare.

stregóne *s.m.* **1** mago, indovino, sciamano **2** guaritore; santone.

stregonerìa *s.f.* fattura, incantesimo, maleficio, sortilegio.

strègua *s.f.* maniera, modo, criterio.

stremàre *v.tr.* distruggere, estenuare, esaurire, massacrare, sfinire, spossare © rinvigorire, ritemprare, rafforzare, rinforzare, corroborare.

stremàto *agg.* esausto, sfiancato, sfinito, estenuato, sfibrato, spossato © riposato, ristorato, fresco, energico, vigoroso, corroborato.

strèmo *s.m.* (*delle forze e sim.*) limite, punto ultimo, estremo, fine; sfinimento, esaurimento.
strènna *s.f.* regalo, dono, presente, omaggio.
strènuo *agg.* **1** coraggioso, valoroso; accanito, spietato © pauroso, vile **2** (*di lavoratore e sim.*) indefesso, infaticabile, tenace © debole, indolente.
strepitàre *v.intr.* gridare, sbraitare, strillare, urlare © bisbigliare, sussurrare.
strèpito *s.m.* frastuono, chiasso, baccano.
strepitóso *agg.* **1** chiassoso, fragoroso **2** ♧ clamoroso, eccezionale, spettacolare, straordinario.
stress *s.m.invar.* (*ingl.*) tensione, esaurimento; (*scherz.; di persona*) noia, palla (*colloq.*).
stressànte *agg.* estenuante, logorante, sfibrante, massacrante, stancante © rilassante, riposante.
stressàre *v.tr.* affaticare, stancare, logorare, snervare, spossare; (*scherz.*; *di persona*) esasperare, sfinire, snervare ♦ **stressarsi** *v.pr.* esaurirsi, snervarsi, estenuarsi.
stressàto *agg.* esaurito, estenuato, snervato, stanco © rilassato.
strétta *s.f.* **1** stringimento, compressione, pressione, morsa © allargamento, allentamento, rilascio **2** (*allo stomaco e sim.*) fitta, puntura, morso **3** ♧ svolta, punto cruciale, momento culminante, fase decisiva.
strétto[1] *agg.* **1** piccolo, angusto, limitato; (*di vestito*) aderente, attillato © largo, ampio, vasto **2** premuto, pigiato, schiacciato, serrato © largo, aperto **3** vicino, accostato, addossato © lontano, distante **4** ♧ (*di rapporto e sim.*) intimo, intenso © superficiale **5** ♧ (*di parente*) prossimo, diretto © lontano **6** ♧ (*di regola, di controllo ecc.*) rigoroso, rigido, severo © blando **7** ♧ (*di significato*) principale, proprio, letterale © ampio, estensivo, figurato **8** ♧ (*di persona*) avaro, spilorcio, tirato © generoso.
strétto[2] *s.m.* bocca, canale.
strettóia *s.f.* **1** restringimento, strozzamento **2** ♧ vicolo cieco, complicazione, impasse (*fr.*).
strìa *s.f.* riga, striscia, striatura.
striàre *v.tr.* rigare, solcare.
striàto *agg.* rigato, solcato, venato.
striatùra *s.f.* stria, striscia, rigatura, venatura.
stridènte *agg.* **1** (*di suono*) acuto, stridulo **2** ♧ (*di colori e sim.*) contrastante, stonato © armonico, intonato **3** ♧ (*di contraddizione e sim.*) evidente, lampante.
strìdere *v.intr.* **1** cigolare, scricchiolare **2** ♧ contrastare, cozzare, fare a pugni © intonarsi, legare.
stridóre *s.m.* cigolio, stridio, scricchiolio.
strìdulo *agg.* acuto, stridente, metallico © dolce, armonioso.
strigliàre *v.tr.* **1** spazzolare **2** ♧ rimproverare, sgridare, riprendere, redarguire.
strigliàta *s.f.* **1** spazzolata **2** ♧ rimprovero, sgridata, ramanzina.
strillàre *v.intr.* gridare, vociare, schiamazzare © bisbigliare, sussurrare.
strìllo *s.m.* **1** grido, urlo, strepito **2** ♧ (*colloq.*) sgridata, rimprovero, urlo.
striminzìto *agg.* **1** piccolo, misero, stretto **2** (*di persona*) esile, gracile, magro, mingherlino, secco © robusto, florido, muscoloso.
strìnga *s.f.* laccio, cordoncino, nastro.
stringatézza *s.f.* brevità, concisione, essenzialità, sinteticità © prolissità, verbosità.
stringàto *agg.* breve, conciso, essenziale, laconico, sintetico © prolisso, verboso.
stringènte *agg.* **1** (*di domanda e sim.*) impellente, incalzante, pressante **2** (*di argomentazione e sim.*) convincente, persuasivo **3** (*di bisogno e sim.*) impellente, urgente.
strìngere *v.tr.* **1** accostare, avvicinare, congiungere © allargare, staccare **2** chiudere, serrare; legare, annodare © aprire, spalancare; allentare, slegare **3** premere, comprimere, pressare; strizzare © lasciare **4** abbracciare, afferrare, avvinghiare, trattenere © lasciare, mollare **5** (*un'arma*) impugnare, brandire **6** (*un abito*) ridurre, restringere, rimpicciolire © allargare, ampliare **7** (*un discorso, uno scritto*) condensare, riassumere, sintetizzare **8** ♧ (*un patto e sim.*) stipulare, concludere, concordare; (*un'amicizia e sim.*) allacciare © sciogliere, rompere, troncare ♦ *v.intr.* (*di tempo*) urgere, premere, incalzare ♦ **stringersi** *v.pr.* **1** accostarsi, avvicinarsi, serrarsi **2** abbracciarsi, avvinghiarsi **3** (*in uno scialle*) avvolgersi **4** (*di via e sim.*) restringersi **5** (*di un indumento*) restringersi, rimpicciolirsi, ritirarsi © allargarsi, slargarsi.
strip-tease *s.m.invar.* (*ingl.*) spogliarello.
strìscia *s.f.* **1** lista, banda **2** linea, riga, traccia, scia **3** (*al pl.*) strisce pedonali, attraversamento pedonale, zebre.
strisciànte *agg.* **1** ♧ (*di persona, di atteggiamento*) servile, ipocrita, subdolo, viscido **2** ♧ (*di fenomeno e sim.*) latente, serpeggiante.
strisciàre *v.intr.* **1** fregare, strusciare **2** ♧ lisciare, leccare, umiliarsi ♦ *v.tr.* **1** (*i piedi e sim.*) trascinare, strascicare, strusciare **2** graffiare, rigare.
stritolàre *v.tr.* **1** frantumare, sbriciolare, triturare; (*una gamba e sim.*) schiacciare, maciullare **2**

♧ (*un avversario*) distruggere, annientare, sbaragliare.
strìzza *s.f.* (*colloq.*) paura, fifa, spavento.
strizzàre *v.tr.* **1** (*i panni*) torcere © inzuppare **2** schiacciare, spremere.
strofinàccio *s.m.* straccio, panno, pezza, cencio.
strofinàre *v.tr.* **1** fregare, sfregare **2** (*la pelle*) frizionare, massaggiare; (*una pomata*) spalmare, stendere ♦ **strofinarsi** *v.pr.* **1** sfregarsi, strusciarsi **2** massaggiarsi, frizionarsi.
strombazzàre *v.tr.* sbandierare, mettere in giro, spifferare; decantare, vantare.
stroncàre *v.tr.* **1** spezzare, schiantare, troncare **2** (*per la fatica*) ammazzare, distruggere, sfinire **3** ♧ (*una rivolta e sim.*) soffocare, reprimere, domare © alimentare, fomentare **4** ♧ (*un film e sim.*) demolire, distruggere, criticare, fare a pezzi © applaudire, esaltare **5** ♧ uccidere, fulminare.
stroncatùra *s.f.* critica © applauso, lode.
stronzàta *s.f.* (*colloq.*) stupidaggine, cretinata, cavolata (*colloq.*), cazzata (*volg.*), scemata, puttanata (*volg.*).
strónzo *s.m.* (*volg.*) **1** cacca, escremento, merda (*volg.*) **2** ♧ (*spreg.*; *di persona*) cretino, stupido, bastardo, carogna, figlio di puttana (*volg.*), pezzo di merda (*volg.*).
stropicciàre *v.tr.* **1** fregare, sfregare, strofinare **2** spiegazzare, sgualcire, stazzonare.
strozzàre *v.tr.* **1** strangolare **2** soffocare **3** occludere, ostruire, bloccare **4** ♧ (*economicamente*) dissanguare, spolpare, rovinare ♦ **strozzarsi** *v.pr.* **1** strangolarsi, soffocarsi **2** bloccarsi, occludersi.
strozzàto *agg.* **1** (*di tubo e sim.*) ostruito, occluso; bloccato **2** (*di voce, di parole*) rotto, soffocato, stentato.
strozzìno *s.m.* **1** usuraio **2** ladro, avvoltoio, profittatore.
struggènte *agg.* **1** angoscioso, doloroso, straziante © sereno, rasserenante **2** (*di musica, di film ecc.*) commovente, toccante.
struggiménto *s.m.* pena, tormento, strazio © gioia, allegria.
strumentàle *agg.* **1** musicale, orchestrale © vocale **2** pratico, funzionale **3** ♧ (*di polemica, di uso ecc.*) tendenzioso, utilitaristico.
strumentalizzàre *v.tr.* usare, sfruttare.
struménto *s.m.* **1** arnese, attrezzo, ferro, utensile **2** apparecchio, apparecchiatura, strumentazione **3** ♧ (*per raggiungere uno scopo*) mezzo, modo, tramite.
strusciàre *v.tr.* fregare, sfregare, strofinare; (*i piedi*) strascicare, trascinare ♦ **strusciarsi** *v.pr.* sfregarsi, strofinarsi.
struttùra *s.f.* **1** configurazione, conformazione, organizzazione, strutturazione **2** (*fisica*) corporatura, costituzione **3** intelaiatura, ossatura, scheletro, telaio **4** organizzazione, sistema **5** (*sportiva, ospedaliera ecc.*) impianto, complesso **6** costruzione, fabbricato, edificio.
strutturàre *v.tr.* disporre, ordinare, organizzare, sistemare © destrutturare, scomporre.
stuccàre[1] *v.tr.* otturare, turare.
stuccàre[2] *v.intr.* **1** saziare, nauseare, disgustare **2** annoiare, stancare, stufare; assillare, infastidire, seccare.
stucchévole *agg.* **1** disgustoso, nauseante, stomachevole, rivoltante **2** fastidioso, noioso, seccante; sdolcinato, caramelloso, lezioso, melenso, mieloso, svenevole.
stùcco *s.m.* **1** gesso **2** decorazione, ornamento.
studènte *s.m.* allievo; alunno, scolaro; liceale, universitario INVER. insegnante.
studiàre *v.tr.* **1** apprendere, imparare; prepararsi **2** istruirsi, acculturarsi **3** (*una questione e sim.*) esaminare, indagare, osservare, analizzare **4** ideare, progettare, escogitare **5** calcolare, misurare, soppesare ♦ *v.intr.* ♦ **studiarsi** *v.pr.* esaminarsi, osservarsi.
studiàto *agg.* **1** calcolato, preparato © casuale **2** (*di sorriso, di gesto ecc.*) artefatto, ricercato, forzato, innaturale © naturale, spontaneo.
stùdio *s.m.* **1** apprendimento **2** materia, disciplina **3** indagine, ricerca; monografia, saggio, trattato, trattazione **4** progetto **5** disegno, abbozzo, bozzetto, schizzo **6** (*di un medico*) gabinetto, ambulatorio; (*di un avvocato e sim.*) ufficio; (*di un artista*) laboratorio, bottega, atelier (*fr.*) **7** (*cinem.*) teatro di posa, set (*ingl.*).
studióso *agg.* diligente, volenteroso, zelante © negligente, svogliato ♦ *s.m.* erudito, dotto; intellettuale, scienziato; ricercatore; esperto, conoscitore, specialista © ignorante, illetterato.
stufàre *v.tr.* stancare, annoiare, infastidire, seccare, scocciare, stancare, rompere (*colloq.*) ♦ **stufarsi** *v.pr.* scocciarsi, stancarsi, annoiarsi, rompersi (*colloq.*) © divertirsi.
stufàto *s.m.* brasato, spezzatino, stracotto.
stùfo *agg.* annoiato, seccato, scocciato, infastidito, stanco.
stuoìno *s.m.* tappetino, zerbino.
stuòlo *s.m.* folla, massa, moltitudine, schiera.
stupefacènte *agg.* incredibile, impressionante, sbalorditivo, sorprendente, sconcertante, eccezionale, straordinario, prodigioso ♦ *s.m.* droga, narcotico, allucinogeno.

stupefàre *v.tr.* stupire, meravigliare, sorprendere, sbalordire, strabiliare.

stupefàtto *agg.* allibito, attonito, esterrefatto, meravigliato, sbalordito, strabiliato.

stupèndo *agg.* meraviglioso, magnifico, splendido, favoloso, fantastico, incantevole, straordinario, divino © orribile, orrendo, tremendo.

stupidàggine *s.f.* **1** stupidità, imbecillità, scempiaggine **2** (*atto, discorso stupido*) sciocchezza, baggianata, boiata, cavolata, corbelleria, idiozia, puttanata (*volg.*), cazzata (*volg.*) **3** (*cosa da nulla*) sciocchezza, inezia, bazzecola, nonnulla, quisquilia.

stupidità *s.f.* idiozia, imbecillità, dabbenaggine, ottusità, scempiaggine, stoltezza © intelligenza, acume, acutezza, perspicacia.

stùpido *agg.* sciocco, imbecille, cretino, deficiente, scemo © intelligente, acuto, furbo, sveglio, perspicace ♦ *s.m.* cretino, scemo, deficiente, babbeo, citrullo, ebete, fesso, grullo, ottuso, scimunito, tonto.

stupìre *v.tr.* sorprendere, sbalordire, meravigliare, disorientare, sconcertare ♦ *v.intr.* e **stupirsi** *v.pr.* meravigliarsi, sbalordirsi, sorprendersi, strabiliarsi, trasecolare.

stupìto *agg.* sbalordito, stupefatto, sbigottito, strabiliato, interdetto, meravigliato, sorpreso, sconcertato, trasecolato © indifferente, impassibile, imperturbabile.

stupóre *s.m.* meraviglia, sorpresa, sbalordimento, sbigottimento, trasecolamento © indifferenza, impassibilità.

stupràre *v.tr.* violentare, usare violenza, abusare.

stùpro *s.m.* violenza carnale, violenza sessuale.

sturàre *v.tr.* **1** stappare, aprire © turare, tappare **2** stasare, sgorgare, liberare © otturare, intasare.

stuzzicadènti *s.m.invar.* stecchino.

stuzzicànte *agg.* **1** allettante, appetitoso, invitante, sfizioso **2** ♧ affascinante, allettante, attraente, eccitante, invitante, seducente.

stuzzicàre *v.tr.* **1** toccare, punzecchiare, tormentare **2** ♧ infastidire, irritare, provocare, punzecchiare **3** ♧ eccitare, stimolare, solleticare, titillare.

suadènte *agg.* convincente, persuasivo; accattivante, allettante, invitante; carezzevole, insinuante.

sub *s.m.f.invar.* subacqueo, sommozzatore.

subàcqueo *agg.* sottomarino ♦ *s.m.* sub, sommozzatore.

subaltèrno *agg.*, *s.m.* inferiore, dipendente, subordinato © superiore, egemonico ♦ *s.m.* sottoposto, subordinato © superiore, capo.

subbùglio *s.m.* agitazione, disordine, caos, confusione, casino (*colloq.*), scompiglio, trambusto.

subcònscio *agg.*, *s.m.* (*psicoan.*) subcosciente.

subcosciènte *s.m.* (*psicoan.*) subconscio.

sùbdolo *agg.* doppio, falso, ipocrita, ambiguo, insidioso, sleale, viscido © sincero, leale, franco, schietto.

subentràre *v.intr.* succedere, sostituire, rimpiazzare, soppiantare.

subìre *v.tr.* **1** (*un torto, un'offesa ecc.*) patire, ricevere; accettare, sopportare © ribellarsi **2** (*un danno*) ricevere **3** (*un interrogatorio*) sostenere.

subissàre *v.tr.* (*di domande e sim.*) colmare, coprire, ricoprire, sommergere, tempestare.

subìsso *s.m.* (*di gente, di applausi ecc.*) quantità, valanga, marea, fiume, caterva.

subitàneo *agg.* improvviso, fulmineo, repentino © graduale, lento.

sublimàre *v.tr.* **1** elevare, nobilitare © abbassare, svilire **2** esaltare, magnificare ♦ **sublimarsi** *v.pr.* elevarsi, nobilitarsi © abbassarsi, svilirsi.

sublìme *agg.* **1** (*elev.*) eccelso, sommo, supremo © basso, infimo **2** eccelso, eccellente, straordinario, impareggiabile, insigne, mirabile, nobile, magnifico © abietto, infimo, spregevole.

subodoràre *v.tr.* intuire, presentire, sospettare, immaginare.

subordinàre *v.tr.* condizionare, sottomettere, posporre © anteporre, preferire.

subordinàto *agg.*, *s.m.* **1** (*di lavoratore e sim.*) dipendente, sottoposto, subalterno **2** (*di azione e sim.*) condizionato, vincolato **3** (*gramm.*) dipendente, secondario © principale, reggente.

subordinazióne *s.f.* subalternità, inferiorità, sottomissione.

subumàno *agg.* inumano, disumano.

suburbàno *agg.* extraurbano, periferico © urbano, cittadino.

subùrbio *s.m.* sobborgo; periferia, cintura, hinterland (*ted.*) © centro, città.

succedàneo *agg.*, *s.m.* surrogato.

succèdere *v.intr.* **1** subentrare, sostituirsi, rimpiazzare, soppiantare **2** seguire, venire dopo, susseguire © precedere, anticipare **3** accadere, avvenire, capitare, verificarsi ♦ **succedersi** *v.pr.* susseguirsi, alternarsi, avvicendarsi, ripetersi.

successióne *s.f.* **1** alternanza, avvicendamento, rotazione **2** ordine, serie, sequenza; catena, fila, sequela, sfilza.

successìvo *agg.* seguente, susseguente, dopo © precedente, antecedente, anteriore, prima.

succèsso *s.m.* **1** esito, riuscita © insuccesso **2** affermazione, vittoria, trionfo, exploit (*fr.*) ©

sconfitta, insuccesso, fallimento, fiasco, flop (*ingl.*) **3** apprezzamento, riconoscimento **4** fama, notorietà, popolarità.

successóre *s.m.* erede.

succhiàre *v.tr.* **1** ciucciare; (*il latte*) poppare **2** assorbire, impregnarsi, intridersi, inzupparsi.

succhiòtto *s.m.* ciuccio (*colloq.*), ciucciotto; (*del biberon*) tettarella.

succìnto *agg.* **1** (*di indumento*) ridotto **2** ♧ (*di stile, di discorso ecc.*) breve, conciso, essenziale, laconico, sintetico © prolisso, verboso.

succitàto *agg.* sopraccitato, anzidetto, sopraddetto, soprammenzionato, summenzionato.

sùcco *s.m.* **1** spremuta, sugo **2** ♧ (*di un discorso e sim.*) sostanza, essenza, nocciolo, nucleo.

succóso *agg.* **1** sugoso, succulento © asciutto **2** ♧ (*di discorso e sim.*) sostanzioso, denso, ricco © povero.

succulènto *agg.* **1** succoso, sugoso **2** delizioso, gustoso, squisito, prelibato, saporito © insipido.

succursàle *s.f.* (*di un'azienda, di un ente e sim.*) agenzia, filiale.

sud *s.m.* meridione, mezzogiorno © nord, settentrione, tramontana ♦ *agg.invar.* meridionale © nord, settentrionale.

sudàre *v.intr.* traspirare; (*copiosamente*) grondare **2** ♧ faticare, sgobbare, sfacchinare ♦ *v.tr.* trasudare.

sudàta *s.f.* ♧ faticata, sfacchinata, sgobbata, strapazzata.

sudàto *agg.* **1** madido © asciutto **2** ♧ (*di denaro, di vittoria ecc.*) faticato, sofferto © facile, agevole.

suddétto *agg.* sopraccitato, anzidetto, sopraddetto, soprammenzionato, summenzionato.

sudditànza *s.f.* dipendenza, subalternità, sottomissione; schiavitù © libertà, indipendenza, autonomia.

suddivìdere *v.tr.* dividere, frazionare, ripartire, spartire © riunire, accorpare.

sùdicio *agg.* **1** sporco, lercio, lurido, sozzo © pulito, lindo **2** ♧ (*in senso morale*) abietto, corrotto, depravato, sordido, spregevole © incorrotto, onesto, pulito **3** ♧ (*di film e sim.*) indecente, sporco, osceno, sconcio © candido, innocente, pulito ♦ *s.m.* **1** sudiciume, sporcizia © pulizia, nitore (*elev.*) **2** ♧ abiezione, corruzione, degenerazione, depravazione © innocenza, purezza, candore, pulizia.

sudicióne *s.m.* sporcaccione, maiale, sozzone.

sudiciùme *s.m.* **1** porcheria, sporcizia, lordura, schifezza © pulizia **2** ♧ indecenza, corruzione, depravazione, laidezza © innocenza, purezza, candore, pulizia **3** immondizia, spazzatura, lerciume, sporcizia.

sudorazióne *s.f.* traspirazione.

sudóre *s.m.* **1** sudorazione **2** ♧ lavoro, fatica, sacrificio, sforzo.

sufficiènte *agg.* **1** bastante © insufficiente, scarso **2** (*di risultato e sim.*) passabile, accettabile © insufficiente, insoddisfacente **3** ♧ (*di aria, di tono ecc.*) altezzoso, altero, sdegnoso, scostante, sostenuto © modesto, umile.

sufficiènza *s.f.* **1** © insufficienza, carenza **2** (*a scuola*) sei © insufficienza **3** ♧ altezzosità, alterigia, boria, presunzione, spocchia, sussiego © affabilità, modestia, umiltà.

suffràgio *s.m.* voto.

suggellàre *v.tr.* confermare, convalidare, avvalorare, sanzionare.

suggeriménto *s.m.* consiglio, indicazione.

suggerìre *v.tr.* **1** consigliare, indicare, proporre, raccomandare © sconsigliare **2** indicare, mostrare, segnalare **3** ricordare, rammentare.

suggestionàre *v.tr.* **1** influenzare, condizionare **2** impressionare, colpire ♦ **suggestionarsi** *v.pr.* impressionarsi, turbarsi; convincersi, persuadersi.

suggestióne *s.f.* **1** condizionamento, ascendente **2** ♧ (*di un tramonto, di un panorama ecc.*) fascino, magia, attrattiva, incanto.

suggestìvo *agg.* affascinante, incantevole, magico, pittoresco.

sùgo *s.m.* **1** succo **2** intingolo **3** salsa, pommarola; (*di carne*) ragù **4** ♧ sostanza, succo, essenza, nocciolo **5** ♧ (*colloq.*) gusto, divertimento, godimento, soddisfazione.

sugóso *agg.* succoso, succulento © asciutto, secco.

suicidàrsi *v.pr.* ammazzarsi, uccidersi, farla finita (*colloq.*), togliersi la vita.

suicìdio *s.m.* ♧ danno, rovina.

suìno *s.m.* maiale, porco.

sultàno *s.m.* califfo, pascià.

summa *s.f.* (*lat.*) trattazione; sintesi, compendio.

summit *s.m.* (*ingl.*) vertice, riunione al vertice, incontro al vertice.

sùnto *s.m.* riassunto, riepilogo, sintesi.

suòla *s.f.* pianta.

suòlo *s.m.* superficie, terreno.

suonàre *v.tr.* **1** (*un brano musicale*) eseguire **2** (*in modo maldestro*) strimpellare, sonicchiare **3** (*l'adunata, il silenzio ecc.*) annunciare, segnalare; (*le ore*) battere, scandire **4** ♧ (*colloq.*; *una persona*) battere, picchiare, pestare, malmenare, percuotere ♦ *v.intr.* **1** squillare, trillare **2** (*di orchestra e sim.*) esibirsi **3** (*la mezzanotte e sim.*) scoccare ♦ **suonarle** *v.procompl.* battere, picchiare, darle, pestare, malmenare © prenderle, buscarle.

suonàta *s.f.* **1** (*di campanello e sim.*) squillo, scampanellata, trillo **2** ♧ (*colloq.*) legnata, bastonatura, botte.

suonàto *agg.* **1** compiuto, passato **2** ♧ (*colloq.*) matto, scemo, picchiato, scombinato, svitato.

suòno *s.m.* **1** IPON. musica, melodia; rumore **2** armoniosità, musicalità.

suòra *s.f.* sorella, monaca, religiosa.

sùper *agg.invar.* (*di qualità*) superiore, extra; eccezionale, straordinario, insolito © comune, normale ♦ *s.f.invar.* benzina super.

superàre *v.tr.* **1** sorpassare, oltrepassare **2** passare, scavalcare, valicare, lasciarsi dietro **3** (*un veicolo*) sorpassare **4** ♧ (*una prova, una malattia ecc.*) vincere, sconfiggere, battere © soccombere, perdere.

superàto *agg.* passato, vecchio, anacronistico, antiquato, inattuale, fuori moda, obsoleto, out (*ingl.*) © attuale, nuovo, moderno, alla moda, in auge, in (*ingl.*).

supèrbia *s.f.* altezzosità, boria, presunzione, spocchia, supponenza, tracotanza © modestia, umiltà.

supèrbo *agg.* **1** altezzoso, arrogante, borioso, presuntuoso, supponente, tracotante © modesto, umile **2** fiero, orgoglioso, compiaciuto, soddisfatto **3** imponente, grandioso, magnifico, sfarzoso, splendido, superlativo.

superficiàle *agg.* **1** esteriore, esterno, superiore © interno, profondo **2** ♧ (*di persona*) leggero, fatuo, frivolo, futile, vanesio © profondo, maturo, serio **3** ♧ affrettato, approssimativo, generico, impreciso, rapido, sbrigativo © accurato, approfondito, scrupoloso.

superficialità *s.f.* **1** © profondità **2** ♧ leggerezza, frivolezza, fatuità; approssimazione, genericità, sommarietà, trascuratezza © profondità, maturità, serietà; attenzione, accuratezza, coscienziosità.

superficie *s.f.* **1** area, estensione **2** terreno, spazio, suolo **3** ♧ esteriorità, apparenza, aspetto, facciata © essenza, intimo, sostanza.

supèrfluo *agg.* inutile, eccedente; accessorio, marginale © necessario, indispensabile, essenziale ♦ *s.m.* eccedenza, lusso; (*econ.*) avanzo, surplus.

superióra *s.f.* badessa, priora, generalessa.

superióre *agg.* **1** alto, sovrastante © inferiore, basso, sottostante **2** maggiore; soverchiante © inferiore, minore **3** (*di qualità*) migliore; eccelso, superlativo © inferiore, peggiore **4** (*di grado, di livello*) © inferiore, subalterno ♦ *s.m.* **1** capo, direttore, principale © sottoposto, subalterno, dipendente **2** (*di una comunità religiosa*) abate.

superiorità *s.f.* **1** dominio, egemonia, preponderanza, primato, supremazia **2** (*morale*) eccellenza, nobiltà.

superlatìvo *agg.* eccezionale, magnifico, eccelso, straordinario, superbo © infimo, scadente.

superlavóro *s.m.* surmenage (*fr.*), sovraffaticamento.

supermarket *s.m.invar.* (*ingl.*) vedi **supermercàto**.

supermercàto *s.m.* supermarket (*ingl.*) IPON. ipermercato, discount (*ingl.*), hard discount (*ingl.*), grande magazzino.

supèrstite *agg.*, *s.m.f.* scampato, sopravvissuto; reduce © vittima, morto ♦ *agg.* (*scherz.*) restante, rimanente, residuo.

superstizióne *s.f.* credenza, pregiudizio.

supervisióne *s.f.* controllo, ispezione; direzione.

supervisóre *s.m.* controllore, ispettore; direttore, sovrintendente.

supìno *agg.* **1** sdraiato © prono **2** ♧ arrendevole, sottomesso, servile © ribelle.

supplementàre *agg.* integrativo, aggiuntivo; extra, ulteriore, straordinario.

suppleménto *s.m.* **1** aggiunta **2** sovrapprezzo **3** (*di un'enciclopedia e sim.*) aggiornamento, appendice; (*di un giornale*) inserto.

supplènte *agg.*, *s.m.f.* sostituto, vicario, vice © effettivo, in carica, titolare.

supplènza *s.f.* sostituzione; incarico.

sùpplica *s.f.* implorazione, preghiera, invocazione; (*a un'autorità*) domanda, petizione, istanza (*dir.*), richiesta.

supplicàre *v.tr.* implorare, pregare, scongiurare.

supplichévole *agg.* supplicante, implorante.

supplìre *v.intr.* compensare, rimediare, ovviare, porre rimedio, sopperire ♦ *v.tr.* sostituire, fare le veci, rimpiazzare.

supplìzio *s.m.* **1** tortura, tormento, martirio **2** ♧ pena, sofferenza, angoscia, patimento, strazio, tormento, calvario, croce.

supponènte *agg.* arrogante, presuntuoso, spocchioso, saccente, tronfio © umile, modesto.

supponènza *s.f.* arroganza, superbia, presunzione, saccenteria © umiltà, modestia.

suppórre *v.tr.* ammettere, immaginare, ipotizzare, presumere, presupporre.

supportàre *v.tr.* appoggiare, sostenere.

suppòrto *s.m.* **1** base, appoggio, sostegno **2** ♧ aiuto, appoggio, sostegno, collaborazione.

supposizióne *s.f.* congettura, ipotesi, previsione, presupposizione; pensiero, opinione © certezza, sicurezza.
supremazìa *s.f.* egemonia, predominio, preminenza © inferiorità, subalternità.
suprèmo *agg.* **1** sommo, massimo, superiore © infimo **2** ♣ (*di sentimento*) assoluto, massimo, sublime **3** ♣ (*di saluto e sim.*) estremo, ultimo.
surclassàre *v.tr.* battere, superare, polverizzare, schiacciare, stracciare, bruciare (*sport*).
surf *s.m.invar.* (*ingl.*) tavola; (*a vela*) windsurf; (*lo sport*) surfing, windsurfing (*ingl.*).
surgelàre *v.tr.* congelare.
surplus *s.m. invar.* (*fr.*) **1** avanzo, attivo, utile, guadagno © disavanzo, passivo **2** eccedenza, eccesso, sovrabbondanza, sovrappiù, giacenza, **3** (*econ.*) sovrappiù.
surreàle *agg.* irreale, magico, fantastico, suggestivo; strano.
surriscaldàrsi *v.pr.* **1** arroventarsi, infiammarsi, infuocarsi © raffreddarsi **2** ♣ arrabbiarsi © calmarsi.
surrogàre *v.tr.* **1** sostituire, rimpiazzare, cambiare **2** (*dir.*) subentrare, succedere.
surrogàto *s.m.* succedaneo.
suscettìbile *agg.* **1** (*di modifica e sim.*) passibile, soggetto **2** (*di persona*) irritabile, ombroso, permaloso, burbero, bisbetico, scontroso.
suscettibilità *s.f.* permalosità, intrattabilità, scontrosità.
suscitàre *v.tr.* provocare, produrre, causare, generare, originare; destare, incutere, infondere © spegnere, calmare, reprimere.
suspense *s.f.invar.* (*ingl.*) sospensione; ansia, attesa, tensione; incertezza, indecisione.
susseguìrsi *v.pr.* succedersi, ripetersi; alternarsi, avvicendarsi.
sussidiàrio *agg.* accessorio, ausiliario, complementare © principale, primario.
sussìdio *s.m.* **1** aiuto, appoggio, sostegno **2** contributo, sovvenzione, sovvenzionamento.
sussiègo *s.m.* affettazione, alterigia, supponenza, sufficienza © modestia, semplicità, affabilità.
sussiegóso *agg.* altero, altezzoso, contegnoso, sostenuto, supponente © modesto, semplice, umile, affabile.
sussistènza *s.f.* **1** esistenza, realtà **2** sostentamento **3** (*mil.*) vettovagliamento.
sussìstere *v.intr.* (*di prova e sim.*) esistere; reggere.
sussultàre *v.intr.* **1** sobbalzare, trasalire **2** tremare, scuotersi.
sussùlto *s.m.* **1** sobbalzo, soprassalto, trasalimento **2** scossa, scossone **3** ♣ (*di rabbia, d'amore ecc.*) accesso, impeto, moto, rigurgito.
sussurràre *v.tr.* **1** bisbigliare, mormorare © gridare, urlare **2** (*riferito a voci che circolano in modo non aperto*) mormorare ♦ *v.intr.* **1** ♣ (*di foglie e sim.*) frusciare, mormorare, stormire **2** bisbigliare, confabulare, parlottare **3** ♣ malignare, pettegolare, spettegolare, sparlare.
sussùrro *s.m.* **1** fruscio, mormorio, brusio **2** bisbiglio, mormorio.
sutùra *s.f.* **1** (*med.*) cucitura **2** ♣ collegamento, legame, connessione © cesura.
svagàre *v.tr.* **1** divertire, ricreare © annoiare, tediare **2** distrarre, deconcentrare ♦ **svagarsi** *v.pr.* **1** distrarsi, divertirsi, ricrearsi © annoiarsi **2** deconcentrarsi © concentrarsi.
svagàto *agg.* distratto, con la testa tra le nuvole, deconcentrato, disattento, sbadato; assente © attento, concentrato.
svàgo *s.m.* **1** (*lo svagarsi*) distrazione, evasione, ricreazione **2** (*ciò che svaga*) divertimento, passatempo, diversivo, piacere.
svaligiàre *v.tr.* rubare, derubare, saccheggiare, vuotare.
svalutàre *v.tr.* **1** (*la moneta*) deprezzare © rivalutare **2** ♣ (*doti, meriti ecc.*) sminuire, minimizzare, svilire, sottovalutare © apprezzare, valorizzare, rivalutare ♦ **svalutarsi** *v.pr.* **1** deprezzarsi © rivalutarsi **2** ♣ sminuirsi, svilirsi, sottovalutarsi © valorizzarsi.
svalutazióne *s.f.* **1** deprezzamento, calo © rivalutazione, aumento **2** ♣ sottovalutazione, svilimento © apprezzamento, valorizzazione.
svampìto *agg.*, *s.m.* svanito, leggero, sciocco, superficiale © serio, responsabile, presente.
svanìre *v.intr.* **1** dissolversi, dileguarsi, scomparire, sfumare **2** ♣ (*di sentimento*) placarsi, calmarsi, sbollire, spegnersi; (*di speranze e sim.*) cadere, crollare, morire; (*di progetto e sim.*) sfumare, andare in fumo; (*di ricordo e sim.*) cancellarsi, scomparire.
svanìto *agg.* **1** scomparso, dileguato, disperso **2** (*di persona, di mente*) confuso, stordito, annebbiato, svampito © lucido, presente, cosciente **3** (*di speranza e sim.*) sfumato.
svantaggiàre *v.tr.* penalizzare, sfavorire, danneggiare © avvantaggiare, favorire, privilegiare.
svantàggio *s.m.* **1** inconveniente, handicap (*ingl.*) © vantaggio, favore **2** danno, detrimento, discapito © favore, convenienza **3** (*in gare e classifiche sportive*) distacco © vantaggio.
svantaggióso *agg.* sfavorevole, negativo, infelice, antieconomico, controproducente © vantaggioso, favorevole, opportuno, proficuo.

svariàto *agg.* **1** multiforme, eterogeneo, poliedrico, differenziato **2** (*al pl.*) molto, numeroso, parecchio, tanto, molteplice © poco.
svarióne *s.m.* strafalcione, sproposito, sbaglio.
svàstica *s.f.* croce uncinata.
svecchiàre *v.tr.* rinnovare, innovare, modernizzare, aggiornare © invecchiare.
svegliàre *v.tr.* **1** destare, risvegliare © addormentare **2** ♧ scuotere, stimolare, incitare, pungolare, smuovere; scaltrire, smaliziare **3** ♧ provocare, suscitare, destare, stuzzicare ♦ **svegliarsi** *v.pr.* **1** alzarsi, destarsi, aprire gli occhi © addormentarsi, chiudere gli occhi, assopirsi **2** ♧ scuotersi © incantarsi **3** ♧ aprire gli occhi, smuoversi, farsi furbo © rimbambirsi, istupidirsi **4** ♧ (*di dolore, di appetito ecc.*) manifestarsi, apparire © placarsi.
svéglio *agg.* **1** desto © addormentato **2** ♧ attento, pronto, dinamico, vivace, vigile, perspicace © addormentato, ingenuo **3** ♧ dritto, furbo, ganzo (*gerg.*), scaltro © addormentato, tonto, imbranato.
svelàre *v.tr.* **1** scoprire © coprire, nascondere **2** ♧ (*un segreto e sim.*) divulgare, rivelare © celare, coprire, nascondere **3** ♧ palesare, manifestare, tradire © nascondere, mascherare, dissimulare ♦ **svelarsi** *v.pr.* rivelarsi, dimostrarsi, mostrarsi, scoprirsi © celarsi, nascondersi.
sveltézza *s.f.* **1** rapidità, velocità © lentezza, flemma **2** prontezza, acutezza © lentezza, ottusità.
sveltìre *v.tr.* **1** accelerare, velocizzare; (*il lavoro, una procedura ecc.*) snellire © rallentare **2** svegliare, smuovere **3** ♧ assottigliare, slanciare, snellire © appesantire, ingrossare.
svèlto *agg.* **1** rapido, veloce, spedito, celere © lento **2** pronto, vivace, sveglio, brillante © lento, tardo, ottuso **3** ♧ sottile, slanciato, snello © pesante, tozzo.
svéndere *v.tr.* liquidare.
svéndita *s.f.* liquidazione, saldo.
svenévole *agg.* languido, lezioso, melenso, mellifluo, sdolcinato, stucchevole © energico, forte, brusco, rude, virile.
svenevolézza *s.f.* **1** (*l'essere svenevole*) leziosaggine, sdolcinatezza, affettazione, stucchevolezza © energia, forza, virilità **2** leziosità, smanceria, moina.
sveniménto *s.m.* perdita dei sensi, malore, mancamento, deliquio.
svenìre *v.intr.* perdere i sensi, perdere conoscenza, venire meno © rinvenire, rianimarsi, riaversi, riprendersi, riprendere conoscenza.
sventagliàta *s.f.* **1** (*di arma da fuoco*) raffica, mitragliata, scarica **2** (*di ventaglio*) sventolata.
sventàre *v.tr.* evitare, scongiurare, mandare a monte, vanificare.
sventatézza *s.f.* **1** avventatezza, leggerezza, sconsideratezza © accortezza, assennatezza, prudenza **2** distrazione, sbadataggine, svagatezza © attenzione, concentrazione.
sventàto *agg.*, *s.m.* imprudente, avventato, incauto, sconsiderato; sbadato, svagato © accorto, prudente, assennato, cauto, attento, giudizioso.
svèntola *s.f.* **1** schiaffo, ceffone, sberla **2** (*gerg.*; *di donna bella*) strafica (*gerg.*).
sventolàre *v.tr.* sventagliare, agitare ♦ **sventolarsi** *v.pr.* farsi vento.
sventràre *v.tr.* **1** eviscerare, sbudellare **2** (*una persona*) sbudellare, trafiggere; massacrare, uccidere **3** ♧ (*un edificio e sim.*) demolire, abbattere, distruggere.
sventùra *s.f.* **1** sfortuna, iella, malasorte, scalogna © fortuna, buona stella **2** disgrazia, sciagura, disastro, dramma, catastrofe, avversità.
sventuràto *agg.* **1** (*di persona*) sfortunato, sciagurato, disgraziato, infelice, sfigato (*colloq.*), scalognato © fortunato **2** (*di evento, di periodo ecc.*) infausto, nefasto, sfortunato, malaugurato, sinistro © felice, fausto, fortunato.
svergognàre *v.tr.* **1** umiliare, mortificare, denigrare, diffamare, disonorare **2** smascherare, sbugiardare, sputtanare (*volg.*).
svergognàto *agg.*, *s.m.* sfacciato, sfrontato, spudorato.
svestìre *v.tr.* **1** spogliare, denudare © vestire, rivestire **2** ♧ spogliare, privare ♦ **svestirsi** *v.pr.* **1** spogliarsi © vestirsi, rivestirsi **2** ♧ (*di un atteggiamento e sim.*) liberarsi, spogliarsi © ammantarsi.
svettàre *v.intr.* alzarsi, elevarsi, spiccare, ergersi, levarsi, protendersi, slanciarsi.
svezzaménto *s.m.* divezzamento.
sviàre *v.tr.* **1** deviare, dirottare **2** ♧ depistare, fuorviare © guidare, indirizzare **3** ♧ (*dallo studio e sim.*) distogliere, allontanare, distrarre, dissuadere © incitare, spingere, indirizzare, incoraggiare **4** ♧ traviare, fuorviare, corrompere © educare, redimere.
svicolàre *v.intr.* **1** scantonare **2** battersela (*colloq.*), filarsela, svignarsela, sgattaiolare, squagliarsela (*colloq.*), tagliare la corda, eclissarsi **3** ♧ defilarsi.
svignàrsela *v.procompl.* scappare, filare, battersela (*colloq.*), darsela a gambe, filarsela, prendere il volo, sgattaiolare, squagliarsela (*colloq.*), tagliare la corda, eclissarsi.

svigorìre *v.tr.* indebolire, infiacchire, sfiancare, sfinire, spossare, stremare © rinvigorire, rafforzare, irrobustire, vivificare.

svilìre *v.tr.* **1** sminuire, sottovalutare, immiserire, avvilire © valorizzare, esaltare, sopravvalutare **2** (*econ.*) deprezzare, svalutare, sottovalutare © valorizzare.

sviluppàre *v.tr.* **1** (*un concetto, un argomento ecc.*) svolgere, approfondire, trattare **2** (*un'attività e sim.*) aumentare, accrescere, incrementare, potenziare, rafforzare, ingrandire, consolidare © ridurre, frenare, limitare **3** produrre, provocare, suscitare © bloccare, soffocare ♦ **svilupparsi** *v.pr.* **1** crescere **2** aumentare, ampliarsi, progredire, consolidarsi, rafforzarsi, rinvigorirsi, potenziarsi © ridursi, diminuire **3** (*di incendio*) prodursi, insorgere, diffondersi; (*di epidemia*) insorgere, manifestarsi; diffondersi **4** (*di superficie*) estendersi.

sviluppàto *agg.* **1** (*di organismo vivente*) cresciuto, adulto, maturo **2** (*di paese, di economia ecc.*) avanzato, evoluto, progredito, florido © arretrato, depresso, sottosviluppato.

svilùppo *s.m.* **1** crescita, espansione, progresso, ampliamento, incremento, potenziamento © calo, diminuzione, arresto; crisi, depressione, recessione, ristagno **2** (*di un argomento*) svolgimento, approfondimento, trattazione, elaborazione **3** (*di un organismo, di un individuo*) crescita, maturazione.

svincolàre *v.tr.* (*dir.*; *da ipoteche e sim.*) riscattare, recuperare, disimpegnare © vincolare, bloccare ♦ **svincolarsi** *v.pr.* **1** (*da un abbraccio ecc.*) divincolarsi, liberarsi **2** ♧ liberarsi, emanciparsi, affrancarsi; disimpegnarsi.

svìncolo *s.m.* (*stradale*) raccordo, snodo; (*di autostrada*) uscita.

sviolinàta *s.f.* adulazione, incensamento, lusinga, piaggeria.

svisceràre *v.tr.* (*un argomento, un problema ecc.*) analizzare, approfondire, scavare, esaminare, investigare.

svisceràto *agg.* **1** (*di amore e sim.*) profondo, intenso, appassionato, forte, viscerale © freddo, tiepido **2** (*di lodi e sim.*) esagerato, smodato, sperticato.

svìsta *s.f.* distrazione, disattenzione, errore, sbaglio, abbaglio.

svitàre *v.tr.* allentare © avvitare, stringere.

svitàto *agg., s.m.* (*di persona*) bizzarro, eccentrico, stravagante, pazzoide, strambo, strampalato, suonato, tocco © assennato, equilibrato.

svogliatézza *s.f.* pigrizia, apatia, abulia, fiacca, malavoglia, disinteresse © diligenza, interesse.

svogliàto *agg.* pigro, apatico, indolente, negligente, sfaticato, disinteressato © attivo, diligente, operoso, solerte, volenteroso.

svolazzàre *v.intr.* **1** (*di capelli e sim.*) sventolare **2** ♧ (*con il pensiero e sim.*) volare, vagare.

svolàzzo *s.m.* **1** volo **2** ghirigoro, arabesco **3** ♧ fronzolo, orpello.

svòlgere *v.tr.* **1** (*una cosa incartata*) scartare, spacchettare, disfare, aprire © avvolgere, avvoltolare, impacchettare **2** (*un gomitolo, un filo*) distendere, spiegare, dipanare, srotolare © avvolgere, arrotolare **3** ♧ (*un argomento, un tema*) esporre, sviluppare, illustrare, elaborare, trattare **4** ♧ (*un compito e sim.*) compiere, eseguire, fare, portare avanti, espletare (*burocr.*) ♦ **svolgersi** *v.pr.* **1** distendersi, dispiegarsi, dipanarsi, srotolarsi © avvolgersi, arrotolarsi, attorcigliarsi **2** svilupparsi, evolversi, progredire © contrarsi, regredire **3** avvenire, accadere, capitare, compiersi, aver luogo.

svolgiménto *s.m.* **1** dipanatura, srotolamento © avvolgimento **2** ♧ (*di un tema e sim.*) approfondimento, elaborazione, sviluppo, trattazione **3** (*di un'attività e sim.*) esercizio, esplicazione **4** sviluppo, decorso, evoluzione.

svòlta *s.f.* **1** (*di una strada e sim.*) curva **2** ♧ (*nella vita, nel lavoro ecc.*) cambiamento, mutamento; bivio, giro di boa, punto critico.

svoltàre *v.intr.* voltare, curvare, girare, deviare.

svuotàre *v.tr.* vuotare, liberare © riempire, colmare ♦ **svuotarsi** *v.pr.* vuotarsi © riempirsi, colmarsi.

t, T

tabèlla *s.f.* prospetto, schema, specchietto, tavola.
tabellóne *s.m.* **1** cartellone, manifesto **2** (*per affissioni*) quadro, bacheca.
tabù *s.m.* divieto, interdizione, proibizione ♦ *agg.invar.* innominabile, intoccabile, proibito, vietato.
tabulàto *s.m.* elaborato, prospetto, stampato.
tàcca *s.f.* **1** incisione, intaglio; intaccatura, solco, scanalatura **2** ♧ livello, qualità, valore, levatura **3** ♧ difetto, neo, imperfezione.
taccagnerìa *s.f.* avarizia, tirchieria, pidocchieria, spilorceria © generosità, larghezza.
taccàgno *agg., s.m.* avaro, tirchio, spilorcio, pidocchio © generoso, largo, prodigo.
tacciàbile *agg.* accusabile, imputabile, incolpabile.
tacciàre *v.tr.* accusare, incolpare, bollare.
taccuìno *s.m.* blocco, bloc-notes, notes, agenda.
tacére *v.intr.* **1** fare silenzio, stare zitto, non aprire bocca © parlare **2** (*smettere di parlare*) ammutolire, zittirsi © parlare, chiacchierare, conversare **3** cucirsi la bocca, tapparsi la bocca, fare scena muta © dire, riferire, rivelare, cantare (*gerg.*), sbottonarsi **4** sopportare, subire, incassare © protestare, ribellarsi ♦ *v.tr.* **1** (*qlco. a qlcu.*) nascondere, celare, occultare, coprire, tenere nascosto © dire, riferire, confessare, spiattellare (*colloq.*), spifferare (*gerg.*) **2** (*un dettaglio, un particolare ecc.*) omettere, tralasciare, passare sotto silenzio, sottacere © dire, rivelare, sottolineare.
tacitàre *v.tr.* **1** (*un creditore*) pagare, risarcire, indennizzare **2** (*uno scandalo*) mettere a tacere, nascondere, soffocare © provocare, sollevare.
tàcito *agg.* implicito, inespresso, velato © esplicito, manifesto, palese.
tacitùrno *agg.* silenzioso, laconico, di poche parole © chiacchierone, loquace, logorroico.
tafferùglio *s.m.* rissa, baruffa, lite, mischia, zuffa.
tàglia *s.f.* **1** (*di una persona*) corporatura, fisico **2** (*di un abito*) misura, numero **3** (*su un ricercato*) premio, ricompensa.
taglialégna *s.m.invar.* boscaiolo, spaccalegna, legnaiolo.
tagliàndo *s.m.* buono, talloncino, cedola, scontrino, coupon (*fr.*).
tagliàre *v.tr.* **1** dividere, separare, recidere, affettare, tagliuzzare, ritagliare © unire, congiungere, ricongiungere, ricomporre **2** (*un ramo*) recidere, segare; (*l'erba, il grano*) falciare, mietere; (*i capelli*) accorciare, scorciare, sfoltire; (*la barba*) radere, rasare **3** (*le onde*) fendere, solcare **4** (*una sostanza, il vino ecc.*) mescolare, mischiare **5** ♧ (*un discorso, un testo ecc.*) abbreviare, accorciare, ridurre, stringere; eliminare, togliere © allungare, ampliare, sviluppare **6** (*scene, immagini da un film ecc.*) eliminare, togliere, sopprimere; censurare © introdurre, inserire **7** ♧ (*le comunicazioni e sim.*) bloccare, impedire, interrompere, sbarrare © sbloccare, ripristinare **8** (*di via, di corso d'acqua ecc.*) intersecare, attraversare, incrociare ♦ **tagliarsi** *v.pr.* ferirsi.
tagliatèlla *s.f.* fettuccina IPON. pappardella, tagliolino.
tagliàto *agg.* **1** (*di pianta*) reciso, troncato, abbattuto **2** (*di capelli, di barba ecc.*) accorciato, corto © lungo **3** (*di scena, di immagine ecc.*) eliminato, soppresso; censurato © inserito **4** ♧ (*per la musica, per il teatro ecc.*) portato, predisposto, versato © negato, inadatto.
taglieggiàre *v.tr.* ricattare, spremere, strangolare, vessare.
tagliènte *agg.* **1** affilato **2** ♧ (*di vento, di freddo ecc.*) penetrante, pungente **3** (*di risposta, di discorso ecc.*) caustico, graffiante, mordace, pungente, sarcastico © benevolo, bonario.
taglierìna *s.f.* tagliacarte, tagliatrice, cutter (*ingl.*).
tàglio *s.m.* **1** tagliata; (*di fieno e sim.*) falciatura, mietitura **2** ferita, lesione, lacerazione **3** (*med.*) amputazione, resezione **4** (*di abito, di capelli*) fattura, foggia, linea, stile **5** ♧ (*di posti di lavoro, di parti di uno scritto ecc.*) eliminazione, soppressione; riduzione © ampliamento, inserimento **6** ♧ (*di un discorso, di un'opera ecc.*) impostazione, carattere, stile, tono **7** (*di stoffa*) pezza, scampolo **8** (*di lama, di coltello e sim.*) filo, affilatura **9** (*di un oggetto e sim.*) dimensione, formato, misura.

tagliuzzàre *v.tr.* tagliare a pezzetti, sminuzzare, trinciare.
take off *s.m.invar.* (*ingl.*) decollo © atterraggio.
tàlamo *s.m.* **1** (*elev.*) letto coniugale **2** camera nuziale, camera matrimoniale, alcova.
tàlco *s.m.* borotalco.
talènto *s.m.* attitudine, inclinazione, disposizione; arte, ingegno, genialità, capacità, valore.
talismàno *s.m.* amuleto, portafortuna.
tallonàre *v.tr.* inseguire, incalzare; seguire, pedinare, stare alle calcagna (*colloq.*), stare alle costole (*colloq.*)
talloncìno *s.m.* tagliando, scontrino, coupon (*fr.*), contromarca, ricevuta; (*dei medicinali*) fustella.
tallóne *s.m.* calcagno.
tàlpa *s.f.* **1** ♧ (*persona che vede poco*) cieco, orbo **2** ♧ (*nel linguaggio giornalistico*) spia, infiltrato, informatore.
tamburellàre *v.intr.* picchiettare.
tamponaménto *s.m.* **1** (*di una falla, di una ferita*) tamponatura, otturamento © sturamento, apertura **2** (*di veicoli*) collisione, scontro, urto.
tamponàre *v.tr.* **1** (*una falla, un buco ecc.*) bloccare, chiudere, tappare, turare © sbloccare, sturare, aprire **2** (*med.*; *una ferita*) zaffare **3** ♧ (*un errore e sim.*) rimediare, riparare, mettere una pezza (*colloq.*); arginare **4** (*un veicolo*) urtare, cozzare, investire.
tamponatùra *s.f.* **1** (*di una falla, di una perdita d'acqua ecc.*) tamponamento, otturamento © sturamento, apertura **2** (*med.*) tamponamento, zaffatura.
tampóne *s.m.* **1** (*med.*) zaffo, batuffolo **2** assorbente interno, tampax® ♦ *agg.invar.* ♧ (*di provvedimento e sim.*) provvisorio, temporaneo, d'emergenza.
tamtàm *s.m.* **1** (*mus.*) tamburo, gong **2** ♧ passaparola; diffusione, circolazione.
tàna *s.f.* **1** (*di animali*) covile, covo, nido, galleria **2** ♧ (*di malviventi*) nascondiglio, rifugio, covo **3** ♧ (*abitazione misera*) catapecchia, stamberga, topaia, tugurio.
tànfo *s.m.* puzzo, fetore, lezzo, cattivo odore © profumo, aroma.
tànga *s.f.* perizoma.
tangènte *s.f.* **1** bustarella, mazzetta, pizzo **2** (*sulle vendite e sim.*) quota, percentuale, spettanza **3** (*geom.*) retta tangente, tangenziale.
tangenziàle *agg.* accessorio, secondario, marginale © principale, primario, essenziale ♦ *s.f.* **1** circonvallazione **2** (*geom.*) retta tangente, tangente.
tànghero *s.m.* cafone, becero, bifolco, buzzurro, villano, zotico © educato, elegante, raffinato.
tangìbile *agg.* **1** concreto, materiale, reale; palpabile, percepibile © intangibile, impalpabile; immateriale, incorporeo **2** ♧ chiaro, evidente, manifesto, palese © oscuro, incerto, dubbio, evanescente.
tank *s.m.invar.* (*ingl.*) carro armato.
tàppa *s.f.* **1** (*durante un viaggio*) sosta, fermata **2** parte, tratto, frazione **3** ♧ traguardo, risultato, fase.
tappàre *v.tr.* chiudere, turare; sigillare, sbarrare, serrare © aprire, stappare, sturare, liberare, sbloccare ♦ **tapparsi** *v.pr.* (*in casa e sim.*) rinchiudersi, rintanarsi, ritirarsi, segregarsi, trincerarsi.
tapparèlla *s.f.* avvolgibile, serranda, persiana avvolgibile.
tappetìno *s.m.* zerbino, stuoino.
tappéto *s.m.* **1** IPON. guida, passatoia, scendiletto, stuoia **2** ♧ (*di neve, di foglie ecc.*) manto, strato **3** (*sport*) materassino.
tappezzàre *v.tr.* **1** foderare **2** (*di manifesti e sim.*) ricoprire, riempire, rivestire.
tappezzerìa *s.f.* carta da parati, parato IPON. tendaggio, arazzo, cortinaggio.
tàppo *s.m.* **1** turacciolo, sughero **2** ♧ (*persona molto bassa*) nano, nanerottolo, piccoletto, soldo di cacio © gigante, colosso, spilungone.
tàra *s.f.* **1** (*ereditaria, genetica e sim.*) malattia, difetto fisico, anomalia, imperfezione, menomazione **2** (*morale*) difetto, neo, pecca, magagna.
taràre *v.tr.* regolare, registrare, calibrare, mettere a punto © starare.
taràto *agg.* **1** (*di peso*) netto © lordo **2** (*di apparecchio, di motore ecc.*) regolato, registrato, calibrato **3** (*di persona, fisicamente*) malato, menomato © sano **4** (*di persona, moralmente*) bacato, corrotto, depravato, deviato, traviato © sano, pulito **5** (*scherz.*) anormale, malato, matto.
taratùra *s.f.* calibratura, messa a punto, regolazione © staratura.
tarchiàto *agg.* massiccio, robusto, quadrato, tozzo, tracagnotto © snello, slanciato.
tardàre *v.intr.* ritardare, attardarsi, indugiare; fare tardi ♦ *v.tr.* ritardare, rimandare, differire, posporre, rinviare © anticipare.
tardìvo *agg.* **1** (*di pianta, di frutto*) serotino © precoce, primaticcio **2** (*di stagione e sim.*) tardo, ritardato, posticipato © precoce, anticipato **3** (*di provvedimento, di intervento ecc.*) intempestivo, tardo; inutile, inefficace, vano © immediato, sollecito, tempestivo; efficace, utile.

tàrdo *agg.* **1** (*di persona*) lento, pigro, svogliato © pronto, rapido, agile, svelto, veloce **2** (*nel capire, nel ragionare ecc.*) lento, limitato, ottuso, tonto © sveglio, pronto **3** (*nel tempo*) avanzato, inoltrato; (*di notte*) fondo **4** (*di epoca storica, di periodo artistico ecc.*) basso, ultimo © alto, primo **5** tardivo, intempestivo © immediato, sollecito, tempestivo.

tàrga *s.f.* **1** insegna, placca, cartello **2** IPERON. premio, trofeo.

target *s.m.invar.* (*ingl.*) obiettivo, meta.

targhétta *s.f.* cartellino, piastrina.

tarìffa *s.f.* prezzo; (*professionale*) compenso, onorario, parcella.

tariffàrio *s.m.* listino prezzi, tabella dei prezzi, prezzi.

tàrlo *s.m.* ♧ assillo, tormento, pena, incubo, ossessione, chiodo fisso.

taroccàto *agg.* (*colloq.*) contraffatto, falso © vero, autentico.

tartagliàre *v.tr.* e *intr.* balbettare.

tartassàre *v.tr.* **1** vessare, maltrattare, strapazzare, bistrattare **2** ♧ (*con critiche*) demolire, distruggere, stroncare, massacrare.

tàsca *s.f.* **1** saccoccia (*region.*) **2** scomparto.

tascàbile *agg.* (*di formato ecc.*) piccolo, ridotto, pocket (*ingl.*) ♦ *s.m.* libro tascabile, paperback (*ingl.*), livre de poche (*fr.*).

tàssa *s.f.* imposta, tributo, contributo; (*se gravosa*) balzello, gravame.

tassatìvo *agg.* categorico, imperativo, perentorio; inderogabile, irrevocabile © discutibile, incerto; derogabile, prorogabile.

tassèllo *s.m.* **1** (*di legno e sim.*) tessera, zeppa **2** (*di pantaloni e sim.*) rinforzo **3** ♧ informazione, particolare.

tassì *s.m.invar.* taxi.

tàsso *s.m.* percentuale, quantità, indice, quoziente, saggio (*banc.*).

tastàre *v.tr.* **1** palpare, toccare; (*colloq.*) brancicare, palpeggiare, frugare **2** ♧ (*il terreno e sim.*) provare, tentare, saggiare, sondare.

tastièra *s.f.* **1** tasti; pulsantiera **2** (*mus.*) consolle, sintetizzatore, organo elettrico **3** (*negli strumenti a corda*) tasto, traversina.

tàsto *s.m.* **1** (*nel pianoforte e sim.*) tastiera **2** (*negli strumenti a corda*) tastiera, traversina **3** bottone, leva, pulsante **4** ♧ argomento, questione.

tàta *s.f.* (*colloq.*) baby-sitter, bambinaia.

tàttica *s.f.* **1** (*mil.*) strategia **2** (*elettorale, pubblicitaria ecc.*) piano, programma, strategia **3** (*colloq.*) diplomazia, tatto, prudenza, savoir-faire (*fr.*), abilità, accortezza, astuzia © imprudenza, leggerezza, avventatezza, impulsività.

tàttico *agg.* **1** (*mil.*) strategico **2** (*di azione e sim.*) calcolato, studiato, strategico; accorto, prudente © spontaneo, istintivo; ingenuo, candido; avventato, imprudente.

tàtto *s.m.* **1** tattilità **2** ♧ garbo, delicatezza, discrezione, sensibilità; prudenza, diplomazia, savoir-faire (*fr.*) © indelicatezza, indiscrezione, maleducazione, rozzezza; imprudenza, leggerezza, impulsività.

taumatùrgico *agg.* miracoloso, portentoso, prodigioso, straordinario.

taumatùrgo *s.m.* guaritore, santone, stregone.

taurìno *agg.* ♧ forte, robusto, vigoroso, nerboruto; (*di collo*) massiccio, tozzo.

tautològico *agg.* ripetitivo, ridondante.

tavèrna *s.f.* **1** osteria, bettola **2** ristorante, trattoria.

tàvola *s.f.* **1** asse **2** tavolo; (*elev.*) mensa, desco; cibo, cucina, gastronomia **3** quadro, dipinto **4** (*in un libro*) illustrazione, disegno **5** tabella, prospetto, schema, specchio, grafico **6** (*sport*) surf (*ingl.*); snowboard (*ingl.*).

tavolàto *s.m.* **1** assito IPON. parquet **2** (*geogr.*) altopiano, pianoro © bassopiano, pianura, tavoliere.

tavolétta *s.f.* **1** asse, assicella **2** (*di prodotti farmaceutici*) pastiglia, compressa **3** (*del water*) sedile, asse (*colloq.*).

tavolìno *s.m.* tavolo, scrivania, scrittoio.

tàvolo *s.m.* tavola.

tàxi *s.m.invar.* tassì.

tàzza *s.f.* **1** chicchera (*raro*); scodella, ciotola; mug (*ingl.*) **2** gabinetto, vaso, water.

tbc *s.f.invar.* (*med.*) tubercolosi, tisi, mal sottile.

team *s.m.invar.* (*ingl.*) **1** gruppo, squadra, équipe (*fr.*), pool (*ingl.*), staff (*ingl.*) **2** (*sport*) squadra, formazione.

teatràle *agg.* **1** drammatico **2** ♧ melodrammatico, plateale, esagerato, enfatico, caricato.

teatrànte *s.m.f.* **1** attore; comico, commediante **2** (*spreg.*) commediante, guitto, istrione.

teàtro *s.m.* **1** arena, anfiteatro, politeama **2** spettacolo, rappresentazione **3** pubblico, platea, sala **4** ♧ (*di una rapina, di una battaglia ecc.*) scenario, cornice, sfondo **5** ♧ (*di guerra*) scacchiere (*mil.*).

tècnica *s.f.* **1** procedimento, metodologia, metodo, sistema **2** tecnologia.

tècnico *agg.* (*di linguaggio e sim.*) scientifico, specialistico; tecnologico ♦ *s.m.* **1** esperto, specialista **2** (*sportivo*) allenatore, trainer (*ingl.*), coach (*ingl.*).

tecnologìa *s.f.* tecnica.

tecnològico *agg.* tecnico.

tedésco *agg.*, *s.m.* germanico, crucco (*spreg.*), teutonico (*stor.*).
tediàre *v.tr.* annoiare, infastidire, seccare, scocciare, stufare © divertire, interessare, svagare.
tèdio *s.m.* fastidio, noia, monotonia, uggia; insoddisfazione, indifferenza, stanchezza © gioia, contentezza, divertimento, spasso.
tedióso *agg.* grigio, noioso, pesante, palloso (*colloq.*), deprimente, seccante, uggioso © piacevole, appassionante, avvincente, divertente.
teen-ager *s.m.f.invar.* (*ingl.*) adolescente, ragazza, ragazzo, fanciulla, fanciullo.
tegàme *s.m.* padella.
tégola *s.f.* **1** coppo, embrice, marsigliese **2** ♧ (*disgrazia inattesa*) colpo, batosta, mazzata, fulmine a ciel sereno.
téla *s.f.* **1** tessuto, filato **2** ♧ trama, intrigo; tranello, trappola **3** quadro, dipinto, pittura **4** (*teatr.*) sipario, telone, tendone.
telàio *s.m.* **1** armatura, ossatura, intelaiatura, scheletro, struttura **2** (*autom.*) châssis.
telecàmera *s.f.* videocamera, camera.
telecomandàre *v.tr.* radiotelecomandare; teleguidare, telepilotare.
telecronìsta *s.m.f.* cronista televisivo, speaker (*ingl.*).
telefilm *s.m.invar.* film, fiction (*ingl.*); (*a puntate*) serial (*ingl.*).
telefonàre *v.intr.* chiamare, dare un colpo di telefono, dare uno squillo (*colloq.*), fare uno squillo (*colloq.*), sentire (*colloq.*) ♦ **telefonarsi** *v.pr.* chiamarsi, sentirsi (*colloq.*).
telefonàta *s.f.* chiamata, squillo (*colloq.*), colpo di telefono (*colloq.*), conversazione telefonica.
telèfono *s.m.* apparecchio telefonico; (*senza fili*) cordless (*ingl.*).
telegiornàle *s.m.* tigì (*colloq.*), notiziario.
telegràfico *agg.* ♧ (*di stile, di comunicazione e sim.*) breve, conciso, sintetico, stringato, succinto © lungo, prolisso, verboso.
telenovela *s.f.* (*portogh.*) soap opera (*ingl.*), teleromanzo, sceneggiato.
telespettatóre *s.m.* teleutente, teleabbonato.
televisióne *s.f.* **1** tivù (*colloq.*), tele (*colloq.*), piccolo schermo, teleschermo **2** rete, canale, network (*ingl.*) **3** (*colloq.*; *impropr.*) televisore.
televisóre *s.m.* apparecchio televisivo, televisione (*impropr.*), tivù (*colloq.*).
tèma *s.m.* **1** argomento, soggetto, oggetto, contenuto; motivo, motivo conduttore, leitmotiv (*ted.*) **2** composizione, componimento **3** (*mus.*) motivo, aria, melodia **4** (*ling.*) radice.
temàtica *s.f.* argomenti, contenuti, temi.
temeràrio *agg.* **1** incosciente, imprudente, avventato, spericolato; azzardato, rischioso © prudente, accorto, avveduto **2** audace, coraggioso, valoroso © vigliacco, codardo **3** insolente, sfacciato, sfrontato, spudorato © rispettoso.
temére *v.tr.* **1** avere paura, paventare (*elev.*); credere, ritenere **2** sospettare, subodorare, supporre **3** (*Dio, la legge ecc.*) onorare, rispettare **4** (*il freddo, il caldo ecc.*) patire, soffrire ♦ *v.intr.* **1** (*per qlcu.*) preoccuparsi **2** diffidare, dubitare, sospettare.
temperamatìte *s.m.invar.* temperalapis.
temperaménto *s.m.* **1** (*di una persona*) carattere, animo, indole, natura **2** carattere, personalità; grinta.
temperànza *s.f.* moderazione, sobrietà, continenza, misura, morigeratezza, frugalità © intemperanza, dissolutezza, incontinenza, sfrenatezza, smodatezza, sregolatezza.
temperàre *v.tr.* **1** (*il carattere e sim.*) attenuare, moderare, addolcire © inasprire, esasperare, accentuare, acuire, esacerbare **2** (*una passione*) frenare, mitigare, calmare, trattenere © sfogare **3** (*una matita*) fare la punta, appuntire, aguzzare, acuminare © spuntare, smussare.
temperàto *agg.* **1** moderato, misurato, sobrio © eccessivo, esagerato **2** (*di clima*) mite, dolce.
temperatùra *s.f.* **1** calore, grado di calore **2** (*colloq.*) febbre **3** ♧ (*in un litigio, in una discussione ecc.*) tensione.
tempèsta *s.f.* **1** bufera, burrasca; (*di neve*) tormenta © bonaccia **2** ♧ (*di sentimenti e sim.*) agitazione, subbuglio, turbamento; furia, sfuriata **3** ♧ (*di pugni, di fischi, di domande*) raffica, bombardamento, scarica.
tempestàre *v.tr.* **1** (*di pugni e sim.*) battere, colpire, martellare **2** ♧ (*di telefonate, di domande ecc.*) bersagliare, sommergere, subissare; assillare, ossessionare.
tempestività *s.f.* tempismo, puntualità, rapidità, sollecitudine, velocità © intempestività, lentezza, ritardo.
tempestìvo *agg.* pronto, rapido, sollecito, opportuno, provvidenziale © lento, tardo, intempestivo, tardivo.
tempestóso *agg.* **1** (*di mare*) agitato, burrascoso © calmo, tranquillo **2** ♧ (*di amore, di vita ecc.*) inquieto, tormentato, tumultuoso, turbolento; (*di discussione*) furibondo, violento © calmo, sereno, tranquillo.
tèmpio *s.m.* IPERON. luogo di culto.
tempìsmo *s.m.* vedi **tempestività**.
tèmpo *s.m.* **1** durata, corso, lasso, periodo, spazio **2** epoca, età, era, evo **3** momento, ora, stagione; occasione, opportunità **4** (*atmosferico*)

clima, aria, temperatura **5** (*di uno spettacolo*) parte, atto **6** (*mus.*) misura, battuta; ritmo, movimento, passo, cadenza.

temporàle[1] *agg.* **1** passeggero, fuggevole, effimero, transitorio; mondano, secolare, terreno © duraturo, eterno, stabile; sacro, spirituale.

temporàle[2] *s.m.* **1** tempesta, nubifragio, diluvio; acquazzone, rovescio **2** ♧ (*colloq.*) lite, sfuriata.

temporàneo *agg.* provvisorio, momentaneo, precario, transitorio © definitivo, durevole, permanente, stabile.

temporeggiaménto *s.m.* indugio; tergiversazione, traccheggio.

temporeggiàre *v.intr.* indugiare, prendere tempo, esitare; tergiversare, traccheggiare © decidersi.

temporizzatóre *s.m.* timer (*ingl.*).

témpra, **tèmpra** *s.f.* **1** carattere, natura, indole **2** costituzione, fibra.

tempràre *v.tr.* **1** (*il vetro, il metallo*) temperare **2** ♧ fortificare, irrobustire, rafforzare, rinvigorire © indebolire, fiaccare, debilitare ♦ **temprarsi** *v.pr.* fortificarsi, irrobustirsi, rafforzarsi © indebolirsi, debilitarsi.

tenàce *agg.* **1** (*di colla e sim.*) forte, resistente; (*di metallo*) indeformabile **2** ♧ (*di persona*) fermo, deciso, costante, irremovibile, perseverante, saldo, risoluto; caparbio, ostinato, cocciuto © arrendevole, debole, incostante, volubile.

tenàcia *s.f.* **1** (*di un materiale*) resistenza, forza © fragilità **2** fermezza, costanza, caparbietà, irremovibilità, ostinazione, risolutezza © incostanza, instabilità, mutevolezza, volubilità.

tendènza *s.f.* **1** predisposizione, inclinazione, propensione, impulso, vocazione © avversione, idiosincrasia, repulsione, odio **2** (*ideologica, culturale ecc.*) indirizzo, orientamento, corrente **3** direzione, piega, andamento, andazzo, trend (*ingl.*).

tendenzióso *agg.* interessato, parziale, settario, ingiusto © obiettivo, imparziale, neutrale.

tèndere *v.tr.* **1** distendere, stendere, spiegare, tirare © avvolgere; allentare, rilasciare **2** (*le braccia*) allungare, distendere, protendere; (*la mano*) porgere **3** ♧ (*una trappola e sim.*) preparare, predisporre, organizzare © sventare ♦ *v.intr.* **1** dirigersi, volgersi **2** mirare, aspirare, ambire, puntare **3** inclinare, propendere **4** (*di tempo atmosferico*) volgere, mettersi **5** (*di sapori, di colori*) avvicinarsi, accostarsi ♦ **tendersi** *v.pr.* contrarsi, irrigidirsi © distendersi, rilassarsi.

tendòpoli *s.f.* baraccopoli, campo, accampamento.

tènebra *s.f.* **1** buio, notte, oscurità © luce, chiarore, luminosità **2** ♧ (*al pl.*) mistero; (*dell'ignoranza e sim.*) buio, notte.

tenebróso *agg.* **1** oscuro, buio, tetro, fosco © chiaro, luminoso, illuminato **2** ♧ misterioso, oscuro, sinistro, occulto © chiaro, palese, manifesto, evidente **3** (*di persona*) cupo, fosco, misterioso.

tenére *v.tr.* **1** reggere, sostenere, stringere © lasciare, mollare, abbandonare **2** (*qlcu. in una posizione o situazione*) mantenere; trattenere **3** (*un segreto e sim.*) custodire, mantenere, osservare © tradire, rivelare, svelare **4** (*un oggetto*) conservare, custodire © gettare, buttare **5** (*il pianto e sim.*) trattenere, frenare, reprimere, soffocare © lasciar andare, sfogare **6** (*bambini, animali ecc.*) prendersi cura, guardare, occuparsi, provvedere **7** (*uno spazio*) occupare; (*mil.*) presidiare, difendere **8** (*una direzione*) mantenere, seguire **9** ♧ (*un contegno*) mantenere **10** (*una lezione, un discorso ecc.*) fare **11** (*una carica, un ruolo*) ricoprire, esercitare **12** (*un bar, i conti ecc.*) gestire, amministrare **13** considerare, giudicare, stimare ♦ *v.intr.* **1** resistere, reggere © cedere **2** (*di serbatoio, di tappo ecc.*) © perdere **3** (*di pianta*) allignare, attecchire © morire, seccare **4** parteggiare, fare il tifo, tifare **5** avere a cuore © trascurare ♦ **tenersi** *v.pr.* **1** aggrapparsi, afferrarsi, reggersi **2** (*in una posizione o condizione*) restare, rimanere, mantenersi **3** (*dal ridere e sim.*) trattenersi, frenarsi, contenersi © sfogarsi, scoppiare **4** (*alle regole, alle prescrizioni e sim.*) attenersi, osservare, rispettare, seguire © contravvenire, trasgredire, violare.

tenerézza *s.f.* **1** delicatezza, morbidezza, cedevolezza © durezza **2** ♧ affetto, amore, amorevolezza, dolcezza, commozione © durezza, ruvidezza, distacco, freddezza **3** (*al pl.*) carezze, effusioni, coccole (*colloq.*).

tènero *agg.* **1** molle, morbido, cedevole; malleabile © duro, consistente, sodo **2** delicato, giovane **3** ♧ affettuoso, dolce, amorevole, premuroso, sensibile; indulgente, comprensivo © duro, aspro, ruvido, scontroso; severo, rigido ♦ *s.m.* amore, simpatia, affetto, debole.

tènia *s.f.* (*colloq.*) verme solitario.

tenóre *s.m.* **1** atteggiamento, comportamento, condotta **2** (*di un discorso e sim.*) tono, contenuto, forma **3** (*chim.*; *di una soluzione*) percentuale, proporzione, livello.

tensióne *s.f.* **1** trazione © distensione, allentamento **2** ♧ ansia, eccitazione, nervosismo, ansietà, angoscia, stress (*ingl.*) **3** (*in un'opera letteraria, cinematografica ecc.*) suspense (*ingl.*)

4 ♧ (*tra due persone e sim.*) contrasto, attrito, ostilità, gelo © distensione, concordia, disgelo **5** corrente elettrica.
tentàre *v.tr.* **1** tastare, toccare **2** provare, sperimentare, azzardare, arrischiare **3** allettare, invogliare, attrarre, indurre in tentazione.
tentatìvo *s.m.* prova, esperimento.
tentatóre *agg.*, *s.m.* seduttore, ammaliatore, istigatore.
tentazióne *s.f.* **1** seduzione, lusinga, allettamento **2** desiderio, voglia, capriccio.
tentennaménto *s.m.* esitazione, indecisione.
tentennàre *v.intr.* **1** oscillare, dondolare, vacillare, traballare, ciondolare **2** ♧ esitare, titubare, indugiare, tergiversare, dubitare © decidersi, risolversi ♦ *v.tr.* scuotere, scrollare, dondolare.
tènue *agg.* **1** (*di luce, di voce*) debole, fioco, flebile, fievole © forte, intenso **2** (*di colore*) chiaro, delicato, pallido © carico, forte, violento, intenso, vivace **3** ♧ (*di speranza*) esile, esiguo, debole © vivo **4** (*di ricordo*) vago, debole, evanescente, sfumato © chiaro, preciso, netto **5** (*di condanna, di punizione ecc.*) lieve, leggero, blando © pesante.
tenùta *s.f.* **1** resistenza, saldezza, solidità **2** (*di un recipiente e sim.*) capacità, capienza **3** podere, fondo; fattoria, azienda agricola **4** divisa, uniforme; abbigliamento, mise (*fr.*).
tenùto *agg.* costretto, impegnato, obbligato, vincolato © libero, svincolato.
teorìa *s.f.* **1** sistema, dottrina **2** principi, precetti © pratica, prassi **3** idea, opinione, concezione, pensiero, tesi **4** (*elev.*) fila, sfilata, corteo, processione.
teòrico *agg.* astratto, concettuale, speculativo, virtuale © pratico, concreto, empirico ♦ *s.m.* ideatore, inventore, ideologo, caposcuola.
tepóre *s.m.* calduccio, tiepidezza.
teppàglia *s.f.* gentaglia, feccia, marmaglia, teppa.
teppìsmo *s.m.* vandalismo.
teppìsta *s.m.f.* vandalo.
terapèuta *s.m.f.* terapista; psicoterapeuta.
terapèutico *agg.* **1** (*med.*) curativo **2** ♧ lenitivo.
terapìa *s.f.* **1** cura, trattamento **2** ♧ provvedimento.
tergiversàre *v.intr.* esitare, indugiare, prendere tempo, temporeggiare, nicchiare, traccheggiare © decidersi, risolversi.
tèrgo *s.m.* **1** (*elev.*) dorso, schiena **2** (*di un foglio*) retro, verso © recto (*lat.*).
terminal *s.m.invar.* (*ingl.*) capolinea, stazione.
terminàle *agg.* **1** estremo, finale, ultimo © iniziale **2** (*di malato*) inguaribile, all'ultimo stadio ♦ *s.m.* (*inform.*) unità periferica; video.
terminàre *v.tr.* finire, concludere, chiudere, portare a termine, ultimare © iniziare, cominciare, avviare, intraprendere ♦ *v.intr.* **1** finire, concludersi © cominciare, iniziare **2** (*di strada e sim.*) condurre, sboccare, sfociare.
tèrmine *s.m.* **1** (*di un terreno e sim.*) confine, limite **2** (*di tempo*) scadenza; limite **3** estremità, fine, punta © inizio, principio, punto di partenza **4** compimento, conclusione, epilogo, fine © inizio, principio, avvio **5** punto, grado; fine, obiettivo, scopo, meta, traguardo **6** (*spec. al pl.*) elemento **7** parola, espressione, vocabolo, voce; (*di un dizionario*) lemma.
terminologìa *s.f.* (*di una disciplina, di una professione ecc.*) linguaggio, lessico, vocabolario.
termosifóne *s.m.* radiatore, calorifero.
tèrra *s.f.* **1** globo terrestre, globo terracqueo, mondo **2** terraferma © mare **3** suolo, terreno, pavimento **4** territorio, regione, paese **5** terreno, terriccio, humus **6** terreno, fondo, possedimento, tenuta; campagna **7** argilla, creta.
terracòtta *s.f.* argilla, creta; cotto.
terrapièno *s.m.* argine, rinforzo, sostegno; (*mil.*) alzata, bastione.
terràzza *s.f.* **1** terrazzo, balcone, balconata **2** (*agr.*) lenza, gradone.
terràzzo *s.m.* balcone, terrazza, balconata, loggia, altana.
terremòto *s.m.* **1** sisma; scossa **2** ♧ scompiglio, sconvolgimento, sconquasso, subbuglio, rivoluzione **3** ♧ (*di bambino troppo vivace*) peste, diavolo, birba © angelo.
terréno[1] *agg.* **1** temporale, mondano, secolare © celeste, spirituale, ultraterreno **2** (*di piano*) terra.
terréno[2] *s.m.* **1** suolo, terra **2** campo, podere, fondo, possedimento, tenuta; campagna **3** (*fabbricabile, edificabile*) area, superficie **4** campo di battaglia, zona di guerra **5** (*sport*) campo da gioco, campo di gioco, campo **6** ♧ argomento, materia, settore, soggetto **7** ambito, livello, piano.
tèrreo *agg.* livido, grigio, giallastro, giallognolo.
terrèstre *agg.* **1** © extraterrestre; spaziale; astrale, celeste **2** (*di flora, di fauna*) terricolo (*bot.*) © marino, acquatico **3** (*di esercito*) di terra © aereo ♦ *s.m.* umano © alieno, extraterrestre, marziano, ufo.
terrìbile *agg.* **1** spaventoso, orrendo, terrificante, agghiacciante **2** (*di persona*) crudele, spietato, feroce, disumano; (*di bambino*) irrequieto, insopportabile, pestifero © buono, tranquillo **3** (*di caldo, di fatica ecc.*) tremendo, enorme, insopportabile, atroce, spaventoso, infernale, terrificante © sopportabile, tollerabile **4** (*di for-*

za e sim.) straordinario, eccezionale, incredibile, formidabile, strabiliante.
terrificànte *agg.* **1** orribile, spaventoso, raccapricciante, agghiacciante, orripilante, mostruoso © piacevole, attraente **2** (*di caldo, di dolore ecc.*) tremendo, enorme, insopportabile, atroce, spaventoso, infernale, terribile © sopportabile, tollerabile.
territòrio *s.m.* zona, area, regione, paese.
terróre *s.m.* **1** orrore, paura, angoscia, panico, spavento, sgomento; (*colloq.*) fifa; (*psicol.*) psicosi **2** (*di persona che incute sgomento*) incubo, spauracchio.
terrorìsmo *s.m.* eversione.
terrorìsta *s.m.f.* IPON. attentatore, brigatista, dinamitardo, kamikaze (*giapp.*) ♦ *agg.* terroristico.
terrorìstico *agg.* **1** eversivo, sovversivo, terrorista **2** (*di metodo e sim.*) intimidatorio; violento.
terrorizzàre *v.tr.* spaventare, impaurire, atterrire, agghiacciare, sgomentare © rassicurare, rincuorare.
tèrso *agg.* **1** (*di cielo*) pulito, sereno, limpido, trasparente © grigio, nuvoloso, nebbioso, offuscato **2** (*di acqua*) trasparente, limpido, cristallino, puro © torbido, sporco, limaccioso.
tesaurizzàre *v.tr.* e *intr.* **1** (*econ.*) tesoreggiare **2** accumulare, accantonare © spendere, dissipare, dilapidare.
tèschio *s.m.* cranio.
tèsi *s.f.* **1** affermazione, ipotesi, proposizione; opinione, idea, pensiero **2** (*di laurea*) dissertazione **3** (*scientifica e sim.*) teoria, dottrina.
téso *agg.* **1** (*di corda e sim.*) tirato © lento, allentato **2** (*di muscolo*) contratto, rigido, irrigidito © disteso, rilassato, abbandonato **3** (*di persona*) nervoso, agitato, ansioso © calmo, sereno, rilassato **4** (*di rapporto, di situazione ecc.*) difficile, critico © sereno, disteso **5** (*di mano*) allungato, proteso © ritratto, ritirato **6** (*di sforzo e sim.*) indirizzato, diretto, finalizzato, mirato, rivolto.
tesorerìa *s.f.* cassa.
tesorière *s.m.* cassiere.
tesòro *s.m.* **1** preziosi, gioielli; fortuna, ricchezza, patrimonio, capitale **2** (*nelle banche*) caveau (*fr.*), camera blindata **3** erario, fisco; ministero del Tesoro **4** ♧ (*di persona*) amore, gioia, luce dei miei occhi.
tesseraménto *s.m.* **1** (*a un partito*) iscrizione **2** (*di viveri e sim.*) razionamento.
tesseràre *v.tr.* **1** (*a un partito*) iscrivere, associare **2** (*di viveri e sim.*) razionare.
tèssere *v.tr.* **1** intessere, intrecciare © disfare **2** ♧ (*un discorso, un elogio ecc.*) comporre **3** ♧ (*inganni, congiure ecc.*) tramare, ordire, complottare, macchinare.
tessitùra *s.f.* **1** intrecciatura, intreccio **2** (*di un'opera letteraria e sim.*) composizione, intreccio, trama **3** (*di inganni, congiure e sim.*) ideazione, macchinazione, organizzazione.
tessùto *s.m.* **1** stoffa, panno, tela, drappo **2** ♧ (*sociale e sim.*) complesso, contesto, insieme; intreccio, trama.
test *s.m.invar.* (*ingl.*) **1** (*psic.*) questionario **2** controllo, prova, verifica **3** (*nucleare e sim.*) esperimento, prova **4** (*di gravidanza e sim.*) accertamento, esame **5** ♧ (*per studenti, candidati ecc.*) esame, prova.
tèsta *s.f.* **1** capo, zucca (*scherz.*), cranio **2** ♧ mente, cervello, ingegno, intelligenza, intelletto; buonsenso, giudizio; attenzione, concentrazione **3** capelli, capo **4** persona, individuo **5** ♧ inizio, estremità; (*di missile*) testata © fine, coda **6** (*di letto*) testiera, testata © pediera, piede **7** (*di un'azienda e sim.*) comando, guida.
testardàggine *s.f.* caparbietà, cocciutaggine, ostinazione © arrendevolezza, condiscendenza, remissività.
testàrdo *agg.* cocciuto, ostinato, caparbio, duro, inflessibile © arrendevole, docile, remissivo ♦ *s.m.* testone, mulo.
testàre *v.tr.* controllare, esaminare, mettere alla prova, provare, verificare, saggiare; (*un'auto e sim.*) collaudare.
testàta *s.f.* **1** punta, estremità, inizio **2** (*del letto*) testiera, testa © pediera, piede **3** (*di un giornale*) titolo, intestazione; giornale; telegiornale **4** zuccata, capocciata (*region.*).
tèste *s.m.f.* testimone.
testìcolo *s.m.* palla (*volg.*), coglione (*volg.*).
testimòne *s.m.f.* **1** (*di una rapina, di un incidente ecc.*) spettatore **2** (*di un processo*) teste; (*di nozze e sim.*) testimonio **3** (*sport*) bastoncino.
testimoniànza *s.f.* **1** dichiarazione, deposizione (*dir.*) © ritrattazione, smentita **2** attestazione, dimostrazione, prova, segno **3** (*di una civiltà e sim.*) monumento, vestigia **4** (*di un avvenimento*) ricordo, racconto.
testimoniàre *v.tr.* **1** dichiarare, affermare, asserire, deporre (*dir.*) © ritrattare, smentire, negare **2** dimostrare, provare ♦ *v.intr.* deporre (*dir.*).
tèsto *s.m.* **1** scritto; contenuto **2** (*scolastico*) libro, manuale; opera.
testóne *s.m.* (*colloq.*) ♧ mulo, testardo, zuccone, cocciuto; ignorante.
testuàle *agg.* **1** esatto, fedele, preciso © inesatto, infedele, impreciso **2** (*di citazione*) letterale.
tètro *agg.* **1** buio, oscuro, cupo, fosco, lugubre;

sinistro © allegro, luminoso, ridente **2** ♧ (*di persona*) cupo, triste, malinconico, funereo, mesto, torvo © allegro, felice, lieto, festoso.
tétta *s.f.* seno, mammella.
tétto *s.m.* **1** copertura © fondamenta, basamento **2** casa, abitazione; rifugio, riparo **3** ♧ apice, cima, auge, sommità, vertice, top (*ingl.*) **4** (*econ.*) plafond (*fr.*), limite massimo.
tic *s.m.invar.* contrazione, ticchio.
ticchettìo *s.m.* picchiettio; tic tac.
tìcchio *s.m.* **1** voglia, capriccio, ghiribizzo **2** tic.
ticket *s.m.invar.* (*ingl.*) biglietto, scontrino, tagliando; buono, coupon (*fr.*).
tièpido *agg.* **1** (*di temperatura e sim.*) dolce, mite, moderato © caldo, ardente, infuocato; freddo, gelido **2** ♧ (*di persona*) distaccato; freddo © appassionato, entusiasta, caloroso.
tifàre *v.intr.* parteggiare, simpatizzare, fare il tifo; appoggiare, sostenere © avversare.
tìfo *s.m.* sostegno, appoggio; entusiamo.
tifóso *s.m.* sostenitore, supporter (*ingl.*), fan (*ingl.*), aficionado (*sp.*); (*violento*) ultrà, ultras, hooligan (*ingl.*).
tigì *s.m.* (*colloq.*) telegiornale.
tigràto *agg.* striato, zebrato.
tìgre *s.f.* ♧ belva, iena, leone.
tilt *s.m.invar.* (*ingl.*) arresto, blocco, panne (*fr.*).
timbràre *v.tr.* bollare, contrassegnare, marcare, vidimare (*burocr.*); (*il biglietto del treno*) annullare, obliterare.
tìmbro *s.m.* **1** bollo; vidimazione (*burocr.*) **2** (*di voce*) tono, colore.
timer *s.m.invar.* (*ingl.*) temporizzatore.
timidézza *s.f.* riservatezza, ritrosia; vergogna, impaccio © disinvoltura, intraprendenza, sfacciataggine, sfrontatezza.
tìmido *agg.* **1** chiuso, introverso, riservato, schivo, ritroso; insicuro, timoroso © disinvolto, sicuro, deciso, sfacciato, sfrontato **2** (*di animali*) timoroso, pauroso © feroce, aggressivo, pericoloso **3** (*di gesto, di sorriso ecc.*) goffo, impacciato, insicuro © disinvolto, sicuro coraggioso, ardito, disinibito, sfacciato, sfrontato **4** (*di tentativo e sim.*) debole, incerto, vago © chiaro, evidente, deciso.
timóne *s.m.* **1** (*di un'imbarcazione*) barra **2** (*di un carro*) stanga **3** ♧ direzione, guida, governo, comando.
timóre *s.m.* **1** ansia, paura, preoccupazione, apprensione, turbamento; dubbio, incertezza, perplessità © coraggio, serenità, tranquillità; decisione, fermezza, risolutezza **2** riguardo, rispetto, ossequio, soggezione © disprezzo, irriverenza.
timoróso *agg.* **1** ansioso, pauroso, insicuro, apprensivo, preoccupato; dubbioso, titubante © sereno, tranquillo, sicuro, risoluto, deciso **2** rispettoso, deferente, riguardoso © irrispettoso, sprezzante.
tinèllo *s.m.* salotto, soggiorno, living (*ingl.*).
tìngere *v.tr.* **1** dipingere, pitturare, colorare, tinteggiare, verniciare © stingere, scolorare **2** macchiare, sporcare, imbrattare ♦ **tingersi** *v.pr.* **1** colorarsi, dipingersi © stingersi, scolorarsi **2** truccarsi © struccarsi **3** imbrattarsi, macchiarsi © pulirsi, nettarsi.
tìnta *s.f.* **1** colore, vernice **2** (*per capelli*) colore, tintura, cachet **3** colorito **4** ♧ (*spec. al pl.*) aspetto, tono, tratto.
tinteggiàre *v.tr.* dipingere, colorare, pitturare.
tintinnàre *v.intr.* squillare.
tintinnìo *s.m.* scampanellio.
tintorìa *s.f.* lavanderia, lavasecco.
tintùra *s.f.* colorazione, tinta, colore; (*per capelli*) colore, colorante, cachet, tinta.
tìpico *agg.* **1** caratteristico, proprio, peculiare, particolare, specifico © atipico, comune, generale **2** esemplare, classico, canonico, emblematico, rappresentativo © atipico, anomalo, anormale, eccezionale.
tìpo *s.m.* **1** esempio, esemplare, campione, prototipo **2** genere, specie, qualità, razza **3** tizio, tale; persona, individuo **4** emblema, personificazione, quintessenza **5** soggetto, personaggio, sagoma ♦ *in funzione di agg.invar.* (*di famiglia, di risposta ecc.*) medio, tipico, standard.
tir, TIR *s.m.invar.* autotreno, autoarticolato, camion.
tiranneggiàre *v.tr.* opprimere, vessare, angariare, dominare ♦ *v.intr.* spadroneggiare.
tirannìa *s.f.* **1** dispotismo, dittatura, tirannide (*elev.*) **2** prepotenza, sopruso, sopraffazione, prevaricazione **3** ♧ (*del tempo e sim.*) pressione, costrizione, limitazione.
tirànnico *agg.* **1** (*di potere e sim.*) assolutista, dispotico, autoritario, dittatoriale, totalitario **2** (*di atteggiamento e sim.*) prepotente, autoritario, dittatoriale, violento © liberale, umano.
tirànno *s.m.* **1** despota, dittatore **2** ♧ dittatore, prepotente, prevaricatore, despota.
tirapièdi *s.m.f.invar.* (*spreg.*) galoppino, servo, lacchè, portaborse, scagnozzo; aiutante, sostituto.
tiràre *v.tr.* **1** tendere, trainare, trascinare, rimorchiare; avvicinare, accostare © allontanare, respingere, spingere **2** (*di lattante*) succhiare, poppare; (*il fiato*) inspirare, respirare; rilassarsi **3** gettare, lanciare, scagliare; (*calci, pugni*) sferrare, vibrare; (*colpi, pallottole ecc.*)

sparare, fare fuoco **4** (*un materiale*) allungare, tendere, distendere **5** (*una riga e sim.*) tracciare, disegnare **6** (*bozze, copie e sim.*) stampare **7** ♧ (*conclusioni, somme ecc.*) ricavare, trarre, dedurre **8** (*gerg.*; *cocaina e sim.*) sniffare (*gerg.*) ♦ *v.intr.* **1** avanzare, procedere, continuare, proseguire **2** (*di vento, di aria*) soffiare, spirare **3** (*di camino*) aspirare **4** (*di indumento*) stringere, andare stretto **5** (*colloq.*; *verso qlco.*) inclinare, propendere, tendere **6** ♧ (*di prodotto, di attività ecc.*) andare, vendere, rendere; (*di film, di musica ecc.*) piacere **7** ♧ (*sul prezzo*) contrattare, mercanteggiare ♦ **tirarsela** *v.procompl.* (*colloq.*) darsi delle arie, atteggiarsi, menarsela (*colloq.*).

tiràta *s.f.* **1** strappo, strattone; ♧ (*d'orecchi*) sgridata, rimprovero **2** (*colloq.*; *di fumo*) boccata, tiro **3** (*di lavoro e sim.*) faticata, galoppata, sgobbata **4** (*di discorso*) sermone, sproloquio; filippica, requisitoria.

tiratàrdi *s.m.f.invar.* **1** nottambulo **2** posapiano.

tiràto *agg.* **1** teso, allungato © allentato **2** ♧ (*di viso e sim.*) teso, contratto, irrigidito, sbattuto **3** (*di sorriso e sim.*) sforzato, stentato, artificioso **4** (*di tempo*) contato, limitato, scarso **5** (*nello spendere*) avaro, tirchio, spilorcio, taccagno © generoso, prodigo; sciupone, scialacquone.

tiratùra *s.f.* stampa.

tirchierìa *s.f.* avarizia, spilorceria, grettezza, taccagneria © generosità, prodigalità.

tìrchio *agg., s.m.* avaro, spilorcio, pidocchio, taccagno © generoso, prodigo.

tiremmòlla *s.m.invar.* (*colloq.*) **1** esitazione, indecisione, tentennamento © decisione, determinazione **2** (*di persona*; *anche f.*) indeciso, temporeggiatore.

tiritèra *s.f.* cantilena, nenia; lagna, litania, solfa.

tìro *s.m.* **1** traino, trazione **2** (*di una palla*) lancio; (*di proiettili*) sparo, colpo **3** ♧ scherzo, tiro mancino, inganno, trappola **4** (*di sigaretta*) tirata, boccata.

tirocìnio *s.m.* **1** pratica, addestramento, apprendistato **2** (*nel lavoro*) apprendistato, praticantato, stage (*fr.*), training (*ingl.*).

tisàna *s.f.* infuso, decotto.

tìsi *s.f.* tbc, tubercolosi.

titànico *agg.* enorme, immenso, gigantesco, grandioso, imponente, ciclopico, possente, straordinario.

titàno *s.m.* ♧ gigante, colosso © nano.

titolàre *agg.* di ruolo © precario, incaricato, supplente ♦ *s.m.f.* **1** (*dir.*) detentore **2** (*di un esercizio commerciale*) proprietario, padrone; gestore, direttore.

titolàto *agg., s.m.* blasonato, nobile, aristocratico © plebeo; borghese.

tìtolo *s.m.* **1** intestazione, intitolazione, testata **2** qualifica, denominazione, appellativo; (*iron.*) epiteto, insulto **3** (*fin.*) azione, obbligazione, effetto **4** ♧ diritto, motivo, autorità, potere, ragione, requisito **5** (*burocr.*; *spec. al pl.*) requisiti, documenti.

titubànte *agg.* esitante, dubbioso, indeciso, incerto, perplesso © deciso, sicuro, determinato, risoluto.

titubànza *s.f.* esitazione, incertezza, dubbio, perplessità, tentennamento © decisione, determinazione, sicurezza.

titubàre *v.intr.* esitare, dubitare, temporeggiare, tentennare, tergiversare © decidersi, risolversi.

tìzio *s.m.* tale, tipo, individuo.

toccànte *agg.* commovente, coinvolgente, emozionante, patetico, struggente.

toccàre *v.tr.* **1** lambire, sfiorare; palpare, tastare; colpire, urtare; picchiare, percuotere, mettere le mani addosso **2** usare, maneggiare; danneggiare, manomettere **3** cambiare, alterare, modificare **4** ♧ colpire, commuovere, impressionare, emozionare **5** ♧ riguardare, interessare, concernere, trattare **6** ♧ affrontare, discutere, trattare ♦ *v.intr.* **1** (*di fortuna*) accadere, avvenire, capitare **2** (*di compito, di reponsabilità ecc.*) spettare, competere **3** (*per diritto, per dovere, per turno*) spettare ♦ **toccarsi** *v.pr.* **1** (*colloq.*) masturbarsi **2** (*di persone*) accarezzarsi, palpeggiarsi, palparsi; sfiorarsi; urtarsi.

toccasàna *s.m.invar.* rimedio, panacea.

toccàto *agg.* **1** commosso, scosso, turbato; offeso, urtato, risentito © indifferente, impassibile **2** picchiato, suonato, svitato; strano, stravagante, strambo.

tócco[1] *agg.* (*di persona*) picchiato, suonato, svitato; strano, stravagante, strambo.

tócco[2] *s.m.* **1** (*alla porta e sim.*) colpo **2** (*di campana*) rintocco; (*per anton.*) una, tredici **3** ritocco, rifinitura **4** (*di un artista e sim.*) stile, mano, arte.

tòcco[3] *s.m.* pezzo, porzione.

toelètta *s.f.* vedi **toilette**.

tògliere *v.tr.* **1** levare, eliminare, spostare, rimuovere, scartare, tirare via © mettere, collocare, inserire, introdurre **2** rubare, sottrarre, portare via; sequestrare **3** (*da una quantità*) sottrarre, detrarre © aggiungere, mettere **4** (*da una lista e sim.*) cancellare, eliminare, depennare, stralciare © mettere, includere, inserire **5** (*dalle tasse, dal conto ecc.*) dedurre, defalcare, spuntare © aggiungere, sommare **6** (*dai guai, dagli impicci* *ecc.*) liberare, trarre, tirare fuori ♦ **togliersi** *v.pr.* **1** spostarsi, andarsene, ritrarsi, farsi da parte © avvicinarsi, accostarsi, apprestarsi, mettersi **2** (*i vestiti e sim.*) levarsi, cavarsi, sfilarsi © mettersi, infilarsi.

toilette *s.f.invar.* (*fr.*) **1** toeletta **2** bagno, gabinetto, WC, cesso (*colloq.*) **3** trucco, acconciatura **4** (*femminile*) abito, vestito, mise (*fr.*).

tollerànte *agg.* comprensivo, indulgente, paziente, accondiscendente © intollerante, intransigente, impaziente.

tollerànza *s.f.* **1** comprensione, indulgenza, pazienza, apertura © intolleranza, intransigenza, dogmatismo, fanatismo **2** (*di tempo, di misura ecc.*) approssimazione, margine, scarto, variabilità.

tolleràre *v.tr.* **1** (*il freddo, la fatica ecc.*) sopportare, sostenere, resistere, reggere **2** accettare, sopportare, sostenere; digerire, incassare, inghiottire © subire, patire **3** (*opinioni e sim.*) accettare, accogliere, ammettere © combattere, rifiutare **4** (*differenze, ritardi ecc.*) concedere, consentire, permettere.

tómba *s.f.* sepolcro, tumulo, loculo, fossa, avello (*elev.*).

tòmo *s.m.* **1** volume, libro **2** ♧ (*di persona*) soggetto, tipo, sagoma.

tonalità *s.f.* **1** (*di colore*) gradazione, sfumatura, nuance (*fr.*) **2** (*mus.*) tono.

tóndo *agg.* **1** rotondo, circolare, sferico; tondeggiante, arrotondato, curvo **2** (*di numero*) intero; (*di cifra e sim.*) preciso, esatto © approssimativo ♦ *s.m.* **1** cerchio, circonferenza, circolo **2** (*di carattere tipografico*) romano © corsivo, italico.

tónfo *s.m.* **1** colpo, rumore; caduta, capitombolo, ruzzolone **2** ♧ fallimento, insuccesso, fiasco.

tònico *agg.* **1** (*di vocale, di sillaba*) accentato © atono **2** (*di fisico e sim.*) elastico, in forma ♦ *agg., s.m.* (*di farmaco, di liquore*) digestivo, eupeptico, stimolante.

tonificàre *v.tr.* rinvigorire, irrobustire, corroborare, stimolare © debilitare, infiacchire.

tòno *s.m.* **1** (*di voce*) intensità, altezza **2** modulazione, intonazione **3** (*di un discorso, di uno scritto*) carattere, stile, taglio, piglio **4** ♧ (*di un'abitazione, di un vestito ecc.*) carattere, stile; (*di vita*) livello, tenore **5** (*mus.*) tonalità, nota **6** (*di un colore*) tonalità, sfumatura, nuance (*fr.*) **7** (*muscolare*) elasticità, tonicità; energia, forza, vigore.

tónto *agg.* stupido, sciocco, idiota, cretino, babbeo, beota, ottuso, zuccone © intelligente, sveglio, perspicace.

top *s.m.invar.* (*ingl.*) **1** apice, culmine, vertice, massimo, non plus ultra (*lat.*) © fondo, minimo **2** canottiera, canotta.

topàia *s.f.* ♧ catapecchia, stamberga, tugurio.

tòpico *agg.* fondamentale, nodale, cruciale © marginale, secondario.

tòpo *s.m.* ratto, sorcio.

tòppa *s.f.* **1** pezza, rappezzo, rattoppo **2** ♧ pezza, rattoppo; palliativo.

top secret *agg. invar.* (*ingl.*) segreto, riservato.

toràce *s.m.* petto, tronco, busto.

tórbido *agg.* **1** (*di liquido*) sporco, impuro, fangoso, melmoso © chiaro, limpido, trasparente, cristallino **2** ♧ (*di pensiero, di sguardo ecc.*) ambiguo, equivoco; impuro, peccaminoso © chiaro, limpido; innocente, onesto, puro ♦ *s.m.* marcio, marciume.

tòrcere *v.tr.* **1** avvolgere, attorcigliare, strizzare © spiegare, svolgere, distendere **2** curvare, piegare, storcere © drizzare, raddrizzare ♦ **torcersi** *v.pr.* attorcigliarsi, contorcersi, piegarsi; dibattersi.

torchiàre *v.tr.* **1** (*olive, uva*) spremere, schiacciare, pressare **2** ♧ (*colloq.*) interrogare.

tòrchio *s.m.* (*per olive*) frantoio.

tòrcia *s.f.* fiaccola; (*elettrica*) pila.

tórma *s.f.* **1** (*di soldati*) schiera, stuolo **2** (*di animali*) branco, mandria; (*di persone*) folla, massa, moltitudine, fiumana, orda, ressa.

torménta *s.f.* bufera.

tormentàre *v.tr.* **1** torturare, seviziare, martoriare **2** angosciare, affliggere, molestare, infastidire, ossessionare, perseguitare, scocciare © lasciare in pace ♦ **tormentarsi** *v.pr.* affliggersi, angosciarsi, crucciarsi, torturarsi.

tormentàto *agg.* **1** (*di persona, di vita*) angosciato, angustiato, travagliato, turbato © sereno, tranquillo **2** (*di decisione*) difficoltoso, sofferto © facile.

torménto *s.m.* **1** sofferenza, supplizio, sevizia **2** pena, afflizione, strazio, calvario **3** assillo, fastidio, molestia, seccatura, scocciatura.

tormentóso *agg.* **1** penoso, straziante **2** assillante, spiacevole, travagliato.

tornacónto *s.m.* convenienza, interesse, profitto, pro, vantaggio © danno, perdita, detrimento, svantaggio.

tornànte *s.m.* curva.

tornàre *v.intr.* **1** ritornare, fare ritorno © allontanarsi, andare via, partire **2** riandare, rivenire, ritornare; (*con la mente*) riandare, ricordare, rievocare **3** ripresentarsi, ricomparire, riproporsi **4** (*a fare, a dire*) ricominciare, riprendere **5** ♧ (*di moda e sim.*) ridiventare **6** ♧ (*utile, comodo* *ecc.*) essere, risultare, riuscire, dimostrarsi **7** (*di conto e sim.*) quadrare, corrispondere.

tornàta *s.f.* **1** seduta, sessione **2** turno.

tornèo *s.m.* **1** (*nel Medioevo*) giostra, carosello **2** (*sport*) campionato.

tornìre *v.tr.* ♧ rifinire, cesellare, perfezionare.

tornìto *agg.* ♧ (*di braccia, di gambe*) armonioso, aggraziato © disarmonico, sgraziato.

torpóre *s.m.* **1** intontimento, intorpidimento; sonno, sonnolenza; (*mentale*) lentezza, ottusità **2** pigrizia, indolenza, apatia, svogliatezza © prontezza, solerzia.

torrènte *s.m.* **1** fiume, ruscello **2** ♧ (*di parole e sim.*) fiumana, flusso, marea, profluvio.

torrenziàle *agg.* abbondante, copioso; impetuoso, scrosciante.

tòrrido *agg.* arso, infuocato, bruciante, rovente, canicolare, riarso © gelato, gelido, polare.

torsióne *s.f.* attorcigliamento, avvolgimento; contorsione.

tórso *s.m.* **1** busto, torace, tronco **2** torsolo.

tórta *s.f.* dolce, focaccia; (*salata*) pizza, quiche (*fr.*).

tòrto *s.m.* **1** ingiustizia, iniquità; offesa, sopruso © diritto, giustizia; favore, cortesia **2** colpa, errore, difetto, mancanza © diritto, merito, pregio, ragione.

tortuóso *agg.* **1** sinuoso, serpeggiante, a zig zag © dritto, rettilineo **2** ♧ complesso, complicato, contorto, oscuro, involuto; ambiguo, equivoco © chiaro, limpido, trasparente; sincero, franco.

tortùra *s.f.* **1** tormento, sevizia, supplizio **2** ♧ pena, strazio, angoscia, afflizione, calvario, tormento **3** noia, scocciatura, seccatura, supplizio © piacere, goduria, diletto.

torturàre *v.tr.* **1** martoriare, seviziare, straziare, tormentare **2** ♧ affliggere, addolorare, assillare, tormentare; seccare, molestare, infastidire © rallegrare, sollevare ♦ **torturarsi** *v.pr.* tormentarsi, affliggersi, straziarsi © confortarsi, rallegrarsi.

tórvo *agg.* bieco, minaccioso, scuro, sinistro, astioso, fosco, truce © benevolo, benigno; aperto, sereno.

tosàre *v.tr.* **1** (*un animale*) pelare; (*scherz.*; *i capelli*) rapare, rasare, pelare **2** (*erba*) tagliare, pareggiare; (*siepi, cespugli e sim.*) tagliare, potare.

tòssico *agg.* velenoso, nocivo, dannoso, venefico © atossico; innocuo, inoffensivo ♦ *s.m.* (*gerg.*) tossicodipendente, tossicomane, drogato.

tossicodipendènte *s.m.f.* drogato, tossicomane, tossico (*gerg.*).

tossicòmane *s.m.f.* vedi **tossicodipendènte**.

tostàre *v.tr.* abbrustolire; (*il caffè*) torrefare.

tostatùra *s.f.* abbrustolimento; (*di caffè*) torrefazione.

tòsto *agg.* **1** (*colloq.*) cocciuto, duro, testardo; forte, energico, determinato, in gamba, capace © incapace, inetto **2** (*colloq.*; *di libro, di esame ecc.*) difficile, impegnativo © facile, leggero.

tòt *agg.indef.invar.* **1** (*al pl.*) tanti **2** (*al sing.*) tale ♦ *pron.indef.* tanto.

totàle *agg.* completo, assoluto, generale, globale, illimitato, incondizionato, pieno © parziale, limitato ♦ *s.m.* risultato, somma.

totalità *s.f.* interezza, completezza, globalità; complesso, insieme, totale © parzialità, particolarità; particolare, frammento.

totalitàrio *agg.* **1** globale, generale, totale **2** (*di regime, di stato*) assolutistico, dispotico, dittatoriale, tirannico © democratico, liberale.

totalitarìsmo *s.m.* dispotismo, dittatura, tirannia © democrazia.

totalizzàre *v.tr.* conseguire, ottenere, raggiungere.

tòtem *s.m.invar.* feticcio, idolo.

tour *s.m.invar.* (*fr.*) **1** giro, visita, viaggio **2** (*ciclistico*) giro.

tour de force *loc.s.m.invar.* (*fr.*) faticata, galoppata, sfacchinata, sforzo, sudata, tirata.

tour operator *loc.s.m.invar.* (*ingl.*) operatore turistico.

tovagliòlo *s.m.* salvietta.

tòzzo[1] *agg.* grosso, massiccio, pesante, tarchiato, tracagnotto © slanciato, snello, longilineo.

tòzzo[2] *s.m.* pezzo, boccone.

traballànte *agg.* barcollante, ondeggiante, oscillante, instabile, insicuro © fermo, immobile, saldo, stabile.

traballàre *v.intr.* barcollare, vacillare, ondeggiare, oscillare, pencolare, tentennare.

trabìccolo *s.m.* carretta, bagnarola, catorcio, macinino, rottame.

traboccànte *agg.* strapieno, straripante, ricolmo; carico, gonfio, zeppo.

traboccàre *v.intr.* fuoriuscire, straboccare, debordare.

trabocchétto *s.m.* **1** botola **2** ♧ trappola, tranello, inganno, insidia, stratagemma ♦ *in funzione di agg.invar.* ingannevole, insidioso.

tracannàre *v.tr.* ingurgitare, ingollare, trangugiare; sbevazzare © sorseggiare, centellinare.

traccheggiàre *v.intr.* esitare, indugiare, prendere tempo, tergiversare, temporeggiare.

tràccia *s.f.* **1** orma, impronta, pesta, scia, solco, striscia **2** segno, indizio **3** testimonianza, documentazione, ricordo; (*archeologica*) resto, vestigia **4** (*di un disegno, di un progetto ecc.*) schizzo, abbozzo, bozza **5** (*di un discorso, di uno scritto*) bozza, schema, scaletta; spunto, suggerimento **6** (*di sarcasmo, di ironia ecc.*) sfumatura, venatura **7** (*edil.*; *nelle pareti*) scanalatura.

tracciàre *v.tr.* **1** segnare, indicare, solcare **2** (*una strada, una rotta ecc.*) indicare, delineare, preparare, segnare; (*una linea e sim.*) tirare, disegnare **3** ♧ (*il quadro di una situazione e sim.*) descrivere, delineare, abbozzare, tratteggiare.

tracciàto *s.m.* **1** (*di una strada*) percorso, pista, itinerario **2** diagramma.

tracimàre *v.intr.* straripare.

tracòllo *s.m.* crollo, crac, perdita, rovina, fallimento, dissesto, bancarotta.

tracotànte *agg.* arrogante, presuntuoso, prepotente, insolente, supponente © umile, mite, modesto.

tracotànza *s.f.* arroganza, boria, altezzosità, insolenza, presunzione, spocchia, supponenza © modestia, umiltà, bonarietà, mitezza.

tradiménto *s.m.* **1** infedeltà, voltafaccia, diserzione (*mil.*) **2** inganno, frode, imbroglio.

tradìre *v.tr.* **1** ingannare; (*la moglie, il marito ecc.*) cornificare; (*le attese, le speranze ecc.*) deludere, disattendere © tener fede **2** (*un segreto*) rivelare, raccontare, svelare, spiattellare © mantenere **3** (*un pensiero, un testo ecc.*) distorcere, travisare, falsare **4** ♧ (*un'emozione, un sentimento ecc.*) manifestare, mostrare, rivelare © nascondere, celare ♦ **tradirsi** *v.pr.* scoprirsi, smascherarsi.

traditóre *s.m.* fedifrago, giuda, fellone (*elev.*); (*mil.*) disertore ♦ *agg.* falso, infedele, infido, sleale, ingannatore © fedele, leale.

tradizionàle *agg.* **1** consueto, usuale, abituale, classico, canonico, convenzionale, regolare © nuovo, innovativo, recente, insolito, inconsueto **2** (*colloq.*) abituale, consueto, rituale, di rito, solito © insolito, inconsueto.

tradizionalìsmo *s.m.* conformismo, conservatorismo © anticonformismo, modernismo, riformismo (*polit.*).

tradizionalìsta *s.m.f.* conformista, conservatore, nostalgico, passatista, reazionario © innovatore, progressista, riformista.

tradizióne *s.f.* **1** uso, costume, usanza, credenza; folclore **2** (*colloq.*) abitudine, regola, uso, usanza, consuetudine.

tradùrre *v.tr.* **1** volgere; trasferire, rendere **2** (*burocr.*; *i detenuti*) trasferire, spostare.

traduttóre *s.m.* interprete.

traduzióne *s.f.* **1** versione; (*cinematografica*) doppiaggio **2** (*burocr.*; *di detenuti*) trasferimento, trasporto, spostamento.

trafelàto *agg.* affannato, ansante, ansimante.

trafficànte *s.m.f.* faccendiere, trafficone; (*di armi*) mercante, venditore; (*di droga*) spacciatore, narcotrafficante.

trafficàre *v.intr.* **1** commerciare, negoziare **2** darsi da fare, affaccendarsi, industriarsi, ingegnarsi; armeggiare ♦ *v.tr.* (*droga, armi ecc.*) commerciare, vendere, spacciare.

trafficàto *agg.* battuto, frequentato, movimentato © vuoto, deserto.

tràffico *s.m.* **1** (*spec. illecito*) commercio **2** (*di passeggeri, di merci ecc.*) movimento **3** (*di veicoli*) flusso; ingorgo, congestione **4** (*colloq.*; *di persone*) andirivieni, viavai.

trafficóne *s.m.* maneggione, intrallazzatore, faccendiere, trafficante, intrigante.

trafiggere *v.tr.* **1** (*con una spada e sim.*) trapassare, infilzare **2** ♧ ferire, colpire, addolorare.

trafila *s.f.* procedura, iter.

trafilétto *s.m.* (*giorn.*) asterisco, corsivo, stelloncino.

traforàre *v.tr.* bucare, forare, perforare; bucherellare.

trafugàre *v.tr.* rubare, sottrarre, portare via.

tragèdia *s.f.* **1** IPERON. dramma © commedia, farsa **2** (*avvenimento tragico*) disgrazia, sciagura, catastrofe, disastro, lutto, rovina.

traghétto *s.m.* **1** traversata **2** nave traghetto, ferry-boat (*ingl.*), battello.

tragicità *s.f.* drammaticità, gravità, tragico; fatalità; malinconia, tristezza © comicità, comico.

tràgico *agg.* **1** IPERON. drammatico © comico, farsesco, umoristico **2** (*di evento e sim.*) doloroso, triste, catastrofico, drammatico, luttuoso, nefasto © felice, lieto, divertente, comico ♦ *s.m.* **1** tragediografo © comico **2** tragicità © comico, divertente.

tragìtto *s.m.* cammino, strada, viaggio, itinerario, percorso.

traguàrdo *s.m.* **1** (*sport*) arrivo © partenza **2** ♧ meta, obiettivo, fine, scopo.

traiettòria *s.f.* linea, percorso, tragitto.

trainàre *v.tr.* **1** rimorchiare, tirare **2** ♧ trascinare, coinvolgere.

trainer *s.m.f.* (*ingl.*) allenatore, preparatore, istruttore, coach (*ingl.*), mister (*ingl.*).

training *s.m.invar.* (*ingl.*) allenamento, addestramento, preparazione atletica.

tràino *s.m.* **1** rimorchio, trascinamento **2** ♧ stimolo, impulso, incentivo, spinta © freno.

trait d'union *loc.s.m.invar.* (*fr.*) connessione, legame, collegamento, nesso; (*di persona*) intermediario, mediatore, tramite, anello di congiunzione.

tralasciàre *v.tr.* **1** abbandonare, interrompere, sospendere, mollare (*colloq.*) © completare, concludere, finire; continuare **2** (*particolari e sim.*) omettere, saltare, trascurare; dimenticare, scordare © considerare, includere, inserire; ricordare.

tralìccio *s.m.* **1** intelaiatura, ossatura, struttura **2** (*della luce*) palo.

tralignàre *v.intr.* (*elev.*) deviare, degenerare, corrompersi, decadere.

tràma *s.f.* **1** intreccio, ordito, tessuto **2** ♧ congiura, complotto, cospirazione, imbroglio, intrigo, macchinazione, raggiro **3** ♧ (*di un romanzo, di un film*) intreccio, soggetto, storia, argomento.

tramandàre *v.tr.* trasmettere.

tramàre *v.tr.* ordire, macchinare, complottare, congiurare, cospirare.

trambùsto *s.m.* agitazione, confusione, caos, baraonda, casino (*colloq.*), subbuglio; baccano, fracasso, chiasso © tranquillità, pace.

tramestìo *s.m.* confusione, movimento; rumore.

tramezzìno *s.m.* sandwich (*ingl.*).

tràmite *s.m.* mezzo, strumento, trait d'union (*fr.*); (*di persona*) intermediario, mediatore.

tramontàre *v.intr.* **1** (*di sole, di luna*) calare, declinare; scomparire © sorgere, spuntare, levarsi **2** ♧ finire, scomparire, terminare, esaurirsi, decadere, volgere al termine © nascere, sorgere, cominciare, iniziare.

tramónto *s.m.* **1** (*ora*) calare del sole, crepuscolo, imbrunire © alba, aurora, sorgere del sole **2** ♧ fine, declino, decadenza, scomparsa, termine © alba, inizio, nascita, origine.

tramortìre *v.tr.* stordire ♦ *v.intr.* perdere i sensi, svenire © rinvenire, riaversi.

tramortìto *agg.* stordito, esanime, privo di sensi, svenuto.

tramutàre *v.tr.* (*una cosa in un'altra*) trasformare ♦ **tramutarsi** *v.pr.* mutarsi, trasformarsi.

trance *s.f.invar.* (*ingl.*) **1** ipnosi **2** ♧ estasi.

tranche *s.f.invar.* (*fr.*) **1** parte **2** (*econ.*) quota.

tranciàre *v.tr.* tagliare, recidere, troncare.

tràncio *s.m.* fetta, porzione.

tranèllo *s.m.* inganno, insidia, trabocchetto, trappola.

trangugiàre *v.tr.* **1** inghiottire, ingoiare, mandare giù; ingurgitare **2** ♧ (*colloq.*; *l'ira, lo sdegno e sim.*) reprimere, soffocare; (*un dispiacere e sim.*) sopportare, subire.

tranquillànte *s.m.* calmante, sedativo, ansiolitico (*med.*) © eccitante, stimolante.

tranquillità *s.f.* **1** calma, pace, quiete, serenità; flemma, impassibilità, placidità © agitazione, ansia, nervosismo, inquietudine, turbamento **2** (*di un luogo*) calma, pace, silenzio © caos, confusione.

tranquillizzàre *v.tr.* **1** calmare, placare, rabbonire, sedare © agitare, eccitare, innervosire **2** rasserenare, rassicurare, confortare © preoccupare, allarmare, angosciare, sconvolgere ♦ **tranquillizzarsi** *v.pr.* **1** calmarsi, acquietarsi © agitarsi, innervosirsi **2** rasserenarsi, rassicurarsi © angosciarsi, preoccuparsi.

tranquìllo *agg.* **1** (*di persona*) calmo, quieto, sereno, pacifico, flemmatico, imperturbabile © agitato, ansioso, nervoso, irrequieto, teso **2** (*di luogo*) calmo, silenzioso, riparato © caotico, rumoroso **3** (*di mare*) calmo, piatto © agitato, grosso, mosso.

transazióne *s.f.* **1** (*dir.*) accordo, compromesso, accomodamento, conciliazione **2** (*comm.*) compravendita.

transènna *s.f.* barriera, sbarramento.

transessuàle *s.m.f.* trans (*colloq.*); travestito; viado (*portogh.*).

trànsfuga *s.m.f.* (*elev.*) disertore, fuggiasco.

transìgere *v.intr.* arrendersi, cedere, conciliare, patteggiare, venire a un compromesso.

transitàbile *agg.* agibile, percorribile, praticabile © intransitabile, impraticabile, impercorribile.

transitàre *v.intr.* passare.

trànsito *s.m.* passaggio.

transitorietà *s.f.* provvisorietà, precarietà; caducità, fugacità © stabilità, durevolezza.

transitòrio *agg.* provvisorio, passeggero, momentaneo, precario, temporaneo; effimero, caduco, fugace, fuggevole © definitivo, duraturo, durevole, permanente.

trantràn *s.m.invar.* monotonia, quotidianità, routine (*fr.*).

trapassàre *v.tr.* trafiggere, infilzare; (*di proiettili e sim.*) attraversare, perforare, penetrare ♦ *v.intr.* (*eufem.*) morire, passare a miglior vita, decedere.

trapàsso *s.m.* **1** passaggio, transizione **2** ♧ (*eufem.*) morte, decesso, dipartita (*elev.*).

trapelàre *v.intr.* **1** (*di luce, di liquido ecc.*) filtrare, affiorare, trasparire **2** ♧ (*di notizia, di emozione ecc.*) manifestarsi, palesarsi, trasparire; venire a galla, venire alla luce.

trapiantàre *v.tr.* **1** (*una pianta*) rinvasare, travasare (*colloq.*) **2** ♧ spostare, trasferire **3** (*un organo*) innestare ♦ **trapiantarsi** *v.pr.* trasferirsi, spostarsi, emigrare.

trapiànto *s.m.* **1** (*di pianta*) rinvaso, travaso (*colloq.*) **2** (*di organo*) innesto, impianto.

tràppola *s.f.* **1** IPON. laccio, tagliola **2** ♧ agguato, imboscata **3** ♧ inganno, trabocchetto, imbroglio, insidia, tranello **4** (*colloq.*; *di automobile vecchia e sim.*) carretta, catorcio, ferrovecchio, trabiccolo.

tràrre *v.tr.* **1** tirare, trascinare © spingere **2** ♧ (*in inganno, in errore ecc.*) indurre, spingere **3** (*la spada e sim.*) estrarre, sguainare **4** ♧ (*d'impiccio, dai pasticci ecc.*) levare, togliere, tirare fuori **5** (*prodotti e sim.*) ottenere, ricavare, derivare **6** ♧ (*vantaggi, utili e sim.*) conseguire, percepire **7** (*idee, stimoli ecc.*) prendere, derivare ♦ **trarsi** *v.pr.* **1** (*da parte, in disparte*) mettersi **2** (*d'impiccio*) tirarsi fuori, togliersi.

trasalìre *v.intr.* sussultare, sobbalzare, spaventarsi.

trasandàto *agg.* **1** (*di persona*) disordinato; trascurato, sciatto, dimesso © curato, ordinato; elegante, ricercato **2** (*di lavoro e sim.*) negligente, sciatto, trascurato © accurato, curato, diligente.

trascendentàle *agg.* **1** (*filos.*) inconoscibile, soprannaturale, soprasensibile © empirico, fenomenico, immanente **2** eccezionale, straordinario, sublime © banale, ordinario.

trascéndere *v.tr.* (*l'immaginazione e sim.*) superare, oltrepassare ♦ *v.intr.* eccedere, esagerare, passare i limiti; dare in escandescenze, perdere il controllo.

trascinàre *v.tr.* **1** strascicare, strascinare; tirare, trainare, rimorchiare © spingere **2** ♧ (*a forza*) costringere, forzare **3** ♧ (*alla rovina, al fallimento ecc.*) condurre, portare **4** ♧ coinvolgere, entusiasmare, appassionare, avvincere, attrarre © allontanare ♦ **trascinarsi** *v.pr.* **1** strascicarsi, strascinarsi **2** (*nel tempo*) prolungarsi, protrarsi, perdurare © concludersi.

trascórrere *v.tr.* passare, spendere, occupare, impiegare, vivere ♦ *v.intr.* (*del tempo*) passare, scorrere, fluire, andarsene.

trascórso *agg.* (*di tempo*) passato, finito, andato, vissuto, impiegato © futuro, venturo, presente ♦ *s.m.* errore, debolezza, colpa, sbaglio.

trascrìvere *v.tr.* **1** copiare, ricopiare **2** (*da un alfabeto a un altro*) traslitterare.

trascrizióne *s.f.* **1** copiatura, ricopiatura; copia **2** (*da un alfabeto a un altro*) traslitterazione **3** (*dir.*) iscrizione, registrazione **4** (*mus.*) arrangiamento.

trascuràbile *agg.* insignificante, irrilevante, irrisorio, minimo; impercettibile, infinitesimale, insensibile © notevole, considerevole, importante, serio, significativo.

trascuràre *v.tr.* **1** disinteressarsi, infischiarsi (*colloq.*), abbandonare © badare, occuparsi, prendersi cura, interessarsi **2** dimenticare, tralasciare, omettere © considerare, tenere conto ♦ **trascurarsi** *v.pr.* lasciarsi andare, sbracarsi (*colloq.*) © curarsi.

trascuratézza *s.f.* **1** abbandono, incuria, disordine © attenzione, cura **2** (*nel vestire e sim.*) incuria, sciatteria, trasandatezza © eleganza, ricercatezza **3** negligenza, disattenzione, dimenticanza © cura, diligenza, scrupolo, solerzia.

trascuràto *agg.* **1** abbandonato, dimenticato, ignorato © curato, seguito **2** (*nel lavoro*) negligente, sciatto, affrettato, trasandato © curato, accurato, attento, diligente, scrupoloso **3** (*nel vestire e sim.*) dimesso, disordinato, malmesso, sciatto, trasandato © curato, elegante, ordinato, ricercato.

trasecolàre *v.intr.* meravigliarsi, stupirsi, stupefarsi, allibire, restare di stucco.

trasecolàto *agg.* attonito, esterrefatto, meravigliato, sbalordito, strabiliato, stupefatto, di sale (*colloq.*), di sasso (*colloq.*), di stucco.

trasferìbile *agg.* **1** trasportabile, amovibile © intrasferibile, intrasportabile, inamovibile **2** (*dir.*; *di bene e sim.*) cedibile, alienabile © inalienabile, incedibile, intrasferibile.

trasferiménto *s.m.* **1** spostamento, trasporto; trasferta **2** (*dir.*; *di beni e sim.*) alienazione, cessione, passaggio.

trasferìre *v.tr.* **1** spostare, trasportare; (*un detenuto*) tradurre; (*una salma*) traslare **2** ♧ (*dir.*; *un bene, un diritto ecc.*) cedere, alienare, trasmettere ♦ **trasferirsi** *v.pr.* spostarsi, traslocare; emigrare © fermarsi, stabilirsi.

trasfèrta *s.f.* trasferimento; diaria.

trasfóndere *v.tr.* trasmettere, inculcare, infondere.

trasformàre *v.tr.* cambiare, modificare, mutare, variare; rivoluzionare ♦ **trasformarsi** *v.pr.* modificarsi, mutarsi, tramutarsi; cambiare, maturare, evolversi, crescere.

trasformatóre *s.m.* **1** innovatore, riformatore **2** (*elettr.*) commutatore, convertitore.

trasformazióne *s.f.* mutamento, cambiamento, modifica, evoluzione, metamorfosi; rinnovamento.

trasformìsmo *s.m.* (*spreg.*) doppiogiochismo, opportunismo.

trasgredìre *v.tr.* e *.intr.* calpestare, violare, disattendere, infrangere; disubbidire, derogare © osservare, rispettare, seguire; ubbidire.

trasgressióne *s.f.* **1** contravvenzione, disubbidienza, violazione © rispetto, ubbidienza, adempimento, osservanza **2** anticonformismo, dissacrazione.

trasgressìvo *agg.* anticonformista, dissacrante, dissacratorio, irriverente.
trasgressóre *s.m.* contravventore, inadempiente, inosservante © ligio, osservante, rispettoso, ubbidiente.
traslàto *agg.* figurato, metaforico ♦ *s.m.* metafora.
traslitteràre *v.tr.* trascrivere.
traslitterazióne *s.f.* trascrizione.
traslocàre *v.tr.* trasferire, trasportare, spostare ♦ *v.intr.* trasferirsi, cambiare casa.
traslòco *s.m.* trasferimento, trasporto.
trasméttere *v.tr.* **1** (*una tradizione e sim.*) tramandare **2** (*una proprietà e sim.*) cedere, trasferire, alienare (*dir.*) © acquisire **3** (*per posta, per e-mail ecc.*) inviare, inoltrare, spedire; (*per fax*) inviare, faxare (*colloq.*) © ricevere **4** (*una malattia*) attaccare, diffondere **5** (*una notizia e sim.*) annunciare, comunicare, diramare **6** (*tramite radio o televisione*) dare, mandare in onda, diffondere ♦ **trasmettersi** *v.pr.* comunicarsi, diffondersi, passare.
trasmigràre *v.intr.* **1** (*di animali*) migrare; (*di popolo*) emigrare, trasferirsi; trapiantarsi, insediarsi **2** (*dell'anima*) reincarnarsi.
trasmissióne *s.f.* **1** (*di un diritto, di un bene e sim.*) passaggio, trasferimento, cessione, alienazione (*dir.*) © acquisizione **2** comunicazione, diffusione, diramazione, divulgazione **3** (*televisiva, radiofonica*) programma, spettacolo **4** (*di una malattia*) diffusione, propagazione.
trasmittènte *agg.* emittente © ricevente ♦ *s.f.* emittente radiofonica, stazione radio, stazione teletrasmittente.
trasognàto *agg.* assorto, imbambolato, incantato, estraniato; rapito © attento, sveglio, vigile.
trasparènte *agg.* **1** cristallino, diafano, traslucido © opaco **2** (*di acqua, di cielo ecc.*) limpido, cristallino © torbido (*di acqua*), scuro, nuvoloso (*di cielo*) **3** (*iron.*) magro, secco, sottile © grosso, grasso **4** ♧ chiaro, esplicito, evidente, manifesto © oscuro, incerto, dubbio, ambiguo **5** ♧ (*di animo e sim.*) limpido, franco, leale, schietto, sincero © ambiguo, doppio, falso, ipocrita.
trasparènza *s.f.* **1** limpidezza, nitidezza, purezza © opacità **2** ♧ chiarezza, evidenza © ambiguità, oscurità **3** ♧ franchezza, onestà, rettitudine, schiettezza © falsità, ambiguità, ipocrisia, doppiezza.
trasparìre *v.intr.* **1** (*di luce e sim.*) filtrare, traslucere **2** ♧ (*di sentimenti, di pensieri ecc.*) manifestarsi, mostrarsi, rivelarsi, trapelare © nascondersi, celarsi.
traspiràre *v.intr.* **1** sudare **2** (*di umidità e sim.*) filtrare, trasudare **3** ♧ (*di idee, di emozioni ecc.*) manifestarsi, trapelare ♦ *v.tr.* **1** sudare **2** ♧ manifestare, rivelare.
traspirazióne *s.f.* sudorazione, sudore.
trasportàre *v.tr.* **1** spostare, trasferire, condurre, portare, traslocare; spingere, trascinare, portare via **2** (*un disegno e sim.*) riprodurre, copiare, trasferire **3** ♧ (*di rabbia, di sdegno ecc.*) vincere, sopraffare, trascinare **4** ♧ (*di film, di spettacolo ecc.*) trascinare, avvincere.
traspòrto *s.m.* **1** spostamento, trasferimento, trasbordo, trasloco **2** ♧ slancio, impeto, entusiasmo, passione, foga © indifferenza.
trasposizióne *s.f.* **1** spostamento **2** (*cinematografica, teatrale e sim.*) riduzione, versione, adattamento (*teatr.*).
trastullàre *v.tr.* distrarre, divertire, intrattenere © annoiare, tediare ♦ **trastullarsi** *v.pr.* **1** distrarsi, divertirsi, svagarsi © annoiarsi **2** (*perdere tempo*) gingillarsi, cincischiare, bighellonare, oziare © darsi da fare; lavorare.
trastùllo *s.m.* **1** gioco, divertimento, passatempo, spasso, svago © noia, tedio **2** giocattolo, balocco, gingillo; (*di persona*) zimbello.
trasudàre *v.intr.* (*di liquidi*) filtrare, gocciolare, stillare, trapelare, traspirare; (*med.*) essudare ♦ *v.tr.* **1** gocciolare, colare **2** ♧ (*invidia, rabbia e sim.*) manifestare, mostrare, rivelare © nascondere, celare.
trasversàle *agg.* **1** traverso, diagonale, obliquo, sghembo © diritto; orizzontale, verticale **2** ♧ (*di vendetta e sim.*) indiretto.
trasvolàre *v.intr.* sorvolare.
tràtta *s.f.* **1** (*di autobus, di treno ecc.*) tratto, percorso; linea **2** (*di schiavi e sim.*) commercio, traffico, mercato **3** IPERON. cambiale.
trattàbile *agg.* **1** (*di prezzo*) negoziabile, mercanteggiabile © fisso **2** ♧ affabile, amabile, gentile, condiscendente, socievole © intrattabile, scorbutico, asociale.
trattaménto *s.m.* **1** lavorazione, manipolazione **2** (*inform.*) elaborazione **3** (*med.*) cura, terapia **4** accoglienza, ricevimento; vitto **5** (*di lavoro*) condizioni.
trattàre *v.tr.* **1** (*un argomento, una questione e sim.*) affrontare, discutere, spiegare, sviluppare, svolgere; analizzare, esaminare, elaborare **2** (*una tregua, un affare ecc.*) negoziare, patteggiare, contrattare, discutere **3** (*qlcu. in un determinato modo*) agire, comportarsi **4** (*con qlcu.*) frequentare, bazzicare (*colloq.*) **5** (*una macchina, uno strumento e sim.*) adoperare, usare, maneggiare **6** (*prodotti, merci ecc.*) commercia-

re, vendere, tenere **7** (*un affare e sim.*) condurre, portare avanti, curare, occuparsi **8** (*un materiale*) lavorare, trasformare **9** (*una ferita, un disturbo e sim.*) curare ♦ *v.intr.* **1** (*di libro, di documentario e sim.*) affrontare, proporre, sviluppare, analizzare, esaminare; parlare, toccare, concernere, vertere **2** (*per raggiungere un accordo*) accordarsi, venire a patti, discutere, confrontarsi ♦ *v.impers.* riguardare, concernere.

trattatìva *s.f.* contrattazione, negoziato, negoziazione, patteggiamento.

trattàto *s.m.* **1** studio, scritto, saggio, monografia; manuale; dissertazione, trattazione **2** accordo, patto, concordato, convenzione.

trattazióne *s.f.* **1** (*di un argomento*) esposizione, illustrazione, analisi, dissertazione **2** (*di libro*) studio, scritto, trattato, tesi.

tratteggiàre *v.tr.* **1** accennare, abbozzare, delineare **2** disegnare, raffigurare **3** ♧ (*un personaggio, un ambiente ecc.*) descrivere, delineare, caratterizzare, rappresentare.

trattenére *v.tr.* **1** fermare, bloccare; arrestare, imprigionare © lasciare, lasciare andare, liberare; rilasciare **2** (*ospiti e sim.*) intrattenere, divertire **3** ♧ (*dal compiere qlco.*) dissuadere, distogliere, scoraggiare, sconsigliare © convincere, spingere, indurre **4** tenere, conservare, tenere da parte; sequestrare **5** (*il riso, le lacrime ecc.*) contenere, soffocare, dominare, frenare, reprimere © liberare, sfogare ♦ **trattenersi** *v.pr.* **1** restare, soffermarsi © congedarsi **2** reprimersi, controllarsi, frenarsi, dominarsi © sfogarsi, liberarsi; sbottare, scoppiare.

tratteniménto *s.m.* intrattenimento, ricevimento, party (*ingl.*).

trattenùta *s.f.* ritenuta.

trattìno *s.m.* tratto, lineetta.

tràtto *s.m.* **1** linea, segno, rigo; (*di pennello*) pennellata **2** ♧ (*spec. al pl.*) lineamenti, fattezze **3** ♧ carattere, caratteristica **4** (*di tubo, di strada ecc.*) parte, pezzo, porzione **5** (*di tempo*) momento, periodo, spazio, arco **6** (*di uno scritto*) brano, parte, passo, passaggio, punto **7** (*nei rapporti con gli altri*) atteggiamento, modi, comportamento, condotta, contegno.

trattorìa *s.f.* locanda, osteria, taverna; bettola (*spreg.*).

tràuma *s.m.* **1** lesione; (*psic.*) shock (*ingl.*) **2** ♧ colpo, botta, batosta, mazzata, shock (*ingl.*); sconvolgimento.

traumàtico *agg.* ♧ scioccante, sconvolgente, impressionante, traumatizzante.

traumatizzàre *v.tr.* ♧ scioccare, impressionare, sconvolgere, turbare.

travagliàto *agg.* **1** agitato, angosciato, combattuto, preoccupato, turbato © calmo, sereno, tranquillo **2** (*di paese, di popolo ecc.*) straziato, tormentato, martoriato **3** (*di decisione e sim.*) sofferto, difficile, tormentato © sereno, facile.

travàglio *s.m.* **1** (*del parto*) doglie **2** ♧ (*interiore*) dolore, pena, preoccupazione, angoscia, angustia, turbamento.

travasàre *v.tr.* rinvasare.

travèrsa *s.f.* **1** asta, sbarra, stecca, stanga **2** (*del letto*) cerata **3** (*via trasversale*) trasversale, laterale, via traversa.

traversàre *v.tr.* attraversare, oltrepassare, superare, varcare, valicare.

traversàta *s.f.* attraversamento, passaggio; (*con l'aereo*) trasvolata.

traversìa *s.f.* (*spec. al pl.*) avversità, contrarietà, peripezia, disgrazia, sciagura, sventura.

travèrso *agg.* trasversale, diagonale, obliquo, sghembo.

travestiménto *s.m.* camuffamento, mascheramento, maschera.

travestìre *v.tr.* **1** mascherare, camuffare, truccare **2** ♧ mascherare, nascondere ♦ **travestirsi** *v.pr.* **1** mascherarsi, vestirsi, truccarsi, camuffarsi **2** ♧ fingersi, mascherarsi, simulare.

traviaménto *s.m.* corruzione morale, depravazione, sviamento © redenzione, riscatto.

traviàre *v.tr.* corrompere, depravare, fuorviare, pervertire, sviare ♦ **traviarsi** *v.pr.* deviare, corrompersi, guastarsi.

travisaménto *s.m.* distorsione, stravolgimento, alterazione, mistificazione.

travisàre *v.tr.* distorcere, equivocare, falsare, stravolgere, snaturare, mistificare; fraintendere.

travolgènte *agg.* **1** forte, impetuoso, violento, prorompente, scatenato © calmo, tranquillo, placido **2** ♧ appassionante, coinvolgente, entusiasmante, esaltante, incontrollabile, irresistibile, trascinante.

travòlgere *v.tr.* **1** abbattere, investire, trascinare via, trascinare **2** ♧ (*di passione e sim.*) prendere, assalire, sopraffare, trascinare.

tréccia *s.f.* (*di fili, di nastri ecc.*) intreccio.

trégua, **trègua** *s.f.* **1** armistizio, cessate il fuoco (*mil.*) **2** (*di scontri e sim.*) interruzione, sospensione © continuazione, proseguimento **3** ♧ sosta, pausa, riposo, quiete, requie.

trekking *s.m.invar.* (*ingl.*) escursione.

tremàre *v.intr.* **1** rabbrividire, battere i denti **2** ♧ (*avere paura*) palpitare, trepidare; angosciarsi, preoccuparsi; spaventarsi **3** (*di cosa*) tremolare, vibrare, sussultare, dondolare, oscillare, ondeggiare **4** ♧ (*di luce*) tremolare, vacillare;

(*di voce*) tremolare; (*di vista*) appannarsi, offuscarsi.

tremarèlla *s.f.* **1** tremito **2** agitazione, batticuore, paura, spavento, timore, fifa (*colloq.*).

tremèndo *agg.* **1** orribile, mostruoso, spaventoso, terribile, allucinante, raccapricciante, terrificante **2** (*colloq., iperb.*) straordinario, eccezionale, folle, pazzesco (*colloq.*)

trèmito *s.m.* fremito, brivido, tremore.

tremolànte *agg.* **1** tremante, tremulo; (*di luce, di fiamma ecc.*) ondeggiante, vacillante; (*di voce, di tono ecc.*) incerto, insicuro, esitante © fermo, sicuro **2** molle, flaccido © duro, sodo.

tremolàre *v.intr.* oscillare, ondeggiare, tremare; (*di luce*) tremare, vacillare; (*di suono*) tremare.

tremolìo *s.m.* oscillazione, ondeggiamento, tremito, tremore; (*di luce*) vacillamento, sfarfallamento.

tremóre *s.m.* **1** tremito, tremolio **2** ♧ agitazione, ansia, inquietudine, paura, palpitazione, trepidazione © calma, serenità, tranquillità, coraggio.

trèmulo *agg.* tremante, tremolante, vacillante; ondeggiante, oscillante; (*di voce*) incerto, esitante, insicuro, tremante © fermo, sicuro, saldo.

trend *s.m.invar.* (*ingl.*) **1** (*econ.*) tendenza, andamento **2** indirizzo, orientamento, tendenza; moda, voga.

trèno *s.m.* **1** convoglio ferroviario **2** ♧ serie, successione.

trepidànte *agg.* ansioso, agitato, angosciato, preoccupato, timoroso, tremante, turbato.

trepidàre *v.intr.* tremare, angosciarsi, preoccuparsi, temere.

trepidazióne *s.f.* apprensione, agitazione, preoccupazione, inquietudine, timore © calma, serenità, tranquillità; coraggio.

trésca *s.f.* **1** avventura, relazione, storia (*colloq.*), amorazzo (*colloq.*) **2** intrigo, imbroglio, raggiro, macchinazione, trama.

tribolàre *v.intr.* soffrire, patire, penare ♦ *v.tr.* affliggere, tormentare, torturare, straziare.

tribolazióne *s.f.* dolore, pena, patimento, sofferenza, tormento, afflizione; difficoltà, avversità, contrarietà; calvario, croce.

tribù *s.f.* **1** clan, gente **2** ♧ (*scherz.*) esercito, moltitudine, stuolo, truppa.

tribùna *s.f.* **1** palco, podio, pulpito **2** loggia, palco **3** (*allo stadio*) spalto, gradinata.

tribunàle *s.m.* **1** (*luogo*) corte di giustizia, palazzo di giustizia, foro **2** (*organo giudiziario*) giustizia, foro.

tributàre *v.tr.* dare, rendere, riconoscere, riservare.

tributàrio *agg.* **1** (*di gettito, di entrata ecc.*) fiscale, erariale **2** (*soggetto a un contributo*) contribuente **3** (*di corso d'acqua*) affluente, immissario © emissario.

tribùto *s.m.* **1** imposta, tassa, gravame **2** ♧ offerta, omaggio, contributo.

trillàre *v.intr.* squillare IPERON. suonare.

trìllo *s.m.* squillo; (*di uccello*) canto, cinguettio, gorgheggio.

trìna *s.f.* pizzo, merletto.

trinceràrsi *v.pr.* **1** proteggersi, fortificarsi **2** ♧ chiudersi, barricarsi, difendersi, nascondersi.

trionfàle *agg.* grandioso, magnifico, splendido, stupendo.

trionfànte *agg.* **1** trionfatore, vittorioso, vincente © perdente, sconfitto **2** esultante, raggiante, gongolante, soddisfatto © abbattuto, mesto, triste.

trionfàre *v.intr.* **1** vincere; prevalere © perdere, soccombere **2** stravincere, annientare, stracciare (*colloq.*).

trionfatóre *s.m.* vincitore, dominatore © vinto, sconfitto, perdente.

triónfo *s.m.* **1** (*militare*) vittoria, successo © sconfitta, disfatta **2** affermazione, exploit (*fr.*), successo, riuscita © sconfitta, disfatta, batosta, fiasco, insuccesso, flop (*ingl.*) **3** esaltazione, celebrazione, glorificazione, apoteosi © umiliazione, mortificazione **4** ♧ (*di colori, di luci e sim.*) tripudio, spettacolo, sfavillio, sfolgorio.

triplicàre *v.tr.* (*gli sforzi e sim.*) aumentare, moltiplicare, accrescere, intensificare © diminuire, ridurre.

tripudiàre *v.intr.* gioire, esultare, festeggiare.

tripùdio *s.m.* **1** esultanza, felicità, gioia, giubilo © amarezza, tristezza **2** ♧ (*di luci, di suoni ecc.*) spettacolo, trionfo, sfolgorio, sfavillio.

trìste *agg.* **1** infelice, malinconico, addolorato, abbattuto, avvilito, amareggiato, demoralizzato, depresso, mesto, mogio, rattristato © allegro, contento, felice, gioioso, spensierato **2** (*di evento e sim.*) infelice, tragico, doloroso, desolante, infausto penoso, amaro © felice, lieto, sereno **3** (*di film, di musica ecc.*) malinconico, commovente, deprimente, patetico, sentimentale, strappalacrime, lacrimevole, straziante, struggente; funebre, funereo, sepolcrale © allegro, divertente, spassoso **4** (*di luogo*) cupo, desolato, tetro, squallido, lugubre, funereo © ameno, ridente, piacevole.

tristézza *s.f.* **1** (*d'animo*) infelicità, malinconia, amarezza, dolore, afflizione, abbattimento, depressione, sconforto, scoraggiamento © felicità, contentezza, allegria, buonumore **2** (*di cosa* *che ispira malinconia o dolore*) cupezza, desolazione, squallore, malinconia, pena, sofferenza © bellezza, piacevolezza **3** (*al pl.*) dispiacere, dolore, disgrazia, pena, sofferenza © gioia, piacere.

tritàre *v.tr.* triturare, sminuzzare, spezzettare, macinare, pestare.

trìto *agg.* **1** tritato, sbriciolato, sminuzzato, spezzettato, triturato **2** ♧ (*di argomento, di discorso ecc.*) risaputo, logoro, abusato, vecchio, frusto, fritto e rifritto (*colloq.*), scontato © nuovo, originale, inedito.

trituràre *v.tr.* tritare, sminuzzare, sbriciolare, spezzettare.

triviàle *agg.* volgare, scurrile, sguaiato, sconcio, osceno, cafone, grossolano, sboccato © elegante, fine, raffinato, distinto, delicato.

trofèo *s.m.* **1** (*nell'antichità classica*) armi, spoglie **2** (*sport*) primo premio, coppa, medaglia, targa **3** (*gara*) premio, coppa.

troglodìta *s.m.f.* **1** uomo delle caverne, cavernicolo, uomo preistorico **2** ♧ (*persona rozza, incivile*) barbaro, incivile, cavernicolo, primitivo, selvaggio, zotico.

troglodìtico *agg.* **1** cavernicolo, primitivo **2** ♧ primitivo, rozzo, selvaggio, incivile, incolto, arretrato © fine, raffinato; civile.

tròia *s.f.* **1** (*colloq.*) scrofa **2** ♧ sgualdrina, donnaccia (*colloq.*); (*volg.*) prostituta, puttana, bagascia, battona, baldracca, mignotta, zoccola.

trómba *s.f.* **1** (*mus.*) tuba, cornetta, flicorno **2** (*suonatore di tromba*) trombettista.

trombàre *v.tr.* (*colloq.*; *a elezioni, esami ecc.*) bocciare, respingere, silurare © promuovere; eleggere.

trombóne *s.m.* ♧ fanfarone, gradasso, smargiasso, spaccone, sbruffone.

troncàre *v.tr.* **1** rompere, spezzare, spaccare, tagliare, mozzare, recidere **2** affaticare, sfinire, stremare **3** ♧ (*una relazione, un'amicizia ecc.*) interrompere, rompere, chiudere, tagliare, dare un taglio (*colloq.*) © continuare, proseguire; riprendere.

trónco[1] *agg.* **1** mozzo, reciso, spaccato, mozzato, spezzato, tagliato © intero, integro **2** affaticato, spossato, sfiancato, stremato **3** ♧ (*di frase, di discorso ecc.*) incompleto, incompiuto, interrotto, frammentario, lacunoso © completo, compiuto.

trónco[2] *s.m.* **1** (*di albero*) fusto **2** busto, torso **3** (*di un oggetto spezzato*) troncone, moncone **4** (*di ferrovia, di strada ecc.*) parte, pezzo, tratto, tratta, troncone; diramazione, ramo.

troncóne *s.m.* **1** (*di un oggetto spezzato*) tronco, moncone; (*di arto*) moncherino, moncone **2** (*di ferrovia, di strada ecc.*) parte, pezzo, tratto, tratta, tronco.

troneggiàre *v.intr.* **1** (*per statura*) dominare, emergere, ergersi, spiccare, sovrastare **2** (*per importanza e sim.*) emergere, spiccare, eccellere, distinguersi, primeggiare **3** (*di cosa*) spiccare, risaltare.

trónfio *agg.* **1** borioso, altezzoso, arrogante, superbo, pieno di sé, presuntuoso, spocchioso, supponente © modesto, semplice, umile **2** (*di stile e sim.*) ampolloso, enfatico, pomposo, magniloquente, prolisso, ridondante © asciutto, conciso, essenziale, semplice, sobrio.

tròno *s.m.* **1** seggio; cattedra **2** ♧ (*potere, autorità di sovrano*) corona, regno; monarchia.

tropicàle *agg.* **1** equatoriale **2** afoso, cocente, rovente, soffocante, torrido © gelido, glaciale, polare, mite, temperato.

trottàre *v.intr.* (*di persona*) **1** correre, galoppare, sgambare, camminare **2** (*colloq.*) sgobbare, sfacchinare, darsi da fare, affannarsi © oziare, poltrire, prendersela comoda.

trovàre *v.tr.* **1** recuperare, rinvenire, ritrovare, ripescare, rintracciare © perdere, smarrire **2** scoprire, individuare, rintracciare, scovare **3** imbattersi, incappare, incontrare **4** sorprendere, cogliere, pescare, beccare (*colloq.*), pizzicare (*gerg.*) **5** (*una scusa e sim.*) inventare, ideare, pensare, escogitare, architettare **6** (*un lavoro e sim.*) ottenere, procurarsi, raggiungere **7** (*giovamento, vantaggio ecc.*) avere, ricavare, ricevere, trarre **8** notare, osservare, riscontrare, constatare; giudicare, ritenere, stimare, reputare **9** (*fare visita a qlcu.*) visitare, fare visita ♦ **trovarsi** *v.pr.* **1** incontrarsi, vedersi **2** andare d'accordo, intendersi © scontrarsi **3** essere, stare; capitare, arrivare, finire **4** (*di cosa*) situarsi, collocarsi, essere, stare, restare (*colloq.*) **5** (*un lavoro e sim.*) ottenere, procacciarsi, procurarsi.

trovàta *s.f.* **1** stratagemma, espediente, idea, invenzione, trucco, escamotage (*fr.*); colpo di genio, lampo di genio, pensata, ideona (*colloq.*) **2** battuta, arguzia, facezia, spiritosaggine, gag (*ingl.*), boutade (*fr.*).

truccàre *v.tr.* **1** travestire, camuffare, mascherare **2** imbellettare, dipingere (*colloq.*) © struccare **3** ♧ (*risultati e sim.*) alterare, falsare, falsificare, manipolare ♦ **truccarsi** *v.pr.* **1** travestirsi, mascherarsi, camuffarsi **2** imbellettarsi, dipingersi (*colloq.*), pitturarsi (*colloq.*) © struccarsi.

trucco *s.m.* **1** camuffamento, mascheramento, travestimento **2** cosmetico, make-up (*ingl.*), maquillage (*fr.*), belletto **3** espediente, artificio, accorgimento, stratagemma **4** inganno, imbroglio, raggiro, frode.

trùce *agg.* **1** cupo, minaccioso, fosco, torvo, truculento © chiaro, limpido; sereno, tranquillo **2** (*di delitto e sim.*) crudele, feroce, barbaro, bestiale, brutale, efferato, spietato, disumano.

trucidàre *v.tr.* ammazzare, assassinare, massacrare, scannare, squartare.

truculènto *agg.* **1** truce, torvo, bieco, minaccioso **2** (*di film, di narrazione ecc.*) violento, cruento, sanguinoso, pulp (*ingl.*).

trùffa *s.f.* **1** imbroglio, inganno, bidone (*gerg.*), fregatura, raggiro, pacco (*gerg.*).

truffàre *v.tr.* **1** imbrogliare, ingannare, abbindolare, raggirare, fregare (*colloq.*), fottere (*volg.*), inculare (*volg.*), turlupinare (*elev.*) **2** rubare, sottrarre, frodare, fregare (*colloq.*).

truffatóre *s.m.* furfante, imbroglione, impostore, lestofante © onestuomo, galantuomo.

trùppa *s.f.* **1** (*mil.*) soldati, forze militari; esercito, armata **2** ♧ esercito, folla, massa, moltitudine, schiera, stuolo, orda, torma.

tubàre *v.intr.* (*scherz.*) amoreggiare.

tubatùra *s.f.* conduttura, tubazione; condotto, tubo.

tubazióne *s.f.* conduttura, tubatura, collettore; canale, condotto, tubo.

tubercolòsi *s.f.* tbc, mal sottile; tisi.

tùbo **1** condotto, tubatura, canale **2** (*anat.*) canale, condotto, dotto **3** (*colloq.*; *in frasi negative*) niente; acca, cavolo, fico, fico secco, mazza, corno, cazzo (*volg.*).

tuffàre *v.tr.* (*in un liquido*) immergere, affondare, sommergere ♦ **tuffarsi** *v.pr.* **1** (*in acqua*) buttarsi, gettarsi, saltare **2** buttarsi, lanciarsi, precipitarsi **3** ♧ (*nello studio, nella lettura ecc.*) buttarsi, immergersi, sprofondarsi, seppellirsi.

tùffo *s.m.* **1** bagno **2** (*nel vuoto e sim.*) caduta; (*di aereo*) picchiata **3** balzo, salto, lancio **4** ♧ sussulto, sobbalzo, scossa.

tugùrio *s.m.* bicocca, capanna, casupola, stamberga, catapecchia, topaia.

tumefàtto *agg.* (*di occhio, di viso ecc.*) gonfio, livido, rigonfio, turgido © sgonfio.

tumefazióne *s.f.* gonfiore, ingrossamento, rigonfiamento, tumescenza (*med.*).

tùmido *agg.* (*spec. di labbra*) carnoso, pieno, turgido © fine, sottile.

tumóre *s.m.* neoplasia, neoplasma, cancro, carcinoma.

tumulàre *v.tr.* seppellire, sotterrare, inumare © disseppellire, dissotterrare, esumare, riesumare.

tumulazióne *s.f.* sepoltura, seppellimento, inumazione © disseppellimento, dissotterramento, esumazione, riesumazione.

tumùlto *s.m.* **1** disordine, confusione, casino (*colloq.*), scompiglio, parapiglia, putiferio, subbuglio, trambusto © calma, ordine, pace, silenzio **2** agitazione, rivolta, sommossa, insurrezione, moto, sedizione, sollevazione **3** ♧ (*interiore*) agitazione, inquietudine, scombussolamento, sconvolgimento © calma, pace, serenità, tranquillità.

tumultuóso *agg.* **1** (*di fiume, di vento ecc.*) agitato, burrascoso, impetuoso, turbolento © calmo, pacifico, tranquillo **2** ♧ (*di sentimento e sim.*) agitato, convulso, inquieto, contraddittorio, tormentato, travagliato, travolgente, violento © sereno, tranquillo.

tùnica *s.f.* veste; (*religiosa*) tonaca, saio.

tùnnel *s.m.invar.* **1** galleria, traforo **2** ♧ (*della droga e sim.*) spirale, circolo vizioso.

tuonàre *v.intr.* **1** risuonare, rimbombare, brontolare, rumoreggiare **2** ♧ (*contro qlcu.*) scagliarsi, inveire; gridare, urlare.

tuòno *s.m.* boato, rombo, fragore, strepito.

tuòrlo *s.m.* rosso d'uovo, giallo, rosso.

turàcciolo *s.m.* sughero; tappo.

turàre *v.tr.* chiudere, tappare, otturare, sigillare © sturare, stappare ♦ **turarsi** *v.pr.* chiudersi, tapparsi, otturarsi, occludersi, ostruirsi.

tùrba[1] *s.f.* folla, massa, esercito, stuolo, schiera, truppa; (*spreg.*) accozzaglia, orda.

tùrba[2] *s.f.* alterazione, turbamento, disturbo.

turbaménto *s.m.* **1** (*interiore*) agitazione, sconvolgimento, confusione, inquietudine, malessere, rimescolamento, scombussolamento, sconcerto, sfasamento, smarrimento, stordimento, shock (*ingl.*), trauma © calma, serenità, tranquillità; controllo, indifferenza, padronanza **2** (*di situazione e sim.*) rivolgimento, scompiglio, sconvolgimento, sovvertimento.

turbàre *v.tr.* **1** agitare, confondere, inquietare, scombussolare, stordire; preoccupare, impensierire, tormentare; commuovere, emozionare, toccare; imbarazzare; infastidire, importunare; (*profondamente*) sconvolgere, scioccare, stravolgere © calmare, tranquillizzare, placare, rassicurare, rasserenare **2** (*l'ordine, la tranquillità ecc.*) disturbare, alterare, disordinare, ostacolare, perturbare, sconvolgere, rivoluzionare, sovvertire © ristabilire, riportare ♦ **turbarsi** *v.pr.* **1** agitarsi, alterarsi, affannarsi, inquietarsi, confondersi, disorientarsi, scombussolarsi; preoccuparsi, adombrarsi, impensierirsi, crucciarsi, rabbuiarsi; commuoversi, emozionarsi; imbarazzarsi; (*profondamente*) sconvolgersi, stravolgersi © calmarsi, tranquillizzarsi, placarsi, rassicurarsi, rasserenarsi **2** (*di tempo atmosferico*) annuvolarsi, guastarsi, perturbarsi, oscurarsi, rannuvolarsi © rasserenarsi, schiarirsi, migliorare.

turbàto *agg.* agitato, confuso, alterato, disorientato, scombussolato, sottosopra; commosso, emozionato; preoccupato, teso, tormentato; (*profondamente*) scioccato, sconvolto, stravolto © calmo, sereno, tranquillo.

turbinàre *v.intr.* **1** mulinare, roteare, vorticare **2** ♧ (*di pensieri e sim.*) agitarsi, brulicare, frullare, vorticare.

tùrbine *s.m.* **1** (*di vento e sim.*) mulinello, turbinio, vortice **2** ♧ (*di pensieri e sim.*) confusione, infinità, quantità, tumulto, tempesta, ridda, turbinio, vortice.

turbinìo *s.m.* **1** (*di vento e sim.*) mulinello, turbine, vortice **2** ♧ (*di pensieri e sim.*) confusione, infinità, quantità, tumulto, tempesta, ridda, turbine, vortice.

turbinòso *agg.* **1** (*di vento e sim.*) burrascoso, impetuoso, tempestoso **2** ♧ agitato, concitato, convulso, febbrile, frenetico, vertiginoso.

turbolènto *agg.* **1** (*di persona*) irrequieto, scalmanato, scatenato; ribelle, indisciplinato, insubordinato © quieto, calmo; disciplinato, ubbidiente **2** (*di periodo, di relazione ecc.*) agitato, burrascoso, tempestoso, tormentato © sereno, tranquillo.

turbolènza *s.f.* **1** irrequietezza, inquietudine; disubbidienza, indisciplinatezza, insubordinazione © calma, tranquillità; disciplina, ubbidienza **2** (*sociale, politica ecc.*) disordine, agitazione, tumulto, sommossa, sollevazione **3** (*di clima*) agitazione, sconvolgimento.

tùrgido *agg.* **1** gonfio, rigonfio, tumefatto (*med.*) © sgonfio **2** (*di labbra*) carnoso, pieno, tumido © sottile.

turìsta *s.m.f.* vacanziere, villeggiante, viaggiatore, gitante; visitatore.

turlupinàre *v.tr.* (*elev.*) imbrogliare, ingannare, raggirare, bidonare (*gerg.*), infinocchiare (*colloq.*), circuire, inculare (*volg.*).

tùrno *s.m.* **1** avvicendamento, alternanza, rotazione, turnover (*ingl.*) **2** (*di lavoro*) servizio; orario.

turnover *s.m.invar.* (*ingl.*) rotazione, avvicendamento, alternanza, turno.

tùrpe *agg.* ignobile, indegno, infame, disonesto, abominevole, abietto, empio, nefando, immondo, osceno, sconcio, spregevole, vergognoso © degno, nobile, retto, onesto.

tutèla *s.f.* **1** difesa, cura, protezione, conservazione, salvaguardia; controllo, vigilanza **2** (*dir.*) custodia.

tutelàre[1] *v.tr.* difendere, proteggere, custodire, salvaguardare, cautelare, sostenere, patrocinare, garantire ♦ **tutelarsi** *v.pr.* assicurarsi, cautelarsi, difendersi, proteggersi, salvaguardarsi © compromettersi, esporsi.

tutelàre[2] *agg.* **1** (*dir.*) tutorio **2** custode, difensore, protettore, patrocinatore.

tutìna *s.f.* body (*ingl.*), pagliaccetto, salopette (*fr.*).

tutóre *s.m.* protettore, difensore, garante, paladino, custode.

TV, tv *s.f.invar.* **1** televisione (*colloq.*), televisore, tivù (*colloq.*) **2** televisione, piccolo schermo, teleschermo; canale, rete.

u, U

ubbidìre e derivati vedi **obbedìre** e derivati.
ubertóso *agg.* (*elev.*) fertile, ricco opulento, produttivo © improduttivo, sterile.
ubicàre *v.tr.* (*di edifici e sim.*) situare, porre.
ubicàto *agg.* posto, sito, situato.
ubicazióne *s.f.* posizione, collocazione, disposizione.
ubiquità *s.f.* (*teol.*) onnipresenza.
ubriacaménto *s.m.* ubriacatura, sbornia, ciucca, (*colloq.*).
ubriacàre *v.tr.* **1** inebriare **2** ♧ (*di chiacchiere e sim.*) frastornare, intontire, rimbambire, rimbecillire, rintronare, stordire ♦ **ubriacarsi** *v.pr.* **1** sbronzarsi (*colloq.*), alzare il gomito, bere un bicchiere di troppo, inebriarsi **2** ♧ (*di felicità, di gioia ecc.*) bearsi, eccitarsi, esaltarsi, inebriarsi, stordirsi.
ubriacatùra *s.f.* **1** ubriachezza, ebbrezza, sbornia (*colloq.*), ciucca (*colloq.*) **2** ♧ esaltazione, entusiasmo, passione; infatuazione, sbandata (*colloq.*).
ubriachézza *s.f.* **1** ebbrezza **2** alcolismo, etilismo.
ubriàco *agg.* **1** sbronzo, bevuto (*colloq.*), avvinazzato, ciucco (*colloq.*), ebbro; (*leggermente*) alticcio, brillo © lucido, sobrio **2** ♧ (*di fatica, di sonno ecc.*) frastornato, intontito, rintronato, stordito © lucido, sveglio, presente **3** ♧ (*di gioia, d'amore ecc.*) ebbro, esaltato, pazzo © controllato, moderato.
ubriacóne *s.m.* alcolizzato, avvinazzato, beone, spugna; (*med.*) alcolista, etilista © astemio.
uccellièra *s.f.* aviario, voliera.
uccèllo *s.m.* **1** volatile, pennuto **2** (*volg.*) membro, pene, cazzo (*volg.*), fallo, pisello (*colloq.*).
uccìdere *v.tr.* **1** ammazzare, assassinare, eliminare, sopprimere, liquidare, freddare; (*colloq.*) accoppare, fare fuori, fare secco, fare la pelle, fare la festa, togliere di mezzo **2** ♧ distruggere, cancellare, eliminare, soffocare, spegnere, sradicare, sfinire; soffocare ♦ **uccidersi** *v.pr.* **1** suicidarsi, togliersi la vita, farla finita, ammazzarsi **2** morire, accopparsi (*colloq.*), lasciarci la pelle (*colloq.*), perdere la vita, rimetterci la pelle.
uccisióne *s.f.* delitto, assassinio, omicidio, ammazzamento, esecuzione, soppressione.
uccisóre *s.m.* omicida, assassino, killer (*ingl.*).
udìbile *agg.* percepibile, avvertibile © inudibile, impercettibile.
udiènza *s.f.* **1** attenzione, ascolto **2** colloquio, incontro.
udìre *v.tr.* **1** sentire, avvertire, distinguere, intendere, percepire **2** (*una notizia, una novità ecc.*) apprendere, sentire, sapere **3** (*un discorso e sim.*) ascoltare, seguire; assistere **4** (*un consiglio*) accettare, seguire; (*una richiesta e sim.*) esaudire, soddisfare © respingere, rifiutare **5** capire, comprendere.
udìto *s.m.* (*fine, debole ecc.*) orecchio.
uditóre *s.m.* **1** ascoltatore **2** (*al pl.*) uditorio, pubblico.
uditòrio *s.m.* pubblico, ascoltatori, uditori.
ufficiàle[1] *agg.* **1** (*di notizia, di incontro ecc.*) formale, pubblico © informale, ufficioso; privato, confidenziale **2** (*di visita, di nomina ecc.*) formale, regolamentare © informale, ufficioso.
ufficiàle[2] *s.m.* **1** (*pubblico*) funzionario **2** (*mil.*) graduato.
ufficialità *s.f.* formalità © informalità, ufficiosità, riservatezza.
ufficializzàre *v.tr.* (*una nomina e sim.*) formalizzare; sancire, sanzionare.
ufficializzazióne *s.f.* formalizzazione.
ufficio *s.m.* **1** compito, dovere, obbligo **2** incarico, carica, mansione, funzione **3** cerimonia, funzione, rito **4** (*al pl.*) favore, servigio **5** (*di un professionista*) studio, gabinetto.
ufficióso *agg.* (*di fonte, di notizia ecc.*) informale, semiufficiale; confidenziale, riservato © formale, ufficiale.
ùfo, **UFO** *s.m.invar.* (*ingl.*) oggetto volante non identificato, disco volante; alieno, extraterrestre, marziano.
ùggia *s.f.* **1** fastidio; noia, tedio **2** antipatia, avversione © simpatia.
uggiolàre *v.intr.* guaire, mugolare.
uggióso *agg.* fastidioso, noioso, tedioso, pesante © allegro, divertente, interessante.
uguagliànza *s.f.* **1** equivalenza, identità, uniformità © disuguaglianza, differenza, distinzione **2** (*tra i sessi e sim.*) parità **3** ♧ (*di idee, di gusti ecc.*)

corrispondenza, somiglianza, affinità, analogia, concordanza, rispondenza © differenza, discordanza, incompatibilità **4** (*di forze e sim.*) parità, equilibrio, equivalenza © disparità, squilibrio.

uguagliàre *v.tr.* **1** (*tasse, stipendi ecc.*) uniformare, perequare © sperequare **2** (*una siepe e sim.*) livellare, pareggiare; (*un terreno*) spianare **3** paragonare, confrontare, comparare **4** (*in capacità, in bravura ecc.*) pareggiare **5** (*sport; un record e sim.*) raggiungere ♦ **uguagliarsi** *v.pr.* **1** paragonarsi, confrontarsi, identificarsi © differenziarsi, diversificarsi **2** coincidere, collimare, equivalere © discordare, differire.

uguàle *agg.* **1** identico, medesimo, preciso, pari, tale e quale, gemello; conforme, consonante, coincidente © disuguale, differente, diverso **2** uniforme, omogeneo; costante, inalterato, immutato, stabile © vario, discontinuo, disomogeneo; instabile, mutevole, variabile **3** (*di superficie*) liscio, piano, regolare, uniforme © irregolare, aspro, scabro ♦ *s.m.* **1** pari **2** lo stesso.

ulcerazióne *s.f.* piaga, lesione.

ulterióre *agg.* altro, nuovo, addizionale, aggiuntivo, supplementare; successivo, seguente, posteriore © precedente, passato, vecchio.

ultimàre *v.tr.* compiere, completare, concludere, finire, terminare, portare a termine © avviare, cominciare, iniziare; abbandonare, interrompere, lasciare a metà.

ultimatum *s.m.invar.* (*lat.*) aut aut.

ùltimo *agg.* **1** finale, conclusivo, estremo, definitivo, terminale © primo, iniziale **2** ♧ (*di parola e sim.*) decisivo, definitivo, risolutivo **3** ♧ (*di moda, di notizia ecc.*) nuovo, recente **4** (*nello spazio*) estremo, lontano, remoto © vicino **5** ♧ (*di pensiero, di preoccupazione ecc.*) secondario, marginale, trascurabile © primo, principale, prioritario **6** ♧ (*per importanza e sim.*) inferiore, infimo, peggiore © primo, migliore, superiore **7** ♧ sommo, massimo, supremo ♦ *s.m.* **1** © primo **2** ♧ conclusione, limite.

ultrà *s.m.invar.* **1** (*in politica*) estremista, oltranzista © moderato **2** (*tifoso di una squadra di calcio*) hooligan (*ingl.*).

ultraterréno *agg.* soprannaturale, trascendente, sovrumano © umano, terreno.

ululàre *v.intr.* **1** (*di cane, di lupo*) urlare **2** ♧ (*di vento e sim.*) urlare, rumoreggiare.

ululàto *s.m.* **1** (*di cane, di lupo*) urlo, ululo **2** ♧ (*di vento e sim.*) ululato, muggito.

umanìstico *agg.* **1** classico, classicistico **2** (*di disciplina, di facoltà ecc.*) letterario © scientifico.

umanità *s.f.* **1** (*di condizione umana*) © divinità **2** genere umano, mondo, gente, società **3** carità, pietà, bontà, compassione, comprensione, solidarietà © disumanità, crudeltà, barbarie, cattiveria, atrocità.

umanitàrio *agg.* **1** (*di persona, di gesto ecc.*) umano, pietoso, caritatevole © disumano, inumano **2** (*di associazione, di progetto e sim.*) benefico, filantropico, caritativo **3** altruista, generoso, disinteressato © egoista, interessato.

umanizzàre *v.tr.* civilizzare, dirozzare, ingentilire © disumanizzare, imbarbarire.

umàno *agg.* **1** (*di natura, di condizione ecc.*) mortale, terreno © divino, sovrumano, soprannaturale **2** (*di errore e sim.*) naturale, comprensibile **3** buono, caritatevole, generoso, comprensivo, compassionevole, misericordioso, pietoso © crudele, barbaro, brutale, impietoso, malvagio ♦ *s.m.* **1** uomo, essere umano, mortale **2** © divino.

umettàre *v.tr.* inumidire, bagnare © asciugare.

umidità *s.f.* umido © aridità, secchezza, secco, siccità.

ùmido *agg.* bagnato, impregnato, inumidito, umidiccio; (*di sudore*) madido © secco, asciutto, arido, arso ♦ *s.m.* **1** umidità **2** (*gastron.*) stufato.

ùmile *agg.* **1** modesto, semplice © superbo, orgoglioso, altezzoso, arrogante, pieno di sé, tronfio **2** arrendevole, docile, remissivo, sottomesso, ubbidiente; deferente, rispettoso © disubbidiente, ribelle, riottoso **3** semplice, modesto, misero, povero, dimesso © elegante, lussuoso, pomposo, ricco, sontuoso **4** (*di lavoro e sim.*) misero, modesto, meschino © prestigioso **5** (*di origini e sim.*) basso, modesto, infimo; plebeo, popolare © nobile, aristocratico; alto, elevato.

umiliànte *agg.* avvilente, degradante, mortificante; imbarazzante © esaltante, gratificante.

umiliàre *v.tr.* **1** avvilire, mortificare, degradare, svilire © esaltare, lodare; inorgoglire **2** (*la superbia, gli istinti ecc.*) reprimere, soffocare, trattenere © liberare, sfogare ♦ **umiliarsi** *v.pr.* **1** sottovalutarsi, disprezzarsi, sminuirsi, svalutarsi © stimarsi, considerarsi, sopravvalutarsi; esaltarsi, insuperbirsi **2** abbassarsi, annichilirsi, prostrarsi, mortificarsi, piegarsi, sottomettersi © imporsi, rifarsi.

umiliazióne *s.f.* **1** avvilimento, mortificazione © esaltazione, lode, onore **2** (*atto, cosa che umilia*) mortificazione, offesa, schiaffo, schiaffo morale.

umiltà *s.f.* **1** modestia, semplicità © superbia, alterigia, orgoglio, presunzione, tracotanza **2** arrendevolezza, condiscendenza, remissività, sottomissione; rispetto, deferenza © ribellione, indocilità, riottosità **3** (*di origini e sim.*) modestia, oscurità © nobiltà **4** (*di abito, di abitazione ecc.*) semplicità, modestia, povertà © lusso, ricchezza, sontuosità.

umoràle *agg.* lunatico, capriccioso, instabile, volubile © equilibrato, stabile.

umóre *s.m.* **1** liquido, fluido, succo; acqua; linfa (*bot.*) **2** carattere, natura, indole, temperamento **3** disposizione morale, spirito, stato d'animo, luna (*colloq.*) **4** (*al pl.*; *del pubblico e sim.*) gusto, tendenza.

umorìsmo *s.m.* spirito, ironia, comicità, vis comica (*lat.*), humour (*ingl.*), sense of humour (*ingl.*).

umorìstico *agg.* **1** comico, spiritoso, ironico, divertente, esilarante, scherzoso © serio, triste, tragico **2** (*spreg.*) ridicolo, grottesco, buffonesco, risibile © serio.

unànime *agg.* **1** (*di gruppo e sim.*) concorde, compatto, coeso, solidale, unito, d'accordo © diviso, discorde, dissenziente **2** (*di approvazione, di condanna ecc.*) completo, compatto, generale, totale, plebiscitario, universale, unitario © parziale, limitato.

unanimità *s.f.* (*di giudizio, di opinione ecc.*) compattezza, coesione, concordanza, uniformità; generalità, totalità, universalità © dissenso, disaccordo, divergenza.

una tantum *agg.invar.* straordinario, eccezionale © continuativo.

uncìno *s.m.* gancio, rampino.

ùngere *v.tr.* **1** spalmare, cospargere; (*un ingranaggio e sim.*) lubrificare, ingrassare, oliare **2** (*un indumento, una tovaglia ecc.*) macchiare, sporcare, impiastricciare © smacchiare, sgrassare **3** ♧ adulare, lisciare; corrompere, comprare, oliare (*colloq.*).

ùnghia *s.f.* **1** (*zool.*) artiglio, unghiolo, unghione, zoccolo **2** (*piccola quantità*) ombra, pizzico, briciolo, nonnulla.

unguènto *s.m.* crema, balsamo, pomata.

unicità *s.f.* **1** esclusività **2** eccezionalità, ineguagliabilità, impareggiabilità, particolarità, straordinarietà © normalità, ordinarietà.

ùnico *agg.* **1** solo, singolo, uno, isolato © molteplice, numeroso, plurimo, vario **2** eccezionale, ineguagliabile, insuperabile, straordinario © normale, comune, ordinario **3** (*di abito e sim.*) esclusivo ♦ *s.m.* solo.

unificàre *v.tr.* **1** unire, riunire, raccogliere, fondere © separare, dividere, frammentare, scindere **2** uniformare, standardizzare, omogeneizzare © differenziare ♦ **unificarsi** *v.pr.* fondersi, unirsi © dividersi, frammentarsi, scindersi.

unificazióne *s.f.* **1** unione, fusione, conglobamento, riunione © separazione, divisione, frammentazione **2** standardizzazione, uniformazione © diversificazione.

uniformàre *v.tr.* **1** (*un colore e sim.*) pareggiare, uguagliare **2** (*gusti e sim.*) accordare, appiattire, conformare, omologare, massificare © diversificare, personalizzare **3** standardizzare, unificare, omogeneizzare © differenziare ♦ **uniformarsi** *v.pr.* adeguarsi, conformarsi, allinearsi, appiattirsi, omologarsi © differenziarsi, distinguersi, staccarsi.

unifórme[1] *agg.* **1** uguale, omogeneo, standard © diverso, disuguale **2** (*di terreno e sim.*) liscio, piano, regolare, piatto © irregolare, ruvido **3** ♧ (*di esistenza, di paesaggio ecc.*) monotono, piatto, grigio, monocorde © vario, variato, mosso, multiforme **4** ♧ (*di moto, di ritmo ecc.*) continuo, costante, regolare © irregolare, discontinuo, incostante.

unifórme[2] *s.f.* **1** (*mil.*) divisa **2** (*professionale*) divisa, tenuta.

uniformità *s.f.* **1** omogeneità, organicità; continuità, regolarità © varietà, eterogeneità, diversità **2** (*di intenti, di opinioni ecc.*) concordanza, consonanza, accordo, affinità, sintonia, unanimità © differenza, difformità, disaccordo; contrasto, inconciliabilità **3** (*di un paesaggio e sim.*) grigiore, monotonia, piattezza © varietà, vivacità.

unilateràle *agg.* **1** © bilaterale, multilaterale **2** ♧ (*di discorso, di giudizio ecc.*) parziale, arbitrario, fazioso, partigiano © imparziale, obiettivo.

unióne *s.f.* **1** congiungimento, collegamento, fusione, unificazione; combinazione, mescolamento © divisione, separazione, scissione **2** insieme, combinazione, complesso, composizione, miscuglio, mescolanza **3** (*sindacale, sportiva ecc.*) associazione, aggregazione, consorzio, federazione, società; (*politica*) alleanza, blocco, coalizione, lega **4** (*affettiva e sim.*) legame, rapporto, relazione, vincolo; matrimonio **5** ♧ collegamento, connessione, correlazione, nesso © frattura, frammentazione, frammentarietà **6** ♧ armonia, coesione, continuità, organicità © disarmonia, discontinuità, disorganicità.

unìre *v.tr.* **1** attaccare, combinare, accostare, collegare, congiungere, mescolare © dividere, separare **2** (*gli sforzi, le forze ecc.*) raccogliere, riunire, associare, alleare, mettere insieme © dividere, frammentare, frazionare **3** (*una cosa a un'altra*) aggiungere, sommare, addizionare, incorporare © levare, togliere **4** (*di persone*) accomunare, legare, affratellare, alleare, associare © dividere, separare, disgregare **5** (*strade, città ecc.*) collegare, congiungere, mettere in comunicazione © dividere, separare ♦ **unirsi** *v.pr.* **1** associarsi, allearsi, consociarsi, federarsi, stringersi © dividersi, separarsi, disgregarsi **2** (*di colori, di suoni ecc.*) amalgamarsi, armonizzarsi, fondersi, legarsi, mischiarsi © contrastare **3** (*di acque, di strade ecc.*) confluire, congiungersi, collegarsi, convergere, incontrarsi © diramarsi, divergere, dividersi **4** (*a un gruppo, a un'associazione ecc.*) aderire, affiliarsi, aggregarsi, associarsi © dividersi, staccarsi **5** (*in matrimonio*) sposarsi © separarsi, divorziare.

unità *s.f.* **1** singolarità, unicità © molteplicità, pluralità **2** (*culturale, politica ecc.*) unione, unitarietà, omogeneità © divisione, frammentazione, suddivisione **3** (*stilistica, espressiva ecc.*) armonia, organicità, omogeneità © disarmonia, disorganicità, frammentazione **4** (*di intenti e sim.*) accordo, armonia, concordia, convergenza, coesione, comunanza © disaccordo, contrasto, contrapposizione **5** elemento; parte, membro, componente © gruppo **6** (*mil.*) reparto; scaglione **7** (*di un ospedale*) reparto.

unitarietà *s.f.* omogeneità; compattezza, organicità © frazionamento, disomogeneità, disarmonia, separazione.

unitàrio *agg.* **1** unico, unito, indivisibile © diviso, divisibile, vario **2** (*di prezzo, di costo ecc.*) singolo © complessivo, globale, totale **3** (*di idee, di stile ecc.*) armonico, omogeneo, organico © disorganico, disarmonico, frammentario **4** (*di decisione e sim.*) concorde, unanime © discorde.

unìto *agg.* **1** compatto © disunito, diviso **2** (*di colore, di stoffa ecc.*) uniforme, in tinta unita © fantasia, disegnato; multicolore **3** ♧ (*di famiglia, di gruppo ecc.*) affiatato, legato, coeso, concorde, solidale © disgregato, disunito, diviso.

universàle *agg.* **1** cosmico, mondiale, planetario; internazionale, ecumenico © locale, nazionale, particolare **2** comune, generale, globale, totale © particolare, peculiare, specifico **3** (*spec. di verità*) assoluto © relativo **4** (*di accordo, di consenso ecc.*) unanime, generale, corale, unitario © parziale, limitato **5** (di *strumento, di attrezzo ecc.*) multifunzionale, polifunzionale.

universalità *s.f.* **1** generalità, globalità, totalità © parte, elemento **2** (*di accordo, di consenso ecc.*) unanimità © parzialità.

universitàrio *agg.* accademico ♦ *s.m.* **1** studente **2** accademico, cattedratico IPERON. professore, docente.

univèrso *s.m.* **1** cosmo, spazio, infinito **2** mondo, natura, creato **3** ♧ (*di una persona*) ambiente, mondo.

unìvoco *agg.* (*di significato*) indubbio, inequivocabile © ambiguo, equivoco, dubbio.

ùnto *agg.* **1** grasso, oleoso, untuoso **2** (*di indumento e sim.*) impataccato (*colloq.*), sporco, sudicio, lercio © lindo, pulito ♦ *s.m.* grasso, untume, grassume; morchia.

untuóso *agg.* **1** unto, oleoso, grasso **2** ♧ (*di persona, di comportamento ecc.*) adulatorio, ossequioso, subdolo, viscido © sincero, leale, schietto.

unzióne *s.f.* ungitura, oliatura, lubrificazione.

uòmo *s.m.* **1** essere umano; creatura, persona, essere, individuo, cristiano (*colloq.*) **2** umanità, genere umano, specie umana **3** maschio © donna, femmina **4** adulto © bambino, ragazzo **5** signore, tale, tizio **6** (*delle pulizie, del gas* ecc.) incaricato, addetto, operaio, tecnico **7** amante, compagno, convivente, fidanzato, ragazzo, partner (*ingl.*); marito, coniuge, consorte, sposo **8** (*di una squadra sportiva*) atleta **9** (*di un'unità militare*) soldato, militare, armato; (*di un equipaggio*) marinaio.

uragàno *s.m.* **1** ciclone, tifone, tornado **2** bufera, burrasca, tempesta **3** ♧ (*di applausi e sim.*) valanga, fragore, scroscio **4** ♧ (*persona irruenta*) ciclone, terremoto, tornado.

urbanità *s.f.* educazione, cortesia, gentilezza, civiltà, buone maniere © maleducazione, cafonaggine, scortesia, villania.

urbanizzazióne *s.f.* **1** sviluppo urbano **2** urbanesimo, inurbamento.

urbàno *agg.* **1** cittadino, comunale, civico, municipale © extraurbano, rurale, campagnolo **2** cortese, educato, garbato, civile © maleducato, scortese, sgarbato, incivile, villano.

urgènte *agg.* impellente, incalzante, pressante, stringente; improrogabile; (*di intervento*) d'urgenza © prorogabile, rinviabile, differibile.

urgènza *s.f.* **1** premura, furia, impellenza; necessità, bisogno, esigenza; improrogabilità © prorogabilità **2** rapidità, sollecitudine © calma, tranquillità **3** emergenza.

ùrgere *v.intr.* **1** (*spec. del tempo*) incalzare, incombente, stringere **2** (*di intervento e sim.*) occorrere, necessitare, premere.

urìna *s.f.* pipì (*colloq.*), piscia (*volg.*), piscio (*volg.*), acqua (*eufem.*).

urinàre *v.tr.* e *intr.* mingere, pisciare (volg.), fare la pipì (*colloq.*).

urlàre *v.intr.* **1** gridare, strillare, strepitare; sgolarsi, sfiatarsi (*colloq.*) **2** (*parlare a voce alta*) gridare, strillare, berciare, sbraitare, strepitare, vociare © bisbigliare, mormorare, sussurrare **3** (*di lupo, di cane*) ululare ♦ *v.tr.* (*bestemmie, minacce ecc.*) gridare, vomitare, strillare.

ùrlo *s.m.* **1** grido, strillo **2** ♧ (*del vento e sim.*) ululato, muggito **3** (*di lupo, di cane*) ululato.

ùrna *s.f.* **1** (*nell'antichità*) vaso, recipiente; (*funerario*) cinerario; reliquario; tomba, sepolcro **2** (*per votazioni, lotterie*) bossolo, bussolotto; cassetta **3** (*al pl.*) elezione, votazione.

urtànte *agg.* (*di atteggiamento, di modi ecc.*) irritante, indisponente, seccante, fastidioso © piacevole, amabile, simpatico.

urtàre *v.tr.* **1** colpire, battere, prendere (*colloq.*), beccare (*colloq.*); (*di veicolo*) tamponare © evitare, scansare, schivare **2** ♧ irritare, esasperare, infastidire, indisporre, innervosire © calmare, rasserenare, rabbonire ♦ *v.intr.* **1** (*contro qlco. o qlcu.*) battere, sbattere, cozzare, inciampare, picchiare; schiantarsi, sfracellarsi **2** ♧ (*in qlcu.*) imbattersi, incappare **3** ♧ scontrarsi, contrastare, cozzare, discordare © concordare ♦ **urtarsi** *v.pr.* **1** scontrarsi, cozzare © evitarsi **2** ♧ (*con qlcu.*) scontrarsi, litigare © fare pace, riconciliarsi **3** ♧ indispettirsi, irritarsi, offendersi, risentirsi, seccarsi, stizzirsi.

urticànte *agg.* irritante, irritativo © calmante, lenitivo.

ùrto *s.m.* **1** colpo, botta, scontro, collisione, cozzo **2** spinta, spintone, scrollone **3** ♧ (*di idee, di interessi ecc.*) conflitto, contrasto, dissenso, scontro © accordo, armonia **4** (*mil.*) assalto, carica, impeto, attacco.

ùsa e gètta *loc.agg.invar.* monouso.

usànza *s.f.* **1** uso, costume, tradizione, consuetudine **2** abitudine, pratica; rito, prassi **3** moda, uso, voga.

usàre *v.tr.* **1** adoperare, impiegare, utilizzare, servirsi, fare uso; (*benzina e sim.*) consumare; (*scarpe, vestiti*) indossare, portare; (*l'autobus, la bicicletta ecc.*) prendere; (*farmaci, droghe ecc.*) assumere **2** (*una persona*) impiegare, utilizzare; (*spreg.*) sfruttare, strumentalizzare **3** (*la forza e sim.*) ricorrere, esercitare, adottare **4** (*seguito dall'infinito*) solere, essere solito ♦ *v.intr.* **1** (*di autorità, denaro, potere ecc.*) avvalersi, giovarsi, ricorrere, servirsi, valersi **2** essere di moda, andare di moda, andare.

usàto *agg.* **1** di seconda mano © nuovo ♦ *s.m.* **1** abitudine, uso, consueto, consuetudine, ordinario, solito **2** © nuovo.

ùscio *s.m.* porta; soglia.

uscìre *v.intr.* **1** venire fuori, andare fuori © entrare, penetrare, infilarsi **2** (*di acqua, di gas ecc.*) fuoriuscire, scaturire, sgorgare; filtrare, trapelare © entrare, penetrare, infilarsi **3** ♧ (*da un gruppo e sim.*) allontanarsi; lasciare, abbandonare © entrare, rimanere **4** ♧ (*da una situazione, da una scuola ecc.*) provenire, venire **5** ♧ risultare, derivare, conseguire, originarsi **6** ♧ (*in un'esclamazione, in una battuta*) prorompere, sbottare, venire fuori (*colloq.*) **7** (*di fiume, di strada ecc.*) sboccare, sfociare © scaturire, nascere **8** (*gramm.; di parola*) finire, terminare © cominciare, iniziare **9** (*colloq.; con una ragazza e sim.*) filare (*colloq.*), stare, stare insieme.

uscìta *s.f.* **1** © entrata, ingresso **2** apertura, passaggio, varco © imboccatura **3** (*di un prodotto editoriale*) edizione, pubblicazione; stampa **4** (*al pl.*) spesa © entrata, incasso **5** battuta, motto, sortita **6** (*in pubblico*) apparizione, comparsa **7** (*gramm.; di parola*) terminazione, desinenza.

ùso[1] *agg.* abituato, avvezzo, solito © nuovo, disabituato.

ùso[2] *s.m.* **1** impiego, utilizzazione, utilizzo; sfruttamento; consumo **2** (*della ragione, della parola ecc.*) capacità, facoltà **3** abitudine, consuetudine, usanza, costume, tradizione; maniera, modo, stile **4** moda, usanza, voga **5** (*letterale, figurato ecc.*) senso, significato; accezione.

ustionàrsi *v.pr.* bruciarsi, scottarsi.

ustióne *s.f.* bruciatura, scottatura.

usuàle *agg.* **1** abituale, consueto, solito, tradizionale, di rito; comune, quotidiano, all'ordine del giorno © insolito, inusuale, eccezionale, straordinario, inusitato; strano **2** (*di oggetto, di materiale ecc.*) comune, corrente, convenzionale, ordinario, standard; dozzinale, grossolano © particolare, speciale; eccellente, raffinato, pregiato.

usufruìre *v.intr.* beneficiare, godere, disporre, sfruttare, avvalersi, giovarsi, servirsi, valersi.

usùra[1] *s.f.* strozzinaggio.

usùra[2] *s.f.* **1** (*di un materiale*) consumo, logoramento, logorio **2** ♧ (*fisica, mentale*) esaurimento, logoramento, sfinimento **3** ♧ (*di un rapporto e sim.*) deterioramento, logoramento.

usuràio *s.m.* **1** strozzino, prestasoldi **2** ♧ avaro, avido, pescecane, sanguisuga.

usuràre *v.tr.* consumare, logorare; deteriorare, sciupare ♦ **usurarsi** *v.pr.* consumarsi, logorarsi.

utensìle, utènsile *s.m.* arnese, strumento, attrezzo; (*da lavoro*) ferro.

utènte *s.m.f.* fruitore, utilizzatore, consumatore; destinatario.

uterìno *agg.* (*di comportamento, di reazione ecc.*) istintivo, irrazionale, viscerale.

ùtero *s.m.* grembo, ventre.

ùtile *agg.* **1** (*di oggetto e sim.*) pratico, funzionale © inutile **2** (*di rimedio e sim.*) efficace, positivo, proficuo, valido, vantaggioso, giovevole, salutare © inutile, vano, inefficace, sterile; dannoso, negativo, controproducente **3** (*di persona*) capace, efficiente, valido © incapace, inefficiente ♦ *s.m.* **1** utilità, beneficio, interesse, vantaggio, profitto, tornaconto © danno, detrimento, svantaggio **2** guadagno, profitto, provento, rendimento, resa; (*econ.*) attivo © danno, perdita, deficit; (*econ.*) passivo.

utilità *s.f.* **1** (*di un oggetto e sim.*) funzionalità, praticità © inutilità **2** (*di un rimedio e sim.*) bontà, efficacia, produttività, validità © inutilità, vanità, inefficacia; dannosità, nocività **3** (*ciò che si ricava*) vantaggio, guadagno, beneficio, interesse, convenienza, pro, tornaconto © danno, svantaggio.

utilitarìsta *s.m.* calcolatore, opportunista © generoso, altruista, disinteressato.

utilitarìstico *agg.* (*di comportamento e sim.*) interessato, opportunistico.

utilizzàbile *agg.* usabile, adoperabile, impiegabile, fruibile © inutilizzabile.

utilizzabilità *s.f.* fruibilità © inutilizzabilità.

utilizzàre *v.tr.* usare, adoperare, impiegare, ricorrere, fare uso, servirsi, valersi; sfruttare, usufruire; (*scorte, risorse ecc.*) consumare.

utilizzazióne *s.f.* uso, impiego, utilizzo, sfruttamento © inutilizzazione.

utilìzzo *s.m.* vedi **utilizzazióne**.

utopìa *s.f.* fantasia, ideale, illusione, sogno, fantasticheria, miraggio © realtà.

utòpico *agg.* ideale, impossibile, illusorio, chimerico, irrealizzabile, utopistico © possibile, reale, realistico, realizzabile.

utopìsta *s.m.* sognatore, illuso, visionario © realista.

utopìstico *agg.* vedi **utòpico**.

uvétta *s.f.* uva passa, uva secca, uva sultanina.

uxoricìdio *s.m.* IPERON. omicidio.

v, V

vacànte *agg.* (*di cattedra, di posto ecc.*) libero, disponibile, vuoto © occupato, assegnato.

vacànza *s.f.* **1** festa, riposo, chiusura; (*spec. al pl.*) ferie; villeggiatura **2** (*di una cattedra, di una carica ecc.*) interim, vacazione.

vàcca *s.f.* **1** mucca **2** ♧ (*spreg.*) sgualdrina, puttana (*volg.*), maiala (*volg.*), porca (*volg.*).

vacillàre *v.intr.* **1** (*di persona*) barcollare, traballare, ondeggiare, pencolare **2** (*di cosa*) oscillare, traballare, tremare, tremolare **3** ♧ (*di fede e sim.*) scricchiolare, tentennare; (*di memoria e sim.*) cedere, affievolirsi, indebolirsi, venire meno © rafforzarsi, rinvigorirsi **4** ♧ (*di regime e sim.*) traballare.

vàcuo *agg.* **1** (*di discorso, di persona ecc.*) vuoto, inconsistente, fatuo, futile, frivolo, insulso, salottiero © profondo, serio **2** (*di sguardo, di occhi*) inespressivo, vuoto, opaco © espressivo, vivo.

vademècum *s.m.invar.* guida, manuale, prontuario.

vagabondàre *v.intr.* **1** girovagare, peregrinare © stabilirsi, insediarsi, sistemarsi **2** andare a zonzo, gironzolare, bighellonare, girellare, girovagare **3** ♧ (*con la mente*) fantasticare, divagare, spaziare, vagare © indugiare, soffermarsi.

vagabóndo *s.m.* **1** giramondo, girovago; barbone, clochard (*fr.*), senza tetto, senza fissa dimora **2** bighellone, fannullone, perdigiorno, perditempo, sfaccendato, scioperato © lavoratore, sgobbone **3** ♧ (*di viaggiatore*) giramondo, girellone, girovago, globetrotter (*ingl.*) ♦ *agg.* errabondo, errante, girovago, itinerante, ramingo, vagante; nomade; randagio © fermo, fisso, sedentario, stabile, stanziale.

vagàre *v.intr.* **1** camminare, viaggiare, passeggiare, gironzolare, girovagare, vagabondare, errare © fermarsi, sostare, soffermarsi **2** (*con la fantasia*) volare, divagare, fantasticare.

vagheggiàre *v.tr.* desiderare, anelare, agognare, sospirare © disdegnare, sdegnare.

vaghézza *s.f.* **1** incertezza, indeterminatezza © chiarezza, nitidezza **2** (*elev.; di un paesaggio e sim.*) bellezza, grazia, leggiadria **3** (*elev.*) voglia, capriccio

vagìna *s.f.* canale vaginale; vulva, fica (*volg.*), passera (*volg.*), passerina (*infant.*), topa (*volg.*).

vagìto *s.m.* **1** (*di un neonato*) pianto; piagnucolio **2** ♧ (*di una civiltà, di una cultura ecc.*) alba, primordio © fine, scomparsa, morte, declino, tramonto.

vagliàre *v.tr.* **1** (*la farina*) setacciare **2** ♧ considerare, esaminare, analizzare, selezionare, valutare.

vàglio *s.m.* **1** setaccio **2** ♧ esame, analisi, disamina, valutazione, selezione, scelta, cernita.

vàgo *agg.* indefinito, incerto, indeterminato; approssimativo, generico, confuso, impreciso © chiaro, netto, nitido, preciso ♦ *s.m.* incertezza, indeterminatezza, genericità, imprecisione © certezza, sicurezza, precisione.

vagóne *s.m.* carrozza, vettura, carro.

valànga *s.f.* (*di neve*) slavina; (*di pietre, di fango*) frana **2** ♧ mucchio, sacco, casino (*colloq.*), infinità, marea, massa, miriade.

valènte *agg.* bravo, capace, abile, esperto, competente © incapace, inetto, inesperto.

valènza *s.f.* valore, significato; aspetto, risvolto.

valére *v.intr.* **1** meritare, distinguersi, eccellere **2** contare, pesare, incidere, influire, significare **3** (*di legge e sim.*) vigere, sussistere; avere efficacia, avere validità **4** (*di biglietto e sim.*) servire **5** (*di peso, di misura*) corrispondere, equivalere **6** (*di vocabolo*) indicare, significare, esprimere, designare **7** (*di beni, di soldi ecc.*) rendere, fruttare ♦ **valersi** *v.pr.* servirsi, avvalersi, usufruire, ricorrere, sfruttare.

valévole *agg.* **1** (*di biglietto*) valido **2** (*di rimedio e sim.*) efficace, giovevole, valido © inefficace, inadatto.

valicàre *v.tr.* attraversare, passare, superare, oltrepassare, traversare; (*un fiume e sim.*) guadare, traghettare.

vàlico *s.m.* **1** attraversamento, passaggio, superamento **2** passo, sella, giogo.

validità *s.f.* **1** (*di un biglietto*) durata; regolarità, autenticità **2** (*di un atto giuridico*) efficacia, legittimità © invalidità, inefficacia, illegittimità, nullità **3** (*di un'argomentazione*) correttezza, giustezza, forza, fondatezza © invalidità, scorrettezza, debolezza, fragilità **4** (*di un'opera letteraria e sim.*) valore, pregio, merito © mediocrità, modestia.

vàlido *agg.* **1** (*di aiuto, di rimedio ecc.*) efficace, adatto, utile, idoneo, proficuo © inefficace, inutile, inadeguato **2** (*di argomentazione e sim.*) convincente, corretto, giusto, fondato, indiscutibile © debole, fragile, inconsistente, infondato **3** (*di principio e sim.*) buono, serio, vero **4** (*di norma, di legge ecc.*) valevole, operativo, efficace, legittimo © nullo, inefficace, illegittimo **5** (*di romanzo, di film*) pregevole, apprezzabile © mediocre, modesto **6** (*di persona, di professionista ecc.*) bravo, capace, competente, abile, efficiente, provetto, qualificato © incapace, incompetente, mediocre, modesto **7** (*di fisico*) forte, robusto, resistente, vigoroso; adatto, abile, valoroso © debole, fragile, delicato, gracile.

vallàta *s.f.* valle.

vàlle *s.f.* **1** vallata, conca, gola, vallone, canyon (*ingl.*) **2** (*spec. paludosa*) bacino, laguna.

valóre *s.m.* **1** (*di un bene*) prezzo, costo, pregio; (*di un appartamento e sim.*) quotazione, valutazione **2** (*al pl.*) ori, gioielli, preziosi **3** (*estetico, culturale, morale ecc.*) pregio, importanza, qualità; portata, rilevanza, consistenza, dimensione, peso © irrilevanza, marginalità **4** (*di una persona*) capacità, bravura, competenza, abilità, levatura, talento © incapacità, incompetenza, inettitudine, mediocrità **5** coraggio, ardimento, audacia, eroismo, forza, fermezza © debolezza, paura, vigliaccheria **6** (*di un documento e sim.*) efficacia, validità © invalidità, inefficacia **7** (*di un vocabolo e sim.*) senso, significato; funzione **8** (*scient.*) grandezza, misura **9** (*morale, etico ecc.*) principio, ideale.

valorizzàre *v.tr.* **1** (*un bene*) rivalutare © svalutare, deprezzare **2** ♧ mettere in risalto, mettere in evidenza, mettere in luce © mortificare, svilire.

valorizzazióne *s.f.* **1** rivalutazione © deprezzamento, svalutazione **2** (*di un territorio*) sfruttamento, utilizzazione.

valoróso *agg.* **1** coraggioso, audace, fiero, prode, ardimentoso, gagliardo, intrepido, impavido, eroico © vigliacco, vile, codardo, pauroso, pusillanime, imbelle (*elev.*) **2** bravo, capace, abile, provetto, valente © incapace, inabile, mediocre, modesto.

valùta *s.f.* **1** moneta, carta moneta; denaro, soldi **2** moneta estera **3** (*banc.; degli interessi*) decorrenza.

valutàre *v.tr.* **1** (*un bene*) stimare, quotare **2** (*danni, spese ecc.*) calcolare, contare, determinare, conteggiare, quantificare **3** (*una persona*) stimare, apprezzare, considerare **4** (*una proposta e sim.*) considerare, analizzare, esaminare, soppesare, tenere in considerazione, vagliare © disprezzare, disistimare, sminuire **5** (*in un esame e sim.*) giudicare.

valutazióne *s.f.* **1** (*di un bene*) stima, estimo **2** valore, quotazione, stima **3** (*di una persona*) considerazione, apprezzamento, stima **4** (*di un candidato e sim.*) giudizio **5** (*di una proposta e sim.*) esame, giudizio, analisi, studio, vaglio.

vamp *s.f.invar.* (*ingl.*) seduttrice, ammaliatrice, maliarda, femme fatale (*fr.*), fatalona.

vàmpa *s.f.* **1** fiamma, fiammata, vampata; (*di calore*) ondata **2** (*al viso*) caldana, rossore **3** ♧ (*di collera, di entusiasmo ecc.*) impeto, impulso, scoppio, accesso, attacco.

vampàta *s.f.* **1** vampa **2** ♧ (*di collera, di entusiasmo ecc.*) impeto, impulso, scoppio, accesso, attacco **3** ♧ (*di razzismo e sim.*) ondata, esplosione.

vampìro *s.m.* ♧ sfruttatore, profittatore; strozzino, usuraio.

vanaglòria *s.f.* vanità, vanteria, megalomania, millanteria, ostentazione, presunzione, narcisismo, supponenza © modestia, ritegno, semplicità, umiltà.

vanaglorióso *agg.* vanitoso, presuntuoso, borioso, esibizionista, megalomane, millantatore, spocchioso, vanesio © modesto, semplice, riservato ♦ *s.m.* gradasso, sbruffone, smargiasso, trombone.

vandàlico *agg.* (*di atto, di comportamento e sim.*) barbaro, incivile, barbarico, distruttivo, selvaggio, teppistico © civile.

vandalìsmo *s.m.* devastazione, saccheggio.

vaneggiàre *v.intr.* delirare, dare i numeri, farneticare, sragionare, straparlare © riflettere.

vanèsio *agg., s.m.* leggero, vuoto, fatuo, frivolo, superficiale, vanitoso, narciso; sciocco, sconsiderato © profondo, serio, assennato, equilibrato.

vanificàre *v.tr.* **1** (*gli sforzi, i tentativi ecc.*) rendere vano, distruggere, mandare all'aria, mandare a monte, annullare; neutralizzare **2** (*i desideri, le speranze ecc.*) deludere, frustrare, tradire, disattendere © realizzare.

vanità *s.f.* **1** fatuità, frivolezza, leggerezza, vacuità; ambizione, boria, ostentazione, narcisismo © profondità, serietà; misura, modestia, semplicità **2** debolezza, mania **3** (*di una speranza, di uno sforzo ecc.*) inutilità, inconsistenza, infondatezza, inefficacia © forza, efficacia **4** caducità, fugacità, precarietà, provvisorietà, transitorietà.

vanitóso *agg.*, *s.m.* ambizioso, borioso, presuntuoso, vanaglorioso; fatuo, frivolo, leggero, vuoto, narciso, vanesio © semplice, modesto, umile; profondo, serio.

vàno *agg.* **1** (*di fatica, di tentativo ecc.*) inutile, inefficace, infruttuoso © efficace, produttivo **2** (*di speranza, di promessa ecc.*) inconsistente, infondato, falso © fondato, realistico **3** (*di ricchezza, di fama ecc.*) caduco, fugace, effimero, fuggevole, provvisorio © stabile, persistente, eterno **4** (*di persona*) leggero, superficiale, fatuo, frivolo, vanesio; presuntuoso; sciocco © modesto, umile, saggio, assennato ♦ *s.m.* **1** apertura, cavità, incavo, nicchia, luce (*edil.*) **2** (*di un appartamento*) camera, stanza, locale.

vantàggio *s.m.* **1** privilegio, beneficio, favore, giovamento © svantaggio, handicap (*ingl.*) **2** (*numerico*) superiorità © inferiorità **3** frutto, interesse, guadagno, utilità, convenienza, profitto, tornaconto © svantaggio, danno, perdita **4** giovamento, miglioramento **5** (*in gare sportive*) distacco, distanziamento; (*di punti*) differenza, scarto, divario © svantaggio.

vantaggióso *agg.* favorevole, conveniente, utile, proficuo, redditizio © svantaggioso, sfavorevole.

vantàre *v.tr.* **1** elogiare, esaltare, lodare, magnificare, decantare, sfoggiare © criticare, biasimare, censurare, denigrare, stroncare **2** (*nobili origini, conoscenze influenti ecc.*) avere, affermare, pregiarsi **3** (*crediti, diritti ecc.*) pretendere, esigere, reclamare ♦ **vantarsi** *v.pr.* compiacersi, gloriarsi, pavoneggiarsi, vanagloriarsi © mortificarsi, screditarsi.

vanterìa *s.f.* **1** vanto, ostentazione, autocompiacimento © umiltà, modestia, semplicità **2** bravata, sbruffonata, smargiassata, spacconata.

vànto *s.m.* **1** vanteria, ostentazione, autocompiacimento © umiltà, modestia, semplicità **2** merito, orgoglio, pregio, onore © vergogna, disonore, infamia.

vapóre *s.m.* **1** (*fis.*) vapore acqueo **2** (*nave a vapore*) piroscafo **3** (*spec. al pl.*) nebbia, fumo, esalazioni, miasmi.

vaporizzàre *v.tr.* nebulizzare, polverizzare, atomizzare © condensare, liquefare ♦ **vaporizzarsi** *v.pr.* evaporare, volatilizzarsi © condensarsi.

vaporòso *agg.* **1** (*di tessuto e sim.*) leggero, morbido, sottile, impalpabile **2** (*di capelli*) morbido, soffice, gonfio, voluminoso.

varàre *v.tr.* **1** (*una nave*) inaugurare **2** ♣ (*un progetto, un'iniziativa ecc.*) inaugurare, avviare, attuare, dare inizio; concludere, completare, portare a termine **3** ♣ (*una riforma, una legge ecc.*) approvare, promulgare, ratificare, sancire © bocciare, respingere.

varcàre *v.tr.* attraversare, passare, oltrepassare, superare, traversare; (*un corso d'acqua*) guadare, traghettare.

vàrco *s.m.* passaggio, accesso, apertura; attraversamento, superamento.

variàbile *agg.* incostante, instabile, mutevole, flessibile, fluttuante © invariabile, stabile, costante, immutabile; (*di tempo atmosferico*) stazionario ♦ *s.f.* (*mat.*) © costante.

variabilità *s.f.* instabilità, incertezza, incostanza, mutevolezza, volubilità © invariabilità, immutabilità, stabilità.

variànte *s.f.* **1** variazione, modifica, cambiamento, emendamento; correzione **2** versione, modello, tipo.

variàre *v.tr.* **1** cambiare, modificare, trasformare **2** differenziare, diversificare © uniformare, livellare, omogeneizzare ♦ *v.intr.* **1** (*di umore e sim.*) cambiare, mutare, modificarsi **2** (*di gusti e sim.*) cambiare, differire, discordare, divergere © assomigliarsi, corrispondere, coincidere.

variazióne *s.f.* cambiamento, mutamento, modificazione, trasformazione; correzione, modifica, emendamento, rettifica, variante.

variegàto *agg.* **1** variopinto, screziato, multicolore, policromo, cangiante © uniforme, monocromo, omogeneo **2** ♣ (*di problema, di situazione ecc.*) composito, eterogeneo, complesso © uniforme, omogeneo.

varietà[1] *s.f.* **1** diversità, eterogenità, poliedricità © omogeneità, uniformità **2** (*di forme, di colori ecc.*) assortimento, scelta, molteplicità, gamma, ricchezza; (*di opinioni e sim.*) differenza, diversità, disuguaglianza, eterogeneità © uguaglianza, similitudine **3** genere, qualità, tipo; specie, sottospecie.

varietà[2] *s.m.* rivista, avanspettacolo; cabaret (*fr.*), musical (*ingl.*).

vàrio *agg.* **1** variato, multiforme, disuguale, eterogeneo © omogeneo, uniforme, identico **2** molteplice © unico **3** (*al pl.*) molto, numeroso, parecchio, tanto, diverso, svariato **4** (*di tempo atmosferico, di umore ecc.*) mutevole, instabile, incostante, variabile, volubile © stabile, costante.

variopìnto *agg.* multicolore, policromo, screziato; cangiante, variegato © uniforme, monocromo, omogeneo.

vàro *s.m.* **1** (*di un'imbarcazione*) inaugurazione, battesimo **2** ♧ (*di un progetto, di un programma ecc.*) inaugurazione, avvio, partenza **3** (*di una legge e sim.*) approvazione, emanazione, promulgazione, ratifica © bocciatura **4** (*di un libro e sim.*) presentazione, lancio.

vasellàme *s.m.* stoviglie, terraglie, cocci.

vàso *s.m.* **1** IPERON. recipiente IPON. anfora, orcio, giara **2** (*di marmellata, e sim.*) barattolo **3** orinale, pitale, vaso da notte; (*per bambini*) vasino **4** tazza, water.

vastità *s.f.* **1** ampiezza, grandezza, enormità, immensità, smisuratezza, spaziosità © angustia, limitatezza, piccolezza, ristrettezza **2** ♧ (*di un argomento e sim.*) ampiezza, importanza, portata © limitatezza, ristrettezza, inconsistenza.

vàsto *agg.* ampio, esteso, enorme, largo, spazioso © angusto, limitato, esiguo, ristretto.

vaticinàre *v.tr.* predire, presagire, profetare.

vaticìnio *s.m.* predizione, profezia, oracolo, presagio, previsione.

vecchiàia *s.f.* **1** senilità, anzianità, vecchiezza, terza età © giovinezza, gioventù **2** anziani, vecchi © gioventù.

vècchio *agg.* **1** anziano, attempato © giovane **2** (*di tradizione ecc.*) antico, radicato © nuovo, recente **3** antiquato, sorpassato, disusato, fuori moda, out (*ingl.*) © moderno, nuovo, attuale, alla moda, in (*ingl.*) **4** consumato, logoro, liso, sciupato © nuovo **5** esperto, navigato, pratico, provetto, veterano © nuovo, inesperto, novellino, principiante **6** antecedente, precedente © nuovo, ultimo, attuale **7** (*di alimento*) ammuffito, irrancidito, raffermo, stantio, scaduto © fresco **8** (*di vino, di formaggio ecc.*) invecchiato, stagionato, maturo © fresco, nuovo, novello ♦ *s.m.* **1** anziano, vegliardo; (*colloq.*) nonno, matusalemme, matusa © giovane **2** (*colloq.*) padre; (*al pl.*) genitori **3** (*del mestiere*) esperto, veterano © novellino, pivellino, principiante **4** (*solo sing.*) © nuovo.

vedére *v.tr.* **1** distinguere, scorgere, avvistare, intravvedere, percepire; guardare, osservare **2** (*il giornale e sim.*) guardare, leggere, scorrere, sfogliare, consultare **3** (*una persona*) incontrare **4** (*i conti e sim.*) controllare, esaminare, verificare **5** (*una mostra e sim.*) visitare **6** (*uno spettacolo*) guardare, assistere **7** (*di tutti i colori, di cotte e di crude ecc.*) sperimentare, passare, conoscere **8** prendere atto, constatare, riconoscere **9** considerare, giudicare, ritenere **10** riconoscere, accorgersi, capire, comprendere, rendersi conto **11** immaginare **12** prevedere, presentire **13** cercare, guardare, provare, tentare ♦ **vedersi** *v.pr.* **1** guardarsi, rimirarsi **2** (*in una situazione*) sentirsi, scoprirsi, trovarsi **3** (*in qlcu.*) riconoscersi **4** incontrarsi, ritrovarsi, trovarsi ♦ *s.m.* **1** visione **2** aspetto, impressione **3** parere, avviso, giudizio.

vedétta *s.f.* guardia, sentinella; guardacoste.

vedette *s.f.invar.* (*fr.*) stella, diva, star (*ingl.*).

vedùta *s.f.* **1** vista, panorama **2** dipinto, disegno, stampa, fotografia, quadro, riproduzione **3** (*al pl.*) mentalità, idee, principi, convinzioni.

veemènte *agg.* **1** impetuoso, travolgente, prorompente, rabbioso, violento © calmo, tranquillo **2** ♧ (*di carattere e sim.*) impulsivo, irruente, focoso, prorompente, travolgente © calmo, mite, pacifico **3** ♧ (*di discorso e sim.*) aggressivo, furibondo, infiammato © calmo, pacato **4** ♧ (*di sentimento e sim.*) intenso, violento, ardente, travolgente, tumultuoso © tiepido, distaccato.

veemènza *s.f.* **1** irruenza, foga, furia, impeto, violenza **2** ♧ (*di carattere e sim.*) impulsività, impetuosità, focosità, ardore, irruenza © calma, serenità, tranquillità **3** ♧ (*di un discorso, di un gesto ecc.*) aggressività, enfasi, rabbia, slancio **4** ♧ (*di sentimento e sim.*) forza, passione, impeto, focosità © distacco, freddezza, pacatezza.

vegetàle *agg.* vegetativo ♦ *s.m.* pianta.

vegetàre *v.intr.* **1** (*di piante*) crescere, vivere, svilupparsi © morire, appassire, seccarsi **2** ♧ tirare avanti, sopravvivere, vivacchiare.

veggènte *s.m.f.* indovino, mago, chiaroveggente.

vegliàre *v.intr.* **1** © dormire **2** ♧ badare, sorvegliare, vigilare, stare attenti ♦ *v.tr.* (*un malato, un moribondo ecc.*) assistere, curare.

veglióne *s.m.* festa, festa da ballo.

veicolàre *v.tr.* **1** (*un virus e sim.*) trasmettere, trasportare **2** ♧ (*messaggi, notizie ecc.*) diffondere, divulgare, propagare.

veìcolo *s.m.* **1** mezzo di trasporto; automobile **2** mezzo, via, canale, tramite © ostacolo, impedimento.

véla *s.f.* **1** (*mar.*) velatura **2** (*sport*) velismo **3** barca a vela.

velàre *v.tr.* **1** coprire **2** (*la luce*) schermare **3** offuscare **4** ♧ annebbiare, appannare, offuscare © schiarire, rischiarare **5** ♧ nascondere, celare, mascherare © svelare, rivelare ♦ **velarsi** *v.pr.* **1** coprirsi, nascondersi © scoprirsi **2** (*di cielo*) annebbiarsi, offuscarsi, rannuvolarsi © schiarirsi, rischiararsi **3** ♧ (*di sguardo e sim.*) appannarsi, annebbiarsi, offuscarsi © rischiararsi, brillare.

velàto *agg.* **1** coperto, nascosto © scoperto **2** (*di cielo*) offuscato, nebbioso, caliginoso © chiaro, limpido, terso **3** ♧ (*di sguardo*) annebbiato, offuscato, appannato © luminoso, limpido, brillante, vivo **4** ♧ (*di accusa, di minaccia ecc.*) implicito, indiretto, celato, dissimulato, larvato, mascherato, tacito © diretto, esplicito, manifesto **5** (*di calze e sim.*) trasparente, leggero © coprente, pesante.

velatùra[1] *s.f.* **1** (*di zucchero e sim.*) velo, patina, strato **2** ♧ annebbiamento, appannamento, offuscamento.

velatùra[2] *s.f.* velame, vela.

veléno *s.m.* **1** © antidoto **2** (*di cibo, di bevanda ecc.*) schifezza, porcheria **3** ♧ astio, avversione, odio, rancore, livore © dolcezza, gentilezza.

velenóso *agg.* **1** tossico, venefico, avvelenato © innocuo, atossico **2** ♧ acido, astioso, cattivo, caustico, malevolo, pungente, sarcastico, tagliente © buono, dolce, gentile, mite **3** ♧ (*di idee, di dottrine ecc.*) dannoso, nocivo, deleterio, malefico © benefico, utile.

velleità *s.f.* ambizione, aspirazione; desiderio, sogno, capriccio.

velleitàrio *agg.* (*di tentativo, di progetto ecc.*) impossibile, irrealizzabile, utopistico © possibile, realizzabile, realistico ♦ *s.m.* ambizioso © umile, modesto.

vellutàto *agg.* **1** liscio, morbido, soffice © ruvido, duro **2** (*di pelle e sim.*) liscio, morbido, delicato © ruvido, rugoso **3** ♧ (*di colore*) morbido, caldo © freddo **4** (*di suono, di voce ecc.*) delicato, dolce, armonioso, caldo, carezzevole, melodioso, suadente © aspro.

vélo *s.m.* **1** drappo **2** (*da donna*) IPON. velo da sposa; chador (*pers.*) **3** (*di polvere, di zucchero ecc.*) strato, patina, pellicola, velatura **4** ♧ (*di malinconia e sim.*) ombra, alone, patina, aura **5** ♧ illusione, apparenza, esteriorità, parvenza.

velóce, **velòce** *agg.* **1** rapido, svelto, scattante, sollecito, lesto, celere © lento, tardo; pigro **2** ♧ pronto, sveglio, sagace © tardo **3** sbrigativo, approssimativo, superficiale © accurato, approfondito.

velocìsta *s.m.f.* (*sport*) scattista, sprinter (*ingl.*).

velocità *s.f.* **1** rapidità, celerità, sveltezza © lentezza, lungaggine **2** rapidità, prontezza, dinamismo, sollecitudine © calma, flemma, lentezza; pigrizia **3** (*di un autoveicolo*) andatura, marcia.

véna *s.f.* **1** vaso sanguigno **2** (*del marmo, del legno*) venatura, striatura, riga **3** (*d'acqua*) fonte, sorgente, polla **4** (*d'oro e sim.*) filone, giacimento **5** ♧ disposizione, voglia **6** ♧ talento, ispirazione, creatività **7** ♧ (*di rimpianto e sim.*) traccia, sfumatura, venatura.

venàle *agg.* **1** (*di valore, di prezzo ecc.*) commerciale, corrente, di mercato **2** (*di merce*) commerciabile, vendibile **3** (*spreg.*; *di persona*) interessato © disinteressato **4** ♧ (*spreg.*; *di persona*) disonesto, corrotto, corruttibile, corrompibile, mercenario, prezzolato; avido © onesto, incorruttibile.

venatùra *s.f.* **1** vena, striatura, stria, striscia **2** ♧ (*di sarcasmo, di tristezza ecc.*) traccia, sfumatura, ombra, accenno.

véndere *v.tr.* **1** commerciare, mercanteggiare, smerciare, alienare (*dir.*), realizzare INVER. acquistare, comprare **2** (*illecitamente*) spacciare, trafficare INVER. acquistare, comprare, procurarsi **3** (*un amico, la patria ecc.*) tradire ♦ **vendersi** *v.pr.* **1** prostituirsi **2** (*al nemico, alla mafia ecc.*) tradire **3** spacciarsi, passare.

vendétta *s.f.* **1** rivincita, rappresaglia, ritorsione, ripicca, rivalsa **2** regolamento di conti, faida **3** (*divina*) castigo, punizione, nemesi (*elev.*).

vendicàre *v.tr.* (*un torto, un'offesa ecc.*) ricambiare, restituire © perdonare, rimettere ♦ **vendicarsi** *v.pr.* farla pagare, rendere pan per focaccia, rifarsi, rivalersi © perdonare.

véndita *s.f.* **1** cessione, smercio, spaccio, distribuzione, alienazione (*dir.*) © acquisto, compera **2** (*spec. al pl.; quantità di merci vendute*) ricavo, fatturato **3** negozio, bottega, rivendita, spaccio, esercizio.

venditóre *s.m.* **1** © compratore, acquirente **2** commerciante, mercante, negoziante, bottegaio, esercente **3** (*di droga, di armi ecc.*) trafficante.

vendùto *agg.* **1** ceduto, alienato (*dir.*) © comprato, acquistato **2** (*di persona*) corrotto, prezzolato © onesto, incorruttibile.

venèfico *agg.* **1** velenoso, tossico © atossico **2** nocivo, malsano, insalubre © salutare, salubre **3** ♧ nocivo, dannoso © benefico.

veneràbile *agg.* venerando, onorabile, onorevole, sacro, santo © disprezzabile, detestabile.

veneràndo *agg.* sacro, venerabile, onorevole © disprezzabile, spregevole, indegno.

veneràre *v.tr.* **1** (*un santo*) adorare, onorare **2** adorare, onorare, ossequiare, riverire; idolatrare © disprezzare, detestare, odiare.

venerazióne *s.f.* **1** adorazione, devozione, culto; idolatria **2** riguardo, rispetto, onore, considerazione, ossequio, deferenza © disprezzo, disistima, spregio.

venèreo *agg.* sessuale.
vènia *s.f.* perdono, scusa, comprensione © castigo, punizione.
veniàle *agg.* **1** (*relig.*) © capitale, mortale **2** leggero, lieve, perdonabile © grave, imperdonabile.
venìre *v.intr.* **1** arrivare, giungere; avvicinarsi, appressarsi; comparire, sopraggiungere, spuntare © andare, andarsene; partire, fuggire, allontanarsi **2** (*di fatto, di fenomeno*) sopraggiungere, arrivare, capitare, presentarsi, manifestarsi **3** (*di idea, di dubbio ecc.*) sorgere, nascere, presentarsi **4** provenire, discendere, avere origine, derivare **5** (*a patti e sim.*) scendere, pervenire **6** (*di calcolo, di operazione*) ottenere, risultare **7** (*di figli*) arrivare, nascere **8** (*di piante*) crescere, svilupparsi, attecchire © morire, seccarsi **9** (*colloq.*) costare **10** (*colloq.*; *raggiungere l'orgasmo*) godere (*colloq.*) ♦ **venirsene** *v.pr.* **1** (*in un luogo*) andare, recarsi **2** (*da un luogo*) allontanarsi, andarsene.
ventàglio *s.m.* ♧ (*di proposte, di possibilità ecc.*) serie, gamma.
ventàta *s.f.* **1** folata, raffica, sbuffo; alito, refolo **2** ♧ moto, impeto, impulso.
ventilàre *v.tr.* **1** (*una stanza*) arieggiare, areare, aerare **2** ♧ (*un'ipotesi, un progetto ecc.*) proporre, prospettare, avanzare, suggerire.
ventilàto *agg.* **1** (*di ambiente*) arieggiato, areato © soffocante, asfissiante **2** (*di zona*) ventoso.
ventilatóre *s.m.* ventola.
vènto *s.m.* **1** aria, corrente, soffio, raffica, refolo, brezza **2** (*eufem.*) peto, scorreggia **3** ♧ segnale, preannuncio.
vèntre, **véntre** *s.m.* **1** addome, pancia, trippa (*scherz.*); budella, visceri **2** (*materno*) grembo, utero **3** ♧ interno, cavità, grembo, viscere **4** ♧ (*di un oggetto*) rigonfiamento, rotondità.
ventùra *s.f.* sorte, destino, caso, fato, fortuna © sventura.
ventùro *agg.* prossimo, futuro, entrante © passato, trascorso.
venùta *s.f.* arrivo, avvento; apparizione, comparsa © partenza, scomparsa.
véra, **vèra** *s.f.* anello nuziale, fede.
veràce *agg.* **1** (*di parola, di amore ecc.*) vero, veridico, veritiero, sincero © falso, finto; alterarato, artefatto **2** (*di persona*) franco, schietto, sincero © falso, bugiardo, insincero **3** (*di vino, di vongole ecc.*) autentico, genuino.
verbàle *agg.* **1** orale, a voce © scritto; gestuale **2** (*di partecipazione, di assenso ecc.*) apparente, formale, esteriore © reale, sincero, vero ♦ *s.m.* rapporto, resoconto, atto (*dir.*).
vèrbo *s.m.* parola.
verbóso *agg.* **1** (*di persona*) chiacchierone, ciarliero, logorroico, loquace, prolisso © conciso, laconico, sintetico, telegrafico **2** (*di scritto, di discorso e sim.*) lungo, prolisso, ridondante © asciutto, breve, conciso, sintetico, stringato.
vérde *agg.* **1** (*di frutto*) acerbo, immaturo © maturo **2** (*di volto*) pallido, livido, cereo, terreo © colorito, rubicondo **3** (*di territorio*) verdeggiante, rigoglioso, lussureggiante © arido, brullo **4** (*di benzina, di energia ecc.*) ecologico **5** (*di movimento, di pensiero ecc.*) ambientalista, ecologista **6** (*di anni, di età*) giovanile, giovane ♦ *s.m.f.* **1** vegetazione **IPON.** alberi, erba, prati **2** ambientalista, ecologista.
verdétto *s.m.* **1** sentenza, giudizio, decisione, responso **2** ♧ giudizio, responso.
verdùra *s.f.* ortaggi, erbe.
verecóndia *s.f.* pudicizia, pudore, castità, castigatezza © inverecondia, impudicizia.
verecóndo *agg.* pudico, casto, innocente, puro © inverecondo, impudico.
vérga *s.f.* **1** bastone, bacchetta, asta **2** (*di metallo*) sbarra, barra; (*d'oro*) lingotto **3** (*eufem.*) pene, membro, cazzo (*volg.*).
vérgine *agg.* **1** (*sessualmente*) casto, illibato **2** ♧ innocente, puro, casto, candido, ingenuo © corrotto, impuro, macchiato, sporco **3** (*di luogo, di natura ecc.*) incontaminato, intatto, incorrotto, inviolato © contaminato, violato **4** (*di prodotto*) naturale, puro, genuino, grezzo © lavorato, adulterato, raffinato **5** ♧ puro, immacolato, innocente, casto, incontaminato, incorrotto © sporco, impuro, corrotto **6** ♧ libero, immune, scevro, privo ♦ *s.f.* **1** (*con iniziale maiuscola*) Madonna **2** ragazza, fanciulla.
verginità *s.f.* **1** castità, purezza, illibatezza **2** ♧ integrità, lealtà, rettitudine; innocenza, purezza, candore, ingenuità © disonestà, corruzione, depravazione.
vergógna, **vergògna** *s.f.* **1** imbarazzo, timidezza, soggezione, impaccio, pudore, riserbo © spudoratezza, insolenza, sfacciataggine, sfrontatezza **2** disonore, infamia, scandalo, onta © onore, prestigio, gloria, orgoglio, vanto **3** (*cosa vergognosa*) sconcezza, schifo, oscenità, nefandezza.
vergognàrsi *v.pr.* **1** arrossire **2** imbarazzarsi, intimidirsi, intimorirsi.
vergognóso *agg.* **1** (*di comportamento e sim.*) ignobile, indegno, miserabile, infame, vile, disonorevole, deprecabile, riprovevole, intollerabile, scandaloso © ammirevole, lodevole, dignitoso, nobile **2** (*di persona*) timido, riserva-

to, pudico, chiuso, introverso, schivo © audace, sfacciato, sfrontato, spudorato, svergognato; aperto, estroverso.

veridicità *s.f.* verità, sincerità, autenticità, attendibilità, esattezza © falsità, insincerità.

verìdico *agg.* veritiero, vero, sincero, autentico, attendibile, credibile © falso, fallace, insincero, menzognero, inattendibile.

verìfica *s.f.* controllo, esame, prova, accertamento, riscontro; collaudo, test.

verificàre *v.tr.* **1** controllare, accertare, assicurarsi, provare, constatare, esaminare, riscontrare, sincerarsi **2** collaudare, sperimentare, testare ♦ **verificarsi** *v.pr.* **1** accadere, succedere, presentarsi **2** (*di previsione e sim.*) avverarsi, compiersi, realizzarsi.

verità *s.f.* **1** autenticità, veridicità, veracità, autenticità; certezza, esattezza, giustezza **2** vero © falso, bugia, inganno, storia, menzogna, finzione, simulazione.

veritièro *agg.* vero, verace, veridico; autentico, franco, schietto, sincero © falso, fallace, ingannevole; bugiardo, insincero, menzognero.

vèrme *s.m.* **1** baco **2** ♧ vigliacco, miserabile, vile, codardo.

vernìce *s.f.* **1** colore, tinta, pittura; smalto **2** ♧ pellicola, strato, patina, velo **3** inaugurazione, vernissage (*fr.*).

vernissage *s.m.invar.* (*fr.*) inaugurazione, vernice.

verniciàre *v.tr.* dipingere, colorare, pitturare, tinteggiare.

véro *agg.* **1** reale, concreto, effettivo © falso, fallace, finto **2** autentico, genuino, originale, puro, sincero © falso, finto, fasullo, contraffatto, artificiale **3** giusto, esatto, preciso, corretto © inesatto, erroneo, impreciso, sbagliato **4** (*di sentimento e sim.*) profondo, sincero, autentico, leale © falso, insincero **5** (*di notizia e sim.*) attendibile, credibile, veridico, veritiero, fondato © falso, inattendibile, infondato ♦ *s.m.* **1** verità © falso, falsità **2** realtà, reale © irrealtà.

verosimigliànte *agg.* vedi **verosìmile**.

verosimigliànza *s.f.* attendibilità, credibilità, plausibilità, possibilità © inverosimiglianza, assurdità, improbabilità, impossibilità.

verosìmile *agg.* **1** attendibile, credibile, plausibile, possibile, concepibile, verosimigliante © inverosimile, assurdo, incredibile, impossibile, improbabile **2** verosimiglianza.

versaménto *s.m.* **1** fuoriuscita, spargimento **2** (*med.*) travaso, fuoriuscita, emorragia **3** (*di una somma di denaro*) deposito, pagamento © incasso, riscossione.

versànte *s.m.* fianco, lato, parete.

versàre *v.tr.* **1** spargere, spandere, rovesciare © raccogliere **2** (*lacrime*) piangere **3** (*di liquido*) riversare, scaricare **4** (*una somma di denaro*) depositare; pagare, erogare, sborsare © prelevare, ritirare; riscuotere ♦ *v.intr.* **1** (*di recipiente e sim.*) colare, gocciolare, perdere **2** (*in cattive acque e sim.*) trovarsi, navigare ♦ **versarsi** *v.pr.* **1** (*di liquidi*) fuoriuscire, spandersi, spargersi **2** ♧ (*di folla*) riversarsi **3** (*di corsi d'acqua*) confluire, riversarsi, sfociare.

versàtile *agg.* adattabile, duttile, eclettico, multiforme, poliedrico; agile, elastico, flessibile © rigido, chiuso.

versatilità *s.m.* adattabilità, eclettismo, poliedricità; elasticità, flessibilità © chiusura, rigidezza.

versàto *agg.* **1** dotato, portato, predisposto, tagliato © negato, inadatto **2** esperto, pratico, competente, provetto, specialista © inesperto.

verseggiàre *v.tr.* e *intr.* poetare, rimare, versificare.

versificàre *v.intr.* poetare, rimare, verseggiare.

versióne *s.f.* **1** traduzione **2** (*di un avvenimento e sim.*) resoconto, descrizione, esposizione, narrazione, testimonianza **3** adattamento, edizione, rielaborazione **4** (*di auto*) modello, tipo.

vèrso *s.m.* **1** (*al pl.*) poesia, composizione, rima **2** (*di animale*) voce, grido, richiamo **3** smorfia, boccaccia, sberleffo, versaccio **4** direzione, senso; lato, parte **5** atteggiamento, gesto **6** ♧ (*di un avvenimento*) piega **7** ♧ maniera, modo, mezzo **8** (*di un foglio, di una medaglia*) rovescio © recto, dritto.

vertènza *s.f.* controversia, contesa, disputa, lite, questione.

vèrtere *v.intr.* riguardare, trattare, consistere; parlare.

verticàle *agg.* **1** © orizzontale **2** dritto, diritto, eretto, a piombo, perpendicolare © orizzontale, steso, disteso; diagonale, obliquo, piegato **3** ♧ (*di struttura, di organizzazione ecc.*) © orizzontale.

vèrtice *s.m.* **1** cima, punta, sommità, sommo, tetto, vetta © base, fondamento **2** ♧ apice, culmine, acme, apogeo, top (*ingl.*) **3** ♧ (*di un'organizzazione, di un'impresa ecc.*) dirigenza, direzione **4** ♧ incontro al vertice, riunione, summit (*ingl.*).

vertìgine *s.f.* **1** (*spec. al pl.*) capogiro, giramento di testa **2** ♧ sbalordimento, stordimento, turbamento; ebbrezza, eccitazione, esaltazione.

vertiginóso *agg.* **1** ♧ (*di ritmo e sim.*) frenetico, febbrile, vorticoso © lento **2** ♧ (*di cifra, di* *scollatura ecc.*) enorme, esagerato, sbalorditivo, pazzesco, stratosferico © modesto, contenuto; morigerato.

verve *s.f.invar.* (*fr.*) brio, briosità, creatività, estro, effervescenza, esuberanza, grinta, mordente, spigliatezza, vivacità, vitalità.

vescovìle *agg.* episcopale, pastorale.

véscovo *s.m.* presule.

vespertìno *agg.* serale, serotino, crepuscolare © mattutino.

vèspro *s.m.* sera, tramonto, crepuscolo, imbrunire © alba, aurora.

vessàre *v.tr.* maltrattare, opprimere, affliggere, molestare, perseguitare, tormentare.

vessatòrio *agg.* oppressivo, opprimente, persecutorio, tirannico © benefico, favorevole, compiacente.

vessazióne *s.f.* oppressione, maltrattamento, violenza, angheria, prepotenza, prevaricazione.

vessìllo *s.m.* **1** bandiera, gonfalone, stendardo **2** ♧ simbolo, emblema, bandiera.

vestàglia *s.f.* veste da camera.

vèste *s.f.* **1** abito, vestito, mise (*fr.*) **2** (*al pl.*) abbigliamento, indumenti **3** ♧ forma, apparenza, esteriorità **4** ♧ funzione, titolo, qualità, facoltà; autorità, diritto **5** ♧ autorità, diritto, titolo.

vestiàrio *s.m.* **1** (*insieme di vestiti di una persona*) corredo, guardaroba **2** abbigliamento; vestiti, abiti, indumenti.

vestìbolo *s.m.* ingresso, atrio, anticamera, hall (*ingl.*), entrata.

vestìre *v.tr.* **1** coprire, rivestire; (*con cura*) abbigliare, agghindare, bardare © svestire, spogliare, scoprire **2** (*di abito*) calzare, cadere, stare **3** (*un abito, una taglia ecc.*) avere, indossare, mettere, portare **4** (*un oggetto, un ambiente*) rivestire, ricoprire, ornare, foderare, tappezzare ♦ **vestirsi** *v.pr.* **1** coprirsi © svestirsi, spogliarsi, scoprirsi, denudarsi **2** abbigliarsi, acconciarsi, ornarsi **3** ♧ (*di neve*) coprirsi, rivestirsi, ammantarsi.

vestìto[1] *agg.* **1** abbigliato © svestito, spogliato, nudo **2** rivestito, ricoperto.

vestìto[2] *s.m.* abito, indumento.

veteràno *s.m.* **1** (*di soldato*) reduce **2** ♧ vecchio, anziano, esperto © giovane, novellino, principiante.

vèto *s.m.* divieto, proibizione, diniego, rifiuto © approvazione, autorizzazione, assenso.

vetrìna *s.f.* **1** (*di negozio*) mostra **2** (*mobile*) vetrinetta, teca.

vétro *s.m.* **1** cristallo IPON. bicchiere, bottiglia, vaso **2** finestra, vetrina **3** (*degli occhiali*) lente.

vétta *s.f.* **1** cima, sommità, vertice; (*di monte*) picco, pizzo, cocuzzolo **2** ♧ (*di una classifica*) testa, cima, vertice, top (*ingl.*) © coda, fondo **3** (*della gloria, del successo ecc.*) apice, acme, culmine, apogeo, vertice © declino.

vettovàglie *s.f.pl.* alimenti, provviste, rifornimenti, scorte, viveri.

vettovagliaménto *s.m.* approvvigionamento, rifornimento.

vettùra *s.f.* **1** carrozza, vagone **2** autovettura, automobile, macchina, auto.

vetùsto *agg.* (*elev.*) antico, arcaico © nuovo, moderno.

vezzeggiàre *v.tr.* **1** coccolare; carezzare, accarezzare **2** adulare, lusingare, blandire.

vézzo *s.m.* **1** abitudine, consuetudine **2** vizio, mania, tic **3** (*al pl.*) moine, smancerie **4** (*al pl.*; *spec. di una donna*) fascino, bellezza, attrattiva; civetteria **5** collana, monile.

vezzóso *agg.* **1** grazioso, aggraziato, leggiadro © sgraziato **2** affettato, lezioso, sdolcinato, smanceroso © brusco, rozzo ♦ *s.m.* smorfioso.

vìa *s.f.* **1** strada IPON. sentiero, pista, passaggio, varco **2** percorso, itinerario, tragitto **3** viaggio, cammino **4** passaggio, attraversamento, apertura, accesso, varco **5** ♧ (*di comportamento*) cammino, direzione, strada, comportamento **6** ♧ carriera, attività, professione, strada **7** ♧ (*per raggiungere un obiettivo*) maniera, modo, mezzo, possibilità, sistema, strada, soluzione **8** (*respiratoria, urinaria ecc.*) canale, condotto.

viabilità *s.f.* **1** (*di una strada*) praticabilità, transitabilità, percorribilità © impraticabilità, intransitabilità **2** rete stradale, rete viaria.

via crucis *s.f.invar.* calvario, croce, sofferenza, dolore, pena, tormento, supplizio, tribolazione.

viadótto *s.m.* cavalcavia, ponte.

viaggiàre *v.intr.* **1** (*di persona*) spostarsi, muoversi, circolare © fermarsi, sostare **2** (*di mezzi di trasporto*) andare, camminare, correre, filare, transitare © fermarsi **3** (*di merci*) essere trasportato, circolare ♦ *v.tr.* attraversare, girare, esplorare, percorrere, visitare.

viaggiatóre *s.m.* **1** (*su mezzi pubblici*) passeggero **2** turista, giramondo, globetrotter (*ingl.*), girovago; (*spec. in passato*) viandante, pellegrino **3** esploratore, navigatore **4** commesso viaggiatore.

viàggio *s.m.* **1** giro, gita, escursione, tour (*fr.*); **2** (*in un luodo di devozione*) pellegrinaggio **3** percorso, strada, itinerario, tragitto, via **4** ♧ (*immaginario, fantastico*) volo **5** (*gerg.*) trip (*ingl.*), sballo, allucinazione.

viàle *s.m.* **1** corso, stradone; passeggata **2** (*di parchi e giardini*) sentiero, viottolo.

viandànte *s.m.f.* pellegrino, viaggiatore.
viàrio *agg.* stradale.
viavài *s.m.invar.* andirivieni, avanti e indietro, va e vieni, su e giù; movimento, traffico.
vibrànte *agg.* **1** (*di voce e sim.*) energico, vigoroso, potente © fioco, debole, esile **2** ♧ (*di sentimento e sim.*) fremente, palpitante, appassionato, caloroso © freddo, distaccato.
vibràre *v.intr.* **1** oscillare, ondeggiare, tremare **2** (*di suono e sim.*) diffondersi, eccheggiare, risuonare **3** ♧ (*di sdegno, di commozione ecc.*) fremere, palpitare, tremare ♦ *v.tr.* **1** (*una freccia*) scagliare, tirare, lanciare **2** (*un colpo*) assestare, affibbiare, appioppare, sferrare.
vibrazióne *s.f.* **1** oscillazione, onda **2** (*della voce, della luce*) tremolio **3** ♧ (*di sdegno e sim.*) fremito, moto, palpito, tremito.
vicàrio *s.m.* sostituto, vice, supplente.
vìce *s.m.f.invar.* sostituto, supplente, vicario.
vicènda *s.f.* avvenimento, fatto, evento, caso, circostanza, situazione, traversia, vicissitudine.
vicendévole *agg.* reciproco, alterno, mutuo, scambievole © unilaterale, univoco.
vicinànza *s.f.* **1** prossimità, contiguità, attiguità; (*di tempo*) imminenza © lontananza, distanza **2** (*al pl.*) dintorni, paraggi, pressi **3** ♧ affinità, somiglianza, conformità, analogia © differenza, lontananza, divergenza, divario.
vicinàto *s.m.* **1** vicini **2** dintorni, circondario, vicinanze.
vicìno *agg.* **1** (*nello spazio*) prossimo, adiacente, attiguo, confinante, contiguo, limitrofo © lontano, distante, remoto, discosto, staccato **2** (*nel tempo*) imminente, prossimo, recente © lontano, passato, remoto **3** (*di parente*) stretto, prossimo, diretto © lontano **4** ♧ (*nel dolore e sim.*) partecipe, compartecipe, solidale © estraneo, indifferente, lontano **5** ♧ affine, simile, concorde © divergente, discorde ♦ *s.m.* vicino di casa; condomino, coinquilino.
vicissitùdine *s.f.* (*spec. al pl.*) peripezia, traversia, disavventura, difficoltà, tribolazione.
vìdeo *s.m.* **1** display (*ingl.*), schermo, terminale (*inform.*) **2** videoclip ♦ *agg.invar.* televisivo.
videogame *s.m.invar.* (*ingl.*) videogioco, gioco elettronico.
videogiòco *s.m.* videogame (*ingl.*), gioco elettronico.
videotape *s.m.invar.* (*ingl.*) VHS, videocassetta, cassetta, nastro.
vidimàre *v.tr.* autenticare, convalidare, vistare.
vidimazióne *s.f.* autentica, convalida, visto.
vietàre *v.tr.* proibire, impedire, inibire, negare © permettere, consentire, autorizzare.
vietàto *agg.* proibito, interdetto; precluso, tabù © permesso, concesso, autorizzato.
vièto *agg.* antiquato, sorpassato, vecchio, abusato, antiquato, desueto, logoro, obsoleto, sfruttato, trito © nuovo, attuale, moderno, recente, contemporaneo; innovativo.
vigènte *agg.* **1** (*di norma e sim.*) in vigore, valevole **2** (*di usanza, di tradizione ecc.*) attuale, vivo © decaduto, desueto, obsoleto.
vigilànte *s.m.f.* (*sp.*) sorvegliante, guardiano; guardia giurata.
vigilànza *s.f.* **1** sorveglianza, controllo, guardia **2** attenzione, cura, accortezza, scrupolo © incuria, negligenza, trascuratezza.
vigilàre *v.tr.* controllare, guardare, sorvegliare, tenere d'occhio; badare, curare, custodire ♦ *v.intr.* (*su qlco. o qlcu.*) sorvegliare, badare, fare la guardia; curarsi, preoccuparsi, stare attento © disinteressarsi, fregarsene.
vìgile *agg.* attento, accorto, cauto, guardingo © disattento, distratto, incauto, noncurante ♦ *s.m.f.* vigile urbano; vigile del fuoco, pompiere.
vigliaccherìa *s.f.* viltà, codardia, pusillanimità, pavidità © coraggio, audacia.
vigliàcco *agg., s.m.* **1** codardo, vile, pauroso, timoroso © coraggioso, audace, impavido **2** (*di azione*) basso, ignobile, abietto, infame © nobile.
vignettìsta *s.m.f.* disegnatore, cartoonist (*ingl.*).
vigóre *s.m.* **1** energia, forza, potenza, vitalità, esuberanza; efficienza, lena; salute, tono © fiacchezza, debolezza, delicatezza, fragilità **2** decisione, fermezza, determinazione, polso © debolezza, esitazione, incertezza **3** (*di discorso, di stile ecc.*) forza, efficacia, espressività, incisività, intensità, vivacità © inefficacia, inespressività, piattezza **4** (*di leggi e sim.*) efficacia, validità, obbligatorietà, valore © inefficacia, invalidità, nullità.
vigorìa *s.f.* **1** vigore, energia, forza, vitalità **2** ♧ efficacia, incisività, espressività, vivacità © piattezza, povertà.
vigoróso *agg.* **1** forte, energico, potente, robusto, forzuto, muscoloso, poderoso, prestante © debole, delicato, fragile, gracile, deperito **2** ♧ deciso, energico, risoluto © debole **3** (*di pianta e sim.*) lussureggiante, rigoglioso © appassito, secco **4** (*di discorso, di stile ecc.*) efficace, espressivo, incisivo, vibrante © debole, inespressivo, piatto, inefficace.
vìle *agg.* **1** debole, vigliacco, codardo, pauroso, pavido, pusillanime © audace, coraggioso, valoroso, intrepido, prode **2** (*di atto, di com-*

portamento ecc.) basso, ignobile, infame, miserabile, abietto, spregevole, turpe © generoso, dignitoso, elevato, nobile.

vilipèndere *v.tr.* offendere, disonorare, denigrare, disprezzare, infamare, insultare, oltraggiare, spregiare, vituperare © rispettare, onorare, lodare, esaltare.

vilipèndio *s.m.* (*dir.*) offesa, disprezzo, ingiuria, oltraggio, infamia, vituperio © onore, apprezzamento, lode, stima.

villàggio *s.m.* **1** paese, borgo, borghetto **2** (*olimpico, universitario ecc.*) quartiere **3** (*preistorico*) insediamento, stanziamento **4** (*residenziale*) complesso, quartiere.

villanìa *s.f.* **1** maleducazione, scortesia, cafonaggine, inciviltà, impertinenza, sfacciataggine © educazione, cortesia, gentilezza, creanza **2** (*di atto, di parola ecc.*) insulto, offesa, ingiuria, cafonata, oltraggio, scortesia © gentilezza, complimento.

villàno *agg.* **1** maleducato, cafone, insolente, incivile, scortese, sgarbato, screanzato © civile, educato, discreto, gentile, beneducato, compito, urbano **2** (*di gesto, di parola ecc.*) insolente, incivile, maleducato, offensivo, scortese, sgarbato, grossolano, irrispettoso © educato, gentile, cortese ♦ *s.m.* **1** (*raro*) contadino, bifolco © cittadino **2** buzzurro, bifolco, cafone, villanzone, zotico, zoticone.

villeggiànte *s.m.f.* turista, vacanziere; (*al mare*) bagnante.

villeggiatùra *s.f.* vacanze, ferie.

villóso *agg.* peloso, irsuto, ispido © glabro, pelato.

viltà *s.f.* **1** codardia, vigliaccheria, pusillanimità © coraggio, valore **2** (*azione, comportamento da vile*) vigliaccheria, bassezza, meschinità, vigliaccata.

vilùppo *s.m.* **1** intrico, intreccio, groviglio, groppo, matassa, nodo **2** fagotto, involto **3** ♧ confusione, garbuglio, pasticcio, ginepraio, imbroglio, intrico.

vìmine *s.m.* (*spec. al pl.*) giunco, rattan.

vincènte *agg., s.m.f.* **1** vincitore, vittorioso © perdente, sconfitto, vinto **2** (*persona di successo*) arrivato © perdente, fallito.

vìncere *v.tr.* **1** (*il nemico, l'avversario*) battere, sconfiggere, superare, annientare, sbaragliare, sgominare, schiacciare © perdere, capitolare, soccombere **2** (*un premio e sim.*) aggiudicarsi, conseguire, conquistare, guadagnare, ottenere © perdere **3** (*qlcu. in capacità, furbizia ecc.*) superare, battere, sovrastare, surclassare, eclissare **4** ♧ convincere, persuadere, intenerire, commuovere, impietosire; sopraffare **5** ♧ (*difficoltà, resistenze* ecc.) superare, sormontare **6** (*la fame, la sete ecc.*) placare, smorzare **7** (*una passione, uno stato d'animo ecc.*) dominare, controllare, frenare, reprimere, soffocare, trattenere © sfogare; (*la pigrizia, la timidezza ecc.*) superare ♦ *v.intr.* prevalere, avere la meglio, emergere, distinguersi, eccellere, trionfare ♦ **vincersi** *v.pr.* controllarsi, dominarsi.

vìncita *s.f.* **1** vittoria, successo © perdita, insuccesso **2** premio © perdita.

vincitóre *agg.* vittorioso, vincente © sconfitto, perdente ♦ *s.m.* conquistatore, dominatore, trionfatore; (*in una gara*) campione, primo © perdente, sconfitto, vinto.

vincolànte *agg.* obbligatorio, impegnativo, obbligante © liberatorio.

vincolàre *v.tr.* **1** impedire, limitare, bloccare **2** ♧ costringere, impegnare, obbligare, condizionare © svincolare, liberare, disimpegnare, dispensare, esentare, riscattare.

vìncolo *s.m.* **1** legame, dovere, impegno, obbligo, promessa **2** (*d'amore, di parentela*) legame, rapporto, relazione **3** (*urbanistico e sim.*) limite, limitazione.

vìnto *agg.* **1** battuto, sconfitto, sopraffatto; conquistato; espugnato © vincitore, vittorioso, trionfatore **2** (*di battaglia, di guerra*) vittorioso © perso, perduto **3** (*di premio, di titolo ecc.*) conquistato, guadagnato, conseguito, ottenuto © perduto ♦ *s.m.* **1** sconfitto, perdente © vincitore, vincente **2** perdente, fallito.

violàceo *agg.* (*di labbra e sim.*) livido.

violàre *v.tr.* **1** disonorare, infamare, offendere, oltraggiare © rispettare **2** (*un patto e sim.*) contravvenire, calpestare, infrangere, trasgredire © mantenere, osservare, onorare, ottemperare **3** (*un luogo*) invadere; (*una porta e sim.*) forzare, rompere **4** (*una tomba, una chiesa ecc.*) profanare **5** (*una persona*) violentare, brutalizzare, struprare.

violazióne *s.f.* **1** trasgressione, inosservanza, inadempienza © osservanza, ottemperanza **2** oltraggio, offesa **3** (*di un luogo sacro*) profanazione, sacrilegio **4** (*di un segreto*) diffusione, rivelazione, divulgazione © rispetto.

violentàre *v.tr.* **1** (*una donna, un ragazzo ecc.*) stuprare, seviziare, brutalizzare, violare **2** costringere, forzare, obbligare; (*diritti, volontà ecc.*) prevaricare, sopraffare.

violentatóre *s.m.* stupratore.

violènto *agg.* **1** aggressivo, brutale, prepotente, prevaricatore, sopraffattore © mite, pacifico, pacato, non violento **2** (*di morte*) © naturale **3**

(*di parole, di discorso ecc.*) aggressivo, aspro, infuocato, veemente © pacato, sereno **4** (*di temporale, di impulso ecc.*) impetuoso, travolgente, furioso, veemente **5** ♧ (*di febbre, di sforzo ecc.*) forte, intenso © debole, leggero **6** ♧ (*di sentimento e sim.*) appassionato, ardente © tiepido **7** ♧ (*di colore, di tinta ecc.*) acceso, carico, vivace © debole, tenue, smorto, spento ♦ *s.m.* attaccabrighe, litigioso, facinoroso, bruto, prepotente, sopraffattore.

violènza *s.f.* **1** aggressività, brutalità, ferocia, furia, impeto, prepotenza, spietatezza © bonarietà, dolcezza, mitezza **2** (*azione violenta*) prepotenza, sopraffazione, prevaricazione, sopruso, maltrattamento; brutalità, sevizia, vessazione; forza © gentilezza, generosità **3** (*di una battaglia, di un temporale ecc.*) furia, impeto, veemenza **4** (*sessuale*) stupro, violenza carnale, abuso.

viòttolo *s.m.* sentiero, stradina.

vip *s.m.f.invar.* personaggio, personalità, celebrità, big (*ingl.*).

vìpera *s.f.* **1** aspide; (*impropr.*) serpente **2** ♧ (*persona maligna*) serpe, serpente, malvagio, maligno; pettegolo, malalingua, maldicente, lingua biforcuta.

viràta *s.f.* **1** deviazione, mutamento, inversione **2** ♧ (*politica, economica*) sterzata, inversione di tendenza.

virìle *agg.* **1** maschio, maschile, mascolino © femminile, femmineo **2** (*di atteggiamento e sim.*) adulto, maturo © immaturo, infantile, puerile **3** ♧ coraggioso, forte, maschio, valoroso, vigoroso © debole, vigliacco, rammolito.

virilità *s.f.* **1** maturità © infanzia, adolescenza, giovinezza **2** mascolinità, prestanza; potenza © effeminatezza; impotenza **3** ♧ coraggio, decisione, fermezza, risolutezza, vigore © debolezza, fiacchezza, fragilità.

virtù *s.f.* **1** (*morale*) bontà, perfezione, rettitudine, dirittura, integrità © vizio, errore, colpa **2** qualità, dote, merito, pregio © difetto, colpa, debolezza, vizio **3** bravura, capacità, talento © incapacità, incompetenza **4** (*riferito a donna*) castità, purezza, illibatezza, verginità; onestà, integrità, pudicizia © depravazione, dissolutezza, impudicizia, spudoratezza **5** forza, efficacia, potenza; caratteristica, proprietà, requisito © inefficacia, inutilità.

virtuàle *agg.* **1** possibile, potenziale, in potenza; implicito, latente © reale, concreto, attuale, effettivo, in atto **2** (*di realtà, di immagine ecc.*) simulato © reale.

virtuosìsmo *s.m.* **1** (*di un artista*) abilità, bravura, maestria, padronanza, perizia; perfezione © incapacità, imperizia **2** (*con valore negativo*) esibizionismo, tecnicismo.

virtuóso *agg.* **1** onesto, retto, probo, integerrimo, irreprensibile; casto, innocente, puro © vizioso, corrotto, disonesto, immorale, peccaminoso, traviato **2** (*di artista*) abile, bravo, capace, esperto, valente © incapace, inesperto ♦ *s.m.* (*del pianoforte, della racchetta ecc.*) maestro, virtuosista; campione, asso © principiante, schiappa.

virulènto *agg.* **1** (*di malattia e sim.*) violento, acuto © innocuo, blando, leggero **2** ♧ (*di polemica e sim.*) violento, aspro, aggressivo, velenoso © sereno, calmo, misurato, pacato.

virulènza *s.f.* **1** (*di una malattia, di un attacco ecc.*) violenza **2** ♧ (*di una critica, di una polemica ecc.*) violenza, aggressività, asprezza, furia © calma, pacatezza, serenità.

vìrus *s.m.invar.* **1** agente infettivo, agente patogeno **2** ♧ (*dell'odio, della gelosia ecc.*) germe, tarlo, veleno.

visceràle *agg.* **1** intestinale, ventrale **2** ♧ (*di sentimento, di passione*) istintivo, emotivo, intenso, irrazionale, profondo, uterino © razionale, superficiale.

vìscere *s.f.pl.* **1** budella, interiora, intestino; (*di un animale ucciso*) frattaglie, rigaglie **2** addome, stomaco, ventre **3** ♧ (*della terra e sim.*) interno, profondità, intimità, cuore © esterno, superficie.

vischióso *agg.* (*di liquido e sim.*) appiccicoso, colloso, gommoso, viscoso; denso © fluido, liquido.

vìscido *agg.* **1** (*al tatto*) molle, molliccio, gelatinoso © ruvido, scabro **2** (*di strada e sim.*) scivoloso, sdrucciolevole © asciutto **3** ♧ subdolo, infido, ipocrita, untuoso © sincero, schietto, franco, leale.

viscóso *agg.* colloso, vischioso, appiccicoso.

visìbile *agg.* **1** distinguibile, percepibile, riconoscibile, vedibile; chiaro, nitido © invisibile, coperto, nascosto **2** (*di museo e sim.*) visitabile, aperto **3** (*di sentimento e sim.*) evidente, manifesto, palese © celato, coperto, impercettibile, recondito.

visibìlio *s.m.* sacco, fiume, marea, caterva.

visionàre *v.tr.* controllare, esaminare, valutare.

visionàrio *agg., s.m.* **1** mistico, contemplativo **2** sognatore, idealista, utopista © realistico, pratico.

visióne *s.f.* **1** percezione visiva, vista **2** esame, osservazione **3** ♧ idea, immagine, interpretazione, opinione, parere, concezione, punto di vista, quadro **4** scena, spettacolo, vista, scenario **5** spettacolo, proiezione **6** (*relig.*) apparizione; estasi **7** fantasia, sogno **8** (*psic.*) allucinazione.

vìsita *s.f.* **1** capatina, scappata; incontro; ospite **2** (*medica*) esame, controllo, seduta **3** ispezione, controllo, esame, perlustrazione, sopralluogo, supervisione.

visitàre *v.tr.* **1** (*i parenti e sim.*) fare una visita, andare a trovare **2** (*un paziente*) vedere, controllare, esaminare **3** (*una città e sim.*) girare, vedere.

visitatóre *s.m.* turista.

vìso *s.m.* volto, faccia.

vìspo *agg.* allegro, pronto, sveglio, vivace, vitale © spento, abbacchiato, serio, tardo.

vissùto *agg.* **1** (*di persona*) navigato, esperto, consumato, smaliziato © inesperto, ingenuo, sprovveduto **2** (*di esperienza e sim.*) diretto, personale © indiretto ♦ *s.m.* esperienza, passato, vita.

vìsta *s.f.* **1** visione, percezione; occhio **2** visibilità, visuale **3** scena, spettacolo, panorama, prospettiva, veduta, scenario, scorcio.

vistàre *v.tr.* autenticare, convalidare, vidimare; firmare, siglare.

vìsto *s.m.* **1** firma, sigla, timbro **2** vidimazione.

vistóso *agg.* **1** appariscente, chiassoso, eccentrico, sgargiante; lussuoso, sfarzoso, hollywoodiano, pacchiano © semplice, sobrio, misurato **2** (*di colore*) acceso, carico, violento © delicato, tenue **3** (*di quantità, di somma ecc.*) considerevole, cospicuo, ingente, ragguardevole © piccolo, scarso, misero, modesto.

visuàle *agg.* visivo ♦ *s.f.* **1** vista, visibilità; campo visivo **2** prospettiva, veduta, panorama, scenario, vista **3** ♧ prospettiva, punto di vista, ottica.

vìta[1] *s.f.* **1** esistenza © morte **2** (*gerg.*) pelle **3** (*sana, attiva ecc.*) esistenza, modo di vivere **4** (*affettiva, professionale ecc.*) ambito, sfera, aspetto **5** (*di una cosa*) durata; (*di un'azienda e sim.*) esistenza © fine, morte **6** fabbisogno, necessario, sostentamento, pane **7** ♧ energia, salute, vitalità; entusiasmo, esuberanza © debolezza, fiacchezza **8** ♧ animazione, attività, fermento, movimento, traffico, vivacità © calma, quiete, inattività **9** (*di un'opera e sim.*) espressività, vivacità, spirito, brio **10** persona, individuo, essere vivente **11** biografia, autobiografia, memorie.

vìta[2] *s.f.* cintura, cintola, circonferenza; punto vita; busto, torso.

vitàle *agg.* **1** esistenziale © mortale, letale, micidiale **2** ♧ (*di questione e sim.*) essenziale, importante, fondamentale, necessario, basilare, primario © secondario, accessorio, marginale **3** (*di persona*) energico, esuberante, pieno di vita, vigoroso, vivace © debole, apatico, passivo, fiacco, indolente **4** ♧ (*di azienda, di economia ecc.*) dinamico, attivo, produttivo, fiorente, rigoglioso © improduttivo, sterile.

vitalìsmo *s.m.* attivismo, esuberanza, dinamismo, vitalità © debolezza, fiacchezza; inattività, inerzia.

vitalità *s.f.* **1** energia, entusiasmo, spirito, vita, vigore, esuberanza, vivacità © debolezza, apatia, inerzia, fiacchezza, inattività **2** ♧ (*di un settore e sim.*) attività, produttività, fioritura, rigoglio © immobilismo, improduttività.

vitalìzio *agg.* (*di rendita e sim.*) a vita ♦ *s.m.* rendita vitalizia; assegno vitalizio.

vìte *s.f.* vitigno.

vitìgno *s.m.* vite.

vìtreo *agg.* **1** (*di superficie e sim.*) vetroso **2** (*di occhio, di sguardo*) inespressivo, spento, vacuo; fisso, sbarrato © vivo, vivace, espressivo.

vìttima *s.f.* **1** (*di un terremoto, di un'epidemia* ecc.) morto; (*di guerra*) caduto © sopravvissuto, scampato; reduce **3** (*di inganni, violenza ecc.*) oggetto, bersaglio INVER. persecutore, carnefice **3** (*spec. scherz.*) martire, zimbello.

vittimìsmo *s.m.* autocommiserazione.

vìtto *s.m.* **1** cibo, alimento, nutrimento **2** sostentamento, mantenimento; vettovaglie, viveri.

vittòria *s.f.* **1** successo, affermazione, vincita; riuscita, trionfo © insuccesso, sconfitta, fiasco, scacco, smacco, débâcle (*fr.*) **2** ♧ successo, conquista © sconfitta, fallimento, insuccesso.

vittorióso *agg.* **1** (*di esercito, di atleta ecc.*) vincitore, vincente © sconfitto, perdente, battuto, vinto **2** (*di atteggiamento e sim.*) esultante, trionfale, trionfante.

vituperàre *v.tr.* insultare, ingiuriare, offendere, oltraggiare, diffamare, infamare, infangare © rispettare, onorare, encomiare.

vitupèrio *s.m.* **1** disonore, infamia, onta, ignominia © onore, gloria **2** (*persona o cosa che reca vituperio*) vergogna, disonore, scandalo © orgoglio, vanto **3** insulto, offesa, improperio, ingiuria, insolenza, oltraggio, parolaccia © elogio, lode.

vìva *inter.* evviva, hurrà © abbasso.

vivacchiàre *v.intr.* arrabattarsi, arrangiarsi, campare, tirare avanti.

vivàce *agg.* **1** allegro, brillante, attivo, dinamico, effervescente, esuberante, frizzante, pimpante, vispo © calmo, moscio, pacato, spento **2** (*di intelligenza, di sguardo ecc.*) brillante, acuto, sveglio, attento, pronto, fervido, perspicace © lento, ottuso, tardo **3** (*di stile e sim.*) brillante, brioso, effervescente, espressivo, incisivo, sciolto, scorrevole © grigio, scialbo, insipido, sbiadito **4** (*di discussione e sim.*) acceso, accalorato, animato, aspro, polemico, teso © pacato, calmo, sereno **5** (*di colore, di luce ecc.*) intenso, vivo, splendente © pallido, sbiadito, smorto **6** (*di città, di locale ecc.*) allegro, animato, movimentato © morto, spento.

vivacità *s.f.* **1** (*di una persona*) brio, vitalità, esuberanza, dinamismo, spirito, verve (*fr.*); allegria, gaiezza; (*di un bambino*) irrequietezza **2** (*di mente e sim.*) acutezza, prontezza, creatività © lentezza, ottusità, sterilità **3** (*di conversazione, di descrizione ecc.*) brio, brillantezza, efficacia, espressività, forza, calore, immediatezza © noia, grigiore, monotonia, pesantezza **4** (*di una discussione, di una polemica ecc.*) calore, concitazione, fervore © serenità, pacatezza **5** (*di un colore e sim.*) brillantezza, intensità, vividezza; chiassosità © tenuità.

vivacizzàre *v.tr.* animare, movimentare, rallegrare, ravvivare © rattristare.

vivàio *s.m.* **1** (*per l'allevamento dei pesci*) peschiera **2** ♧ fucina; palestra; scuola.

vivànda *s.f.* piatto, portata, pietanza; cibo, alimento, mangiare.

vivènte *agg.* vivo, in vita, esistente © defunto, morto, deceduto, scomparso ♦ *s.m.f.* essere vivente, essere, creatura; uomo, essere umano, individuo.

vìvere[1] *v.intr.* **1** esistere, esserci, campare (*colloq.*) morire, spirare, trapassare, crepare (*colloq.*) **2** (*di pianta*) vegetare © morire, appassire, avvizzire **3** abitare, risiedere, dimorare, stare; convivere **4** (*onestamente, malamente ecc.*) agire, comportarsi **5** sopravvivere, mantenersi, tirare avanti **6** ♧ (*di illusioni, di speranze ecc.*) alimentarsi, nutrirsi **7** divertirsi, godersela, spassarsela **8** ♧ (*di ricordo e sim.*) durare, conservarsi, continuare, restare, resistere, perdurare © estinguersi, cessare, morire ♦ *v.tr.* **1** (*la vita, l'esistenza ecc.*) trascorrere **2** (*un brutto momento, un'avventura ecc.*) passare, attraversare, trascorrere **3** ♧ (*il dolore, la gioia ecc.*) sentire, provare, sperimentare.

vìvere[2] *s.m.* vita, esistenza.

vìveri *s.m.pl.* vettovaglie, alimenti, cibo, provviste, scorte; sussistenza.

vivìbile *agg.* **1** (*di città e sim.*) abitabile, confortevole © invivibile **2** (*di esistenza, di esperienza ecc.*) accettabile, sopportabile, sostenibile, tollerabile © invivibile, intollerabile.

vìvido *agg.* **1** (*di luce, di colore ecc.*) intenso, luminoso, brillante, splendente © tenue, spento **2** (*di ricordo e sim.*) chiaro, distinto, vivo, nitido © vago, incerto, sbiadito **3** ♧ (*di intelligenza*) acuto, brillante, lucido, penetrante, pronto, sveglio © lento, tardo, ottuso.

vivificàre *v.tr.* **1** rivitalizzare, rafforzare, rinvigorire, irrobustire **2** animare, allietare, ravvivare, vivacizzare.

vìvo *agg.* **1** vivente, in vita © morto **2** (*di usanza, di costume ecc.*) in uso, vigente © morto, desueto, obsoleto, scomparso **3** (*di lingua*) parlato, attuale © morto **4** (*di ricordo*) vivido intenso, netto, presente © incerto, lontano, vago **5** (*di persona*) vivace, allegro, brillante, brioso, dinamico, esuberante © pigro, apatico, indolente, rammollito **6** (*di mente, di ingegno ecc.*) vivace, sveglio, pronto, fervido, versatile © lento, tardo, ottuso **7** (*di sguardo e sim.*) attento, vigile, vivace, espressivo © spento, inespressivo, fisso, immobile **8** (*di descrizione e sim.*) vivace, vivido, brillante, colorito, espressivo © noioso, scialbo **9** (*di discussione e sim.*) acceso, accalorato, animato, vivace, teso © pacato, calmo; noioso **10** (*di sentimento, di emozione ecc.*) forte, intenso, profondo © debole, superficiale **11** (*di luce, di colore ecc.*) forte, intenso, vivace, brillante, luminoso, deciso, sgargiante © pallido, sbiadito, spento, morbido, tenue ♦ *s.m.* **1** © morto **2** (*di una questione e sim.*) cuore, culmine, nucleo, pieno.

viziàre *v.tr.* **1** (*un bambino*) diseducare, educare male **2** corrompere, guastare, rovinare, traviare **3** (*dir.*) invalidare, inficiare, infirmare.

viziàto *agg.* **1** (*di bambino*) capriccioso, maleducato **2** (*di cosa*) difettoso, imperfetto, alterato © integro, perfetto **3** (*di aria*) pesante, malsano, irrespirabile © fresco, puro, pulito **4** (*dir.*) invalido, irregolare, inficiato © regolare, valido.

vìzio *s.m.* **1** corruzione, depravazione, dissolutezza, immoralità; colpa, male, peccato © virtù, probità, rettitudine **2** (*di bere, del fumo ecc.*) difetto, debolezza, cattiva abitudine, droga (*scherz.*); mania, passione, vezzo **3** (*di fabbricazione*) difetto, imperfezione, pecca **4** (*di ragionamento, di pensiero ecc.*) errore, sbaglio **5** (*dir.*) irregolarità © conformità, regolarità.

vizióso *agg.* **1** corrotto, dissoluto, depravato, degenerato, libertino, perverso, pervertito © casto, onesto, retto, virtuoso **2** (*di ragionamento e sim.*) difettoso, imperfetto, errato, sbagliato, scorretto © corretto, giusto, esatto ♦ *s.m.* corrotto, depravato, dissoluto, lussurioso, peccaminoso © onesto, virtuoso.

vìzzo *agg.* **1** (*di pianta, di fiore ecc.*) appassito, avvizzito, sfiorito © fresco, rigoglioso, fiorente **2** (*di pelle, di viso e sim.*) flaccido, grinzoso, rugoso © florido, fiorente, levigato.

vocabolàrio *s.m.* **1** dizionario, lessico, glossario; gergo; terminologia **2** (*di un autore*) linguaggio, lessico.

vocàbolo *s.m.* parola, termine, voce; (*di un dizionario*) lemma, entrata.

vocàle *agg.* **1** (*di apparato e sim.*) fonatorio **2** orale **3** (*di musica, di concerto ecc.*) per voce, per canto © strumentale, orchestrale.

vocazióne *s.f.* **1** (*relig.*) chiamata, ispirazione, elezione **2** disposizione, inclinazione, attitudine, talento, bernoccolo (*colloq.*), propensione, predisposizione.

vóce *s.f.* **1** suono **2** tono, intonazione, timbro; accento, inflessione **3** (*di animale*) verso, canto, grido, urlo, strepito **4** (*di strumento, musicale*) suono, timbro **5** (*del tuono, delle onde ecc.*) rumore, suono, rombo, fragore, brontolio **6** ♧ (*della coscienza e sim.*) richiamo, avvertimento, ammonimento, monito; insegnamento, suggerimento; impulso, istinto **7** ♧ notizia, informazione, chiacchiera, indiscrezione, pettegolezzo; calunnia **8** (*di un dizionario*) vocabolo, termine; (*ling.*) lemma, entrata, esponente **9** (*di un elenco, di una lista ecc.*) argomento, articolo, elemento, oggetto **10** cantante.

vociàre *v.intr.* gridare, urlare, strillare, sbraitare, strepitare, berciare © bisbigliare, sussurrare ♦ *s.m.* **1** rumore, schiamazzo, tumulto **2** chiacchiera, pettegolezzo, diceria.

vociferàre *v.tr.* (*spec. impersonale*) dire, parlare, raccontare, sparlare, spettegolare; correre voce.

vocìo *s.m.* brusio, chiacchiericcio, cicaleccio, parlottio © calma, silenzio.

vóga *s.f.* **1** entusiasmo, passione, impeto, fervore, lena, slancio © svogliatezza, indifferenza **2** moda, usanza, uso; successo, gloria, fama, popolarità.

vogàre *v.intr.* remare

vòglia *s.f.* **1** intenzione, propensione, volontà **2** desiderio, brama smania **3** (*spreg.*) capriccio, ghiribizzo, sfizio, smania **4** (*sessuale*) appetito, prurito, fregola, smania **5** (*sulla pelle*) macchia; neo, angioma (*med.*).

voglióso *agg.* **1** desideroso, bramoso (*elev.*); assetato, avido, famelico, ingordo, smanioso © indifferente, distaccato **2** (*sessualmente*) concupiscente, libidinoso, lussurioso © freddo, frigido.

volànte[1] *agg.* **1** mobile, provvisorio © fisso, fissato **2** (*di lavoro e sim.*) temporaneo © fisso, stabile ♦ *s.f.* (*della polizia*) celere, pronto intervento, pattuglia; (*auto della polizia*) pantera.

volànte[2] *s.m.* sterzo (*impropr.*).

volantìno *s.m.* manifestino, stampato; ciclostilato; dépliant (*fr.*), locandina.

volàre 1 (*di uccelli e sim.*) librarsi; volteggiare; svolazzare **2** (*di aereo*) trasvolare; (*di aliante*) veleggiare **3** (*di piuma, di cappello ecc.*) svolazzare, alzarsi, sollevarsi **4** (*dall'alto*) cadere, cascare, precipitare, rovinare, piombare **5** ♧ correre, filare, sfrecciare; precipitarsi, catapultarsi, fiondarsi (*colloq.*) **6** ♧ (*di fama, di notizia ecc.*) diffondersi, propagarsi, spandersi, spargersi **7** ♧ (*di tempo, di momento ecc.*) andare, fuggire, passare **8** ♧ (*con la mente, con la fantasia ecc.*) fantasticare, spaziare, vagare, vagabondare, viaggiare **9** ♧ (*con la memoria*) andare, riandare, ritornare, tornare.

volàta *s.f.* **1** volo **2** ♧ corsa, salto, scappata **3** (*nelle gare ciclistiche*) sprint finale, spunto, finale.

volàtile *agg.* (*di sostanza*) evaporabile ♦ *s.m.* uccello, pennuto.

volatilizzàrsi *v.pr.* **1** evaporare, svaporare, vaporizzarsi © condensarsi, liquefarsi **2** ♧ scomparire, sparire, svanire, dileguarsi, eclissarsi © comparire, presentarsi.

volonteróso *agg.* **1** (*di persona*) diligente, alacre, laborioso, operoso, solerte, zelante © negligente, pigro, svogliato **2** (*di studio, di lavoro ecc.*) accurato, coscienzioso © negligente, trascurato.

volére[1] *v.tr.* **1** (*fare qlco.*) intendere, desiderare, aspirare, mirare, tendere **2** desiderare, gradire, avere voglia, preferire **3** decidere, disporre, stabilire, imporre, decretare **4** chiedere, esigere, pretendere, richiedere, reclamare **5** (*un compenso, un prezzo ecc.*) chiedere, esigere **6** (*spec. in frasi negative*) permettere, consentire, concedere; ammettere, tollerare **7** (*qlcu.*) cercare, chiamare, desiderare ♦ **volerci** *v.pro-compl.* occorrere, servire, andarci.

volére[2] *s.m.* volontà, desiderio, intento, proposito.

volgàre *agg.* **1** popolare, plebeo, popolano © aristocratico, nobile, signorile **2** (*filol.; di lingua*) parlato, corrente, popolare © classico, letterario, colto, scritto **3** grossolano, rozzo, indecente, osceno, sboccato, scurrile, sguaiato, triviale © elegante, distinto, signorile, chic (*fr.*), fine, squisito, raffinato, ricercato **4** comune, ordinario, banale, mediocre © pregiato, prezioso, pregevole ♦ *s.m.* (*nella storia della lingua italiana*) italiano.

volgarità *s.f.* **1** grossolanità, rozzezza, cafonaffine, inciviltà, sconcezza, oscenità, scurrilità, trivialità © distinzione, eleganza, delicatezza, raffinatezza, signorilità, squisitezza **2** (*gesto, espressione volgare*) cafonata, grossolanità, trivialità; parolaccia, ingiuria; oscenità, sconcezza, porcata, porcheria © finezza, raffinatezza.

vòlgere *v.tr.* **1** dirigere, girare, indirizzare, muovere, rivolgere, voltare, orientare © allontanare, distogliere **2** ♧ trasformare, cambiare, mutare, convertire ♦ *v.intr.* **1** dirigersi, rivolgersi, volgersi; ♧ (*a un obiettivo, a un fine ecc.*) dirigersi, indirizzarsi, orientarsi **2** (*al termine, al tramonto ecc.*) avvicinarsi, approssimarsi **3** (*al bello, al peggio*) tendere, mettersi ♦ **volgersi** *v.pr.* **1** (*verso qlco. o qlcu.*) girarsi, rivolgersi, voltarsi; dirigersi, incamminarsi **2** ♧ (*allo studio, alla musica ecc.*) applicarsi, dedicarsi, rivolgersi, indirizzarsi **3** ♧ (*contro qlcu.*) rivolgersi, riversarsi, abbattersi; sfogarsi.

vólgo *s.m.* **1** popolo, folla, moltitudine **2** (*spreg.*) plebe, plebaglia, popolino © aristocrazia, nobiltà.

volitivo *agg.* forte, deciso, determinato, energico, risoluto © debole, indeciso.

vólo *s.m.* **1** (*di uccelli*) stormo, frotta, schiera **2** (*di aerei*) stormo, squadriglia **3** (*di un oggetto*) percorso, traiettoria **4** (*di un aereo*) trasvolata **5** (*dalle scale e sim.*) salto, caduta, capitombolo, ruzzolone **6** corsa, salto, volata, scappata **7** ♧ (*della mente*) fantasticheria.

volontà *s.f.* **1** forza di volontà © inerzia, apatia **2** volere; intenzione, disponibilità **3** (*di fare qlco.*) intenzione, decisione, proposito, scelta, desiderio **4** (*nel lavoro, nello studio ecc.*) impegno, determinazione, buona volontà, solerzia; disposizione, inclinazione, voglia; passione © negligenza, svogliatezza; indifferenza.

volontàrio *agg.* spontaneo, libero; deliberato, intenzionale, voluto; (*dir.*) doloso; (*dir.*) premeditato © involontario, inconsapevole; obbligatorio, forzato; (*dir.*) colposo, preterintenzionale.

vólpe *s.f.* ♧ (*persona astuta*) furbo, furbacchione, furbone, dritto (*colloq.*), lenza (*colloq.*), volpone © scemo, stupido, sciocco, ingenuo.

vòlta[1] *s.f.* **1** momento, turno **2** circostanza, momento, occasione, tempo.

vòlta[2] *s.f.* **1** (*arch.*) cupola, volterrana **2** soffitto, cielo.

voltafàccia *s.m.invar.* dietrofront, giravolta, retromarcia; defezione, tradimento © fedeltà, lealtà.

voltagabbàna *s.m.f.invar.* banderuola, burattino, pulcinella, pupazzo; opportunista; traditore.

voltàre *v.tr.* **1** girare, volgere, rivolgere; piegare, ruotare **2** dirigere, indirizzare, orientare, rivolgere © allontanare, distogliere **3** (*un foglio e sim.*) capovolgere, rovesciare, rivoltare **4** (*l'angolo e sim.*) girare, superare, svoltare, oltrepassare ♦ *v.intr.* (*a destra, a sinistra*) girare, piegare, curvare, volgere; sterzare, virare (*mar.*) ♦ **voltarsi** *v.pr.* **1** girarsi, rivolgersi, volgersi **2** (*al bello, al brutto*) cambiare, tendere **3** (*contro qlcu.*) rigirarsi, rivoltarsi, ribellarsi.

voltastòmaco *s.m.invar.* **1** (*colloq.*) nausea, conato di vomito **2** ♧ disgusto, ribrezzo, repulsione, schifo.

volteggiàre *v.intr.* **1** svolazzare, volare **2** piroettare, ruotare **3** ballare, danzare.

voltéggio *s.m.* evoluzione, giravolta, piroetta.

vólto[1] *s.m.* **1** viso, faccia; (*spreg.*) ceffo, muso; fattezze, fisionomia, sembiante (*elev.*) **2** aria, aspetto, cera, espressione **3** ♧ animo, carattere, natura **4** ♧ (*di una questione, di un fenomeno ecc.*) aspetto, lato.

vòlto[2] *agg.* **1** girato, rivolto, esposto **2** ♧ diretto, indirizzato, rivolto.

volùbile *agg.* **1** (*di persona, di carattere ecc.*) incostante, indeciso, mutevole, instabile, lunatico, capriccioso, umorale © fermo, costante, deciso **2** (*di tempo meteorologico*) incerto, instabile, variabile © stabile, stazionario.

volubilità *s.f.* incostanza, indecisione, instabilità, mutevolezza, variabilità © costanza, decisione, fermezza, saldezza, stabilità.

volùme *s.m.* **1** corpo, massa, mole, dimensione, grandezza, ingombro, misura; capacità, capienza, portata **2** ♧ (*degli affari, delle vendite ecc.*) giro, valore, ammontare, entità, quantità **3** (*della radio e sim.*) audio, tono **4** libro, edizione; tomo **5** (*di un autore*) opera, testo.

voluminóso *agg.* **1** ingombrante; grande, grosso © piccolo, minuscolo **2** (*di persona*) pesante, massiccio, grosso, corpulento © esile, sottile, mingherlino.

volùta *s.f.* **1** giravolta, giro; (*di fumo*) spira, spirale **2** (*arch.*) ricciolo; arabesco, arzigogolo, svolazzo.

volùto agg. **1** cercato, desiderato © indesiderato **2** consapevole, intenzionale, premeditato, studiato, volontario © accidentale, casuale, fortuito, involontario **3** ♧ artefatto, forzato, innaturale, falso, ipocrita © naturale, autentico, sincero, schietto.

voluttà *s.f.* piacere, godimento.

voluttuàrio *agg.* superfluo, accessorio; (*di*

bene) di lusso © indispensabile, necessario, primario, di prima necessità.

voluttuóso *agg.* **1** carnale, libidinoso, lussurioso, sensuale © castigato, casto, morigerato **2** erotico, caldo, avvolgente, sensuale © freddo.

vomitàre *v.tr.* **1** dare di stomaco, rimettere, rigettare (*colloq.*) **2** emettere, espellere, gettare, buttare fuori; (*lava e sim.*) eruttare, sputare **3** ♧ (*bestemmie, insulti ecc.*) lanciare, scagliare, sputare.

vòmito *s.m.* **1** voltastomaco; (*materiale vomitato*) vomitaticcio **2** ♧ disgusto, ripugnanza, schifo, voltastomaco.

voràce *agg.* **1** ingordo, insaziabile, mangione, goloso © inappetente; frugale, moderato, sobrio **2** ♧ (*di lettore e sim.*) accanito, avido.

voracità *s.f.* **1** ingordigia, insaziabilità, gola, golosità © inappetenza, disappetenza; misura, frugalità **2** avidità, brama, ingordigia, cupidigia, rapacità.

voràgine *s.f.* **1** abisso, baratro, precipizio, burrone **2** (*d'acqua*) gorgo, vortice.

vorticàre *v.intr.* **1** mulinare, turbinare **2** ♧ (*di pensieri e sim.*) agitarsi, frullare, ronzare, turbinare.

vòrtice *s.m.* **1** mulinello, turbine; gorgo, risucchio **2** (*della danza*) turbine, turbinio **3** ♧ (*della passione e sim.*) impeto, gorgo, turbine **4** ♧ (*di pensieri e sim.*) raffica, turbine, turbinio, tumulto.

vorticóso *agg.* **1** (*di acque, di vento*) burrascoso, tempestoso, turbinoso © calmo, fermo, immobile **2** (*di danza*) turbinoso, sfrenato, forsennato © lento **3** ♧ (di *ritmi, di attività ecc.*) convulso, febbrile, frenetico, incalzante, travolgente, turbinoso © calmo, tranquillo.

votàre *v.tr.* **1** (*una proposta di legge, un emendamento ecc.*) approvare, varare, sancire © bocciare, respingere **2** (*un candidato e sim.*) eleggere, scegliere **3** (*la propria vita e sim.*) offrire, consacrare, dedicare ♦ *v.intr.* andare alle urne; deliberare © astenersi ♦ **votarsi** *v.pr.* (*a una causa e sim.*) consacrarsi, dedicarsi, donarsi, offrirsi.

votazióne *s.f.* **1** (*spec. al pl.*) elezioni, consultazione elettorale **IPON.** referendum, ballottaggio, plebiscito **2** voto, suffragio **3** voto, punteggio, valutazione.

voucher *s.m.* (*ingl.*) buono, tagliando, coupon (*fr.*).

voyeur *s.m.f.invar* (*fr.*) guardone.

vóto *s.m.* **1** impegno, promessa; giuramento **2** ex voto **3** ♧ (*spec. al pl.*) augurio, preghiera, auspicio; desiderio, speranza **4** votazione, suffragio **5** scheda **6** (*di un esame e sim.*) punteggio, valutazione, giudizio.

vulcànico *agg.* **1** (*di fenomeno*) eruttivo; (*di roccia*) piroclastico **2** ♧ (*di uomo, di ingegno ecc.*) esuberante, vivace, vitale; fantasioso, ingegnoso, inventivo © spento, arido, grigio **3** ♧ (*di idea, di pensiero ecc.*) geniale, originale © banale, piatto.

vulneràbile *agg.* **1** feribile © invulnerabile **2** attaccabile, danneggiabile, indifeso, esposto, sguarnito © invulnerabile, inattaccabile, inviolabile **3** ♧ (*di persona*) debole, fragile, sensibile © forte, invulnerabile.

vùlva *s.f.* (*anat.*) vagina; fica (*volg.*), passera (*volg.*) passerina (*infant.*), topa (*volg.*).

vuotàre *v.tr.* **1** svuotare, liberare, sgombrare © riempire, colmare, stipare **2** (*un bicchiere e sim.*) bere, tracannare; (*un piatto*) ripulire **3** (*un appartamento e sim.*) liberare, sgombrare; (*di ladro*) derubare, svaligiare **4** (*abbandonare un luogo*) evacuare, sgombrare © riempire, affollare, gremire ♦ **vuotarsi** *v.pr.* **1** svuotarsi © riempirsi, colmarsi **2** (*di luogo*) spopolarsi, sgombrarsi, svuotarsi © riempirsi, affollarsi, gremirsi.

vuòto *agg.* **1** svuotato © pieno, colmo, ricolmo, zeppo **2** (*di luogo*) deserto, disabitato, sgombro, spopolato © pieno, affollato, gremito **3** (*di posto*) libero, disponibile; (*di appartamento*) sfitto © occupato **4** ♧ (*di discorso e sim.*) inconsistente, insignificante, insulso, frivolo, futile, superficiale, vacuo, vano © profondo, intelligente **5** (*di via, di giornata ecc.*) anonimo, banale, insignificante, piatto © pieno, ricco, denso **6** (*di persona*) insulso, vacuo © profondo, sensibile ♦ *s.m.* **1** buco, cavità, incavo; posto, spazio, vano **2** ♧ carenza, lacuna, mancanza **3** ♧ solitudine; inutilità **4** bottiglia, vetro.

w, W

w *s.m.f.* **1** vu doppio, doppio vu **2** viva, evviva © abbasso.

wagon-lit *s.m.invar.* (*fr.*) vagone letto, carrozza letto, vettura letto.

walkie-talkie *s.m.invar.* (*ingl.*) ricetrasmittente, ricetrasmettitore.

water *s.m.invar.* (*ingl.*) tazza, vaso, gabinetto, WC, water closet (*ingl.*).

waterproof *agg.invar.* (*ingl.*) impermeabile, idrorepellente.

way of life *loc.s.f.invar.* (*ingl.*) stile di vita, tenore di vita, modus vivendi (*lat.*)

WC *s.m.invar.* (*ingl.*) **1** gabinetto, cesso (*colloq.*), tazza, water (*ingl.*) **2** (*nei luoghi pubblici*) bagno, gabinetto, toilette (*fr.*), servizi, servizi igienici.

web *s.m.invar.* (*ingl.*; *inform.*) Internet (*impropr.*).

week-end *s.m.invar.* (*ingl.*) fine settimana.

welfare *s.m.invar.* (*ingl.*) stato sociale; assistenza sociale.

windsurf *s.m.invar.* (*ingl.*) tavola a vela, surf (*ingl.*).

wireless *agg.invar.* (*ingl.; inform.*) senza fili.

word processing *loc.s.m.invar.* (*ingl.*; *inform.*) videoscrittura.

word processor *loc.s.m.invar.* (*ingl.*; *inform.*) programma di videoscrittura.

work in progress *loc.s.m.invar.* (*ingl.*) lavoro in corso.

workshop *s.m.invar.* (*ingl.*) seminario; lavoro di gruppo.

x, X

x[1] *agg.invar.* **1** sconosciuto, ignoto, indeterminato, imprevedibile, indefinito © noto, conosciuto, determinato **2** (*di momento, di ora ecc.*) cruciale, critico, fatidico, decisivo, determinante.

x[2] *s.m.f.invar.* **1** (*mat.*) IPERON. incognita; variabile indipendente; (*nelle coordinate cartesiane*) ascissa **2** (*nel totocalcio*) pari, pareggio.

xenofilìa *s.f.* esterofilia, esteromania © esterofobia, xenofobia.

xenofobìa *s.f.* esterofobia © esterofilia, esteromania.

y, Y

y[1] *s.m.f.invar.* ipsilon, i greca, i greco.

y[2] *s.f.m.invar.* (*mat.*) IPERON. incognita; variabile dipendente; (*nelle coordinate cartesiane*) ordinata.

yacht *s.m.invar.* (*ingl.*) panfilo IPERON. barca.

yankee *s.m.f.invar.* (*ingl.*) **1** (*nella guerra di secessione*) nordista **2** americano, statunitense.

yeti *s.m.invar.* abominevole uomo delle nevi.

z, Z

zaffàta *s.f.* tanfata; spruzzo; getto.
zàino *s.m.* sacco, sacca.
zàmpa *s.f.* **1** arto, gamba; piede **2** (*scherz.*) gamba; piede; mano.
zampàta *s.f.* **1** (*di una persona*) calcio, pedata **2** (*di un animale*) orma, pesta, traccia.
zampettàre *v.intr.* **1** (*di uccelli, di animali*) saltellare **2** (*di bambini*) sgambettare.
zampillàre *v.intr.* schizzare, sprizzare, sgorgare, erompere.
zampìllo *s.m.* getto, schizzo, spruzzo.
zànna *s.f.* (*negli animali*) dente.
zanzàra *s.f.* ♧ (*persona molesta, noiosa*) rompiscatole, scocciatore, seccatore, piattola.
zappàre *v.tr.* zappettare; sarchiare.
zavòrra *s.f.* (*spreg.*) impaccio, impiccio, ingombro; (*di persona*) palla al piede, peso morto.
zàzzera *s.f.* capigliatura, chioma.
zèbra *s.f.* (*al pl.*) strisce, attraversamento, pedonale, passaggio pedonale.
zèfiro *s.m.* (*elev.*) brezza, venticello.
zelànte *agg.* **1** diligente, coscienzioso, meticoloso, pignolo, scrupoloso, solerte © negligente, trascurato, pigro, indolente, svogliato **2** appassionato, entusiasta, fanatico, convinto, fervente © distaccato, freddo, tiepido.
zèlo *s.m.* **1** impegno, diligenza, cura, scrupolosità, solerzia © negligenza, noncuranza, pigrizia, indolenza **2** (*patriottico, religioso ecc.*) entusiasmo, fervore, passione, ardore © distacco, freddezza.
zéppa *s.f.* **1** tassello, bietta, cuneo **2** ♧ (*rimedio improvvisato*) pezza, toppa **3** ♧ riempitivo.
zéppo *agg.* pieno, colmo, ricolmo, carico, gonfio, saturo, straripante, traboccante; (*di luogo*) affollato, gremito, sovraffollato © vuoto, sgombro; privo.
zerbìno *s.m.* stuoino, tappetino.
zèro *s.m.* ♧ nessuno, nullità; niente, nulla.
zibaldóne *s.m.* miscuglio, miscela, mistura, mescolanza, ammasso, accozzaglia, pot-pourri (*fr.*).
zigàno *s.m.* zingaro; nomade ♦ *agg.* zingaresco, zigano.
zigrinàto *agg.* (*di superficie*) ruvido, granuloso, aspro, irto, scabroso © liscio, levigato.
zigzàg *s.m.invar.* serpentina, serpeggiamento, zigzagamento; svolta, tortuosità, curva.
zigzagàre *v.intr.* serpeggiare, andare a zigzag © andare a diritto.
zimbèllo *s.m.* **1** ♧ richiamo, esca, adescamento, allettamento, lusinga, seduzione **2** ♧ (*persona*) sollazzo, trastullo; bersaglio.
zingarésco *agg.* zingaro, zigano; nomade.
zìngaro *s.m.* **1** gitano, zigano; nomade; rom **2** ♧ vagabondo, girovago, giramondo © sedentario **3** (*spreg.*) straccione, barbone, trasandato.
zip *s.f.invar* cerniera, cerniera lampo, chiusura lampo, lampo.
zitèlla *s.f.* (*spreg.*) nubile, signorina, ragazza, single (*ingl.*) © sposata, coniugata.
zittìre *v.tr.* azzittire, mettere a tacere; (*un cantante, un oratore ecc.*) interrompere, disapprovare, far tacere; fischiare ♦ *v.intr.* zittirsi, tacere, ammutolire, fare silenzio © parlare, gridare, urlare.
zìtto *agg.* **1** muto, silenzioso, ammutolito © loquace, ciarliero **2** bravo, buono, remissivo, condiscendente.
zizzània *s.f.* **1** (*bot.*) loglio **2** ♧ discordia, contrasto, dissapore, attrito, conflitto, ostilità © accordo, concordia, pace.
zòccolo *s.m.* **1** IPON. sabot (*fr.*), sandalo **2** (*zoot.*) unghione, ungula IPERON. unghia **3** base, basamento, piedistallo **4** battiscopa, zoccolino **5** ♧ (*di un sindacato, di un partito ecc.*) base.
zollétta s.f. cubetto, quadretto.
zòna *s.f.* **1** parte, pezzo, sezione, spazio, superficie, settore, tratto **2** regione, territorio, posto, luogo; paese, terra **3** (*di una città*) parte, area; quartiere.
zonàle *agg.* circoscrizionale, distrettuale, settoriale.
zòo *s.m.invar.* giardino zoologico.
zoom *s.m.invar.* (*ingl.*) zumata.
zoppicànte *agg.* **1** claudicante, zoppo, sciancato, storpio **2** (*spec. di mobili*) traballante, instabile, malfermo, zoppo © fermo, fisso, stabile **3** ♧ (*di ragionamento, di teoria e sim.*) stentato, traballante, stiracchiato, discutibile © inconfutabile.

zoppicàre *v.intr.* **1** claudicare; arrancare **2** (*spec. di mobili*) traballare, ballare, pencolare, vacillare **3** ♧ (*di ragionamento e sim.*) traballare, stentare, difettare © filare, tornare.
zòppo *agg.* **1** (*di persona*) claudicante, sciancato, storpio, zoppicante **2** (*spec. di mobili*) traballante, zoppicante, instabile, malfermo, pencolante © fermo, fisso, stabile **3** ♧ (*di ragionamento e sim.*) zoppicante, difettoso, incompleto, debole, imperfetto ♦ *s.m.* storpio, sciancato.
zòtico *agg.* rozzo, scortese, sgarbato, cafone, maleducato, incivile, villano © cortese, gentile, educato, civile, distinto, signorile ♦ *s.m.* buzzurro, cafone, bifolco, maleducato, incivile, villano, villanzone, tanghero.
zùcca *s.f.* **1** ♧ capo, testa, cocuzza (*scherz.*), cervello **2** ♧ testa dura, testone, capoccione, zuccone **3** ♧ stupido, sciocco, ignorante.
zuccàta *s.f.* (*colloq.*) testata, capata, craniata.
zuccheràre *v.tr.* inzuccherare; addolcire, dolcificare, raddolcire; edulcorare.
zuccheràto *agg.* **1** dolce, dolcificato, edulcorato © amaro **2** ♧ (*di atteggiamento e sim.*) caramelloso, dolciastro, mellifluo, mieloso, sdolcinato, stucchevole, svenevole © aspro, brusco, duro, rude, ruvido.
zuccherìno *agg.* dolce, zuccheroso © amaro, amarognolo, aspro ♦ *s.m.* **1** zolletta di zucchero, zolletta **2** ♧ contentino, premio di consolazione.
zùcchero *s.m.* **1** saccarosio; fruttosio, destrosio, maltosio, lattosio IPERON. dolcificante **2** ♧ (*persona dolce*) agnellino, bonaccione, miele.
zuccheróso *agg.* **1** dolce, zuccherino; caramelloso, dolciastro, mieloso, smaccato © amaro, aspro, amarognolo **2** ♧ (*di modi e sim.*) caramelloso, mellifluo, sdolcinato, lezioso, melenso, stucchevole, svenevole © aspro, brusco, duro, rude, ruvido.
zuccóne *s.m.* **1** ♧ cocciuto, testardo, ostinato, caparbio; testa dura, testa di legno, capoccione **2** ♧ stupido, sciocco, deficiente, ignorante, testa di rapa, tonto, zucca.
zùffa *s.f.* **1** battaglia, lotta, mischia, combattimento, scontro, scaramuccia **2** rissa, lite, litigio, baruffa, bisticcio, colluttazione, parapiglia, tafferuglio.
zufolàre *v.intr.* **1** fischiare, fischiettare **2** ♧ riferire, spiattellare, spifferare.
zufolìo *s.m.* fischiettio, fischio, sibilio.
zùppa *s.f.* **1** minestra, minestrone; (*spreg.*) sbobba, brodaglia, broda **2** ♧ confusione, pasticcio, imbroglio, miscuglio, accozzaglia, guazzabuglio **3** ♧ (*discorso lungo e noioso*) barba, pizza, lagna, solfa, tiritera; (*colloq.*) rottura, menata, rottura di scatole.
zùppo *agg.* bagnato, fradicio, grondante, imbevuto, impregnato, intriso, inzuppato © asciutto, arido, secco.
zuzzurellóne, **zuzzurullóne** *s.m.* giocherellone, buontempone, burlone, mattacchione, pazzerellone.